Wolfgang Beinert

Die Kirche - Gottes Heil in der Welt

Die Lehre von der Kirche nach den Schriften des Rupert von Deutz, Honorius Augustodunensis und Gerhoch von Reichersberg

Ein Beitrag zur Ekklesiologie des 12. Jahrhunderts

Beiträge zur Geschichte der Philosophie und Theologie des Mittelalters
Neue Folge · Band 13

Aschendorff

WOLFGANG BEINERT

DIE KIRCHE – GOTTES HEIL IN DER WELT

DIE LEHRE VON DER KIRCHE
NACH DEN SCHRIFTEN DES RUPERT VON DEUTZ,
HONORIUS AUGUSTODUNENSIS
UND GERHOCH VON REICHERSBERG

EIN BEITRAG ZUR EKKLESIOLOGIE
DES 12. JAHRHUNDERTS

VERLAG ASCHENDORFF
MÜNSTER

BEITRÄGE ZUR GESCHICHTE DER PHILOSOPHIE UND THEOLOGIE DES MITTELALTERS

Texte und Untersuchungen

Begründet von Clemens Baeumker · Fortgeführt von Martin Grabmann und Michael Schmaus · Herausgegeben von Ludwig Hödl und Wolfgang Kluxen

Neue Folge

Band 13

Gedruckt mit Unterstützung der Deutschen Forschungsgemeinschaft

Aschendorffsche Buchdruckerei, Münster Westfalen, 1973

ISBN 3-402-03908-7

VORWORT

Nach alter christlicher Tradition, die das Zweite Vatikanische Konzil erneut bewußt gemacht hat, ist die Kirche koexistent mit dem Dialog, den Gott mit den Menschen führt[1]. Auf dem Felsen, der Christus ist, gegründet, ist sie zugleich Stein des Anstoßes. Immer und bleibend ist sie Skandal und Erbauung: sie ist schwarz und schön, Dirne und keusche Jungfrau, ein Gemenge von Bürgern Babylons und Jerusalems[2].

Die alten Bilder und die Wirklichkeit, die sie anzielen, sind da; man kommt nicht los von ihnen. Sie geben immer neue Ein-Sichten. In der Gegenwart geht die Vergangenheit ihrer Vollendung entgegen, die dennoch aussteht in der Zukunft. Unter solchen Aspekten schon verdient das Bild von der Kirche Aufmerksamkeit, wie es drei Theologen der monastischen Richtung im 12. Jahrhundert gesehen haben. Darüber hinaus erweckt die Kirche in der Krise jener Zeit das Interesse derer, die die Krise in der Kirche dieser Zeit erleben. Vor allem aber ist eine solche Forschungsarbeit trotz einer Reihe von Monographien und erster Zusammenfassungen für die Geschichte der Ekklesiologie von einiger Bedeutung. Wir wissen noch sehr wenig von der Theologie der Kirche im Mittelalter. Diesem Mangel soll an einer kleinen, doch nicht unwichtigen Stelle abgeholfen werden.

Anregung und vielfache Förderung der vorliegenden Arbeit verdanke ich Prof. Dr. Joseph Ratzinger, Ordinarius für Dogmatik und Dogmengeschichte an der Universität Regensburg. Zusammen mit Prof. DDr. Johann B. Auer hat er sie der Katholisch-theologischen Fakultät der genannten Universität zur Annahme als Habilitationsschrift vorgeschlagen. Im Sommersemester 1971 wurde mir die venia legendi für Dogmatik und Dogmengeschichte erteilt.

Die Herausgeber der „Beiträge zur Geschichte der Philosophie und Theologie des Mittelalters", die Herren Professoren Dr. Lud-

[1] Dogmatische Konstitution „Lumen gentium" I, 2.

[2] Vgl. Cant. 1,5; zu casta meretrix siehe den gleichnamigen Aufsatz von H. Urs v. Balthasar, in: Sponsa Verbi, Skizzen zur Theologie II, Einsiedeln 1961, 203—305, K. Rahner, Die Kirche der Sünder, Freiburg 1948; J. Ratzinger, Das neue Volk Gottes, Entwürfe zur Ekklesiologie, Düsseldorf 1970².

[3] Vgl. unten I, 2 Exkurs, Anm. 3.

wig Hödl und Dr. Wolfgang Kluxen, haben sich freundlicherweise bereit erklärt, das Werk in die berühmte Reihe aufzunehmen.

Sein Erscheinen wäre nicht möglich gewesen ohne namhafte Druckkostenzuschüsse durch die Deutsche Forschungsgemeinschaft, den Erzbischof von Bamberg und den Bischof von Regensburg. Den mühsamen Arbeiten der Korrekturen und der Erstellung des Registers hat sich Herr Werner Perschon, Bochum, unterzogen.

Den genannten Personen und Institutionen, meinen akademischen Lehrern und Kollegen in Tübingen und Regensburg danke ich aufrichtig und herzlich für alle Unterstützung durch Rat und Tat. Ohne sie wären diese Seiten nicht zustande gekommen.

Sie sind unter vielfacher Belastung durch Lehrtätigkeit und Seelsorge geschrieben worden. Manche Grenze wurde dadurch gesetzt, die der Verfasser gern überschritten hätte. Das Buch mag dennoch von Nutzen sein: auch kleine Schritte führen zum Ziel.

Regensburg, den 30. Januar 1972

Wolfgang Beinert

DEM ANDENKEN VON

JOSEF BEINERT
15. 11. 1888 — 20. 9. 1966

HUBERT HEINISCH
10. 4. 1953 — 28. 8. 1970

MARIE-LUISE HEINISCH
3. 3. 1949 — 2. 3. 1970

GEWIDMET

INHALT

VORBEMERKUNGEN ZUM WISSENSCHAFTLICHEN APPARAT UND ZU DEN ANMERKUNGEN

1. Stellenangaben aus den Quellen ohne nähere Herkunftsbezeichnung beziehen sich auf PL. 168, 215 bedeutet also: PL 168, Spalte 215.

2. Bei Seitenangaben aus der Sekundärliteratur bezeichnet die Ziffer hinter dem Schrägstrich (/) die Indexzahl der Anmerkung beim zitierten Autor.

3. Die Verweise auf die eigene Arbeit erfolgen unter Angabe des Hauptteils, des Hauptabschnitts, des Kapitels und des Unterabschnitts. Demnach heißt I, 2, 1, 4: I. Hauptteil, 2. Hauptabschnitt, Kapitel 1, Abschnitt 4: „De vita vere apostolica".

4. In den Editionen werden die lateinischen Texte bald in der Orthographie des 12. Jahrhunderts, bald in heute gebräuchlicher Rechtschreibung wiedergegeben. Der Einheitlichkeit halber folgt diese Arbeit der kritischen Ausgabe der Gerhoch-Werke von D. und O. van den Eynde, die konsequent die moderne Orthographie anwenden.

5. Die Zeichensetzung bei PL ist von oft merkwürdigen Kriterien bestimmt. Bei Zitationen wurde eine dem heutigen Gebrauch entsprechende Interpunktion bevorzugt, sofern die grammatikalischen Bezüge keinen Zweifel zulassen.

6. Eine Reihe von Werken vor allem Gerhochs ist in kritischer Edition in MGH erschienen. Den Prinzipien dieser Ausgabe entsprechend fehlen meistens gerade die für uns bedeutungsvollen dogmatischen Abschnittte. Wir haben uns wegen der größeren Einheitlichkeit dafür entschieden, durchgehend die jeweils vollständigen Editionen zu zitieren. Eine Vergleichstafel zu MGH findet sich auf S. 416.

7. Die für die Sekundärliteratur verwendeten Abkürzungen sind im allgemeinen identisch mit denen des Lexikons für Theologie und Kirche. Abweichende und zusätzliche Sigel werden im Abkürzungsverzeichnis angegeben.

ABKÜRZUNGEN

I. Quellen

GvR	Gerhoch von Reichersberg
HA	Honorius Augustodunensis
RvD	Rupert von Deutz

1. Rupert von Deutz

A	in Apocalypsim Joannis Apostoli
Alterc.	Altercatio monachi et clerici quod liceat monacho praedicare
carm.	Carmina
CC	in Canctica canticorum de incarnatione Domini Commentaria
DCJ	Dialogus inter Christianum et Judaeum (Annulus)
DO	Liber de divinis officiis
EJ	Commentaria in Evangelium Sancti Johannis
ep.	epistola
ep. ad Liez.	Epistola qua ratione monachorum ordo praecellit ordinem clericorum ad Liezelinum canonicum
Gh	De gloria et honore Filii hominis super Matthaeum
GT	De glorificatione Trinitatis et processione Sancti Spiritus
Herib.	Vita sancti Hereberti archiepiscopi Coloniensis
IOT	De incendio oppidi Tuitii
LV	De laesione virginitatis et an possit consecrari corrupta
Med.	De meditatione mortis
Mon.	Quaestio utrum monachis liceat praedicare
omnip.	De omnipotentia Dei
Pantal.	De sancto Pantaleone sermo et miracula
RSB	Super quaedam capitula Regulae divi Benedicti
TO	De Trinitate et operibus ejus libri XLII
vol.	De voluntate Dei
VV	De victoria Verbi Dei

Die *Commentaria in XII prophetas minores* werden zitiert nach den Siglen der einzelnen Propheten:

Abd.	in Abdiam
Agg.	in Aggaeum
Am.	in Amos
Habac.	in Habacuc
Joel	in Joel
Jon.	in Jonam
Mal.	in Malachiam
Mich.	in Michaeam
Naum	in Naum
Os.	in Osee
Soph.	in Sophoniam
Zach.	in Zachariam

Die *De Trinitate et operibus ejus libri XLII* werden ebenfalls nach den Siglen der Einzelkommentare angegeben:

Dan.	in Danielem prophetam
Dt.	in Deuteronomium
Evg.	in volumen quatuor Evangelistarum
Ez.	in Ezechielem prophetam
Ex.	in Exodum
Gen.	in Genesim
Is.	in Isaiam prophetam
Jer.	in Jeremiam prophetam
Jos.	in librum Josue
Jud.	in librum Judicum
Lev.	in Leviticum
Num.	in Numeros
Reg.	in libros Regum
SpS	de operibus Spiritus sancti

2. Honorius Augustodunensis

AE	De animae exsilio et patria alias de artibus
CC	Expositio in Cantica canticorum
CV	De cognitione vitae
E	Elucidarium
Euch.	Eucharistion seu liber de corpore et sanguine Domini
GA	Gemma animae sive De divinis officiis et antiquo ritu missarum deque horis canonicis et totius anni solemnitatibus
H	Hexaemeron
haer.	Liber de haeresibus
I	Inevitabile sive de praedestinatione et libero arbitrio inter magistrum et discipulum dialogus
IM	De imagine mundi libri tres
LA	De libero arbitrio libellus
LE	De luminaribus ecclesiae sive de scriptoribus ecclesiasticis libelli quatuor
MON	Quod monachis liceat praedicare
OS	Offendiculum sacerdotum
PM	De philosophia mundi
Ps.	Selectorum psalmorum expositio; Commentarium in psalmos
PV	Quaestiones et ad easdem responsiones in duos Salomonis libros Proverbia et Ecclesiasten
VIIIQ	Libellus octo quaestionum
VIIQ	Liber duodecim quaestionum
Sac	Sacramentarium seu de causis et significatu mystico rituum divini in ecclesia officio
SBM	Sigillum beatae Mariae ubi exponuntur Cantica canticorum
SC Mj.	Scala coeli major seu de ordine cognoscendi Deum in creaturis dialogus
SC Mn.	Scala coeli minor seu de gradibus caritatis opusculum
SE	Speculum ecclesiae
adv.	in adventu Domini
And.	de sancto Andrea Apostolo

asc.	de ascensione Domini
Caec.	de sancta Caecilia
cap.	in capite jejunii
coen.	in coena Domini
comm.	commendatio hujus operis
conv.	in conventu populi
convfr.	in conventu fratrum
decoll.	de s. Joannis Baptistae decollatione
ded.	de dedicatione
dom.	dominica (post Pentecosten)
dom. quadr.	dominica in quadragesima
dom SJ	dominica de Simone et Juda
ep.	de epiphania Domini
inv.	de inventione sanctae crucis
Jac.	de cancto Jacobo Apostolo
JB	de sancto Johanne Baptista
med.	dominica in media quadragesima
Mich.	de sancto Michaele
nat.	de nativitate Domini
natM.	de nativitate sanctae Mariae
OS	de omnibus sanctis
palm.	dominica in palmis
pasch.	de paschali die
pass.	dominica de passione Domini
pent.	in pentecosten
PetPaul	de ss. Petro et Paulo
purif.	in purificatione sanctae Mariae
quinqu.	dominica in quinquagesima
rog.	in rogationibus
sept.	dominica in septuagesima
serm. gen.	sermo generalis
vinc.	ad vincula sancti Petri
SG	Summa gloria de Apostolico et Augusto sive de praecellentia sacerdotii prae regno

3. Gerhoch von Reichersberg

AD	Liber de aedificio Dei
C	Expositio super canonem
coll.	collatio missae cum hebdomadis creationis et restaurationis
Card.	Ad Cardinales de schismate epistola
CDH	Liber contra duas haereses
CE	Psalmus LXIV sive Liber de corruptu Ecclesiae statu ad Eugenium III. papam
ep. ad Henr.	Epistola ad Henricum Presbyterum Cardinalem
CF	Expositiones in cantica ferialia
in cant. Ez.	in canticum Ezechielis
Habac.	Habacuc
Is.	Isaiae
Moys.	Moysis
DI	Liber epostolaris seu Dialogus ad Innocentium II. Pont. Max. de eo quod distet inter clericos saeculares et regulares epistola

EG	Tractatus contra Graecorum errorem negantium Spiritum sanctum a Filio procedere
ep.	epistola
Gh	De gloria et honore Filii hominis
IA	Libri III de investigatione Antichristi
LF	Liber de laude fidei
rec.	De recipientibus Verbum Dei
laud.	De laude fidei
N	Liber de novitatibus hujus temporis
OD	Libellus de ordine donorum sancti Spiritus
Ps.	Commentarius in Psalmos
QV	De quarta vigilia noctis
S	De Simonia
serm.	Sermones
SV	De sensu verborum S. Athanasii in symbolo

II. Sekundärliteratur

Anal. Boll.	Analecta Bollandiana, Brüssel 1882 ff.
BISIAM	Bollettino dell'Istituto Storico Italiano per il Medio Evo e Archivio Muratoriano, Roma 1886 ff.
CC	Corpus Christianorum seu nova Patrum collectio, Turnhout-Paris 1953 ff.
CCcm	Corpus Christianorum ... continuatio mediaevalis ...
Chron. Reich.	Chronicon Reichersbergense (s. Bibl.)
civ.	Augustinus, de civitate Dei
Conc.	Concilium, Einsiedeln-Zürich-Mainz 1965 ff.
DHGE	Dictionnaire d'histoire et de géographie ecclésiastique, Hrsg. A. Baudrillart u. a., Paris 1912 ff.
DS	Denzinger-Schönmetzer, Enchiridion Symbolorum, definitionum et declarationum de rebus fidei et morum, Barcinone-Friburgi-Romae- Neo-Eboraci 1965[33]
DTC	Dictionnaire de théologie catholique, Hrsg. A. Vacant - E. Mangenot - E. Amann, Paris 1930 ff.
FrS	Franciscan Studies, St. Bonaventure (N. Y.), 1940 ff.
Greg.	Gregorianum, Rom 1920 ff.
GuL	Geist und Leben, Zeitschrift für Aszese und Mystik, Würzburg 1947 ff.
HKG	Handbuch der Kirchengeschichte (s. Bibl. H. Jedin)
HThG	Handbuch theologischer Grundbegriffe Hrsg. H. Fries, 2 Bde., München 1962 f.
LThK[2]	Lexikon für Theologie und Kirche, Hrsg. J. Höfer - K. Rahner, 2. völlig neu bearbeitete Auflage, 10 Bde. + 1 Reg. Bd. + 3 Erg. Bde., Freiburg 1957—1968
MGHQ	Monumenta Germaniae Historica inde ab a. C. 500 usque ad a. 1500, 1826 ff.; Quellen zur Geistesgeschichte des Mittelalters
MGH L	... Libelli de lite
Misc. Hist. Pont.	Miscellanea Historiae Pontificiae, Roma 1939 ff.
NRT	Nouvelle Revue Théologique, Tournai-Löwen-Paris 1879 ff.
O	D. ac O. van den Eynde et P. A. Rijmersdael OFM, Gerhohi praepositi Reichersbergensis opera inedita (s. Bibl. D. ac O. van den Eynde)

Scheib.	Scheibelberger F., Libri III de investigatione Antichristi (s. Bibl. Scheibelberger F., Gerhohi Reichersbergensis ... opera)
Schol.	Scholastik, Freiburg 1926—1965
Script.	Scriptorium, Brüssel 1947 ff.
That.	Thatcher O. J., Liber de novitatibus huius temporis (s. Bibl. Thatcher O. J., Studies concerning Adrian IV.)
ZDADL	Zeitschrift für deutsches Altertum und deutsche Literatur, Wiesbaden 1844 ff.
ZkTh	Zeitschrift für katholische Theologie, (Innsbruck) Wien 1877 ff.

III. Sonstige

a.a.O.	am angegebenen Ort
Bibl.	Bibliographie
DG	Dogmengeschichte
Diss.	Dissertation
ds.	derselbe usw.
ed.	edidit, Edition
FS	Festschrift
Gilbert	Gilbertus Porretanus, Glossa in Psalmos, R = cod. Vat. Reg. lat. 2094 V = cod. Vat. Lat. 89. Die diesbezüglichen Verweise sind entnommen aus Eynde, Oeuvre, Append. VI, 385—396
Hrsg., hrsg.	Herausgeber, herausgegeben von
Hs(s).	Handschrift(en)
KG	Kirchengeschichte
masch.	maschinengeschrieben
prooem.	prooemium
prol.	prologus
s.	siehe

EINLEITUNG

Das 12. Jahrhundert ist eine Zeit des Übergangs: in der Kunst löst der gotische den romanischen Stil ab; im gesellschaftlichen Bereich vollzieht sich der Umbruch von der ländlich-feudalen zur städtisch-bürgerlichen Lebensform; politisch teilt sich das Universalreich des Frühmittelalters in die langsam entstehenden Nationalstaaten auf. Die Kirche bleibt die einigende Kraft des Westens, aber die Umwälzungen gehen nicht spurlos an ihr vorüber. Das zeigt sich auch in der Theologie. Sie orientiert sich nicht mehr ausschließlich an der Heiligen Schrift und der patristischen Überlieferung, sondern versucht mit Hilfe der dialektisch-scholastischen Methode die rationale Durchdringung der überkommenen Glaubenssätze.

Das Neue hat den Sieg errungen. Wie immer in der Geschichte hat es ihn zu festigen gesucht, indem es das Alte als das Überholte und Falsche abtat und alles daransetzte, sein Gedenken zu tilgen. Der Sieg der Scholastik war total: für Jahrhunderte blieb die Theologie der vorscholastischen Zeit fast ganz aus dem Bewußtsein der Kirche verdrängt. Namen wie Bernhard von Clairvaux, Anselm von Havelberg, Hildegard von Bingen — und auch Rupert von Deutz, Honorius Augustodunensis und Gerhoch von Reichersberg wurden mit Ehrfurcht genannt, aber nicht von den Dogmatikern und Dogmenhistorikern: sie hatten, wenn überhaupt, nur ein paar beiläufige Worte für sie übrig.

Seit etwa dem Ende des Zweiten Weltkriegs ist ein Wandel eingetreten. Als die kritische Einstellung gegenüber der Scholastik wuchs, entdeckte man von neuem die Theologie der Mönche, die die dialektische Kunst nicht sonderlich geschätzt, dafür aber in immer neuen Ansätzen die Tiefen der Heiligen Schrift auszuloten versucht hatten. Ein wenig mag dazu die Bibelbewegung beigetragen haben, die manchen mit Luther es für seine Pflicht erachten ließ, „gegen die Philosophie anzubellen und der Heiligen Schrift zuzureden“[1]. Vor allem aber trug das durch den Einfluß der Psychologie und der Existenzphilosophie gewandelte Denkklima zu

[1] Schol. ad Rom. 8,19 (WA 56, 371): „Ego quidem Credo me debere Domino hoc obsequium latrandi contra philosophiam et suadendi ad Sacram Scripturam.“

einem vertieften Verständnis des Symbolismus und Personalismus der vorscholastischen Zeit bei. S. Freud, C. G. Jung, C. Levy-Bruhl, M. Eliade und auch J. P. Sartre schufen auf ihre Weise die Voraussetzungen dafür, daß sich eine „neue" Weise des Schriftverständnisses entfalten konnte, die zwar mit der Schulexegese weder konkurrieren wollte noch konnte, doch einen lebhaften Anteil an der religiösen Erneuerung der intellektuellen Kreise, vor allem in Frankreich, hatte. Namen wie P. Claudel, Ch. Péguy und L. Bloy zeigen die Bedeutung und die Wirkkraft dieser Bewegung an. Aber auch die gleichzeitig einsetzenden Entmythologisierungstendenzen der *Fachexegeten* beriefen sich in einer Art Anti-Symbolismus auf die gleichen Denkstrukturen des Menschen wie jene. Sie sahen zwar nicht mehr, so drückt es H. de Lubac aus[2], wie Origenes in den Zöllnern Engel, aber waren doch versucht, in den Engeln Zöllner oder dergleichen zu erblicken.

Die bedeutendsten Vertreter der Theologengeneration, die später das Hauptkontingent der Konzilstheologen der letzten Kirchenversammlung bilden sollten, griffen in ihren Untersuchungen und Forschungen das neuerwachte Verständnis für symbolisches Denken auf und brachten es in die Schatzkammern der heutigen Theologie ein. Der schon erwähnte H. de Lubac, sein Ordensbruder J. Daniélou, der Dominikaner M.-D. Chenu — um nur einige wenige zu nennen — hoben das reiche Material ans Licht und präsentierten es den Fachgenossen. Karl Rahner schrieb bemerkenswerte Thesen zu einer „Theologie des Symbols", als deren erste Sätze er erkannte: „Das Seiende ist von sich selbst her notwendig symbolisch, weil es sich notwendig ‚ausdrückt', um sein eigenes Wesen zu finden"; das aber hieß umgekehrt nichts anderes als: „Das eigentliche Symbol ... ist der zur Wesenskonstitution gehörende Selbstvollzug eines Seienden im anderen". Demnach, so folgerte er, „kann die ganze Theologie, ohne nicht auch wesentlich eine Symboltheologie zu sein, sich gar nicht begreifen, sowenig man im allgemeinen auf diesen ihren Grundcharakter ausdrücklich und systematisch achtet"[3]. Auch im profanen Bereich bediente man sich in zunehmendem Maße der emotional wirkenden Zeichen in Wirtschaft, Politik und Lebensgestaltung. Das Ergebnis war eine umfängliche Literatur, die sich mit den Erscheinungsformen und dem Wesen des Symbols — nicht zuletzt auch im Bereich der Theologie — befaßte und immer noch befaßt[4].

[2] Der geistige Sinn der Schrift 92.

[3] Zur Theologie des Symbols, in: Schriften zur Theologie IV, Einsiedeln-Zürich-Köln 1960, 278.290.291.

Schon aus diesen Gründen ist die Beschäftigung mit Vertretern einer stark symbolistischen Theologie reizvoll. Die Arbeiten von J. Leclercq und seinen Schülern haben weithin die Kenntnis und das Verständnis dieser Ausformung christlichen Denkens gefördert. Noch aber fehlen die Detailarbeiten, die dieses Bild ausschmücken und zur vollen Geltung bringen.

Die drei Autoren, denen diese Arbeit gewidmet ist, nehmen in der Theologie ihrer Zeit einen hervorragenden Platz ein. An Umfang und Gedankenfülle erreicht kein anderer das Werk eines Rupert von Deutz, dem sein Schüler Gerhoch dicht auf den Fersen bleibt. Ihre Schriften allein umfassen nahezu sechs Migne-Bände, von gesonderten Editionen ganz zu schweigen. Wichtiger ist ihr Rang in der Geistesgeschichte, der auf je verschiedenen Voraussetzungen beruht. Als einziger hat es Honorius verstanden, bis zur Neuzeit hin Spuren seiner Wirkung zu hinterlassen. Zwar straften ihn die Dogmengeschichtler mit Verachtung, aber das hinderte den großen Erfolg seiner Bücher nicht im mindesten. Er ist einer der größten „Bestseller"-Autoren der Literaturgeschichte geworden. Nicht die Theologen, wohl aber der Niederklerus und über ihn das einfache Volk lebten von seinen Gedanken und dem Wissensstoff, den er unermüdlich zusammengetragen hatte.

Anders erging es Gerhoch: bis in die Reformationszeit hinein erinnerte sich außer den Chorherren in Reichersberg kein Mensch dieses Mannes. Man hat ihm dadurch Unrecht getan: er ist der agilste, leidenschaftlichste und wohl auch gedankenreichste Reformtheologe seines Jahrhunderts gewesen, der wie kein anderer an der konkreten Kirche seiner Zeit gelitten hat. Noch einmal anders steht es mit Rupert von Deutz: er ist nach Fülle und Tiefe der Gedanken, nach Reichtum der Bilder und Höhe seiner Bildung der weitaus Bedeutendste der Drei, geradezu das Muster eines monastischen

[4] Vgl. etwa Etudes Carmelitaines, Polarité du Symbole, o.O. 1960; K. Rahner, a.a.O. (vgl. Anm. 3), 275—311 (ausführliche Literatur 276—278/3); D. Forstner, Die Welt der Symbole, Innsbruck 1961; S. Wisse, Das religiöse Symbol. Versuch einer Wesensdeutung, Essen 1963; M. Becker, Bild-Symbol-Glaube, Essen 1965; Ph. Rech, Inbild des Kosmos. Eine Symbolik der Schöpfung, 2 Bde., Salzburg-Freilassing 1966; A. Kirchgässner, Welt als Symbol, Würzburg 1968, C. G. Jung u. a., Der Mensch und seine Symbole, Olten-Freiburg 1968; W. Heinen (Hrsg.), Bild-Wort-Symbol in der Theologie, Würzburg 1969. G. Kepes (Hrsg.), Zeichen, Bild, Symbol (Sehen und Werten), Genf 1970. Vgl. auch M. Lurker, Bibliographie zur Symbolkunde, unter Mitarbeit v. F. Herrmann, E. Unger, E. Burgstaller u. weiteren Fachgelehrten (Bibliotheca Bibliographica Aureliana XII/XVIII/XXIV), Baden-Baden 1968.

Theologen. Das Wort Gottes, das er in der Heiligen Schrift hört und dessen Widerhall er in der Liturgie vernimmt, ist der Raum, in dem und aus dem er Kraft und Leben schöpft. Das gibt seinen Schriften trotz vieler Weitschweifigkeiten und Umständlichkeiten eine unverwechselbare Eigenart, die heute noch anziehend wirkt.

Seit dem ausgehenden 19. Jahrhundert beschäftigte sich die Forschung mit unseren Theologen, allerdings beinahe ausschließlich unter historischem und literarkritischem Aspekt. R. Rocholl schrieb die erste neuere Biographie Ruperts, die ungeachtet aller Mängel bis heute nicht ersetzt worden ist. Sein Versuch allerdings scheiterte, in ihm einen neuplatonisch beeinflußten Denker zu sehen. J. Kelle stieß in seinen literaturgeschichtlichen Untersuchungen auf die Spur des rätselhaften Honorius und verfolgte sie nach Kräften, aber nicht immer mit Erfolg: seine Zuschreibungen haben sich als unrichtig erwiesen. J. Stülz endlich eröffnete mit den Untersuchungen über seinen Mitkanoniker Gerhoch die Ära der modernen Forschung über diese interessante Gestalt des 12. Jahrhundert[5]. Sie ist am weitesten vorangekommen: in der Edition der Gebrüder van den Eynde besitzen wir, wenn auch nur von wenigen Schriften, die beste Ausgabe seiner Werke, in der Biographie P. Classens eine mustergültige Forschungsarbeit.

Damit sind wir bereits in der Gegenwart, die sich von neuem mit unseren Theologen befaßt. H. Silvestre, M. Bernards und R. Haacke, der Editor seiner Schriften, haben bezüglich Ruperts entscheidende Schritte auf dem Weg zur Kenntnis seines Lebens und Denkens getan. Es ist zu erwarten, daß nach Abschluß der Neuausgabe durch den genannten Siegburger Mönch eine ausgiebige Beschäftigung mit dieser Persönlichkeit einsetzt, die einen O. Wolff zur Begeisterung hingerissen hatte[6].

[5] Vgl. unten I, 1, 1—3. Einen Überblick über den Gerhoch betreffenden Forschungsstand gibt Classen, Gerhoch 2—8. Im Erscheinen begriffen ist eine von N. M. Haring besorgte Neuausgabe von „De novitatibus hujus temporis“ (Bull. de Philosophie médiévale 10—12 [1968—70], 118) bei CCcm.

[6] O. Wolff, Mein Meister Rupertus. Das Buch hat weder theologische noch historische Bedeutung, sondern ist ein begeisterter Essay über den *Mönch* Rupert. Erst nach Fertigstellung der Arbeit kam mir die Neuausgabe des Werkes „De victoria Verbi Dei“ von Rh. Haacke in die Hand. Sie konnte nicht mehr berücksichtigt werden. Demnächst erscheint in CCcm der Apokalypsen-Kommentar, ediert von Y.-D. Gélinas unter Leitung von R. M. Giguère und Rh. Haacke (Bull. de Philosophie médiévale 10—12 [1968—70], 101) sowie das von Haacke edierte Hauptwerk „De Trinitate et operibus eius“ (Verlagsankündigung).

H. Menhardt, E. Rooth und besonders R. Bauerreiß haben in mühseligen Untersuchungen Licht in das Dunkel gebracht, das bislang die Gestalt des Honorius umgab. Sie gehört heute keineswegs mehr zu jenen, von denen wir am wenigsten wissen. Zwar bleiben viele Einzelheiten ungeklärt, aber wenigstens in großen Zügen steht sie deutlich vor unseren Augen.

Nach diesen Vorarbeiten war es möglich, sich mit dem Inhalt des Oeuvre zu befassen, das sie hinterlassen hatten. Die Forschungen sind in vollem Gange. Seiner Bedeutung entsprechend lenkte vor allem Rupert das meiste Interesse auf sich. Eine Reihe von Dissertationen und anderen Arbeiten hat sich mit den verschiedensten Aspekten seiner Theologie befaßt. J. Beumer verdanken wir den Versuch, seine allgemeine Bedeutung für die Dogmatik seiner und der Reformationszeit zu umreißen[7]; seine Trinitätslehre[8] und vor allem seine Anschauungen über die Eucharistie fanden Beachtung, letztere vor allem wegen der Angriffe, denen sie sich bereits zu Lebzeiten des Autors ausgesetzt sahen[9]. Verschiedene exegetische Untersuchungen stießen auf seine Schrifttheologie; an erster Stelle ist wiederum H. de Lubac zu nennen[10]. G. Jacobelli hat die Erbsündenlehre des Abtes dargestellt[11]. Neben dem Liturgen[12] weckte vornehmlich der Mariologe Rupert die Beachtung der Dogmengeschichtler[13]. Insbesondere aber wurden seine Werke auf ihre Geschichtstheologie befragt. Unter diesem Aspekt gab M. Magrassi die bislang beste Gesamtdarstellung seines Denkens, dem W. Kahles, W. Kamlah und U. Jaeschke mit wertvollen Untersuchungen zur Seite treten[14].

Für Honorius ist eine fast vollständige Fehlanzeige zu melden. Unübertroffen ist der Überblick, den H. A. Endres über seine Theologie gegeben hat — aber er wäre in allen Stücken zu ergänzen. Außer einigen kleineren älteren Arbeiten[15] gibt es keine Mono-

[7] Vermittlungstheologie; Rupert v. Deutz und sein Einfluß auf die Kontroverstheologie.

[8] L. Scheffczyk, Trinitätslehre.

[9] Vgl. unten I, 1, 1, 2 Anm. 20.

[10] Vgl. unten I, 1, 1, 6 Anm. 110.

[11] Il peccato originale in Ruperto di Deutz, Bari 1947. Es war mir nicht möglich, dieses Werk einzusehen.

[12] G. Heuser, Rupert von Deutz; W. Kahles, Das Alleluja; vgl. auch G. Chopiney, Rupert de Deutz et les mystères des psaumes.

[13] Vgl. vor allem die Aufsätze von M. Peinador (Bibliographie), daneben R. Spilker, Maria-Kirche; G. Duclos, La Vierge Marie.

[14] W. Kahles, Geschichte als Liturgie; W. Kamlah, Apokalypse und Geschichtstheologie; U. Jaeschke, Heilsgeschichte als Christuspredigt.

graphie über irgend ein Gebiet seiner Theologie. Er ist nach wie vor „un scholastique trop oublié“ geblieben[16].

Dem allgemeinen Forschungsstand entspricht die Aufmerksamkeit, die Gerhoch gefunden hat. Seit der enthusiastischen Darstellung seiner Christologie durch J. Bach erregte dieser wesentliche Teil seiner Theologie immer wieder das Interesse der Forschung[17]. Auch die sakramententheologischen Analysen des Propstes in der Auseinandersetzung um die Gültigkeit der Häretikersakramente lenkten die Aufmerksamkeit auf ihn[18]. Schließlich blieben seine kirchenpolitischen und geschichtstheologischen Thesen für die Erforschung der Geschichte seines Jahrhunderts wichtig. E. Meuthen und I. Ott verdanken wir die wichtigsten Untersuchungen auf diesem Gebiet[19]. P. Classen geht in seiner umfassenden Lebensbeschreibung ebenfalls eingehend darauf wie auf alle anderen wichtigen Themen Gerhochs sachkundig und aufmerksam ein. H. D. Rauh widmet unseren drei Theologen breiten Raum in seiner Arbeit über „Das Bild des Antichrist im Mittelalter“, in der zahlreiche Hinweise zu den Quellen ihrer Anschauungen gegeben werden[20].

Die speziellen Arbeiten über die Ekklesiologie unserer Autoren sind ein getreues Spiegelbild der geschilderten Situation. Bezüglich des Inklusen aus Regensburg betritt dieses Buch absolutes Neuland.

[15] F. Baeumker, Das Inevitabile; A. Franz, Die Messe 420—425; F. Schubert, Die Meßerklärung der Gemma animae; F. W. Wodtke, Die Allegorie des „inneren Paradieses“; H. Schipperges, Honorius und die Naturkunde befaßt sich mit den Naturanschauungen des Inklusen; zu den literarkritischen Arbeiten von J. Kelle vgl. die Nachweise in der Bibliographie.

[16] C. Daux, Un scholastique du XIIe siècle trop oublié. Honoré d'Autun. Auch dieser Artikel war nicht nachweisbar. Folgende Arbeiten sind *in Vorbereitung*: R. D. Crouse, An Edition of Honorius Augustodunensis: Clavis physicae (Bull. de Philosophie médiévale 10—12 [1968—70], 105; M.-O. Garrigues, Honorius Augustodunensis et la Summa Gloria, Paris, Ecole de Chartes (a.a.O. 8—9 [1966—67], 157; Diss.); V. J. L. Flint, The Life and Work of Honorius Augustodunensis with special references to chronology and sources, Oxford (RHE 65 [1970], 707; Diss.).

[17] J. Bach, DG II, Wien 1875; ds., Propst.

[18] B. Kaltner, Folmar; H. de Lubac, La „res sacramenti“, D. van den Eynde, Premier écrit; ds., Les définitions; ds., The Theory of the Composition; A. M. Landgraf, DG der Frühscholastik III/2, 240—243.

[19] E. Meuthen, Kirche und Heilsgeschichte; I. Ott, Gerhoch.

[20] Dissertation im Fachbereich Geschichte an der Universität Konstanz. Erst nach Fertigstellung dieser Arbeit erhielt ich durch das freundliche Entgegenkommen des Vf. Einblick in die unsere Autoren behandelnden Abschnitte der maschinenschriftlichen Fassung. Die Seitenangaben der Zitationen beziehen sich darauf.

Was Rupert betrifft, so hat M. Magrassi ein paar Schritte unternommen: auf weniger als zwanzig Seiten gibt er einen Überblick über einige wichtige ekklesiologische Themen, die bei ihm anklingen. In einer eigenen „Nota" warnt er selbst davor, den schmalen Pfad mit einer Straße zu verwechseln[21]. M. Bernards hat mit gewohnter Akribie und Sachkenntnis ein interessantes Kapitel abgehandelt, die Stellung des Laien nach der Anschauung des Abtes[22].

Am günstigsten sieht es auf den ersten Blick für den Reichersberger Propst aus. Die Kirchenproblematik in den Schriften Gerhochs hat in einer verdienstvollen Arbeit der Benediktiner A. Grab dargestellt. Er hat eine Reihe von wichtigen Materialien bereitgestellt, doch an der vollen Verwertung hat ihn das Korsett gehindert, das er sich selber angelegt hat. Die Ekklesiologie Gerhochs wird unter dem Blickwinkel betrachtet, den die Enzyklika *„Mystici corporis"* von Pius XII. vorgegeben hatte. In der Manier vieler Theologen aus der Zeit vor dem Zweiten Vatikanischen Konzil ist er bemüht, aus den Schriften des Chorherren eine Art Ur-Enzyklika zu rekonstruieren, um seine volle Konformität mit den pianischen Anschauungen zu erweisen. Aus dieser Perspektive mußten sich die Dimensionen verzerren. Dem heilsgeschichtlichen Ansatz wird ebensowenig Rechnung getragen wie dem eschatologisch-spirituellen Grundzug, der seine Ekklesiologie durchtränkt; dafür hat die Rolle Mariens für die Kirche oder die Frage nach dem Verhältnis von sichtbarer und unsichtbarer Kirche ein sachlich kaum zu rechtfertigendes Ausmaß angenommen.

So bleibt es ein lohnendes Unternehmen, auch vom Standpunkt der Rupert-, Honorius- und Gerhoch-Forschung aus, die Lehre von der Kirche in der Sicht dieser Autoren zu untersuchen. Freilich ist diese Arbeit nicht primär von dem Bemühen geleitet, diese zu fördern. Vielmehr ist es ihr Hauptanliegen, die Kenntnis der Geschichte der Ekklesiologie zu erweitern. Obwohl keiner von ihnen eine explizite Kirchenlehre auch nur umrißhaft entworfen hat, zeigt sich doch, daß sie über ein erstaunlich vollständiges Bild von der Kirche verfügten, die als tragendes Fundament ihrer Theologie zu erkennen ist. Es wurde nicht unbesehen von den Vätern übernommen, sondern in selbständigem Bemühen und in ständigem Blick auf die zeitgenössische Theologie und Seelsorge ausgestaltet, berei-

[21] Magrassi 90—107. Die „Nota" 107.
[22] M. Bernards, Die Welt der Laien.

chert und geformt. Zumindestens vom Bereich der vorliegenden Untersuchung aus muß die Ekklesiologie des 12. Jahrhunderts als bedeutende Leistung erachtet werden.

Das reiche Material, das bei den Vorarbeiten zutage trat, und die weithin noch unerschlossenen literarkritischen Zusammenhänge, in die es einzuordnen wäre, bedingten die Methode und das Ziel. Es konnte nichts anderes geleistet werden, als eine erste und möglichst exakte Darstellung der ekklesiologischen Anschauungen zu bieten. So streng als möglich halten sich daher unsere Ausführungen an das gestellte Thema. Aus diesen Prämissen ergaben sich die Grenzen dieser Arbeit.

Sie beschränkt sich auf die im Druck vorliegenden Schriften. Damit ist fast alles erfaßt, was unsere Autoren geschrieben haben, wenn auch nicht immer in der kritischen Sichtung nach modernen Editionsprinzipien. Eine Ausnahme bilden die „Sermones", die Gerhoch und sein Bruder Arno von Reichersberg gemeinsam verfaßt haben: hier wurde auf die handschriftliche Überlieferung zurückgegriffen. Aus den wenigen anderen ungedruckten Schriften der Theologen lassen sich, schon von deren Thema her, kaum neue Gedanken zur Ekklesiologie erwarten: gerade die unsystematische Art ihres Denkens führte dazu, daß diese sich ständig wiederholen, immer neu, obschon in anderem Zusammenhang, mit den gleichen Worten wiederkehren.

Aus dem gleichen Grund blieb es unerheblich, eine absolute materiale Vollständigkeit jedes einzelnen Nachweises für jeden einzelnen Topos anzustreben. Das hätte in nicht wenigen Fällen dazu geführt, seitenlange Stellenverzeichnisse zu verfertigen, ohne daß der mindeste sachliche Gewinn erzielt worden wäre.

Vorarbeiten zu wiederholen schien ein müßiges Unterfangen. Je mehr sich der Gang der Untersuchung den dogmatisch-ekklesiologischen Randgebieten nähert, desto größer wird darum die Kargheit der Darstellung. Entsprechende Literaturverweise machen es dem Leser leicht, sein Interesse nach näherer Kenntnis zu befriedigen.

So wenig es möglich war, die Aussagen unserer Autoren in die Gesamtgeschichte der Ekklesiologie einzuordnen — noch fehlt es dazu an gründlichen Untersuchungen —, so unerläßlich erwies es sich, sie auf dem Hintergrund der Zeit darzustellen, in der sie entstanden waren. Dogmatische Erkenntnisse wachsen niemals im Treibhaus, sondern nur im frischen Wind der Zeit. In eminentem Maß gilt das für Gerhoch: seine Ekklesiologie bliebe ohne diese Einordnung schlechterdings unverständlich. So bietet diese Arbeit einen Abriß der Zeit- und Geistesgeschichte, der jene Linien betont, die für die Lehre von der Kirche bedeutsam waren.

Ein besonderes Problem ergibt sich aus der Frage, nach welcher Methode drei Autoren in einer Monographie behandelt werden sollen, die bei allen Konvergenzen ihrer Auffassungen doch nicht gerade unerhebliche Unterschiede zeigen. Es wird sich herausstellen, daß in den zentralen Fragen die Gemeinsamkeiten überwiegen, die Divergenzen eher durch konkrete Situationen bedingt sind. So ist es wohl gerechtfertigt, prinzipiell die Theologie der drei Theologen von der Kirche ineinander verschränkt zu behandeln, an allen Punkten aber, die das nicht zulassen, auf die Differenzen durch eine gesonderte Befragung der Autoren aufmerksam zu machen.

Aus allen diesen Erwägungen ergab sich die *Gliederung* der Untersuchung.

Der erste Teil dient der Verdeutlichung der historischen Zusammenhänge. Ein kurzer Abriß der Lebens- und Wirkungsgeschichte stellt die Protagonisten Rupert, Honorius und Gerhoch vor. Daran schließen sich längere Ausführungen über die zeit- und geistesgeschichtlichen Hauptereignisse ihrer Zeit, die dem zweiten Hauptteil das notwendige Relief verleihen sollen.

Dort wird das eigentliche Thema behandelt. Die drei entscheidenden Fragen, die jede Beschäftigung mit der Kirche provoziert und darum auch unseren Autoren sich gestellt haben, lauten: *was* ist die Kirche, *wie* ist sie und *wozu* ist sie. Entsprechend behandelt je ein Abschnitt das *Wesen*, die *Struktur* und die *Erscheinung und Wirksamkeit* der Kirche in der Zeit. Das je Vorausgehende begründet das Folgende — so entspricht es der biblischen und geistlichen Schau dieser Männer.

Es ist ein großer, aber auch ein konsequent gespannter Bogen, der sich von der Kirche als Werk und Werkzeug des dreifaltigen Gottes bis zur Aktion und Passion der Kirche in den Wirren und Nöten der Zeit spannt, in der sich die dogmatische Einsicht umsetzt in die Tat aus dem Geist, in der aus Orthodoxie Orthopraxie wird.

I. Teil

GESCHICHTE

Eines jeden Menschen Leben und Werk ist in das Gitternetz einbezogen, das die Koordinaten von Raum und Zeit bilden. Die Protagonisten der Geschichte werden danach beurteilt, wie sie sich darin bewegt haben — ob sie zur Stimme des Zeitgeistes geworden sind und als Exponenten einer Epoche aus dem unentwirrbaren Geflecht eines Zeitalters herausragen oder ob sie dagegen Protest erhoben haben, sei es als Wächter des Erbes der Vorzeit, sei es als Promotoren einer dynamischeren Zukunft. Individuelles Schicksal und allgemeine geschichtliche Situation sind miteinander verwoben; sie bedingen und beeinflussen einander. Will man das Resultat aus diesem Wechselspiel in seinem Wesen und seiner Bedeutung entziffern, muß man sich dieser Tatsachen bewußt sein und bemüht bleiben, ihnen in der Interpretation gerecht zu werden.

Beschränkt sich also diese Arbeit auch auf die Darstellung der Ekklesiologie dreier Theologen, darf sie dennoch *den zeitgeschichtlichen Hintergrund* nicht außer acht lassen, auf dem sie konzipiert worden ist. Wir haben daher den Lebensweg jener Männer nachzuzeichnen, um dann ihr persönliches Schicksal und die Konzeption ihrer Theologie auf der Folie der Epoche, in der sie lebten, darzustellen. Für unsere Aufgabe ist es dabei genügend, wenn wir uns mit einer Skizze sowohl ihrer Biographie wie auch der Zeitgeschichte des 12. Jahrhunderts zufrieden geben. Lediglich jene Züge sollen hervorgehoben werden, die und insoweit sie ihre Wirkungen für die Lehre von der Kirche gezeitigt haben.

Erster Abschnitt

Leben und Wirken des Rupert von Deutz, Honorius Augustodunensis und Gerhoch von Reichersberg

1. Kapitel

Rupert von Deutz

1. Jugend

Rupert von Deutz ist der Wirkungszeit nach der älteste, an theologischer Begabung und Bedeutung der hervorragendste unter den Autoren, mit denen wir uns beschäftigen. Vor allem aber ist er Lehrer und Inspirator der beiden anderen gewesen.

Wir kennen seinen Lebensgang hauptsächlich aus den mehr beiläufigen Bemerkungen, die er selber in seinen Schriften gemacht hat[1]. Viele Daten seines Lebens sind deshalb nicht exakt feststellbar. Das gilt bereits vom Jahr seiner Geburt, die wir etwa zwischen 1075 und 1080 anzusetzen haben[2]. Auch seine Herkunft kennen wir nicht genau. Wahrscheinlich hat er in Lüttich oder einem Ort der Umgebung das Licht der Welt erblickt[3]. Seine Eltern sind unbe-

[1] Zeitgenössische Angaben besitzen wir nur noch von Rainer v. Lüttich, De ineptiis cuiusdam idiotae (MGH SS 20, 593—597), die Gesta abbatum Trudonensium XI, 13 (a.a.O. 10, 302 f.) sowie eine Notiz im Cod. Brux. 9578—80 s. XII, die allerdings im 15. Jahrhundert ergänzt worden ist (Magrassi 17/1).

[2] E. Beitz, Rupertus 13 setzt das Geburtsdatum zwischen 1060 und 1070 an, Cauchie, Rupert auf 1170, ebenso Stammler-Langosch, Verfasser-Lexikon III, 1147. Gribomont entscheidet sich in der Einleitung seiner Edition von De operibus 7 für 1075, Magrassi nennt 17 1070—1075. Silvestre, La tradition manuscrite 345 f. setzt sie in die Jahre zwischen 1075 und 1080. Diese Hypothese stimmt mit anderen Lebensdaten zusammen. Rupert empfing die Weihen später als gewöhnlich, doch nicht vor dem Tod Heinrich IV. (1106), bezeichnet sich aber noch als juvenculus, als er 1117 nach Laon aufbricht (RSB I — 170, 482). Ist dies auch ironisch gemeint, paßt die Bezeichnung doch nicht mehr auf einen Mann um die Fünfzig, läßt sich aber noch für einen Enddreißiger rechtfertigen.

[3] RSB I (170, 496), nennt er Lüttich sein Vaterland; „tribulatio patriae“ spielt auf den Streit um den Bischofsstuhl an.

kannt; es scheint jedoch, daß sie Beziehungen zum Rheinland hatten[4]. Spätere Schwierigkeiten geben zu der Vermutung Anlaß, daß Rupert nicht aus dem Adel stammte[5].

Bereits als Junge brachten ihn die Eltern in das Kloster des hl. Laurentius vor den Toren Lüttichs, um den Söhnen Benedikts die Erziehung ihres Kindes anzuvertrauen[6]. Die Stadt war um diese Zeit ein Mittelpunkt geistiger und geistlicher Bildung, der von Männern wie Adelmann und Alger geprägt worden war. Das Kloster besaß einen ausgezeichneten Ruf als Schule[7] und verfügte, eine wichtige Voraussetzung, über eine reich ausgestattete Bibliothek[8]. Der junge Rupert hat sich hier die Grundlagen seines reichen biblischen und patristischen Wissens erworben. Sein Abt war in diesen Jahren Berengar, ein überzeugter Anhänger der gregorianischen Reform, der die cluniazensische Ordnung eingeführt hatte[9]. Als Lehrer Ruperts wird uns Heribrand genannt, der später die Leitung der Abtei übernehmen sollte[10].

Hielt diese es mit dem Papst, so stand die Stadt Lüttich selbst auf seiten des Kaisers. Als Bischof Otbert, ein fanatischer Anhänger Heinrichs IV., den Widerstand des Klosters brechen wollte und den simonistisch geweihten Wolbodo mit seiner Leitung beauftragte,

[4] Die Namensform „Rupert“ ist rheinisch-süddeutsch (Gribomont, Introduction 7/1), während die in einigen Handschriften erscheinende Form „Robert“ normannisch ist. Sie dürfte aber kaum ursprünglich sein.

[5] Grundmann, Brand 419. Vgl. Rocholl, Rupert 302 f. eine Übersicht über die Herkunftsvermutungen älterer Forscher.

[6] Rainer v. Lüttich, De ineptiis (MGH SS 20, 595): „A puerulo penes nostrum est educatus monasterium“. Vgl. auch IOT 18 (Grundmann 464). U. Berlière, Saint-Laurent 32 f.; F. Vercanteren, Origines über die Frühgeschichte des Klosters.

[7] Vgl. Paret-Brunet-Tremblay, Renaissance 45; R. Haacke, Einleitung zu DO (CCcm 7, IX f.). Rainer konnte ein ganzes Buch „De claris scriptoribus monasterii sui“ verfassen (MGH SS 20, 559—620).

[8] Vgl. J. Gessler, La bibliothèque de l'Abbaye de S. Laurent à Liège au XIIIe siècle. Tongres 1927; S. Balau, Etude 352—354; Gribomont, Introduction 22 f., demnach gab es in der Bibliothek die Hauptwerke von Augustin, Ambrosius, Hieronymus, Gregor d. Gr., Beda, einen Traktat Cyprians, die Homilien von Eusebius und Origenes, Isidor v. Sevilla, Faustus v. Riez, Cassiodor, Alkuin, Haimo, Christian v. Stablo, Paschasius Radpertus. Von zeitgenössischen Autoren sind vertreten Bernhard, Hugo v. St. Viktor, Petrus Lombardus, Wazzelin. Über die geistige Orientierung der Klosterbibliotheken im allgemeinen siehe R. Kottje, Klosterbibliotheken, der in Klöstern der hirsauischen Reformrichtung den augustinischen, in denen der Gorzer Reform den klassischen Geist vorherrschen sieht.

[9] Chron. S. Laurentii 44 (MGH SS 8, 277).

[10] RvD, ep. ad Cunonem (167, 196). Er ist 1117—1130 Abt (S. Balau, Etude 212).

brachen die unglückseligen Wirren des Investiturstreites auch über St. Laurentius herein. Berengar mußte 1092 ins Exil gehen: mit einigen treuen Mönchen zog er sich zunächst in die Abtei St. Hubert, dann nach Evergnicourt in Frankreich zurück. Unter seinen Begleitern darf man auch den gregorianisch gesinnten Rupert vermuten[11]. Er wäre dann erstmals in Berührung mit der französischen Theologie gekommen, die ihn in späteren Lebensjahren nachhaltig beschäftigte. Als nach drei Jahren der rechtmäßige Abt nicht zuletzt durch die Vermittlung Gottfrieds von Bouillon wieder auf seinen Stuhl zurückkehren durfte, wird der junge Mönch Rupert zum Scholaster an der Klosterschule bestimmt. Seine Gelehrsamkeit erwirbt ihm bald einen bedeutenden Ruf bis weit über die Grenzen Lüttichs hinaus. So kommt Wibald von Stablo, nachmaliger Abt von Corvey und wichtiger politischer Berater Friedrich Barbarossas, mit seinem Lehrer eigens nach St. Laurentius, um ihn zu hören[12].

2. Erste literarische Tätigkeit

Rupert verharrt in der Opposition zu Otbert. Er weigert sich, aus seiner Hand die Weihen zu empfangen, bis dieser 1106 vom Bann gelöst ist[13]. Nach der Ordination beginnt er, inzwischen ein Mann in den besten Jahren des Lebens, seine eigentliche literarische Tätigkeit[14]. Für sein monastisches Denken ist es bezeichnend, daß sein erstes, größeres, selbständiges Werk der Erklärung der Liturgie gewidmet ist[15]. Gestützt auf Amalar von Metz schreibt er im Jahr 1111 das Buch *„De divinis officiis“*[16]. Es erfährt von verschiedenen Seiten heftige Angriffe. Es sei überheblich, wendet man ein,

[11] Vgl. Magrassi 19; A. Cauchie, Rupert 429; ds., La querelle des investitures dans les diocéses de Liège et de Cambrai. Louvain 1891, II, 7—80; Semmler 264 f. Zur Einstellung Ruperts selbst vgl. Gen. 6, 13; 7, 10; Lev. 2, 19; Num. 1, 5; Is. 2, 23 (167, 414.455.807.842.1347); VV 8, 25 (168, 1395). Aus dieser Zeit dürfte auch die Gedichtreihe „De calamitatibus ecclesiae Leodiensis“ stammen.

[12] Wibald, ep. 1 (Jaffé, Bibl. rer. germ. I, 77); quaestio (170, 544 f.). Der Besuch fand 1117 oder 1118 statt. Über Wibald siehe S. Balau, Etudes 399—406.

[13] RvD, Gh 12 (168, 1600).

[14] a.a.O. berichtet Rupert selbst von seiner ersten literarischen Tätigkeit. Vgl. das Werkverzeichnis.

[15] Gleichzeitig arbeitete er an einem Jobkommentar, der „abbreviatum ex abundantia sensuum atque dictorum B. Gregorii“ (170, 9/10) ist.

[16] Die vollständige Übersicht über das Oeuvre Ruperts am Beginn der Arbeit; hier werden nur die Hauptwerke erwähnt.

über die Schriften der Väter hinaus eigene Gedanken zu publizieren[17]. Einige davon widersprächen sogar dem großen Magister des Mittelalters, dem Bischof von Hippo, so etwa seine Bemerkungen über die Judaskommunion[18]. Wilhelm von St. Thierry hält ihm in einem freundschaftlich-behutsamen Brief vor, er vertrete hinsichtlich der Eucharistie eine Impanationstheorie[19]. Das war zwar ein ungerechter Vorwurf, insofern Rupert im Gegensatz zum Abt von St. Thierry vor allem die geistigen Wirkungen des Sakramentes betont und somit einen anderen Ausgangspunkt hatte, doch hatte er erhebliche Folgen für Ruperts Nachwirkung, vor allem, seitdem Wiclif den Mönch zum Eideshelfer seiner eigenen Eucharistielehre herangezogen hatte: man war leicht geneigt, seine Lehre als häretisch anzusehen[20]. Schließlich kommt es noch einmal zu einer Kontroverse um das Buch, als gleichzeitig mit Rupert auch Norbert, der spätere Bischof von Magdeburg, im Kloster auf dem Siegburger Michaelsberg weilte. Er behauptete nach der Lektüre, sein Verfasser lehre die Inkarnation des Heiligen Geistes in Maria. Allerdings war ihm entgangen, daß die inkriminierte Stelle aus

[17] RvD, ep. ad Cunonem (CCcm 7, 2); RSB I (170, 494—496); A prol. (169, 825—828).

[18] RvD, ep. ad Cunonem (CCcm 9, 2); RSB I (170, 495 f.); Gh 10 (169, 1543—1547); EJ XI (CCcm 9, 616 f.). Vgl. L. Ott, Briefliteratur 17.

[19] RvD, DO 2, 9 (CCcm 7, 41—44). R. Haacke gibt die zahlreichen Textvarianten zu dieser Stelle. Den Einspruch Wilhelms siehe 180, 341 ff.; Ruperts Rechtfertigung, ep. ad Cunonem (CCcm 9, 3).

[20] Zur Eucharistielehre Ruperts: R. Ceillier, Histoire XIV, 290 f.; G. Gerberon, Apologia; P. Classen, Codex lat. mon.; G. v. Holtum, Orthodoxie; J. Bach, DG II, 288—291.296 f.); F. Doyen, Eucharistielehre; R. Haacke, Zur Eucharistielehre; B. Neunheuser, HDG IV/4 b 36; Histoire litteraire de la France 724 bis 726; U. Jaeschke, Heilsgeschichte 5 und Anm.-Teil 71 f.; W. Kahles, Geschichte 67—78; Séjourné, DTC 196—203 (sehr gute Darstellung des sonst sehr angreifbaren Artikels); H. H. Wittler, Erlösung 62—70; R. Rocholl, Rupert 237—255; J. R. Geiselmann, Zur Eucharistielehre 6 f.; F. Holböck, Leib 44—49; J. Schwane, DG 641; Ghellinck, Eucharistie au XIIe siècle en Occident, in: DTC V, 1286 f.; L. Ott, Briefliteratur 66—69; H. de Lubac, Corpus mysticum 97—102. Nicht zuletzt ist die Verteidigungsschrift Gerberons zu nennen, mit der er Rupert gegen die Anschuldigungen Bellarmins in Schutz nimmt (167, 23 bis 194). — Mit Wiclif (De sermone Domini in monte 39; Liber de Apostasis 7) vertreten Rocholl und Jaeschke, Rupert habe die Impanationslehre gehalten; so in der Reformationszeit auch Johannes Cosinus, Albertinus, G. Calixt, J. Gerhardt, Salmasius und Johannes Scherpius auf evangelischer Seite, D. Soto, Bellarmin, G. Vasquez, Possevin, Baronius und Suarez (der sein Urteil aber später revidierte) auf katholischer. Belege bei Doyen 7—11; Haacke 21, die ebenso wie M. de la Taille in seinem Eucharistietraktat die Orthodoxie Ruperts betonen. Nach Haacke 42 ist die Meinung Ruperts in seinem Kommentar zum 6. Kapitel des Johannesevangeliums dargelegt.

den Schriften Gregors des Großen entlehnt war. Rupert hatte keine Mühe, das nachzuweisen[21].

Im Anschluß an den Liturgiekommentar beginnt er sein Hauptwerk *„De Trinitate et operibus eius"*, einen groß angelegten Kommentar der meisten Bücher der Heiligen Schrift. Er ist die Mitte seines schriftstellerischen Wirkens, um die sich alle anderen Werke der späteren Zeit — soweit sie nicht aus der Tagespolemik heraus entstanden — gruppieren. Hier kann er seine Anlagen voll entfalten, seiner Liebe zur meditativen Versenkung in die Bibel nachkommen. So entsprach es der Natur dieses ruhigen spirituellen Mannes. Vorerst allerdings war ihm die Einsamkeit und die Betrachtung der göttlichen Dinge, an denen sein Herz hing, noch nicht vergönnt. Der Tagesstreit forderte eine Stellungnahme von ihm, die seinen Lebensgang nachhaltig beeinflußte.

Vermutlich 1116 hörte er aus dem Mund eines jungen Mönches, der gerade von den Studien aus Frankreich zurückgekommen war, was man in Laon über die göttliche Allmacht lehre. Um die Macht des göttlichen Willens herauszustellen, der Realität des Bösen aber trotzdem gerecht zu werden, erklärte man: „Deus vult malum fieri"[22]. Das war zwar streng dialektisch gedacht, doch schienen Rupert die Schlußfolgerungen dieser Methode in ungeheuerlichem Gegensatz zum väterlichen Gott der Heiligen Schrift zu stehen. Mit dem kleinen Werk *„De voluntate Dei"* erhebt er leidenschaftlichen Protest. Die Laoner reagieren prompt und hart: Anselm von Laon schreibt einen Brief an den Abt von St. Laurentius[23]: die Situation für den Mönch ist damit prekär geworden. Berengar hält es für besser, ihn dem Schutz eines theologisch versierten Abtes anzuvertrauen. Noch auf dem Sterbebett empfiehlt er ihn seinem Freund Kuno, Abt zu Siegburg[24].

[21] RvD, RSB I (170, 490—492) — Über das Verhältnis zu Norbert vgl. Rocholl, Rupert 79 f., 88 ff.; E. Beitz, Rupertus 16 f.; U. Berlière, Rupert de Deutz et saint Norbert, in: RBén. 7 (1890), 452—457; J. Greven, Die Bekehrung Norberts von Xanten, in: AHVNrh 117 (1930), 151—159; J. Müller, Über Rupert 9 f.; Hauck IV, 369—375 — Rupert wurde auch angegriffen wegen seiner Lehre von der Schöpfung der Engel aus der Finsternis: GT 3, 20 (169, 72); RSB 1 (170, 492—494). Ein Widerhall dieses Streites im Brief Meingoz' (Grundmann, Zwei Briefe 274). Zur Angelologie Ruperts vgl. G. Tavard, HDG II/2 b, 61 f.

[22] Die beste Darstellung bei Magrassi 179—218. Rupert stößt demnach bereits zur thomanischen Lösung des Problems vor: Gott will das Böse nicht, läßt es aber zu. Vgl. auch L. Ott, Briefliteratur 75—77; H. Silvestre, Notes.

[23] Krit. Edition bei O. Lottin, Psychologie et morale aux XIIe et XIIIe siècles, V, 175—177. Zur Datierung vgl. H. Silvestre, A propos de la lettre.

[24] TO dedic. (167, 196). Berengar stirbt am 16.11.1116.

Rupert zieht an den Rhein. Doch bereits im folgenden Jahr 1117 muß er nach Lüttich reisen, um seine Thesen vor dem Archidiakon Heinrich und zwei weiteren Würdenträgern zu verteidigen[25]. Das gelingt ihm glänzend. Die Schrift „*De omnipotentia*" ist wohl die erweiterte Darlegung seiner Argumente. Ermutigt von diesem Erfolg begibt er sich jetzt in die Höhle des Löwen. Von einem Diener begleitet, reitet er nach Frankreich, um die Magistri vor ihren eigenen Schülern herauszufordern[26]. Allerdings endet diese mit viel Pathos begonnene Reise recht glanzlos: in Laon liegt Anselm gerade im Sterben[27]; als er nach Chalons weiterzieht, um mit Wilhelm von Champeaux zu disputieren, wird er auch hier zwar höflich empfangen, aber ebenso gern auch wieder verabschiedet. Ergebnisse kann er keine buchen. Freilich gilt das nur für sein unmittelbares Anliegen. Aufs Ganze gesehen ist der Laoner Streit der Wendepunkt seines Lebens. Er brachte ihm die Bekanntschaft und Freundschaft mit Abt Kuno ein, der theologisch den nachhaltigsten Einfluß ausübte. Rupert wurde sich nun auch erst seiner eigenen Position voll bewußt. Wie Kuno und sein Kreis hegte er fortan starkes Mißtrauen gegen die dialektische Theologie. Ihrem Rationalismus stellte er die Erforschung der Schrift im Anschluß an die Väter entgegen, wobei er darauf bedacht war, den mystischen Sinn hinter der Oberfläche des Buchstabens zu erhellen. Nicht zuletzt gab ihm dieses Erlebnis den Standort, von dem aus sich sein Verhältnis zu den Zeitgenossen erklärt. Norbert mußte ihm ebenso unsympathisch bleiben wie Bernhard von Clairvaux: beide sind Anhänger Wilhelms von Champeaux[28]. Sie gehören zudem Ordensgemeinschaften an, die ebenso wie die Regularkanoniker, deren Mitglieder die Laoner Schulhäupter sind, als Konkurrenten der Benediktiner auftraten[29]. Wenn schließlich sein Wesen in den späteren Jahren reizbar und empfindlich wurde, mag auch das seinen Grund in der Kontroverse haben[30].

[25] Nach H. Silvestre, A propos de la lettre 11/7 handelt es sich um Anselm v. Gembloux und Stephan v. Brogne.

[26] Den Reisebericht gibt Rupert RSB 1 (170, 482 f.).

[27] † 11. 7. 1117.

[28] Vgl. E. Beitz, Rupertus 33 f. Trotzdem gehören beide der gleichen monastischen Richtung an. J. Müller nennt ihn mit Recht einen Geistesverwandten und Vorläufer Bernhards (Rupert 4). Wie sehr man die geistige Verwandtschaft empfunden hat, zeigt der Vorgang, daß man Abschnitte aus Ruperts Werken in die Bernhards interpolierte (J. Leclercq, Pour l'histoire des traités de s. Bernard, in: AnOCist 15 (1959), 75/2).

[29] Vgl. J. Semmler 356—363.

[30] Grundmann, Brand 439. Das literarische Ergebnis der Kontroverse sind die Opuscula UMLP, die Altercatio und ep. ad Everardum sowie RSB.

Nach der Rückkehr scheint Rupert wieder in Lüttich geweilt zu haben[31]. Als dort Bischof Otbert starb, kam es zu einer Doppelwahl. Friedrich von Namur und Propst Alexander von St. Martin, der im Verdacht der Simonie stand, werden erhoben. Als zuständiger Metropolit zieht Erzbischof Friedrich von Köln die Entscheidung an sich und beraumt 1119 die Neuwahl in Köln an. Rupert zieht mit Friedrich von Namur an den Rhein, um vor dem Erzbischof die Legitimität seiner Wahl zu bezeugen[32]. Erst jetzt dürfte er endgültig nach Siegburg übergesiedelt und auch aus der Lütticher Obedienz entlassen worden sein[33]. Das hinderte ihn nicht, seinem Stammkloster zeitlebens treues Gedenken zu bewahren[34].

3. Kuno von Siegburg

Siegburg war eine relativ junge Gründung, die der große Anno von Köln († 1075) ins Leben gerufen hatte. Hier fand er auch seine letzte Ruhestatt. Er hatte das Monasterium mit Mönchen von Fruttuaria besiedelt. Zu Beginn des 12. Jahrhunderts wird es zu-

[31] Semmler 376; Silvestre, La tradition 348. — Eine Chronologie des Übergangs nach Siegburg ist schwierig. Nach Semmler 372—376 ist der erste Siegburger Aufenthalt Ende 1113 bis Frühjahr 1117, der zweite Ende April 1119 bis zur Abtsernennung Ende 1120 anzusetzen. H. Silvestre kommt zu folgendem Resultat: „En résumé, Rupert a passé plus de vingt années à Saint-Laurent de Liège (ca. 1095 — fin de 1116, août 1117 [?] — avril 1119), quelque douze à dix-huit mois à Siegbourg (fin 1116 — juillet 1117, août 1117 [?] — 1118 [?] et une dizaine d'années à Deutz (1119/1120 — 1129/1130)" (a.a.O. 348). Diese Datierung, die vom Tod Berengars ausgeht, dürfte den Tatsachen am ehesten entsprechen.

[32] RvD, RSB 1 (170, 496) — Friedrich von Schwarzenberg (Opf.) war ein Landsmann Kunos. Über ihn vgl. E. Wisplinghoff, Friedrich I., Erzbischof von Köln 1100—1131 (Diss. masch. Bonn 1951); E. Klebel, Erzbischof Friedrich von Köln. Seine Sippe und deren politische Bedeutung, in: AHVNrh. 157 (1955), 41—63; R. Rosen, Die Stellung der Kölner Erzbischöfe.

[33] In diese Zeit fallen wohl die nicht ganz gesicherten lokalhistorischen Werke wie die Passio Eliphii und die Heribertsvita, eine Bearbeitung der Schrift des Lambert von Deutz. Dazu vgl. J. Müller, Rupert 14—29. H. Silvestre, La tradition bezweifelt die Echtheit (430/21), die neuerdings von Grundmann, Brand 399 verteidigt wird.

[34] In Deutz baute er dem Patron des Stammklosters, dem hl. Laurentius, eine Kapelle und führte sein Fest für das Deutzer Kloster ein. Über die Beziehungen zwischen beiden Abteien S. Balau, Etudes 208—211. Die Resonanz, die Ruperts Wirken in Lüttich fand, bezeugen die beiden von Grundmann, Zwei Briefe, edierten Episteln des Kanonikus Meingoz von Lüttich (a.a.O. 274—276).

sammen mit St. Laurentius in Lüttich und den Schwarzwaldklöstern von Hirsau und St. Blasien zum Vorort der spätcluniazensischen Reform. Von hier geht ein neuer Anstoß zur Ordens- und Kirchenreform aus, dessen Bedeutung erst in den letzten Jahren durch die Forschungen von J. Semmler erhoben worden ist.

Er war hauptsächlich das Werk eines Mannes, des Abtes Kuno[35]. Er entstammte einer Regensburger Ministerialenfamilie aus Raitenbuch bei Parsberg, ging aber schon als junger Mann ins Rheinland[36]. In Brauweiler wird er Benediktiner; wenig später finden wir ihn als Leiter der Klosterschule unter Abt Reginhard auf dem Michaelsberg in Siegburg. Nach dessen Tod wird Kuno 1105 oder 1106 einstimmig zu seinem Nachfolger gewählt[37]. Nun beginnt die Blütezeit der Abtei. Rings um Siegburg entstehen sieben Propsteien; in Nonnenwerth wird ein Frauenkloster gegründet; das Stammonasterium zählt bald 120 Mitglieder. Charakteristisch für die neue Reform ist das gute Verhältnis zum Bischof; sie unterschied sich damit von den antiepiskopalistischen Tendenzen der späten Cluniazenser[38]. Eine besondere Aufgabe sah Kuno darin, Männer um sich zu sammeln, die seine Gedanken praktisch wie literarisch verwirklichen konnten. So gewährt er Norbert von Xanten nach seiner Bekehrung 1115 Gastfreundschaft und bereitete ihn in seiner geistlichen Schule auf die kommenden Aufgaben vor[39]. Auch den Lütticher Mönch nahm er freundlich auf und wird zum unermüdlich beratenden, ermunternden Freund Ruperts, der auf seine Veranlassung zur Feder greift und unter seiner Ägide die bedeutendsten seiner Bücher schreibt. Nicht ohne Grund weiß er sich ihm zeitlebens zu höchstem Dank verpflichtet[40].

[35] Vgl. RvD, Gh 12 (168, 1604—1609 = Vita Cunonis MGH SS 12, 637 f.) — Über sein Leben und Wirken: F. Janner, Geschichte der Bischöfe von Regensburg, Regensburg 1883 ff., I, 6; II, 8.13 ff.; Hauck IV, 134; R. Bauerreiß, KG Bayerns III, 19 f.; ds., SM 67 (1956), 310 ff.; ds., Regensburg; A. Franzen, Cunon de Ratisbonne, in: DHGE XIII, 499 f.; J. Staber, Geschichte 32; Mois 129 ff.; Semmler 46—48, 51—60, 84—102.

[36] Stammbaum bei Bauerreiß, Honorius 310. Nach ds., Regensburg 1142 hängt die Übersiedlung vielleicht mit der Bekanntschaft mit Friedrich zusammen.

[37] Semmler 46/110. Vgl. MGH SS 12, 637.

[38] Semmler 364; R. Rosen, Die Stellung der Kölner Erzbischöfe.

[39] Vita Norberti 1 (170, 1261).

[40] Auf Veranlassung Kunos entstanden Gh, GT, RSB, CC. Das Urteil Ruperts über seinen Gönner: ep. ad Cunonem (167, 195); Gh 12 (168, 1604—1607). Vgl. auch die Charakterisierung der Vita Norberti 1 (170, 1261). H. D. Rauh, Das Bild des Antichrist (Diss. masch.) 104 nennt Kuno sehr treffend den „sokratischen Meister der Mäeutik, ohne den das Ingenium Ruperts sich schwerlich so reich entfaltet hätte".

1126 wird Kuno auf den vakanten Regensburger Bischofsstuhl berufen. Rupert hat den für die damalige Zeit unerhört bescheidenen Einzug des neuen Oberhirten beschrieben[41], der eine der bedeutendsten Gestalten des Regensburger Bischofskatalogs wurde. Sein Ziel war es, die Donaustadt zum Brückenkopf der cluniazensischen Bewegung im Südosten zu machen. Dabei bediente er sich nicht nur der Mönche, sondern auch der neuen Gemeinschaft der Regularkanoniker[42]. In diesem Zusammenhang berief er sowohl den Benediktiner Honorius Augustodunensis wie den Kanoniker Gerhoch an seinen Hof und unterstützte ihre Bemühungen um die Klerusreform. Sein Verdienst ist es aber auch, die Werke Ruperts in Süddeutschland verbreitet zu haben, ja er kann geradezu als Herausgeber seiner Schriften gelten. Durch ihn haben Honorius und Gerhoch die Theologie des rheinischen Mönches kennengelernt. Wenn beide als seine Schüler gelten können, dann ist das Kuno zu danken. Er ist die Kontaktstelle, durch die ihr eigenes Denken von dem Ruperts befruchtet und angeregt wird. Darüber hinaus kann er das Verdienst für sich beanspruchen, Regensburg zum kulturellen Mittelpunkt seiner Zeit gemacht zu haben. Unter seinem Einfluß, wenn nicht sogar durch seine Feder ist das *Annolied* und die *Kaiserchronik* entstanden[43].

Kuno hat seinen Schützling um wenige Jahre überlebt. Am 19. Mai 1132 ist er gestorben.

4. Abt von Deutz

Die guten Beziehungen der Abtei Siegburg zum Erzbischof von Köln wirkten sich für Rupert sehr günstig aus. Friedrich, wie er ein eifriger Gregorianer, lernte seine Talente bald schätzen. So bittet er ihn, einen Schriftkommentar für ihn zu verfassen. Als dieser ihm um 1120 die *Exegese zur Apokalypse* überreicht, ist er hoch befriedigt. Da gerade Abt Markward von Deutz gestorben war, ernennt er ihn zum Nachfolger in der Abtei des hl. Heribert. Als zehnter Abt des berühmten Klosters zieht er am 11. September 1120 in die Klosterkirche ein.

[41] Gh 12 (168, 1609 f.).

[42] Semmler 84—102, Mois 130 f., 134 f.

[43] E. Beitz, Rupertus 25 f.; Bauerreiß, Honorius 311. Zur literarischen Bedeutung Regensburgs vgl. Bauerreiß, Regensburg; H. Menhardt, Regensburg. Ein Mittelpunkt.

Über die äußere wie die innere Geschichte des Konvents wissen wir nur wenig. Ursprünglich hatte er dem Reformzweig von Gorze angehört, bis Markward die Siegburger Observanz eingeführt hatte[44]. Der neue Abt wird ihr eifrigster Vorkämpfer und zugleich der bedeutendste Abt seiner Geschichte. Tatkräftig widmet er sich der Mehrung und dem Ausbau des Klosters, das ihm den Bau der Laurentiuskapelle, die Erweiterung des Münsterhochchors und ein neues Dormitorium verdankt[45]. Oft ließ ihm die Sorge um die Abtei keine Zeit mehr für die geliebte schriftstellerische Arbeit.

Diese hatte, wohl noch vor seiner Erhebung zum Abt, das Interesse des päpstlichen Legaten Wilhelm von Palestrina geweckt. Auf seine Veranlassung schreibt er den ersten Teil des *Kommentars zu den Kleinen Propheten* nieder, der 1124 über den Legaten an Papst Honorius II. gelangt. Noch im gleichen Jahr reist Rupert zur Weihnachtszeit nach Rom. Er nutzt die Gelegenheit, um auch Subiaco oder Montecassino, die Geburtsstätten seines Ordens zu besuchen[46]. Nach seiner Rückkehr unterbricht er vorerst die Weiterarbeit am Prophetenbuch, um sich mit dem *„Sieg des Gotteswortes“* zu beschäftigen und so eine Gesprächanregung Kunos zu verfolgen[47]. Abt Erkenbert von Corvey drängt ihn jedoch zur Fertigstellung des angefangenen Kommentars. Eine Periode großer literarischer Fruchtbarkeit beginnt. Eine *Auslegung des Hohenliedes* widmet er Bischof Thietmar von Verden; Kuno wird das christologische Werk *„De gloria et honore Filii hominis“* zugeeignet, das in Form eines Kommentars zum Matthäusevangelium abgefaßt ist. Sein Freund veranlaßt ihn, jene Gedanken auszuarbeiten, die er bei einem Religionsgespräch dem jüdischen Bankier Judas gegenüber geäußert hatte. Der *„Annulus“* entsteht, in dem er die Überlegenheit der christlichen vor der jüdischen Religion zeigt. Seine Argumentation war für seinen Gesprächspartner überzeugend: er konvertierte einige Jahre nach jenem Dialog und

[44] Grundmann, Brand 398—406; Semmler 74—77; E. Wisplinghoff, Beiträge. Rupert über seinen Vorgänger, Herib. prol. (170, 389—391). 1971/72 erzielte das Römisch-Germanische Museum bei Ausgrabungen architekturgeschichtlich bedeutsame Ergebnisse: der Heribertsbau konnte nachgewiesen werden als einer der wenigen europäischen Zentralbauten der Zeit.

[45] Rocholl, Rupert 295; E. Beitz, Rupertus 56—60. Nach O. Oppermann, Die ältesten Urkunden aus Siegburg, Saalfeld und Rolandswerth, in: Jahrbuch d. Köln. Geschichtsvereins 16 (1934), 41 ff. und 17 (1935), 143 ff. scheint er um der Mehrung des Klosterguts willen auch vor zweifelhaften Methoden nicht zurückgeschreckt zu sein.

[46] RvD, RSB 3, 17 (170, 524). Von einem jahrelangen Aufenthalt (so Heer, Mittelalter 469), kann jedoch keine Rede sein.

[47] VV praef. (169, 1215—1218).

wird unter dem Namen Hermann von Scheda Abt von Kappenberg. In seinem Bekehrungsbericht spricht er sich mit großem Respekt über den Deutzer Abt aus[48]. Dieser greift 1127 oder 1128 ein trinitätstheologisches Problem auf, das in Italien heftige Kontroversen hervorgerufen hatte. Der päpstliche Legat hatte ihn mit der Frage des Hervorgangs des Heiligen Geistes aus den anderen göttlichen Personen konfrontiert. Auf seine Bitte schreibt er *„De glorificatione Trinitatis"*.

Das Ende von Ruperts Leben ist von düsteren Schatten begleitet. Im August 1128 brennt vor seinen Augen ein großer Teil seines Klosters nieder. Der Schicksalsschlag trifft ihn hart. Die Schrift *„De incendio oppidi Tuitii"* ist der Bericht über das Unglück. Zugleich gewährt sie aber einen tiefen Einblick in die Resignation, die über den Abt gekommen ist, nicht zuletzt wohl auch deswegen, weil das gute Verhältnis zum Erzbischof getrübt ist[49]. Die Gedanken an den Tod lassen ihn von nun an nicht mehr los. Als er noch einmal zur Feder greift, schreibt er eine *„Meditatio mortis"*: sie gibt die Müdigkeit wieder, die ihn überkommen hatte. Wie nach ihm Bonaventura fühlt er sich wie der leidbeladene Job[50]. Er ist geneigt, seinen Rücktritt anzukündigen, doch dann kommt er zur Überzeugung, daß nur Gott ihm die Last von den Schultern nehmen könne[51]. Es dauert nicht mehr lange, dann ist er befreit: am 4. März 1129 oder 1130 stirbt er[52]. Im Gotteshaus seines Klosters bereiten ihm die Mönche die letzte Ruhestätte[53].

[48] Hermannus quondam Judaeus, De conversione sua opusculum (MGH Quellen IV, Weimar 1963, ed. G. Niemeyer). Er nennt Rupert „vir subtilis ingenio, disertus eloquio, et tam divinarum quam humanarum peritissimus litterarum". Literatur: J. Greven, Die Schrift des Herimannus quondam judaeus „De conversione sua opusculum", in: AHVNrh 115 (1929), 111—131 (114/12 ältere Literatur); G. Misch, Geschichte der Autobiographie. Das Mittelalter (Bd. III/2), Frankfurt 1959, 505—522.

[49] Grundmann, Brand 413—418.

[50] Vgl. J. Ratzinger, Geschichtstheologie 34/36. Das Bild ist auch GvR, N 47 f. (That. 87 f.) geläufig.

[51] 170, 347.

[52] Auch sein Todesdatum ist umstritten: ältere Autoren nahmen 1135 an wegen der Grabinschrift Ruperts (Hist. litt. de la France 707; Rocholl, Rupert 297. 322 f.). E. Beitz, Rupertus 20—23 hat gezeigt, daß die Inschrift erst aus dem 16. oder 17. Jahrhundert stammt. Er selbst (a.a.O. 19) hält ebenso wie Grundmann, Brand 433; Stammler-Langosch 1147 das Jahr 1129 für das Sterbejahr. Nach Cauchie, Rupert 426, Gribomont Introduction 15, Magrassi 21, Séjourné 172, Hanser (LThK 9, 15) und Semmler 77 kommt auch noch 1130 in Betracht. Seit diesem Jahr ist von Abt Rudolf II. die Rede (vgl. Th. J. Lacomblet, Urkundenbuch I, 204.308; Silvestre, Les autographes).

[53] Text der Grabinschrift bei Rocholl, Rupert 297; Hist. litt. de la France 707.

5. Quellen der Theologie Ruperts

Die Klosterbibliotheken um die Wende zum 12. Jahrhundert boten den Benutzern die Schätze der Antike ebenso an wie die patristischen Werke und die Codices der karolingischen und zeitgenössischen Autoren. Ruperts Schriften zeigen, daß er vom reichen Angebot regen Gebrauch gemacht hat. Souverän verfügt er über alle Quellen der Bildung, die in seiner Zeit zur Verfügung standen[54]. In einer mühsamen Untersuchung konnte H. Silvestre seine klassische Belesenheit zeigen: er kennt vor allem Cicero, Horaz, Lukan, Vergil und Boethius, die sicher nicht ohne Einfluß auf den dichterisch schönen Duktus vieler Seiten in den Büchern Ruperts geblieben sind[55]. Die Werke der heidnischen Philosophen sind ihm nicht unbekannt. Er verwendet Platon und auch schon Aristoteles[56]. Es bleibt dabei unsicher, ob er sie selber gelesen hat oder nur im Zusammenhang mit Augustinus platonische Gedankengänge verwendet[57].

Vor allem aber lebt Rupert aus den Vätern, die er in einer einzigartigen Weise kennt. Es gibt keine Untersuchung über die Benutzung der patristischen Literatur im einzelnen; sie wäre auch kaum zu erstellen, da ihre Gedanken in sein eigenes Denken eingegangen und mit ihm verschmolzen sind[58]. So zitiert er häufig Justin, Hilarius, Pseudo-Dionysius und natürlich vor allen anderen den Bischof von Hippo[59]. Seine Exegese orientiert sich an Hieronymus[60], seine Ekklesiologie an Gregor dem Großen. Eines seiner Werke ist nichts anderes als ein Auszug aus den „Moralia“ des Papstes[61]. Erwähnenswert ist die Kenntnis der östlichen Väter. Er benutzt die Schriften eines Eirenaios von Lyon, zitiert Kyrillos von Jerusalem und verwendet Gregor von

[54] H. de Lubac, Exégèse II/1, 219: „Rupert ... se dresse, au seuil du XIIe siècle, comme un géant. Il est à la fois fort lettré et, pour l'époque, fort savant.“

[55] H. Silvestre, Les citations; E. Beitz, Rupertus 36 f.

[56] Cauchie, Rupert 431.

[57] Rocholl, Platonismus 7—10; Beumer, Rupert 263 f.

[58] H. de Lubac, Exégèse II/1, 228: „Au lieu de copier servilement chacune de leurs exégèses, il participe librement à leur esprit.“

[59] RvD, ep. ad Cunonem (CCcm 9, 1); SpS 7, 19 (167, 1782—1784).

[60] RvD, ep. ad Liezelin (170, 667). Augustinus und Hieronymus sind die beherrschenden Gestalten der 5. kirchengeschichtlichen Periode (SpS 7, 18 f. — 167, 1781—1784).

[61] Auch an anderen Stellen transskribiert er wörtlich aus Gregor (Jud. 1, 3 — 167, 1025 f.). Vgl. R. Wasselynck, L'influence 177—181; Magrassi 59/75 über weitere Entlehnungen.

Nyssa und Johannes Chrysostomos[62]. Schon in Lüttich konnte er Origenes gelesen haben[63]. Die Väter sind in seinen Augen die maßgebenden Lehrer der Kirche[64]. Darum versucht er immer wieder, sie nicht nur wörtlich zu zitieren, sondern ihre Gedankengänge nachzuzeichnen.

Trotzdem ist er nicht bloß ein Nachbeter der patristischen Theologie. So sehr er sie als Quelle anerkennt, so sehr begibt er sich in die kritische Auseinandersetzung mit ihr. Er studiert nicht nur die Manualien und Florilegien, sondern greift auf die Codices selbst zurück. Klagten ihn seine Gegner wegen gefährlicher neuer Lehren an, konnte er ihnen zeigen, daß er getreu patristische Lehren vertrat, die nur in die Handbücher keinen Eingang gefunden hatten. Noch bis in unser Jahrhundert hinein warf man ihm vor, er habe die ausschließliche Autorität der Heiligen Schrift gelehrt; doch eine Nachprüfung ergab, daß er Hieronymus als Kronzeugen dafür anrufen kann[65]. Der Streit mit der Schule von Laon hatte ihn als Verteidiger der Tradition gezeigt, doch ist er kein Traditionalist gewesen. Sein Denken hat J. Beumer als *„Vermittlungstheologie"* charakterisiert[66], doch besser kann man ihn als einen Vertreter fortschrittlicher Theologie im konservativen Lager bezeichnen. Er will nicht harmonisieren, sondern kirchliche, aber selbständige Theologie treiben, die dem Erbe der Vergangenheit ebenso wie den Anforderungen der Gegenwart entspricht. Deswegen kritisiert er auch die Väter dort, wo sie dem nicht gerecht wurden. Er lehnt die Lehre Augustins vom Übel als Gut ebenso ab wie seine These von der Judaskommunion und seine Eucharistielehre[67]. Gregors Lehre von den Menschen als Ersatz der gefallenen Engel weist er zurück[68]. Als man ihn wegen dieser Verstöße gegen die ungeschriebenen Gesetze der zeitgenössischen Theologie angreift — es ist eine Ironie der Geschichte, daß dieses Geschäft ausgerechnet die Repräsentanten

[62] Cauchie, Rupert 431. Magrassi 60 vermutet Ambrosius als Vermittler zur östlichen Theologie. Zu Eirenaios siehe J. Bach, DG II, 297.

[63] Gribomont, Introduction 23; H. de Lubac, Exégèse II/1, 223; Magrassi 39 (39/7 Textvergleich).

[64] Os prol. (168, 14).

[65] Gh 10 (168, 1544) und A 6, 11 (169, 1016): vgl. Hieronymus, tract. de ps. 86 (CC 78, 115 f.). Vgl. auch Séjourné 175—179 und Gribomont, Introduction 22 über die exegetischen Grundsätze Ruperts.

[66] MThZ 4 (1953), 255—270.

[67] RvD, Gh 10 (168, 1544); ep. ad Cunonem (CCcm 9, 2); EJ 6 (CCcm 9, 341); Ex. 3, 8 (167, 659); RSB 1 (170, 496). Vgl. Magrassi 179—218.

[68] Magrassi 256—280.

des theologischen Fortschritts besorgen —, setzt er sich nachdrücklich für die Freiheit der theologischen Forschung ein[69].

Das war kein bloßes Lippenbekenntnis. Mit aller Unbefangenheit bricht er die zeitgültige, seit Beda gängige Tradition der ekklesiologischen Interpretation des Hohenliedes, das er auf Maria deutet. Bewußt zieht er eine in der Patristik zwar angedeutete, doch nicht weiter ausgeführte Linie nach, um in eigenständiger Leistung der neuen mystischen Erfahrung seiner Zeit Ausdruck zu verleihen[70]. Nicht gegen die Väter schreiben möchte er, rechtfertigt er sich später, wohl aber sie ergänzen „adunando et congregando voces tam magni et tam diffusi corporis ecclesiae in unam animam singularis et unicae dilectae Christi Mariae"[71]. Mit seiner Apokalypse-Interpretation betritt er bewußt Neuland[72]. W. Kamlah hat nachgewiesen, daß der Abt trotz intimer Kenntnis der augustinischen civitates-Lehre die ältere Tychonius-Tradition aufgegriffen hat und mit ihr weitgehend selbständig ein eigenes Geschichtsbild entwikkelt hat. Dabei griff er erstmals auch auf außer- und nachbiblische Quellen wie Flavius Josephus und Rufin zurück[73].

Alles das sicherte ihm bereits einen namhaften Platz in der Theologiegeschichte. Aber auch seine Ansichten zu einzelnen dogmatischen Problemen sind dogmengeschichtlich von einiger Relevanz. Mit seiner Eucharistielehre leistete er seinen Beitrag zur mächtig sich entfaltenden Sakramentstheologie: er betrachtet die Eucharistie unter heilsgeschichtlicher Perspektive, indem er sie als Form des Abstiegs des Logos darstellt, der alle Menschen bis in die Unterwelt hinein betrifft und heilt[74]. Interessant sind seine Bemerkungen über die Prädestination, über das objektive Fortleben Christi in den Sakramenten, über die Rechtfertigung der alttestamentlichen

[69] Vgl. unten II, 1, 1, 1.

[70] F. Ohly, Hohelied-Studien 121—135 referiert über Rupert unter dem Titel „Der Bruch mit der Tradition". Die mariologische Interpretation war patristisch insofern vorbereitet, als Maria als Bild und Typus der Kirche galt. Belege z. B. bei H. de Lubac, Die Kirche 283—341. Rupert verdichtet diese Gedanken und vertieft sie (Ohly, a.a.O. 127). Vgl. auch H. Coathalem, Le parallelisme 92—94, der darauf aufmerksam macht, daß Rupert erstmals die Worte Jesu an Johannes unter dem Kreuz auf die universale Mutterschaft Mariens bezogen habe und das Protoevangelium ebenfalls auf die Mutter Jesu gedeutet hat. Über den Einfluß der rupertinischen Gedanken siehe M. Peinador, La mariologia 133.

[71] RvD, GT 7, 13 (169, 155).

[72] a.a.O. (a.a.O. 155 f.).

[73] W. Kamlah, Apokalypse 87—104 (81 Belege zu den Übernahmen aus Josephus und Rufin).

[74] Vgl. J. R. Geiselmann, Zur Eucharistielehre 6.

Gerechten wie über die unsichtbare Sendung des Geistes im Alten Testament — Gedanken, auf die in diesem Zusammenhang nur hingewiesen werden soll[75].

Kann man den Deutzer Abt also weder als blassen Vermittler noch als zukunftslosen Traditionalisten abtun[76], so ist doch den Motiven seines Denkens nachzuspüren. Sie liegen in der intensiven und personalen Durchdringung der Heiligen Schrift. In Gebet und Betrachtung geht er beständig mit diesem Buch um, mit dessen Gedanken er ringt, dessen Größe er tiefer und tiefer erfaßt[77]. Sie ist Gottes Wort, in dem er sich der Kirche zuspricht. „*Ad quaerendum Christum*" liest er sie und schreibt er seine Gedanken nieder[78]. Christus suchen und finden — das ist ein Prozeß, der kein Ende findet, weil die Geheimnisse der Schrift unausschöpfbar sind und immer wieder neue Schätze ans Tageslicht fördern[79]. Ebenso fest aber, wie er überzeugt ist, auf sicherem und irrtumsfreien Boden zu stehen, fordert er das Recht, auf eigene Kosten diesen unendlichen Acker zu bestellen, der allen Gläubigen gemeinsam ist[80].

Hier gewinnen wir nun den Schlüssel zum Verständnis für die Relativierung der patristischen Autoritäten. Die Väter sind *auctoritas,* davon ist er mit allen Zeitgenossen überzeugt. Wesentlich höher aber steht die auctoritas der Schrift, denn sie, nicht die Vätertheologie, ist das authentische Zeugnis von Christus, an dem diese kritisch zu überprüfen ist[81]. Er mißt dabei der *ratio* eine Bedeutung zu, die ungewohnt ist. Es paßt in dieses Bild, wenn er sich die Auffassung des *Scotus Eriugena* zu eigen macht, daß auch die Autorität der Bibel auf Vernunftgründen beruhe[82]. Dennoch ist für

[75] Vgl. die Hinweise bei Beumer, Rupert 268; Wittler 41—56.

[76] So L. Ott, Briefliteratur 73.

[77] Vgl. Gen. 6, 42; 8, 9 (167, 441.498); VV 3, 26; 10, 7 (169, 1203.1291); GT 7, 13 (169, 155); A prol. 12, 21 (169, 826.1203); CC litt. dedic. (Haacke 290 f.); III (168, 881) sowie U. Jaeschke 68—107; Magrassi 47—49.66—73.

[78] RvD, P prol. (168, 12).

[79] RvD, GT 1, 1 (169, 14); VV 3, 26 (169, 1290). Vgl. mit Eirenaios v. Lyon, adv. haer. IV, 26, 1 (PG 7, 1052 f.). Deswegen kann der Schrifttext auch immer besser erkannt werden: er wagt gelegentlich eine Konjektur an der Vulgata: 169, 111.684.774.792; 167, 323.922. Die Eigenständigkeit seiner Schriftinterpretation bezüglich Gen. 22 hebt D. Lerch, Isaaks Opferung 135—149 hervor.

[80] Gh 10 (168, 1544), A prol. 6, 11 (169, 827/828.1016 f.).

[81] Vgl. RvD, A 6, 11 (169, 1016 f.) mit Hieronymus, in ps. 68 (26, 1084); Gh 10 (168, 1544) und SpS 4, 9 (167, 1679 f.) mit Augustinus, ep. 32, 2 (CSEL 33, 354).

[82] RvD, Gh 10 (168, 1544); RSB 1 (170, 494—496), vgl. dazu Scotus Eriugena, div. nat. 1 (122, 508—513).

ihn damit kein Anlaß zum Bruch gegeben. Weil die Väter Gottes Wort artikulieren und die Bibel in der Kirche auslegen, kann es keine wesentlichen Dissonanzen zwischen beiden Autoritäten geben. Die kirchliche Gemeinschaft ist die einigende Klammer zwischen allen Polen. „Sicut ecclesia catholica tenet" lautet der Tenor seiner Theologie, und da weiß er sich einig mit der Schrift und den Vätern[83]. Erst wenn zwischen beiden eine Diskordanz aufbricht, bewahrt er sich, hierin eins mit Abälard, die Freiheit prüfender Distanz und verantworteter Eigenentscheidung[84]. Es ging dabei ohnedies nur um periphere Fragen.

Zeigt sich Rupert somit beeinflußt von den Ideen der Dialektik, so setzt er sich dort und dann schärfstens von ihrer Lehre wie von ihren Methoden ab, wo und wenn er Abweichungen von der kirchlichen Lehre wittert. Die Kirchlichkeit seines Denkens duldet keinen Kompromiß: in Sachen des Glaubens hält er zur überlieferten Lehre der Kirche und verteidigt sie mit allen Kräften. Von Progressismus ebenso weit entfernt wie von Traditionalismus versucht er, die Überlieferung in die Gegenwart einzubringen, um diese auf die Zukunft hin fruchtbar zu machen. Das bedingt eigenes Denken, selbständige Durchdringung der Probleme. *„Eadem via, sed non iisdem omnino vestigiis"* — das ist das Motto seiner Theologie[85]. Der Satz klingt wie eine Varitation jenes plastischen Bildwortes, das Bernhard von Chartres gesprochen haben soll: „Quasi nani super gigantium humeros ... longius quam ipsi speculamur"[86]. Beide Male treffen wir auf eine kühne Sprache, die den Aufbruch in eine neue Periode kirchlichen Denkens signalisiert.

Woher nahm sich Rupert die Kühnheit zu einer solchen ebenso souveränen wie distanzierten Haltung zur Theologie? Er besaß nach eigenem Zeugnis keine geschliffene Ausbildung wie die französischen Dialektiker[87]; er war weit davon entfernt, ein revolutionärer Stürmer und Dränger zu sein, sondern fühlte und dachte im Rahmen eines Ordens, der stark traditionsgebunden war. Seine Gegner forderten eine Antwort und er gab sie mit dem Hinweis

[83] RvD, ep. ad Cunonem (CCcm 9, 2); vgl. RSB 1 (170, 494).

[84] RvD, A 3, 4 (169, 907 f.).

[85] RvD, EJ praef. (CCcm 9, 7). Zur Geschichte dieser Formel Magrassi 56—58. Vgl. U. Jaeschke 62.

[86] Johannes v. Salisbury, Metalog. 3, 4 (ed. Webb 136 — PL 199, 900). Das Wort wurde gern kolportiert. Vgl. R. Klibansky, Standing on the Shoulders of Giants, in: Isis 26 (1936), 147—149; E. Jeanneau, Nains et géants; ds., Nani gigantum humeris insidentes.

[87] Vgl. RSB 1 (170, 482).

auf seine Visionen[88]. Auch sie sind Quelle seiner Theologie. Dabei ist der Abt von Deutz alles andere als ein wundersüchtiger und wundergläubiger Mann. Im Gegensatz zu Gerhoch überläßt er sich niemals einem ausschweifenden Glauben an die Mirakelerzählungen, die im Schwange waren[89]. Aber er besteht darauf, mit der Gnade des Priestertums von oben her auch die Gabe der Schriftauslegung erhalten zu haben; sie gibt ihm das Recht, in eigenem Bemühen kirchliche Theologie zu treiben, neben und mit den Vätern Theologe zu sein. In diesem Sinn wird man seine Überzeugung von visionären Erlebnissen durchaus als Grundlage seines Schaffens ansehen dürfen. Sie steht aber ebenso wenig wie die Vätertheologie neben der Heiligen Schrift und wie diese neben der Kirche, sondern ist mit beiden zu einer einzigen theologischen Quelle integriert[90]. Seine Kontemplation der Väter zielt auf das Verständnis der Schrift, seine *visio* erschöpft sich nicht im bloßen Erlebnis, sondern ist der Schlüssel zur gleichen Heiligen Schrift, die er in der Kirche liest. Die *Kirchlichkeit* ist als das eigentliche Motiv seiner Arbeit zu betrachten. Diese bekommt damit einen missionarischen Zug. Seine Betrachtungen wollen nicht privater Erbauung, sondern der kirchlichen Verkündigung dienen. Rupert wirkt als Pionier. Die Mönchsreformen des 11. und 12. Jahrhunderts hatten sich gegen die Seelsorge durch das Monasterium ausgesprochen, auch die Regularkanoniker wandten sich ihr nur zögernd zu[91]. Die Siegburger denken hier, nicht ohne entscheidenden Einfluß durch Rupert, anders: er hatte eigens drei Schriften der Frage gewidmet[92]. Mehr noch, seine ganze theologische Arbeit steht unter einer einheitlichen Intention: als Weitergabe des recht verstandenen Schriftwortes will sie Predigt sein, die in die Kirche und damit zu Christus als der Fülle aller Schrift führt[93].

[88] RvD, Gh 12 (168, 1589—1591.1593.1598.1600—1602.1612); RSB 1 (170, 480); Mal. prol. (168, 837/838); A prol. (169, 827/828). Diese Behauptungen akzeptierten seine Zeitgenossen: vgl. Kuno (ep. ad Cunonem — 167, 196) und Honorius (LE 4, 16—172, 232).

[89] E. Beitz, Rupertus 49. Auch M. Peinador, La mariologia 132 bescheinigt Rupert „una sobriedad laudabile“ (vgl. a.a.O. 128), ebenso U. Jaeschke 60. Ein Beispiel dieser Nüchternheit etwa RvD, Gh 3 (168, 1380) über die Versuchung Jesu.

[90] Diese innere Einheit zeigt W. Kamlah, Apokalypse 105—113 in einem Essay über die Visionen bei Rupert auf. Vor allem die Erörterung des „utiliter“ bei Rupert ist sehr aufschlußreich (a.a.O. 84).

[91] Mois 290 f.; Semmler 267—269.

[92] Vgl. oben Anm. 30 sowie Semmler 273—281. Von der Hochschätzung der Seelsorge zeugt auch RvD, IOT 16 (Grundmann 461).

[93] RvD, Ex. 4, 44; Dt. 2, 7; Jos. 17 (167, 743.963.1017). U. Jaeschke hat in ihrer

6. Die Bedeutung Ruperts

Rupert gehört einer Übergangszeit an, die sich stilgeschichtlich etwa als Transitus von der Romanik zur Gotik, theologiehistorisch als Auseinandersetzung zwischen Monastik und Scholastik charakterisieren läßt. Er stand nicht auf der Seite der Sieger, zumindest was die unmittelbaren Ergebnisse betraf.

Die Spannung, die der Abt in sich austrug, hatte zwei Folgen. Rupert war und blieb ein umstrittener Mann. Weil er von keiner Seite beschlagnahmt werden konnte, mußte beiden seine Theologie verdächtig sein, obwohl sie gerade die polare Spannung christlichen Denkens reflektierte. Daraus resultiert die zweite Konsequenz: die Historiker vergaßen ihn nahezu, wenn die eine oder andere Seite sich in ihrer Gegenwart durchgesetzt hatte. Wenn allerdings die Kirche im Umbruch steht, erinnert man sich des Benediktiners aus dem 12. Jahrhundert.

Rupert hatte sich, wie wir sahen, zeitlebens mit Gegnern herumzuschlagen. Sein Zeitgenosse Anselm von Havelberg hatte nur ein recht vernichtendes Urteil für ihn übrig[94]. Er litt darunter und schrieb — auch das ist noch ein Zeichen seines Selbstbewußtseins — alle Anfeindungen dem Neid zu[95]. Sie hörten nach seinem Tod nicht auf. Entscheidend war das Verdikt Robert Bellarmins, das die katholischen Theologen der gegenreformatorischen Zeit wenn nicht überhaupt von der Lektüre seiner Werke Abstand nehmen, so doch ihre Äußerungen sehr zurückhaltend werden ließ[96]. Man darf dem Kardinal nicht alle Schuld anlasten: wenn die Theo-

Dissertation diesen Aspekt besonders herausgearbeitet, jedoch kommt bei ihr die theologische Wirksamkeit Ruperts zu kurz (vgl. 49.56). Zur Christusfrömmigkeit Ruperts a.a.O. 80—83 und C. Richstaetter, Christusfrömmigkeit 76 bis 79, 82—84.

[94] apol. (188, 1120): „Postremo nescio cuiusdam Roberti doctrinam adnectis, cujus auctoritas quia in ecclesia ignoratur, ea facilitate contemnitur, qua probatur: fortasse tamen apud vos magnus habetur, non ob id, quod aliqua magna scripserit, sed ob hoc, quod monachorum abbas exstitit; ego sane quaedam scripta illius, fateor, curiosa novitate legi, ipsum etiam novi et vidi, sed pulchre dictum Graecos proverbium in illo verum reperi: Pinguis venter non gignit tenuem sensum". Der Passus steht im Widerspruch zu Anselm ord. can. 29 (188, 1111), wo es heißt: „Rupertus abbas Tuitiensis totius paene Veteris ac Novi Testamenti expositor illustris, ordinem illum (= die Cluniazenser) aureum tamquam topazium perornat." Mois 81/110 möchte daher den ersten Text auf einen anderen Abt Robert/Rupert gemünzt sehen, der der Verfasser von „De vita vere apostolica" und der ep. ad Liezelinum sei. Seine Ansicht wird von anderen Autoren nicht geteilt. Siehe unten Anm. 102.

[95] omnip. 22 (170, 472).

logen Ruperts Werke nicht kannten, war das auch die Folge des verbreiteten Desinteresses an der präscholastischen Theologie überhaupt, soweit diese nicht wegen der Genesis der Scholastik als Vor- und Frühscholastik die Aufmerksamkeit weckte.

Obwohl man beim heutigen Stand der Dinge eine umfassende Würdigung der rupertinischen Theologie und der Monastik überhaupt kaum wagen kann, beginnt die moderne Forschung ihn zu den Großen seines Jahrhunderts zu rechnen, von dem unabschätzbare Wirkungen ausgingen. Es gab genügend Zeitgenossen, die das bereits erkannten. Von Gerhoch und Honorius wird zu sprechen sein. Rhaban Haacke, der Herausgeber und Kenner seiner Werke, hat auf eine Stelle im Brief 34 der *Reinhardsbrunner Briefsammlung* hingewiesen, deren anonymer Verfasser „Rupert" von *„rore superno peritus"* ableitete und ihn zusammen mit Hugo von St. Viktor eine Zierde der modernen Schriftsteller nannte[97]. Das Lob Wibalds von Stablo[98] und seines Lehrers Reinhard, des späteren Abtes von Reinhausen, ist bekannt[99]. Rudolf von St. Trond hält seine Schriften für geisterfüllt[100]. Männer wie der Kanonikus Meingoz[101], Arno von Reichersberg[102], Wilhelm von Weyarn[103] und Botho von Prüfening[104] sprechen mit großer Hochachtung von ihm. Der gelehrte Biblio-

96 controv. christ. fid. 3, de sacra euch. 3, 11, 15 (ed. Fèvre IV, 165 f., 169—171); de script. eccl. (ed. Fèvre XII, 435 f.).

97 MGH ep. sel. V, 32—34 (in Auszug bei R. Haacke, Verbreitung 106—109).

98 Vgl. oben Anm. 12.

99 H. Silvestre, A propos de la lettre 15/33.

100 F. W. E. Roth, Ein Brief 617: „Scripta tua, frater amantissime, non tam admirationi sunt quam debitae venerationi propter quaerendam Spiritus sancti gratiam, quam ex eis intelligunt abunde potenterque in te effusam secundum scientiam et sanam doctrinam". Vgl. auch H. de Lubac, Exégèse II/1, 235.

101 170, 701—704.

102 apol. (ed. Weichert 143): „Ruodpertus quoque Tuiciensis abbas, et ipse nostri temporis praeclarum luminare, siquidem divinis revelationibus illuminatus, totum fere vetus ac novum testamentum insigniter exposuit"; Scut. can. (194, 1519): „... in ordine Cluniacensium Rudbertus abbas Tuiciensis totius paene Veteris ac Novi Testamenti expositor illustris, ordinem illum aureum tamquam topazius exornat". Arno scheint die Quelle Anselms von Havelberg gewesen zu sein (vgl. Anm. 94)!

103 F. Ohly, Hohelied-Studien 233; Classen, Gerhoch 462.

104 W. Neuss, Das Buch Ezechiel 132—134; Classen, Gerhoch 38/15; M. Spindler, Handbuch I, 464 (H. Glaser).

105 E. Ettlinger, Der sogenannte Anonymus Mellicensis, 1896, 96 f. Vgl. Kamlah, Apokalypse 104; H. v. Fichtenau, Wolfger von Prüfening, in: MIÖG 51 (1937), 313 ff.

thekar Wolfger von Prüfening nennt ihn „Rupertus Magnus" und führt ihn an als letzten der berühmten kirchlichen Schriftsteller[105]. Mehr noch als diese Elogien beweist die weite Verbreitung seiner Werke im 12. Jahrhundert die Wertschätzung seiner Zeitgenossen. In einer Untersuchung über den Handschriftenbestand hat Haacke 215 Manuskripte ausfindig gemacht, die fast zur Hälfte aus der zweiten Hälfte dieses Jahrhunderts, zu rund einem Viertel aus dem folgenden stammen[106]. Neben der Bibel und den Werken der Väter gehörten sie in vielen Klosterbibliotheken zum eisernen Bestand[107]. Ganz Europa erreichten seine Werke: sie waren in Canterbury wie in Klosterneuburg, in Cognac und Toulouse ebenso verbreitet wie in Aquileja oder Sittich. Dem Einfluß Kunos ist es zuzuschreiben, wenn man sie vor allem in Süddeutschland findet[108].

Doch blieben sie nicht in den Regalen stehen, sondern wurden eifrig gelesen und fanden lebhaftes Echo in der Literatur und Kunst der Zeit. Vor allem auf fünf Gebieten haben sie bedeutenden Einfluß ausgeübt: auf *die Exegese, die Christologie, die Mariologie, die Geschichtstheologie* und *die Kunst*. C. Spicq zögert nicht, Rupert einen der Begründer der biblischen Theologie im Mittelalter zu nennen[109]. Einer der besten Kenner der Materie, Henri de Lubac, stellt ihn wegen der Bedeutung seiner Schrifttheologie an die Seite der Väter[110]. Er sieht ihn als Nachfahren eines Anselm von Canterbury und Vorläufer Thomas' von Aquin, der sich als Bruder im Geist einem Rhabanus Maurus und Hugo von St. Viktor beigesellen kann[111]. Als originalen Denker erkennt ihn auch U. Jaeschke, die eingehende Textanalysen der rupertinischen Exegese vorgenommen hat[112]. F. Ohly schließlich stellt Rupert an den Beginn der Mystik in Deutschland, da er aus der bloßen Übernahme des patristischen Gedankenguts herausgewachsen sei

[106] Überlieferung 407—420; Korrekturen gibt H. Silvestre Tradition 341—345. Weitere 86 Hss. sind geschichtlich gesichert, aber nicht mehr erhalten.

[107] Haacke, Verbreitung 109.

[108] R. Haacke, Überlieferung 404/405; ds., Verbreitung 108/109: die Landkarten veranschaulichen das Verbreitungsgebiet der Hss.

[109] Esquisse 117.

[110] Exégèse II/1, 219—238. De Lubac hat Rupert DO 3, 18 auch in seine Textauswahl in „Glauben aus der Liebe" aufgenommen (379—382 = CCcm 7, 87—89). Vgl. auch die Arbeiten von F. G. Cremer, Die Fastenansage 121 ff., 125.147.158 f. 162; ds., „Die Söhne des Brautgemachs" 251 f.; G. Chopiney, Rupert de Deutz; D. Lerch, Isaaks Opferung 135—149.

[111] H. de Lubac, Exégèse II/1, 228.

[112] Heilsgeschichte 107—140, Anm. Teil 55—57.

zur Unmittelbarkeit eines persönlichen Ringens um die Heilige Schrift[113].

Kaum ein dogmatisches Handbuch verfehlt, auf die Bedeutung des Deutzer Abtes für die Geschichte der Christologie hinzuweisen. Er ist einer der großen Vertreter der sogenannten „skotistischen“ Theorie des Inkarnationsmotivs. Von einer betont christozentrischen Position, die das monastische Denken nahelegte, kam er im Lauf einer langen Entwicklung zu der Ansicht, daß Christus unabhängig von der menschlichen Sünde Mensch geworden sei[114].

Die intensive Bibelexegese führte ihn auch zum neuen Standpunkt in der Mariologie, indem er bei der Interpretation des Hohenliedes die ekklesiologische Auslegungstendenz mit der Deutung auf die Mutter Gottes spezifizierte und integrierte. Damit leitete er eine neue Epoche des marianischen Kultes ein[115].

Rupert treibt Exegese unter der Perspektive der Heilsgeschichte. Das zeigt sich in allen Werken mehr oder minder deutlich; besonders klar ist seine Intention in dem Buch *„De victoria Verbi Dei“*, das „bellorum Dei veluti historiam texere“ will[116]. C. Spicq umreißt seine Bedeutung mit den Worten: „Es bedeutete für das Mittelalter das gleiche wie der Gottesstaat Augustins für die Vergangenheit und die Histoire universelle Bossuets für die Zukunft“[117]. J. Ratzinger hat in seiner Darstellung der bonaventuranischen Geschichtstheologie zeigen können, welchen Einfluß der Abt auf den Franziskanertheologen gehabt hat, der auf seinen Gedanken — seien sie ihm nun mittelbar oder unmittelbar zugänglich gewesen — aufbaut[118].

Von seiner Theologie gingen schließlich starke Anregungen auf die spätromanische und frühgotische Kunst aus, etwa auf die Fresken der Doppelkirche von *Schwarzrheindorf*, auf die *Siegburger Madonna* im Kölner Schnütgenmuseum, den *Kölner Dreikönigsschrein*, den *Altar von Klosterneuburg*, und auf die Wandgemälde

[113] Hohelied-Studien 129.

[114] Magrassi 219—255.

[115] F. Ohly, Geist und Form 186; J. Riudor, Maria Mediadora 183: „Uno de los mariólogos más importante de este tiempo“. Nach Ohly, a.a.O. 233,307 ist Wilhelm v. Weyarns Carmen ad gratiam dilectae dilecti (clm 6432 u. 17, 177) eine metrische Bearbeitung von Rvd, CC.

[116] VV prol. (169, 1216).

[117] Esquisse 114 f.: „Il fut pour le Moyen Age ce qu'a été la Cité de Dieu de St. Augustin et ce que sera l'Histoire universelle de Bossuet“.

[118] J. Ratzinger, Bonaventura 97—103 u. passim. Über den Einfluß auf Anselm v. Havelberg a.a.O. 105.

in der *Regensburger Allerheiligenkapelle* — um nur die wichtigsten Arbeiten zu nennen[119].

Ruperts Werk wird auch direkt von seinen Zeitgenossen und den späteren Generationen übernommen. Wir werden noch auf die Abhängigkeit des Honorius und Gerhochs von Reichersberg vom Deutzer Benediktiner zu sprechen kommen. Darüber hinaus hat er auf Männer wie Botho von Prüfening gewirkt, der ihn wörtlich zitiert[120], oder auf Rudolf von Köln und seinen Schüler Caesarius von Heisterbach[121], auf den freundschaftlichen Mahner Wilhelm v. St. Thierry[122]. Nach A. Dempf hat er auch auf das Werk Ottos von Freising Einfluß gehabt[123]. Die Benutzung seiner Schriften läßt sich bei Herrad von Landsberg[124] ebenso wie bei Wilhelm von Weyarn[125], Wolbero von St. Pantaleon[126] und Philipp von Harveng[127] feststellen. Diese Ausstrahlung reicht weit ins 13. Jahrhundert hinein. Bearbeitungen der *Glossa ordinaria* und der Schriften Bernhards aus dieser Zeit weisen deutliche Spuren ihrer Verwendung auf;

[119] Rupert beurteilt die Kunst sehr wohlwollend: Ex. 4, 44 (167, 744). Seine Auswirkungen auf die Kunst behandeln E. Beitz, Rupertus *(Wandmalereien in Schwarzrheindorf, Madonnen von Siegburg, Lüttich = „Vierge de Dom Rupert“, St. Maria im Kapitol-Köln, Deckengemälde in Prüfening*: Maria-Ecclesia als virgo conregnans); ds., Rupert v. Deutz und die Skulpturen (*Kathedra von Siegburg, Madonna im Oberpleiser Dreikönigsanbetungs-Relief*); J. A. Endres, Wandgemälde (*Allerheiligenkapelle am Domkreuzgang in Regensburg*); H. Swarzenski, Die lateinischen illuminierten Handschriften des 13. Jahrhunderts in den Ländern am Rhein, Main und Donau, Berlin 1936, 11.14; W. Neuß, Das Buch Ezechiel 235—237, 285—296 (*Miniatur zur Bibel von Floreffe-Lüttich, Schwarzrheindorfer Fresken*); A. Weißgerber, Studien zu Nikolaus von Verdun, Bonn 1940, 53 (*Kölner Dreikönigsschrein, Siegburger Annoschrein, Klosterneuburger Altar*); Y. Labaude-Mailfert, L'iconographie 517; J. Hoster (Kölner Domblatt 4/5 [1950], 65—81) und H. Rode (Jahrbuch d. Kölner Geschichtsvereins 29—30 [1957], 257) ziehen RvD, A zur Erklärung der Symbolik des *Kölner Domchores* heran. Über die sogenannte „Vierge de Dom Rupert“ vgl. A. Legner (Hrsg.), Rhein und Maas, Kunst und Kultur 800—1400, Köln 1972, 281 (Lit.!) und 282 (Abb.).

[120] E. Beitz, Rupertus 30; Neuß, Das Buch Ezechiel 132—134; Classen, Gerhoch 38 f./15.

[121] E. Beitz, Caesarius v. Heisterbach 50.76; vgl. auch J. Greven, Kleinere Studien zu Cäsarius von Heisterbach, in: AHVNrh 99 (1916), 30—32.

[122] F. Ohly, Hohelied-Studien 163; H. H. Wittler 2.

[123] A. Dempf, Sacrum Imperium 247 f.

[124] Stammler-Langosch 1150 f.; J. de Ghellinck, Essor I, 124; Manitius III, 1011.

[125] Manitius a.a.O. 134; F. Ohly, Hohelied-Studien 233.249/2. 307; H. Riedlinger, Makellosigkeit 212.

[126] F. Ohly, a.a.O. 273.

[127] H. Riedlinger, a.a.O. 216.

auch verschiedene mittelhochdeutsche Prediger verraten die Kenntnis seiner Arbeiten[128]. M. Grabmann bemerkt, Thomas von Aquin, der Fürst der Scholastiker, habe sein exegetisches Wissen von Rupert, einem Fürsten der Monastik, vermittelt bekommen[129], in seiner Untersuchung über die Ekklesiologie des Aquinaten hebt er ferner den starken Anteil rupertinischer Gedanken hervor[130]. A. Dempf, der Ruperts Nachwirkungen auch bei Joachim von Fiore und selbst noch bei Dante feststellt, reiht ihn unter die größten Gestalten seines Jahrhunderts ein, ebenbürtig einem Anselm von Havelberg, den Viktorinern, dem Dichter des *„Ludus de Antichristo“* und der hl. Hildegard von Bingen[131].

Während das Bild dieser Gestalten neben der mächtig aufstrebenden Scholastik ebenso zurücktrat wie die romanischen Kirchen neben den himmelstürmenden gotischen Kathedralen, macht Rupert einmal eine Ausnahme. Aus nicht eindeutig geklärten Gründen setzt mitten in der *Reformationszeit* eine wahre Rupert-Renaissance ein[132]. Schon im ausgehenden 15. Jahrhundert war ein Wiegendruck von „De victoria Verbi Dei“ erschienen[133]. Im 16. Jahrhundert folgte eine Reihe von Drucken, die alle von protestantischen Gelehrten ediert wurden[134]. Dadurch sieht sich Johannes Cochlaeus veranlaßt, nun auch katholischerseits eine Ausgabe der Werke Ruperts vorzunehmen, um nicht „den frommen Autor in die Hände der Gottlosen“ auszuliefern und zu zeigen, „was für ein großer Mann dieser unser Rupert gewesen ist“[135]. Wegen des Titels hätten die Protestanten sich mit Eifer auf die Schrift vom Sieg des Gotteswortes gestürzt, erklärt der Herausgeber, doch dürfte der eigentliche Grund die christozentrische Heilsgeschichtstheologie gewesen sein, die die intensive reformatorische Beschäftigung mit Rupert

[128] F. Ohly, a.a.O. 112 (zur Glossa); J. Leclercq: s. oben Anm. 28 (Bernhard); Hauck IV, 920/1 (Predigt).

[129] Thomas v. Aquin 59; vgl. R. Haacke, Verbreitung 110.

[130] Die Lehre des hl. Thomas von der Kirche 86.281/2. Vgl. weitere Angaben über Ruperts Einfluß bei M. Bernards, Welt der Laien 394/9.

[131] A. Dempf, Sacrum Imperium 229—268.

[132] J. Beumer, Rupert von Deutz. Bezeichnend ist die Bemerkung Bellarmins, script. eccl. (ed. Fèvre XII, 436): „... opera Ruperti alioqui non mala nec indocta, jacuerint sine luce et honore in tenebris oblivionis annis circiter quadringentis: nam nostro primum tempore coeperunt lucem aspicere“. Auch Berthold von Chiemsee († 1543) zitiert im „Onus ecclesiae“ Rupert (Mitteilung von Prof. K. Amon - Graz).

[133] Erschienen bei Antonius Sorg, Augsburg 1487 (L. Hain, Repertorium bibliographicum, Stuttgart-Paris 1838, n. 14 046).

[134] R. Haacke, Verbreitung 111—118.

[135] J. Beumer, Rupert von Deutz 209.210.

veranlaßt haben[136]. Wenngleich der Abt in der Folgezeit wenig von den Theologen beachtet wurde, verschwand das Andenken an ihn niemals ganz. Das bezeugen drei Gesamtausgaben in den ersten vier Jahrzehnten des 17. Jahrhunderts[137] ebenso wie seine Kenntnis bei Leibniz[138] oder Alfons von Liguori, der in seinem Buch *„Le glorie de Maria"* sich häufig auf den Abt bezieht[139]. Seine Ekklesiologie erweckte im vergangenen Jahrhundert die Aufmerksamkeit M. J. Scheebens[140].

In unserem Jahrhundert schwankt sein Charakterbild vom Vorwurf der Bedeutungslosigkeit zur Anerkennung echter Größe. Niemand wird wohl heute noch das Urteil des Dogmengeschichtlers J. Schwane teilen, der bei der Darstellung der mittelalterlichen Eucharistielehre bemerkte: „Rupert ... kommt, trotz seiner vielen Schriften, in der Dogmatik doch nur an diesem Orte vor und selbst dies mehr wegen dessen, was er nicht gelehrt haben soll, als wegen seiner positiven Lehrentwicklungen"[141]. Man wird Rupert auch nicht gerecht, wenn man ihn mit A. Hauck als eine zwar recht sympathische Gestalt sieht, die aber unfähig blieb, die Eierschalen der unvollkommenen Zeit abzuwerfen und in unfruchtbarer, selbstbezogener Exegese verharrte[142].

Mit fortschreitender Kenntnis seiner Zeit und seines Werkes wird das Urteil positiver. J. Leclercq stellt ihn in der lebendigen Erfassung der Heiligen Schrift Bernhard an die Seite, spricht ihm aber jeden neuen und weiterführenden Gedanken ab[143]; lediglich indem er die traditionelle Lehre mit größerem dichterischen Schwung habe sagen können, habe er dem Leser neue Ausblicke geöffnet[144]. Für F. Heer ist er „der letzte große Vertreter der alten karolingisch-ottonischen Gott-Welt-Einheit in der Theologie", doch diese

136 a.a.O. 213.

137 R. Haacke, a.a.O. 120.

138 II. Brief an M. de Meaux sur l'autorité de Concile de Trente du 24 mai 1700 (Angabe nach Rocholl, Rupert 314 f.).

139 Alfonso de'Liguori, Le glorie de Maria, z. B. parte I, 143; parte II, 100.113. 163.181.

140 Handbuch der kath. Dogmatik V/2 (Erlösungslehre), Ges. Schriften VI/2, n. 1804, S. 479; vgl. auch ds. a.a.O. I (Theol. Erkenntnislehre), a.a.O. III, n. 1041, S. 453.

141 DG 641.

142 Hauck IV, 432—443.

143 S. Bernard et la théologie monastique 16. Positiver ist sein Urteil in La spiritualit du Moyen âge, De saint Grégoire à saint Bernard, du VI au XIIe siècle, 214: „Ce contemplatif est l'un des ceux qui ont apporté la plus notable contribution à ce qu'on a appelé la 'patristique du XIIe siècle".

144 Wissenschaft 248.

sei damals bereits dem Tode geweiht gewesen[145]. Nur für die Volksfrömmigkeit sei sein Wirken noch entscheidend gewesen[146]. Neben solchen Gutachten, die Rupert zwar Größe, aber Wirkungslosigkeit bescheinigen, stehen andere Urteile, die ihn vorbehaltlos anerkennen. Nach M. Grabmann gehört Rupert „zu den tiefsinnigsten Theologen des 12. Jahrhunderts in deutschen Landen“[147]; W. Wattenbach nennt ihn einen „der größten Theologen seiner Zeit“[148]. J. Huijben rühmt „le grand Rupert“ als den bedeutendsten Vertreter der alten Spiritualität[149]. Vor J. Beumer steht diese Gestalt „in einsamer Größe“, von der greifbare Verbindungslinien nicht ausgehen, obwohl er versucht, ihn gerade als Vermittlungstheologen zu kennzeichnen[150]. J. Ratzinger zeigt, daß „dieser noch immer zu wenig beachtete Denker“ eine Schlüsselrolle in der Entwicklung der mittelalterlichen Geschichtstheologie spielt[151]. M. Magrassi hebt die selbständige Position des Abtes gegenüber der traditionellen Theologie ins Licht und nennt ihn, sicher ein wenig überschwenglich, einen „progressista ad oltranza“[152].

Diese ehrenvollen Würdigungen erklären sich nicht allein aus der wachsenden Kenntnis seines Werkes, sondern haben auch darin ihren Grund, daß wir heute in der Zeit Ruperts eine der unseren in vieler Hinsicht ähnliche Epoche erkennen und darum die Schwierigkeiten, die Grenzen und auch die Größe eines bedeutenden Mannes in solcher Situation gerechter beurteilen können. Der Abt gehört nicht zu den geschichtlichen Gestalten, deren Name mit einer Epoche verbunden bleibt. Er ist nicht wie Abälard ein unbestechlich kritischer Denker, er hat die Spiritualität nicht beeinflußt wie Bernhard von Clairvaux. Ihm geht die Denkkraft eines Gilbert de la Porrée ebenso ab wie die systematische Klarheit eines Hugo von St. Viktor. Er ist kein Streiter wie Gerhoch, kein Erfolgsautor wie Honorius. Seine Schriften sind ausladend breit, erfüllt von wuchernder Symbolik, nicht selten ermüdend langatmig. Doch blitzt in ihnen auf manchen Seiten die schöpferische Kraft eines dichterischen Genies auf. Ihr Autor greift nur ganz selten

145 Tragödie 21.
146 Aufgang 110.
147 Geschichte II, 100 f.
148 Geschichtsquellen I, 657.
149 Les origines de l'Ecole flamande. L'Ecole bénédictine, in: La Vie Spirituelle, Suppl. 59 (1939), (170)—(186), 175: „Le grand Rupert, le meilleur représentant de la spiritualité antique.“
150 Rupert 255.
151 J. Ratzinger, Bonaventura 99; vgl. über die Bedeutung Ruperts 97—103.
152 Magrassi 45.

einmal zu dialektisch zugespitzter Argumentation, wie sie vor allem geeignet war, die Entwicklung vorwärts zu treiben. Aber das ist nicht seine Stärke. Viel lieber gibt er sich einer großartigen Gesamtschau der christlichen Wirklichkeit hin, in der Exegese, Dogmatik und Verkündigung zu einer Einheit zusammenwachsen, in deren Mittelpunkt die Heilsgeschichte Gottes mit den Menschen durch Christus steht. Diese „glutvolle Geistigkeit"[153] Ruperts ist nicht ohne Wirkung geblieben. Er hat die Entwicklung durchaus vorangetrieben, freilich nicht in der Vordergründigkeit der öffentlichen Agitation, sondern in der Stille der Kontemplation, deren Dynamismus zwar langsam, aber dann um so nachhaltiger zur Wirkung kommt. Er ist ein katholischer Denker im umfassenden Sinn des Wortes gewesen, der die Verpflichtung zur Wahrung der Tradition spürt, ohne Traditionalist zu sein; der aus der Meditation des Wortes Gottes in der Geschichte auf der Seite des Neuen stand, ohne ein Neuerer zu sein. Die Spannung, die diese Haltung erzeugt, muß das Interesse aller Theologen wecken, zumal in dieser Zeit. Es ist nicht sonderlich merkwürdig, daß die Benediktiner des 17. Jahrhunderts in ihrem Ordensbruder einen Lehrer der Kirche sahen. H. de Lubac berichtet das und faßt sein Urteil über ihn mit den Worten zusammen: „Am theologischen Himmel dieser großartigen Epoche steht er, dort erhebt sich sein Glanz: siebter Edelstein, siebter goldener Leuchter oder siebtes Gestirn der Pleiade, nicht minder im Glanz, kaum weiter unseren Augen entrückt. In unserem Gedenken verdient er den anderen großen Gestalten zugestellt zu werden als einer der großen Zeugen des Geistes — *viri spirituales, qui sunt luminaria mundi*"[154].

[153] H. Riedlinger, Makellosigkeit 209.

[154] Exégèse II/1, 233; Zitat 232: „Dans le ciel théologique de cette merveilleuse époque, il n'en brille pas moins, septième ‚pierre précieuse', septième candélabre d'or, — ou septième astre de la Pléiade, à peine plus lontain à nos yeux. Il mérite de demeurer associé dans notre souvenir avec eux, parmi ces grands témoins de l'esprit, ‚viri spirituales, qui sunt luminaria mundi'".

2. Kapitel

Honorius Augustodunensis

1. Herkunft

J. de Ghellinck nannte Honorius „den großen Unbekannten der Literaturgeschichte des 12. Jahrhunderts“, als er 1946 sein Buch „L'Essor de la littérature latine au XIIe siècle“ veröffentlichte[1]. Die Forschung der letzten Jahrzehnte hat jedoch manches Dunkel aufhellen können, das sein Leben bisher umgab, obwohl wir immer noch weniger über ihn wissen als über die meisten seiner Autorenkollegen. Während etwa Rupert und Gerhoch eine Reihe biographischer Bemerkungen in ihren Schriften machen, findet sich im Werk des Honorius ein einziger deutlicher Hinweis auf seine Existenz. In der Schrift *„De luminaribus Ecclesiae“*, einer Kompilation aus den Literaturgeschichten von Hieronymus, Gennadius, Isidor und Beda, lautet die letzte Angabe: *„Honorius, Augustodunensis ecclesiae presbyter et scholasticus, non spernenda opuscula edidit“*. Diese werden aufgezählt, wobei der Verfasser der Eintragung mit Lob nicht geizt. Er schließt mit der knappen chronologischen Notiz: *„Sub quinto Henrico floruit“*[2]. Die merkwürdige Mischung von Eigenlob und zurückhaltender Bescheidenheit mochte ihre Gründe haben. Im *„Elucidarium“*, dem ersten Werk in jenem Katalog, bekennt der Autor, er habe seinen Namen verschwiegen, um sein Werk nicht um die Wirkung zu bringen, da es Neid herausfordern werde[3]. So ist auch die Herkunftsbezeichnung, die auf das südwestlich von Dijon gelegene Autun verweist, ein Deckname.

[1] Essor I, 114: „Le grand inconnu de l'histoire littéraire du XIIe siècle“. Über Honorius 113—118. Heute noch sind merkwürdige Vorstellungen verbreitet. W. Durant, Zeitalter des Glaubens, macht ihn zum Bischof von Autun (a.a.O. 1053.1114). Siehe auch Manitius III, 57.

[2] HA, LE 4, 17 (172, 232—234). Die Echtheit ist umstritten wegen des massiven Selbstlobes und des Präteritums (Wattenbach II, 258/1; W. Scherer, Rezension 568; E. Rooth, Beiträge 125; J. Kelle, Untersuchungen 67). H. Menhardt, Nachlaß 43. 67 H. D. Rauh, Das Bild des Antichrist 125 nimmt an, daß Wolfger von Prüfening den Eintrag verfaßt hat. Für die Echtheit sprechen sich aus: J. Sauer, Symbolik 15; F. Baeumker, Inevitabile 14; A. Endres, Honorius 71 f.; Manitius III, 364; E. M. Sanford, Honorius 416 f.; Hauck IV, 445 f./4.

[3] E prol. (Lev. 359).

[4] Scherer, a.a.O. 568; R. Ceillier, Histoire XIV, 294; Hauck IV, 426; E. Amann, Honorius, DTC VII/1, 140; F. Bliemetzrieder, Oeuvre 275; F. Baeumker, a.a.O. 10; neuestens noch Th. Stemmler, Liturgische Feiern 38.

Es ist heute sicher, daß er nicht aus dieser alten Bischofsstadt stammt und wenig wahrscheinlich, daß er jemals dort gewesen ist.

Für die Kenntnis und Einordnung seines theologischen Werkes ist es jedoch von Bedeutung, seine Herkunft zu erfahren. Naturgemäß vermuteten die älteren Mediävisten in Honorius einen französischen Mönch, der um die Wende vom 11. zum 12. Jahrhundert den Posten eines Schulvorstehers bekleidet habe[4]. Sie begründeten ihre Hypothese mit dem starken Einfluß der französischen Theologie, die sie in seinen Schriften wiederzuerkennen glaubten. Später sei er dann aus ungeklärten Gründen, aber vermutlich nicht ganz freiwillig, nach Deutschland übergesiedelt.

Nähere Forschungen ergaben jedoch, daß für die fragliche Zeit in Autun weder der Name Honorius noch eine Schule bezeugt ist, der er hätte vorstehen können[5]. Man mußte sich also um eine neue Lösung bemühen. Man suchte sie weiterhin mit dem Schlüssel „Augustodunensis". Bereits 1838 hatte der Abbé Lebeuf vermutet, dahinter verberge sich die schweizerische Stadt *Augst* bei Basel[6]. J. Kelle hielt dem entgegen, daß das nicht mit Sicherheit nachgewiesen werden könne[7]. Wohl aber gibt es Dokumente, die Augustodunum für *Augsburg* verwenden[8]. Das Problem schien einigen Autoren damit beseitigt zu sein[9], doch ließen sich nähere Beweise nicht erbringen; von einer Wirksamkeit des Honorius in der schwäbisch-bayerischen Stadt fand sich keine Spur. Allerdings war man sich bald im klaren, daß die wenigen, die es gab, nach Deutschland deuteten. Wenn er lateinische Worte mit deutschen Ausdrücken erklärt, setzt er offenbar deutsche Leser voraus[10]. Auch die Verhältnisse, die er supponiert, finden sich nur im damaligen Reich: die Bischöfe werden als Fürsten vorgestellt, der Kaiser tritt als Gesetzgeber auf[11]. Besondere Aufmerksamkeit schenkt Honorius dem süddeutsch-bayerischen Raum, dessen Geographie in der

[5] J. Kelle, Untersuchungen 14—16; R. Bauerreiß, Herkunft 29.

[6] Recueil de divers écrits, 1838, I, 254 (nach Kelle, a.a.O. 10).

[7] J. Kelle, a.a.O. 11.

[8] Rahewin, Gesta Friderici 4, 3 (MGH SS 20, 445) für 1158; Monumenta Boica IV, 54 für 1140. Vgl. H. Menhardt, Nachlaß 42.

[9] Wattenbach II, 258; O. Baltzer, Beiträge 70; J. Sauer, Symbolik 13: Sauer meldet aber Zweifel an; H. Menhardt, Nachlaß 42: Augustodunensis sei ein Pseudonym ohne reale Bedeutung; C. D. Fonseca, Discorso di apertura, in: I laici nella societas 12.

[10] In GA kommen die deutschen Worte, *platta, osterum, kyrica* vor (172, 603. 769.763). Eine Relativierung der Bedeutsamkeit nimmt E. Rooth, Beiträge 126—128 vor.

[11] HA, SE serm. gen. (172, 862).

„*Imago mundi*" geschildert wird. In besonderer Weise geht der Verfasser auf *Regensburg* ein[12]. Es lag nahe, hier seinen Aufenthalt zu vermuten. Diese Annahme fand weitere Stützen, als man entdeckte, daß der Manuskriptbestand ebenso wie die Personen, denen seine Werke gewidmet sind, auf den Donauraum verwiesen[13]. Heute kann es keinen Zweifel mehr geben, daß Regensburg der Sitz des Honorius gewesen ist. Daraus zogen verschiedene Gelehrte den Schluß, er sei auch von Geburt Deutscher gewesen[14].

Doch hier gab es noch eine Schwierigkeit. In der Predigtsammlung „Speculum ecclesiae" bemerkt der Autor zu Beginn, die „fratres ecclesiae Cantuariensis" hätten ihn zur Niederschrift angeregt, nachdem er kurz vorher zu Besuch bei ihnen gewesen sei[15]. Dieser Hinweis fand starke Beachtung, als man bei der Analyse der Schriften des Honorius eine unzweideutige Abhängigkeit von Anselm von Canterbury feststellte und zudem darauf kam, daß der Name Honorius im England des 12. Jahrhunderts weit verbreitet war[16]. Von Beziehungen zu England wußte übrigens auch die Überlieferung. Abt Johannes Tritheim schrieb in seiner Literaturgeschichte des Benediktinerordens von 1575 ein Kapitel über einen „Honorius monachus in Anglia et pro Christi amore inclusus, b. Anselmi Cantuariensis archiepiscopi singularis amicus"[17]. Weitere Indizien waren die Vertrautheit mit dem Opus des Scotus Eriugena[18] und der Umstand, daß die altenglische Übersetzung des „Elucidarium" sehr früh vorgenommen worden ist[19]. Wiederum

[12] HA, IM 1, 24 (172, 128). Im gleichen Werk werden vor allem deutsche Städte erwähnt wie *Bremen, Augsburg, Bamberg, Köln, Speyer* (a.a.O. 180.184—186).

[13] Endres, Jakobsportal 12 f.; J. Diemer, Heinrich von Göttweig 148. Nach Diemer, a.a.O. 150 hat Honorius in Göttweig gelebt, doch ist diese Ansicht nicht aufrechtzuerhalten, wie E. Rooth, Beiträge 152 gezeigt hat.

[14] J. Kelle, Untersuchungen 10; O. Doberentz, Erd- und Völkerkunde 298 f.; Scheffer-Boichhorst, Annales 191 — R. Willmanns, MGH SS 10, 125; Wattenbach II, 197 f.; Stanonik, Honorius 269; R. Cruel, Geschichte 131; C. Spicq, Esquisse 117; J. Sauer, Symbolik 12; Hurter, Nomenclator II, 29. Dieterich, Der Hrsg. der Werke des Honorius in den MGH hält *Mainz* für die Heimat des Autors. A. Dempf, Sacrum Imperium 239 übernimmt diese Ansicht, die sonst von keinem Historiker mehr gehalten wird.

[15] „Fratres Honorio salutem" (172, 813/814).

[16] Den Nachweis verdanken wir den Untersuchungen von R. Bauerreiß (s. Bibl.).

[17] Der ganze Passus bei R. Bauerreiß, Honorius 307 aus Trithemius, De viris illustribus Ordinis Sancti Benedicti, Köln 1575, 458.

[18] Der „Clavis physicae" ist eine Abschrift von „De divisione naturae".

[19] Manitius III, 366 gibt das Jahr 1125 an. Vgl. auch W. Matz, Glaubensbekenntnisse, der den Zusammenhang des Symbolumstextes in SE (172, 823 f.) mit altenglischen Bekenntnisformeln gezeigt hat.

fand man in England einen auffallend großen Bestand an Manuskripten seiner Schriften[20]. Seit den genauen Untersuchungen von R. Bauerreiß und jüngst von R. E. Reynolds[21] scheint gesichert zu sein, daß tatsächlich auf der britischen Insel die Heimat des Honorius zu finden ist. Man kann kaum Canterbury selbst dazu bestimmen, sondern wird eher nach Irland verwiesen[22].

2. Leben und Werk

Von diesen Ergebnissen ausgehend gelang es, ein einigermaßen kohärentes Bild vom Leben des Honorius zu gewinnen, obschon man sich des weitgehend hypothetischen Charakters dieser Biographie bewußt sein muß. Er hat zwischen 1180[23] und 1190[24] in England das Licht der Welt erblickt; vermutlich waren seine Eltern Bauern[25]. Um die Jahrhundertwende hört er die Vorlesungen Anselms von Canterbury[26] als Mitglied eines der beiden Benediktinerkonvente dieser Stadt[27]. Bereits in jungen Jahren verfaßt er im ersten Jahrzehnt des 12. Jahrhunderts sein erfolgreichstes Buch, das „*Elucidarium*“, mit dem er einen kurzen Abriß der anselmianischen Theologie gibt[28]. Bald darauf erhält er einen Lehrauf-

[20] R. Bauerreiß, Herkunft 34; J. Diemer, Heinrich v. Göttweig 148.

[21] Further evidence. Die Beziehungen nach England waren schon F. Bliemetzrieder, Oeuvre 275 und J. Kelle, Untersuchungen 23 ff. aufgefallen.

[22] R. E. Reynolds, a.a.O. Die ecclesia Cantuariensis erstreckte sich bis Irland (vgl. auch Lefèvre 219).

[23] Lefèvre, Elucidarium 222.

[24] Manitius III, 364; E. M. Sanford, Honorius 397.

[25] HA, SE serm. gen. (172, 866): die Bauern werden als „socii mei“ bezeichnet.

[26] Lefèvre, a.a.O. 222.

[27] Honorius bekennt sich mehrfach als Sohn des hl. Benedikt und erwähnt das nur im Orden gefeierte Translationsfest (172, 900.977.1092). Die Niederlassungen in Canterbury befinden sich an der Christ Church und bei St. Augustin. „Augustodunensis“ hieße dann Augustinusstadt und würde auf den Englandmissionar anspielen (Bauerreiß, KG III, 144; Herkunft 35; Honorius 307). An der letztgenannten Stelle weist Bauerreiß darauf hin, daß Honorius der Name des ersten Erzbischofs und zweiten Stadtpatrons von Canterbury ist. Schon A. Endres, Jakobsportal 14 rechnete mit dieser Möglichkeit auf Grund einer Handschrift des 17. Jahrhunderts in der Linzer Stadtbibliothek (vgl. A. Czerny, Die Handschriften der Stiftsbibliothek St. Florian, Linz 1871, 906: Ms. γ 9/12 s. 13/14), in der die Kirche von Canterbury „ecclesia Augustinensis“ genannt wird. In der Honorius-Monographie, die drei Jahre nachher erschien, vermutet Endres dagegen einen anagrammatischen Hinweis auf Regensburg: dunum = Hügel (kelt.), Augustus meint Karl den Großen, der Weih St. Peter gegründet haben soll (a.a.O. 12 f.). Sanford schließt sich nach neuerlicher Sichtung des Materials dieser Meinung an (Honorius 402 f.).

[28] Vgl. bei Lefèvre, Elucidarium 216.221.226/1.227.230 f.

trag: das *„Sigillum beatae Mariae"* ist das Ergebnis seiner Vorlesungen[29]. In die gleiche Zeit fällt die Abfassung des *„Inevitabile"*, dessen erste Fassung eine stark prädestinatianische Auffassung verrät[30]. In den nämlichen Jahren dürfte auch das *„Sacramentarium"* entstanden sein[31].

Eine Wende im Leben des Honorius tritt durch die Publikation des *„Offendiculum sacerdotis"* ein[32]. Es ging dort um die damals heftig ventilierte Frage des priesterlichen Zölibats, die angesichts der verbreiteten Mißachtung dieses Gesetzes auf die Frage hinauslief, ob die Sakramente von verehelichten Priestern gültig seien. Als Honorius sie in scharfer Form verneint, scheint er heftigen Anstoß beim Klerus erregt zu haben. Vielleicht wurde er dadurch veranlaßt, nach Deutschland zu gehen, ähnlich wie das um die gleiche Zeit auch der Lütticher Mönch Rupert getan hatte. Etwa um 1115 haben wir ihn nun hier zu suchen[33]. Wohin aber ist er gegangen? Die Frage wird kaum eindeutig zu beantworten sein. E. Rooth[34] und H. Menhardt[35] nehmen an, daß er sich zunächst am Niederrhein niedergelassen habe, vermutlich sogar im Kloster auf dem Siegburger St. Michaelsberg. Dort wäre dann der *Psalmenkommentar* entstanden, der Abt Kuno gewidmet sein kann und infolgedessen vor 1126, dem Jahr seiner Erhebung auf den Regensburger Stuhl, fertig gewesen sein muß, sowie das *„Speculum ecclesiae"*, das sich auf den vor nicht langer Zeit abgestatteten Besuch des Honorius in Canterbury bezieht[36]. Auch R. Bauerreiß freundete sich mit dieser These an, zumal er Gebetsverbrüderungen

[29] A. Endres, Honorius 29; ds., Jakobsportal 11; E. Rooth, Beiträge 128.

[30] A. Endres, Honorius 28.37; ds. Jakobsportal 11; J. Scherer, Rezension 567; E. Rooth, Beiträge 128.

[31] A. Endres, Honorius 40.

[32] a.a.O. 11.

[33] J. Scherer, Rezension 567.572; A. Endres, Honorius 34; E. Rooth, Beiträge 121.128.131; Lefèvre 221/1; H. Menhardt, Nachlaß 46/1. Die Versicherung, verborgen bleiben zu wollen, gibt Honorius im Vorwort zu E.

[34] Beiträge 130 f. Rooth kam zu dieser Auffassung auf Grund des Manuskriptbestandes (vgl. seinen Aufsatz „Zur Heimat des frühmittelniederdeutschen Glaubens", in: Studia neophilol. 10 [1937/38], 124—159). Den Empfänger des Psalmenkommentars sieht er in Abt Kuno (vgl. 172, 269/270). Ohne nähere Erläuterung spricht sich auch H. Grundmann, Oportet 139 für einen Aufenthalt in Siegburg „um 1113" aus.

[35] Nachlaß 62.

[36] E. M. Sanford 403. H. Menhardt, Nachlaß 67 vermutet, Honorius sei schon in Siegburg Klausner gewesen. Nach Manitius III, 364 f. war Honorius erst zu einem späteren Zeitpunkt in England, vielleicht als Begleiter des Schottenabtes Christian.

zwischen dem Christ Church-Kloster und Siegburg feststellte[37]. Es wäre dann leicht möglich, daß Kuno den begabten Schriftsteller in die Donaustadt mitgenommen hat, als er dort Bischof wurde, und ihn in seinen Dichter- und Gelehrtenkreis einbezog.

J. A. Endres dagegen läßt den scholasticus sofort nach *Regensburg* ziehen[38]. Jedenfalls ist er seit etwa 1126 dort zu finden[39]. Das gibt uns das Recht, ihn mit R. Bauerreiß statt Honorius Augustodunensis Honorius von Regensburg zu nennen[40]. Spätestens jetzt nimmt er die Lebensform des *„solitarius"* oder *„inclusus"* an[41]. Sie war in Süddeutschland weit verbreitet: die Inklusen verstanden sich als Gefangene Christi und schlossen sich zum Zeichen dessen in eine Zelle ein, die sie nur bei Lebensgefahr oder auf ausdrücklichen Befehl der Oberen wieder verließen[42]. Regensburg war ein besonders günstiger Boden für das Klausnertum. Für 1327 sind im Stadtgebiet sechzehn Klausen bezeugt, die meist dicht bei den Stadtmauern lagen. Aus dem „Libellus de fundatione consecrati Petri" geht hervor, daß die Inklusen von Weih St. Peter, einer der Klausen, im Südosten vor der Stadt gelegen, sich vor allem der literarischen Tätigkeit gewidmet hatten, sei es, daß sie Bücher selber schrieben, sei es, daß sie sie kopierten[43]. Ihr Gründer Marianus hatte sie auf diese Arbeit verwiesen, um den Seelsorgern Werke für ihre pastoralen Aufgaben zu liefern[44].

Es ist wahrscheinlich, daß Honorius zu dieser Gruppe gehörte. So wird in einer Schrift ein Mönch Thomas genannt, der in einem Register der Schottenmönche bei St. Jakob um die gleiche Zeit

[37] R. Bauerreiß, Honorius 312; J. Semmler 48.79.108.329. Man schließt das aus einer Totenrotel aus Siegburg, die unter Kuno entstanden sein muß. Vgl. A. Wilbrand, Unbekannte Urkunden zur Geschichte der Abtei Siegburg, in: AHVNrh 137 (1940), 73.

[38] A. Endres, Honorius 1—15.

[39] Darüber sind sich alle Honorius-Forscher einig: vgl. z. B. Rocholl, Honorius 327; F. Baeumker, Inevitabile 10; Manitius III, 57.364 f.; A. Endres, Honorius 2; ds., Jakobsportal 12; E. M. Sanford, Honorius 398; H. Menhardt, Nachlaß 43; E. Beitz, Rupertus 30; auch Bauerreiß spricht sich nachdrücklich in seinen Aufsätzen dafür aus.

[40] R. Bauerreiß, Regensburg 1146.

[41] Vgl. die Briefe vor GA, IM (172, 541/542.119/120) und SE in der Linzer Hs. (siehe Anm. 27).

[42] O. Doerr, Institut 49. Über die Inklusen in Regensburg 123—160. Weitere Lit. siehe unten I, 2, 1, 5 Anm. 106.

[43] A. Endres, Honorius 6—8. Hurter, Nomenclator II, 29 hält ihn — unberechtigterweise — für einen Regularkanoniker.

[44] Act. Boll., Febr. II, 365—372. Vgl. auch O. Doerr, a.a.O. 126—137; A. Endres, Jakobsportal 24.

bezeugt ist[45]. Um 1132 widmet Honorius die zweite Ausgabe der Schrift „*Imago mundi*" dem Abt Christian, der damals Vorsteher des genannten Klosters war[46]. Er taucht auch in der Widmung zur zweiten Auflage des Psalmenkommentars auf[47]. Wir wissen nun, daß Weih St. Peter ein Priorat unter der Oberleitung von St. Jakob war. Was lag näher für unseren Theologen, als sich an die Schottenmönche zu wenden, die seine Landsleute und Ordensbrüder waren? Bei ihnen fand er auch die Möglichkeit, seine bisherige Lehrtätigkeit wenigstens in etwa fortzusetzen, indem er im Autorenhaus von Weih St. Peter Peter Bücher schrieb, die ganz im Rahmen der Tradition des Priorates für den Niederklerus bestimmt sein sollten, um dessen Büchermangel abzuhelfen[48].

Hier hat er wohl sein letztes Lebensjahrzehnt verbracht. Wie seine Geburt ist auch sein Sterben im Dunkel der Geschichte verhüllt. Um 1137 scheint er die „*Summa totius*" abgeschlossen zu haben[49]. Nicht allzulange danach dürfte er gestorben sein: um 1144 berichten die „*Annales Palidenses*" von ihm im Präteritum. „*Fuit quidam solitarius nomine Honorius*"[50].

3. Quellen seiner Theologie

Da Honorius lange Zeit in die dritte oder vierte Garnitur der Schriftsteller des Mittelalters verwiesen wurde, nahm man sich kaum die Zeit, seine Werke auf ihre Herkunft und Abhängigkeit hin zu analysieren. Nur in großen Umrissen kennen wir daher die Ströme, aus denen sein Denken geschöpft hat. Natürlich waren das für ihn wie für alle Zeitgenossen hauptsächtlich die Heilige Schrift

45 HA, XII, Q prol. (172, 1177). Vgl. A. Endres, Honorius 8.

46 R. Willmanns, MGH SS 10, 127; J. Dieterich, MGH L 3, 33; A. Endres, Jakobsportal 16—24. Zur Geschichte des Regensburger Schottenklosters vgl. J. Meier, Das ehemal. Schottenkloster St. Jacob in Regensburg, Stadtamhof 1910; R. Bauerreiß, Zur Gründungsgeschichte von Weih St. Peter in Regensburg, in: SM 56 [1938], 104—108); L. Hammermayer, Zur Geschichte der Schottenabtei St. Jakob in Regensburg, in: Zeitschr. f. bayer. Landesgeschichte 22 (1959), 42—76. H. D. Rauh nennt Honorius fälschlich Inklusen in St. Jakob (Das Bild des Antichrist 124). Im Schottenkloster selbst gab es keine Inklusen, wenngleich diese unter der Aufsicht desselben standen. Vgl. weiter unten.

47 172, 269/270.

48 HA, Sac prol. (172, 737). Vgl. a.a.O. 495: „in vinea Domini stans".

49 MGH SS 10, 131.

50 MGH SS 16, 52. Andere nennen andere Todesdaten, so 1130 (L. Prosdocimi, Chierici), um 1140 (Diemer, Heinrich v. Göttweig 162), nach 1152 (R. Cruel, Geschichte 134; Stanonik, Honorius 269), um 1156 (E. M. Sanford, Honorius 397).

und die patristische Literatur. Er zeigt sich als Vertreter der monastischen Theologie, wenn er mit allen seinen Aussagen keinen Schritt von der kirchlichen Tradition abweichen will[51]. Die Kirchenväter hält er, so groß ist seine Achtung vor ihnen, für göttlich inspiriert[52]. Aus den Untersuchungen des „Elucidarium" durch Lefèvre wissen wir, daß er die beiden großen monastischen Vorbilder Gregor und Augustin besonders geschätzt hat, auch wenn er sie kaum anders als durch Sentenzensammlungen gekannt hat[53]. Typisch monastisch ist seine Liebe zur *griechischen* Theologie, die J. Bach und W. Matz festgestellt haben[54].

Sein Vorsatz, dem Büchermangel des Klerus abzuhelfen, erforderte eine genaue Kenntnis der *karolingischen* wie der *zeitgenössischen* theologischen Literatur[55]. Bereits im „Elucidarium" verwendet er die Werke Bedas, Julians von Toledo, des Rhabanus Maurus, Paschasius Radpertus, Haimo von Halberstadt, Remigius von Auxerre, Petrus Damiani und Adso[56]. Amalar von Metz ist sein Vorbild für die *„Gemma animae"*, wenngleich er es in selbständiger Weise benutzt[57]. Die eigentlichen Lehrer seiner Frühzeit sind jedoch Scotus Eriugena, dessen Hauptwerk er im *„Clavis physicae"* ausschreibt[58], und Anselm von Canterbury. Er hat ihn sicher unmittelbar gekannt[59]. Vor allem das „Elucidarium" ist eine getreue Wiedergabe seiner Theologie, so daß man es gelegentlich für ein Werk des Bischofs selber hielt[60]. Von ihm übernimmt er die Versöhnungslehre ebenso wie die Satisfaktionstheorie[61]. Besonders seine Lehre über das *liberum arbitrium* zeigt die Abhängigkeit von

[51] Vgl. die Invektiven gegen die Dialektik SE (172, 813/814.1076.1085), CC (172, 361.422), Ps. (172, 312; 194, 669), AE (172, 1243).

[52] HA, LA 3 (172, 1224).

[53] Lefèvre, Elucidarium 191—197. Über den patristischen Einfluß a.a.O. 103 bis 190 im Kommentar des Herausgebers.

[54] J. Bach, DG II, 298; W. Matz, Glaubensbekenntnisse 50.

[55] E. M. Sanford, Honorius 397.

[56] Lefèvre, Elucidarium 191—197.

[57] A. Franz, Messe 420—425. Dort auch Nachweis der anderen Quellen von GA.

[58] J. Bach, DG II, 298; Bauerreiß, Herkunft 33 f.; ds., KG III, 145; A. Endres, Rezension 156; E. M. Sanford, Honorius 397.417. Über die ekklesiologische Bedeutung des Scotus vgl. H. Rahner, Symbole 71—79; E. Gilson, Maxime, Erigène, s. Bernhard, in: Aus der Geisteswelt des Mittelalters (FS M. Grabmann), Münster 1935, 188—195.

[59] M.-D. Chenu, Théologie 286; Lefèvre, Elucidarium 216—222.

[60] R. Bauerreiß, Herkunft 33; J. Diemer, Heinrich v. Göttweig 148; Seeberg, DG III, 182 f.

[61] Vgl. 172, 1121 f.

seinem Lehrer. In der ersten Ausgabe des *„Inevitabile"* hält er sich, wie bereits bemerkt, eng an die augustinische Prädestinationslehre. Er vertritt sie auch in den beiden Werken *„De libero arbitrio"* und *„Elucidarium"*. Als die zweite Ausgabe des „Inevitabile" erscheint, hat er die freiere anselmianische Lehre übernommen, wie sie in der „Concordia" niedergelegt ist[62]. Lefèvre nimmt an, daß Anselm in seinen Vorlesungen sich an den überkommenen Augustinismus gehalten, aber sich dann doch zu einem erweiterten Begriff durchgerungen habe, den er erst in seinen letzten Lebenstagen in der „Concordia" fixierte[63]. Honorius habe dann sogleich die neue Sentenz übernommen und sie zur eigenen Lehrmeinung gemacht. In Deutschland lernte er Rupert von Deutz kennen: falls er in Siegburg gewesen ist, persönlich, sonst später in seinen Werken, die ihm durch Bischof Kuno zugänglich gemacht worden sein dürften[64]. In den späteren Schriften jedenfalls ist sein Einfluß so deutlich, daß ihn J. Bach als seinen Schüler und Geistesverwandten bezeichnen konnte[65]. Am deutlichsten ist das im *„Sigillum beatae Mariae"* zu sehen, einer Hohenliedauslegung, die ebenfalls mariologisch bestimmt ist[66]. Es muß zwar offen bleiben, inwieweit Honorius den Cantica-Kommentar Ruperts gekannt hat; die gleiche neue Richtung des Exegese verrät immerhin einen hohen Gleichklang der Gedanken.

Gelegentlich hat man vermutet, der solitarius sei von der *Laoner Theologie* beeinflußt worden. F. Bliemetzrieder hat sich eingehend damit beschäftigt und eine Reihe von Parallelen festgestellt. Da sie sich jedoch aus den Gemeinsamkeiten der mittelalterlichen Theologie im allgemeinen und der speziellen Kontroverse der Laoner Schule mit Anselm von Canterbury hinreichend erklären lassen, kam der Forscher zum Schluß, daß eine Abhängigkeit nicht anzunehmen ist[67].

Die platonischen Gedanken im Werk des Honorius, vor allem in den erkenntnistheoretischen Schriften, rühren kaum aus der un-

62 L. Ott, Briefliteratur 368.
63 Lefèvre, Elucidarium 220.
64 Erstmals macht sich der Einfluß Ruperts in GA bemerkbar: vgl. Lefèvre, Elucidarium 221/1.
65 J. Bach, DG II, 298.
66 In CC bleibt Honorius bei der ekklesiologischen Deutungsweise, obschon er den Text vornehmlich auf die Einzelseele deutet. Vgl. A. Endres, Jakobsportal 27—31.
67 Oeuvre 278.290 synoptische Tabellen zu E und Sent. div. pag. Zum gleichen Ergebnis kommt Lefèvre, Elucidarium 224. H. Riedlinger hält dagegen einen Einfluß Anselms v. Laon auf CC für erwiesen (Makellosigkeit 137 f.).

mittelbaren Kenntnis des Philosophen her, sondern kommen aus dem allgemeinen Fundus des zeitgenössischen Denkens, wie es vornehmlich im monastischen Bereich gepflegt wurde[68].

Der Einfluß Anselms, der neben dem Ruperts am stärksten gewirkt hat, macht sich nicht nur in Einzelansichten geltend, sondern hat die ganze theologische Methode des Regensburger Klausners beeinflußt. Während Rupert in erster Linie Exeget sein wollte und alle anderen Quellen letztlich vor das Gericht der Schrift zog, um sie dort auf ihre Wahrheit zu prüfen, beginnt bei Honorius eine vorsichtige Ablösung von einer rein schriftgebundenen Theologie. In der Auseinandersetzung zwischen Scholastik und Monastik nimmt er der neuen Methode gegenüber eine wohlwollende Haltung ein. Der Schüler des ersten Scholastikers verfaßt mit dem „Elucidarium" eines der ersten systematischen theologischen Werke im Geist der neuen Wissenschaft — eine der ersten Summen des scholastischen Zeitalters. In der Schrift sieht er ein wahres Getümmel von Syllogismen, so daß es ihm nicht schwer fällt, ihre Bücher nach philosophischen Disziplinen einzuteilen[69]. Die Dialektik ist ihm keine antikirchliche Einlassung böser Mächte, sondern eine Station auf dem Wege zur vollkommenen Weisheit[70]. Er wird damit unter den drei Theologen, denen unsere Untersuchung gilt, derjenige, welcher in seiner Methode dem Neuaufbruch des 12. Jahrhunderts am weitesten folgt, obwohl er in seinem Denken der Tradition verhaftet bleibt, ja sie sogar sehr unkritisch referiert.

4. Bedeutung des Honorius

Der Rang eines Theologen wird im allgemeinen nach dem bemessen, was er als Denker oder Forscher an neuen Ergebnissen in seine Wissenschaft eingebracht hat. Man sollte aber auch jene Männer nicht geringachten, die zwar vielleicht keine weißen Flekken auf der theologischen Landkarte getilgt, aber dennoch zur Lebendigkeit ihrer Wissenschaft beigetragen haben, indem sie ihre Ergebnisse für die Praxis der Verkündigung des Wortes Gottes bereiteten. Gerade sie verhindern die Sterilität der Theologie, die von einem aufgeklärten wissenschaftstheoretischen Ideal der „rei-

[68] K. Boeckl, Gaben; E. M. Sanford, Honorius 397.

[69] HA, Ps. prol.; CC prol. (172, 270.348). Vgl. unten II, 1, 1, 1.

[70] HA, AE (172, 1243); vgl. E prol. (Lef. 359): Christus ist des Buches Fundament, seine tragende Säule ist neben der prophetica auctoritas, der apostolica dignitas und der expositorum sagacitas auch *magistrorum sollers subtilitas*. Vgl. R. D. Crouse, Honorius.

nen Wissenschaft" droht. Sie vermitteln die Reflexion über den Glauben der Gemeinschaft der Glaubenden und tragen damit zum lebendigen Austausch der Charismen in der Kirche bei.

Lange Zeit hindurch fand der Inkluse keine sonderliche Beachtung bei den Historikern. Er galt als bloßer „*Popularisator*"[71], als „*Kompendienfabrikant ohne Eigenbedeutung*"[72], von dem man sagte: „‚*Des Auszugs Auszug aus noch einmal ziehen*': *dies edle Geschäft übt er zumeist*"[73]. Doch müssen wir ehrlich eingestehen, daß der gegenwärtige Stand der Forschung solche Urteile nicht mehr zuläßt. Honorius kann nicht einfachhin als simpler Kompilator in eine Fußnote der Theologiegeschichte verwiesen werden[74].

Kenner der Theologie des 12. Jahrhunderts in unserer Zeit beurteilen denn auch mit wesentlich größerem Respekt das Opus des Inklusen. M. Manitius zählt ihn zu den wichtigsten Autoren seiner Zeit[75] und M.-D. Chenu bescheinigt ihm, er sei „un vulgarisateur de génie" gewesen[76]. Immerhin muß man ihn zu den wichtigsten Wegbereitern der Renaissance des 12. Jahrhunderts rechnen, der in sein enzyklopädisches Werk die profanen Wissenschaften seiner Zeit eingebracht und an seine zahlreichen Leser vermittelt hat. Die Theologie befreit er aus einem starren Traditionalismus und wird einer der Vorläufer der Scholastik. Seine Zeitgenossen haben das genau gespürt: auch ihm wird vorgeworfen, über die Väter hinaus zu gehen[77]. Sein wichtigstes theologisches Verdienst aber war es wohl, die Gedanken Anselms von Canterbury in Deutschland bekannt gemacht zu haben[78].

Man darf die kirchenpolitische Bedeutung des Honorius nicht unterschätzen, die seine Schrift „*De summa gloria*" hervorgerufen hat. Sie spielt in den Auseinandersetzungen zwischen Regnum und Sacerdotium bis weit ins 13. Jahrhundert hinein eine wichtige Rolle. Innozenz III. hat sie benutzt[79]. Auch seine geschichtstheologischen Entwürfe beeinflussen die Folgezeit bis zu Bonaventura hin[80].

[71] M. Grabmann, Geschichte II, 130.
[72] A. Dempf, Sacrum Imperium 239.
[73] W. Scherer, Rezension 573.
[74] Lefèvre, Elucidarium 215 warnt mit Recht davor!
[75] Manitius III, 365.
[76] Vocabulaire 176.
[77] HA, CV I (40, 1006 f.); IM dedic. (172, 119/120).
[78] Hauck IV, 451 f.; E. M. Sanford, Honorius 423; A. Endres, Honorius 95.
[79] F. Kempf, Papsttum 289; ds., Regestum Innocentii III papae super negotio Romani imperii (Misc. Hist. Pont. 12) Roma, 1947, 18/3.5.6.9.12—14; L. Knabe, Zweigewaltentheorie 144 f.
[80] J. Ratzinger, Bonaventura 103 f. und passim.

Dennoch ist die eigentliche Stärke des Klausners nicht das theologische Denken und Forschen gewesen: nicht in der Weltweisheit — auch der theologischen nicht — sieht er sein Tätigkeitsgebiet, sondern in der pädagogisch-bildnerischen Arbeit[81]. Er will zwischen der kirchlichen Wissenschaft und der theologischen Not der *illiterati* Vermittler sein, die unter großem Büchermangel zu leiden hatten. Darum versucht er, das Wissen der Zeit in einfacher, durch die oft verwendete Reimprosa einprägsam gemachter Sprache in Handbüchern zusammenzufassen. Der geplagte Seelsorger konnte darin alles finden, was er in Naturwissenschaft und Geschichte, Philosophie, Liturgie und Dogmatik kennen mußte. Für seine Predigtarbeit stand das „Speculum ecclesiae" zur Verfügung, das die deutsche Pfarrpredigt des 12. Jahrhunderts und darüber hinaus nachhaltig geprägt hat[82]. Kaum jemand hat so viel für die Hebung des Bildungsstandes beim Klerus des Jahrhunderts und über ihn bei den einfachen Gläubigen getan wie Honorius. Demgegenüber ist sein Einfluß auf die Entwicklung des kanonischen Rechtes[83], die bildende Kunst[84] und die zeitgenössische Dichtung[85] von weit weniger großer Relevanz. Sein Dienst an der Wortverkündigung und seine Hilfen für die seelsorgerliche Praxis haben denn auch am nachhaltigsten durch die Zeit gewirkt[86].

Es gibt sehr wenige Autoren, die sich ähnlicher literarischer Erfolge rühmen können. Sein „Elucidarium" hatte einen in der Welt-

[81] HA, SE comm. (172, 1085—1088); I; H 1 (172, 1197.253). Vgl. J. de Ghellinck, Essor I, 115.

[82] A. Endres, Honorius 18; R. Cruel, Geschichte; F. Heer, Tragödie 124.

[83] L. Prosdocimi, Chierici nimmt einen Einfluß auf Gratians Bestimmung des Verhältnisses von Klerus und Laien an.

[84] A. Endres, Jakobsportal (Programm des *Nordportals von St. Jakob in Regensburg*); J. Sauer, Symbolik 308—397); G. Swarzenski, Die Salzburger Malerei; Y. Labaude-Mailfert, L'iconographie 499; P. Bloch, Ekklesia und Domus sapientiae; ds., Typologische Kunst 134 f.; K. A. Nowotny, Wandlungen 145.147; H. Menhardt, Nachlaß 47. Unter anderem haben die Werke des Honorius die Fresken des *Hauptchors von Prüfening* sowie den *Hortus deliciarum* der Herrad v. Landsberg beeinflußt. A. Dempf, Sacrum Imperium 329 nennt seine Schriften Lehrbücher der romanischen Ikonographie. Vgl. F. Ohly, Geist und Formen 193.

[85] Wattenbach II, 259; Stanonik, Honorius 272 f.; W. Scherer, Rezension 567; J. Diemer, Heinrich v. Göttweig 256 ff. Scherer und Diemer lassen ihn starke Wirkung auf Heinrich ausüben; J. Kelle, Geschichte der deutschen Literatur II, 93 leugnet sie ab. Vgl. die Zusammenstellung von E. Rooth, Beiträge 121/5. H. Menhardt, Nachlaß 42 hält für möglich, daß Honorius das Trudperter Hohenlied geschaffen habe, das sehr an CC erinnere.

[86] W. Matz, Glaubensbekenntnisse zeigt den Einfluß des Symbolums aus SE auf die Glaubensformeln der Beichtbekenntnisse.

literatur beispiellosen Erfolg. Allein im Druck erlebte es zwischen 1479 und 1806 neunzig Auflagen[87]. Schon wenige Jahrzehnte nach seinem Erscheinen ist es in alle bekannten Volkssprachen übersetzt bis ins altisländische und wallisische Idiom[88]. Man benutzte das dogmatische Werk bis ins 15. Jahrhundert immer wieder[89]. Aber auch seine anderen Werke erleben viele Abschriften[90]. Die „Imago mundi" und seine „Philosophia mundi" gehören lange zu den wichtigsten naturwissenschaftlichen Quellen des Mittelalters[91].

Wenn von einem Theologen des 12. Jahrhunderts das Wort „Vermittlungstheologe" gilt, dann von Honorius. Eben darum aber verdient er höchste Beachtung. Seine Stimme ist dank seines literarischen Erfolges ins Vielfache multipliziert worden. Wer also nicht bloß das Denken der Fachtheologen kennenlernen will, sondern die religiösen Anschauungen der ganzen Kirche studiert, für den sind die Werke des Regensburgers von größter Bedeutung. In ihnen ist formuliert, was das Volk Gottes in der Kirche damals dachte.

3. Kapitel

Gerhoch von Reichersberg

1. Jahre der Reifung

Rupert liebte nichts mehr als die Stille seiner Klosterzelle, Honorius wollte hinter seinem Werk verborgen bleiben. Gerhoch von Reichersberg[1] dagegen ist zeitlebens ein extrovertierter, umtrie-

[87] R. Bauerreiß, KG III, 145.

[88] K. Schorbach, Studien 159 f.

[89] Lefèvre, Elucidarium 10.331—339.

[90] J. Bach, DG II, 305/27 stellte allein in der Münchener Staatsbibliothek über 100 Hss. mit Honorius-Schriften fest. Über den Hss.-Bestand vgl. J. Diemer, Heinrich v. Göttweig 148; A. Endres, Jakobsportal 12; E. M. Sanford, Honorius 404 ff.; H. Menhardt, Nachlaß passim; E. Rooth, Beiträge 134 f. (für GA). Eingehende Untersuchungen fehlen.

[91] J. Diemer, Heinrich v. Göttweig 148. Über die Wirkungen von IM vgl. O. Doberentz, Erd- und Völkerkunde 298 ff.; H. Schipperges, Honorius und die Naturkunde.

[1] Diese Schreibweise ist dem verbreiteten „G e r h o h" vorzuziehen: beide Schreibweisen zusammen hat Ps. 34 (O II/1, 358.359), die Form „G e r h o c h" steht in Autographen. Latinisiert wird sie zu G e r h o h u s. Nachweise bei Classen, Gerhoch 11/1.

biger Mensch gewesen: er suchte und fand Kontakt mit Päpsten und Kaisern, Königen und Gelehrten. In die Auseinandersetzungen seiner Zeit greift er lebhaft und leidenschaftlich ein. Das hat es mit sich gebracht, daß wir wie bei kaum einem anderen seiner Zeitgenossen über sein Leben informiert sind.

Als ältester Sohn einer frommen Familie wird Gerhoch Ende 1092 oder Anfang 1093 in Polling bei Weilheim in Oberbayern geboren[2]. Er besucht die Stiftsschule seines Heimatortes. Mit sechzehn oder siebzehn Jahren macht er eine schwere Krankheit durch, die ihn voller Sorge an sein Seelenheil denken läßt. Diese Sorge begleitet ihn das ganze Leben und offenbart seine Sensibilität, die freilich hinter einer rauhen und bis ins Grobschlächtige reichenden Radikalität des Denkens und Auftretens verborgen bleibt. Er beschließt, sich dem geistlichen Stand zu weihen. Nach seiner Genesung besucht er die Schulen in Freising und Moosburg; dann geht er für drei Jahre nach Hildesheim[3], eine der bedeutendsten Bildungsstätten des Reiches, wo er vielleicht den nachmaligen Bischof Bernward als Lehrer hatte. Er eignete sich hier seine reichen patristischen und kanonistischen Kenntnisse an und wurde in die Kunst der Dialektik eingeführt, die er sein Leben lang nicht nur beherrschte, sondern auch anwandte[4]. Nach Abschluß der Studien beruft ihn Bischof Hermann von Augsburg zum Domscholaster. Er wird Diakon und bald darauf ins Domkapitel aufgenommen. Hermann gehörte zu jenen kaisertreuen Reichsbischöfen, die auf simonistische Weise zu ihrem Amt gekommen waren. Ihm „fehlte so ziemlich alles, was die Kirche von einem Bischof verlangt"[5]; Analoges war von seinem Klerus zu sagen. Der junge Scholasticus nahm bedenkenlos an dem wenig spirituellen Leben

[2] Name und Stand der Eltern sind unbekannt; mit ihrem Sohn traten sie in Rottenbuch ein. Auch seine Brüder Friedrich († 1161 als Chorherr in Klosterneuburg), Markwart († 1167 als Propst in Klosterneuburg), Rudiger († 1168 im gleichen Amt) und Arno († 1175 als Propst von Reichersberg) wählen den geistlichen Stand. Über Rudiger vgl. A. Schroeder, Notar Rudiger; H. Weisweiler, Rudiger. Ein weiterer Bruder Heimo in Klosterneuburg ist nicht ganz gesichert (Scheibelberger, De sensu verborum und Eynde, Oeuvre halten ihn für Heinrich von Waldhausen; dagegen Classen, Gerhoch 342). Die von Stammler-Langosch 1022; Bauerreiß KG III, 132; Schroeder, a.a.O. 821 vertretene Ansicht von zwei Ehen der Mutter und weiteren sechs Schwestern beruht auf einem Mißverständnis: vgl. J. Mois 116/80; 119/93 und Classen, Gerhoch 14/9.

[3] Chron. Reich. 490 f.; DI (194, 1377).

[4] ep. 3; 18 (193, 491.571); Ps. 133; DI (194, 891.1417).

[5] F. Zoepfl, Das Bistum Augsburg 110.

des Domklerus teil und kümmerte sich so wenig wie seine Kollegen um die Bannstrahlen, die den Bischof mehrfach trafen. Später hat er diese Zeit als Verrat und Abfall gekennzeichnet[6].

Schließlich kommen ihm eines Tages Bedenken, ob er gegen den Willen des Papstes mit dem exkommunizierten Bischof Gemeinschaft halten könne. Dieser erfährt davon: tief beleidigt zwingt er Gerhoch 1120 oder 1121, die Stadt zu verlassen. Er begibt sich nach Rottenbuch, einem nahe seiner Heimat gelegenen Kanonikerstift, das einst Bischof Altmann von Passau gegründet hatte[7]. Er war nicht der erste päpstliche Parteigänger, der hier Unterschlupf suchte. In der Stille des Stifts bedrängt ihn wieder die Frage nach dem Seelenheil. Er macht sich Gedanken, ob ein Säkularkleriker überhaupt selig werden könne. Betroffen erfährt er aus dem Mund eines alten Eremiten, daß nur die völlige Lösung von der Welt in Armut und gemeinsamem Leben nach der Weise der Apostel den Himmel sichere[8].

Doch er kehrt noch einmal in die Welt zurück: nach dem Abschluß des Wormser Konkordats hatte sich sein Bischof wieder mit dem Papst versöhnt. Als er nach Rom zog, um sich von Calixt II. vom Banne lösen zu lassen, nahm er seinen Domscholaster mit, vielleicht um dem Papst ein lebendiges Zeugnis seiner neuen Gesinnung vorzustellen. Gerhoch nimmt bei dieser Gelegenheit an den Sitzungen des ersten Konzils im Lateran 1123 teil[9]. Doch das Ideal des apostolischen Lebens ließ ihn nicht mehr los: das Leben des Augsburger Klerus konnte sich daran nicht messen. Erstmals bricht aus ihm nun jene bittere Kritik, die ihn ob ihres Freimuts und ihrer Schärfe immer wieder in Ungelegenheiten bringen sollte[10]. Es kommt 1124 zum endgültigen Bruch mit Bischof und Geistlichkeit; Gerhoch schließt sich nun definitiv der Gemeinschaft von Rottenbuch an[11].

Hier vollzieht sich die geistige Wende seines Lebens. Er wird hier nicht nur vom lebenslustigen Domherrn zum Nachfolger der *vita apostolica,* sondern auch vom „scholastischen“ zum „ekklesi-

[6] AD 49; DI prol.; Ps. 133 (194, 1317.1377.889—892); ep. 3 (193, 491).

[7] Zur Geschichte Rottenbuchs vgl. Mois; über Altmann ds., 28—34, über die Rolle des Stifts als Stützpunkt der Reformer 97—157.

[8] DI (194, 1417).

[9] Ps. 133 (194, 890).

[10] Stammler-Langosch 1039: „Er neigt zum Extrem, zu Rechthaberei und Grobheit, worin man wie in der bäuerlichen Gebundenheit seiner Religiosität den bayerischen Volkscharakter ausgeprägt sehen kann“ — die Pauschalität dieses Urteils liegt auf der Hand.

[11] Ps. 133; DI (194, 890 f. 1417 f.); Chron. Reich. 491; vgl. Mois 114—129.

astischen" Denken bekehrt[12]. In seiner großangelegten Gerhoch-Biographie hat P. Classen zutreffend darin den Zugang zu seinem Denken gesehen[13]. Vom desolaten Zustand der Kirche betroffen, erkennt er, daß die französische dialektische Theologie die Quelle aller Mißstände ist. So wenig wie Rupert oder Honorius ist er ein prinzipieller Feind der Dialektik, ebenso wie sie aber sieht er in ihr eine bedrohliche Gefahr für die Frömmigkeit und Kirchlichkeit des Christenmenschen[14]. Um diese geht es ihm einzig und allein, um ihretwillen kämpft er gegen Simonie und Nikolaitismus, für Klerusreform und Frieden zwischen Staat und Kirche. Die Frömmigkeit aber läßt sich für ihn nur durch Kirchlichkeit bewahren, d. h. durch ein Denken und Leben nach den Grundsätzen der patristischen Theologie, den Weisungen der Päpste und den Entscheidungen der Konzilien. Das „ecclesiastice" ist die Klammer, die die Aktivitäten des Reformers verbindet und eint.

Mit dem Eifer des Konvertiten beginnt Gerhoch in Rottenbuch mit der Erneuerung. Die eigene Askese bringt ihn an den Rand seiner Vitalität; die Askese, die er den Mitbrüdern zudenkt, an den Rand des Grabes: diese waren gern bereit, es ihm zu schaufeln, wenn man der Reichersberger Chronik Glauben schenken darf[15]. Anlaß ist die Regelfrage: Gerhoch will nur den strengen *„Ordo monasterii"* anerkennen wie die französischen und rheinischen Kanoniker, während die Rottenbucher sich mit der milderen Ordnung der augustinischen Regel *„Ad servos Dei"* zufrieden geben[16]. Er findet Unterstützung bei Erzbischof Konrad I. von Salzburg. Um die Streitfrage zu regeln, reist er Anfang 1126 in seinem Auftrag mit einer Gesandtschaft nach Rom[17].

Er hat wenigstens teilweise Erfolg. Am liebsten wäre es ihm, wenn der Papst alle Säkularkleriker zum regulierten Leben auffordern wollte. Honorius II. geht darauf zwar nicht ein, doch gewährt er die Anerkennung der strengeren Regel für Rottenbuch[18]. Sicher war Norbert am päpstlichen Dekret beteiligt, der damals

[12] ep. 3; 18 (193, 491.571); vgl. N 41 (That. 82). Bei dieser „literarischen Konversion" hat sicher auch das Werk des ehemaligen Rottenbucher Dekans (1085 bis 1094) Manegold v. Lautenbach eine Rolle gespielt: vgl. Mois 121 f.

[13] Gerhoch 16.24.51.169; vgl. F. G. J. Dilloo, De Gerhoho 20.

[14] Ps. 118.136 (194, 734.906). Vgl. Mois 124 f.

[15] Chron. Reich. 491. Vgl. Mois 126—129.

[16] Vgl. unten I, 2, 1, 4.

[17] Über das Reformprogramm, in dem die Chorherren einen wichtigen Platz einnehmen, Mois 144—151.

[18] Mandatum v. 26.2.1126 (bei Mois 249 f.); vgl. Classen, Gerhoch 327.

ebenfalls in der Ewigen Stadt weilte[19], doch kam es zu keiner weiteren Zusammenarbeit der beiden Reformer. Dazu waren ihre Ziele mindestens organisatorisch zu verschieden: im Gegensatz zum Gründer von Prémontré visierte Gerhoch nicht einen neuen Orden, sondern die Erneuerung der ganzen Kirche an. Wichtiger wurde die Begegnung mit einem Abälardschüler namens Adam, aus dessen Mund er erstmals von der französischen Christologie hörte[20]. Damit waren die Voraussetzungen für eine Kontroverse gegeben, die ihn fast sein ganzes Leben lang beschäftigte.

Die Einführung der neuen Regel in Rottenbuch durch Gerhoch mag der Anlaß für die tiefgehende Entfremdung von den Hausgenossen gewesen sein; die Ursache selbst lag tiefer. Das Stift wurde mehr und mehr Kloster wie andere Ordensniederlassungen auch. Er aber sah im regulierten Leben nicht die Sonderform, sondern die Normalform geistlichen Lebens. Er mochte darum froh sein, als sich ihm die Gelegenheit bot, das Stift zu verlassen. Noch 1126 holte ihn der neue Regensburger Bischof Kuno an seine Kurie, um ihn bei der Diözesanreform einzusetzen. Er gerät damit auch in den Bann der rupertinischen Theologie und begegnet wohl persönlich dem Inklusen von Weih St. Peter. 1127 empfängt er aus der Hand Kunos die Priesterweihe und die Ernennung zum Pfarrer von Cham, um den dortigen Klerus zu reformieren[21]. Wieder erlitt der schroffe Reformeifer Gerhochs eine Niederlage. Wohl weniger aus politischen Gründen, wie die Reichersberger Chronik andeutet, als vielmehr wegen seines unbequemen Reformstrebens verjagten ihn die Chamer Geistlichen 1128: er muß wieder nach Regensburg gehen[22].

Dort bleibt er, wie es scheint, ohne eigentliche Aufgaben. Wir hören von einer Romreise, die ihn zum zweiten Male mit der dialektischen Theologie konfrontierte[23]. 1132 starb Bischof Kuno: Gerhoch wußte ihm für seine Liebenswürdigkeit und Hilfe hohen

[19] E. Klebel, Norbert v. Magdeburg, besd. 333.

[20] N 18 (That. 64); ep. 21 (193, 576 f.).

[21] ep. 25 (193, 606); DI (194, 1406). Siegburg und Rottenbuch standen miteinander in Kontakt über Richer von Klosterrath, der aus dem bayerischen Kloster stammte. Auch Norbert verkehrte in beiden Häusern (Mois 130).

[22] DI (194, 1423); nach Chron. Reich. 492 wurde er vertrieben, weil er im Streit zwischen Lothar III. und Konrad von Hohenstaufen zum legitimen König gehalten habe.

[23] Classen, Gerhoch 328 f. Die Reise ist nicht verzeichnet bei Eynde, Oeuvre (vgl. Anm. 35).

Dank[24]. Der Salzburger Erzbischof nimmt sich jetzt seiner an. Auch er braucht ihn für die Erneuerung seines Bistums[25]. Gerhoch wird noch im gleichen Jahr Propst des regulierten Chorherrenstiftes Reichersberg am Inn, das zwar zum Diözesangebiet von Passau gehörte, aber Allodialgut der Salzburger Metropolitankirche war.

2. Propst in Reichersberg

Das Stift hatte keine glückliche Vorgeschichte. Um 1080 hatte es Wernher von Reichersberg an Stelle einer Burg gegründet. Nach seinem Tod gerät es in heftige Wirren, die Erbstreitigkeiten und der Investiturstreit verursachten. Erst unter dem Pontifikat Konrads I. von Salzburg beginnen friedlichere Zeiten. Unter Propst Berwin ziehen 1107 sächsische Chorherren ein. Er flieht zurück in die Heimat, als bei neuen politischen Auseinandersetzungen Konrad vorübergehend aus seiner Diözese vertrieben wird. Als er zurückkehrt, wird der interimistische Vorsteher des Stiftes, Gottschalk, zum neuen Propst bestimmt. Zwar kann 1126 die Stiftskirche geweiht werden, doch ansonsten zeigt er keine glückliche Hand in der Führung des Hauses. 1132 resigniert er[26]. Der dritte Propst ist Gerhoch. Das Stift erreicht unter ihm seine Blütezeit, die sich bis 1175 fortsetzt, d. h. bis zum Tod seines Bruders und Nachfolgers Arno. Der neue Propst macht sich an den Aufbau eines Chorfrauenstiftes, das 1138 eingeweiht werden kann. Papst Innozenz II. stellt Reichersberg unter den unmittelbaren Schutz des Heiligen Stuhles; ein Jahr später garantiert auch das Reich durch König Konrad auf dem Regensburger Reichstag den Besitzstand des Stiftes. Hand in Hand mit der äußeren Sicherung geht der innere Ausbau. Gerhoch mehrt nicht nur den Grundbesitz, sondern sorgt vor allem für den rechten Geist in seiner Gemeinschaft, die er zum Muster der von ihm verfochtenen *vita apostolica* machen will[27]. Sie ist für ihn nicht nur der Boden, von dem aus er

[24] AD prol.; 54 (194, 1189.1333).

[25] Classen, Gerhoch 58—67; über Konrad v. Salzburg vgl. K. Zeillinger, Erzbischof Konrad I. von Salzburg 1106—1147.

[26] Zur Geschichte B. Appel, Geschichte; K. Meindl, Catalogus; ds., Kurze Geschichte; F. Martin, Die kirchliche Vogtei im Erzstifte Salzburg, in: Mitt. d. Gesellschaft f. Salzburger Landeskunde 46 (1906), 337—436; Classen, Gerhoch 67—78. Grundlage ist Annal. Reich. 448 ff.

[27] Über Gerhochs Tätigkeit für das Stift vgl. B. Appel, a.a.O. 15—61; Classen, Gerhoch passim, besonders 67—78, 159—162 (Register 480); H. v. Fichtenau, Studien.

seine kirchenpolitische und theologische Wirksamkeit entfaltet, sondern selbst ein Teil dieser Wirksamkeit[28].

Zwar hatte Gerhoch schon in der tatenlosen Regensburger Zeit auf Bitten Kunos sein erstes Buch geschrieben, aber noch nicht publiziert. Erst mit der Übernahme des Propstamtes beginnt seine literarische Tätigkeit; er veröffentlicht in einer Neufassung seine Erstlingsarbeit „*De aedificio Dei*"[29]. Von ihr und seinen anderen Schriften kann jedoch erst im Zusammenhang mit seinen Kontroversen gesprochen werden. Hier wollen wir den äußeren Ablauf seines Lebens weiterverfolgen.

Als ein Streit mit dem Passauer Bischof Reginbert um Stiftsbesitz ausbrach, reiste er wieder nach Süden, um am Hof des Papstes seine Sache durchzufechten. Das oben erwähnte Schutzprivileg ist das unmittelbare Ergebnis der Reise[30]. Es gab noch andere: auf dieser wie auf anderen Reisen nach Rom lernte er eine Reihe maßgeblicher Mitglieder des Kardinalskollegiums kennen, mit denen er die Diskussionen über das Verhältnis von Kirche und Reich und die Fragen der Kirchenreform von Deutschland aus schriftlich fortsetzte. Auf diese Weise entstand das Opusculum „*De ordine donorum*" und der Brief an die Kardinäle. Gerhoch fand auch Gelegenheit, praktisch an der Erneuerung mitzuarbeiten. 1142—1143 finden wir ihn als Teilnehmer einer Befriedungsaktion König Konrads in Böhmen, die durch Thronstreitigkeiten im Przemyslidenhaus erforderlich geworden war. Er gehört zum Gefolge des Kardinals Guido[31]. Wahrscheinlich hat er bei dieser Gelegenheit Arnold von Brescia kennengelernt. Mit dem italienischen Reformer verband ihn manche gemeinsame Idee. Beide kämpften leidenschaftlich für die Klerusreform, forderten eine Kirche der Armen und wehrten sich gegen die Übergriffe der Laien in den Kirchenbesitz[32]. Die Gesinnung des „ecclesiastice" freilich bewahrte ihn vor antiautoritären und antipäpstlichen Konsequenzen ebenso wie sein Kontakt zu den kirchlichen Autoritäten, den er stets gesucht hat[33].

[28] Classen, Münsteuer hat den Einfluß der Reichersberger Lage auf seine Regalienlehre gezeigt.

[29] Vgl. Eynde, Oeuvre 14—19.

[30] Classen, Gerhoch 99.

[31] a.a.O. 103—107.

[32] Über Gerhoch und Arnold vgl. R. W. u. A. J. Carlyle, History IV, 342 ff.; G. W. Greenaway, Arnold of Brescia, Cambridge 1931, 169—186; J. Haller, Das Papsttum, Idee und Wirklichkeit, Stuttgart 1952, III^2, 91 f.; Classen, a.a.O. 105—107.

[33] Siehe unten Anm. 83.

1144 ist er wieder in Rom. Er muß noch einmal gegen die Übergriffe des Passauer Bischofs Protest einlegen und findet bei Lucius II., einem Regularkanoniker aus San Frediano in Lucca und alten römischen Bekannten, Gehör. Ein Jahr später stirbt der Papst mitten in einer stadtrömischen Erhebung. Mit Eugen III., dem Schüler des Abtes von Clairvaux, gelangt eine Persönlichkeit auf den Stuhl Petri, die sein bedeutendster Freund wurde. Beide Männer treten sofort in Verbindung. Der Papst dankt für die Schriften, die der Reichersberger übersandt hatte, und bestätigt die Privilegien seines Stiftes[34]. In der zweiten Hälfte des Jahres 1146 sowie im Frühjahr 1150 unternimmt Gerhoch weitere Romfahrten[35]. Das Jahr darauf wird er nochmals einer Legation zugeteilt, diesmal in Deutschland selbst, wo Kardinal Oktavian die Bistümer Augsburg und Eichstädt visitiert. Seine Strenge rief Beschwerden am päpstlichen Hof seitens deutscher Kleriker hervor. Gerhoch begleitet den Visitator nach Rom zurück und verteidigt ihn in einer großen Rede vor dem Papst, dessen Urteil er damit günstig beeinflussen kann[36]. Bei dieser Gelegenheit überreicht er ihm seine Streitschrift über die Kirche, die er als Kommentar zum 64. Psalm verfaßt hatte. Die Reformvorschläge scheinen Eugen III. beeindruckt zu haben: er ernennt ihn zum Legaten für Ungarn und Ruthenien. Gerhoch hat aber Pech: die Legation scheitert, noch ehe sie begonnen hatte, am entschiedenen Widerstand König Gezas II.[37].

Das Jahr 1152 bringt einen entscheidenden Einschnitt. Mit der Thronbesteigung Friedrich Barbarossas beginnt eine neue Zeit. Der alternde Gerhoch ist fast der einzige Überlebende jener Generation, die den Investiturstreit bewußt miterlebt hatte, zugleich der letzte deutsche Monastiker. Barbarossas Zeit ist auch die Zeit Alexanders III., des ersten Dialektikers auf der päpstlichen Kathedra. Der Tod Eugens III. markiert das Ende der unreflexen Romtreue des Propstes. Die Geringschätzung und Mißachtung, die er von seinen Nachfolgern Anastasius und Hadrian IV. erfährt, machen ihn sehr kritisch gegen die Kurie und lassen ihn ein freundlicheres Verhältnis zum Reich finden, dessen Leiter sich positiv zu seinen Plänen zu stellen scheint[38]. Das Schisma von 1159

[34] Classen, a.a.O. 129 f.

[35] Ein Verzeichnis der Romfahrten Gerhochs bei Eynde, Oeuvre 5; s. jedoch Anm. 23.

[36] Gerhoch zeichnet die Rede Ps. 65 (194, 139—142) auf.

[37] Ps. prol. in p. VII (194, 117 f.).

[38] Classen, a.a.O. 154—158. Zur Brüskierung durch Anastasius ep. 17 (194, 567); die Stellung zum Kaiser N 31 f. (That. 75).

bedeutete die ernsteste Belastung für das „ecclesiastice" des Propstes. Die Umstände von Wahl und Weihe schienen für die Legitimität Alexanders III. zu sprechen; dieser aber war in seinen Augen wie in denen der meisten Deutschen durch den Verdacht des Verrates und der Simonie schwer belastet[39]. Er versucht zunächst, neutral zu bleiben, merkt aber am Schicksal seiner Brüder, die mit Schimpf und Schande aus Augsburg gejagt werden, wie unbefriedigend das war[40]. Tiefe Resignation befällt ihn, die durch die Ereignisse in Friesach, von denen wir gleich zu sprechen haben werden, nur verstärkt wurde. Der Gedanke an das Wirken des Antichrist läßt sich nicht mehr abschütteln, der ihn schon seit Jahren gequält hat. 1161 schreibt er das Buch *„De investigatione Antichristi"*; es ist das zweite Mal, daß er sich damit beschäftigt. Schon drei Jahre zuvor hatte er eine Untersuchung niedergeschrieben, die den gleichen Titel trug. Zum Lesen hatte er sie dem Kurienkardinal Heinrich geliehen, der damit auf Nimmerwiedersehen verschwand[41].

1162 hat er sich zur Anerkennung des Bandinelli-Papstes durchgerungen. Mit Erzbischof Eberhard von Salzburg und Bischof Hartmann von Brixen zieht er ins kaiserliche Feldlager nach Pavia, um Friedrich zur Anerkennung Alexanders zu bewegen. Das ist ein aussichtsloses Unterfangen; der Kaiser ehrt die unerschrokkene Haltung der drei Männer dennoch. Er gibt dem Propst einen Schutzbrief für sein Stift.

Die letzten Lebensjahre Gerhochs werden noch einmal durch die Wirren im Reich überschattet. Als 1164 Eberhard von Salzburg stirbt, besteigt Konrad von Passau, der Neffe des Kaisers und ehemalige Ortsordinarius von Reichersberg den Salzburger Erzstuhl. Er ist treuer Alexandriner; auf dem Reichstag von Lauffen verfällt er darum im Jahre 1166 der Acht; sein Kirchengut wird als Lehen verteilt. Reichersberg ist Salzburger Eigenstift, Gerhoch Anhänger des Bandinelli-Papstes. Dafür muß er jetzt büßen. Am 17. und 25. April und noch einmal am 8. Mai 1167 brandschatzt

[39] Gh, inc. (194, 1077 f.); IA I, 55 (Scheib. 109). Vgl. M. Pacaut, Alexandre III., Paris 1956; H. Reuter, Alexander III. Zur Haltung Gerhochs Classen a.a.O. 193—215. Die eigentliche Schwierigkeit war die Eidverweigerung Alexanders.

[40] Rudiger muß unter entwürdigenden Umständen aus Augsburg fliehen; der schwerkranke Friedrich wird zum Umzug in die Backstube des Hauses gezwungen. Er entkommt und gelangt über Reichersberg nach Klosterneuburg. Von den Strapazen erschöpft, stirbt er kurz nach Ablegung der Gelübde als Chorherr. Gerhoch schildert die Sache Ps. 133 (194, 892—895).

[41] Eynde, Oeuvre 121—124, 132—138. G. Freytag, Bilder 419.424—429.442 übersetzte IA I, 63 ff.

Heinrich von Paumgarten das Stift und seine Güter[42]. Der greise Propst muß ins Exil gehen[43]. Dort schreibt er sich seine Bitterkeit von der Seele: die „*Quarta vigilia noctis*", die letzte Zeit ist angebrochen. Auf Vermittlung der Bischöfe von Passau und Bamberg kann er wieder in sein geliebtes Reichersberg zurückkehren. Doch sein Leben ist in die letzte Nachtwache getreten. In der Nacht vom 26. auf den 27. Juni 1169 endet es; am Fest der Apostelfürsten betten ihn seine Brüder neben dem Kreuzaltar der Stiftskirche zur letzten Ruhe[44].

3. Der Kampf um Christi Kirche

Die kirchenpolitischen und theologischen Kontroversen sind zwar über das ganze Leben Gerhochs, angefangen von den Augsburger Jahren, verteilt, doch bilden sie eine innere Einheit, die sie zu Phasen einer einzigen großen Auseinandersetzung werden läßt. Der Kampf geht für ihn einzig und allein um die Reinheit und Heiligkeit der Kirche, die um der Heiligkeit ihres Herrn willen aus der Verfallenheit an die Laster des Jahrhunderts zu lösen ist. „Ecclesiastice" — das ist das Leitmotiv der christologischen wie der sakramentstheologischen Diskussionen[45], der Klerusreform nicht minder wie der Kirchenpolitik. Auch hier geht es ihm nicht um akademische Fragen, sondern um das religiöse, pastorale, aszetische Anliegen der konkreten Reform der Kirche in allen ihren Schichten. Er trifft sich in diesem eminent seelsorgerlichen Impetus mit dem Rupert, der die Seelsorge der Mönche verteidigt, und dem Honorius, der für die Geistlichen in den Pfarreien Bücher schreibt. Wie diese Männer versucht er sein Ziel theologisch zu erreichen, d. h. mit den Mitteln und der Argumentation des Theologen, aber er sucht es für die Gesamtkirche durchzusetzen[46].

Bereits das Buch über den Gottesbau stellt ein vollständiges Reformprogramm dar, um die Kirche aus der Verflechtung mit

[42] Chron. Reich. 475 f. 488.
[43] QV 2; 16 (Scheib. 570.591).
[44] Chron. Reich. 490.
[45] Classen, Gerhoch 89: „Der Kampf um die Einheit und Reinheit der Kirche ging bis in die letzten Tiefen, weil die Kirche der Leib Christi ist, und er konzentrierte sich auf die Sakramentsfrage, weil in dem Sakrament des Altars ... der Leib Christi als Zeichen der einen Kirche Gegenwart wird, den Gläubigen zum Heil". Das ist der Kommentar zu Ps. 33 (O II/1, 164 f. 184 f.) und CDH (194, 1162 f.): Christologie und Sakramentstheologie werden an diesen Stellen miteinander verbunden.
[46] J. Bach, Propst Gerhoch 61 f. 63; H. Weisweiler, Neue Werke 118.

dem Saeculum zu lösen. Genau genommen hatte der Klerus dadurch seine Unabhängigkeit verloren: bei ihm mußte darum die Reform auch beginnen[47]. Den Anlaß hatte das Schisma von 1130 geliefert. Wie Bernhard und Norbert schlug er sich auf die Seite Innozenz II. Hatte er bislang nur die schlechten Priester kritisiert, so erklärt er jetzt, die exkommunizierten und schismatischen Geistlichen (er denkt dabei an die rebellischen Anakletianer) könnten nur mehr bei den Sakramenten das äußere Zeichen, nicht mehr die innere Wirkung setzen[48]. Das klang den Regensburger Klerikern nach Donatismus. Ein Ketzerprozeß wird anberaumt, bei dem auch Konrad von Passau und Kuno von Regensburg nicht vor Anklagen verschont bleiben, weil sie als Protektoren des Kanonikers auftraten. Die Sache wird beim päpstlichen Legaten Walter von Ravenna anhängig, der jedoch als überzeugter Anhänger der Reform die Rechtfertigung Gerhochs anerkennt, ihn aber zur Mäßigung anhält[49]. Dieser triumphiert: er möchte aber den Sieg ganz auskosten und dem Papst seine Ansichten vortragen: im „*Dialogus*", der Innozenz gewidmet ist, legt er seine These dar, nicht ohne die Aufmerksamkeit auf die rebellierenden Parteigänger Anaklets zu lenken[50].

Der Papst will Gerhoch selber hören; vermutlich hatte ihm Bernhard von Clairvaux diesen Rat gegeben. Ohne an die auferlegte Mäßigung zu denken, verteidigt er 1131 oder 1132 seine Theorie als die orthodoxe gegen die Ansichten der Franzosen, einschließlich Bernhards, den er an sich hochschätzt. Beider Verhältnis kühlt sich seitdem merklich ab. Das zeigte sich bald auf dem Reichstag zu Bamberg 1135, wo der Propst noch einmal des Abtes Unterstützung in der Frage der Schismatikersakramente erbittet. Der reagiert eisig: Gerhoch möge Gottes Ehre vor allem anderen suchen[51].

Der Propst läßt sich nicht beirren. Mit subtilen Distinktionen sucht er seine These zu vertiefen. Das Ergebnis liegt vor im Werk „*De simoniacis*". Ein Jahrzehnt später, 1147 befaßt er sich nochmals mit der Frage in der Schrift „*Contra duas haereses*"[52].

[47] Classen, a.a.O. 40—47.

[48] Vgl. unten II, 3, 5, 3.

[49] Idung v. Prüfening, Super IV quaest. (B. Pez, Thesaurus II, 509).

[50] DI (194, 1375—1380).

[51] ep. ad Bernh. (Hüffer 270); zum Verhältnis zu Bernhard vgl. Classen, Gerhoch 52—54.79—81.85—88.108.128.152 f. 174 f. 408 f.

[52] Besonders 194, 1183.1197 f. Zur Sakramentenlehre Gerhochs vgl. Evnde, Oeuvre 34—40; Classen, a.a.O. 78—87; Landgraf DG III/2, 240—243; H. de Lubac, La „res sacramenti"; Eynde, The Theory; F. Holböck, Leib Christi 91—96.

Inzwischen hatte sich Gerhoch in eine neue Auseinandersetzung eingelassen, die ihn fortan nicht mehr in Ruhe ließ. Diesmal geht es um christologische Fragen. Die Dialektiker aus den Schulen Abälards und Gilberts de la Porée suchten nach der begrifflichen Klärung des Dogmas von Chalkedon. Sie trennten Gottheit und Menschheit Christi so stark, daß sie adoptianistisch die letztere von der Gottheit nur angenommen sein ließen. Sie sei infolgedessen nicht *„proprie"*, sondern nur *„figurative"* mit göttlichen Prädikaten zu benennen[53]. Der Propst hatte bei Rupert gelernt, daß das Heil nur dann gewährleistet sei, wenn Gottheit und Menschheit in wirklicher Einheit verbunden sind, so daß die Erlösung Jesu auch Gottes Erlösung ist. Auf Grund dieser Einheit aber mußte man auch den „homo assumptus" mit göttlichen Prädikaten benennen[54].

Seine These legte er erstmals in einer verloren gegangenen Schrift dar, die Otto von Freising gewidmet war[55]. Als dieser Einwände erhebt, läßt Gerhoch die Sache erst einmal auf sich beruhen. Er vertritt sie jedoch von neuem im ersten Teil des Psalmenkommentars, der 1147 erschien. Diesmal kommen die Proteste von Eberhard von Bamberg, einem der mächtigsten Reichsbischöfe: Gerhoch befinde sich im Widerspruch zum athanasianischen Symbolum, in dem die *minoritas* der Menschheit Christi gelehrt werde. Dieser antwortet erst mit einem Brief, geht auf die Objektionen dann im dritten Teil der Psalmenexegese ein, bis er schließlich im *„Liber contra duas haereses"* auch dieses Problem umfänglich behandelt.

Kurz nach dem Tod Eugens III., in einer Zeit tiefster Resignation, erfuhr Gerhoch neuen Widerstand gegen seine These von einem französischen Schüler des Porretaners namens Magister Petrus. Ein heftiger literarischer Streit beginnt[56]. Zu allem Überfluß beschuldigt der Bamberger Bischof den Propst der Häresie. Mit dem Bewußtsein, als ein anderer Bernhard den rechten Glauben gegen die neuen Abälardianer aus Gilberts Schule zu vertei-

[53] Zum christologischen Streit vgl. J. Bach, DG II, 390—582; ds., Propst Gerhoch 71—88; J. Günster, Christologie; H. Weisweiler, Schrifttum; J. de Ghellinck, Mouvement 255—257; Classen, Gerhoch 89—97.162—173.239—263.391—398; H. F. A. Nobbe, Gerhoh 158—173; Schwane DG 247—251; Seeberg DG III, 250—265; O. Baltzer, Beiträge (besd. 28—32.69—74); Landgraf, DG II/2, 7—169; H. de Lubac, Corpus 166.

[54] Ps. 1 (193, 645).

[55] Eynde, Oeuvre 49—66; ds., A propos du premier écrit. Die Schrift ist 1141 oder 1142 zu datieren.

[56] Vgl. das Briefregister, Eynde, Oeuvre 220—222 (nn. 56—58); O I, 357—366; H. Weisweiler, Drei Briefe 21—48.

digen, versucht er 1156 im Buch „De novitatibus hujus temporis“ noch einmal seine Ansicht darzulegen, gerät aber dabei in gefährliche Nähe zum Monophysitismus. In der Hoffnung auf die päpstliche Approbation sendet er das Werk an Hadrian IV.: dieser sendet seinen Segen, aber keine Zustimmung.

Wenige Jahre später, 1161, erlebt er eine peinliche Niederlage. Auf der Synode zu Friesach in der Steiermark greifen zwei Magistri seine Christologie an. Nur seine beiden Brüder Arno und Rudiger wagen es, ihn zu verteidigen. Die Bischöfe schweigen[57]. Nun hängt ihm das Odium des Häretikers an.

In diese Jahre fällt auch der Streit mit Folmar von Triefenstein, einem Amtsbruder Gerhochs aus der Maingegend. Er warf dem Reichersberger vor, er vertrete einen häretischen Ubiquismus, wenn er behaupte, die Menschheit Christi könne sich überall vergegenwärtigen[58]. Daraufhin versuchte der Angegriffene zu zeigen, daß auch des Gegners Theologie mangelhaft sei. In Konsequenz seiner strikten Trennungschristologie war Folmar zu der Meinung gelangt, in der Eucharistie empfange man nur das Fleisch, nicht den ganzen Leib Christi[59]. Gerhoch zwingt ihn, sich vor Eberhard von Bamberg zu rechtfertigen und zu widerrufen[60]. Aus dieser Auseinandersetzung entstand das reifste christologische Werk des Propstes *„De gloria et honore Filii hominis“*. Folmar versucht zurückzuschlagen: er schwärzt ihn beim Kaiser an. 1163 vermag Gerhoch sich jedoch auf dem Nürnberger Reichstag glänzend zu verteidigen[61]. Im Frühjahr des folgenden Jahres greift der Papst in die Angelegenheit durch ein Breve ein, in dem er dem Propst das Schweigegebot bezüglich seiner Christologie auferlegt. Zu Weihnachten aber scheint er in Sens vor 3000 Theologen seine Ansicht gebilligt zu haben[62].

[57] ep. 17 (193, 566).

[58] Die ersten Ansätze für eine Ubiquitätstheorie finden sich CDH 2 (194, 1168); sie werden ausgebaut Ps. 69 (194, 275) und IA II, 51—53 (Scheib. 299—305). Dagegen der Vorbehalt des „follis amarus“, gegen den Gerhoch mit Gh, Arno mit dem Apologeticum antworten. Literatur neben den Anm. 53 angegebenen Werken noch B. Kaltner, Folmar; Eynde, Oeuvre 141—145; Classen, Gerhoch 240—243.

[59] Die Schrift Folmars „De carne et anima verbi“ ist nicht erhalten; ihr Inhalt kann erschlossen werden aus einem Brief Folmars an Eberhard v. Salzburg (194, 1481 f.).

[60] GvR, ep. 7 (193, 496—500); die „Palinodia Folmari“ 194, 1485 f.

[61] Friedrich I. zieht ihn gelegentlich auch als Ratgeber heran: epp. 13; 17; 18; 20; 21 (193, 530.566.570 f. 575.579).

[62] Wir wissen davon nur aus Chron. Reich. 471. Die Nachricht ist mit Skepsis aufzunehmen, da nirgendwo sonst ein so bedeutendes Ereignis wie die Theo-

4. Die Quellen seiner Theologie

Die umfangreichen Studien D. van den Eyndes und P. Classens haben uns einen guten und vollständigen Einblick in die literarische Werkstatt des Reichersberger Kanonikers vermittelt[63]. Wir lernen ihn als eine der gebildetsten Persönlichkeiten seiner Zeit kennen, die nicht nur eine souveräne Kenntnis der Heiligen Schrift, sondern ebenso eine erstaunliche patristische Erudition auszeichnet[64]. Neben Augustinus[65], Ambrosius, Hieronymus und Leo dem Großen gehört Hilarius von Poitiers zu seinen bevorzugten Autoren. Er kennt sie aus Florilegien wie Paterius, geht aber auch unmittelbar „ad fontes"[66]. Er ist der erste westliche Theologe, der „De fide orthodoxa" des Johannes von Damaskus benutzt, obschon er das Werk Basilius zuschrieb[67]. Auch andere griechische Väter kennt und nennt er, wie etwa Kyrillos von Alexandrien, Gregor von Nazianz oder die *Akten des Konzils von Ephesus*[68]. Die klassische Literatur ist ihm nicht fremd, doch macht er wenig Gebrauch von ihr[69]. Er möchte ein Zeichen gegen die dialektische Theologie setzen, die sich auf ihre Kenntnis der Antike einiges zugute hielt. Dabei ist er durchaus mit der neuen Methode vertraut. Er kann distinguieren wie einer von ihnen; er versteht sich auf Text- und Quellenkritik[70].

logenversammlung dieser Größenordnung verzeichnet ist. Das Breve vom 22. 3.1164: PL 200, 289 (n. 243).

63 Vgl. die Tabellen bei Eynde, Oeuvre; Classen, Gerhoch 327—444; ds., Aus der Werkstatt; Manitius III, 61—67.

64 Eynde, Oeuvre 298. Sein Bestreben zu patristischer Treue spricht er etwa aus Ps. in II p.; in IV p.; ep. 3 (193, 988.1371.491); Ps. in VIII p.; 118 (194, 390. 732).

65 E. Meuthen, Kirche 7 erkennt eine „über das übliche mittelalterliche Maß hinausgehende Vorliebe für Augustinus".

66 Eynde, Oeuvre 298; der Nachweis der Auszüge aus Paterius a.a.O. 348—352.

67 O I, 359/3 (von Classen); J. de Ghellinck, Mouvement 374—415, vor allem 400—408. Die Übersetzung des Cerbanus bei E. M. Buytaert, The earliest latin translation. Dort 51 Zitationsliste Gerhochs. Vgl. ds., St. John Damascene; P. Classen, Das Konzil v. Konstantinopel; ds., Der verkannte Johannes Damascenus, in: Byzantin. Zeitschrift 52 (1959), 297—303. Die Übersetzung wurde in Ungarn gefertigt. Gerhoch zitiert sie erstmals, nachdem er 1144 Zehntbesitz an der ungarischen Grenze für sein Stift erworben hat. Classen, Gerhoch 124; ds., Konzil, vermutet bereits frühere Kontakte mit Ungarn.

68 F. G. J. Dilloo, De Gerhoho 22—34; Heer, Tragödie 45 f.; Classen 124 f. Da der Propst kein Griechisch versteht (ep. 15; Ps. 41—193, 547.1489), stammen seine Kenntnisse aus zweiter Hand.

69 Manitius III, 63 ff.: er zitiert Horaz, Prudentius, Sedulius.

70 Zur Kritik an Augustin Ps. 10 (193, 791 f.); Herstellung eines korrumpierten Konzilskanons DI (194, 1382); Nachweis der Fälschung eines Papstbriefes DI

Die karolingische Theologie ist ihm vertraut wie die zeitgenössische auch[71]. Sein Kampf um die Reinheit der Kirche zwingt ihn zur Auseinandersetzung mit den Schriften seiner Gegner. Er kritisiert Anselm von Canterbury, den Lombarden und vor allem seinen Hauptfeind, Gilbert de la Porée. Das hindert ihn nicht, ihn in ausgiebiger Weise auszuschreiben[72]. Mit großem Respekt liest er Hugo von St. Viktor und die Schriften des spröden Bernhard; er benutzt Anselm von Laon und Gilbert Universalis[73]. Vor allem jedoch ist Rupert der eigentliche Lehrer des Theologen Gerhoch geworden.

Seine Reformpläne verlangten eine gediegene kanonistische Kenntnis. Er studiert die Dekretaliensammlung und schöpft aus den Werken des Kardinals Deusdedit und, in späteren Jahren, aus Gratians Decretum. Er bewahrt sich jedoch ein differenziertes Verhältnis zum Recht. Er billigt keineswegs in Bausch und Bogen die legistischen Argumentationen; vielmehr kommt es ihm auf die schlichte, aber treue Bewahrung und Wahrung des göttlichen Gesetzes und seiner Gerechtigkeit an[74]. Er versteht sie nicht spiritualistisch wie Arnold von Brescia oder Joachim von Fiore, sondern will ihre Realisierung innerhalb der verfaßten Kirche. So fordert es die rechte Ordnung.

Wir stehen hier an einer wichtigen Quelle seines Tuns. W. Neuß nannte ihn einen „Systematiker der christlichen Ordnung"[75]. Das ist cum grano salis zu nehmen: sein Denken ist nicht in dem Sinne systematisch wie das der Summenschreiber des 13. Jahrhunderts. Aber sein Ziel ist die Wiederherstellung des göttlichen *ordo,* den er überall gestört sieht: im Staat wie besonders in der Kirche. Sein Kampf gilt der *confusio,* der Zerstörung des *ordo,* wo immer er ihr begegnet, sei es beim Papst oder beim Kaiser[76]. Sicher steht er in

(194, 1387); Unterscheidung des Ambrosiaster von Ambrosius OD ep. (O I, 70 ff.); Korrektur der Dekretaliensammlungen (Mühlbacher, Ein Brief 309 f.); Emendation eines Augustinustextes Gh 14, 5 (194, 1123 f.: zu Augustin, in Joh. 30,1 — CC 36, 289). Vgl. auch die patristischen Untersuchungen ep. ad Eberh.; Gh 3—10.15—17.21 f. (194, 1083—1109.1125—1139, 1152—1160).

[71] Bach, DG II, 429; Manitius III, 63 ff.; Classen, Gerhoch 247.433 f. Gerhoch kennt Adso, Alkuin, die Briefe Gregor VII. usw., vor allem aber auch Scotus Eriugena!

[72] O I, 361.

[73] Eynde, Oeuvre 301; G. Hüffer, Studien 248—253 (Bernhard).

[74] N 44 f. (That. 85—87); CE 17 (194, 20). Er wendet sich daher auch gegen die zunehmende Verrechtlichung der Kirche.

[75] Kirche 200.

[76] Vgl. I. Ott, Regalienbegriff: dort werden die Wandlungen Gerhochs in dieser Frage gezeigt.

seinem Reformeifer auf Seiten der Gregorianer, doch nicht bedingungslos, sondern mit differenziertem Urteil. Wo er den Verdacht hatte, daß an die Stelle der kaiserlichen Präponderanz die kirchliche Hegemonie treten könnte, reagierte er scharf. Als er in seinen letzten Jahren die Verweltlichung der Kirche gerade an ihrer Spitze registriert, tariert er dieses Absinken wieder aus durch eine positivere Bewertung der staufischen Kaiseridee, die ihm nunmehr die Reform besser zu garantieren scheint. Weniger Gregor VII. dürfte als Initiator seiner Erneuerungspläne anzusehen sein als vielmehr Manegold von Lautenbach, dessen Schriften er in Rottenbuch gelesen haben mußte[77].

Nicht zuletzt ist der Strom seines Wirkens aus einer Quelle gespeist, die um des besseren Verständnisses willen genannt werden muß: es ist die tiefgläubig-konservative Art süddeutsch-bayerischen Wesens, die ihn entscheidend geformt hat[78]. Auf ihr Konto mag die heftige, aber ausdauernde, starre, aber unbeirrbare Haltung des Propstes gehen, die sein Leben wie sein Wirken kennzeichnet.

5. Die Bedeutung Gerhochs

Die exzeptionelle Bildung und sein umfangreiches literarisches Werk sichern dem Propst von Reichersberg einen hervorragenden Platz in der Geistesgeschichte des 12. Jahrhunderts. Es gibt „nicht viele Gestalten von so ausgeprägter Eigenart des Charakters, von so lebhafter Empfänglichkeit für alle Zeitfragen, von solch offenem Freimut des Urteils über die Zustände von Kirche und Reich“, erklärt J. Mois; dann fährt er fort: „Gerhochs Geisteshaltung und Lebensarbeit sind gekennzeichnet durch den Gegensatz der konservativen Theologie, bei ihm vor allem in christologischen Fragen, gegenüber der vernünftelnden Lehrweise der Dialektiker, sowie durch das Ringen um eine gründliche Reform der tief verwurzelten Übel in Klerus und Kirche“[79]. Dieser Antagonismus zwischen Reformeifer und beharrendem theologischen Denken hat das Urteil über ihn irritiert. Man hat in ihm entweder einen eigensinnigen „laudator temporis acti“ sehen wollen, der deswegen zum Schei-

[77] W. Ribbeck, Gerhoh 42; Eynde, Oeuvre 16; Mois 99—107. Vgl. oben Anm. 12 und GvR, DI (194, 1415).
[78] R. Bauerreiß, KG III, 139.
[79] Mois 114; H. Hürten, Neue Arbeiten.

tern verurteilt war[80], oder ihn als Vorläufer der Reformation des 16. Jahrhunderts beschlagnahmt, der mit „ächt protestantischem Freimuth“ sich für die Gewissensfreiheit eingesetzt habe[81].

Solchen Klassifizierungsversuchen entzieht sich seine Persönlichkeit. Das mag eine der Ursachen sein, weshalb der Name des Propstes tiefer Vergessenheit anheimfiel. Zwar konnte Eberhard von Bamberg noch sagen, seine Bücher seien ein wenig überall in der Welt zu finden[82], aber das lag vor allem daran, daß er sie aller Welt aufdrängte[83]. Sein Name taucht in fast allen Dokumenten der Reform auf, aber trotz der weit fortgeschrittenen Gerhoch-Forschung ließen sich keine nennenswerte Zeugnisse für sein Weiterwirken finden[84]. Erst die Reformationszeit sieht in ihm einen Vorkämpfer ihrer Ideale. Katholiken wie Gretser hoben seine Papst- und Kirchentreue hervor, Humanisten wie Aventin unterstrichen mit Genugtuung die antikurialen Passagen in seinen Schriften[85]. Dann wird es wieder still um ihn, bis man seit dem ausgehenden

[80] Thatcher 184; V. Fuchs, Ordinationstitel 253; H. Weisweiler, Schrifttum 25. Diesen Vorwurf mußte sich Gerhoch schon zu Lebzeiten gefallen lassen: DI (194, 1419).

[81] H. F. A. Nobbe, Gerhoh 40; siehe auch F. G. J. Dilloo 82: „reformationis postea factae praenuntius et praesagus“, da er Gemeinsamkeiten mit Luther in der Christologie (Ubiquitätslehre) und in der Abneigung gegen die Scholastik zeige (a.a.O. 80 f. 84). H. H. Jacobs, Studien 343 weist ebenfalls auf christologische Parallelen hin. J. Bach, Propst 61 nennt ihn einen Kämpfer für die Gewissensfreiheit. Darin trifft er sich mit Nobbe, a.a.O. 176 f., der seine Betonung der Schrift, seine Kirchenkritik und seine Betonung des (angefochtenen) Gewissens akzentuiert.

[82] Brief an Eberhard v. Salzburg (193, 500).

[83] Fast alle seine Werke sind an Päpste, Kardinäle oder einflußreiche Reichsbischöfe gerichtet oder ihnen gewidmet; bedeutenden Männern gab er stets gern ein Exemplar wie den Kardinälen Goizo und Guido v. Castello OD, dem Kardinal Heinrich CE und LF, dem Kardinal Hyazinth IA (Eynde, Oeuvre 122.124; Classen, Gerhoch 100).

[84] Classen, a.a.O. 312—314. Auch der Hss.-Bestand ist dürftig. Es haben kaum mehr als heute vorhanden existiert (Classen, a.a.O. 313). Vermutungen, daß Heinrich v. Göttweig aus seinen Werken Anregungen empfangen haben könne (W. Scherer, Rezension 565 f.), oder daß Gilbert Foliot in England von ihm beeinflußt sei (W. Ullmann, Papsttum 597/146) sind nicht weiter beweisbar. Vgl. Classen, Gerhoch 313 f.

[85] Aventin ist der Entdecker von IA. Er verwendete das Buch und Chron. Reich. für seine Darstellung des Investiturstreits und des Schismas von 1159 (Annales ducum Baioariae, ed. S. Riezler, Joh. Turmairs' genannt Aventinus Sämtl. Werke III/2, München 1884, V, 13; VI, 5 (109 f. 123). Die Reichersberger Hss. weisen Marginalien einer Hand aus dem 16. Jahrhundert auf, die den lebhaften Konsens mit antikurialen Äußerungen Gerhochs bekunden, vor allem in QV und IA. Scheidelberger druckt sie in seiner Edition ab.

19. Jahrhundert seine Werke wieder liest, diesmal hauptsächlich unter kirchenpolitischem Aspekt.

Die Ambiguität Gerhochs ist nicht der einzige Grund für das Schicksal seines Werkes. Er war kein straffer Denker; die vielen Seiten, die er geschrieben hat, lassen sich nicht ohne Ermüdung lesen. Er ist weitschweifig, gibt sich bei jeder Gelegenheit freien Assoziationen und Variationen hin, die ihn oft weit weg vom Thema führen; seine Argumente wiederholen sich[86]. Er entschuldigt sich wegen seiner Schwatzhaftigkeit: man ist ihm dafür dankbar[87].

Er bleibt trotzdem einer der bedeutendsten Männer seiner Epoche. Man kann dem überschwänglichen Urteil des ausgehenden 19. Jahrhunderts kaum zustimmen, er sei „ein heiliger Bernhard für Deutschland" gewesen: dazu fehlte ihm die glänzende Begabung und die Strahlkraft des Zisterziensers[88]. Ihm gleich ist er in der liebenden Sorge für die Kirche[89]. Um sie aus den Niederungen der Sünde und Verflechtung mit dem Saeculum zu befreien, fordert er die Verwirklichung der alten *vita apostolica.* Sie ist das Gegenmittel zur Aufgeblasenheit der Dialektiker, die zur Ent-Geistlichung der Kirche führt. Daraus resultiert das Konservative seines Denkens. Aber er ist alles andere als der Vertreter einer simplen Restauration. Im Streit mit Folmar führt er einmal eine Reihe patristischer Texte für seine These an. An sich genügt das. Dann erinnert er sich des biblischen Hausvaters, der Altes und Neues aus seinem Schatz holt und schreibt einen Satz nieder, der als Motto über seinem Leben stehen könnte: „*Veterum testimoniis addamus nova temporibus nostris edita*"[90]. Gerhoch fühlt sich nicht als Parteigänger einer Gruppe, sondern dem Ethos der Wahrheit verpflichtet[91]. Ihr wollte er auch im Wandel der Zeit treu bleiben und war deswegen bereit, die Konsequenzen auch dann zu ziehen, wenn sie eine Änderung seiner Meinung verlangte. „*Temporis novitas exigere videtur novas regulas*", schreibt er in dem Buch, das gerade gegen die „*Novitates*

[86] Vgl. die Liste der Exkurse in Ps. bei Eynde, Oeuvre 345—347.

[87] Ps. 31 (O I, 40 f.).

[88] K. Meindl, Geschichte 18. Der Vergleich scheint von Scheidelberger zu stammen, der ihn im Vorwort seiner Edition von IA „illustris Germaniae Bernardus" nennt. Er wird aufgenommen von Thatcher 35; R. Rocholl, Gerhoh 568; A. Dempf, Sacrum Imperium 252; I. Ott, Gerhoh 32; H. Fichtenau, Studien 1; J. Leclercq, Spiritualité 127; L. Ott, Briefliteratur 93.

[89] Zur Lauterkeit seiner Absichten vgl. den Brief an Bernhard, mit dem er S überreichte (MGH L 3, 240 f., vor allem 241, 20). Es entspricht der inneren Gerechtigkeit, wenn das Vaticanum II gerade einen ekklesiologischen Passus aus seinen Schriften zitiert („Lumen gentium" 63/19 = Gh 10 [194, 1105]).

[90] Gh 14, 10 (194, 1131).

[91] ep. ad Godefridum (194, 1162).

hujus temporis" gerichtet war, und ändert seine Haltung in der Regalienfrage[92]. Schon H. de Lubac hatte nach einer Untersuchung seiner originellen Sakramententheologie davor gewarnt, in ihm einen rückständigen Theologen zu sehen[93]. Er war auch keineswegs auf einen engen Horizont der Probleme fixiert[95], sondern sucht die vielfältigen Strömungen der Zeit in Politik, Dogmatik, Aszetik und Exegese in eine Synthese zu bringen. Manche Weitläufigkeit seiner Schriften hat hier ihren Grund[94]. Seine These von der Unabhängigkeit von Staat und Kirche war ein kühner, allerdings damals auch wohl unrealistischer Gedanke. Was er über die Bedeutung der Konzilien, über Größe und Grenze päpstlicher Machtvollkommenheit, über die Eigenständigkeit des Politischen geschrieben hat, erregt noch heute unsere Aufmerksamkeit. Seine Fachkenntnis in fast allen theologischen Disziplinen, seine wichtigen mariologischen Reflexionen und die schlichte Frömmigkeit seines Herzens machen ihn zu einem Geistlichen und Gelehrten von Rang[95].

Um ihn zu verstehen, darf man nicht vergessen, daß er von einem echten seelsorgerlichen Impetus geleitet wurde. Die Reinheit der Kirche, die Herrlichkeit des Menschensohnes, die eschatologischen Erwägungen des Antichrist-Buches — das alles ist wichtig für ihn, weil er damit und darin die Liebe zu Gott bei den Menschen wecken will[96]. In diesem Sinne ist auch er Vermittler, dessen Echtheit überzeugend ist, weil er selber diese Liebe zu Gott zu leben versucht hat.

[92] N 29 (That. 73).

[93] La „res sacramenti" 39. Vgl. auch Holböck, Leib Christi 92.206; Landgraf DG III/2, 243. Gerhoch leistet wichtige Vorarbeiten für die Rezeption des Begriffs „opus operatum" und wendet sich gegen die Auffassung, der eucharistische Leib Christi sei ein Symbol der Kirche. Vgl. GvR, S 29 (194, 1367).

[94] E. Meuthen, Kirche passim, besonders 3 f. 11—14, 155 f.

[95] E. Meuthen, a.a.O. 15 f.; A. Wenger, L'assomption de la T. S. Vierge dans la tradition byzantine du VIe au Xe siècle, Paris 1955, 341—362 gibt Hinweise auf Gerhochs Lehre über die Assumptio.

[96] Ps. 31 (O I, 40 f.) entschuldigt er seine Weitschweifigkeit damit, daß er nicht für die Klugen, sondern für die einfachen Leute schreiben will: „propter simplices et insipientes introducendos liceat uti multiloquio". Vgl. auch AD 21 (194, 1249). Die pastorale Ausrichtung dürfte bereits dem jungen Gerhoch aus der Begegnung mit dem Reformkreis um Herluca (vgl. C-O I, 43 f.) erwachsen sein. Vgl. auch Classen, Gerhoch 82 f.: „Niemand hat so früh und so grundsätzlich gegen das Vikarsunwesen und die Pfründenhäufung, den damit verbundenen Verfall der Seelsorge und des sakramentalen Amtes ... gekämpft wie ... Gerhoch". Über seine Kirchen- und Papsttreue vgl. z. B. die Äußerungen DI; Gh ep. ad. Hartm. (194, 1422.1077 f.); OD dedic. (O I, 66); Ps. 10; 24; 25 (193, 789.1107.1162); N 4 (That. 193); SV (Scheib. 567 f.); QV 21 (Scheib. 605); epp. 3; 13; 15; 17; 21; 23 (193, 491.530.567.569.576 f. 588) u. ö.

Exkurs

Das Verhältnis der drei Theologen zueinander

Wenn es richtig ist, daß Honorius nach seiner englischen Zeit eine Weile in Siegburg gelebt hat, dann wäre es seltsam, wenn er Rupert nicht persönlich kennengelernt hätte. Ebenso merkwürdig wäre es, hätte er in Regensburg nicht den jungen Kanoniker Gerhoch gesprochen, der von 1126 bis 1132 am Hof des gleichen Kuno weilte, der ihn selbst gefördert hatte. Es mag sein, daß er ihm manches von Rupert erzählt, manche seiner Gedanken interpretiert hat. Der Abt und der Propst sind sich wahrscheinlich nie begegnet[1].

Alle drei hatten viele Ansichten gemeinsam. Dies gilt nicht so sehr für ihre politische Position: zwar waren sie alle päpstlich gesinnt, aber das artikulierte sich von einer fast gleichgültigen Haltung gegenüber den Tagesereignissen beim Abt über eine differenzierte Distanz zur hierokratischen These beim Propst bis zu deren Übersteigerung in der „Summa gloria" des Klausners. Ihnen allen aber ging es um die Kirche und deren Verkündigungsdienst. Obwohl keiner von ihnen längere Zeit in der unmittelbaren pastoralen Verantwortung für eine Niederkirche gestanden hatte, war ihre ganze Arbeit in diese Richtung orientiert, ob sie nun Handbücher für die *pastores* schrieben oder das Predigtrecht der Mönche vindizierten oder um die Reinheit der Kirche rangen. So wurden sie zu Anregern und Gestaltern der mittelalterlichen Volksfrömmigkeit[2]. Um ihr zu dienen, verwarfen sie die gefährlich erscheinende Dialektik: das war keine wissenschaftstheoretische, sondern eine religiöse und pastorale Entscheidung. Sie hielten nichts von der stereotypen Wiederholung des schon längst Gesagten, sondern wissen sich den Menschen ihrer Zeit gerade darin verpflichtet, daß sie die alten Worte neu sagen. Dazu war es notwendig, sie auf eigene Kosten kritisch zu untersuchen, auch wenn das bei den ewig Konservativen ängstlichen Protest hervorrief.

[1] R. Rocholl (Rupert 203, Zu Rupert 37, Platonismus 4) nahm eine persönliche Bekanntschaft an auf Grund einer Urkunde von 1127, in der Rupert zusammen mit Konrad von Salzburg auftaucht. Zusammen mit CDH (194, 1166) gesehen, so schloß er, könne man von einer Reise Gerhochs an den Rhein sprechen, bei der ihm Rupert begegnet sei. Diese Ansicht wurde von mehreren Autoren übernommen (J. Bach, DG II, 243; ds., Propst 73; E. M. Buytaert, Arno 32). Die fragliche Stelle in CDH spricht jedoch von einer Unterhaltung zwischen Gerhoch und Gottfried von Admont *über* Rupert. So auch Classen, Gerhoch 37/1 und E. Meuthen, Kirche 118.

[2] F. Heer, Aufgang 110.

Gemeinsam ist ihnen die geistige Heimat im Mönchtum und seinen Ausformungen. Dort hatten sie die Bibel und die Kirchenväter kennen und lieben gelernt, dort hatten sie erfahren, daß die Offenbarung voller Bilder ist, und daß man sie zum Leuchten bringen kann, wenn man diese Bilder und Symbole zu einem Ganzen zu verweben versteht. Aus der monastischen Meditation und der Liturgie ihrer Klöster wuchs ihnen die geistliche Kraft zu, die sie in eine tiefe Liebe zur Kirche umsetzten. Damit stehen sie in einer Reihe mit anderen bedeutenden Zeitgenossen wie Hugo von St. Viktor, Hildegard von Bingen und Bernhard von Clairvaux.

Der heutigen Forschung ist klar geworden, daß Gerhoch und Honorius als Schüler des Deutzer Meisters gelten müssen[3]. Sie wurden es nicht durch den Zwang der Verhältnisse, die sie etwa unter sein Katheder geführt hätten, sondern aus geistiger Wahlverwandtschaft. Sie dachten nicht so wie Rupert, weil sie seine Schüler waren, sondern sie wurden dies, weil sie so dachten wie er. Der ganze Umfang der literarischen Abhängigkeit ihrer Schriften von ihm ist noch nicht erforscht. Die kritische Edition eines Teils der Gerhoch-Werke durch D. van den Eynde und seine Mitarbeiter hat diese Arbeit für eben jene Werke mustergültig und mit erstaunlichem Resultat geleistet[4]. Vor allem in der Geschichtstheologie und in der Christologie schließt sich der Reichersberger an den Mönch an. Der Gedanke von der Geschichtlichkeit des Heils in Inkarnation und Erhöhung, der die gerhochsche These leitmotivisch stützt, ist von Rupert entlehnt, auf den er sich auch sonst in diesen Fragen gern beruft[5]. Von Rupert stammen der Eifer für die Verherrlichung des Gottessohnes[6], die These von der fehlenden Konsekrationsgewalt des häretischen Priesters[7], die Typologie der Geistesgaben und der sieben Reiche[8] sowie manche Gliederung und Konzeption seiner

[3] So z.B. F. G. J. Dilloo, De Gerhoho 34; J. Bach, DG II, 298; C. Spicq, Esquisse 65, 117.127; Nobbe, Gerhoh 107; H. de Lubac, Exégèse II/1, 227 f.; I. Ott, Gerhoch 52; E. Meuthen, Kirche 7.11.112.117; A. Dempf, Sacrum Imperium 252; Classen, Gerhoch 36—40 und passim; M. Spindler, Handbuch I, 466 (F. Brunhölzl).

[4] Vgl. O I—II; ds., Oeuvre passim.

[5] Vgl. die beiden gleichnamigen Schriften Gh; s. auch GvR, CDH 2 (194, 1166); Gh 16, 11—14 (194, 1131—1133).

[6] RvD, CC 4, 5 (168, 904) zu vgl. mit dem Brief Gerhochs an Bernhard (Leclercq, Coll. OCist. Ref. 15, S. 82).

[7] Vgl. unten II, 3, 5, 3.

[8] Ps. 39 (193, 1433 f.) vgl. mit A 7, 12 (169, 1043 f.). Vgl. K. Boeckl, Gaben 28 ff., 37 ff.; Meuthen 120—129; Classen 112. Auch Honorius benutzt das Schema der Geistesgaben.

Gedanken[9]. Gerhoch nennt ihn einen der Engel, die seine Eucharistieauffassung stützen[10]. Den damaligen Sitten getreu kopiert er seinen Lehrer seitenweise ohne die geringste Andeutung eines Zitats[11]. Das hat kuriose Folgen: die Forderung nach selbständigem wissenschaftlichen Arbeiten erhebt er ausgerechnet mit einem Plagiat aus Rupert[12].

Auch Honorius hat seine Werke eifrig benutzt. Schon A. Endres hatte in seiner Biographie nachgewiesen, daß die kleine Schrift „*Utrum monachis liceat praedicare*" nichts anderes als eine Paraphrase des gleichnamigen rupertinischen Opusculum ist[13]. Auch J. Bach hatte bemerkt, daß beiden gemeinsam die These von der Erschaffung des Menschen unabhängig vom Engelfall ist[14]. Dies gilt freilich erst für die Schriften der mittleren und späten Zeit, während Honorius in seiner Jugend die gegenteilige Theorie vertreten hatte. Das stimmt mit der Annahme überein, daß er erst nach dem Verlassen der britischen Insel mit Rupert in Kontakt gekommen ist. R. Rocholl schließlich machte darauf aufmerksam, daß die Geschichtsperiodisierungen auffallende Ähnlichkeiten aufweisen[15] und daß beide hinsichtlich des Inkarnationsmotivs der „skotistischen" These verpflichtet sind[16]. In neuerer Zeit erkannte W. Neuß die Einflüsse Ruperts auf die Ezechiel-Interpretation des Inklusen[17]. M. Magrassi endlich konnte durch einen Textvergleich die Abhängigkeitsverhältnisse des „Liber XII quaestionum" vom Johanneskommentar Ruperts sichtbar machen. Er stand nicht an, Honorius als „*portavoce di Ruperto*" zu bezeichnen[18].

Untersuchungen über eine Verbindung zwischen Gerhoch und Honorius fehlen. Man kannte in Reichersberg seine Schriften, wie das noch ungedruckte „Hexaemeron" des Arno von Reichersberg

[9] Die Edition Eyndes von LF hat gezeigt, daß Konzeption, Gliederung und auch Text großenteils aus Rupert entnommen sind. OD stammt zu 20 % aus Rupert (Classen, Gerhoch 112).

[10] Ps. 33 (O II/1, 209). Weitere Abhängigkeiten in der Sakramentstheologie: S übernimmt aus EJ (Classen, Gerhoch 86); die Definition von res sacramenti CDH (194, 1181 f.) stammt aus Rupert, Reg. 3, 19 (167, 1163 f.).

[11] Vgl. die Tabellen bei Eynde, Oeuvre 353—357.

[12] Vgl. GvR, ep. 18 (193, 572) mit RvD, A prol. (169, 825/826).

[13] A. Endres, Honorius 145—150.

[14] DG II, 298; E. M. Sanford, Honorius 414. Vgl. unten II, 1, 2, 2 Anm. 27.

[15] R. Rocholl, zu Rupert 35.

[16] a.a.O.

[17] Das Buch Ezechiel 114—132.

[18] Magrassi 272. Der Vergleich a.a.O. 272—276 unter dem Titel „Un intelligente volgarizzatore: Onorio Augustodunensis".

zeigt; ganze Kapitel sind dort aus der „Imago mundi“ übernommen worden[19]. Nach P. Classen ist es nicht auszuschließen, daß Gerhoch das Material für seine Ubiquitätslehre sich durch die Vermittlung des Klausners aus den Werken des Scotus Eriugena beschafft hat[20].

Rupert war zweifellos einer der wichtigsten „patres novi“ für Honorius und Gerhoch[21]. Sie haben seine Gedanken übernommen, aber sie haben sie weiterentwickelt. Honorius verschmolz sie mit den Ideen Anselms und Eriugenas und gab sie durch seine Bücher an weite Kreise weiter. Es bleibt zu untersuchen, welche Bedeutung das für die Frömmigkeitsgeschichte gehabt hat. Gerhoch seinerseits übernimmt das Geschichtsdenken des Meisters, aber bleibt dieses dort statisch und merkwürdig verschwommen, so dynamisiert und klärt er es und setzt dessen Ideen dadurch frei. Sie bekommen ihre eigene Wirksamkeit im Kampf der Stunde[22].

Die Begegnung mit dem Deutzer Mönch ist für Honorius und Gerhoch fruchtbar gewesen. Indem sie in der Kraft ihrer Persönlichkeit entfalten, was sie übernommen haben, sind sie auf ihre Weise von Schülern zu Meistern geworden.

[19] Classen 433.

[20] a.a.O. 246—248. An dieser Stelle kann nur ein allgemeiner Überblick geboten werden. Nähere Einzelheiten geben Eynde, Oeuvre; O I—II; Classen, Gerhoch 476 (Register unter „Rupert — Entlehnungen“).

[21] GvR, Gh 17, 1 (194, 1134). Vgl. auch a.a.O. 16, 11.15 (a.a.O. 1131.1133).

[22] Ein gutes Beispiel bietet CE 134—149 (194, 92—101) für die Erweiterungen und Aktualisierungen, die Gerhoch auf RvD, A 9, 16 (169, 1123—1126) aufbaut.

Zweiter Abschnitt

Die Kirche im 12. Jahrhundert

1. Kapitel

Die zeitgeschichtliche Situation der Kirche

1. Das ekklesiologische Problem

Nach einem oft zitierten Wort ist das 20. Jahrhundert das „Jahrhundert der Kirche“[1]. Es ist das letzte eines Millenniums, von dem man mit gutem Recht sagen könnte, es sei das „Jahrtausend der Kirche“ gewesen. Wenigstens an seinen großen Wendemarken steht die Frage nach Wesen und Selbstverständnis der Ecclesia. Es hebt an mit dem Investiturstreit, erlebt auf seinem Scheitelpunkt die Reformation und geht zu Ende mit der Idee des Aggiornamento. Immer geht es um eine geistige Erneuerung, um den Versuch, einen Umbruch herbeizuführen oder ihm zu begegnen. Hinter diesem Problem aber steht in der Kirchengeschichte die Frage nach dem, was Kirche sei und wolle. Sie macht sich in Wendezeiten bemerklich, die zugleich Zwischen-Zeiten sind, insofern das Alte ungültig geworden und das Neue noch nicht formuliert ist, und Mittel-Zeiten, weil in ihnen trotz allem gegenteiligen Schein das Alte für das Neue fruchtbar gemacht wird.

Die ersten beiden Drittel des 12. Jahrhunderts, in die die Tätigkeit unserer drei Theologen fällt, ist par excellence eine solche Zeit. Als es beginnt, lebt der Investiturstreit noch. Rupert wird von seinen Wirren persönlich betroffen; Gerhoch arbeitet einen Gutteil seines Lebens daran, die Lösung des Problems von Regnum und Sacerdotium zu finden, die auch dann noch aussteht, als sich 1122 im Wormser Konkordat die Parteien auf eine Koexistenzformel einigen. Die gewaltige Erschütterung, die der Kampf ausgelöst hatte, zerstört langsam, aber stetig das System der kirchlich-weltlichen Einheit, aus der das frühe Mittelalter gelebt hatte. In England, Frankreich und Spanien kristallisieren sich Nationalstaaten heraus, die nach einem langen und leidvollen Prozeß zum faktischen

[1] O. Dibelius, Das Jahrhundert der Kirche, Berlin 1927[3].

und schließlich zum juristischen Untergang des Reiches führen. Aber auch innerhalb der beiden feindlichen Großmächte zeigen sich Disgregationserscheinungen. Im Reich beginnt die Emanzipation der niederen Stände, die Städte gelangen durch den Handel zu Wohlstand und Selbstbewußtsein. In der Kirche regt sich ungeachtet der zentralistischen hierokratischen These Gregor VII. ein Pluralismus, der verschiedene Ebenen ergreift. Die Reform hatte zur Heiligung des Lebens aufgerufen und vielfaches Echo gefunden, in den neuen Orden, aber auch in der Pataria; in der vita apostolica, aber auch in den spiritualistischen Ketzerbewegungen. Sie hatte die *plenitudo potestatis* im römischen Papst vereint, aber unter der Hand werden die Keime des Konziliarismus gelegt, der in seiner schärfsten Form die Leugnung dieser Vollmacht bedeutet.

Das Jahrhundert wird getragen von einem gewaltigen Impetus, der es zu einem der fruchtbarsten der abendländischen Geistesgeschichte macht. Es entdeckt die Antike als Kanon des Denkens — ihr Geschichtsdenken ebenso wie ihre Poesie, ihr Recht wie ihre Heilkunst. Man hat sich angewöhnt, von der „Renaissance des 12. Jahrhunderts" zu sprechen[2]. Sie hat das Schicksal aller Renaissance-Bewegungen des Westens. Die vermeintliche Rückbesinnung auf die Antike ist Aufbruch zu neuen Abenteuern des Geistes. Die ersten Anfänge naturwissenschaftlichen Forschens werden gemacht; Universitäten werden gegründet; Nationalliteraturen entstehen. Ein neuer Stil, die Gotik, löst die romanische Kunst ab. Die Theologen wollen nicht mehr bloße Leser des Überlieferten sein, sondern beginnen zu Fragern nach dem Kern der Offenbarungsbotschaft zu werden. Die Laien melden sich unüberhörbar in der Kirche zu Wort.

Aber auch das Alte wirkt noch weiter. Das Bewußtsein der *christianitas*, der umfassenden Einheit aller Christen, erfährt eine Neubelebung in den Kreuzzügen: Fürst und Bischof, Priester und Ritter ziehen Seite an Seite aus um eines geistlichen Zieles willen. Die staufische Reichsidee versuchte noch einmal, die Einheit der Welt herzustellen. Beides mißlang, doch ist die große Einheit bis heute Zielvorstellung der Völker des Abendlandes geblieben.

[2] Paré etc., Renaissance; M. Grabmann, Geschichte II, 2; M.-D. Chenu, Théologie 19; U. T. Holmes, The Idea of a Twelfth Century Renaissance, in: Speculum 26 (1951), 643—651; W. A. Nitze, The so-called Twelfth Century Renaissance, in: a.a.O. 23 (1948), 464—471; G. Robert, La renaissance du XIIe siècle, les écoles et l'enseignement, Paris 1933; E. M. Sanford, The Twelfth Century Renaissance or Proto-Renaissance, in: Speculum 26 (1951), 635—642; Ch. H. Haskins, Renaissance; Gandillac-Jeanneau, Entretiens, C. Brooke, Twelfth Century Renaissance.

Alle diese Bewegungen, den großen Agon zwischen Altem und Neuen[3], hatte die ekklesiologische Problematik ausgelöst. Es ging nicht nur um vordergründige Herrschaftsansprüche, sondern um die Frage, was Wesen, Anspruch und Geltung der Ecclesia seien: sie hat das 12. Jahrhundert zum „siècle-clef" dieses Jahrtausends gemacht[4]. Diese These ist zu veranschaulichen. Nur dadurch kann die Lehre von der Kirche, die wir bei den drei Theologen zu untersuchen haben, ihr Relief gewinnen.

Kirchengeschichtlich läßt sich die Zwischen-Zeit des 12. Jahrhunderts sehr exakt bestimmen. Sie beginnt mit dem Konkordat von Worms im Jahre 1122 und endet kurz nach der Mitte des Jahrhunderts, als Friedrich I. zum deutschen König gewählt wird (4. März 1152) und Papst Eugen III. stirbt (8. Juli 1153)[5]. In das Menschenalter dazwischen fällt die Hauptschaffenszeit von Rupert, Honorius und Gerhoch.

2. Regnum und Sacerdotium

Im 12. Jahrhundert setzt die zweite, ruhigere Phase der Kirchenreform ein, die noch weithin aus den Ideen der Zeit Gregors VII. lebt. Das Zu- und Gegeneinander von *Regnum und Sacerdotium* ist noch nicht geklärt — und wird auch jetzt nicht geklärt werden. Das war für die Zeit keine politische, sondern eine eminent religiöse Frage[6]. Natürlich standen auch politische Interessen auf dem Spiel, aber sie bildeten nur die Kulissen, hinter denen die entscheidenden Fragen sich erhoben. Letzten Endes geht es bei der ganzen Kontroverse um das Verständnis der rechten Weltordnung und ihre Realisierung in der Zeit der Kirche: es geht um den *„ordo"*.

Er ist der eigentliche Schlüsselbegriff des Jahrhunderts. „Alles menschliche Dasein ist gemäß der christlich-mittelalterlichen Idee vom Menschen in einen einzigen Welt-‚ordo' gespannt, in dem es erst Sinn hat und Leben erhält"[7]. Man übernahm platonisch-ploti-

[3] F. Heer, Aufgang 15—20.

[4] C. Spicq, Esquisse 61.

[5] In diese Jahre fällt wirklich der Abschluß einer Epoche: 1151 stirbt Suger v. St. Denis, 1152 Albero v. Trier, 1153 Bernhard v. Clairvaux, 1158 Wibald v. Stablo und Anselm v. Havelberg.

[6] G. Tellenbach, Libertas 76.

[7] Th. Steinbüchel. Christliches Mittelalter 65; vgl. auch Y. Congar, Ecclésiologie 269.368—372. Literatur zum Ordobegriff: neben den eben genannten Werken L. Manz, Ordo-Gedanke; H. Krings, Ordo; F. Heer, Tragödie 136—141; G. Tellenbach, Libertas; H. Meyer, Thomas v. Aquin 368—372; P. Guilhermoz, Essai sur l'origine de la noblesse en France, Paris 1902; W. Kölmel,

nische Gedanken und Ideen der Stoa, um sie im Geist und in der Interpretation Augustins zur Erklärung der Welt in ihrer Einheit und Mannigfaltigkeit heranzuziehen[8]. Der „unerhörte Versuch" wird unternommen, „in *einem* Griff das Sein nicht nur als ‚Seinsbegriff', sondern in der ganzen Fülle seiner grenzenlosen Möglichkeiten zu fassen"[9]. Das Seiende ist eins in Gott und doch vieles, weil es Bild des göttlichen Seins ist und darum etwas Vollkommenes gemäß der Perfektion, die ihm nach Gottes Willen zukommt, aber zugleich unvollkommen, weil es allein niemals die Fülle Gottes zum Ausdruck bringt. In der Ordnung des Seins wird das Seiende aus der Vielfalt in die Einheit überführt und bleibt doch Teil der Fülle. Im Ordo hat jedes Seiende seinen Platz in der Totalität des Seins. Dadurch wird das Verhältnis der Seienden zu Gott und zueinander bestimmt. So entsteht eine hierarchische Pyramide, in der es Überordnung und Unterordnung gibt. Jene verlangt Gehorsam vom Untergeordneten, diese fordert die Fürsorge des Übergeordneten heraus. Augustinus hatte darum den Ordo definiert als *„parium dispariumque rerum sua cuique loca tribuens dispositio*"[10]. Er gilt nicht nur auf der metaphysischen, sondern auch auf der ethischen Ebene, wo die Pyramide gebildet wird von der Disparität von Gut und Böse[11]. Diese ist mit jener dadurch verbunden, daß diese beiden Realitäten bestimmt werden durch die je größere Teilhabe, bzw. dem Mangel an Sein. Ordo ist also ein im Sein verankerter Begriff, der darum ebenso schwer zu fassen ist, wie das Sein selbst. Ordo gibt es nicht in sich, sondern nur im Sein.

Für den mittelalterlichen Menschen ist „ordo" nicht nur ein philosophischer, sondern vor allem ein theologischer Begriff. Denn

„A Deo, sed per homines"; Ch. M. Mc.Ilwain, Medieval Estates, in: Cambridge Medieval History, Cambridge 1932, VIII, 664—715; E. Lousse, La formation des ordres dans la société médiévale, in: L'organisation corporative do Moyen Age à la fin de l'Ancien Régime, Löwen 1937, II, 61—90; W. A. Jöhe, Die ständische Ordnung, Geschichte, Idee und Neuaufbau, Leipzig-Berlin 1937; A. Frugoni, Momenti del problema dell'Ordo laicorum nei secoli X—XII, in: Nova Historia 13 (1961), 1—22; E. Lewis, Organic Tendencies in Medieval Political Thougth, in: American Political Science Review 32 (1938), 849—876; F. Steinbach, Geburtsstand, Berufsstand und Leistungsgemeinschaft, in: Rhein. Vierteljahresblätter 14 (1949), 35—96; R. Mohl, The Three Estates in Medieval and Renaissance Literature, New York 1933; Y. Congar, Les laics (Lit. !); J. Rief, Der Ordobegriff des jungen Augustinus. Vgl. auch die Literatur I, 2, 2, 3 Anm. 65.

[8] C. Baeumker, Studien 130—179.

[9] H. Krings, Ordo 16 f.

[10] civ. 19, 13 (CSEL 40/2, 395).

[11] ord. 2, 8, 25 (CSEL 63, 154).

Urheber aller Ordnung ist Gott. „Ordo est, quo Deus agit omnia, quae sunt", hatte der Bischof von Hippo bereits gelehrt[12]. Wenn die Ordnung aber das Prinzip der göttlichen Weltregierung ist, bedeutet sie im geschöpflichen Bereich die Erfüllung des göttlichen Willens. In allem ist also für den mittelalterlichen Menschen mit letztem Ernst der rechte ordo zu verwirklichen, so weit es an ihm liegt. So wird Welt und Mensch auf Gott bezogen und der *reditus* auf Gott hin eingeleitet und verwirklicht. Im ordo wird die bunte Fülle des Seienden vollendet und geeint. Der rechte ordo ist Frieden und Harmonie, aus der die Freiheit gewonnen wird. Störung des Ordo ist dann *perversio*[13] und *confusio*[14]. Statt des Seins wird Nichtsein angestrebt. Die Freiheit geht in die Wirrsal verloren.

Weil ordo auf Gott bezogen ist und sich in einer Geschichte realisiert, die Heilsgeschichte ist, wird er zum *ordo salutis* und zur konkreten Gestalt des Heiles. Er wird Gegenstand und Ziel der Heilsgemeinde, die sich als Instrument Gottes in der Heilsordnung der Geschichte begreift. Weil aber alles Seiende im Kosmos innerhalb des einen ordo steht, ist die Kirche auf den ganzen Kosmos bezogen, hat sie seine Realisierung als universale Sorge zu tragen. Diese Aufgabe kompliziert sich, insofern es die beiden Sphären des Göttlichen und Menschlichen gibt, die seit der Inkarnation Christi zwar untrennbar verbunden, doch bleibend unvermischt sind. Das Problem des ordo wird von der Christologie her zum ekklesiologischen Problem.

Das ganze Mittelalter hat daran gearbeitet, es zu bewältigen. In der Frühzeit versuchte man, die eine Gesellschaft in zwei ordines zu gliedern, die geistliche und die weltliche Ordnung, die harmonisch neben- und miteinander existierten und ihre Einheit in Christus fanden, der Priester und König zugleich ist. In beiden Bereichen hat er seinen Vikar, den Papst und den Kaiser, wobei dieser die potestas, jener die auctoritas ausübt. So formulierte es Papst Gelasius I. im berühmten Brief an Kaiser Anastasius I.[15]. Der soziologische Ausdruck dieser Zwei-Einheit war die Ecclesia. Darunter wurde nicht die Organisation der Kirche, sondern die getaufte Menschheit verstanden, die praktisch identisch gedacht wurde mit der Menschheit schlechthin. Sie ist die Geistliches und Weltliches,

[12] ord. 2, 4, 11 (CSEL 63, 154).

[13] Augustinus, mor. Man. 2, 6, 8 (32, 1348): „Perversio enim contraria est ordinationi".

[14] Das ist einer der Hauptgedanken Gerhochs! Vgl. Hildegard v. Bingen, ep. 117 (197, 338); Thomas v. Aquin, in Sent. 1, 20, 3, 5.

[15] DS 347. Vgl. L. Manz, Ordo, Gedanke 25—36.

ja selbst Sichtbares und Unsichtbares einschließlich der Engel umfassende Wirklichkeit, die vor allem um des Heiles willen alle Menschen und die ganze menschliche Existenz umschloß[16]. Die paulinische Rede von der Kirche als Leib Christi ist geeignet, die gemeinte Wirklichkeit zu veranschaulichen. Christus ist das Verbandssubjekt der umfassenden Realität Kirche, die irdischen ordines sind seine Glieder. So sieht Walafried Strabo den Leib Christi in der parallel laufenden Entsprechung von geistlicher und weltlicher Ämterreihe harmonisch erbaut[17]. Im 12. Jahrhundert leben diese Gedanken weiter, wenn Otto von Freising erklärt, seit Kaiser Theodosius gebe es nicht mehr die Geschichte zweier civitates, sondern nur noch einer einzigen[18], oder Hugo von St. Viktor von zwei parietes des einen Hauses redet[19].

Der Universalismus der ordo-Idee barg jedoch bereits den Sprengstoff in sich, der die Nebeneinanderordnung zugunsten der Vorherrschaft des einen Teils auflösen mußte. War die Einheit des ordo nicht dadurch besser verwirklicht? Aus den zwei Gewalten in der Welt werden allmählich zwei Gewalten in der Ecclesia[20]. Ist diese aber die umgreifende Wirklichkeit, dann mußte das auch in der soziologisch-politischen Ebene zu sehen sein; war ihr als Heilsmittel besondere Christusförmigkeit geschenkt, dann mußte die Herrschaft und Herrlichkeit Christi in ihr besonders zum Ausdruck kommen. Der Staat, das Saeculum, das Regnum, so erinnerte man sich jetzt der Staatslehre Augustins, war ohnedies nur eine Zwangsanstalt, die lediglich ratione peccati Existenzberechtigung bean-

[16] Vgl. z. B. Konzil v. Paris 829, can. 2 (MGH Conc. 2, 610); Hinkmar v. Rheims, in caus. Hincm. laud. 15, 20 (126, 329.362); siehe dazu Congar, Gemeinschaft; Tromp I, 106—111.

[17] Liber de exord. et increm. 32.99 (ed. Knöpfler 102); vgl. W. Ullmann, Papsttum 383—452; E. H. Kantorowicz, The King's Two Bodies 194—206.

[18] Chron. 5 prol. (ed. Hofmeister 228). Vgl. auch 7 prol. (a.a.O. 309).

[19] sacr. 2, 2, 3 (176.417).

[20] Vgl. z. B. Hinkmar, cap. syn. 1 (125, 1071); Hugo v. St. Viktor, sacr. 2, 3 (176, 418); Bernhard v. Clairvaux, consid. (182, 776). Die Ursache des Vereinheitlichungsdranges ist immer noch die aus der Antike übernommene Einheitsidee. Über ihre Auswirkungen im Mittelalter vgl. E. Barker, Unity; J. Rupp, Chretienté; Carlyle, History; K. Burdach. Vom Mittelalter zur Reformation, Berlin 1913, II, 548—553; O. Gierke, Deutsches Genossenschaftsrecht III, 514 f.; A. Dempf, Sacrum Imperium 170—228; J. Leclercq, Jean de Paris 106—115; A. W. Ziegler, Religion I, 243 f.; H. Reuter, Alexander III., I, 11—16; F. Heer, Aufgang 23; ds., Tragödie 142—158; Congar, Heilige Kirche 409—427 (= Catholicisme III, 1430—1441); ds., Die Lehre von der Kirche 112—118.

sprudchen konnte[21]. Ihm kam darum im ordo eine mindere Realität als der geistlichen Realität der Ecclesia zu.

Das war nichts Neues; schon Gelasius hatte hervorgehoben, daß die priesterliche Verantwortung gewichtiger sei wegen der Seelsorge auch am Kaiser, die ihr aufgetragen ist[22]. Ihre Relevanz gewinnen diese Gedanken in dem Augenblick, als die priesterliche Autorität sich von der staatlichen Gewalt bedroht fühlte. War jedoch die Freiheit in Gefahr, dann auch der ordo. Der Kampfruf „Libertas ecclesiae" war damit der Schlachtruf der Heere Gottes. Freilich konnte auch der Staat sich auf sein Recht im ordo berufen. War nicht Christus ebenso *rex* wie *sacerdos*? In aller Schärfe trug auf dem Höhepunkt des Investiturstreits der Normannische Anonymus diese Frage vor[23]. Die Kirche ist nicht die Braut des Christus sacerdos, sondern des Christkönigs. In den Vorstellungen der *imitatio sacerdotii* erklärt er, daß auch der Kaiser durch die Krönung gnadenhaft in seinem ordo erhoben sei[24]. Ist der Priester der leidenden menschlichen Natur Christi zugeordnet, so der König der verherrlichten göttlichen Natur des Herrn. Infolgedessen ist er der eigentliche Vorsteher der Kirche als ihr *defensor, liberator* und, das ist bezeichnend, als ihr *ordinator*. Die Fronten waren klar; jeder kannte den Einsatz, um den gespielt wurde. Hinter den Problemen der Investitur und der Simonie verbarg sich die Frage, wer das Weltregiment führen sollte. Gregor VII. kannte nur eine Antwort: der Herr hatte Petrus die beiden Schwerter der geistlichen und zeitlichen Gewalt gegeben, dem Vikar Petri kam es darum zu, beide zu tragen[25]. Er wollte deswegen kein Weltkönig

[21] K. Mirbt, Die Stellung Augustins; E. Göller, Staats- und Kirchenlehre Augustins. Zur Stellungnahme Gregors VII. vgl. Bruno, Bell. Sax. 73 (MGH SS 5, 357).

[22] DS 347.

[23] tract. 4.5 (MGH L 3, 662—679.684—686). Zur gleichen Richtung gehört Benzo von Alba (MGH SS 11, 519 ff.). Vgl. W. Ullmann, Papsttum 561—570.

[24] P. E. Schramm, Sacerdotium 426 f.; Y. Congar, Die Lehre von der Kirche 71 f.

[25] So hatte schon Leo d. Gr. argumentiert: ep. 14 (54, 676) = DS 282. — Das Bild von den beiden Schwertern erstmals bei Alkuin (MGH ep. 4, 205 ff.) für Gottes Wort und die Rache für erlittenes Unrecht, auch für die doppelte Autorität. Im Investiturstreit benutzt es Heinrich IV. für die Scheidung von Kirche und Reich (Jaffé, Bibl. rer. germ. V, 107). Im Sinn der Kompetenzscheidung auch bei Deusdedit (MGH L 2, 300); Anselm v. Laon (162, 1476); Hildebert v. Lavardin (MGH L 3, 75). Der Bildbezug wandelt sich bei Bernhard: Beide Schwerter liegen in der Hand des Papstes (cons. 4, 3, 7—182. 776). Nun kommen auch andere Bilder auf, die mehr die Unterordnung zeichnen: Sonne und Mond, erstmals bei Nikolaus I. (MGH ep. 6, 103); Seele und Leib, Gold und Blei. Literatur und Belege: L. Knabe, Zweigewaltentheorie;

sein. „Im Blickpunkt Gregors stand die Kirche. Sie sollte ihre alte religiöse Kraft zurückgewinnen, sollte wieder das Salz der Erde werden. Von diesem religiösen Wollen leidenschaftlich beseelt, führte Gregor alle Lebensgebiete, also auch das Regnum, auf ihr religiöses Element zurück, spiritualisierte sie. Eine grandiose Einseitigkeit, aber eine Einseitigkeit, die den Selbstand des Staates weder bejahte noch leugnete"[26]. Aber die gelasianische Zweigewalten-Theorie war für ihn nicht denkmöglich. Im Brief an Hermann von Metz aus dem Jahr 1081 und im „Dictatus pape" hat er seine Ansicht am deutlichsten eröffnet[27]. Der Leib Christi kann nicht zwei Häupter haben, sonst wäre er ein Monstrum. Dem Vikar Petri, der Vikar des *Christus rex et sacerdos* ist, kommt um der Einheit willen die Fülle der beiden Gewalten zu. Er übt sie freilich nicht aus ohne Hilfsorgane. So bleibt auch dem Fürsten eine unverzichtbare Stelle im ordo: er ist der *adiutor, defensor* und *advocatus* der Ecclesia. Unversehens hat sich der Begriff Ecclesia bei Gregor gewandelt. Sie ist nicht mehr die Universalkirche, die in gewissem Sinn mit der Schöpfung identisch gesehen wird, sondern die konkrete, historische Kirche. Sie ist nicht mehr eine Komponente der doppelförmigen Ordnung, sondern das Übergreifende, das als Geistliches das Weltliche einschließt, so allerdings, daß dieses nicht absorbiert wird, sondern nachgeordnet. Regnum und Sacerdotium bleiben auch für die Gregorianer geschieden und unterschieden. Sie verschieben die Akzente, aber sie ersetzen den Dualismus nicht durch einen ekklesialen Monismus. Die neue Lage drückt ein neues Wort aus: die *ecclesia universalis* wird zur *christianitas*[28]. Darunter

J. Lecler, L'origine; W. Levison, Die mittelalterliche Lehre; H.-X. Arquillière, Les Origines; B. Jacqueline, Pouvoir; Y. Congar, Heilige Kirche 428 bis 433; ds., Ecclésiologie 249—262 (Quellen), 290—292 (Zwei Schwerter); ds., Die Lehre von der Kirche 89—91; P. Zerbi, Riflessioni; R. Seeberg, DG III, 294 f.; A. M. Stickler, Il „gladius"; A. Borst, Der mittelalterliche Streit.

[26] F. Kempf, Papsttum 188; A. Fliche, Réforme II, 320. Zur Ekklesiologie Gregors vgl. K. Ganzer, Das Kirchenverständnis Gregors VII., in: TThZ 78 (1969), 95—109; Y. Congar, Die Lehre von der Kirche 61—65.

[27] MGH ep. sel. II/1, 202—208; II/2, 8.21. Vgl. A. Fliche, Réforme II, 389—413; W. Ullmann, Papsttum 390 f.

[28] G. Tellenbach, Reformpapsttum; J. Rupp, Chrétienté; G. Ladner, Concepts; F. Kempf, Das Problem der christianitas; ds., Imperium und Nationen; J. van Laarhoven, Christianitas; H. M. Klinkenberg, Der römische Primat im 10. Jahrhundert, in: ZSavRGkan 41 (1955), 1—57; Congar, Ecclésiologie 258 f. (Belege 258/38); F. Kempf, Imperium; G. G. Meersseman, Christenheit. Gerhoch ist in diesem Punkt nicht gregorianisch beeinflußt. Christianitas ist für ihn die theologische Wirklichkeit der Kirche: Ps. 21.24.33 (193, 1020.1102; O II/1, 232).

versteht man das Objekt der primatialen Herrschaft des Papstes, die auch den Staat umfaßt, da die Christenheit dem Irdischen wie dem Geistlichen verhaftet ist. Im Gegensatz zu *Ecclesia,* der übernatürlichen Glaubensgemeinschaft, bezeichnet man damit die soziopolitische, juridisch-geistige Gemeinschaft der Christen. Beide sind also nicht identisch, unterschieden in einer inadäquaten Distinktion[29]. Die Kirche ist das konstituierende Element der Christenheit.

Das Haupt der Kirche ist dann auch das Haupt der christianitas. F. Kempf sagt darum: „Die christianitas war im Grunde nichts anderes als der lebendige Bezug zwischen dem päpstlichen Führer und der christlichen Gefolgschaft“[30]. Das war eine weitere Korrektur der alten Ekklesiologie. Fiel das Licht in der ottonisch-salischen Zeit mehr auf die Kirche als auf den Papst, so konzentriert es sich jetzt auf die Gestalt des römischen Pontifex[31]. Auch dies ist nicht im Sinn einer simplen Reduktion zu verstehen: für Gregor VII. steht die Kirche als *mater et domina* auch über dem Papst[32]. Aber in der Praxis wird die Kirche mit der römischen Kirche, und diese mit dem Papst identifiziert. Sie wird zur „grande paroisse du Pape“[33].

Das führt zu einer dritten Verschiebung in der Ekklesiologie. Die gregorianische Reform erstrebt die *libertas ecclesiae* auf der Basis des ordo-Gedankens. Der staatliche Zentralismus wird durch kirchlichen Zentralismus ersetzt — nicht nur, weil die hierarchische Ordo-Pyramide eine funktionsfähige Spitze braucht, sondern auch, weil die unteren Instanzen der Kirche nicht reagierten[34]. Praktisch heißt das: die Laien werden mehr und mehr ausgeschaltet; die ecclesia universalis wird zur Kleruskirche[35]; die Pluriformität schlägt

[29] Es ist dabei nicht sehr entscheidend, ob die potestas directa oder indirecta über die Temporalien beansprucht wird. Beides läuft aufs Gleiche hinaus.

[30] F. Kempf, Das Problem der christianitas.

[31] J. van Laarhoven, Christianitas 16.

[32] Reg. 2, 49 (MGH ep. sel. II/1, 189).

[33] J. Rupp, Chrétienté 56. Vgl. dict. papae 2.14 (a.a.O. 202.205) u. ö. Die Idee findet sich bei Leo IX., ep. 100, 11 (143, 751 f.); Ivo v. Chartres, ep. 8 (162, 19 f.). Die Gregorianer sind davon überzeugt, daß die Teilkirchen nur insofern Selbständigkeit haben, als der Papst ihre Bischöfe „in partem sollicitudinis“ beruft. Vgl. J. Rivière, in partem sollicitudinis ... Evolution d'une formule pontificale, in: RSR 5 (1925, 210—231); Congar, Gemeinschaft 257 f. (Belege); ds., Der Platz des Papsttums (besd. 199/12).

[34] F. Kempf, in: HKG III/1, 489—492.

[35] Vgl. Gregor VII., Reg. 8, 21: der Exorzist habe mehr Gewalt als der König. Vgl. auch HA, SG 2 f. (172, 1260—1263); ähnlich Otto v. Freising, Chron. 7 (ed. Hofmeister 310). Nach G. Tellenbach intendierte der Investiturstreit darauf hin, „die Laien aus der Rolle zu verdrängen, die ihnen Staats- und

um in Uniformität[36]. Die hierokratische These Gregors zeitigt praktische Konsequenzen, mit denen sich die Folgezeit beschäftigen muß.

Am Ausgang des 11. Jahrhunderts stehen drei Konzeptionen nebeneinander. Der hierokratischen der gregorianischen Partei stand die imperiale der Heinricianer entgegen, die vom Normannischen Anonymus formuliert worden war. Einen vermittelnden Entwurf hatte Petrus Damiani geliefert. Er versucht, die gelasianische Zweieinheit zu erhalten, aber die Freiheit der Kirche gegen die staatszentralistischen Tendenzen zu verteidigen[37]. Als das Wormser Konkordat die Gelegenheit zu einer „Denkpause" bot, gewinnen diese Thesen an Schärfe und Relevanz. Das heißt nichts anderes, als daß das ekklesiologische Problem zur Frage des Jahrhunderts wird. Während Johannes von Salisbury die hierokratische These verficht und in der staufischen Reichsidee die imperiale Auferstehung feiert, sprechen sich Männer wie Hugo von St. Viktor und Bernhard von Clairvaux für die gelasianische Koexistenztheorie aus[38].

Zunächst blieb die hierokratische These wirkmächtig. Sie wurde in die paulinische Sprache vom Leib Christi gekleidet, dessen vikarielles Haupt der Papst war. Doch bei Paulus war „Leib" ein theologisch-mystisches Bild; die gregorianische Konzeption aber mußte sich realpolitisch inkarnieren und damit schlug das Bild um und wurde politisch-ekklesiologisch verstanden. Damit war nicht nur Paulus überfordert, sondern auch das Wesen der Kirche verfehlt. Das zeigte sich sofort, als die kaiserliche Partei ebenfalls damit agierte. Auch ihr geht es um die Einheit des Leibes Christi: „Cumque unus Deus, unus Papa, unus imperator sufficiat et una ecclesia Dei esse debeat", schreibt Friedrich I. an die deutschen

Eigenkirchenrecht im Laufe einer vielhundertjährigen Geschichte beigelegt hatten" (Libertas 140). Vgl. auch J. Sägmüller, Die Idee von der Kirche.

36 Congar, Gemeinschaft 247.

37 Vgl. z. B. ep. 7, 3; op. 4; op. 57, 2 (144, 440.86.821). Zur Ekklesiologie Damianis vgl. Y. Congar, Die Lehre von der Kirche 55f. (Lit.!). In die gleiche Richtung zielt auch der Liber de unitate ecclesiae (MGH L 2, 172—291). Politisch wirksam wurde diese Theorie im Vertrag von Sutri 1111 zwischen Paschalis II. und Heinrich V.; vor der konkreten Reichsordnung erwies sich der Vertrag allerdings als wirklichkeitsfremd (F. Kempf, in: HKG III/1, 954; MGH Const. I, 141 n. 90).

38 W. Ullmann, Papsttum 610—618.620—633.636—643. Zu Bernhard vgl. z. B. cons. 3, 1 (182, 757—760); ep. 244 (a.a.O. 440—442); cant. 46,2 (183, 1004). Klassisch formuliert Hugo, sacr. 2, 2, 4 (176, 418): „Spiritualis potestas terrenam potestatem et instituere habet, ut sit, et judicare habet, si bona non fuerit".

Bischöfe[39]. Doch das hierokratische Denken, das seit der Wahl Alexanders III. neu belebt worden war, war so stark im Denken der Zeit verwurzelt, daß die staufische Partei diese Einheit imperial verstehen mußte. Wieder sind Ecclesia und Imperium synonym gesetzt, doch diesmal ist der Leiter des Ganzen der Kaiser[40]. „Man sieht es an den Bezeichnungen, die in der kaiserlichen Kanzlei eingeführt wurden. Neben die ‚Sancta Dei Ecclesia' ... tritt das ‚Sacrum Imperium' ..., das ‚Sacrum Palatium' ..., die ‚Sacra Majestas Imperii'"[41]. Wieder war die Situation des Konflikts da. Die vermittelnde These mußte bei dieser Lage ohne große Resonanz bleiben.

Doch an die Stelle der dritten These tritt eine dritte Kraft. Sie formiert sich angesichts der beiden großen Schismen von 1130 und 1159. Die Elektionen sind beide Male so unklar, daß praktisch nur eine Schiedsinstanz Licht ins Dunkel bringen zu können schien. Es gab sie nicht. So blieb nur der Appell an die *christianitas*[42]. Vom gregorianischen Standpunkt aus war das eine entsetzliche *confusio*. Wurde der populus christianus nicht erst durch den Papst zur christianitas? Wenn ihm nun der Zugzwang zufiel, dann hieß das, nun würden die Glieder über das vikarielle Haupt des Leibes Christi befinden. Auf der anderen Seite aber gab es niemanden, der dem

[39] Vgl. die Discept. synod. (v. finem) (145, 86 f.); Bernhard v. Clairvaux, ep. 244 (182, 440—442); Enc. ad eppos. teut. v. 23.10.1159 (MGH Const. 1, 253). Die Meinung fand besonders in Deutschland günstige Aufnahme, wo man noch aus der frühmittelalterlichen Konzeption der ecclesia universalis lebt; das zeigt sich deutlich an der Aufregung über die Ablehnung des Synodalurteils durch Alexander III.

[40] Ph. Hofmeister, Studien über Otto von Freising, in: NA 37 (1912), 708 ff.; A. Jost, Der Kaisergedanke in den Arengen der Urkunden Friedrichs I., Köln-Kalk 1930; E. Eichmann, Kirche und Staat II, 113, auch 28 ff.; F. Heer, Tragödie 148—158.

[41] W. Neuß, Kirche 163; F. Kampers, Kaiseridee; G. Koch, Sacrum Imperium.

[42] H. Wolter, in: HKG III/2, 11.40 — *Zum Schisma von 1130*: H. Zoepffel, Die Doppelwahl des Jahres 1130 (Anhang zu: Die Papstwahlen vom 11. bis zum 14. Jahrhundert), Göttingen 1871; E. Mühlbacher, Die streitige Papstwahl des Jahres 1130, Innsbruck 1966 (Neudruck); F. J. Schmale, Die Bemühungen Innocenz' II. um seine Anerkennung in Deutschland, in: ZKG 65 (1954), 240—265; ds., Studien zum Schisma des Jahres 1130 (Forsch. z. kirchl. Rechtsgesch. u. z. Kirchenrecht 3), Köln-Graz 1961; M. da Bergamo, La duplice elezione papale del 1130. — *Zum Schisma von 1159*: M. Meyer, Die Wahl Alexander III. und Viktors IV. Ein Beitrag zur Kirchenspaltung unter Kaiser Friedrich I., Göttingen 1871; R. Jordan, Die Stellung des deutschen Episkopats im Kampf um die Universalmacht unter Friedrich I. bis zum Frieden von Venedig (1177), Würzburg 1939; M. G. Cheney, The recognition of Pope Alexander III.

Leib das Haupt zurückgeben konnte. Mußte dann nicht der Leib ein Haupt aus sich heraus formen? In der Umkehrung der hierokratischen These, doch formal aus ihren Prinzipien heraus bildet sich die konziliaristische These — noch unklar und kaum ausgesprochen, aber mit aussichtsreichen Wachstumschancen.

Noch ein weiteres Problem ergab sich aus dem Ringen der Christenheit um den Ordo in Regnum und Sacerdotium. Das Wormser Konkordat war ein Ende, aber keine Lösung des Konflikts. Es trug vielmehr dazu bei — Gerhoch sah das mit untrüglicher Klarheit —, die Kirche zu feudalisieren. Damit wird sie zur Konkurrentin des Reiches, die nicht mehr die Freiheit, sondern die Machtexpansion anstrebt[43]. Ihre Begleiterscheinungen waren ungeistliche Praktiken, Luxus und Habgier bei den Vertretern jener Kirche, die zur Kleruskirche geworden war. Daran entzündet sich die Kritik der Laien: sie wird unüberhörbar artikuliert im Ruf nach dem apostolischen Leben, nach der Geisteskirche, nach der Reform der hybriden römischen Kurie. Der hierokratischen These wird nicht nur die imperiale und die konziliaristische, sondern auch die demokratische entgegengestellt.

3. Ecclesia reformanda

Der Kampf um den rechten ordo oder, anders ausgedrückt, um die Reform der Christenheit aus der confusio der Zeit konnte nicht mit der Freiheit der Kirche zu Ende sein, sofern darunter nur die Loslösung von staatlichen Übergriffen gemeint war. Er mußte gegen alle Mächte gehen, die das Gefüge der Kirche zu erschüttern drohten — und das waren beileibe nicht nur die kaiserlichen Machtansprüche. Neben dem *Nero tyrannus* traten *Simon magus* und *Nicolaus immundus* auf den Plan, um die Kirche von innen her auszuhöhlen. Wer die wirkliche libertas ecclesiae wollte, mußte gegen diese unheilige Dreieinigkeit angehen. Betroffen war von ihr der Klerus, der dem Laster der Simonie und der Unzucht verfallen war, in der staatlichen Feudalordnung aber einen immer unersetzlicheren Platz einnahm.

Das Bild sah in der Tat sehr betrüblich aus. Die Bischofsstühle und die Domkapitel waren in Laienhände geraten. Die Regalien-

[43] Vgl. Hadrian IV. an den König v. Jerusalem 1155 (MGH SS 18, 24): „Ad hoc in eminenti sedis apostolicae specula divina sumus disponente gratia constituti, ut nostrae considerationis oculum ad universas mundi partes extendere debeamus, ut ea, quae contra justitiae tramitem et ordinis rationem commissa esse noscuntur, nos oporteat attentius emendare".

frage blieb nach wie vor ungelöst[44]. In Deutschland wie in England beanspruchten die Herrscher die Entscheidung bei den Bischofswahlen. Die Kurie war nicht in der Lage, ein Gegengewicht zu bilden; sie selber fühlte sich als politische Instanz[45]. Die Seelsorge wurde aufs gröblichste vernachlässigt; die Pfarreien gehörten den adeligen Domherren, die daraus ihre Einkünfte bezogen, die Lasten aber schlechtbezahlten Vikaren aufbürdeten. Sie rekrutierten sich nicht selten aus Krämern und Wucherern, Spielern und Unzüchtigen[46]. Freilich waren auch ihre Oberen keine Muster priesterlicher Lebensart. Viele huldigten dem *cultus vestium* statt dem *cultus virtutum*[47]; das mochte noch das geringste Übel sein, dachte man an das ausschweifende Wohlleben der Prälaten[48]. Ein guter Bischof, seufzte Bernhard, ist ein seltener Vogel[49]. Und der unbekannte Verfasser der „Vita vere apostolica" faßte sein Urteil über den Säkularklerus kurz und bündig zusammen: „Alles Schändliche und Gottlose ist daran zu kritisieren"[50]. Bei den Mönchen freilich stand es keinen Deut besser[51].

Am meisten litt man unter der unersättlichen Habgier des Klerus. Von Kirche zu Kirche eile er, um sie alle durch seine „nimia avaritia" zu beschmutzen, klagte der Herr vor Hildegard von Bingen[52]. Geld geht noch am Sterbebett vor Seelsorge, weiß Abälard

[44] W. Ullmann, Papsttum 591—598 gibt einen Überblick über die Problemgeschichte.

[45] P. Rassow, Honor imperii, Darmstadt 1961; M. Pacaut, Alexandre III.; R. Foreville, L'Eglise et la Royautè.

[46] Classen, Gerhoch 175 f.; vgl. M. Bernards, Speculum 167—169; Heer, Aufgang 50.275—277; Sturmhoefel, Sitten 7—43 gibt ein detailliertes Zeitbild.

[47] Bernhard v. Clairvaux, mor. ep. 2, 4 (182, 813 f.).

[48] ds., cant. 33, 15 (183, 959); de vita vere ap. 3, 11 (170, 638); Hildegard v. Bingen, epp. 48, 49.52 (197, 244—253.254—258.521—558). Die Kritik des hl. Bernhard ist zusammengefaßt bei A. Steiger, Bernhard, 352—356.490—504. Vgl. auch H. v. Eicken, Geschichte, 531—534.

[49] ep. 249 (182, 449): „Nil in Ecclesia pretiosius, nil optabilius bono utilique pastore. Nempe rara avis est ista". Über die zeitgenössischen Bischöfe vgl. neben der Anm. 46 und 48 genannten Literatur auch O. Köhler, Das Bild des geistlichen Fürsten in den Viten des 10., 11. und 12. Jahrhunderts.

[50] de vita vere ap. 3, 11 (170, 638); vgl. H. Reuter, Alexander III., III, 521—558.

[51] Hauck IV, 93 f.; Sturmhoefel, Sitten 14—17; H. v. Eicken, Geschichte 531 bis 534. Vgl. z. B. die Klage Lamberts v. Hersfeld über die Mönche in den Annalen für 1071 (MGH SS 5, 189): es schien als seien die Schätze des Krösus und Tantalus in den Klöstern gesammelt worden. Ähnlich gibt Anselm v. Havelberg, ep. apol. ord. can. reg. (188, 1135) ein breit ausgemaltes Bild der monastischen Sünden, unter denen die Geldgier die erste Stelle einnimmt. Vgl. auch unten Anm. 82.

[52] ep. 52 (197, 270).

zu berichten[53]. „Nenne mir einen Prälaten, der nicht mehr bemüht ist, bei seinen Untergebenen den Geldbeutel als die Laster auszuräumen", verlangte Bernhard[54], aber weder unter den Bischöfen noch unter den Legaten des Papstes schien man jemanden aufzutreiben: selbst Satan konnte die Kirche nicht mehr verwüsten als sie, sagt Johannes von Salisbury drastisch[55]. Die letzteren waren eine besondere Plage. Ursprünglich die wichtigsten Helfer der Kurie unter den Reformpäpsten, hatten sie zwar seit 1122 keine rechte politische Aufgabe mehr, doch suchten sie Jahr für Jahr, oft mehrmals, die Länder der Christenheit heim[56]. Sie trugen zur Schwächung der bischöflichen Gewalt bei und erregten höchstes Ärgernis durch ihre Arroganz und Verschwendung, für die die Kirche aufkommen mußte, die sie visitierten[57]. Traf ein Legat mittellos in Rom wieder ein, sah das der Abt von Clairvaux als wahres Wunder an[58]. Vielleicht hatte er zu jenen weniger großen Geisteslichtern gehört, über deren Ignoranz die Zeitgenossen sich gern lustig machten[59].

Freilich, auch am päpstlichen Hof war es nicht anders mit der Haltung zum Geld bestellt. Als Ivo von Chartres die Bestechlichkeit seiner Kleriker rügte, mußte schon er sich sagen lassen, die Römer an der Kurie täten auch nichts umsonst[60]. Immerhin ließ sich zur Entschuldigung anführen, daß sie das Geld brauchten, um die Stadtrömer in Schach zu halten, eine *gens immitis et intractabilis*[61]. Viel schlimmer war der Zentralismus an der Kurie, der das hierarchische System der Kirche beträchtlich durcheinander brachte[62]. Durch das Appellationsunwesen fiel der Kurie ohne besonderes Zutun infolge der Ränke von Bischöfen und Äbten gegeneinander

[53] Scito te ipsum 18 (178, 663).

[54] cant. 77, 1 (183, 1156): „Quem dabis mihi de numero praepositorum, qui non plus invigilet subditorum vacuandis marsupiis quam vitiis exstirpandis?"

[55] Policrat. 5, 16 (199, 578—582).

[56] Eine Liste der deutschen Legationen bei Hauck IV, 169 f./3. Vgl. auch J. Bachmann, Die päpstlichen Legaten.

[57] Hauck, a.a.O. 171.

[58] cons. 4, 5, 13 (182, 783). Vgl. dazu B. Jacqueline, Papauté 63—66; Sturmhoefel 39—43.

[59] Hauck, a.a.O. 188.

[60] ep. 133 (162, 141—143). Zur Romkritik vgl. J. Benzinger, Invectiva in Romam.

[61] Bernhard v. Clairvaux, cons. 4, 2, 2 (182, 773). Die Zurückhaltung der großen Kritiker an den kirchlich-römischen Zuständen gegenüber dem Papst ist auffällig. Das gilt auch für Gerhoch.

[62] a.a.O. 3, 4, 14 (182, 766): „Subtrahuntur abbates episcopis, episcopi archiepiscopis, archiepiscopi patriarchis sive primatibus". Vgl. auch HKG III/1, 485 bis 496 (Lit.).

ein beträchtlicher Machtzuwachs zu, der andererseits aber den Papst zwang, sich mit Bagatellfragen wie der Zuweisung eines Karpfenteiches oder der Festsetzung des Münzwerts von Metz abzugeben, anstatt ein wirkliches Regiment zu führen[63]. Das päpstliche Gericht war überfordert; seine Entscheidungen waren nicht selten statt von der Sache von den Prozeßgeldern beeinflußt — „impudentia et generalis pestis" nennt Bernhard diesen Zustand ebenso treffend wie hart[64]. Auf jeden Fall blähte sich der Apparat bürokratisch auf und aus dem *Sacrum Palatium Lateranense,* wie sich ehedem die päpstliche Regierung nannte, wurde die stolze *Curia Romana*[65]. Das Resultat war die Schwächung der Ortskirchen. Durch die vielen Exemtionen werden ihnen oft die wertvollsten Kräfte entzogen; die reichlichen Privilegien des Heiligen Stuhls durchbrachen die bischöfliche Disziplinargewalt an entscheidenden Stellen[66].

Eng verschwistert mit der Geldgier war ein anderes Laster, an dem die Christenheit heftig Anstoß nahm: die Simonie. Zusammen mit der Priesterehe bildete sie nach Ansicht der Christen das Hauptübel in der Kirche. Beide waren nicht erst jetzt zum Problem geworden; schon seit dem 4. oder 5. Jahrhundert hatten Päpste, Bischöfe, Konzilien und Synoden vergebens dagegen gekämpft: die Verhältnisse erwiesen sich als stärker.

Die *„simoniaca haeresis"* wurde durch das germanische Feudalwesen gefördert[67]. Mit der Zeit wurden die Kirchen zu Eigenkirchen

[63] Hauck, a.a.O. 171—176; B. Jacqueline, Papauté 16—18; Sturmhoefel 33—36; J. Brys, De dispensatione in jure canonico praesertim apud decretistas et decretalistas usque ad medium saeculum decimum quartum, Brügge 1925. Beispiele bietet Bernhard v. Clairvaux cons. 3, 2, 6—12 (182, 761—764; 761: „Appellatur de toto mundo ad te"). Vgl. auch a.a.O. 1, 3, 4 (a.a.O. 731).

[64] cons. 1, 10, 13 (182, 740 f.); vgl. Hildebert v. Lavardin, ep. 2, 41 (171, 265 bis 267).

[65] *Zur Entstehung der römischen Kurie*: K. Jordan, Kurie; J. Sydow, Untersuchungen zur kurialen Verwaltungsgeschichte im Zeitalter des Reformpapsttums, in: DA 11 (1954), 18—73; R. Elze, Die päpstliche Kapelle im 12.—13. Jahrhundert; in: ZSavRGkan 67 (1950), 145—204; L. Pásztor, Histoire; vgl. auch HKG III/1, 496; a.a.O. III/2, 40—44. *Zur Kritik an der Kurie*: B. Jacqueline, Papauté 19—27; P. Lehmann, Die Parodie im Mittelalter, Stuttgart 1963², 25—68. Weitere Lit. HKG III/2, 39 f.

[66] Hauck IV, 176—179.

[67] Der Ausdruck erstmals bei Gregor d. Gr., in evg. hom. 17, 13 (76, 1145). Zur Simonie: A. Bride, Simonie, in: DTC 14/2, 2141—2160; E. Hirsch, Der Simoniebegriff und eine angebliche Erweiterung desselben im 11. Jahrhundert, in: AkathKR 86 (1906), 3—19; A. Leinz, Die Simonie, Freiburg 1902; ds., Zur Begriffsbestimmung der Simonie, in: AKathKR 86 (1906), 267 ff.; H. Meier-Welcker, Die Simonie im frühen Mittelalter, in: ZKG 64 (1952/53), 61—93; J. Leclercq, „Simoniaca heresis"; J. Weitzel, Begriff; R. Seeberg, DG III.

der Feudalherren; es konnte nicht ausbleiben, daß die Versuchung auftrat, die geistlichen Würden zu einem Wirtschaftsfaktor zu machen[68]. Damit aber war auch die Gefahr herausgefordert, daß der geistliche Würdenträger seine Ausgaben zu amortisieren versuchte: auch er verlangte Geld, wenn er geistliche Gaben austeilte[69]. Die Gregorianer brandmarkten das als Häresie, obwohl es nicht leicht war, diesen Vorwurf aufrechtzuerhalten, da die Simonisten keinen einzigen Glaubenssatz leugneten. Ging man davon aus, daß es auch eine Häresie der Tat gebe, dann freilich waren die Folgen für die Lehre nicht mehr wegzudiskutieren[70]. Indem Simon den Heiligen Geist für käuflich angesehen hatte, wollte er ihn von der Einheit der Trinität trennen und sich über ihn erheben. Das aber ist eine Blasphemie gegen das trinitarische Dogma, die als Häresie zu verurteilen war[71]. Solche Menschen hatten in der Kirche keinen Platz mehr. Wenn dem so war, dann konnten ihre Sakramente nicht mehr gültig sein. Seitdem das Guido von Arezzo in einem Brief an den Mailänder Erzbischof festgestellt hatte, glaubte man, ein probates Mittel gegen die Simonisten an die Hand bekommen zu haben[72]. Aber viele Theologen meldeten Bedenken an — das Laster blieb, auch wenn niemand daran zweifelte, daß es eines war.

Anders stand es mit der *Zölibatsdiskussion* des 12. Jahrhunderts. Seit Leo IX. waren die Päpste bemüht, die Priesterehe als *fornicatio* zu brandmarken und zu unterdrücken. Die Betroffenen versuchten dagegen nachzuweisen, daß sie zu allen Zeiten in der Kirche geduldet war[73]. In der Tat wurde der Zölibat im 10. Jahrhundert

116; A. Schebler, Reordinationen 215—298; J. Gilchrist, „Simoniaca haeresis“ (209/1 Lit.!); H.-J. Horn, Giezie und Simonie; A. J. Carlyle, History 49—60; G. Miccoli, Chiesa 169—201; P. de Vooght, La „Simoniaca haeresis“; E. Rossi, Il concetto di simonia nel „Decretum Gratiani“ e nei decretisti, in: Misc. Carlo Figini, Venegono Inf. Varese 1964, 133—145; HKG III/1, 295—325.388 bis 398. A. Fliche, Réforme I, 23—71. 214.239.283—308.

[68] Vgl. A. Schebler, Reordinationen 215.

[69] Gerbert v. Aurillac, inf. ep. (139, 174) bietet ein erschütterndes Bild der Zustände. Vgl. auch A. Fliche, Réforme I, 27—30; HKG III/1, 392. Kirchenamtliche Verbote z. B. Jaffé I, n. 7324.7695, 10 (Honorius II.; Concilium Pisanum).

[70] Vgl. Hugo v. St. Viktor, sacr. 2, 10, 3 (176, 479); GvR, DI (194, 1398). Siehe auch G. Tellenbach, Libertas 152—154.

[71] z. B. Alger v. Lüttich, Liber de misericordia et justitia 330 (180, 945); Ivo v. Chartres, ep. 37 (162, 39 f.); Decr. Gratiani 19, 1, 1 (ed. Friedberg 364 ff.). Noch Thomas betrachtet die Simonie als Häresie: STh II II, 100, 1 ad 1.

[72] Der Brief wurde vor allem deshalb bedeutungsvoll, weil man glaubte, er stamme aus der Feder Paschalis' I. Guido bringt den ps.-augustinischen Grundsatz ins Gespräch „Extra ecclesiam locus veri sacrificii non est“. Dazu s. unten II, 1, 4, 1.

[73] A. Fliche, Réforme III, 1—48.

kaum irgendwo gehalten: Rather von Verona bemerkte resigniert, er müsse alle Kleriker absetzen, wollte er die entsprechenden Canones durchsetzen[74]. Alle Maßnahmen der Päpste des 11. Jahrhunderts hatten ebensowenig Erfolg wie zahllose Synodalbeschlüsse und apostolische Visitationen. Immerhin war es gelungen, die Laien davon zu überzeugen, daß die Priesterehe als Konkubinat gelten müsse und die Kirche besudele. Auch hier allerdings war die Folge, daß von der Kleruskirche den Laien eine Waffe in die Hand gegeben wurde, die sich wiederum gegen die Kleruskirche, wenn auch zunächst gegen deren schlechte Vertreter, richten mußte.

4. De vita vere apostolica

Die Intensität der päpstlichen Reform hatte erreicht, daß der Ruf nach einer reinen und heiligen Kirche nicht mehr verstummte. Das Ur- und Vorbild fand man in der „Ecclesia primitiva" der apostolischen Zeit[75]. Das Schlagwort gehört dem Vokubular der Reform des 11. Jahrhunderts an und meinte negativ die Entflechtung von Kirche und Reich sowie die Aufgabe der Priesterehe, positiv einen Lebensstil, wie ihn die Apostelgeschichte 4,32—35 schildert. Gregor VII. hatte die immanenten Gefahren unbedachter Repristinationsideen erkannt. Da mit dem Wort „apostolisch" seit alters auch der römische Stuhl benannt wurde, war es ihm nicht schwer zu zeigen, daß die eigentliche vita apostolica die Verwirklichung des päpstlichen Reformprogramms sei[76].

Diese Interpretation, die sicher nicht das ursprüngliche Verständnis traf, zeigt bereits, wie vieldeutig der Begriff des apostolischen Lebens war. Sah man einmal von der gregorianischen Deutung ab, blieben immer noch genug Fragen: war die *vita communis* wirklich so wesentlich, nachdem sie die alten Orden nicht vor der Verflachung hatte bewahren können? Was war unter Armut zu verstehen — absolute Besitzlosigkeit nur des einzelnen oder der ganzen Gemeinschaft, schließlich der ganzen Kirche? Was war wichtiger,

[74] a.a.O., I, 32. Vgl. auch 31—36.

[75] J. Spörl, Das Alte und das Neue 309: „Der Idealzustand steht in der Vergangenheit, zu der man wieder zurück will. Recreatio, reformatio, regeneratio, reparatio, restauratio, revocatio lauten die immer wiederkehrenden und sehr eindeutigen Schlagworte". Vgl. G. Miccoli, Chiesa 225—299; L. M. Dewailly, Notes.

[76] Vgl. G. Miccoli, a.a.O., Charakteristisch ist Gebhardt v. Salzburg (L 1, 266), ein überzeugter Gregorianer. Über den Einfluß Damianis auf diese Entwicklung siehe G. Miccoli, a.a.O. 75—100; 229—262 das Verständnis der Tradition; vgl. G. Olsen, The Idea of the Ecclesia primitiva.

die Besitzlosigkeit oder die Gemeinschaft, wo lagen die Akzente? Noch komplizierter wurde es, wenn man die gregorianische Auslegung mitbedachte: lag das Heil wirklich beim hierarchischen Element, wenn alle Welt sehen konnte, wie die Kirchenspitze sich in die Angelegenheiten eben jener Welt verstrickte, der man in der vita apostolica entgehen wollte?

Das 12. Jahrhundert gab drei verschiedene Antworten: durch die Mönche, die Regularkanoniker und am radikalsten durch nicht institutionalisierte Bewegungen verschiedener Provenienz. Sie alle beanspruchen, durch ihre Form der vita apostolica die ecclesiae primitivae forma und damit die echte Re-Form herzustellen[77].

Schon seit ihren Ursprüngen waren die *Mönche* davon überzeugt, daß sie die eigentlichen Fortsetzer der vita apostolica seien, von der die Gesamtkirche zwar abgekommen, die aber niemals ganz in der Kirche untergegangen sei[78]. Das Mittelalter nimmt diese These auf. Gegen die Konkurrenz der Chorherren berief man sich gern darauf, daß die Propheten und Apostel selber Mönche gewesen seien; da jene die Kirchengründer waren, sei die *vita monastica* die genuine christliche Lebensform[79]. Sie wird vor allem im Zönobitismus gesehen, ist aber stets auch in der einen oder anderen Form mit der Armut verbunden[80]. Dementsprechend beanspruchten die Mönche bei der Reform eine führende Rolle. Wenn vom apostolischen Stuhl bis in die Pfarreien der Ruf nach der vita apostolica ertönte, was war dann einfacher, als ins Kloster einzutreten? Aber

77 Um die Mitte des 12. Jahrhunderts setzt sich unter dem Einfluß Roland Bandinellis (Alexander III.) ein neues Verständnis von *ecclesia primitiva* durch: es ist die mangelhafte Organisationsform der frühen Kirche, der die Gesetzgebung der späteren Zeit noch fehlt. Vgl. z. B. Summa 28, 1 (ed. Thaner, 140): „Vel dicamus illud apostoli in primitiva et rudi ecclesia constitutum ...". Siehe auch 27, 1, 30, 1; 31, 1; 35, 2 (a.a.O. 124.145.156.210). Von hier aus wird die deutsche Opposition gegen Alexander noch verständlicher: man sah ihn als Verräter an den urkirchlichen Idealen an.

78 Socrates, Hist. eccl. 4, 23 (PG 67, 512); Cassian, conl. 18, 5 (CSEL 13/2, 509 f.); ds., coenob. inst. 2, 5 (PL 49, 84 f.).

79 Vgl. z. B. Petrus Damiani, opusc. 28 (145, 511); Bernhard v. Clairvaux, apol. ad Guill. 10 (182, 912); Exordium magnum 1, 2 (185 bis, 997 f.); De vita vere ap. 4, 4.11 (170, 644.648); Guigo, ep. ad fratres de Monte Dei (184, 310). Vgl. zum Ganzen auch M.-D. Chenu, Théologie 225—251; H. de Lubac, Exégèse I/2, 578—582.

80 Vgl. Konzil v. Nîmes 1096, can. 3 (Mansi 20, 935); Röm. Synode 1059, can. 4 (a.a.O. 19, 898); Petrus Venerabilis, ep. 2, 2 (189, 186). Zur Armutsfrage vgl. Bernhard v. Clairvaux, sermo de div. 27, 3 (183, 613); Hugo v. Rouen, dial. 6, 4 (192, 1219): an den beiden letzten Stellen taucht die Idee der Gehorsam einschließenden *apostolica perfectio* auf.

war es im vergangenen Jahrhundert noch das Zentrum des Erneuerungswillens gewesen, so bedurfte es nun selbst der Reform. Noch versuchen einzelne Zweige des Benediktinerordens wie die Siegburger die Ideale von Cluny und Hirsau in die neue Zeit hinüberzuretten, doch bleibt der Versuch in den Anfängen stecken. Das hat wirtschaftliche, juristische und soziologische Ursachen[81]; entscheidend war das innere Versagen der Klöster. Petrus Venerabilis mußte bereits voller Trauer zugeben, daß die Monasterien wahre Satanssynagogen seien[82]. Der monastische Gedanke fand in ihnen keine Heimstatt mehr, also suchte er sich neue Gefäße. Von der Mitte des 11. bis zum ersten Drittel des 12. Jahrhunderts setzte ein gewaltiger Differenzierungsprozeß ein, aus dem sich neben einigen ephemeren Gemeinschaften[83] die Reformorden der Zisterzienser und Karthäuser herauskristallisieren[84]. Zwar werden sie von den Päpsten gefördert, doch sind sie das Ergebnis einer echten Reform von unten her: aus allen Volksschichten strömen die Menschen in die neuen Monasterien, angezogen von dem heroischen Vollkommenheitsstreben, der strengen Armut und der urkirchlichen Ursprünglichkeit[85]. Hier hatte sich die echte Gemeinde konstituiert!

[81] Hauck IV, 326—332. Hemmend erwies sich besonders das Vogteisystem und die mangelhafte personelle Zusammensetzung der Klöster.

[82] a.a.O. (Anm. 80). Vgl. Anm. 51, dazu M. Bernards, Speculum virginum 167 bis 169.

[83] Orden v. Grandmont (1080), Fontevrault, Thiron, Savigny, Cadouin (alle zwischen 1100 und 1120). Literatur: HKG III/1, 520—525.

[84] *Zur Geschichte der Karthäuser*: B. Bligny, Recueil des plus anciens actes de la Grande-Chartreuse 1080—1196, Grenoble 1958; ds., Les premiers Chartreux et la pauvreté, in: Le Moyen-âge 4/6 (1951, 24—60). *Zur Geschichte der Zisterzienser*: P. Zakar, Die Anfänge des Zisterzienserordens, in: AnOCist 20 (1964), 103—108; 21 (1965), 138—166; J. B. van Damme, Documenta pro Ordine Cist. collecta, Westmalle 1959; J. B. Mahn, L'Ordre cistercien et son gouvernement 1098—1265, Paris 1951²; A. Schneider, Geschichte und Wirken der weißen Mönche, Köln 1958; H. Grundmann, Bewegungen 488—493. *Zur Ordensgeschichte des 12. Jahrhunderts allgemein*: H. Heimbucher, Die Orden; U. Berlière, L'ordre monastique des origines au XIIe siècle, Paris 1928⁴; Il monachesimo nell'alto medio evo (Settimane di Studio nel Centro Italiano di Studi sull' Alto Medioevo 4), Spoleto 1957; Ph. Schmitz, Geschichte des Benediktinerordens, 5 Bde., Einsiedeln 1947 ff.; K. Hallinger, Gorze-Cluny, Studien zu den monastischen Lebensformen und Gegensätzen im Hochmittelalter, 2 Bde., Rom 1950 f.; E. Werner, Pauperes Christi; J. Leclercq, La crise du monachisme aux XIe et XIIe siècles, in: BISIAM 70 (1958), 19—41; Hauck, IV, 325—427; HKG III/1, XXVII.365—367.515—517; III/2, 14—16. M.-D. Chenu, Théologie 225—257; G. Schreiber, Religiöse Verbände; J. Dubois, Les ordres religieux.

[85] Vgl. das Lob der Mönche bei Otto v. Freising, Chron. 7, 35 (ed. Hofmeister 369—374); Bernhard v. Clairvaux, sermo de div. 22 (183, 595 f.). Zur Ar-

Eine solche Begeisterung konnte zu separatistischen Versuchungen führen, die tatsächlich im Namen der vita apostolica auftraten. Die neuen Mönche gaben ihr, so sie sie hatten, nicht nach, sondern verstanden sich als Anhänger der Päpste und ihres Programms. Erst damit war es möglich, daß sie zu der geschichtsbildenden Macht wurden, die die Kirche des 12. und 13. Jahrhunderts (in der Form der Bettelorden) nachhaltig geprägt hat.

Die zweite Antwort kommt von den *Regularkanonikern*[86]. Als ihre Väter verehrten sie Eusebius von Vercelli († 371), Gregor den Großen, vor allem aber Augustinus[87]. Sie bildeten Gemeinschaften von Klerikern, die die vita communis praktizierten und auf Eigentum verzichteten. Es gab vom 6. bis zum 9. Jahrhundert mehrere Versuche, sie zu fördern, doch konnte sich diese Lebensform nur in kleinen Zirkeln durchsetzen. Auch die Reformversuche Chrodegangs von Metz, der um 755 eine neue Regel zusammenstellte, blieben ohne rechten Erfolg. Gleiches galt von der Erneuerungsbewegung, die Ludwig der Fromme mit der Aachener Regel von 816 in Gang setzen wollte[88]. Erst im 11. Jahrhundert trat ein Umschwung ein: bezeichnenderweise war es der Mönch Hildebrand, der nachmalige Gregor VII., der auf der

mutsfrage vgl. M.-D. Chenu, Théologie 253—257; G. Severino, Appunti; M. Bernards, Speculum virginum 153—156; die Beiträge des Sammelbandes Povertà e ricchezza.

86 Ch. Dereine ist der beste Kenner der Geschichte der Chorherren. Seine Arbeiten meist zusammengefaßt in Art. Chanoines, in: DHGE 12, 353—405. Neuere Arbeiten über dieses viel behandelte Thema: J. Siegwart, Die Chorherren- und Chorfrauengemeinschaften in der deutschsprachigen Schweiz vom 6. Jahrhundert bis 1160. Mit einem Überblick über die deutsche Kanonikerreform des 10. und 11. Jahrhunderts (Studia Friburgensia N. F. 30), Freiburg/Schweiz 1962; La vita comune del clero nei secoli XI e XII (Atti della settimana di studio Mendola 1959) 2 Bde., Mailand 1962; F. J. Schmale, Kanonie, Seelsorge, Eigenkirche, in: HJ 78 (1959), 38—63; Ch. Giroud, L'Ordre des Chanoines reguliers de Saint-Augustin et ses diverses formes de régime interne, Martigny 1961; F. Petit, La réforme des prêtres, Paris 1968; N. Backmund, die Chorherrenorden und ihre Stifte in Bayern, Passau 1966. Neue kritische Ausgaben der sog. Augustinusregel: L. Verkejen, La règle de saint Augustin, 2 Bde., Paris 1967; A. Sage, Règle de saint Augustin, Texte avec traduction et commentaire, Paris 1969.

87 A. Zumkeller, Das Mönchtum des hl. Augustinus, Würzburg 1950; S. Frank, Mönchsregel und Mönchsleben bei Augustinus, in: FStud 50 (1968), 382—388.

88 Die Regel Chrodegangs: Mansi 14, 313—332; Aachener Regel: a.a.O. 147—312 = PL 105, 815—934. Vgl. A. Werminghoff, Die Beschlüsse des Aachener Konzils im Jahre 816, in: NA 27 (1902), 605—675. Die ersten 113 Kapitel bestehen aus patristischen und kirchenamtlichen Texten, Kapitel 114—145 bringt praktische Verhaltensregeln: gerade sie stoßen auf heftige Kritik.

Lateransynode von 1059 eine Kanonikerreform forderte, die allerdings nicht von der Aachener Regel ausgehen könne[89]. Diesmal begeistern sich die Päpste für die vita communis. Nikolaus II. ermahnte in Kanon 4 der Synode die Kleriker dazu, und Alexander II. wiederholte diese Bestimmung auf der Lateransynode von 1063. Paschalis II. führte 1105 die Kanonikerreform am Lateran mit Hilfe der Chorherren von San Frediano in Lucca durch. Eine Welle der Begeisterung für die vita communis geht durch die Lande: in Frankreich ist Ivo von Chartres, in Deutschland Altmann von Passau ihr Exponent[90]. Man will nach der Regel des heiligen Augustinus gemeinsam und im Verzicht auf Privateigentum leben. Unter dieser Regel verstanden sie nicht so sehr ein bestimmtes Dokument, als die Lebensweise des Bischofs von Hippo, wie sie Possidius geschildert hatte, und seine und der späteren Väter und Väterversammlungen Äußerungen über das gemeinsame Leben. Vier Dokumente spielten eine besondere Rolle, die unter dem Namen des Bischofs kursierten: die *„Regula consensoria"* des Fructuosus von Braga († um 665), der *„Ordo monasterii"*, die in den Handschriften damit verbundene *„Regula ad servos Dei"* und der *Brief 211*, der von Fructuosus stammen dürfte und eine Bearbeitung der Regula ad servos Dei für Frauengemeinschaften darstellt[91]. Eine praktische Schwierigkeit bestand in der Zusammenkoppelung des strengen Ordo mit der milderen Regula ad servos Dei. Im zweiten Jahrzehnt des 12. Jahrhunderts kommt es zur Entflechtung[92]. In Deutschland bekennt sich die Springiersbacher Reform zum Ordo; Norbert von Xanten macht ihn zur Regel der Gemeinschaft von Prémontré. Über Norbert dürfte auch Gerhoch sie kennengelernt haben; wir wissen, wie wenig Begeisterung er damit in Rottenbuch erweckte. Sein Mißerfolg ist typisch: eine große Zahl der alten Reformklöster wehrt sich gegen die „neue"

[89] Vgl. A. Werminghoff, a.a.O. 669 ff.; G. Bardy, Saint-Grégoire VII et la réforme canoniale, in: Stud. Greg. 2 (1947), 47—64; Ch. Dereine, Note sur l'influence de la règle de Grégoire VII pour chanoines réguliers, in: RHE 43 (1948), 512 ff.; G. Morin, Règlements inédits du pape saint Grégoire VII pour les chanoines réguliers, in: RBén 8 (1901), 177—183; ds., Etudes 457—465 (Text der Regel 459—465).

[90] P. Classen, Regularkanoniker: eine Übersicht über die bayerischen und österreichischen Stifte 325—332; Hauck IV, 363—367.

[91] PL 32, 1449—1452; 1377—1384; 33, 958—965.

[92] Ch. Dereine, Saint-Ruf et ses coutumes aux XIe et XIIe siècles, in: RBén 59 (1949), 161—182; ds., Les coutumiers de Saint-Quentin de Beauvais et de Springiersbach, in: RHE 43 (1948), 411—442; Mois 246—265; Classen, Gerhoch 31 f. (Lit.!).

Regel. Von Mönchen im 11. Jahrhundert eingeleitet, näherte sich die Klerikerreform im 12. Jahrhundert dem monastischen Lebensstil. Gerade die feste Regel ließ sie zu einem neuen Orden werden, der sofort mit den Mönchsorden in Konkurrenz trat, an deren Austrag die meisten Autoren der Zeit beteiligt sind. Es ging um die Frage, wer die vita *vere* apostolica führe, ob mit anderen Worten die Apostel Mönche waren oder Kanoniker[93]. Dahinter stand freilich eine viel ernstere Frage, die sich im Streit um die Seelsorgsberechtigung der Mönche manifestiert[94]. Die Chorherren fühlen sich als die geborenen Pfarrseelsorger und tatschlich gelang es ihnen, das darniederliegende Niederkirchenwesen zu kräftigen[95]. Die Mönche dagegen, so argumentierten sie, seien der Welt abgestorben und müßten sich dem Gebet und der Meditation widmen[96]. Diese hielten entgegen, gerade darum seien sie besonders geeignete Seelsorger; im übrigen eigne ihnen ebenso die priesterliche Würde wie den Kanonikern und darum auch die Hirtenpflicht[97]. Es geht um den rechten

[93] Als Vertreter des alten Mönchtums treten etwa auf: Petrus Damiani, opusc. 28 (145, 511 ff.); Wazelin v. St. Laurentius (170, 665—671); Wibald v. Stablo (Jaffé, Bibl. rer. germ. I, 589—591); Abälard, ep. 12 (178, 344—352); Hugo v. Rouen, dial. 6 (192, 1215—1228); *De vita vere ap.* (170, 611—668); RvD, OSB 4 (170, 525—538). — Als Verteidiger der Regularkanoniker treten auf u. a. Anselm v. Havelberg, ep. ap. can. reg. (188, 1119—1140); Lietbert v. St. Ruf, ep. 1 (157, 715—719); Philipp v. Harveng, inst. cler. 1 (203, 665—694); GvR, AD 28 (194, 1267—1269); Arno v. Reichersberg, Scut. can. (194, 1493—1528). Rupert und die Reichersberger nehmen eine vermittelnde Haltung ein. Vgl. die Belege bei M. Peuchmard, Le prêtre 52—56.

[94] Dereine, art. Chanoines, in: DHGE 12, 391—395; ds., Le problème; U. Berlière, L'exercice du ministère paroissial par les moines dans le haut moyen âge, in: RBén 39 (1927), 227—250; Ph. Hofmeister, Mönchtum; R. Foreville-J. Leclercq, Un débat sur le sacerdoce des moines, in: Studia Anselmiana 41 (1957) 8—118; M. Peuchmard, Le prêtre; G. Schreiber, Gemeinschaften 283 bis 370; Mois 289—292; J. Leclercq, Le sacerdoce des moines; A. Mouraux, La „vie apostolique"; C. D. Fonsega, La regola; F. W. Oediger, Mönche und Pfarrseelsorge; H. Schäfer, Pfarrkirche und Stift.

[95] In der Skala des Wortes „apostolisch" deutet sich hier bereits die missionarische Komponente an, die in der Neuzeit die beherrschende geworden ist. Sie wird aber schon im 11. Jahrhundert gelegentlich mit dem Apostolischen als *forma vivendi* verbunden: J. Leclercq, Vie parfaite 84f.

[96] De vita vere ap. 1, 8; 3, 1 (170, 616 f., 633). Anselm v. Laon gestattet den Mönchen nur im Notfall die Seelsorge: ep. ad abbatem S. Laurent. Leod. (162, 590). Ivo v. Chartres, ep. 213 (162, 217) meint, daß die Kanoniker jene Heiligkeit des Lebens besitzen, die zur Ausübung des Predigtamtes notwendig ist.

[97] De vita vere ap. 3, 8 (170, 637); Petrus Damiani, opusc. 28, 2 (145, 514); Konzil v. Nîmes, can. 3 (Mansi 20, 935); Gaufridus Grossus, vita b. Bernardi Thiron. 6, 52—54 (172, 1398 f.). Eine Übersicht über die Pfarrverhältnisse an

ordo! Mußte man nicht befürchten, er komme bei einer confusio der einzelnen Stände ins Wanken, wie sie bei Mönchsseelsorgern unvermeidlich schien? Zugleich erhob sich das Problem, welches innerstes Recht und Ursache des pastoralen Dienstes seien, die kirchliche Sendung oder die ethische Qualität.

Beide Gruppen stießen nicht bis zu dieser grundlegenden Problematik vor, da sie dezidierte Anhänger des hierarchischen ordo waren. Die Vermittlungsversuche fehlen denn auch nicht, die über die Differenzen hinweg die Einheit sahen. Wie Petrus und Johannes gemeinsam zum Grab eilen, so stehen Mönche und Chorherren gemeinsam im Dienst an der Kirche des Herrn[98]. In der Verbindung mit der Hierarchie konnten die Chorherren ebenso wie die Mönche Motor der kirchlichen Erneuerung werden[99].

5. Oportet et haereses esse[100]

Der gregorianischen Klerusreform war nicht zuletzt deswegen Erfolg beschieden, weil sie es verstanden hatte, die Laien zur Mitarbeit anzuhalten. Wie die Geschichte der Pataria zeigt, konnte sich ihre Kritik im Rahmen des hierarchischen ordo entfalten, solange dieser selbst an der Spitze der Erneuerung stand[101]. Im 12. Jahr-

den Klosterorten bei F. W. Oediger, Mönche und Pfarrseelsorge 43—47. Zum Ganzen vgl. auch Ch. Dereine, Le problème de la cura animarum; M. Peuchmard, Le prêtre.

[98] Arno v. Reichersberg, Scut. can. (194, 1496.1521); De vita vere ap. 3, 15 (170, 642). Harmonisierungstendenzen finden sich ferner beim Dial. inter Cluniac. et Cisterc. 2, 32 (Martène-Durand, Thesaurus 5, 1614): „Velint nolint, sunt monachi“ müssen sich hier die Kanoniker sagen lassen; das hatte auch schon De vita vere ap. 3, 12 (170, 639) angedeutet. Zum Ausgleich trug wesentlich das Privileg Urbans II. an das Stift Rottenbuch vom 28. 1. 1092 bei (151, 337—339; auch Mois 76 f.). Danach gibt es von Anfang an zwei Lebensformen „unius paene eiusdemque propositi“, die gleichrangig sind. Vgl. auch Urban II., ep. 153 (151, 428).

[99] In Deutschland gehören Adalbert v. Mainz, Otto v. Bamberg, Reinhard v. Halberstadt, Hartmann v. Brixen, Roman v. Gurk, Konrad v. Salzburg zu den Bischöfen, die die Kanoniker unterstützen. Die Päpste förderten sie ebenfalls, vor allem Urban II. und Innozenz II. Besonders unter der Kanzlerschaft des Chorherren Haimerich genossen sie den päpstlichen Schutz. Schließlich waren von Honorius II. bis Hadrian IV. (1124—1159) alle Päpste Regularkanoniker. Vgl. Hauck IV, 361; Classen, Regularkanoniker 310—313; Mouraux, La „vie apostolique“ 135 f.

[100] 1. Kor. 11, 19 — Zur mittelalterlichen Auslegungsgeschichte H. Grundmann, Oportet 146 ff.

[101] Die sich durchaus kirchlich verstehenden Regularkanoniker zählen die Patarini zu ihren geistlichen Vätern. Vgl. Arno v. Reichersberg, Scut. can. (194, 1499).

hundert aber geriet die Hierarchie wiederum in die feudalistische Ordnung hinein. Die hierokratische These hatte den ordo aus der Ordination besonders betont und ihn an die Spitze des kosmischen Ordnungssystems gesetzt — aber konnte das nicht allein vom intakten Ordo gelten? Was sollte geschehen, wenn er korrumpiert war? Es schien selbstverständlich, daß nicht der ordo allein, sondern auch und in erster Linie die ethische Qualität, die persönliche Heiligkeit entscheidend war. Sie allein verbürgte das ewige Heil. Fragte man, wie man sie erreichen könne, dann kam die Antwort: durch die vita apostolica. Hatte sich nicht gezeigt, daß der hierarchische ordo versagte? Eine verweltlichte Kirche konnte nicht mehr Gemeinde der Glaubenden sein. War es dann nicht genug, von der Vollmacht der vita apostolica her gegen die Sünden der Kirche zu predigen um einer neuen, reineren Kirche willen[102]? „Aus solchen Fragen und Zweifeln erwuchs eine religiöse Gesinnung, die das Wesen des Christentums nicht mehr in der Kirche als Heilsordnung und in der Kirchenlehre als Dogma und Tradition erfüllt und verwirklicht sah, sondern nach einer Verwirklichung des Christentums als einer religiösen *Lebensform* suchte, die für jeden einzelnen Christen unmittelbar verbindlich und für sein Seelenheil wesentlicher sei als seine Stellung im hierarchischen Ordo der Kirche oder sein Glaube an die Lehren der Kirchenväter und Theologen"[103]. Die Probleme, die Mönchtum und Kanonikerreform durch die fraglose Bindung an die hierarchische Kirche übergangen hatten, brechen nun auf, als diese selbst reformbedürftig wird. Aus der Opposition *mit der Kirche* des 11. Jahrhunderts gegen die Mißstände der Zeit wird im 12. Jahrhundert die Opposition der Zeit gegen die Mißstände *in der Kirche*. Erstmals seit dem Altertum tauchen wieder Häresien auf[104], aber die neuen Häretiker sind die Kinder der gregorianischen Reform, die gegen die Väter rebellieren[105]. Ergriffen

[102] Vgl. G. Miccoli, Chiesa 132—136.

[103] H. Grundmann, Bewegungen 14. Wie sehr das Ketzerproblem als Ordo-Problem empfunden wurde, zeigt Humbert v. Silva Candida, adv. sim. 2, 13 (MGH L 1, 153): „Ut enim inter Deum et seraphim nulli spirituum intersunt, sic inter diabolum et haereticos nulli hominum intersunt". Dieses Denkschema gilt auch für das 12. Jahrhundert.

[104] Auch im 11. Jahrhundert tauchen vereinzelt häretische Meinungen auf, doch bleiben sie isoliert und sind in der kirchlichen Reaktion mit den Kategorien der alten Kirche einzufangen. Im 12. Jahrhundert geht das nicht mehr.

[105] Y. Congar, Der Platz des Papsttums 215; H. Grundmann, Bewegungen 13 f.; F. Heer, Aufgang 465: „Die häretischen Volksbewegungen des 12. Jahrhunderts sind nur das ‚linke' Geäste des großen Stromflusses, dessen ‚rechte' Arme cluniazensische Adelsreform, Kreuzzugs-, Pilger- und Baubewegung und neue Orden heißen".

von den hohen Idealen der Gregorianer wollen sie *pauperes Christi* werden. Die einen sondern sich deshalb ab und gehen in die Einsiedelei oder schließen sich in einer Klause ein, um den Protest gegen die mächtige Kirche, die ihren Reichtum in gewaltigen Kirchen- und Klosteranlagen manifestierte, in äußerster Bedürfnislosigkeit des Lebens zu erheben[106]. Andere wollen, mehr im modernen Apostolatsverständnis, die vita apostolica durch ihre Predigt verwirklichen, die als eine der wesentlichen apostolischen Aufgaben galt, wie der Seelsorgestreit nicht zuletzt zeigt. Auch die *„gyrovagi"*, die Wanderprediger, scheinen anfangs amtliche Unterstützung der Kirche genossen zu haben[107]. Sie zogen durchs Land, um Buße und Frieden den Armen zu verkünden und die üble Situation der Kleruskirche anzuprangern. In ihren Reihen finden wir eine Zeitlang eine Reihe von Mönchsvätern des Jahrhunderts: Robert von Arbrissel, Bernhard von Thiron, Vitalis von Sa-

[106] *Zur Eremitenbewegung*: L. Gougaud, Ermites et reclus (Moines et monastères 5), Ligugé 1928; J. Leclercq, „Eremus" et „eremita". Pour l'histoire du vocabulaire de la vie solitaire, in: Collect. Ord. Cist. Ref. 25 (1963), 8—30; ds., Etudes sur le vocabulaire monastique du moyen âge, in: Stud. Anselmiana 48 (1961), 8—30; H. Grundmann, Deutsche Eremiten; O. Doerr, Institut; A. Basedow, Die Inclusen in Deutschland, vornehmlich in der Gegend des Niederrheins um die Wende des 12. und 13. Jahrhunderts, Heidelberg 1895; E. Schlumpf, Quellen zur Geschichte der Inklusen in der Stadt St. Gallen (Mitt. z. vaterländ. Geschichte, 41/2), St. Gallen 1953; B. Schelb, Inklusen am Oberrhein, in: Freiburger Diözesan-Archiv, N. F. 41 (1941), 174—253; A. K. Hömberg, Unbekannte Klausen und Klöster Westfalens, in: Dona Westfalica (FS G. Schreiber), Münster 1963, 102—127; J. Asen, die Klausen in Köln, in: AHVNrh 110 (1927), 180—201; L'eremitismo in occidente nei secoli XI e XII (Atti della Seconda Settimana internazionale di studio Mendola 30 agosto — 6 settembre 1962), Milano 1964; E. Werner, Pauperes Christi; M.-D. Chenu, Théologie 225—273; L. Spätling, De apostolis, pseudoapostolis, apostolinis, München 1947; J. Leclercq, La crise du monachisme au XIe et XIIe siècles, in: BISIAM 70 (1958) 19—41; B. van Luijk, Gli eremiti neri: F. Vandenbroucke, Nouveaux milieus, nouveaux problèmes, du XIIe au XVIe siècle, in: J. Leclercq-F. Vandenbroucke-L. Bouyer, La spiritualité du Moyen âge, 334—338. — An der Entstehung der meisten Kanonikerstifte sind Eremiten beteiligt, auch in Rottenbuch, wo der Kreis um Herluca maßgebenden Einfluß besitzt. Honorius ist das deutlichste Beispiel für die weitreichende Wirkung des Inkluseninstituts. Sie war deswegen möglich, weil sich die Eremiten trotz des inneren Widerspruchs, der darin beschlossen ist, zu Gemeinschaften formierten.

[107] Gaufridus Grossus, Vita b. Bernardi Thiron. 7, 59 (172, 1403): der Papst sendet Bernhard aus mit dem Auftrag, „ut populis praedicaret, confessiones acciperet, poenitentias injungeret, baptizaret, regiones circuiret et omnia, quae publico praedicatori sunt agenda, sollicitus expleret". Vgl. den Überblick von J.-B. Schneyer, Laienpredigt.

vigny und Norbert von Xanten. Indem sie aber die Gemeinden, die sich um sie scharten, als Teilgemeinschaft in die Großkirche einbrachten, wurde die Bewegung in die Bahnen der Orthodoxie gelenkt.

Das konnte in dem Moment jedoch nicht mehr geschehen, wo man der hierarchischen Kirche als Un-Kirche den Gehorsam verweigerte und zum Totalangriff auf sie überging. Das geschah nicht in einheitlichem Vorgehen. Hier und da treten vielmehr einzelne Männer auf, meistens in Frankreich und im Rheinland, die die Kirche ablehnen; aber mit Ausnahme der *Petrobrusianer* bilden sie keine festen Gemeinschaften, noch stehen sie untereinander in Verbindung[108]. Gerade darin aber zeigt sich, wie verbreitet die Opposition ist: mit einem Schlag ist sie überall da. Um 1112 tritt Tanchelm an Rhein- und Scheldemündung auf; 1114 hören wir von einem Bauern namens Christian und (seinem?) Bruder Everard, die bei Soissons predigen; um 1132 stirbt Peter von Bruys nach zwanzig Jahren Predigttätigkeit in Südwestfrankreich; bevor das Jahrhundert seine Mitte erreicht hat, sammelt Heinrich von Le Mans die kirchliche Opposition der Provence um sich, erhebt sich Eon (Eudo) von Stella in der Bretagne. In Italien rufen Ugo Speroni und Arnold von Brescia zum Kampf gegen das hierarchische Establishment auf[109]. „*Le choc évangélique*" traf die ganze Kirche[110].

Sie reagiert mit erbarmungsloser Schärfe: Tanchelm wird 1115 erschlagen, 1143 kommt es in Köln und Bonn zu Verhaftungen von

108 *Literatur zu den Ketzerbewegungen des 12. Jahrhunderts*: H. Grundmann, Bewegungen; ds., Oportet; ds., Bibliographie; HKG III/2, 123—132. Dort überall weitere reiche Literaturangaben. Darüber hinaus K.-V. Selge, Die ersten Waldenser. Mit Edition des Liber Antiheresis des Durandus von Osca (Arbeiten z. Kirchengeschichte 37), Berlin 1968, 2 Bde.; R. Morghen, Aspetti ereticali dei movimenti religiosi popolari, in: I laici 582—596; Vaudois languedociens et Pauvres catholiques (Cahiers de Fanjeaux 2), Toulouse 1967; H. J. Schultz, Die Wahrheit der Ketzer 50—59 (H. Kühner, Die Katharer). 60—71 (T. Vinay, Die Waldenser); M. Dando, Les origines du Catharisme; J. Fearns, Peter von Bruis; Chr. Touzellier, Hérésie; Y. Congar, Die Lehre von der Kirche 127—138.

109 Arnold, der Freund Abälards, war wie Gerhoch Regularkanoniker. Er ist sicher der bedeutendste und radikalste der zeitgenössischen Häretiker. Literatur: vgl. oben I, 1, 3, 2 Anm. 32; ferner: A. Brugoni, Arnaldo da Brescia nelle fonti del secolo XII (Istituto Storico Italiano per il Medio Evo 8/9), Roma 1954; A. Suraci, Arnaldo da Brescia, Torino 1952; A. Ragazzoni, Arnaldo da Brescia nella tradizione storica, Brescia 1937; G. Edelsbrunner, Arnold von Brescia.

110 M.-D. Chenu, Théologie 266.

Ketzern, 1155 endet Arnold auf dem Scheiterhaufen. Wie sehr das die Zeitgenossen bewegte, sehen wir aus einem Brief Propst Everwins von Steinfelden an den Abt von Clairvaux. Er schildert die Lynchjustiz der Kölner Bürger gegen zwei Sektenprediger und fragt an, wie er sich verhalten solle[111]. Ein solch grausames Vorgehen des Volkes freilich war in Deutschland selten, wo die Prediger bescheiden und fromm auftraten und den Menschen als die Verwirklichung des Bildes vom *pauper Jesus* erschienen, das weder bei den Bischöfen noch bei den Mönchen erkennbar war[112].

Everwin hat uns die Anschauungen dieser Leute überliefert. Sie hielten sich für die wahre Kirche, die Hierarchen für Pseudoapostel, weil sie den Spuren des armen Christus nicht folgten, der auch die Seinen arm wissen wollte. So zogen sie wie er von Stadt zu Stadt, verfolgt und ohne bleibende Stätte[113]. Everwin kann ihnen die Achtung denn auch nicht versagen. Neben dieser antihierarchischen Haltung vertreten sie dualistische Ideen, die vermutlich manichäischen Ursprungs sind[114]. Sie verabscheuen Speisen, die von Gezeugtem stammen, vor allem Fleisch und Milch; trinken keinen Wein, verachten Geld und Ehe. Für sie gibt es kein besonderes Priestertum, die hl. Messe ersetzen sie durch andere Gebetsriten, die Taufe spenden sie durch Handauflegung[115].

Neben diesen spiritualistisch-reformerischen Evangeliumsbewegungen dürfen die theologischen Vorstöße nicht übersehen werden, die den Glauben unmittelbar berührten. Seit dem Ausgang des 11. Jahrhunderts gibt es Ketzerprozesse, die sich gegen Roscelin, Abälard und Gilbert de la Porrée richten[116]. Auch hier steht im Hintergrund das ekklesiologische Problem. Die christologischen Streitfragen berührten die Kirche, denn ihre Würde hing ab von der Christi; die Frage nach den Häretikersakramenten war zugleich die Frage nach dem Wesen und den Grenzen der Kirche. Waren

[111] ep. 482 (int. opp. Bern.) (182, 676—680).

[112] Hauck IV, 893. Im Gegensatz zu Italien schließen sich den Wanderpredigern meist die „rusticani homines ... et idiotae et prorsus contemptibiles“ an (Bernhard v. Clairvaux, cant. 56, 1 — 183, 1094). Vgl. auch Heribertus monachus, ep. de haer. Petragoricis (181, 1722). Auch Everwin berichtet, daß der gefangene Katharerbischof theologisch nicht sehr bewandert war.

[113] Everwin, a.a.O. (a.a.O. 677).

[114] Grundmann, Bewegungen 23 f.; W. Neuß, Kirche 207 f.; Heer, Aufgang 477; R. Morghen, Problèmes.

[115] Everwin, a.a.O. (Anm. 111); Heribertus monachus, a.a.O. (Anm. 112), (a.a.O. 1721); Ekbert v. Schönau, serm. c. Cath. 1, 1 (195, 13 f.); Bernhard v. Clairvaux, cant. 56, 8 (183, 1098).

[116] H. Grundmann, Ketzergeschichte 20—22.

diese Meinungen relativ leicht zu definieren und zu fassen, so fiel der Kampf gegen die Evangeliumsbewegungen der Kirche sehr schwer. Sie waren kaum zu greifen, von der Sonde des Theologen ebenso wenig wie von den Handschellen der Polizei. So weit es ging, setzten sich die Publizisten der Zeit mit den Häresien auseinander. Ekbert von Schönau verfaßt seine *„Sermones adversus Catharorum errores“*[117]; auch Bernhard hält zwei Ansprachen zur Sache[118]; Hugo von Rouen[119] und Petrus Venerabilis[120] erheben ihre Stimme. Sie erkennen die ekklesiologische Bedeutung der Angriffe: Hugo von Rouen gibt seinem Traktat wider die Irrlehrer der Zeit den Untertitel *„sive de ecclesia et ejus ministris“*. Mit den Zeitgenossen sieht er den entscheidenden Mangel der Häretiker im Fehlen der caritas, die aber auch in der Kirche der Sünder nur fragmentarisch verwirklicht ist[121]. Bernhard setzt sich darum für ein maßvolles Vorgehen ein: auch sie wollen wie alle die kirchliche Erneuerung. Mit Argumenten, nicht mit Waffen müßten sie überzeugt werden; das Ziel ist die Aussöhnung mit der Ecclesia[122].

6. Ecclesia et Synagoga

Die Juden sind die Außenseiter der mittelalterlichen Gesellschaft[123]. Zwar wußte man, daß an den Grenzen der Christenheit

[117] PL 195, 11—93.

[118] cant. 65; 66 (183, 1088—1093.1093—1102); vgl. auch ds., ep. 241 (182, 434 bis 436).

[119] Contra haereticos sui temporis sive De ecclesia et ejus ministris libri tres (192, 1255—1298).

[120] Contra Petrobrusianos hereticos (CCcm 10, 3—165).

[121] Vgl. Anm. 119; vgl. auch Bernhard v. Clairvaux, cant. 56, 1 (183, 1094).

[122] Bernhard v. Clairvaux, cant. 64, 8 (183, 1086); vgl. auch GvR, CDH, ep. ad Godefridum Admont. (194, 1162); Beda, element. phil. 1 (90, 1138); De philosophia mundi 23 (172, 56) — Die starke Nervosität der Zeitgenossen und ihre Angst vor den Ketzern zeigt sich auch in den Prozessen, die gegen Gerhoch, Rupert und Honorius mehr oder weniger explizit anhängig gemacht worden sind.

[123] *Literatur*: B. Blumenkranz, Juifs et chrétiens dans le monde occidental 430 bis 1096, Paris 1960; ds., Juden und Judentum; ds., Les auteurs chrétiens; ds., Jüdische und christliche Konvertiten; P. Browe, Die Judenmission im Mittelalter und die Päpste (Misc. Hist. Pont. 6), Roma 1942; E. L. Ehrlich, Geschichte der Juden in Deutschland, Düsseldorf 1960³; G. Kisch, Forschungen zur Rechts- und Sozialgeschichte der Juden in Deutschland während des Mittelalters, Zürich 1955; W. Maurer, Kirche und Synagoge, Motive und Formen der Auseinandersetzung der Kirche mit dem Judentum im Laufe der Geschichte, Stuttgart 1953 (Lit.!); L. Poliakov, Histoire de l'Antisemitisme I (Du Christ aux Juifs de Cour), Paris 1955; I. Elbogen - A. Freimann - H. Tyko-

auch Heiden lebten — man hatte sie in den Kreuzzügen gerade erst wieder kennengelernt —, doch waren sie Randerscheinungen, die im täglichen Leben keine Rolle spielten. Im übrigen waren die Positionen klar: als Gottlose waren sie die Feinde der Christenheit. Die Juden aber lebten mitten unter den Christen und waren zugleich abgesondert durch eigenes Recht und eigene Wirtschaftskonzessionen[124]. Sie galten als jene, die Christus abgelehnt, ja getötet hatten, und über die die Geschichte hinweggegangen war; aber sie waren immer noch das auserwählte Volk, das sich einst bekehren würde. Die Väter hatten sie verworfen[125], die Schrift gab ihnen eschatologische Bedeutung. Widerspruchsvoll ist darum auch das Verhalten des Mittelalters: aus Glauben und Liebe geprägte Ehrfurcht vor Israel wechselt sich ab mit tragischen Exzessen besinnungslosen Hasses[126].

Sieht man von den Invektiven eines Agobard von Lyon ab[127], lebten die Juden seit der karolingischen Zeit in relativ gutem Verhältnis zu den Christen. Als Wissenschaftler und Kaufleute geschätzt, standen sie unter besonderem kaiserlichen Schutz, für den

cinski, Germania Judaica. Von den ältesten Zeiten bis 1238, Breslau 1934 (Neudruck Tübingen 1963); E. L. Dietrich, Das Judentum im Zeitalter der Kreuzzüge, in: Saeculum 3 (1952), 94—131; P. Wilpert (Hrsg.), Judentum im Mittelalter. Beiträge zum christlich-jüdischen Gespräch, Berlin 1966; K. Schilling (Hrsg.), Monumenta Judaica. Handbuch, Köln 1963; K. Schilling - P. Ehrlich, Judenhaß — Schuld der Christen?, Essen 1964; W. Seiferth, Synagoge und Kirche im Mittelalter, München 1964; K.-H. Rengstorf - S. v. Kortzfleisch (Hrsg.), Kirche und Synagoge, Handbuch zur Geschichte von Christen und Juden I, Stuttgart 1968; I. Elbogen - E. Sterling, Die Geschichte der Juden in Deutschland. Eine Einführung (Bibliotheca Judaica 14), Frankfurt 1966; N. N. Glatzer (Hrsg.), Faith and Knowledge; M. Hay, Europe and the Jews; F. Heer, Gottes erste Liebe 83—138.603—610; E. Iserloh, in: HKG III/2, 717—728; W.-D. Marsch - K. Thieme, Christen und Juden; F. Ohly, Synagoge und Ecclesia; Ghellinck, Essor I, 159—168.

124 W. P. Eckert, Verpaßte Chancen christlich-jüdischer Begegnung in der deutschen Geschichte, in: Eckert-Ehrlich, Judenhaß 23—79; W. Neuß, Kirche 177. Als die einzigen zugelassenen Geldverleiher mit Zinsnahmerecht waren sie bei der mittelalterlichen Geldknappheit beliebt, wegen ihrer hohen Zinsen verhaßt.

125 M. Simon, Verus Israel. Studie über die Beziehungen zwischen Christen und Juden im römischen Reich (135—425), Paris 1948. Stark antijudaistisch war vor allem Johannes Chrysostomos eingestellt (a.a.O. 256—263).

126 Die Stellung der frühmittelalterlichen christlichen Autoren bei B. Blumenkranz, Les auteurs chrétiens; vgl. auch H. de Lubac, Exégèse II/1, 345—356; ds., Katholizismus 171—177.

127 De insolentia Judaeorum (104, 69—76); De Judaicis superstitionibus (a.a.O. 77—100); De baptismo Judaicorum mancipiorum (a.a.O. 99—106); De cavenda societate Judaica (a.a.O. 107—114).

sie freilich bezahlen mußten: sie galten als Eigentum der königlichen Kammer. Der erste Kreuzzug hebt diesen Frieden auf. Was sollte man in fremden Ländern gegen Christi Feinde kämpfen, solange es sie auch im eigenen Land gab? Konnte man nicht die gleichen Verdienste wie die Kreuzfahrer mit viel weniger Beschwernis erlangen? Von Nordfrankreich über Westdeutschland bis in den Südosten des Reiches kommt es zu einer entsetzlichen Judenverfolgung[128]. Tod oder Taufe — das waren die einzigen Alternativen für die vermeintlichen Mörder Christi. Der Haß, der im 11. Jahrhundert geweckt wurde, wächst im 12. Jahrhundert weiter, vor allem zu Zeiten der Kreuzzüge. Um 1150 tauchen die ersten Legenden von Ritualmord, Hostienschändung und Brunnenvergiftung auf[129].

Nicht alle freilich machten mit. Fürsten und Bischöfe suchen den Pogromen Einhalt zu gebieten. Übergriffe gegen Leben und Habe der Juden wurden im Mainzer Landfrieden von 1103 unter Todesstrafe gestellt[130]. Auch Kaiser Friedrich I. drohte allen Teilnehmern an antijüdischen Ausschreitungen, die sich beim dritten Kreuzzug ereigneten, drakonische Strafen an[131]. Alexander III. hatte keine Bedenken, einen Juden als Haushofmeister zu beschäftigen. Viele Fürsten stellten jüdische Ärzte in ihren Dienst[132].

Die Theologen der Zeit versuchen, mit ihren Mitteln das Problem in den Griff zu bekommen. Auch den Juden ist das Gotteswort zu predigen. Dabei lehnten sie gewaltsame Taufen ab[133]. Es gab genügend sachliche Argumente, die überzeugen mußten. So kommt es zu Streitgesprächen, aus denen eine kleine Konversionsbewegung entsteht[134]. Wir haben einige Aufzeichnungen dieser Dialoge; wie wir sahen, auch aus Ruperts Feder. Doch ging es in ihnen nicht eigentlich um ein echtes Gespräch als vielmehr um die Selbstdarstellung und Selbstbestätigung der eigenen Position: nur selten

[128] W. Seiferth, Synagoge 102—108.

[129] K. Hruby, Verhängnisvolle Legenden und ihre Bekämpfung, in: Eckert-Ehrlich, Judenhaß 281—308; W. P. Eckert, Das Verhältnis von Christen und Juden im Mittelalter und Humanismus. Ein Beitrag zur Geistes- und Kulturgeschichte, in: Monumenta Judaica. Handbuch 131—198. Die ersten Anklagen wegen eines Ritualmordes erheben sich 1147 (William von Norwich).

[130] G. Kisch, Forschungen 57.

[131] I. Elbogen u. a., Germania Judaica I, 182.

[132] H. Reuter, Aufklärung 154. Im Jahr 1119 wird die erste päpstliche Schutzbulle erlassen.

[133] Bernhard v. Clairvaux, ep. 363, 6 (182, 567): „Non sunt persequendi Judaei, non sunt trucidandi, sed nec effugandi quidem". Vgl. W. P. Eckert, Verpaßte Chancen (vgl. Anm. 124) 35.

[134] B. Blumenkranz, Konvertiten 271—282.

gehen die Autoren auf die Argumente der Juden wirklich ein. Beide Seiten bleiben im Grunde einander fremd[135]. In der Lektüre der Väter fand man darüber hinaus immer wieder Reflexionen über Stand und Schicksal dieses Volkes. Augustin lehrte, daß es wie das Christenvolk zur Familie des einen Vaters gehöre[136]. Man ist unter seinem Einfluß geneigt, dem feindlichen Bruder mehr Unwissenheit denn Bosheit zuzugestehen[137]. Auf ihre Weise waren auch die Juden im Dienst Christi, wenn sie die Heilige Schrift vor den Heiden bezeugen, auch wenn sie ihren Sinn nicht mehr erfaßten[138]. Um dieses Sinnes willen und seiner Erfüllung aber mußten sie bis zum Ende der Zeiten erhalten bleiben[139].

Die augustinische Tradition spiegelte sich bis in die Kunst hinein wieder: Ecclesia und Synagoga werden als Repräsentanten der einen Universalkirche, die aus Juden und Heiden besteht, dargestellt[140]. Aus den literarischen Quellen blickt uns das gleiche Bild entgegen. Von höchster Bedeutung ist der *„Ludus de Antichristo“*[141] Alle fallen ab von Christus, aber die Synagoge ist die erste, die sich aus dem Bann des Antichrists löst; sie kehrt zurück zu Christus:

[135] P. Browe, Judenmission 100—110 hat eine Liste der gedruckten Streitschriften.

[136] K. Thieme, Augustinus und der ältere Bruder. Zur patristischen Auslegung von Luk 15, 25—32, in: Universitas (FS Bischof Dr. A. Stohr), Mainz 1960, I, 79—85.

[137] W. P. Eckert, Das Verhältnis (Anm. 129), beruft sich auf Hildegard v. Bingen.

[138] Augustinus, en. in ps. 56, 9 (CC 39, 699); vgl. sermo 5, 5 (38, 57).

[139] Unter dem Einfluß Bedas lebt dieser Gedanke vor allem in den mittelalterlichen Hoheliedkommentaren. Vgl. W. P. Eckert, Verpaßte Chancen 35 f.

[140] Vgl. W. Seiferth, Synagoge und Kirche.

[141] Ausgaben: K. Langosch, Geistliche Spiele, Lateinische Dramen des Mittelalters mit deutschen Versen, Darmstadt 1957; R. Engelsing, Ludus de Antichristo — Das Spiel vom Antichrist, Stuttgart 1968; G. Günther, Der Antichrist, Der staufische Ludus de Antichristo, Hamburg 1970. Literatur: E. Sackur, Sibyllinische Texte und Forschungen. Pseudomethodius, Adso und die tiburtinische Sibylle, Halle 1898; W. Kamlah, Der Ludus de Antichristo, in: Hist. Vierteljahresschrift 38 (1933), 53—87; K. Young, The Drama of the Medieval Church, Oxford 1933 (Neudruck 1955), 2 Bde.; E. Bauerreiß, Zur Verfasserschaft des „Spiel vom Antichrist“, in: SM 62 (1950, 222—236), W. Stählin, Symbolon. Vom gleichnishaften Denken (Hrsg. A. Köberle), Stuttgart 1958, 480—495; R. Konrad, De ortu et tempore Antichristi. Antichristvorstellungen und Geschichtsbild des Abtes Adso von Moutier-en-Der (Münchener Hist. Studien, Abt. Mittelalterliche Geschichte 1) Kallmünz 1964; A. Grünberg, Das religiöse Drama des Mittelalters. Österreich, Deutschland, Schweiz, Wien 1966. Die Beziehungen zwischen den Geistlichen Spielen und dem Judentum behandelt W. P. Eckert, Geehrte und geschändete Synagoge. Das kirchliche Mittelalter vor der Judenfrage, in: Marsch-Thieme, Christen und Juden 67—114; H. D. Rauh, Das Bild vom Antichrist.

„Unsre Irrung reut uns sehr,
Und wir stehn zum Glauben.
Kein Verfolger kann ihn mehr,
Da wir dulden, rauben“[142].

Mutig geht sie in den Tod, den sie durch die Schergen des Antichrists erleidet. Das ist der Beginn des Weltendes. Der Antichrist bricht zusammen unter einem mächtigen Donnerschlag. Die Regieanweisung erklärt: „Dann kehren alle zum rechten Glauben zurück. Die Kirche nimmt sie auf und beginnt: Lobet den Herrn“[143].

Mit der Synagoge beginnt die endgültige Gottesherrschaft. Die großen Männer der Zeit wissen um die geheimnisvolle *concordia Veteris ac Novi Testamenti,* die in der Endzeit durchbricht. Es ist tragisch, daß Haß und Unverstand vom ekklesiologischen Topos Israels nichts wissen wollten.

2. Kapitel

Die geistesgeschichtliche Situation der Kirche

1. Die Quellen der Theologie

Zu der sprühenden Farbigkeit, die das Bild des 12. Jahrhunderts ebenso anziehend wie schwierig zu betrachten macht, gehört die Darstellung der geistigen Auseinandersetzungen, die es mitgestaltet. Die karolingische Theologie hatte es als ihre Hauptaufgabe betrachtet, das Traditionsgut möglichst unversehrt zu überliefern. Mit dem Investiturstreit aber brachen mit einem Male neue Probleme auf, die mit den alten Antworten nicht mehr zu bewältigen waren. Ordo und libertas, Kirche und Staat, Amt und Laientum, Evangelium und Welt — diese Themen begannen ungeheuer wichtig zu werden. Freilich blieb in der Hitze des Tageskampfes keine Zeit, sich ihrer gründlich anzunehmen; um so dringender aber wurde dieses Geschäft, als mit dem zweiten Jahrzehnt des 12. Jahrhunderts relative Ruhe eingetreten war.

Müssen wir uns, um den Impetus dieser Epoche zu erfassen, in erster Linie mit den geistigen Quellen, die die Zeit prägten, befassen, so ist ihre materiale Aufzählung schnell erfolgt. Es sind die

[142] VV. 399—402, Übersetzung von R. Engelsing, a.a.O. (Anm. 141), 47.
[143] a.a.O. 46—49.

steten Quellen christlicher Theologie: das Wort Gottes in der Heiligen Schrift und seine interpretierende Durchdringung in der Tradition. Bedeutsam ist erst ihre formale Bestimmung, d. h. die Untersuchung des Stellenwertes, den sie jeweils haben.

Die fundamentale Grundlage aller mittelalterlichen Theologie ist die *Heilige Schrift*; vor allem die Bücher des Alten Testamentes finden besondere Beachtung[1]. Sie ist die „sacra pagina"[2] — und dieses Wort bleibt noch bis ins 14. Jahrhundert als Synonym für Theologie überhaupt bestehen. Es ist jedoch bezeichnend, daß sich seit Gilbert de la Porrée und Abälard das Wort „theologia" zur Bezeichnung der wissenschaftlichen Durchdringung der Glaubensbotschaft durchsetzt, das ehedem die kontemplative Erforschung der göttlichen Pläne meinte[3]. Jener Prozeß beginnt, in dessen Verlauf die *Lectio* zur *Quaestio* wird, für die dann die Heilige Schrift fast nur mehr die Materialquelle ist[4].

Davon ist das 12. Jahrhundert noch weit entfernt. Das Evangelium bleibt „Quelle und Summe unseres ganzen Glaubens, aus der die Ströme der Auslegung hervorgehen", sagt Anselm von Laon stellvertretend für die ganze Epoche[5]. Und sein Namensvetter, der Bischof von Canterbury, der erste Scholastiker, erklärt im gleichen Sinn: „Unsere Predigt dient nur dann dem geistlichen Heil, wenn sie die wunderbarerweise vom Heiligen Geist befruchtete Schrift vorlegt oder in sich birgt. Stimmen unsere rationalen Aussagen nicht überein mit ihrem offenkundigen Sinn oder

[1] Grundlegend für die mittelalterliche Exegese ist das große Werk von H. de Lubac, Exégèse médiévale; vgl. auch ds., Ecriture; ds., Der geistige Sinn; C. Spicq, Esquisse (besonders 61—140); Paré, Renaissance 213—239; B. Smalley, Bible; F. Ohly, Synagoge und Ecclesia; F. Chatillon, Vocubulaire; Chenu, Histoire; R. Javelet, Ecriture sainte; H.-J. Spitz, Metaphern. *Zur Rolle des AT* in der Theologie der Zeit vgl. M.-D. Chenu, Théologie 210—220; R. Kottje, Studien; J. Chydenius, Medieval Institutions; Congar, Zwei Faktoren; J. Funkenstein, Das Alte Testament.

[2] J. de Ghellinck, Mouvement 91—93; M.-D. Chenu, La Théologie comme science au XIIIe siècle, Paris 1943²; H. Fries, Theologie, in: HThG II, 641 bis 643.

[3] J. Leclercq, Théologie; A. M. Landgraf, Einführung 27; F. Kattenbusch, Die Entstehung einer christlichen Theologie, Darmstadt 1962 (Nachdruck aus ZThK 11 (1930), 161—205).

[4] C. Spicq, Esquisse 66—69; J. Beumer, Biblische Grundlagen 225; H. de Lubac, Exégèse I/1, 94—102; M.-D. Chenu, Théologie 329—337.

[5] en. in Apoc. 8 (162, 1531): „Evangelium, quod est fons et summa totius nostrae fidei, ex quo procedunt flumina, id est expositiones, in quibus omnibus duo sunt sensus fidelium, historialis et allegoricus". Vgl. H. de Lubac, a.a.O. I/1, 56—63.

lassen sie sich nicht daraus begründen, haben wir in ihr einen erkenntniskritischen Maßstab für ihre Annahme oder Ablehnung. ... Die Autorität der Heiligen Schrift umgreift somit alle rationale Wahrheit, indem sie sie klar bestätigt oder doch ihr wenigstens nicht widerspricht"[6]. Sie ist Motor wie Kriterium der Theologie. Angesichts der stark pastoralen Ausrichtung der Zeit sucht diese sie für die Verkündigung und letztlich für das Heil der Menschen dadurch fruchtbar zu machen, daß sie die in ihr vordergründig gegebenen Fakten auf ihre geistlich-religiöse Intention hin befragt. Im Gefolge der patristischen Überlieferung artikuliert sich die theologische Schriftinterpretation als Untersuchung ihres spirituellen Gehalts nach der Methode des vierfachen Schriftsinnes[7]. Man geht aus von der *littera*, um aus dem historischen Verständnis die geistliche Einsicht zu gewinnen, die sich als allegorische, tropologische und anagogische Deutung begreift. Von höchster Wichtigkeit wird der *sensus allegoricus* als dogmatischer Gehalt der Bibel, die uns durch diese Methode den christologischen und ekklesiologischen Inhalt der Offenbarungsbotschaft freigibt. Da der Einzelne in der kirchlichen Gemeinschaft steht, ist vom allegorischen Sinn aus die Verbindung zur *anima individualis* zu ziehen, die im *sensus tropologicus* gleichsam einen Spiegel vorgehalten bekommt, dessen *contemplatio* ihr den göttlichen Willen kundtut[8]. Der *sensus anagogicus* endlich erschließt den eschatologischen Gehalt der Schrift.

Das mittelalterliche Schriftverständnis ist dabei fundamental ekklesiologisch orientiert. Der Einzelne ist Christ nur in der Kirche; die eschatologische Vollendung führt in die *ecclesia coelestis*, deren Keim und Vorstufe die irdische Kirche ist. Die hermeneutischen Prinzipien der Allegorese aber zeigen diese ekklesiologische Komponente am deutlichsten, insofern die eigentliche Dogmatik in und

[6] conc. praesc. 6 (158, 528): „Siquidem nihil utiliter ad salutem spiritualem praedicamus, quod sacra Scriptura Spiritus sancti miraculo fecundata non protulerit, aut intra se non contineat. Nam si quid ratione dicamus aliquando, quod in dictis ejus aperte monstrare aut ex ipsis probare nequimus, hoc modo per illam cognoscimus utrum sit accipiendum aut respuendum. ... Sic itaque sacra Scriptura omnis veritatis, quam ratio colligit, auctoritatem continet, cum illam aut aperte affirmat, aut nullatenus negat".

[7] Gelegentlich wird nur ein dreifacher Schriftsinn aufgezählt; dabei wird einmal der sensus tropologicus, ein andermal der historische Sinn ausgelassen. Vgl. H. de Lubac, a.a.O. I/1, 135—146; I/2, 373—423; C. Spicq, Esquisse 95 bis 103. Über die Verwurzelung der geistigen Schriftdeutung im NT und der frühen Kirche vgl. F. Kattenbusch, a.a.O. (Anm. 3) 16 f.

[8] Augustinus, en. in ps. 103, 1, 4 (CC 40, 1476); vgl. auch Gregor d. Gr., in Ez. hom. 1, 3, 1.5.11 (76, 806.808.810).

mit ihr betrieben wird. Sie stammen von Tychonius, waren aber durch die augustinische Rezeption erst voll sanktioniert[9]. Sie seien hier nach dem *Didascalion* Hugos von St. Viktor kurz referiert:

1. „*Prima regula est de Domino et ejus corpore.*" Die Heilige Schrift spricht immer vom ganzen Christus, vom Haupt und seinen Gliedern, wobei manchmal beide, manchmal nur diese, manchmal allein jenes gemeint ist.

2. Die nächste Regel ist „*de Domini corpore uno ac simplice et permisto*". Da es Gute wie Böse in der irdischen Existenzform des Christus totus als Kirche gibt, ist zu unterscheiden, von welchen die Rede ist.

3. „*De littera et spiritu.*"

4. „*De specie et genere.*" Obwohl der ekklesiologische Bezug in diesen beiden Regeln nicht so offenkundig ist, geht es doch auch hier um ihn. „Littera" und „spiritus" sind die Chiffren für die heilsgeschichtlichen Epochen des Alten und Neuen Testamentes und ihrer Ordnungsformen Gesetz und Gnade. „Genus" und „species" sind die Spezifikationen der Rede Gottes an die (in der Kirche versammelte) Menschheit, die bald an einzelne, bald an alle ergeht, in diesen jene, in jenen aber diese stets mitmeint.

5. „*De temporibus.*"

6. „*De recapitulatione.*" Hier geht es um zeitliche Verhältnisse, die nur sekundäre ekklesiologische Bedeutung haben.

7. „*De diabolo et ejus corpore*" ist eine Regel, die die Gegenkirche und die antichristliche Gestalt des Teufels und seiner Gefolgschaft im Auge hat[10].

Die Schrift ist aber nicht nur Buch der Kirche, weil sie von ihr spricht und darum auf sie hin ausgedeutet werden muß, sondern auch deswegen, weil sie Maßstab des kirchlichen Lebens ist. Negativ bedeutet das: sie ist das Kriterium für die Kirchlichkeit einer Lehre oder einer moralischen Haltung[11]. Der Häretiker etwa ist deswegen nicht mehr in der Kirche zu dulden, weil er sich nicht nach der Schrift richtet und darum von ihr gerichtet wird[12]. Positiv wird das

[9] doctr. christ. 3, 30, 32—37, 56 (CC 32, 102—116). Zur geschichtstheologischen Bedeutung vgl. W. Kamlah, Apokalypse 57—60.

[10] PL 176, 741—838.

[11] J. Chatillon, Ecclésiologie 125—131; H. de Lubac, Typologie et allégorisme, in: RSR 34 (1967), 180—226; ds., Exégèse I/1, 56—60.

[12] Vgl. z. B. In Ps. exeg. (93, 521. Int. opp. Bedae Ven.); Hugo v. St. Viktor, in Thren. (175, 304). Der augustinische Gedanke vom Fortschritt der Kirche durch die Fragen der Häretiker (en. in Ps. 54, 22 — CC 39, 672 f.) wird aufgegriffen z. B. bei Rhabanus Maurus, in 1 Cor. 11, 11 (112, 102); Haimo v.

kirchliche Leben und somit auch die Theologie durch die Bibel erst fruchtbar. Sie ist die Artikulation des göttlichen Wortes, das uns durch die Apostel wahrheitsgetreu und unverfälscht überkommen ist[13], aber in seinem tiefsten Gehalt stets unausschöpflich bleibt. Dadurch wird die Kirche zu immer neuer Durchdringung angeregt, aus der ihr neue Erkenntnis und Innewerden der göttlichen Wahrheit zufließt. Hugo von St. Viktor beschreibt diesen theologischen Erkenntnisgang mit den Worten: „*per vocem ad intellectum, per intellectum ad rem, per rem ad rationem, per rationem pervenitur ad veritatem*“[14]. Die Schrift setzt damit den Prozeß der Dogmenentwicklung in Gang, der die Selbigkeit des Glaubens wahrt, seine Intensität durch tiefere Erfassung des Gehaltes aber mehrt: „Crevit itaque per tempora fides in omnibus, ut maior esset, sed mutata non est, ut alia esset“[15]. Aus der Fülle der Schrift entsteht der Pluralismus der Theologien ebenso wie die Möglichkeit, von den Fragen der verschiedenen Epochen aus in ihr die zeitgemäße Antwort zu finden[16].

Das 12. Jahrhundert gewinnt so bei der Betrachtung der Bibel ein tiefes Verständnis der Dynamik der geistigen Prozesse. Sie bewahrt die Theologen, die Schrift fundamentalistisch als letztes Wort in letzter Formulierung mißzuverstehen. Sie ist vielmehr der fruchtbare Schoß, aus dem immer neue Einsicht und Erkenntnis geboren wird, die ebenso sehr die aus ihr gewordene wie tatsächlich neue ist. So gehört auch die *Schriftinterpretation der Väter* zu der einen Quelle, aus der das Heilswort Gottes strömt. „Sie fügen nichts hinzu, sondern legen ihren Inhalt dar, indem sie ihn erklären und ausführlich verdeutlichen“, bemerkt Hugo[17]. Ohne Sorge kann man sich ihrer Führung anvertrauen; wenn man sie zitiert und ausschreibt, geht man absolut sicher; sie sind die *auctoritates*, denen

Halberstadt, expos. in epp. S. Pauli, in 1 Cor. 11 (117, 569); Abälard, Introd. in theol. 2, 3 (178, 1048); Glossa ord. in 1 Cor. 11 (114, 538). Vgl. auch H. Grundmann, Oportet.

[13] H. de Lubac, Exégèse I/2, 668—673; II/2, 106—123.

[14] didasc. 5, 3 (176, 790).

[15] Vgl. Hugo v. St. Viktor, sacr. 1 ,10, 6 (176, 335—341). Vgl. auch a.a.O. 1, 10, 4 (a.a.O. 332 f.). Der Gedanke geht auf Gregor d. Gr. zurück, hom. in Ez. 2, 12 (76, 980); cant. 1, 2 (79, 479).

[16] H. de Lubac, Exégèse I/1, 63—65. 124—126 (Belege).

[17] sacr., prol. 7 (176, 186): „Non aliud adjiciunt, sed idipsum quod in supradictis (= *Hl. Schriften*) continetur, explanando et latius manifestiusque tractando extendunt“. Vgl. ds., didasc. 6, 4 (176, 804 f.). Unter „Väter“ sind auch die Symbole der alten Kirche und die Konzilien gemeint; in der monastischen Theologie wird auch die Liturgie darunter verstanden.

im Meinungsstreit das letzte Wort zukommt[18]. Gregor d. Gr. und Origenes sind die Lehrmeister der tropologischen Exegese; Pseudo-Dionysius wird durch seine Ordo-Lehre zum Baumeister der mittelalterlichen Weltanschauung; über Diadochus und Photikus lernt das Mittelalter die stoische und platonische Philosopie kennen, während Boethius der erste Vermittler des Aristoteles ist. Hilarius gewinnt besonders Ansehen als Autorität in christologischen Fragen, die im 12. Jahrhundert eine besondere Rolle spielen[19]. Der Meister aber, dem alle ohne Ausnahme verpflichtet sind, ist der Bischof von Hippo. Es gibt keine theologische Provinz, in der wir nicht seinen Spuren begegnen — Exegese und Dogmatik, Moraltheologie und Geschichtstheologie, Spiritualität und Lebensauffassung sind von ihm maßgebend geprägt[20].

Nur selten allerdings stand den Autoren das gesamte Werk der Väter zur Verfügung. Ihre patristischen Kenntnisse bezogen sie vornehmlich aus Florilegien und Katenen oder aus kanonistischen Sammlungen, die gerade damals ausgearbeitet wurden[21]. Damit war eine gewisse Einseitigkeit verbunden: wir haben am Beispiel Ruperts von Deutz gesehen, wie sie sich auswirkte. Die Anklagen gegen Rupert erwiesen sich als Invektiven gegen die Väter, deren

[18] Congar, Tradition 119—124.152—169; M.-D. Chenu, Théologie 351—365; J. de Ghellinck, Mouvement 475—477; Magrassi 49 f. Vgl. z. B. auch HA, LA 3 (172, 1224).

[19] Über den Einfluß der Patristik auf die Theologie der Zeit vgl. *allgemein* M. Grabmann, Geschichte 15—28; ds., Methode II, 81—93; B. Smally, Bible 1—36; J. de Ghellinck, Mouvement 465—499; *zur griechischen Patristik im besonderen*: C. H. Haskins, Studies in the History of Medieval Science, Cambridge (Mass.) 1924; J. T. Muckle, Greek Words Translated directly into Latin before 1350, in: MS 4 (1942), 33—42; 5 (1943), 102—114; M.-D. Chenu, Théologie 274—288; J. Leclercq, Griechische Kirche und griechisches Mönchtum im mittelalterlichen Ungarn, in: Orientalia christiana 8 (1942), 188 f.; S. Otto, Bildbegriff 276—309; J. Daniélou, S. Bernard et les Pères grecs, in: S. Bernard théologien 46—55; A. Siegmund, Überlieferung; *zu einzelnen Theologen*: ORIGENES: J. Leclercq, Origène au XIIe siècle; H. de Lubac, Exégèse I/1, 221—304; JOHANNES VON DAMASKUS: J. de Ghellinck, Mouvement 335—346.374—415; AUGUSTINUS: M.-D. Chenu, Théologie 115—118; GREGOR D. GR.: H. de Lubac, a.a.O. I/2, 537—548; PSEUDO-DIONYSIUS: H. de Lubac, a.a.O. II/1, 429—432; M.-D. Chenu, Théologie 129—135; P. Lehmann, Zur Kenntnis der Schriften des Dionysius Areopagita im Mittelalter, in: RBén 35 (1923), 81—97.

[20] W. Kamlah, Apokalypse; J. Beumer, Zur Ekklesiologie 373—377; H. Riedlinger, Makellosigkeit 61 f.

[21] Grabmann, Methode II, 84; J. de Ghellinck, Mouvement 466; A. M. Landgraf, Einführung 30 f.

Thesen seine Gegner nicht in den gängigen Sammlungen enthalten fanden[22]. Allerdings erfährt die Theologie nun gerade in diesem Punkt eine bedeutende Blutauffrischung durch die zunehmende Kenntnis der östlichen Väter, unter denen außer den Kappadokiern Evagrius und vor allem Johannes von Damaskus die Schriften des Jahrhunderts beeinflussen[23].

Es ist eine Blütezeit des patristischen Einflusses[24], zugleich allerdings auch dessen Peripetie. Die Väter sind die Dolmetscher der Heiligen Schrift, aber ihre Schriften sind keine heiligen Schriften. Was hinderte die zeitgenössischen Theologen daran, ebenfalls, und zwar auf eigene Rechnung, die Reichtümer der Bibel auszubreiten und darzubieten? So sehr etwa Richard von St. Viktor Respekt vor den Leistungen der Patristik zeigt, so fest lehnt er es ab, ihre Meinung als der Weisheit letzten Schluß zu betrachten. „Gott, der stets neue Früchte als Nahrung des äußeren Menschen wachsen läßt, sollte er aus dem Fortschritt der Wissenschaft keine erstehen lassen zur Erneuerung des inneren?“[25]. Das ist ein neuer Ton: das Selbstbewußtsein des Menschen erwacht. So groß die Achtung vor dem Alten noch ist, so groß ist auch bereits die kritische Distanz. „Auch wenn bei den Alten die reine Tugend leuchtete, ist bei uns trotz des nahenden Endes die Gabe der Natur nicht ganz versiegt“[26].

Diese Sätze offenbaren uns eine eigentümliche Dialektik. Auf der einen Seite gilt, was J. Spörl so formuliert hat: „Will man einen Menschen und sein Werk erledigen, dann gibt es nach mittelalterlicher Meinung kein wirksameres Mittel, als ihn mit dem Vorwurf des Neuerers zu belasten; damit ist er für die Öffentlichkeit gerichtet“[27]. „*Profanas vocum novitates*“ vorzubringen, mußten sich die

[22] RvD, RSB 1 (170, 490—492); Gh 10 (168, 1544). Vgl. J. Gribomont, Introduction 21 f.

[23] Vgl. oben die Ausführungen zu den Quellen von Gerhochs Theologie.

[24] H. Weisweiler, Schrifttum; M. Bernards, Speculum; J. Leclercq, Théologie 12. Auch unter den zeitgenössischen Autoren finden jene den Vorzug, die sich besonders an der Patristik orientierten.

[25] tabern. 1, prol. (196, 211 f.): „Haec propter illos dicta sunt, qui nil acceptant nisi quod ab antiquissimis patribus acceperunt. Sed qui assidue producit novos fructus ad recreationem hominis exterioris, numquam credendus est nullos de cetero scientiae profectus impertiri ad innovandos sensus hominis interioris?“.

[26] Guibert v. Nogent, Gesta Dei per Francos 1, 1 (156, 683): „Etsi enim in antiquis virtus defaecata praeeminuit; tamen in nobis, in quos licet saeculorum finis devenerit, dos naturae nequaquam prorsus extabuit“.

[27] J. Spörl, Das Alte und das Neue 299.302 (Belege); M.-D. Chenu, Théologie 386—398; F. Heer, Tragödie, 178—190; J. Beumer, Früscholastik.

Ketzer ebenso wie die neuen Orden und die neuen Theologen verwerfen lassen[28]. Sie verfehlen sich gegen die *pietas,* die in der Tugend und Weisheit der Väter das normierende Ideal sieht[29]. Alle Theologen bemühen sich um den Nachweis, daß ihre Werke in Konkordanz mit den Vätern stehen. Von ihnen her sucht man mit den Problemen, die die Zeit stellt, fertig zu werden — aber vergebens: die Väter geben keine Antwort mehr. Auf der anderen Seite versteht man sich als der letzte Äon: „licet saeculorum finis devenerit", sagte Guibert von Nogent. Man sollte erwarten, daß damit ein weiterer Grund angegeben ist, das Neue gar nicht erst mehr zu beginnen. Doch das Gegenteil ist der Fall: der eschatologische Pessimismus führt in der Reflexion heilsgeschichtlichen Denkens zu einem geistigen Optimismus, der die gregorianische Reform ebenso trug wie im 12. Jahrhundert die Kolonisation und die Mission. Denn der letzte Äon ist der Äon Christi, mit dem das schlechthin Neue angebrochen ist. Die vorchristliche Zeit ist nun das Alte, das Gesetz, das durch die Gnade überholt wurde, die das grundsätzlich Neue und schlechtweg Unüberbietbare ist und sich in immer neuem Verströmen den Menschen gibt, bis sie in die Neuheit des neuen Himmels und der neuen Erde gelangt sind. Die Kirche ist der Träger der Gnade und damit Exponent des Neuen. Anselm von Havelberg kann sagen: „In der allmählichen Abfolge ihrer verschiedenen Stadien wird sie bis heute wie die Jugend des Adlers neu und wird es allezeit werden, solange ihr Fundament der Glaube an den Dreieinen ist"[30].

Indem das Auge nun auf das Neue gerichtet wird, erfährt das Alte eine kritische Durchleuchtung. Der Blick wird mit einem Male geschärft: man entdeckt in den Büchern der Väter Widersprüche, aber man wundert sich nicht mehr. Auch bei ihnen gab es neben der *veritas* die *opinio,* und was ist daran schon Besonderes[31]? Abälard, der diese Frage stellt, entwickelt eine eigene Methode, solche Diskordanzen zu klären. Man versucht die Harmonisierung

[28] Bernhard v. Clairvaux, ep. 192 (182, 358); GvR, ep. ad Petrum (O I, 365); N 46 (That. 87) u. ö. Vgl. auch den Titel von N, der das Schlagwort aufgreift.

[29] Die Ehrfurcht vor den Alten erstreckt sich auch auf die profane Antike: vgl. F. Heer, Aufgang 223—226 über die Stellung Bernhards zur Antike.

[30] dial. 1, 6 (188, 1149): „Per diversos status sibi invicem paulatim succedentes usque in hodiernum diem sicut juventus aquilae renovatur et semper renovabitur, salvo semper sanctae Trinitatis fidei fundamento".

[31] Sic et non, prol. (178, 1344): „Quid itaque mirum, si a sanctis quoque Patribus nonnulla ex opinione magis quam ex veritate nonnumquam prolata sint aut etiam scripta?"

und erklärt, ihre Ansichten seien zwar *diversa, sed non adversa*[32]. Aber man gewinnt auch den Mut zu selbständiger wissenschaftlicher Bemühung. Das Aufspüren der Wirklichkeit bricht alle Grenzen, „*coarctata scientia jucunda non est*"[33]. Eben dies findet man jetzt in den Schriften der Väter: eine Engführung der Wissenschaft. Man ist darum gezwungen, die eigene Erfahrung, das eigene Wissen und Forschen einzusetzen, um die Schmalbrüstigkeit der Alten zu überwinden[34]. Das Ethos der pietas geht nicht unter, aber ihm tritt das Ethos der Wahrheit um jeden Preis zur Seite. So wächst aus der Gebundenheit an die Tradition die Freiheit der neuen Theologie. Andreas von St. Viktor weiß um die Härte des Ringens mit der *veritas,* die unzugänglich ist und nur wenigen sich erschließt. Unser Wissen ist immer Stückwerk, unsere Wahrheitserkenntnis fragmentarisch. „*Nemini tota contingit; particulatim et ... frustratim eruitur. Sic eam invenerunt parentes et avi, ut nepotibus et filiis superesset quod invenirent. Sic semper quaeritur, ut semper supersit, quod quaeratur. Sic semper invenitur, ut semper supersit, quod inveniatur.*" Zwar können wir den Großen nur „impari pede" folgen, aber wir müssen den Weg gehen, wie sie erfüllt von der Leidenschaft der Wahrheitsfindung[35].

Die Dialektik von *auctoritas* und *ratio* setzt ein, die die Hochscholastik zum erregenden Abenteuer des Geistes macht. Man will die Synthese der Welt, aber sie soll christlich sein; man sucht die Ordnung hinter der Vielfalt, und weiß sie als göttlichen Ordo[36]. Sie kann ausgehalten werden, weil man sich innerhalb der Kirche jenes Christus weiß, der der Lebendige ist und der den Geist des Lebens gesandt hat. Diese wird damit als die immer mit sich identische die sich wandelnde Kirche: „Secundum quodque tempus variavit stylum suum Spiritus sanctus, cui omnia futura sunt praesentia"[37].

[32] C. Spicq, Esquisse 73—76 unterscheidet drei Ansätze bei der Bewältigung des Problems: 1. Wer sich an die Väter hält, ist orthodox; 2. Die patristische Theologie ist an der Bibel zu messen; 3. Die Widersprüche werden nach der Formel *diversi, non adversi* harmonisiert. — Zu dieser Formel H. de Lubac, A la propos; H. Silvestre, Diversi; vgl. J. Beumer, Dogmenfortschritt.

[33] Hugo v. St. Viktor, didasc. 6, 1 (176, 801).

[34] Johannes v. Salisbury, Polycr. 7, prol. (199, 637): „Quaedam vero, quae in libris auctorum non repperi, ex usu quotidiano et rerum experientia quasi de quadam morum historia excerpsi".

[35] in Is. prol. (ed. B. Smalley, Bible 378 f.).

[36] Aus diesem Bemühen werden die ersten Summen geschrieben. Vgl. Paré, Renaissance 270—274; M.-D. Chenu, Théologie 323—350; W. Betzendörfer, Glauben und Wissen bei den großen Denkern des Mittelalters, Gotha 1931.

[37] HA, Ps. 103 (194, 632).

Derlei Einsichten führen mit innerer Logik dazu, auch die Heilige Schrift der gleichen Analyse zu unterziehen. Aus der Geisteshaltung des 12. Jahrhunderts wird die wissenschaftliche Exegese im modernen Sinn geboren[38].

2. Perspektiven der Theologie

Aus dem Eros zum selbständigen Forschen über die Ansichten der Alten hinaus entsteht ein Pluralismus des Denkens in der Theologie. Er gliedert sich in drei Zweigen, der Scholastik, der Monastik und der Kanonistik. Bei aller Unterschiedenheit treffen sie sich in den Grundlagen, die nicht nur material, sondern prinzipiell auch formal die gleichen sind. Vom Ethos des *ordo* aus suchen sie die Systematisierung der Realität, um so zur *veritas* durchzudringen, die für sie alle letzten Endes Gott selber ist. Sie suchen ihn und sie hören nicht auf, ihn zu loben und anzubeten: fast alle Theologen der Zeit sind Mönche, die aus der Meditation der Schrift und dem liturgischen Dienst heraus leben. Ihre Unterschiedenheit besteht hauptsächlich darin, daß sie die eine oder andere Basis ihres Denkens stärker in den Vordergrund rücken, sich nachhaltiger auf diese als auf andere stützen.

Die *Scholastik* ist die Methode der Schule[39]. Wir müssen darum einen kurzen Blick auf das Bildungswesen der Zeit werfen. Drei Schultypen bestehen, die Presbyteral-, die Kathedral- und die Klosterschule. Die erste, meist auf dem Land gelegen, gab sich mit der Vermittlung der elementaren Kenntnisse zufrieden; die beiden anderen sind höhere Schulen. Seit der karolingischen Zeit waren die *Klosterschulen* die vornehmsten Bildungsträger gewesen. Sie

[38] C. Spicq, Esquisse 66. Über textkritische Versuche der Zeit a.a.O. 84—87.

[39] *Zum Schul- und Bildungswesen des 12. Jahrhunderts*: Ph. Delhaye, Organisation scolaire; J. Leclercq, Humanisme bénédictin; Paré, Renaissance 15—210; R. Javelet, Image XV—XVIII; E. Lesne, Les écoles de la fin du VIIIe siècle à la fin du XIIe siècle, Lille 1940; J. Koch (Hrsg.), Artes liberales. Von der antiken Bildung zur Wissenschaft des Mittelalters (Studien und Texte zur Geistesgeschichte des Mittelalters), Leiden-Köln 1959, H. Grundmann, Vom Ursprung der Universitäten im Mittelalter, Darmstadt 1960²; A. Forest, Mouvement doctrinal; P. Michaud-Quantin, La première formation intellectuelle des moines de Jumièges au Moyen Age, in: Jumièges, Congrès scientifique du XIIIe centenaire, Rouen 10—12 juin 1954, Rouen 1955, 615—624; W. Wühr, Das abendländische Bildungswesen im Mittelalter, München 1950; M.-D. Chenu, Théologie 324—329. J. Chatillon, La culture de l'Ecole de Saint-Victor; L. Maitre, Les écoles épiscopales et monastiques en Occident avant les université (768—1180), Paris 1924; G. Robert, La renaissance du XIIe siècle, les écoles et l'enseignement, Paris 1933; Arts libéraux et philosophie.

waren aus dem Bedürfnis entstanden, dem Klosternachwuchs die entsprechende Ausbildung zu geben, doch entwickelten sie sich mit der zunehmenden Bedeutung der Mönche für Staat und Kirche zu Bildungsstätten, die die Elite des Landes anzogen. Externatschulen entstanden an den Monasterien. Doch kam es den Mönchen nicht auf die Weitergabe eines enzyklopädischen Wissens an, sondern der für die *lectio divina* notwendigen Kenntnisse. Mit dem Aufkommen der Städte beginnt der Niedergang der Klosterschule, die mit einem Male weit ab von den neuen Zentren des Lebens in ländlicher Einsamkeit liegt. Der Eros des wissenschaftlichen Arbeitens, der im 12. Jahrhundert aufkommt, führt zur Autonomisierung verschiedener Gebiete, die sich nach und nach aus dem Bereich des Klosters entfernen. Die Reformorden verbannen Poetik, Rechtswissenschaften und Medizin aus ihren Schulen. Citeaux hebt die Externenabteilung auf und beschränkt sich wieder auf die Ausbildung des eigenen Nachwuchses. Man war mißtrauisch gegen die junge Generation mit ihrer Debattier- und Diskutiersucht geworden, die den Mönchen als permanentes Sakrileg gegen die *contemplatio* des Gotteswortes in der Heiligen Schrift erschien. Bernhard von Clairvaux mußte den Pariser Studenten sagen, daß nicht das Studieren, sondern das Klagen und Weinen um die Welt Sache des Mönches sei[40]. Nicht aufgeblasenes Herumphilosophieren lehre die Menschen, erklärt sein Zeitgenosse Hugo von St. Viktor, sondern die Einfachheit und Heiligkeit seines Lebens[41]. Aus dieser Opposition gegen die Ideale der Zeit heraus manövrierten sich die Klosterschulen langsam an den Rand des Geschehens und wurden zum Hort derer, die sich den Werten der Tradition verpflichtet wußten. Sie hatten sich damit freilich zum Tod verurteilt. Die Zukunft lag bei den *Kathedralschulen.*

Sie hatten sich aus den Bildungsstätten entwickelt, die die Domkapitel unterhielten und unter die Leitung eines Domscholasters gestellt hatten. Gerhoch war in seiner Augsburger Zeit mit diesem Posten betraut worden. Auch ihnen lag die Nachwuchsförderung mit dem Blick auf die Aufgaben des Bistums am Herzen. Da die künftigen Priester lehren und predigen mußten, war ihnen das notwendige Wissen zu vermitteln. Es bestand nicht nur aus der Theologie, sondern auch aus den *artes liberales.* Dementsprechend standen sie den neuen Wissenschaften sehr unbefangen gegenüber. Die neue Kunst der Dialektik war ihnen ein willkommenes Instrument.

[40] sermo ad cler. (182, 834—856).
[41] didasc. 5, 8 (176, 796).

Sie pflegen nicht mehr nur die *lectio divina,* sondern ebenso die *quaestio* und die *disputatio.* Die Jugend der Zeit strömte in Scharen herbei. Maßgebend war nicht mehr das Monasterium als Sitz der Schule, sondern der Magister, der unterrichtete. Die jungen Theologen kamen aus allen Ländern, um einen Anselm von Canterbury im weltabgeschiedenen Bec zu hören, einem Johannes von Salisbury im alten Bildungszentrum von Canterbury zu Füßen zu sitzen oder an den Disputationen eines Anselm von Laon teilzunehmen. Paris wurde der geheime Mittelpunkt der wissenschaftlichen Landkarte. Dort lehrten Männer wie Wilhelm von Champeaux, Abälard, Hugo von St. Viktor. Um sie entstanden Schulen im übertragenen Sinn, Gruppen junger Wissenschaftler, die die Lehren des Meisters weitervermittelten und weiterentwickelten. Erst dadurch wurde der Scholastik der Erfolg gesichert.

Seinen Grund hatte er in der neuen Methodik und dem neuen Wissenschaftsideal, das dem Suchen und Drängen der jungen Generation entsprach und es auffing. Durch rationale Reflexion, denkerische Erhellung der gegebenen Daten und systematische Synthesen suchte man die Wahrheiten des Glaubens zu erfassen. Distinktionen wurden entwickelt, handsame Begriffe erarbeitet, die als Bausteine im System verwendet und an den je passenden Stellen fugengenau eingesetzt werden konnten: die *„ars fidei“* entsteht[42]; das *„fides quaerens intellectum“* wird zum Leitmotiv der Scholastik. Mit der dialektischen Methode war das Instrument gefunden, mittels dessen vom ordo des Geistes her der ordo der Realitäten erforscht und in seinen Strukturen erkannt werden konnte. Theologie wird zur Wissenschaft, die ihren selbstverständlichen Platz in den bald entstehenden Universitäten einnahm — es war der erste und ehrenvollste Platz.

Der Erfolg der Scholastik erreichte seinen Höhepunkt, als die Kirchenleitung die neue Methode akzeptierte. Sie erkannte sehr bald, daß diese im Grunde auf wissenschaftlichem Gebiet das gleiche erstrebte wie die Reformbewegung auf der politischen Ebene. Dieser ging es um die klare Durchgliederung der christianitas von der hierokratischen Spitze des Papstes bis hinunter zu den einzelnen Ständen und Berufen, jener um die klare und einsichtige Darstellung des geistigen Kosmos mit dem *summum esse* Gottes an der Spitze bis hinunter zu den letzten Verästelungen des Seins in die materia prima hin, die nur mehr die Seinspotentialität ist. Die

[42] Titel einer Schrift Nikolaus' v. Amiens (?) (210, 595—618).

hierokratische These hatte in der Scholastik die theologische Begründung gefunden.

Der erste Scholastiker auf dem Stuhl Petri war Alexander III., der ehedem als Roland Bandinelli Rechtslehrer in Bologna gewesen war. In seiner Person verbindet sich die Scholastik mit der zweiten großen wissenschaftlichen Bewegung der Zeit, mit der *Kanonistik*. Obwohl es ihr nicht um die Erfassung der Glaubenswahrheiten geht, sondern um die juridische Klärung der kirchlichen Strukturen, trifft sie sich mit der Scholastik in vielen Punkten: beide wollen die Realität Kirche kritisch-rational prüfen und sie systematisch einfangen, beide stehen engagiert im Dienst des hierarchischen Systems. Aus der Berührung wird nicht selten eine Osmose[43].

Ähnlich wie die „Schule" hatte die Kanonistik ihren Ausgangspunkt in der Frage nach der Harmonisierung der Widersprüche, die man in den überkommenen Rechtsquellen entdeckte[44]. Zu den verschiedensten Zeiten entstanden, an die verschiedensten Adressaten gerichtet, bildeten sie ein Konglomerat von Vorschriften, in dem eine klare Linie nicht mehr zu entdecken war. Sie mußten endlich gesichtet, geprüft und kommentiert werden, um das gültige Recht zu erheben. Auch hier ging es um die Darstellung und Durchsetzung des *ordo*. In dem Moment, als die Erneuerungsbewegung die Kirche bis in die Spitze hinein erfaßt hatte, wurde die Kanonistik ein entscheidendes Instrument für die Durchsetzung ihrer Ziele. Indem sie willig in den Dienst der Reform trat, legte sie sich bezüglich ihrer Schwerpunkte fest. Ihr kam es auf die Ekklesiologie und die Sakramententheologie an, da die hierokratische These eben dort sich durchzusetzen und die Erneuerung einzuleiten gezwungen

[43] Auch die monastischen Kreise treten mit den Kanonisten in Kontakt. Vgl. Ch. Dereine, Vie commune. *Literatur zur Kanonistik des 12. Jahrhunderts*: W. Plöchl, Geschichte des Kirchenrechts, Bd. 2, Wien 1961²; K. Burtscheid, Historia juris canonici. Historia institutionum I (Ab ecclesiae fundatione usque ad Gratianum), Roma 1941; H. E. Feine, Kirchliche Rechtsgeschichte. Die katholische Kirche, Köln-Graz 1964⁴; A. Forest, Mouvement doctrinal; G. le Bras - Ch. Lefebvre - J. Rambaud, Sources et théorie du Droit (Histoire du Droit et des Institutions de l'Eglise en Occident VII), Paris 1965; J. de Ghellinck, Mouvement 416—457; ds., Essor I, 102—108; W. Ullmann, Papsttum 520 bis 552; R. Seeberg, DG III, 121—123; Y. Congar, Die Lehre von der Kirche 91—97 (Lit.).

[44] Das Problem ist nicht neu: schon Justinian stand davor. Er löst es: „Contrarium autem aliquid in hoc codice positum nullum sibi locum vindicabit nec invenitur, si quis subtili animo diversitatis rationes excutiet: sed est aliquid novum inventum vel occulte positum, quod dissonantiae quaerelam dissolvit et aliam naturam inducit discordiae fines effugientem" (Const. Tanta § 15, zit. nach H. Dernburg, Pandekten I, 79).

war: der Umfang der päpstlichen Gewalt, die Gültigkeit der Weihe und der anderen Sakramente, die Feststellung der Simonie, die Geltung der päpstlichen Sanktionen — das sind Fragen, die sich in der Reform stellen und die vom kirchlichen Recht her wesentliche Anstöße zur Lösung erfahren. Auch hier erweist es sich als geradezu notwendig, nach und nach die Kirchenspitze mit Männern zu besetzen, die die notwendigen Kenntnisse des Rechts haben. Mit der zweiten Jahrhunderthälfte, beginnend bei Alexander III., kommen die Päpste vornehmlich aus Legistenkreisen.

Nicht alle Gruppen der Kirche ließen sich von den neuen Idealen faszinieren. Sie erkannten die Gefahren einer Scholastisierung und Juridisierung der Kirche und legten Verwahrung ein. Die Laien- und Ketzerbewegung der Zeit ist ein unüberhörbarer Protest. Er wurde insofern unwirksam, als er sich nicht innerhalb der Kirche halten konnte. Doch erhebt er sich auch aus der Richtung der bisherigen Theologie. Ihr Wesen und ihre Anliegen hat Dom Jean Leclercq in vielen Einzelarbeiten und schließlich in einer Synthese dargestellt[45]. Bei der *Monastik* handelt es sich nicht um eine wissenschaftliche Methode, sondern um eine mit exakten Begriffen nur schwer zu erfassende Perspektivität des Denkens, das aus der mönchischen Lebensweise erstanden war. Das Ziel des *monachus* ist die himmlische Ruhe der Seligen, auf die sein ganzes Leben Einübung und Bereitung ist, die er im Monasterium bereits verkosten kann. Seligkeit ist die Schau Gottes. Sein ganzes Tun und Streben mußte darum bemüht sein, so weit wie möglich diesen Zustand der *contemplatio* herbeizuführen. Nirgends besser aber ließ sich Gott suchen und finden als in den Schriften, die er selber den Menschen in die Hand gelegt hatte und die die Frommen der Vorzeit tradiert hatten. Bibel und Väter sind darum die beiden Hauptquellen, die letztlich ineinander eingehen und aus denen er die lebendigen Wasser für sein Leben schöpfen kann. Nicht die *quaestio* quält ihn, sondern an der *lectio divina* erbaut er sich, um durch die *collatio* ihrer Gedanken zur *meditatio* und durch sie zur

[45] Wissenschaft und Gottverlangen (Original: L'amour des lettres et la désir de Dieu), dort 311—314 eine Zusammenstellung der Vorarbeiten. Vgl. auch R. Grégoire, Bibliographie de Dom Jean Leclercq, in: Studia Monastica 10 (1968), 331—359. Zur Wortgeschichte des Ausdrucks ds., Théologie 52—56. Vgl. ferner: G. Schreiber, Kurie; M.-D. Chenu, Théologie 225—251.343—350; H. de Lubac, Corpus 271—303; E. Bertola, Teologia monastica; ds., Ragione e fede nel XII secolo, in: Sophia 20 (1952), 61—63; H. Cloes, La systematisation théologique pendant la première moitié du XIIe siècle, in: EThL 34 (1958), 277—329; A. Grillmeier, Vom Symbolum zur Summa; J. Beumer, Biblische Grundlagen; L. Hödl, Anspruch.

oratio und *contemplatio* zu gelangen. Damit war eine zur scholastischen im Gegensatz stehende Methode gefunden[46].

Um die Schrift zu verstehen, mußte man sie lesen können. „L'amour des lettres" ist darum eine wesentliche Komponente monastischer Bildung, die aber keinen Selbstwert besitzt, sondern nur Vorbereitung für die Exegese der heiligen Bücher ist. Noch einmal ist darauf hinzuweisen, daß auch die Scholastik nichts anderes wollte. Beide theologische Richtungen unterscheiden sich weder hinsichtlich ihrer Quellen (einschließlich ihrer Wertung) noch bezüglich ihres Zieles, sondern lediglich im Weg, den sie einschlagen zu müssen glauben. Gehen die Scholastiker auf der Bahn der logisch-abstrakten Analyse zum Ziel, so versuchen die Monastiker die Schrift von innen her aus sich selbst zu befragen und zu erschließen. Bernhard von Clairvaux, der bedeutendste Vertreter dieser Methode, hat sie programmatisch umrissen: „Indem wir bei der Auslegung der heiligen und geheimnisvollen Worte mit behutsamer Schlichtheit vorgehen, schlagen wir den Weg der Heiligen Schrift selbst ein: mit unseren Worten spricht sie die im Mysterium verborgene Weisheit aus, sie bringt uns Gott nahe, indem sie ihn durch unsere Gefühle darstellt, in einleuchtenden Gleichnissen aus der Sinnenwelt bietet sie dem menschlichen Geist die Kostbarkeit Gottes, sein Geheimnis und seine Verborgenheit gleichsam wie in einem Becher aus geringem Material dar"[47]. So erhebt sie nicht den Anspruch Wissenschaft, sondern Weisheit zu sein, die allein Gott erkennt. Sie hält nichts von der Analyse der Wirklichkeit, sondern will ihre Synthese in Gott[48]. Dementsprechend liegt ihr nichts am scholastischen Discursus: sie glaubt, die Realität besser zu begreifen nach dem Gesetz des psychologischen Ablaufs der Assoziationen. Wie in der Meditation die Gedanken im An-Denken Gottes hin- und wiederschweifen, läßt sich der monastische Theologe von allen Anstößen und Anregungen leiten, die sein Thema oder auch nur

[46] Die Mönche hatten das Bewußtsein, einer eigenen Methode zu folgen: vgl. RvD, RSB 1 (170, 496), der Siegfried v. Laon als „scholasticus, licet monachus" apostrophiert.

[47] cant. 74, 2 (183, 1139): „Nos autem in expositione sacri mysticique eloquii caute et simpliciter ambulantes, geramus morem Scripturae, quae nostris verbis sapientiam in mysterio absconditam loquitur; nostris affectibus Deum, dum figurat, insinuat: notis rerum sensibilium similitudinibus, tamquam quibusdam vilioris materiae poculis, ea quae pretiosa sunt, ignota et invisibilia Dei, mentibus propinat humanis".

[48] H. de Lubac, Exégèse I/2, 571—586 hat nachgewiesen, daß die traditionelle Exegese durch die Denk- und Lebensverhältnisse der Mönche umgedeutet wurde. Vgl. besd. a.a.O. 582.

die Worte auslösen, mit denen er es darstellt. „Die akustische Vorstellung von Worten, insofern sie verschiedene Worte nur wegen ihres ähnlichen Klanges nebeneinanderstellt, erzeugt ein System von Wortverbindungen. So werden bisweilen zwei ähnlich lautende Worte in gedanklichen Zusammenhang gebracht, die nur zufällig, rein äußerlich zusammengehören. Wenn der Geist sich nun mit einem Vers oder Abschnitt, der ein solches Wort enthält, beschäftigt, warum soll man ihn dann nicht kommentieren“[49]? Kaum einmal hält sich ein Gedanke ungebrochen in den Schriften der Monastiker durch; immer wieder wird er überlagert, durchkreuzt, variiert durch lange Exkursionen. Dennoch zeigt sich eine innere durchgreifende Einheit, die in der ständigen Konzentration auf die Erkenntnis und Erfahrung Gottes gegeben ist. Um ihn kreist ohne die mindeste Abschweifung jeder Gedanke; er ist das Zentrum, auf Grund dessen die Systemlosigkeit plötzlich streng durchgehaltene Systematik wird. Um Gottes willen aber läßt sich der Mönch in allem von einer unendlich großen Ehrfurcht leiten. Er verzichtet lieber auf das Ausschreiten des Raumes der ratio, wenn er befürchten muß, die Intimität Gottes zu verletzen. Das Mysterium des dreifaltigen Gottes, sagt der Abt von Clairvaux, ist „quidem venerandum, non scrutandum“[50]. Der Intellekt darf nicht zum „effractor, scrutator majestatis“ werden[51]. Und so schließt er seinen Papstspiegel mit den Worten, in denen die Mentalität der Monastik zusammengefaßt ist: *„Orando forte quam disputando dignius quaeritur et invenitur facilius. Proinde is sit finis libri, sed non finis quaerendi“*[52].

Das Fragen und Suchen hat kein Ende: auch die Monastik ist ergriffen von der Leidenschaft des Jahrhunderts, seinem Erkenntnisstreben, ja wenn wir J. Spörl glauben dürfen, dann eignet der Monastik eine größere Dynamik als der Scholastik[53]. Somit ist es ungerechtfertigt, den Gegensatz der beiden Wege mit dem Stempel „konservativ“ und „progressiv“ zu kennzeichnen. So wie die Scholastiker den Wert der *contemplatio* nicht im mindestens bestritten, dachten auch die Monastiker nicht daran, die Dialektik in Bausch und Bogen zu verdammen[54]. Die Scholastiker glaubten lediglich, mit

[49] J. Leclercq, Wissenschaft 87.

[50] cons. 5, 8, 18 (182, 799).

[51] a.a.O. 5, 3, 6 (a.a.O. 790).

[52] a.a.O. 5, 14, 32 (a.a.O. 808).

[53] Grundformen 19.

[54] Eine Zusammenstellung antidialektischer Urteile bei H. de Lubac, Exégèse I/1, 102—110. Am schärfsten wohl Walter v. St. Viktor in der Schrift „Con-

jener nicht alle Möglichkeiten ausgeschöpft zu haben, um in die Geheimnisse Gottes sich zu versenken; die Monastiker meinten, die Schultheologie sei ein unnötiger Umweg zum gleichen Ziel. Des Augustinus Warnung vor der *ratio* klang ihnen im Ohr[55]. Die Jungfrauengeburt beispielsweise, meinte Nikolaus von Clairvaux, zeige deutlich, wie sie versagt: „Ubi nunc Aristotelicae subtilitatis facunda quidem, sed infecunda loquacitas?". Das ist eine universale Aussage: „Nec astringitur dialecticis terminis omnium terminator"[56]. Aus dem gleichen Grund stehen sie auch der Kanonistik mit Skepsis gegenüber. Sie sind nicht der Ansicht, das Recht sei in der Kirche überflüssig, aber sie fürchten, daß es zum politischen Machtinstrument und damit zur tödlichen Gefahr für die Kirche wird, die die göttliche Gerechtigkeit mit geistlichen Mitteln allein durchsetzen muß.

Die eigentliche Forschungsmethode der Mönche ist der *Symbolismus*[57]. Aus neuplatonischen Wurzeln entstanden, bot er sich den Vätern als geeignete Weise der Interpretation der Glaubenswahrheiten dar. Das Mittelalter lernte bei Origenes, unter die Oberfläche der *littera* zu dringen, um das Geheimnis zu schauen; Augustinus und Gregor der Große hatten diesen Ansatz entwickelt und ausgebaut[58]. Pseudo-Dionysius lehrte die anagogische Schriftdeutung und verschaffte sich damit einen wichtigen Platz im Pantheon

tra quattuor labyrinthios Franciae" (199, 1129—1172). Trotzdem gilt unser Satz: die Dialektik gehörte zu den artes liberales, die die Mönche besonders pflegten. Bernhard v. Clairvaux sah keinen Widerspruch, den Scholastiker Abälard zum Gegner, die Scholastiker Wilhelm v. Champeaux und Petrus Lombardus zu Freunden zu haben. Bezeichnend ist der Epitaph Anselms v. Laon: „Lex, evangelium, psalmus seu nube voluta, Anselmo mediante, Deus dedit esse soluta" (171, 1722). Charakteristisch ist auch, daß Hugo von St. Viktor und Honorius zwar durchaus Monastiker waren, aber doch entscheidend zur Entwicklung der scholastischen Methode beigetragen haben (vgl. Didasc.; E, VIIIQ, XIIQ). Vgl. auch J. Leclercq, Wissenschaft 253—259.

[55] doctr. christ. 3, 28, 39 (CC 32, 100).

[56] in nat. Dom. 2, 7 (184, 837); vgl. dazu auch M.-D. Chenu, Vocubulaire 175 bis 179.

[57] Literatur: H. de Lubac, Exégèse II/2, 7—262; A. Dempf, Sacrum Imperium 229—268; H. F. Dunbar, Symbolism; M.-D. Chenu, Histoire et allégorie; R. Javelet, Ressemblance; H. Rahner, Symbole; Ph. Rech, Inbild des Kosmos; J. Sauer, Symbolik; M.-D. Chenu, Théologie 159—209; E. R. Curtius, Europäische Literatur und lateinisches Mittelalter, Bern 1948; V. F. Hopper, Medieval Number Symbolism, New York 1938; Th. d'Alverny, Cosmos symbolique; M.-D. Chenu, Décadence; ds., Parole de Dieu.

[58] Augustin tut dies vor allem in doctr. christ., Gregor in den Mor. Eine Zusammenstellung des patristischen Kanons der Allegorien bietet Rhabanus Maurus, De universo (111, 9—614).

des Mittelalters. Durch das Symbol sollte die geschaffene Wirklichkeit auf den Schöpfer hin transparent gemacht werden. Hugo von St. Viktor definiert — nicht von ungefähr in einem Kommentar zu Pseudo-Dionysius — darum das Symbol als „collatio, id est coaptatio visibilium formarum ad demonstrationem rei invisibilis propositarum“[59]. In diesem Sinne legte das ganze Mittelalter die Schrift dem geistigen Sinn nach aus. Die Symbolisten gehen aber noch einen Schritt weiter. Das Material der symbolistischen Deutung liefert nicht mehr nur die Bibel, sondern ebenso der gesamte Kosmos: er wird zum Zeichen des Pantokrator.

„Omnis mundi creatura,
Quasi liber et pictura
Nobis est et speculum.
Nostrae vitae, nostrae mortis,
Nostri status, nostrae sortis
Fidele signaculum“,

dichtete Alanus von Lille[60]. Die Dinge und die Ereignisse gewinnen als Typoi der göttlichen Heilsökonomie beinahe sakramentalen Charakter. Sie erschließen Bezirke, die der bloßen ratio unzugänglich sind, die aber den Schlüssel zur Erkenntnis des weltgestaltenden *ordo* bieten. Alois Dempf kommentiert die symbolistische Intention mit folgenden Worten: „Da die innere Ordnung des Sinnlichen, d.i. des Zufälligen, Wandelbaren, Vergänglichen, Zeitlichen nicht schon an sich in ihm selber liegen kann, muß sie von der Formalursache, d.i. also vom Übersinnlichen, Notwendigen, Unwandelbaren und Ewigen herkommen ... Der Gott der Ordnung, nicht der Unordnung kann erst als Schöpfer einer schon geordneten Welt und als Ursache der fertigen sittlichen Ordnung erfaßt werden“[61].

Vom Ordo-Gedanken aus wird dann aber auch der monastische Theologe wie sein scholastischer Bruder zur systematisierenden Darstellung geführt, in der sich der *ordo* auf seine Weise wiederspiegelt. Die ersten Summenverfasser wie Honorius und Hugo von St. Viktor sind Vertreter der monastischen Theologie. Insofern diese aber nicht von den innersten Wesensprinzipien, sondern der bunten Fülle der konkreten Schöpfung aus zu arbeiten beginnt (die natürlich in einem vorausliegenden Schritt gerade der aristotelischen Scholastik ebenfalls zugrundeliegen, von denen sie jedoch in der eigentlichen theologischen Bemühung nicht unmittelbar ausgeht), ist das dominierende Objekt die Geschichtstheologie und — als

[59] in hier. coel. 3 (175, 960). Vgl. auch a.a.O. (a.a.O. 966); Alanus v. Lille, dist. dict. theol., s. v. Symbolum (210, 964).

[60] Rhythmus (210, 579). Vgl. A. Dempf, Sacrum Imperium 229 f.; Schoonenberg, Lehre 309 f.

[61] a.a.O. 231 f.

besondere Form derselben — die Eschatologie. Der Mönch sieht alles *sub specie aeternitatis* und die Wegweiser dorthin sind die Bücher der Heiligen Schrift, in denen die Geschichte Gottes mit den Menschen berichtet wird. Nicht die Geschichte als solche interessiert ihn dementsprechend, sondern ihr auf die Vollendung verweisender und diese in sich wirkender Charakter[62]. Weil Christus die Fülle der Zeiten ist, wird Geschichte die Geschichte des Heilshandelns Gottes in Christus[63]. Dem augustinisch denkenden Mittelalter ist es dabei selbstverständlich, in Christus immer den *Christus totus,* also auch die Kirche zu sehen. Aus der christologischen Mitte des monastischen Denkens resultiert die ekklesiologische Grundstimmung, die es auszeichnet[64]. In der *vita apostolica* und dem Ideal der *primitivae ecclesiae forma* sucht es sie in die Tat umzusetzen. Hier trifft sich noch einmal und nun endgültig der Monastiker mit dem Scholastiker. Der „désir de Dieu" versetzt beide in einen eiligen Lauf nach dem eschatologischen Ziel hin. Der gleiche Progressismus beseelt sie. Erst in der lebenerfüllten ewigen Ruhe endet er.

3. Das Bild von Welt und Mensch

Allen Gemeinplätzen des 19. und 20. Jahrhunderts von der Weltverachtung des Mittelalters zum Trotz war dieses gezwungen, die Welt sehr ernst zu nehmen[65]. Es unterscheidet sich darin nicht im

[62] J. Spörl, Grundformen.
[63] Vgl. J. Leclercq, a.a.O. 95.
[64] Vgl. H. v. Eicken, Geschichte 589.
[65] *Welt im 12. Jahrhundert*: H. v. Eicken, Geschichte; G. Tellenbach, Libertas; M.-D. Chenu, Théologie 19—51; Ph. Funk, Überwelt und Welt im Mittelalter, in: HJ 51 (1931), 30—46; G. Schnürer, Kirche und Kultur im Mittelalter, 2 Bde., Paderborn I, 1936³; II, 1929²; M.-D. Chenu, Naturalisme et théologie au XIIe siècle, in: RSR 37 (1950), 5 ff.; M. Th. Alverny, Le cosmos symbolique; J. Hashagen, Kirche und Welt; C. Baeumker, Der Platonismus im Mittelalter, München 1916 — *Laien im 12. Jahrhundert*: Congar, Der Laie; ds., Sakralisierung; A. Auer, Weltoffener Christ; G. le Bras, Institutions ecclesiastiques de la Chrétienté médiévale (Fliche-Martin 12) I, Paris 1959, J. Fichet, Histoire du laicat dans l'Eglise, Montreal 1952; L. Leitmaier, Der Laie in der Kirche im Mittelalter und im 20. Jahrhundert, in: ZSavRGkan 39 (1953), 28—45; M.-D. Chenu, Théologie 225—251; W. Berges, Die Fürstenspiegel des hohen und späten Mittelalters (Schriften des Reichsinstituts f. ält. dt. Geschichtskunde MGH 2), Stuttgart 1952²; N. Paulus, Mittelalterliche Stimmen über den Eheorden, in: Hist.-pol. Blätter 141 (1908), 1008—1024; ds., Die Wertung der weltlichen Berufe im Mittelalter, in HJ 32 (1911), 725 bis 755; W. Schwer, Stand und Ständeordnung im Weltbild des Mittelalters; I Laici nella „societas"; H. Wolter, Bernhard v. Clairvaux; M. Bernards, Laien; ds., Speculum; A. Frugoni, Momenti; F. Vandenbroucke, La piété des laics

mindesten von den anderen christlichen Perioden der Geschichte. Der Schöpfungs- wie der Missionsbefehl und die Warnungen vor der Welt unter der Herrschaft der Mächte und Gewalten drängen zu einer eingehenden Beschäftigung schon von der Heiligen Schrift her. Nur die konkreten Anlässe wechseln, und sie sind es, die die Antworten variieren.

Der Mönch Hildebrand konnte die *libertas ecclesiae* nur durch die Absage an den Staat realisieren. Weil aber dieser Staat sich universalistisch auch als kosmischer Staat verstand, implizierte sie den *contemptus mundi.* Dieser war nicht grundsätzlich ausgesprochen, sondern nur *secundum quid,* als Kritik an der Gesellschaft und um ihretwillen. Gregor trug darum keine Bedenken, nach der Zurückdrängung der Staatsmacht selbst die Herrschaft über die mit der *christianitas* fast identisch gewordene Welt zu übernehmen. Das universalistische Modell wurde beibehalten, nur war nicht mehr das Regnum, sondern das Sacerdotium, genauer das Haupt und der Hohepriester in der Gestalt des römischen Pontifex die Vormacht in der Welt[66]. Das Nein schlug dialektisch um ins christliche Ja zur Welt. Der Umschlag konnte nicht völlig gelingen, weil das Modell selbst nicht in Frage gestellt wurde. Der Investiturstreit konnte darum auch keine endgültige Lösung des zugrundeliegenden Problems bringen, sondern es nur ein wenig weiterschieben auf der langen Bank der Jahrhunderte. Aber Gregor und seine Anhänger waren Bischöfe und Priester, die nicht nur politisch, sondern auch pastoral dachten und darum von dem Gedanken durchdrungen waren, mit den sakramentalen Zeichen aus der Schöpfungswirklichkeit die Welt ins Heil zu ziehen. Hinter aller Fragwürdigkeit der gregorianischen Konzeption steht darum doch das Kreuz Christi als der Fixpunkt des rotierenden und revoltierenden Erdkreises.

In der großen „Denkpause" des 12. Jahrhunderts setzt ein Differenzierungsprozeß ein, der die Welt als *Schöpfung* und als *Machtbereich des Satans* unterscheidet. Zu den erregendsten Phänomenen der Zeit gehört die Entdeckung der Natur, die wir in der Dichtung und bildenden Kunst ebenso wie in der Theologie feststellen können[67]. Die Scholastik versucht das Wesen der Naturdinge zu erhellen und legt gegen jeden, der ihr die Legitimität dieses Geschäftes bestreiten will, schärfste Verwahrung ein. Wenn ein Gast keinen Wert darauf legt, das Haus, in dem er wohnt, kennen zu lernen,

au XIIe siècle, in: J. Leclercq - F. Vandenbroucke - L. Bouyer, La spiritualité du Moyen âge 299—344.

[66] J. van Laarhoven, Christianitas 54—64.

[67] M.-D. Chenu, Théologie 19—51.

verdient er hinausgeworfen zu werden[68]. Die Monastik konnte erst recht nicht von der Natur absehen, da sie daraus das Material ihrer Gotteskontemplation bezog. Die Herrlichkeit Gottes wird auch in seiner Welt offenbar — nur bäuerische Ignoranten konnten das in Zweifel ziehen[69]. Pseudo-Dionysius hatte die Theologen gelehrt, im Kosmos den *ordo divinus* zu sehen, im Universum die Einheit zu erfahren[70]. Das theozentrische Denken des Mittelalters schenkt der Welt ihren Wert, aber es hütet sich, sie autonom zu setzen. Es vergißt keinen Moment die innere Unordnung in der Welt, die noch nicht in den *ordo divinus* gebracht worden ist. Darin besteht ihre Sünde, die zur Distanzierung zwingt im Sinne einer fundamentalen christlichen Kritik an der Welt. Ehe sie nicht getan ist, kann sich der Christ ihr nicht wieder zuwenden, weil er sich sonst darin verlöre; aber in seiner Kritik wendet er sich der Welt zu, um alle Welt in die Jüngerschaft Christi zu führen.

Der Weltfreude des 12. Jahrhunderts steht der Weltpessimismus zur Seite. Aus der späten Antike hatte man die Idee des *saeculum senescens* übernommen, die dem monastischen Denken entgegenkam[71]. Sie fiel auf fruchtbaren Boden: die beiden großen Schismen

[68] Astrolabium praef. (zitiert nach Ch. H. Haskins, Studies in the History of Medieval Science, Cambridge (Mass.) 1924 bei M.-D. Chenu, Théologie 27/2): „Dicis enim ut in domo habitans quilibet, si materiam ejus et compositionem, quantitatem et qualitatem sive districtionem ignoret, talis hospicii dignus non est, ita si qui in aula mundi natus atque educatus est, tam mirande pulchritudinis rationem scire negligat, post discretionis annos indignus, ac si fieri posset ejiciendus est".

[69] Philos. mundi 1, 22 f. (172, 56).

[70] Vgl. z. B. Arnaud de Bonnevalle, Hex. (169, 1516); Hugo v. St. Viktor, in hierarch. coel. 3; 4 (175, 980.1003); Otto v. Freising, Chron. 7 prol. (ed. Hofmeister 307).

[71] Vgl. J. Spörl, Das Alte 515—521. Diese Idee ist schon nachweisbar bei Laktanz (div. inst. 7, 15 — CSEL 19, 631); Cyprian (cath. eccl. unit. 16; ad Fort. praef.; ad Demetr. 23 — CSEL 3/1, 225.317.367). Bei Bernhard vgl. etwa ep. 126, 14; vit. Malach., praef. 1 (182, 280 f.; 1073). Damit verbunden war seit alters die auch bei HA sich findende Vorstellung, daß in der Endzeit die Menschen von kleinerem Wuchs sind: vgl. H. D. Rauh, Das Bild des Antichrist 133. — *Zum Geschichtsdenken* vgl. neben der genannten Literatur: O. Brunner, Abendländisches Geschichtsdenken (Hamburger Universitätsreden 17) (Hamburg 1954); H. Grundmann, Geschichtsschreibung; ds., Die Grundzüge der mittelalterlichen Geschichtsanschauungen, in: Archiv f. Kulturgeschichte 24 (1934), 326—336; H. Herding, Geschichtsschreibung und Geschichtsdenken im Mittelalter, in: ThQ 130 (1950), 129—144; G. Schreiber, Geschichtsdenken im hohen Mittelalter: byzantinische und westliche Motive, soziale Strukturen, in: Archiv f. Kulturgeschichte 32 (1944), 75—117; W. Lammers (Hrsg.), Geschichtsdenken und Geschichtsbild im Mittelalter (Wege der Forschung 21), Darmstadt 1965; E. Bernheim, Mittelalterliche Zeitanschauungen.

des Jahrhunderts, der Zusammenbruch der staatlich-kirchlichen Einheit, das Aufkommen der Nationalstaaten, das durch den Verfall der kaiserlichen Macht bedingt war, nicht zuletzt auch der Mißerfolg des zweiten Kreuzzuges stärkten die Überzeugung, das Ende stehe bevor. Sie findet in den Antichristspekulationen der Zeit ihren lebhaften Ausdruck.

Das Welt-Bild der Zeit hat seine Konsequenzen für den Welt-Christen. Wie der Kleriker und Mönch dem geistlichen Bereich, ist der Laie der Welt zugeordnet. Solange beide miteinder in friedlicher Koexistenz leben, gibt es auch zwischen ihren beiden Repräsentanten keine Schwierigkeiten[72]. Wir haben bereits angedeutet, welche Folgen der Investiturstreit in diesem Punkt hatte. Die Laien werden als Usurpatoren der geistlichen Vollmachten gebrandmarkt. Die *libertas ecclesiae* ist Freiheit von der Laienvormacht. Das bedeutet, daß die Kirche identisch wird mit den Verfechtern ihrer Freiheit, mit den Klerikern. Das Problem Kirche und Welt ist zum Problem Klerus und Laien geworden. Diese Identifikationen bleiben die Versuchung des 12. Jahrhunderts. Für Otto von Freising ist Kirche der Komplex der *personae ecclesiasticae*[73]. Hugo von St. Viktor sieht die beiden Stände als Seiten des Leibes Christi. Den Laien weist er die linke Seite zu — und wortreich und umständlich entschuldigt er sich dafür mit einem Eifer, der von schlechtem Gewissen zeugt[74]. Es liegt ihm jedoch fern, die Laien auszuschließen und sie sozusagen als Gegenüber der Kirche hinzustellen. Aus seinen Ausführungen wird deutlich, daß das fundamentale Problem wiederum das des Ordo ist. Die Ortsbestimmung von Kleriker und Laien in der umfassenden göttlichen Ordnung ist die eigentliche Aufgabe[75]. Wird sie im Bild einer Pyramide gesehen, dann war es klar, daß dem Laien eine mindere Position zufiel. Das Kriterium für die Rangstufe im *ordo* ist die Teilhabe an Gott. Kraft seines Amtes steht ihm der Geistliche näher als der Weltchrist, der im übrigen nicht so viel Zeit wie etwa der Mönch für die primäre Tat des Menschen in Gebet und Kontemplation aufbringen konnte. Wird die Stufenpyramide der Stände gekennzeichnet, steht er darum stets ganz unten[76]. Charakteristisch ist nun, daß innerhalb

[72] Th. Steinbüchel, Mittelalter 259—272.

[73] chron. 7 prol. (ed. Hofmeister 310).

[74] sacr. 2, 2 f. (176, 417); vgl. auch Bernhard v. Clairvaux, Ps. 90, 7, 10 f. (183, 205 f.). Zur Geschichte dieses Bildes vgl. Congar, Les laics 104—113.

[75] Congar, a.a.O.

[76] Hugo v. Flavigny stellt Chron. 2, anno 1011 (MGH SS 8, 384) folgendes Schema für das Jüngste Gericht auf: erst kommen die Apostel, unter denen

der Laienschaft weitere Differenzierungen vorgenommen werden, um auch die letzten Verästelungen der göttlichen Ordnung adäquat zu erfassen. Die erste Stellung nehmen die Fürsten ein, die am Übergang zwischen Geistlichen und Laien kraft ihrer Königsweihe stehen[77]. In der Ständeordnung des Alanus von Lille, die wir als Beispiel nehmen[78], haben den zweiten Rang die Kriegsleute inne, dann kommen die „plebei homines", d. h. alle anderen Berufe. Man weiß freilich, daß der Stand eine Frage des ordo, nicht des Ethos ist. Ob jemand dem *ordo electorum* angehörte oder nicht, bestimmte sich nicht durch den Stand, dem er zugehört, sondern durch die Aneignung des Christusheiles[79]. Es war allen angeboten: die hierarchische Gliederung des Mittelalters basierte auf der Grundlage der Gleichheit des Heilsangebotes durch die Kirche, die alle umfaßt.

Entsprechend ist auch das Bild vom Laien: es ist ein Abbild der Dialektik, die die Zeit beherrscht. Für viele andere Texte kann die berühmte Passage aus dem *Decretum Gratians* stehen.

„Es gibt zwei Arten von Christen. Die einen sind zum Gottesdienst bestellt. Dem Gebet und der Betrachtung gewidmet, sollen sie frei sein von allem Lärm der Welt. Das sind die Kleriker und Gottgeweihten oder Konversen. Das griechische kleros bedeutet Los. Sie heißen deswegen Kleriker, d. h. durchs Los Erwählte, weil Gott sie zu den Seinen erwählt hat. Sie sind Könige, die sich und andere in der Tugend leiten und darum ihr Reich bei Gott haben. ... Die Konversen haben kein Privateigentum und begnügen sich mit der nötigen Nahrung und Kleidung. Die anderen sind die Laien; laos heißt Volk. Sie haben das Recht auf Privateigentum, allerdings nur für den eigenen Gebrauch. Nichts ist kläglicher, als Gott um des Geldes willen zu verachten. Es ist ihnen gestattet zu heiraten, Ackerbau zu treiben, Gericht zu halten, Prozesse zu führen, Geld für die Kirche zu spenden, Steuern

wieder Petrus, Paulus und Johannes d. Täufer (!) vor den anderen rangieren, dann die Eremiten, Mönche, Bischöfe und Priester, endlich die Laien, unterteilt in Bauern und Frauen. Die Amtshierarchie steht unter der aszetischen! Vgl. auch Abbo v. Fleury, apol. (139, 463 f.).

[77] G. Tellenbach, Libertas 70—76; J. Hashagen, Staat und Kirche vor der Reformation, Essen 1931. Die Frage der Zuordnung der Fürsten bleibt ungeklärt. Doch auch unabhängig davon nehmen die Fürsten in der Feudalordnung die undiskutierte Spitzenposition ein. Die Laienfrage im Mittelalter stellt sich darum auch vorwiegend unter dem Aspekt des Verhältnisses zu den Fürsten dar.

[78] Summa de arte praedic. 42 (210, 188). Vgl. auch HA, unten II, 2, 5, 3.

[79] Bernhard v. Clairvaux, Ps. 90, 7, 10 (183, 205 f.).

zu bezahlen. Sie können das Heil finden, wenn sie durch gute Werke das Laster meiden"[80].

Hier sehen wir das klerikale Bild vom Laien vor uns. Der Geistliche ist König, der Laie lebt von Konzessionen. Darin spiegelt sich der monastische Zug des Jahrhunderts, dessen bedeutendste Vertreter Mönche waren[81], dessen Ideal von faszinierender Anziehung der monastische Stand blieb[82]. Diese Sicht ist dominant, aber keineswegs die einzige. „Das Wort vom Jahrhundert der Laien, mit dem man nicht selten die kirchliche Gegenwart kennzeichnet ..., könnte mit nicht viel geringerem Recht auch für das 12. Jahrhundert gelten"[83]. Die Bedeutung, die dem Laien jetzt zuwächst, hat sich weniger in literarischen Reflexionen als in der Praxis niedergeschlagen. Sie beginnt im 11. Jahrhundert mit der zeitweise mächtigen Bewegung der *Pataria*[84] und einer Haltung, die Gregor VII. formulierte, wenn er gelegentlich den Eintritt ins Kloster als Fahnenflucht vor der Weltverantwortung geißeln konnte[85]. Im 12. Jahrhundert erfuhr die Laienschaft durch die wirtschaftlichen und sozialen Veränderungen ungemeinen Auftrieb. An die Stelle einer unge-

[80] Decr. 2, 12, 7 (ed. Friedberg 678): „Duo sunt genera christianorum. Est autem genus unum, quod mancipatum divino officio et deditum contemplationi et orationi, ab omni strepitu temporalium cessare convenit, ut sunt clerici, et deo devoti, videlicet conversi. Κλῆρος enim graece latine sors. Inde hujusmodi homines vocantur clerici, id est sorte electi. Omnes enim Deus in suos elegit. Hi namque sunt reges, id est se et alios regentes in virtutibus, et ita in Deo regnum habent. ... Illi enim victu et vestitu contenti nullam inter se proprietatem habentes, debent habere omnia communia. Aliud, vero est genus christianorum, ut sunt laici. Λαός enim est populus. His licet temporalia possidere, sed non nisi ad usum. Nihil enim miserius est quam propter nummum Deum contemnere. His concessum est uxorem ducere, terram colere, inter virum et virum judicare, causas agere, oblationes super altaria ponere, decimas reddere, et ita salvari poterunt, si vitia tamen benefaciendo evitaverint". Einen Kommentar bei L. Prosdocimi, Chierici. Vgl. auch Hugo v. St. Viktor, sacr. 2, 3 (176, 417); Bernhard v. Clairvaux, in dom. palm. s. 1, 4 (183, 256).

[81] Vgl. A. Auer, Weltoffener Christ 46 f.; Congar, Bernhard 89 f.

[82] Der Stand der Konversen nahm damals einen großen Aufschwung. Die Halbkonversen blieben Laien, übernahmen aber, im Schatten des Klosters lebend, Lebensweise und z. T. auch Verpflichtungen der Mönche. Vgl. K. Hallinger, Woher kommen die Laienbrüder? Rom 1956; I laici nella societas 152—305 (J. Leclercq, J. Dubois, C. D. Fonseca). Bernold v. Konstanz spricht schon im 11. Jahrhundert von einer „virorum, sed et feminarum innumerabilis multitudo", die sich in die Monasterien dränge (Chron. — MGH SS 5, 453).

[83] H. Wolter, Bernhard 161; M. Bernards, Laien.

[84] G. Miccoli, Chiesa 101—160; C. Violante, I laici nel Movimento patarino, in: I laici nella societas 597—687.

[85] ep. 17 an Hugo von Cluny zum Eintritt des Herzogs von Burgund ins Kloster (148, 526 f.).

bildeten, leicht beeinflußbaren Masse tritt ein selbstbewußtes Bürgertum, eine Ritterschaft, die sich ihrer Eigenwertigkeit voll bewußt ist. Eine neue *Frömmigkeit* der Laien entsteht, die zumindestens anfänglich die Kreuzzugsbewegung — eine Bewegung der Laien — trägt[86]. Sie beanspruchen in der Institution der Kirchenpflege Mitsprache an den kirchlichen Angelegenheiten[87]. Es entstehen Bruderschaften, die ein beredtes Zeugnis für das Bewußtsein der Lebens- und Arbeitsgemeinschaft der *christianitas* der mittelalterlichen Gesellschaft ablegen. In den *„collegia religionis"* entwickelt sich daraus eine ausgedehnte caritative Arbeit[88]. Wie die klerikale Berufung schon seit langem, wird der Beruf des Laien jetzt ebenfalls als *vocatio* aufgefaßt: in den Predigten wird jedem Angehörigen eines Berufsstandes das Evangelium als Standesspiegel vorgehalten[89]. Im Hintergrund steht ein neuer *Humanismus*, der, von Männern wie Abälard, Suger oder Gottfried von St. Viktor initiiert, die Synthese von Kultur und Glauben herzustellen bemüht war.

Die neue Aktivität des Laien findet ihren Niederschlag im kirchlichen Bereich. Die evangelische Erneuerungsbewegung war wesentlich eine Laienbewegung. Wenn sie das Recht zur Predigt fordert, zeigt das beredter als viele Worte ihren Willen zur aktiven Reformtätigkeit: die Predigt galt als vorzüglichstes Mittel der Erneuerung[90]. Auch wenn viele dieser neuen Strömungen in den häretischen Untergrund absanken, zeigen sie die Laienschaft als selbstbewußte Gemeinschaft im Ordo der Zeit.

Sie manifestierte sich nicht nur im kirchlichen Bereich, sondern mehr noch auf dem Gebiet der *Weltgestaltung* aus christlichem Geist. Das Ideal des christlichen Ritters schuf sich in der Laiendichtung der französischen Troubadours, der Minnedichtung und der deutschen Epik einen beredten Ausdruck[91]. Laien sind die großen Baumeister des Jahrhunderts, deren Frömmigkeit dauernden Ausdruck gewinnt in Chartres oder auf dem Bamberger Michaelsberg. An den Universitäten besetzen Laien die ersten Lehrstühle, so in der juristischen Fakultät Bolognas, und lösen das Monopol der Kleriker ab.

[86] M.-D. Chenu, Théologie 233—251; G. Miccoli, Chiesa 243 f.; G. Schreiber, Gemeinschaften 337.363 f.; P. Rousset, Les laics dans la croisade, in: I laici nella „societas" 428—443.

[87] S. Schröder, Die Kirchenpflegschaft, Paderborn 1934.

[88] G. le Bras, Institutions 176 (Anm. 65).

[89] A. Auer, Weltoffener Christ 30—48; W. Schwer, Stand und Ständeordnung (Anm. 65); N. Paulus, Berufe (Anm. 65); M.-D. Chenu, Théologie 239 f.

[90] J.-B. Schneyer, Die Laienpredigt.

[91] Hauck IV, 539—566.

Alles das war ein Ferment, das die Einseitigkeit der hierokratischen These auflöste und die Kirche zu neuen Aufbrüchen führte — in die Welt und die Zeit hinein[92].

Exkurs

Ekklesiologie im 12. Jahrhundert

Die bedeutenden Ereignisse der Zeit- und Geistesgeschichte des 12. Jahrhunderts werden von ekklesiologisch relevanten Situationen, Problemen oder Reflexionen ausgelöst oder begleitet. Die besten Geister der Zeit bemühen sich um die Herstellung des göttlichen *ordo,* der in Frage gestellt schien durch die Schwierigkeit, den Ort der Kirche zu definieren angesichts der großen Auseinandersetzungen, die durch den Investiturstreit heraufbeschworen, aber noch lange nicht zur Ruhe gekommen waren. Alle Parteien waren sich darüber einig, daß dieser ordo existiere und alles zu tun sei, um ihn zu realisieren. An ihm selbst wird nicht gezweifelt, und darum auch nicht an der Kirche, die wesentlicher Teil, ja sogar in gewissem Sinne die Realisation dieses ordo war.

Erst als man die Existenz des ordo bestreitet, wird die Kirche selber fragwürdig. Dies geschieht in einem zwar lange latent wirkenden, aber erst im Herbst des Mittelalters virulenten und in der Reformation aufbrechenden Prozeß. Im gleichen Moment tauchen die ersten „Kirchentraktate" auf. Sie sind freilich alles andere als umfassende Lehrbücher „de Ecclesia", sondern Streitschriften, in deren Mittelpunkt die Probleme der kirchlichen Verfassungsstruktur stehen. Im 12. Jahrhundert kann davon noch keine Rede sein. Hier stehen innerkirchliche Fragen im Vordergrund, zugespitzt müßte man sogar sagen: wenigstens für die Gregorianer waren alle Probleme lediglich innerkirchlicher Natur, da die Ecclesia die ganze *christianitas* umfaßte, die ihren Gipfel im römischen Primat hatte. Sie selber aber stand in keinem Moment ihrem Wesen, ihrer Natur nach prinzipiell in der Debatte. Sie war fraglos sicherer Glaubensbestand der Menschen selbst noch dort, wo man sie ablehnte: auch die Ketzer des Jahrhunderts wollen nicht eine „Freikirche", sondern nur frei sein von einer Organisation, in der sie die reine Kirche nicht mehr sehen konnten. Mehr noch: die Kirche

[92] Congar, Les laics 113—116.

ist in einem so starken Sinne Lebenselement der Zeit, daß ein eigener Kirchentraktat die Dimensionen der Dogmatik gesprengt hätte. In ihm hätten alle theologischen Disziplinen abgehandelt werden müssen, die Anthropologie ebenso wie die Spiritualität, Eschatologie und Liturgie, Exegese und Moral, Mariologie wie Kirchenrecht, Geschichtstheologie und Pastoral[1].

Solche Abgrenzungen sind methodisch notwendig, sachlich bleiben sie jedoch fragwürdig. Probleme, die die Kirche hat, die sie betreffen, sind stets auch ekklesiologische Probleme. Sie sind Anfragen nach ihrem Wesen, ihren Vollmachten und ihren Grenzen und können nur in einer theologischen Reflexion gelöst werden.

So erklärt sich die Tatsache, daß es keinen einzigen vollständigen Kirchentraktat im 11. und 12. Jahrhundert gibt und nur sehr wenige Schriften, die mit ausdrücklich ekklesiologischen Fragen befaßt sind[2], aber auch keinen bedeutenden Autor, der nicht immer wieder von der Kirche spricht und die Theologie der Kirche in seine Abhandlungen einbezieht[3]. Dies gilt von allen drei Richtungen der

[1] Vgl. R. Seeberg, DG III, 291.

[2] Besonders zu erwähnen sind Gilbert v. Limerick, De usu ecclesiastico; De statu ecclesiastico (159, 995—1004); Bruno v. Asti, De sacramentis ecclesiae, mysteriis atque ecclesiasticis ritibus (165, 1089—1110); Hugo v. Amiens, Contra haereticos sui temporis sive de ecclesia et eius ministris (192. 1255—1298); Sicardus, Mitrale sive de officiis ecclesiasticis (213, 13—454); Placidus von Nonantula, Liber de honore ecclesiae (163, 615—690); Hugo v. St. Benoit, Tractatus de regia potestate et sacerdotali dignitate (163, 939—976); Speculum de mysteriis ecclesiae (177, 335—380); Hugo v. St. Viktor, De sacramentis 2, 2 (De unitate ecclesiae) (176, 415—438); Johannes v. Salisbury, Policraticus (199, 379—822).

[3] Literatur: J. Beumer, Zur Ekklesiologie; ds., Ekklesiologische Probleme; R. Seeberg, DG III, 291—296; ds., Der Begriff der christlichen Kirche 57—62; A. Mayer-Pfannholz, Wandel; M. Grabmann, Die Lehre des hl. Thomas von Aquin von der Kirche; J. Sauer, Symbolik; A. Adam, DG II, 59—64; Congar, Ecclesia ab Abel; ds., Von der Gemeinschaft; ds., L'ecclésiologie; ds., L'Eglise chez Saint Anselme; H. Riedlinger, Makellosigkeit; B. Tierney, Foundations; J. Schwane DG 494—510; F. Ohly, Synagoge und Ecclesia; H. Rahner, Symbole der Kirche; R. Javelet, Image; A. M. Landgraf, Die Lehre vom geheimnisvollen Leib; F. Holböck, Leib; H. de Lubac, Katholizismus; ds., Corpus mysticum; E. Pásztor, Motivi; J. Chatillon, Une ecclésiologie; H. Dörries, Zur Geschichte der Mystik 83—87 (über Eriugena, als Quelle zu HA). K. Gennrich, die Staats- und Kirchenlehre; C. W. Mönnich, Overwegingen; F. Tundo, La visione mistica; G. Miszka, Das Bild der Kirche; Y. Congar, Die Lehre von der Kirche 76—138 (Lit. 76 u. passim). Besondere Beachtung hat die Kirchenlehre Bernhards v. Clairvaux gefunden: J. Bainvel, L'idée de l'Eglise au moyen age, St. Anselme et St. Bernard, in: Science catholique 13 (1899), 193—214; J. Klossowski, Kirche und Kirchenstaat nach dem hl. Bernhard v. Clairvaux, Posen 1916; K. Kilga, Kirchenbegriff; E. Mik-

Theologie, auch von der Scholastik. Man hat ihr vorgeworfen, die Kirche in ihren Betrachtungen vergessen zu haben. Es ist bekannt, daß ein Hauptgrund dafür war, daß Petrus Lombardus in sein Sentenzenbuch kein ekklesiologisches Kapitel eingefügt hatte; dieses aber das maßgebliche Lehrbuch der Scholastik wurde. Man darf trotzdem daraus nicht schließen, die Kirche habe für sie keine dogmatische Bedeutung gehabt. Mit R. Seeberg kann man „vielmehr sagen, daß ... für die Dogmatik eine besondere Anschauung von der Kirche die Grundlage des ganzen Systems bildet"[4]. Zumindest dann mußte sie davon reden, wenn sie von der wichtigen *gratia capitis* sprach, über die Lehre der Kirche handelte, die Einhaltung ihrer Gesetze verlangte. Die Legisten hatten die Geburt ihrer Wissenschaft ekklesiologischen Problemen verdankt; es war nur natürlich, daß die Kirche das Zentrum ihrer Überlegungen bildete. Das Formalobjekt der Kanonistik führte freilich dazu, nur einige Aspekte näher zu untersuchen. Am unbefangensten hielt sich die Monastik den Blick für das Glaubensgeheimnis Kirche offen. Tagtäglich führte sie das *officium divinum* mit ihm in Berührung. Es war nichts anderes als Kult der Kirche, und die Mönche wollten in dieser die Gruppe der Büßer sein, die durch ihre Existenz auf die himmlische Vollendung der ecclesia verwiesen. Im Gotteshaus sahen sie das Abbild dieser Kirche; seine architektonischen Formen, seine Bilder, die heiligen Gewänder und Geräte, die kultische Handlung selber und ihre Ordnung im liturgischen Kalender sprachen von ihr[5]. Wenn sie in der Heiligen Schrift meditierten, dann gedachten sie der Mahnung Augustins, ihre Worte, vor allem im Alten Testament, auf die Kirche zu beziehen[6]. So sahen sie überall auf den Seiten ihrer Codices Bilder, die von der Kirche sprachen: sie war Haus und Acker, Weinberg und Ölbaum, Schafstall und Herde, Volk Gottes und seine Familie, Pilgerin und oberes Jerusalem, von denen sie lasen. Sie ist die herrliche Braut Christi, die das Hohelied geheimnisvoll angedeutet und der Apostel Paulus ausgedeutet hatte. Sie fanden in ihr den überaus schönen Leib

kers, De Kerk als Bruid in de Hooglied commentar van de H. Bernardus, in: Sint Bernardus van Clairvaux, Amsterdam-Achel, 1953, 195—214; G. Frischmuth, Die paulinische Konzeption in der Frömmigkeit Bernhards von Clairvaux, Gütersloh 1933; Congar, Die Ekklesiologie des hl. Bernhard; K. Knotzinger, Das Amt des Bischofs; A. Steiger, Der hl. Bernhard; B. Jacqueline, Papauté et episcopat.

[4] R. Seeberg, DG III, 291.

[5] J. Sauer, Symbolik; J. Leclercq, Wissenschaft 260—279; W. Kahles, Geschichte; H. Rahner, Symbole.

[6] cat. rud. 14, 33 (CC 46, 158).

Christi, dessen innere Ordnung identisch war mit dem *ordo*, den sie schaffen wollten, weil davon ihr Heil abhing. Im Hexaemeron und Canticum, in Daniels Prophezeiungen und in des Johannes Apokalypse erkannten sie das Geheimnis, aus dem sie in der Kirche lebten.

In den Kommentaren zu diesen Büchern, dazu in den Psalmenerklärungen der Zeit finden wir hauptsächlich die Reflexionen über die Kirche. Man liest sie mit den Augen des Bischofs von Hippo. „Kein Theologe dieser Epoche hat sich dem Einfluß des hl. Augustinus auf dem Gebiet der Lehre von der Kirche vollständig entziehen können, und bei vielen läßt er sich nicht allein in der großen Gedankenführung der Ekklesiologie, sondern auch bis in die letzten Formulierungen hinein verfolgen. Darin besteht ein Kennzeichen, das bei der Ekklesiologie des 12. Jahrhunderts nicht übersehen werden kann: sie ist augustinisch“[7]. Daneben steht Pseudo-Dionysius, dessen Ordo-Idee, wie wir bereits sagten, maßgeblich das Denken des Mittelalters beeinflußt hat. Maximus Confessor hatte die Lehre von Christus als dem Haupt der Kirche besonders entwickelt; in neuerer Zeit hatten Beda und Scotus Eriugena diese Gedanken aufgegriffen und dem Hochmittelalter tradiert[8].

Es gab eine Reihe von Gelegenheiten, wo die Theologen im Zusammenhang mit anderen Erörterungen auf die Kirche zu sprechen kamen. Die Bedeutung und die Grenzen des priesterlichen Ordo-Sakramentes ist eines der Hauptthemen in der Reformzeit. Zu den originalen Leistungen der Theologie des 12. Jahrhunderts gehört die Ausbildung der Sakramentenlehre, hinter der die Überzeugung von der Kirche als universaler Heilsanstalt stand[9].

Sprachen sie von der Kirche, dann interessierte sie eine reiche Fülle von Themen. Natur und Grenzen der kirchlichen Autorität, ihre Ausgestaltung und Zusammenfassung im Primat, der gesellschaftliche Charakter der Kirche, ihre Valenz als Ordnungsmacht und Ordnungsfaktor, der *pax* und *concordia* gewährleisten sollte, stehen für die Legisten im Zentrum ihrer Überlegungen[10]. Die

[7] J. Beumer, Zur Ekklesiologie 374; vgl. a.a.O. 374—377; R. Seeberg, DG III, 292 f. Grundlegend zur Ekklesiologie Augustins: F. Hofmann, Kirchenbegriff; J. Ratzinger, Volk und Haus Gottes; vgl. auch S. Tromp, Corpus Christi; Congar, Ecclésiologie 93.

[8] M. Grabmann, Die Lehre des hl. Thomas von der Kirche 86.

[9] R. Seeberg, DG III, 195 f. 295; J. Beumer, Zur Ekklesiologie 388; Y. Congar, Die Lehre von der Kirche 106—110.

[10] B. Tierney, Foundations 1—36; W. Ullmann, Papsttum 398; J. Beumer, Ekklesiologische Probleme 203—208.

Monastiker wiederum hatten von Augustinus zwei Aspekte übernommen. Von seiner Gnadenlehre ausgehend, befaßten sie sich mit dem Problem der Makellosigkeit der Kirche[11]. Im Zusammenhang damit erhob sich die Frage nach der Kirchengliedschaft, vor allem in der Perspektive der Kirchenzugehörigkeit der Sünder. Vom Bischof von Hippo hatten sie auch die heilsgeschichtliche Betrachtung der Kirche gelernt. „De civitate Dei" wurde das Handbuch der Geschichtstheologie. Sie sahen die Kirche als Überhöhung des jüdischen Tempels, aber auch als blassen Schatten künftiger Herrlichkeit, die dennoch keimhaft schon da war[12]. Im Glauben war sie die eine Kirche durch alle Zeiten von der Schöpfung bis zur Parusie. Darum finden wir dieses Element in fast allen Definitionen, die von der Kirche gegeben werden. Sie ist „multitudo fidelium", „universitas fidelium, unita fide una et sanctificata"[13], die „congregatio fidelium confitentium Christum et sacramentorum subsidium"[14], deren Fundament der alle einende Glaube ist[15]. Kirche ist also Geheimnis, das sich der rationalen Darstellung entzieht. In der Sprache der Allegorese mit ihrer entbergenden und doch verhüllenden Symbolik konnte man einzig angemessen über sie meditieren[16]. In der Mitte dieses Mysteriums stand das Mysterium Christi. Wie der Mond nur vom Licht der Sonne Glanz empfängt, so lebt die Kirche vom Leben des Gottmenschen. Aus seiner Seitenwunde entstanden, von seinem Fleisch und Blut genährt, von seiner Liebe getragen, soll sie eingehen in die Fülle seines Lebens. In Christus findet sie sich und sieht wie durch ein Fenster alles andere[17]. Sein

[11] H. Riedlinger, Makellosigkeit, geht dieser Frage nach; vgl. auch J. Beumer, Ekklesiologische Probleme 183—196. Den monastischen Charakter der bernhardinischen Ekklesiologie hebt Congar, Die Ekklesiologie des hl. Bernhard, hervor.

[12] Otto v. Freising, Chron. 4, 4 (ed. Hofmeister 190); vgl. F. Ohly, Synagoge und Ecclesia; H. de Lubac, Exégèse I/2, 621—681; Congar, Ecclesia ab Abel; A. Steiger, Bernhard 85—102.519—526; H. v. Eicken, Geschichte 641—646.

[13] Vgl. Hugo v. St. Viktor, sacr. 2, 2, 1 f. (176, 416 f.).

[14] Alanus v. Lille, art. cath. fid. 4, introd. (210, 613).

[15] z. B. Anselm v. Havelberg, dial. 1, 2 (188, 1144).

[16] J. Chatillon, Une ecclésiologie médiévale 132 f.

[17] Belege bei H. de Lubac, Exégèse II/2, 212. Eine wichtige Rolle spielt die erste Regel des Tychonius. Die christozentrische Betrachtung ergab sich aus der Psalmenlektüre, da nach Ansicht der mittelalterlichen Autoren die Psalmen gleicherweise auf Christus und die Kirche bezogen sind. Vgl. etwa Glossa ordinaria, proth. in ps. (113, 844); Remigius v. Auxerre, en. in ps., praeamb. (131, 139); Ps.-Haimo v. Halberstadt, expl. in ps. 1 (116, 195); Bruno v. Asti, in ps. 21 (164, 765); Petrus Lombardus, in ps., praef. (191, 58); Isaac v. Stella, sermo 42 (194, 1831); zum Bild von den Fenstern vgl. etwa Speculum ecclesiae, prol. (177, 336); Sermonum centum 2 (a.a.O. 905).

Geist ist ihre Seele: „corpus Christi uno Spiritu vivificata“[18]; ihr Leben darum Liebe[19]. Der Mensch gelangt erst in der Kirche zu seiner Vollendung, nur in ihr wird er Christus geeint und gewinnt er das Leben[20]: *Christus sive ecclesia sive anima fidelis* — in der Kirche wird alles in die lebendige Einheit Gottes geführt. Die Mönche vergessen keinen Augenblick die hierarchische Gliederung der Kirche: „Omnia ecclesiae membra uni episcopo, videlicet Christo, eiusque vicario beato Petro atque in eius sede praesidenti apostolico subici et ab eis manifestari oportet“, sagt Gilbert von Limerick[21]. Aber sie ist trotz aller Betonung der Gregorianer noch nicht isoliert, sondern immer und stets in die umfassende communio-Struktur der Kirche einbezogen, die sie aus den Schriften der Väter kannten. In dieser Gemeinschaft und belebt von den Kräften, die sie schenkte, suchten sie das Leben zu gewinnen.

[18] Hugo v. St. Viktor, sacr. 2, 2, 1 (176, 416); Anselm v. Havelberg, dial. 1, 2 (188, 1144); Hugo v. Amiens, c. haer. 3, 8 (192, 1295). Zum Begriff „Leib Christi“ vgl. die Zusammenfassung bei Y. Congar, Die Lehre von der Kirche 101—106.

[19] Bernhard v. Clairvaux, cant. 61, 2 (183, 1071); vgl. R. Javelet, Image 361: „Sans préjuger d'autres aspects de l'Eglise que les préscolastiques peuvent enseigner en d'autres textes, nous pouvons donc affirmer que ... ils considèrent l'Eglise comme une ‚fraternelle charité‘ image de la charité trinitaire“.

[20] Hugo v. St. Viktor, sacr. 2, 2, 1 (176, 416).

[21] Gilbert v. Limerick, De usu eccles. (159, 996).

II. Teil

DIE LEHRE VON DER KIRCHE

Die Sorgen und Fragen ihres Jahrhunderts spiegeln sich in den Werken des Rupert, Honorius und Gerhoch getreulich wieder; diese gewinnen auf dem Hintergrund ihrer Zeit das nötige Relief. Es kann darum auch nicht verwundern, wenn keiner von ihnen eine eigene Schrift ekklesiologischen Fragen gewidmet hat, sie alle aber in beinahe allen Werken, nehmen wir kleinere Monographien aus, die Lehre von der Kirche behandeln, auf sie zu sprechen kommen oder sie wenigstens voraussetzen. Entsprechend ihrer monastischen Theologie nutzen sie vor allem anläßlich der Exegese und der Darstellung der Liturgie die Gelegenheit, auf die Ecclesia einzugehen. Für Rupert ist sie vor allem in seinem Hauptwerk „De Trinitate et operibus ejus" und im Kommentar zur Apokalypse gegeben; Honorius sieht sie auch bei homiletischer und enzyklopädischer Arbeit gekommen; Gerhoch spricht von der Kirche in seinen polemischen Werken, die auf die ihre Erneuerung abzielten. Doch das sind nur Schwerpunkte, in Wirklichkeit kommen sie bei vielen anderen Gelegenheiten ebenfalls darauf zu sprechen.

Alle drei Theologen treiben eine ausführliche Theologie der Geschichte. Damit waren sie über ephemere Anlässe und den allgemeinen Fundus des theologischen mittelalterlichen Denkens hinaus gezwungen, den Ort der Kirche in der Heilsgeschichte festzustellen, ihre Aufgabe und Bedeutung innerhalb der göttlichen Heilstat zu ergründen. Denn nur dann war es möglich, die Maßstäbe zu gewinnen, um in der Konformität mit der göttlichen Heilsordnung zu bleiben. Sie brauchten sie für sich selbst um des Heils ihrer Seele willen, aber sie brauchten sie auch für die Menschen, zu deren Seelsorgern sie sich bestellt wußten, für das Wohl der ganzen *christianitas,* mit der sie in dem einen großen *ordo* verbunden waren.

Die Lehre von der Kirche gewinnt damit eine zentrale Stelle in der Theologie dieser Autoren. Aus ihren Büchern entsteht ein Bild von der Kirche, das ausgezeichnet ist ebenso durch leuchtende Farben wie durch liebevolle Details, die zu zeichnen sie nicht müde werden. Kein anderer ihrer Zeitgenossen (sehen wir ab von der jeden Rahmen sprengenden Persönlichkeit Bernhards von Clairvaux) hat so viel und auch so tief über die Ecclesia Dei nachgedacht wie sie.

Erster Abschnitt

Das Wesen der Kirche

1. Kapitel

Die Erkenntnisquellen der Kirche

1. Die Philosophie

Die Frage nach dem Wesen der Kirche stellt sich unseren Theologen von ihrer Position innerhalb der Kirche. Sie treten an sie heran als gläubige Menschen, deren Glauben als kirchlicher Glaube „confessio veritatis" ist[1], insofern er aus einem Komplex miteinander untrennbar verbundener Wahrheiten besteht[2] und nicht von der Autorität eines einzelnen, sondern von der der gesamten Kirche getragen ist[3]. Die *catholica veritas* der Kirche ist darum unter allen Umständen zu wahren und zu verteidigen[4], will man sich nicht wie die Häretiker gegen sie und damit gegen die Kirche sperren[5]. Garant und Prinzip dieser Wahrheit ist der Heilige Geist, dessen siebenfältige Gabe gleichsam die Leuchte der Kirche ist[6]. So steht das Ethos der Wahrheit notwendig hinter allen Untersuchungen über das Wesen der Kirche. Damit ergibt sich aber auch bereits das Problem, wie und wo diese Wahrheit zu finden sei.

[1] RvD, Jud. 19 (167, 1048).
[2] RvD, Ez. 1, 4 (a.a.O. 1424 f.).
[3] RvD, RSB 4, 7 (170, 530) — HA, PV 22 (172, 324): „... sacrae fidei veritatem et evangelicae doctrinae nemo aliter suscipiat, quam a sanctis patribus est tradita ..."; vgl. ds., Ps. 115 (194, 719) und RvD, Evg. 19 (167, 1555) die Kirche als Dienerin der Wahrheit.
[4] RvD, A 7, 12 (169, 1060); GT 5, 8 (169, 104).
[5] RvD, Gh 4 (168, 1397); vgl. Evg. 19 (167, 1555).
[6] RvD. A 3, 4 (169, 909).

Die Grundwissenschaft zur Wirklichkeitserkenntnis war seit alters die Philosophie. Das Christentum hatte sich ihrer von Anfang an zur Ergründung und Verdeutlichung der Offenbarungsbotschaft bedient. Dieser Tradition konnten und wollten sich die monastischen Theologen nicht entziehen. Aber die Dialektik hatte sie mißtrauisch werden lassen. Hatte nicht eben Abälard jüdische Propheten und heidnische Philosophen für gleichrangig erklärt?[7]. Nur mit starken Vorbehalten können sie die Philosophie als Erkenntnisquelle benutzen.

Rupert von Deutz gibt gern zu, daß die Dialektik nicht an sich verwerflich sei. Auch sie geht die Wege der Wahrheit und ist darum auch von der theologischen Arbeit nicht auszuschließen[8]. Die Wahrheit ist unteilbar und einfach, darum konnten auch die heidnischen Philosophen sie finden, darum kann man ihre Forschungsergebnisse übernehmen[9]. Der Deutzer Abt ist denn auch unbefangen genug, selber die Dialektik einzusetzen, wenn ihm die traditionelle Argumentation ungenügend erscheint[10]. Auch sie gehört mit den anderen *artes liberales* zu den Hofdamen im Bankettsaal der Frau Weisheit, ist im Reich des Glaubens Dienerin[11].

Mit großer Entschiedenheit setzt sich auch Honorius für die Geltung der profanen Wissenschaften in der Theologie bei der Wahrheitssuche ein. Wie die Israeliten einst das Gold der Ägypter mitnehmen durften, dürfen die Männer der Kirche ihre Resultate übernehmen. Der Grund für diese Offenheit liegt in der Katholizität der Kirche, die das große Haus ist, in dem goldene, silberne und auch irdene Gefäße Platz haben[12]. Im übrigen kann es

[7] Abälard, intr. ad theol. 1, 15, 25; theol. christ. 2 (178, 1007.1034.1174—1179. 1184). Dagegen die Reaktion Bernhards v. Clairvaux: de error. Abael. 4, 10 (182, 1062).

[8] RvD, SpS 7, 8 (167, 1762).

[9] RvD, DO 2, 22 (CCcm 7, 55): „De gentilibus quoque philosophorum atque doctorum sententiis solemus aufferre, si qua ab illis probe dicta vel facta sunt, et tamquam captivae mulieris ungues pilosque superfluos amputare, ut ab alienigena falsitate mundata thalamum veritatis digna sit introire". Rupert spielt auf Dt. 21, 10—13 an in einem häufig wiederkehrenden Vergleich. VV 1, 2—5 (169, 1218—1221) grundsätzliche Erwägungen über die Erkenntnismöglichkeiten des Wortes Gottes aus der Natur durch die ratio und aus der Offenbarung durch den Glauben. Vgl. oben I, 1, 2, 3 Anm. 70.

[10] Vgl. RvD, DO 11, 7 (CCcm 7, 376); EJ 1, 8 (CCcm 9, 38 f., 467) Ex. 1, 14; Dt. 1, 8; SpS 1, 15; 7, 9 (167, 582.928.1585.1763); VV 11, 27 (169, 1460).

[11] RvD, SpS 7, 10; Ex. 1, 15 (167, 1764.583). Vgl. unten Anm. 37 und J. de Ghellinck, Mouvement 93—96.

[12] HA, SE dom. XI (172, 1056.1057): auch hier die Anspielung auf Dt. 21, 10—13. Honorius führt eine Reihe von Beispielen aus der heidnischen Philosophie und Sage zur Stützung seiner These an (1057 f.).

für den Inklusen keinen Widerspruch zwischen gesicherter Wahrheit der Theologen und der Philosophen geben, weil es nur eine Wahrheit gibt. „Nihil est aliud auctoritas quam per rationem probata veritas; et quod auctoritas docet credendum, hoc ratio probat tenendum. Evidens scripturae auctoritas clamat, et perspicax ratio probat“[13]. Er verwahrt sich gegen die bäuerische Ängstlichkeit vor dem Denken: „Nos autem dicimus in omnibus rationem esse quaerendam“[14]. Nicht einmal Gott hat sich gescheut, in der Bibel Syllogismen zu verwenden, warum sollte man dann nicht mit der diskursiven Methode den rechten Glauben wie auch die Häresien durchleuchten?[15].

Selbst Gerhoch, einer der schärfsten deutschen Antidialektiker, verschließt sich nicht ganz der Bedeutung des rationalen philosophischen Denkens. Sein Programm, „ecclesiastice, non scholastice“ zu schreiben, bedeutete nicht die völlige Absage an die profanen Wissenschaften, die letzten Endes in Christus ihre Erfüllung finden. Der Blick in die Geschichte zeigt, daß die Heiden mit denkerischen Mitteln Glaubensgeheimnisse erahnten, andererseits die großen Lehrer der Kirche ihren Glauben nicht auf dem Dogma allein, sondern auch auf seiner rationalen Erhellung aufruhen ließen[16]. Gott ist die Quelle aller Wahrheit und was wahr ist, bleibt darum wahr, aus welchem Mund auch immer es kommt[17]. Ähnlich wie Rupert sieht er in den freien Künsten Begleiterinnen der Heiligen Schrift, die wie sie der Schau Gottes dienen[18].

Solchen Erklärungen stehen jedoch andere gegenüber, die Philosophie und ratio dezidiert ablehnen. Nun wird der Spieß umge-

[13] HA, VIIIQ (172, 1189); vgl. CC 6 (172, 447): „Ecclesia tota intentione dilectum in scripturis quaerit et eum pariter in creaturis invenit, ejus miram sapientiam in generibus et speciebus rerum stupefacta miratur“.

[14] HA, PM 1, 23 (172, 56). Zur Echtheit von PM vgl. Werkverzeichnis.

[15] HA, CC 1, 1 (172, 362); vgl. Ps. 1 (172, 279): „Syllogismi latent in sacra scriptura ut piscis in profunda aqua“. Ähnlich auch RvD, SpS 7, 13 (167, 1778): „Plena est divinae scripturae pagina tam perfectis syllogismis, quorum brevitate maxime rhetores delectantur“. Dazu vgl. Cassiodor, in ps. 1 (70, 29).

[16] GvR, IA 2, 16 (Scheib. 223); Ps. 19, 61 (193, 962; 194, 329 f.).

[17] GvR, ep. ad sanctimon. (O I, 374 ed. P. Classen); Ps. 35 (O II/1, 431) übernimmt GvR einen Passus aus Hugo v. St. Viktor, sacr. prol. 2 (176, 183), wonach sich die Philosophie mit dem Schöpfungswerk, die Theologie mit dem Erlösungswerk befasse; beider Erkenntnisquelle ist Christus: die Philosophen stehen mit dem Rücken zu ihm und betrachten in dem von ihm ausstrahlenden Licht die Schöpfung, die sie oft besser durchdringen als die Christen. Siehe auch Arno v. Reichersberg, Apol. (ed. Weichert 14): „rationes ... libenter admittimus“.

[18] GvR, Ps. 6 (193, 712); vgl. Ps. 61 (194, 330).

dreht: nicht die Schrift bedient sich der Philosophie, sondern die Philosophen unternehmen Raubzüge in den Gefilden der Bibel, wenn sie nicht gerade dabei sind, die Schandtaten der Götter zu verherrlichen[19]. So werden sie selber ins Laster hineingezogen und erleiden die Schizophrenie von Denken und Leben: wie unreine Vögel erheben sie sich mit ihren Gedanken in große Höhen, weilen aber mit ihrem Leib mitten im Schmutz[20]. Den Häretikern ähnlich sind sie Bürger Babylons und Feinde des Kreuzes Christi und seiner Kirche, Anhänger des Antichrist, in deren Schriften man Gott nicht finden kann[21]. Sie werden darum auch deren Schicksal erleiden: blind und tot für Gott, stehen ihre Namen nicht im Buch des Lebens[22]. Während die Männer der Kirche vom Heiligen Geist inspiriert sind, schreiben und wirken die Philosophen, Dichter und Magier unter teuflischen Einflüsterungen[23].

Verwerflich wie die Philosophen ist die philosophische Methode. Unsere Theologen finden die schärfsten Ausdrücke, um sie zu disqualifizieren: „syllogisticae artis nugae“[24], „sophistica vanitas“[25], „aquatica scientia“[26], „dubium dogma philosophorum“[27], „deliramenta philosophorum“[28], „figmenta poetarum“[29], „scholastica subtilitas“[30], „caudae ticionum fumigantium“[31], „subtilitates dialecticae“[32], „quaestiones indisciplinatae“[33]. Leeres Gerede ist die Philosophie, Dialektik bläht auf, Scholastik macht trunken[34]. Die Ju-

[19] RvD, Gen. 6, 25; Reg. 5, 29; SpS 7, 10—17, (167, 424.1263 f. 1763—1781); A 9, 16 (169, 1124 f.); VV 11, 2 (169, 1444). Vgl. Glosa in Prov. 15, 2 (113, 1097).

[20] RvD, Lev. 2, 11 (167, 798).

[21] Vgl. HA, Ps. 31 (193, 1319), dazu Arno v. Reichersberg, Apol. (ed. Weichert 137, 225); SE comm. (172, 1085 f.); Ps. 86 (194, 527) — GvR, Gh 18, 5 (194, 1141); Ps. 8 (193, 745 f.); CF cant. Moys. 2 (194, 1061); DI (194, 1424): Von den Literaten gesagt; CE 142, (194, 97) — RvD, SpS 7, 8 (167, 1762).

[22] HA, Ps. 104 (194, 643); SE dom. XIII; comm. (172, 1062.1085): Honorius empfindet die Tragik, die in diesem Schicksal liegt. Vgl. auch RvD, Lev. 2, 23 (167, 810).

[23] GvR, CE 140; 142 (194, 95.97).

[24] RvD, EJ 5 (CCcm 9, 256).

[25] RvD, SpS 7, 8 (167, 1762).

[26] RvD, Am. 2 (168, 320) — HA, Ps. 31 (193, 1319) — GvR, ep. 18 (193, 571).

[27] HA, CC 2, 3 (172, 399).

[28] HA, Ps. 35 (193, 1350).

[29] HA, Ps. 44 (193, 1570).

[30] GvR, ep. ad Hartmann (194, 1076).

[31] GvR, N 41 (That. 232).

[32] a.a.O. 46 (a.a.O. 237).

[33] GvR, ep. 18 (193, 573).

[34] RvD, Lev. 2, 11 (167, 798); vgl. SpS 7, 9 (167, 1763) — HA, CC 1, 1; 2, 4 (172, 361.422) — GvR, ep. ad Hartmann (194, 1073).

risten, Legisten, Sophisten und Dialektiker plärren eilfertig ihre Weisheiten wie quakende Frösche in einem schmutzigen Tümpel heraus, murrt in altbaierischer Deftigkeit der Reichersberger Propst[35].

Lob und Schande der Philosophie steht oft auf einer einzigen Seite beieinander[36]. Das ist kein Widerspruch, sondern erklärt sich aus der Tatsache, daß einmal die Methode als solche, dann aber der Gebrauch, den die Menschen von ihr machen, betrachtet wird. Wenn Paulus im Römerbrief zu Beginn scheinbar wissenschaftsfeindliche Aussagen macht, dann will er nicht Schule und Studium verdammen, erklärt Rupert, „sed haec in eis culpat quod non quaesierunt ex eis sapientiae fructum, propter quem artes istae a Deo datae sunt, id est in notitia habere Deum et glorificare sicut Deum"[37]. Die sich autonomistisch verstehende Selbstsicherheit der Philosophie hat Gott endgültig zur Torheit gemacht[38]. Wenn man von ihren Wassern trinkt, ergeht es einem wie der Frau am Jakobsbrunnen: im Grund wird der Durst nicht gelöscht. Nur Christus kann Wasser zum ewigen Leben geben, nur im Heiligen Geist kann man Wissenschaft betreiben[39]. Der Glaube ist darum eine sicherere Erkenntnisquelle als die Dialektik eines Aristoteles oder die Eloquenz eines Cicero[40]. Weil sie a-christlich sind, laufen sie Gefahr, Christus zu verfehlen, der die Wahrheit selber ist[41]. Die Selbstsicherheit einer Philosophie ohne Gott versagt in sich selber: sie macht sich auf, um die Wahrheit zu finden, und verfehlt sie mit

[35] GvR, CE 142 (194, 97); ep. 3; 18 (193, 491.571); Gerhoch beklagt seine Vergangenheit, in der er ebenfalls aus den Sturzbächen dieser geschwätzigen Philosophen geschöpft habe, ehe er von der Scholastik zum „exercitium religionis" übergetreten sei: die Antipathie ist unverkennbar.

[36] z. B. RvD, SpS 7, 8 (167, 1762); Mich. 3 (168, 523) — HA, SE dom. XIII; CC 1, 1 (172, 1062.361 f.) — GvR, IA 2, 16 (Scheib. 222 f.).

[37] RvD, SpS 7, 4 (167, 1758) sowie die übrigen Ausführungen des Buches. Nach 7, 7 (a.a.O. 1760—1762) war das Konzil von Nikaia das Beispiel mustergültig angewandter *scentia*. Bezeichnend ist auch RvD, Gen. 2, 20 (167, 265): „Itaque et nos cum legimus quia formavit Dominus hominem de limo terrae, non discutiendum nobis est cur ita fecerit, sed potius illud timendum unicuique nostrum de seipso, ne vas quod fecit ipse, dissipetur ... Attamen *sobrie quaerere* ... hoc ... nobis non incongruit". Dies wird aus der Analyse von Schriftstellen gezeigt. Dann fährt Rupert fort: „Quaerimus enim non alta sapientes, ut Deo respondeamus aut judicia ejus comprehendere praesumamus, sed ut appropinquantes pedibus ejus *de doctrina ejus accipiamus*". Dazu auch GvR, ep. ad Hartmann. (194, 1074 f.) die Unterscheidung zwischen dem scholastischen lector ebrius und dem lector simplex.

[38] RvD, Reg. 2, 12 (167, 1113).

[39] RvD, ET 4 (CCcm 9, 196.198); A 2, 2 (169, 881).

[40] HA, SE dom. XIII (172, 1062). Vgl. auch RvD, Mich. 3 (168, 523).

[41] HA, CC 2, 3; Ps. 51; 106 (194, 666; 172, 292 f.) — GvR, Ps. 136 (194, 906).

innerer Logik. Anmaßung und Vorwitz, *praesumptio* und *curiositas,* das ist alles, was übrig bleibt[42].

Demgegenüber scheint ein zweiter Punkt der Kritik sekundär zu sein: die philosophischen Schriften befleißigen sich einer esoterischen Dunkelheit, gegen die sich die klare Einfachheit der Heiligen Schrift leuchtend abhebt. Was Platon schrieb, verstehen kaum drei Menschen[43]; die Bibel aber ist ein Volksbuch, aus dem man „per fidei stultitiam tribus verbulis" die Weisheit gewinnt, die den großen Philosophen nach vielen Jahren nicht aufgeht[44]. Doch nur für den ersten Moment ist das ein nebensächlicher Vorwurf. In Wirklichkeit wird dadurch noch einmal mit schonungsloser Schärfe das Versagen der profanen Wissenschaft aufgedeckt: sie riegelt den Weg zum Heil ab, sie ist unüberwindliche Mauer auf dem Weg zu Gott[45].

2. Die Überlieferung

Die differenzierte und kritische Haltung zu den überlieferten Denkschemata und Erkenntnisquellen, die das 12. Jahrhundert kennzeichnet, hatte im Blick auf die Philosophie zur Anerkennung ihres grundsätzlichen Wertes gegenüber der traditionellen und pauschalen Verurteilung der rationalen Methode geführt. Umgekehrt tritt an die Stelle der vorbehaltlosen Anerkennung der Tradition eine abgewogene Prüfung ihrer Daten, bei der dem eigenen Forschen eine wichtige Rolle zugewiesen wird.

Nach Rupert von Deutz ist die Überlieferung eine der Weisen, durch die die Kirche in der Kontinuität mit ihrem bleibenden Ursprung gehalten wird. „Tam per doctrinam quam per manuum impositionem", durch Tradition und Sukzession, die in beiden Fällen durch den Heiligen Geist garantiert ist — „cooperante occulta inspiratione", sagt der Abt weiter —, hält sich die Kirche als Christi Kirche durch die Zeiten als dieselbe durch[46]. Es gibt aber nicht zwei Ströme der Kontinuität nebeneinander: die Echtheit der

[42] RvD, Reg. 1, 16 (167, 1084 f.); VV 2, 12 (169, 1252) dazu den Text oben Anm. 37 — HA, CC 2, 3 (172, 399): „Dubium dogma philosophorum deseram et ad certam christianorum doctrinam me convertam". — GvR, Ps. 10 (193, 792): die magistri ziehen die eigenen literarischen Erzeugnisse dem Gotteswort der Hl. Schrift vor.

[43] HA, PM 1, 23 (172, 56).

[44] RvD, GT 1, 2 (169, 15); vgl. Ex. 1, 9 (167, 575). Die *elegantia* der Schrift hat sogar auf Heiden wie Ptolemäus, den Anreger der Septuaginta, Eindruck gemacht. — HA, SE dom. XIII (172, 1062).

[45] HA, PM 1, 23 (172, 56) — GvR, Ps. 136; 143 (194, 906.962).

[46] RvD, EJ 7 (CCcm 9, 409).

Tradition wird gewährleistet durch die Sukzession: „ecclesiastica auctoritas tradit“[47]. Sie ist nicht etwas Beliebiges, dem einzelnen Überlassenes, sondern hat ihre Bedeutung für die Kirche gerade darin, daß sie in der Kirche steht: der einzelne kann nicht sagen, „quod forte ego volo aut quod tu vis, sed quod sancta catholica ecclesia jamdudum recepit et approbaverit“[48]. Eine besondere Wertigkeit als Traditionszeuge hat die römische Kirche, da in ihr die Überlieferung von den Aposteln her besonders rein bewahrt worden ist. Wenn man sich nur an ihren Glauben hält, hält man sich auch dann noch im rechten Glauben, wenn man die Schrift nicht kennt und wissenschaftliche Theologie nicht versteht[49]. Man kann die Bedeutung der Tradition als kirchlicher Erkenntnisquelle kaum deutlicher ausdrücken. Sie besitzt sie allerdings nur in Übereinstimmung mit der Heiligen Schrift. „Man darf etwas Neues weder sagen noch lehren, das durch die Autorität der Schrift nicht gedeckt ist: so gehen wir den sicheren Weg“[50] — dieses Prinzip gilt für alle, die Exegeten und die kirchlichen Schriftsteller nicht ausgenommen[51]. Auch die Bedeutung der römischen Kirche ist allein dadurch abgesichert, daß sie auf dem Felsen des apostolischen Glaubens so verankert ist, daß ihr Zeugnis vollkommen schriftgemäß ist[52].

Das Wesen der kirchlichen Tradition erläutert Rupert an der Entwicklung des Meßritus. Aus den Händen der Apostel empfing die römische Kirche die Liturgie des Abendmahlssaales, die den Wesenskern des eucharistischen Kultes bildet. Er wurde im Lauf der Zeit erweitert, ausgeschmückt, feierlicher gestaltet, aber nicht verändert[53]. Tradition ist also Fortentwicklung des in der Heiligen Schrift liegenden Glaubensgutes, das von den Aposteln über die Väter bis zur heutigen Kirche weitergegeben worden ist[54]. In Kontakt damit stehen heißt in der Kirche stehen: das Wesen des Irrlehrers ist es, die göttlichen Traditionen um der menschlichen wil-

[47] RvD, DO 4, 13 (CCcm 7, 121).

[48] RvD, RSB 4, 7 (170, 530).

[49] RvD, DO 2, 22 (CCcm 7, 53). Vgl. auch a.a.O. 56.

[50] RvD, Num. 2, 8 (167, 887): „Nihil ergo dicendoum novum, nihil docendo, quod non constat auctoritate scripturarum per tritam gradiemur viam“.

[51] RvD, A 10, 17 (169, 1130).

[52] RvD, DO 2, 22 (CCcm 7, 53): „Romanae ecclesiae consuetudo legalibus, propheticis, evangelicis atque apostolicis rationibus consona est“. Sie werden 53—56 angeführt.

[53] a.a.O. 21 (a.a.O. 51). Vgl. auch a.a.O. 50.52.

[54] RvD, A 3, 4 (169, 912): im Glaubensbekenntnis ist die apostolische Tradition zusammengefaßt. Vgl. auch RSB 4, 9 (170, 532): „... ut a sanctis patribus traditum et ab ecclesia susceptum est“.

len aufgegeben zu haben[55]. Die Rückkoppelung der Überlieferung an die Schrift macht es möglich, auch auf eigene Kosten Theologie zu betreiben. Der Glaube verpflichtet nicht auf die Tradition als solche, sondern insofern sie Schriftdeutung ist. Da aber die Bibel als Gottes Wort von unausschöpflichem Reichtum ist, steht es jedem frei, „salva fide" diesen Acker zu bearbeiten, zumal sich die Situation der Väter insofern nicht grundlegend von der eigenen unterscheidet, als sie ebensowenig inspiriert waren wie die heutigen Theologen. Sie verdienen nicht von vornherein Glauben, sondern auf Grund der Argumente, die sie vorbringen, gestützt auf das Schriftzeugnis oder das eigene Forschen[56].

Gerhoch übernimmt die wesentlichen Elemente der rupertinischen Traditionslehre und appliziert sie seinem reformerischen Anliegen. Er will nichts anderes, als die Kirche im Geist der Überlieferung erneuern; darum zitiert er über Seiten hinweg die Lehre der Patristik, der alten Päpste und Konzilien, wenn er seine Pläne entwickelt[57]. Mehr noch als sein Lehrer betont er die überragende Stellung der römischen Kirche. Wo Entscheidungen eines Papstes vorliegen, ist die Sache definitiv entschieden; wo es Zweifel am Glaubensverständnis eines Textes gibt, ist sein Urteil maßgebend[58]. Mit dem Abt betont er, daß ihm solche Prärogativen nur deswegen zukämen, weil Rom in hervorragender Weise apostolischer Stuhl ist[59]. Er folgt ihm auch darin, daß er in der Tradition nur den Kanal sieht, durch den uns die Wasser der Schrift erreichen[60]. Das gibt ihm das Recht zur Distanz: nicht alles, was überliefert wird, ist *fides*

[55] RvD, EJ 7 (CCcm 9, 394): die Häretiker haben mehr Gefallen an ihrer eigenen Meinung „quam illa (*sc. eis placet*) quae omnium sanctorum communis est catholica atque apostolica fidei doctrina". Vgl. Anm. 42.

[56] RvD, DO prol. (CCcm 7, 6) = Amalar, Lib. offic. proem. 6 (ed. Hanssens 14); SpS 4, 9 (167, 1679); A prol.; 6, 11 (169, 827/828.1017: dieser Text = Hieronymus, in Ps. 86 — 26, 1084); ep. ad Rom. Pont. (169, 11/12). — Vgl. auch Augustinus, ep. 82, 3 (CSEL 33, 354).

[57] Vgl. z. B. GvR, ep. 3 (193, 491); AD 27 (194, 1266); ep. ad Hartmann (194, 1073); Gh 13, 2 (194, 1118); ep. ad P(etrum) philos. (O I, 361 ed. P. Classen).

[58] GvR, LF recip. (O I, 214); ep. 17 (193, 566): im Fall des *diversa, non adversa* entscheidet der Papst. Vgl. Arno v. Reichersberg, Apol. (ed. Weichert 106 f.).

[59] GvR, Ps. 18; 138 (193, 929; 194, 210).

[60] GvR, Ps. 143 (194, 960); IA 2, 35 (Scheib. 266); N 48 (That. 238) zieht er das Fazit seines Lebens: „Et ego patres ac doctores istorum, licet magistros in scholasticis conventiculis minime praeferendos vel conferendos censeo ecclesiarum doctoribus orthodoxis, quorum doctrina fulget ecclesia ut sol et luna. Unde quotiens inter ecclesiastica et scholastica documenta contrarietatem audio, *ego magis ecclesiasticis quam scholasticis fidem habeo*".

und *veritas*, sondern manchmal nur *opinio* und *consuetudo*[61]. Selbständige theologische Arbeit ist darum notwendig[62].

3. Die Heilige Schrift

Der einzigartige Wert der Heiligen Schrift ist in dem Umstand begründet, daß sie nicht allein Menschenwerk, sondern primär Gottes Wort und Werk ist[63]. Der Schöpfergott ist ihr Urheber: wie die Welt ist sie gemacht (*facta*), gegründet (*condita*) — Worte, die aus der Schöpfungstheologie stammen — vom dreifaltigen Gott[64]. Sie ist damit als wesentlicher Bestandteil dieser Welt deklariert.

In besonderer Weise wird sie durch Appropriation dem Heiligen Geist zugeschrieben[65]. In jedem Buch der Schrift spricht sich für Honorius eine eigene Geistesgabe in besonderem Maße aus[66]. Als Urheber der Schrift, der sie den Hagiographen inspiriert hat, kann er ihren innersten Sinn eröffnen[67]. Da er in Fülle erst in der Zeit der neutestamentlichen Kirche gesendet worden ist, vermag man Gottes Wort erst seitdem voll zu verstehen[68].

[61] GvR, AD 3 (194, 1202); IA praef. I (Scheib. 10 f.).

[62] GvR, ep. 18 (193, 572).

[63] Die Mitwirkung der menschlichen Schriftsteller wird nicht geleugnet: RvD, Ez. 2, 3 (167, 1465) — HA, SE nat.; Jac. (172, 833.834.983); CC 1, 1 (172, 375) — GvR, C coll. (O I, 23).

[64] HA, CC 1, 1; 2, 4 (172, 375.457). An der letztgenannten Stelle sagt Honorius: „Duo testamenta ... composita sunt a Deo Patre omnium artifice, per Filium qui est manus ejus, per quem fecit omnia; in quo opere ignis erat Spiritus sanctus". — RvD, Ex. 2, 3 (167, 607.1465) — GvR, Ps. 7.19 (193, 735.959) — Vgl. H. de Lubac, Exégèse I/1, 124—126.

[65] HA, Ps. 47; 90 (193, 1582; 194, 556) — RvD, Soph. 2, (168, 669).

[66] HA, SE ded. (172, 1101): Johannes = Weisheit; Psalmen = Verstand; Sprüche = Rat; Ecclesiastes = Stärke; Hohel. = Wissenschaft; Weisheit = Frömmigkeit; Ecclesiasticus = Furcht des Herrn. Vgl. auch ds., CC 1, 1 (172, 362); AE 11 (172, 1245); SE ded. (172, 1101) — RvD, Gen. 7, 4 (167, 449) — GvR, Ps. 39 (193, 1451).

[67] RvD, DO 10, 24 (CCcm 7, 360); Gen. 6, 42; Num. 2, 7; Ez. 1, 13; Reg. 3, 4 (167, 40.886.1434.1145); EJ 6 (CCcm 9, 308); A 3, 4; 4, 5; 12, 22 (169, 904.932.1212); Soph. 2 (168, 669) — HA, Ps. dedic.; 32 (172, 271.272.273; 193, 1324); SE coen.; Jac. Andr.; dom. XX (172, 934.983.1031.1063) — GvR, C coll. (O I, 24).

[68] RvD, Reg. 3, 4 (167, 1145): „Libri namque aperti sunt, quando Spiritus sanctus per Christi passionem datus est hominibus, per quem aperta et intelligibilia facta sunt mysteria scripturarum". Nach SpS 4, 11 (167, 1682) lernen die Apostel die Christusbezogenheit der Schrift vom Hl. Geist. Vgl. auch ds., A 4, 6 (169, 932); EJ 11; 12 (CCcm 9, 630.680); Abd. (168, 380) — HA, Ps. 103 (194, 622) — GvR, Ps. 31; 118 (O II/1, 52; 194, 753); IA 3, 9 (Scheib. 375).

Aus diesen Prämissen ergibt sich die exegetische Methode, mit der man unter der Erleuchtung des Geistes ihre Intentionen erkennt. Nicht die *littera* ist maßgebend, da sie noch nicht eigentlich das Ziel des Geistes war, sondern erst der *geistliche Sinn.* Die *littera* ist nur Hülse, der geistliche Schriftsinn erst das Korn, der Geist selbst ist das nährende Mark[69]. Indem man jeden Satz der Bibel daraufhin befragt, wird sie heilswirksam: „Die Schrift geistlich verstehen und nach ihr leben heißt im Reich Gottes herrschen und im Himmel weilen"[70]. Den Geist findet man jedoch nicht anders als durch den Buchstaben, nicht neben ihm oder an ihm vorbei[71].

Der letzte Sinn, das innerste Zentrum der ganzen Heiligen Schrift ist *Christus:* er ist die Sonne am Himmel der heiligen Bücher, ihre Fülle, die nur ein lebendiger Christusglaube erfaßt und darin auch von der Liebe zu ihm ergriffen wird[72]. Er ist das Wort Gottes, das sich in allen Schriften ausspricht, die ohne ihn ein Buch mit sieben Siegeln bleiben[73]. Obwohl also erst bei seinem Kommen das volle Verständnis der Schrift möglich war, wies sie doch, seitdem sie existierte, auch die Heiligen des Alten Bundes auf Christus[74]. Wie der Stern die Weisen nach Bethlehem, so führen alle Schriften die

[69] RvD, DO 10, 24 (CCcm 7, 360).

[70] RvD, A 3, 4 (169, 904): „spiritualiter intelligere et secundum eas (= *den Schriftgeheimnissen*) vivere jam regnare est in regno Dei et conversationem habere in coelis". Vgl. ds., A 4, 5 (169, 925); Dt. 1, 10; Ex. 4, 6; Lev. 1, 11 (167, 929.716.754 f.); EJ 2 (CCcm 9, 109 f.) — HA, Ps. 103 (194, 622); CC 2, 4 (172, 424) — GvR, Ps. 17; 77 (193, 865); 194, 435; IA 3, 9 (Scheib. 375) — RvD, Jon. 2 (168, 436): die Schönheit der Schrift kommt erst zur Geltung, wenn die littera, wie ein Baum durch Stützpfähle, durch den geistlichen Sinn abgesichert wird.

[71] RvD, Ez. 2, 28 (167, 1489): „In historia spiritus habeas intelligentiam, et in tropologia historiae veritatem. Quorum utrumque altero indiget, et si unum defuerit, perfecta caret scientia". Rupert will wirklich aus der Schrift den Geist erheben, nicht gelegentlich der Schriftlektüre theologisieren. Vgl. die meisterhafte Analyse H. de Lubacs, Exégèse II/1, 219—238; kurz auch C. Spicq, Esquisse 95—97.

[72] RvD, Num. 1, 1; Dt. 2, 10; SpS 1, 6; 4; Ez. 2, 17 (167, 857.983.1575.1682.1479); Os. 5; Mich. 1; Agg. prol.; Zach. 3 (168, 165.457.683/684.749); VV 3, 28 (169, 1292); EJ 6; 12 (CCcm 9, 307.680.681) — HA, SE nat. (172. 833) — GvR, Ps. 76 (194, 431 f.); IA 2, 35; 3, 9 (Scheib. 270,375).

[73] RvD, A 4, 5 (169, 425) — HA, E 2, 87 (Lef. 438); CC 1, 1 (172, 362) — GvR, Ps. 22 (193, 1053).

[74] RvD, Is. 2, 31 (167, 1365); Jon. 2; Zach. 2 (168, 436.705 f.); GT 6, 8 (169, 127): Die Synagoge gebar Gottes Wort im alttestamentlichen Ehebund Gottes mit den Patriarchen und Propheten; der Logos war schon vor der Inkarnation gegenwärtig in der Kirche.

Menschen zum Herrn[75]. Sie zeigen uns die Lebensgeheimnisse Jesu, die zugleich Heilsgeheimnisse der Christen sind — seine Menschwerdung, seine Passion und Auferstehung, seine Erhöhung[76]. Der Schlüssel dazu ist sein Leiden; Schrifttheologie ist *theologia crucis*, ihr Ursprung das Kreuz: „A ligno crucis et dominicae passionis descendit"[77]. Sie hat damit den gleichen Ursprung wie die Kirche, ist wie sie aufs engste mit Christus verbunden als seine Braut. Aus ihr stammen wir alle: „Sacra Scriptura mater omnium nostrorum secundum quam renascimur"[78].

Schrift und *Kirche* gehören damit zusammen. Wie sie Christus deutet, so deutet sie auch die Kirche[79]; sie ist ihre Schatzkammer[80], ihr Licht[81], das Buch vom Kampf des Gotteswortes, in den die Kirche einbezogen ist[82]. Die Kirche ist die Festung Gottes gegen die Machenschaften von Juden, Heiden und Häretikern, erklärt uns Honorius; die Mauern und Türme, von denen aus der Kampf geführt wird, sind die Bücher der Bibel[83].

Vor allem aber ist sie die Nahrung der Kirche, die vom doppelten Tisch des Brotes und des Wortes gespeist wird[84]. Hier ereignet sich immer von neuem die Brotvermehrung: die wenigen Worte der

75 HA, SE ep. (172, 845); Ps. 1 (172, 277): die Schrift hat bereits die Erlösung am Kreuz vorhergesagt. Vgl. auch RvD, Gen. 2, 28; 6, 43; Num. 2, 22; Dt. 1, 7; (167, 274.441.902.925); CC 3 (168, 883) — HA, CC 4 (172, 475): Christus saugt an den Brüsten der Urkirche, indem er Gesetz und Propheten nach dem geistlichen Sinn auslegt.

76 RvD, Ez. 1, 11 (167, 1432) u. öfters (vgl. unten II, 1, 3, 2 Anm. 23).

77 HA, GA 1, 143, (172, 589); vgl. auch SE inv. (172, 943) — RvD, Ex. 3, 43; 4, 15 (167, 693.716).

78 RvD, Gen. 7, 4 (167, 449). H. de Lubac, Exégèse II/1, 225 f.: „C'est parce qu'il dévrait ‚suivre Jesus-Christ' que Rupert s'est adonné à l'étude des écritures". Belege 224—226.

79 Die allegorische Deutung bezieht daher die Worte der Schrift sowohl auf Christus wir auf die Kirche. Vgl. etwa die Exposition HA, CC 1, 1 (172, 359) — GvR, Ps. 36 (O II/2, 573—578).

80 RvD, Ez. 2, 3 (167, 1465) — HA, CC 1, 2 (172, 385); Ps. 36 (193, 1357).

81 RvD, Amos 3 (168, 327) — HA, GA 1, 22 (172, 551).

82 RvD, VV 2, 18 (169, 1257 f.); vgl. auch a.a.O. 11, 28 (a.a.O. 1462).

83 HA, SBM 2 (172, 503); GA 1, 163 (172, 594); CC 1, 2; 2, 4.5; 4 (172, 393.413. 434.438); Ps. 79; 86; 103 (194, 495.527.622) — GvR, Ps. 10; 118 (193, 792; 194, 821): für das Vertrauen auf die Schrift steht das Wort „*supersperare*".

84 RvD, Ex. 4, 15 (167, 715) — HA, Sac. 12 (172, 748): Die Kirche ist Gottes Zelt, der Tisch darin die Schrift; seine vier Beine stellen den vierfachen Schriftsinn dar; ds., SE dom. XX; ded. (172, 1064.1103); CC 2, 4 (172, 439); Ps. epil. (172, 308) — GvR, Ps. 36 (O II/2, 491). — Vgl. auch Vaticanum II, Konstitution über die Hl. Liturgie „Sacrosanctum Concilium" 2, 51.

Bibel geben allen und zu allen Zeiten genug, um satt zu werden[85]. Es ist keine anziehende Nahrung, die uns da angeboten wird: man muß sich an den Geschmack gewöhnen, muß anfangen, sie zu genießen, erst dann erkennt man die lebenspendende Kraft dieser Speise, die die Weide der Herde Christi, der Baum des Lebens, das erquickende Wasser des vierfachen Paradiesesstromes ist[86]. Sie verwandelt damit die Kirche selber zum Paradies, in dem die Evangelien zu jenen Strömen werden[87]. Mit dieser Fülle von Bildern soll eindringlich klar gemacht werden, daß die Heilige Schrift die Urkunde der Offenbarung unseres Heiles ist, das in der Kirche durch Christus geschieht[88]. Weil Gott uns die Heilige Schrift aufschließt, ist sie für uns die Quelle des Glaubens und der Erkenntnis[89], das Tor zur Kirche[90]. Deren Glaube ist nichts anderes als ein Gewebe aus Sätzen der Bibel, die damit zur eigentlichen *regula fidei* wird[91], zum stützenden Fundament der Kirche und zur Grundlage jeder Unterweisung[92].

Aus der Schrift kommt uns das Heil zu, uns, die wir Glieder der Kirche sind. Die vier Evangelien sind Wagen, Schiff und Flügel, die uns in ihr zum Himmel tragen[93]; die Heilige Schrift wird zum Fluß, aus dem die Kirche die Wahrheit schöpft; zum belebenden

[85] RvD, Reg. 5, 28 (167, 1263); VV 3, 26 (169, 1290) — HA, Ps. epil. 172 (308); Ps. 32 (193, 1324).

[86] RvD, EJ 6 (CCcm 9, 320); SpS 1, 18; 4, 3 (167, 1588.1672) — HA, CV (40, 1007); CC 1, 1.2 (172, 370.396) — GvR, Ps. 10; 22 (193, 792.1042).

[87] HA, SE nat.; inv. (172, 833.943); Ps. 1 (172, 276) — GvR, C coll. (O I, 24) — RvD, Gen. 2, 28 (167, 294).

[88] RvD, Ex. 4, 15.44; Num. 2, 7.22; Dt. 1, 7 (167, 715.743.886.902.925).

[89] RvD, Lev. 2, 25 (167, 812); A 7, 12 (169, 1060); vgl. auch A 4, 5 (a.a.O. 926) sowie DO 7, 5 (CCcm 7, 230): die Schrift ist der Himmel, an dem die Lehrer der Kirche und die Getauften wie Sterne stehen (dazu Augustinus, en. in Ps. 93, 6 — CC 39, 1305 f.) — HA, PV 5 (172, 315); CC 1, 1; 2, 4 (172, 315.362) — GvR, Ps. 24 (193, 1097).

[90] RvD, Is. 2, 28 (167, 551).

[91] RvD, Omnip. 27 (170, 477 f.): „Quidquid extra hanc scripturam sanctam cogitari vel argumentando potest confingi, sicut expers rationis est, ita nullatenus pertinet ad laudem vel confessionem omnipotentiae Dei ... Summa illorum in symbolo continetur, de quo nihil dubitantes, veraciter in Dominum Patrem omnipotentem nos credere confitemur. Proinde quidquid extra sanctarum regulam scripturarum excogitari potest, nemo ab homine catholico ... jure exigere potest". HA, SE Caec. (172, 1028). Vgl. auch Arnaud von Bonnevalle, Hex. (189, 1519).

[92] HA, SE ded. (172, 1101); Ps. 81 (194, 527) — GvR, Ps. 17; 22 (193, 867. 1042).

[93] RvD, Ez. 1, 11 (167, 1432 f.); A 7, 12 (169, 1061) — HA, SE nat. (172, 834) — GvR, Ps. 35 (O II/2, 443).

Regen, der hundertfältige Frucht aus dem Acker der Welt hervorsprießen läßt[94]. Sie ist das Bindeglied zwischen dem Haupt und seinen Gliedern[95]. Aber nicht nur um der Kirche willen ist die Schrift gegeben: alle Menschen will sie erreichen durch die Predigt der Kirche[96]. Aus der Enge Israels und den dunklen Höhlen der hebräischen Sprache gelangt auch das Alte Testament zu den Völkern, denen der Schatz im Acker bestimmt ist; allen, nicht nur den Weisen und Klugen, die Platon und Aristoteles begreifen[97]. „Per duo testamenta tres partes mundi Asia, Africa et Europa ad fidem Christi convertuntur“[98]. So ist es die Bibel, die die Kirche universal macht, sie als die katholische zur Mutter und Lehrerin aller Völker werden läßt; die beiden Testamente sind die beiden Brüste, mit denen diese Mutter ihre Kinder stillt[99]. Sie wird zum Vaterland der Menschen, zum Born der Weisheit, in der alle anderen Wissenschaften aufgehen, die den Durst des Menschengeschlechtes endlich zu löschen vermag[100]. So wird ihre Lektüre unerläßlich, will man das Heil finden[101].

Unsere Theologen wissen, daß sie das Buch der Kirche und Buch für die Kirche ist. Weil sie wie diese aus Christus entstanden ist, weil ihre Mitte er ist, der auch das Zentrum der Kirche ist, spricht die Schrift ebenso wie von Christus auch stets von der Kirche.

[94] RvD, A 7, 12 (169, 1060); VV 13, 6 (169, 1491) — GvR, Ps. 146 (194, 976). Vgl. auch RvD, GT 7, 7 (169, 148): Die Schrift ist „doctrina domus, doctrina ecclesiae“. Dazu auch H. de Lubac, Exégèse I/1, 57—60.

[95] RvD, GT 7, 7 (169, 148).

[96] RvD, TO Gen. 6, 44; 7, 4; Is. 2, 21; Ez. 1, 12.13; SpS 1, 6 (167, 442.449.1342. 1433.1434.1575); Abd.; Soph. 1 (168, 380.663) — HA, CC 1, 1 (172, 368): was die Kirche aufnimmt, „praedicando eructavit“; SE palm. ded. (172, 922. 1102); CC prol. (172, 351.353): Durch die Evangelien wird die Kirche aus allen Himmelsrichtungen in das Brautgemach Christi geleitet; sie sind die vier Räder des Wagens der christlichen Offenbarungsbotschaft, dessen Zugtiere die Apostel sind — GvR, Ps. 118 (194, 758). Die Predigt als Weitergabe des Schriftwortes RvD, Dt. 2, 7; Jos. 17 (167, 1017.963).

[97] RvD, Gh 12 (168, 1587); GT 1, 2; 4, 19; 6, 17 (169, 15.93.135). Die ursprüngliche Verborgenheit der Schrift hat den Sinn, den verborgenen Schatz bis zum rechten Augenblick versteckt zu halten: die Juden hätten die Christozentrik der Schrift noch nicht verstanden (so GT 4, 19) — HA, SE Caec. (172, 1028); Ps. 86 (194, 529).

[98] HA, Ps. 81 (194, 504).

[99] RvD, Gen. 7, 7 (167, 452) — HA, SEmed. (172, 892); CC 1, 1; 2, 4; 3, 7 (172, 366.377.414.466).

[100] RvD, Gen. 6, 43; 8, 30; SpS 7, 10 (167, 441.554.1763 f.): erst in der schrifterfüllten Kirche kommen die sieben freien Künste zur Vollendung: das wird SpS, 7, 11—17 (a.a.O. 1765—1781) gezeigt an Beispielen. — HA, AE 11 (172, 1245); Ps. 32; 104 (193, 1324; 194, 643).

[101] RvD, SpS 4, 3.10 (167, 1672.1681); — HA, SE PetPaul (172, 969).

„David rex et propheta omnes psalmos Spiritu sancto afflatus de Christo et ecclesia composuit"[102]. Wenn es dann wahr ist, daß man nur in und mit Christus Schrift verstehen kann, dann ergibt sich auch, daß man nur in und mit der Kirche sie richtig liest. So braucht sie immer wieder erfahrene und berufene Ausleger, die mit authentischer Interpretation die Völker durch die Kirche zu Christus führen[103]. Hier allein finden sie lautere Wahrheit, der gegenüber alle menschliche Wahrheit nur Schatten und Gleichnis ist[104]. Denn wer die Schrift liest, hat Christus vor Augen, der die Wahrheit ist[105].

Damit ist nicht die abstrakte Wahrheit der Philosophen gemeint, sondern jene, die zugleich Weg und Leben ist. Ist die Schrift also Regel der Wahrheit, ist sie auch Maßstab des christlichen Lebens; an ihm sich messen bedeutet, den Lohn der Vollendung zu erhalten[106]. Damit ist sie auch Schutzwehr des Christen, der ohne sie hilflos dem Dräuen der Feinde ausgeliefert wäre[107]. Sie ist auch der Quell der Weltordnung, insofern alle Stände der Kirche sie als Glaubens- und Lebensregel empfangen haben[108]. Indem sie das Liebesgebot der Schrift erfüllen und dem Herrn in Heiligkeit und Gerechtigkeit dienen, seinen Willen erfüllen, der ihnen in ihren Büchern kundgetan wird, erkennen sie Gott hier auf Erden und in der Vollendung der beseligenden Schau[109].

[102] HA, Ps. ded. (172, 271). — Vgl. RvD, Gen. 6, 42; Ex. 4, 15 (167, 441.716); Am. 3; Mich. 2 (168, 327.482) — HA, SE And. (172, 1031).

[103] RvD, DO prol.; 7, 5 (CCcm 7, 5.230); Is. 2, 21.28 (167, 1342.1355); Zach. 3 (168, 749) — HA, SE nat.; palm.; coen.; inv.; And.; ded. (172, 833.834.922. 934.943.1031.1102); CC prol.; 2, 4 (172, 353.427); Ps. 32.90.103.104 (193, 1324; 194, 556.622.643) — GvR, Ps. 7; 17; 31; 146 (193, 735.865; O II/1, 52; 194, 976). Nach diesen Texten waren die ersten Exegeten die Apostel, denen die berufenen Lehrer der Kirche folgen. HA, CC 1, 3 (172, 413) nennt sie den Hals, der die Glieder der Kirche mit Christus, dem Haupt, verbindet. Rupert bekennt sich von Anfang an zur Exegese „ecclesiastico more" (Gh 12 — 168, 1600). Er kann darum nicht als Vertreter einer sola-scriptura-Lehre im reformatorischen Sinn vindiziert werden, wie dies U. Jaeschke 98 tut. Vgl. auch a.a.O. 180, jedoch abschwächend 98.

[104] RvD, SpS 1, 7 (167, 1576) — HA, SBM 2 (172, 503) — GvR, Ps. 19; 118 (193, 959; 194, 731).

[105] RvD, SpS 1, 6 (167, 1575).

[106] RvD, Reg. 5, 30 (167, 1265); EJ 14 (CCcm 9, 761); A 12, 21 (169, 1199) — vgl. GvR, Ps. 118 (194, 731): durch die Schrift „agnoscatur non solum quae sit fides vera et non ficta, sed etiam quae sit conversatio fidei rectae adjungenda".

[107] RvD, Mich. 2 (168, 482); vgl. EJ 6 (CCcm 9, 307).

[108] RvD, Zach. 2 (168, 741).

[109] HA, Sac. 12 (172, 748); SE dom. XIII (172, 1060); CC 1, 1.2 (172, 366.386) — GvR, Ps. 69 (194, 184 f.).

Entsprechend erbarmungswürdig ist das Leben der Menschen ohne Schrift. Sie kennen Gott nicht, sondern gleichen Menschen, die hungernd und dürstend in wasserloser Wüste herumirren — „soli sine Deo ... aditum regni Dei non invenientes, sed nec quaerere scientes“[110]. Schlimmer noch sind jene daran, die ihren Weisungen entgegen handeln. Sie sind dem Untergang geweiht als die schlimmsten *perversi* der Erde[111].

Für unsere Theologen ist es klar, daß mit der Bibel beide Testamente gleicherweise gemeint sind. Beide sind in Christus zentriert und damit grundsätzlich gleichrangig. „Quod enim unum promittit, aliud exhibet, et ita dispositum inter se et Mediatorem Dei et hominem vident“, sagt Rupert, und seine Schüler bestätigen ihn[112]. Weder sachlich noch in der Wertung können sie entkoppelt werden[113]. Wenn es Unterschiede gibt, so sind sie sekundärer Art: wenn das Alte Testament nur verhüllt von Christus spricht, dann hat das seinen Grund darin, daß ihr inneres Licht die Menschen geblendet hätte, wären sie ohne lange Bereitung damit konfrontiert worden[114]. In Wirklichkeit stehen sie in innerer Einheit zueinander, sind sie doch das Werk eines einzigen, auf ein einziges Ziel gerichtet, um eine Mitte kreisend[115]. Die beiden Testamente gehören zusammen und ergänzen einander wie die beiden Johannes, die am Anfang und Ende des Neuen Testaments stehen, oder wie die einander zugewandten Cherubim der Bundeslade: beide sehen einander an — und beide schauen eben darin auf Christus[116]. Seine Lippen sind die beiden Testamente, mit denen er der bräutlichen Kirche das Siegel seines Kusses aufdrückt: er gilt uns und wird auch uns gegeben, sooft wir die Schrift betrachten, lesen oder ihre Psalmen singen[117].

[110] RvD, EJ 6 (CCcm 9, 312).

[111] RvD, EJ 2 (CCcm 9, 252) — GvR, Ps. 22 (193, 1053).

[112] RvD, Ex. 4, 6 (167, 703); vgl. ds., Reg. 5, 30 (167, 1265); GT 1, 5 (169, 18) — HA, H 1 (172, 254): „Novum Testamentum sic Veteri continuatur, ut quidquid Vetus proponit, Novum solvere videatur“; CC 1, 1 (172, 359); Ps. 93 (194, 570 f.) — GvR, C coll. (O I, 24); IA 2, 35 (Scheib. 270): „Utrumque Testamentum os Christi recte dicitur“. — Vgl. auch weitere zeitgenössische Stimmen bei H. de Lubac, Der geistige Sinn 25; Magrassi 87—90.

[113] RvD, Ez. 1, 13; SpS 1, 6; Reg. 2, 20 (167, 1434.1575.1119); GT 1, 5 (169, 18).

[114] RvD, Am. 3 (168, 327).

[115] RvD, EJ 1 (CCcm 9, 33); GT 1, 5 (169, 18) — HA, SE And. (172, 1031).

[116] EJ 1; 14 (CCcm 9, 33.761.763) — HA, SE And.; dom. XIII (172, 1031.1060) — GvR, IA 2, 35 (Scheib. 270).

[117] RvD, Gen. 2, 22; Num. 1, 37 (167, 268.875) — GvR, IA 2, 35 (Scheib. 270).

Die heiligen Bücher werden zu den eigentlichen Erkenntnisquellen der Kirche, zur Norm für Wissenschaft und Tradition, die mit ihr übereinstimmen und damit auf sie hinleiten müssen[118]. Nur in ihr spricht sich Gott in Christus uns zu durch die Gnade des Heiligen Geistes.

2. Kapitel

Die Namen der Kirche

1. Ecclesia

Ecclesia heißt *convocatio,* Versammlung[1]. Es ist ein analoger Begriff, der verschiedene Wirklichkeiten und innerhalb einer Wirklichkeit verschiedene Aspekte beschreiben kann: die Kirche als Gotteshaus[2], die Diözese oder Ortskirche, ja sogar ein einzelnes Kloster, die sich alle als Teile der Gesamtkirche sehen[3]. Damit kann aber auch eine Gemeinschaft gleicher Gesinnung gemeint sein — so heißt auch die Synagoge[4], schließlich selbst die Gruppe der Teufelsanhänger *ecclesia,* die im zweiten Fall geradezu die Gegenspielerin der von Gott gerufenen Gemeinde ist[5]. Diese ist das *analogatum princeps* als die Gemeinschaft der Glaubenden[6]. Darauf nehmen alle Definitionen Bezug, die unsere Autoren — übrigens beiläufig genug — geben. Die Kirche ist *„omnium credentium Deumque colentium sancta societas“*[7], *„credentium collectio universa“*[8], *„tota fidelium multitudo“*[9], *„populus fidelium“*[10]. Da der

[118] RvD, Gh 5 (168, 1424 f.): in der Schrift werden die *verba rebus,* in den profanen Schriften die *res verbis* ausgeschmückt. Besonders eindringlich der Gedanke bei HA, AE (172, 1245): man muß erst die säkularen Wissenschaften durchschritten haben, ehe man ins eigentliche Vaterland der Heiligen Schrift kommt; SE dom. XI (172, 1057) werden die weltlichen und heiligen Schriften mit verschiedenen Materialien verglichen: „Sicut enim aurum per ferrum splendescit, sic sacra Scriptura per saeculares disciplinas fulgescit“.

[1] HA, Sac. 10; 31 (172, 745.763); CC 2, 4 (172, 415) — GvR, N 3 (That. 192).

[2] Vgl. HA, GA 1, 126.129 (172, 585.586); Sac. 31 (172, 763): hier Erklärung von *kyrica* = Kirche; SE ded. (172, 1103).

[3] HA, CC 1, 1 (172, 381).

[4] Vgl. unten II, 3, 4.

[5] Vgl. unten Abschn. 9.

[6] So auch bei Hugo v. St. Viktor, sacr. 2, 2, 2 (176, 417). Vgl. oben I, 2 Exkurs.

[7] RvD, EJ 8 (CCcm 9, 454).

[8] RvD, VV 12, 1 (169, 1465).

rechtfertigende Glaube die Heiligung des Menschen bewirkt, wird sie Gemeinschaft der Heiligen oder „*convocatio justorum*" genannt[11]. Das ist nicht streng theologisch zu verstehen: auch in der Kirche gibt es trotzdem genügend Böse; sie scheint also eher die Gemeinde der Gerechten *und* Ungerechten zu sein[12], doch jene gehören nur in einem später noch zu untersuchenden defizienten Sinn zur Kirche. Der Glaube wird weder durch Raum noch durch Zeit beschränkt, so daß die *ecclesia* in wahrhaft umspannender Weise universal ist: auch die Engel gehören zu ihr[13].

Honorius hat uns eine systematische Übersicht über die verschiedenen Bedeutungen des Wortes gegeben. Nach der zeitlichen Dimension gibt es die *ecclesia primitiva* oder *antiqua,* die die Gläubigen von Abel bis zum rechten Schächer umfaßt, die Urkirche der ersten Generationen nach Christus und schließlich die *ecclesia praesens,* in der wir leben und die bis zum Ende der Zeiten existieren wird. Ihrer rassisch-geographisch-räumlichen Herkunft nach unterscheiden sich die *ecclesia gentium* und die *ecclesia ex Judaeis* oder *ex circumcisione*; doch letztlich ist sie eben *ecclesia universalis,* die keine räumlichen Grenzen mehr kennt. Der Ordo-Gedanke wird zum unterscheidenden Prinzip, wenn die *ecclesia perfectorum* von der *ecclesia imperfectorum* distinguiert wird: diese umfaßt die dem tätigen Leben sich widmenden Stände, jene die beschaulich Lebenden. Doch sie alle sind Glieder der *ecclesia peregrinans,* der Kirche auf dem Wege ins himmlische Vaterland. Hat sie ihr Ziel erreicht, wird sie umgewandelt zur *ecclesia coelestis,* die aus Engeln und Seligen besteht[14].

Der Begriff Kirche kann die sehr real-erfahrbare Wirklichkeit der empirischen Kirche meinen, in der es Heilige und Unheilige, Gerechte und Ungerechte nebeneinander gibt, er kann aber auch die transzendente Wirklichkeit der begnadeten Gemeinschaft der Erwählten und Bürger des Himmels meinen, die eigentliche und wahre civitas Dei, deren Initiator Gott allein ist, der Rufende und

[9] HA, CC prol. (172, 349); Ps. 50 (172, 283): congregatio fidelium.

[10] HA, SE conv. (172, 1095).

[11] GvR, Ps. 9 (193, 763): „Ecclesia id est sanctorum communio": eng verbunden ist damit der Begriff des Friedens (Ps. 21 — 193, 1019); Ps. 25; 143 (193, 1164; 194, 960); N 4 (That. 192): die Kirche sind die „iusti in ea convocati".

[12] HA, Sac. 102 (172, 804).

[13] HA, SE ded. (Kelle 11).

[14] HA, CC 2, 4 (172, 415 f.). Ds., Ps. 79 (194, 493) unterscheidet: *primitiva ecclesia de Judaico populo, ecclesia de gentibus in fide fructificans, ecclesia adhuc de Judaeis creditura.*

Sammelnde[15]. Diese Ur- und Grundtatsache, der die Kirche zu verdanken ist, faßt Honorius prägnant zusammen, wenn er die Kirche eine „convocatio" nennt, „quia in ea populus fidelium ad audienda judicia Dei et ad convivium Christi convocatur ... (et) ... amore Spiritus sancti in unam fidem convocatur"[16].

Damit ist die Kirche letzten Endes ein Geheimnis des Glaubens. Ihrer monastischen Denkrichtung entsprechend glauben unsere Theologen nicht, ihm mit rational-dialektischen Mitteln beikommen zu können. Es läßt sich nur dann lichten, wenn die reiche Bilderfülle der Heiligen Schrift symbolistisch entfaltet wird. Sie erweckt immer neue Assoziationen, aus deren Summe ein großartiges Bild der *Ecclesia* entsteht. Um dem Denken eines Rupert oder Honorius oder eines Gerhoch gerecht zu werden, müssen zuerst diese Bilder dargestellt werden, ehe wir systematisch die Ekklesiologie entwickeln. Manches muß auf diese Weise wiederholt werden; doch scheint dies der Methode und Denkart unserer Autoren gerechter zu werden als eine allzu logische Gliederung, die sie selbst für unangemessen gehalten haben.

2. Haus und Tempel Gottes

Dieses Bild fanden unsere Theologen beim Studium des Alten Testamentes, für das sie eine große Vorliebe hatten[17]. Aber auch in der Homilie ließ es sich gut verwenden, konnte man doch die Gemeinde von der Betrachtung des Gotteshauses, in dem sie saßen, zur Meditation des *aedificium Dei* führen, dessen lebendige Steine sie waren. Endlich bot es sich von selbst an, wenn man wie Gerhoch über die Reform der Kirche nachdachte, die nichts anderes wollte, als den baufälligen Tempel Gottes in seinen gemäßen Zustand zurückzuführen.

Die Kirche ist Gottes Haus und Tempel, weil sie das Werk des dreifaltigen Gottes ist. Der Vater hat es erbaut und verschwenderisch prächtig ausgestattet; er wohnt in seiner Majestät in diesem Hause[18]. Sie ist ein Teil der Schöpfung, doch nicht deren Rohstruktur zugehörig, sondern das Werk der besonderen göttlichen Sorge. Wie Eva aus der Rippe Adams gebildet wurde, so erbaute Gott

[15] W. Kamlah, Christentum 133—154; Meuthen, Gerhoch 57 f./25.
[16] HA, GA 1, 103.126 (172, 577.585).
[17] Zur Geschichte vgl. J. Sauer, Symbolik 5—11, 98—105, 300—308.
[18] RvD, Is. 2, 22 (167, 1346) — HA, SE coen. (172, 921 f.); CC 1, 2 (172, 395); Ps. 45; 47; 51; 117 (193, 1575.1586; 172, 293; 194, 722) — GvR, AD 1 (193, 1193); Ps. 68 (194, 236); ep. 24 (193, 605).

die Kirche aus den Geistwesen, die er besonders begnadet hatte. Die übrige Schöpfung diente ihm dabei, die unbelebte Kreatur ebenso wie die Verdammten. Er hauchte der Kirche seinen Geist ein und machte sie damit unzerstörbar[19]. Sie ist ein geistiger Bau, dessen tragende Säulen die sieben Gaben des Heiligen Geistes sind, erhellt von ihm selber, der den Tempel Gottes erfüllt und ihn weiht und heiligt[20].

Dennoch ist die Kirche nur im abgeleiteten Sinne Gottes Bau. Denn der eigentliche und primäre Tempel Gottes ist Jesus Christus; nur insofern und soweit sie mit ihm verbunden ist, kann auch sie mit dem gleichen Namen bezeichnet werden[21]. Die Verbindung geschah in der Inkarnation und vor allem in der Passion Christi, da der Tempel seines Leibes geöffnet ward, um die Kirche einzulassen, die nun selber zum Haus Gottes wird wie einst das Haus des Zachäus[22]. Weil aber Christus der eigentliche Hausvater ist, muß man zur Kirche gehen, wenn man ihn, und das heißt: das eigene Heil, finden will[23].

Die Kirche ist Gottes Haus, weil Christi Leib in ihr und durch sie gegenwärtig wird[24]. Er ist der Altar dieses Tempels, der aus Taufe und Eucharistie erbaut wird; der Felsen, auf dem er unerschütterlich steht[25]. Freilich sind das alles nur Bilder, die in dem Augenblick, da sie ausgesprochen werden, sofort transzendiert werden müssen. Der Propst von Reichersberg macht darauf aufmerksam, wenn er sagt, bei allen anderen Bauten stehe das Fundament

[19] GvR, AD 1 (194, 1193 f. 1196); IA 1, 13 (Scheib. 36).

[20] RvD, EJ 12 (CCcm 9, 670) — HA, SE pent.; ded. (172, 962; Kelle 6 f. 9); GA 1, 137 (172, 587); CC 2, 4 (172, 416); Ps. 47; 92 (193, 1586; 194, 567) — GvR, IA 1, 12 (Scheib. 35).

[21] RvD, EJ 1 (CCcm 9, 50 f.); Dan. 22; 28; Ez. 2, 12 (167, 1527.1534.1473); Jon. 1; Agg. (168, 421 f. 690). Die enge Verbindung zwischen Kirche und Christus unter dem Bild des Tempels zeigt Rupert bei der Exegese von Ez. 40 ff. (Ez. 2, 12—32 — 167, 1473—1493).

[22] RvD, DO 3, 18 (CCcm 7, 89); Reg. 2, 30; Ez. 2, 26 (167, 1129.1487); Zach. 2 (168, 748) — GvR, Ps. 133 (194, 887): die Hausteile werden auf die Passion Christi gedeutet; sermo de VI diebus (Cod. lat. 1558 der Nationalbibliothek Wien, fol. 85 r. v.).

[23] RvD, Is. 2, 22 (167, 1346) — HA, CC 1, 1 (172, 381). Gern wird für diesen Sachverhalt auch das Bild der *Arche* angewandt: RvD, EJ 14 (CCcm 9, 782); Gen. 4, 17 f. (167, 342—344).

[24] RvD, DO 10, 17 (CCcm 7, 353) — HA, SE ded. (Kelle 4) — GvR, Gh 13 (194, 1117); CDH 4 (194, 1178). Zum augustinischen Hintergrund vgl. J. Ratzinger, Volk und Haus 169—184, 237—254; J. Sauer, Symbolik 101—103.

[25] RvD, Is. 2, 22 (167, 1346) — HA, Ps. 117 (194, 728); GA 1, 129 (172, 586) — GvR, Ps. 21; 28; 77; 147 (193, 1024.1252; 194, 470.981); AD 1 (194, 1194).

in der Erde, bei der Kirche aber sei es im Himmel: das Unterste wird zuoberst gewendet — das ist die Wirklichkeit der Kirche, die Realität eines Mysteriums[26].

Christus ist auch der Architekt dieses Hauses. Er hatte zuerst die Himmelsstadt aus den Engeln errichtet, sagt Honorius. Doch dann fällt ein Teil von ihnen ab und macht neue Maßnahmen des Bauherrn notwendig[27]. Das irdische Paradies entsteht, aber der einstige Engel des Lichtes zerstört es. Christus kommt nun selbst in die sündige Welt, die der Trümmerhaufen aus Satans Wirken ist, und sammelt die lebendigen Steine der Erwählten, um mit ihnen den Neubau der Kirche zu errichten[28]. Mit dem Tode des großen Architekten am Kreuz scheint auch dieses Werk zu mißlingen, doch an Ostern wird der Bau endgültig und unvergänglich errichtet, an Pfingsten zieht der Herr in seinem Geist für immer darin ein. Trotzdem geht der Bau durch die Jahrhunderte weiter; noch sind zerstörende Kräfte am Werk; noch steht die letzte Weihe bevor, die am Ende der Zeiten die bleibende himmlische Existenzform der Kirche bewirkt[29].

Die Kirche in der Geschichte steht in der Vorläufigkeit. Sie erscheint uns eher wie ein Zelt, das immer wieder abgebrochen werden muß so wie das Bundeszelt in der Wüstenwanderung Israels, ehe das Gelobte Land erreicht war[30]. So wird auch die stete Gefährdung der Kirche verständlich, verständlich auch die Notwendigkeit

[26] RvD, Reg. 3, 16 (167, 1160) — GvR, Ps. 120 (194, 842).

[27] HA, Se ded. (172, 1101); Ps. 95 (194, 579). Im Hinterdrund steht die Frage nach dem Zusammenhang zwischen Engelfall und Menschenschöpfung. Unter dem Einfluß Augustins (civ. 22, 1 — CC 48, 807) und vor allem Gregors d. Gr. waren die meisten Theologen des 12. Jahrhunderts, darunter auch Bernhard v. Clairvaux (cant. 27, 6; 62, 1; 68, 4 — 183, 916.1075.1110) der Meinung, daß die Menschen nur als Lückenbüßer an Stelle der abgefallenen Engel geschaffen waren. In seinen frühen Schriften schließt sich HA dieser These an (E 1, 57 — Lef. 371; I — 172, 1211), dann aber vertritt er unter dem Einfluß Anselms v. Canterbury (Cur Deus homo 1, 16—18 — 158, 381—385: auch wenn die Menschen an Engelsstelle sind, wurden mehr Menschen als treulose Engel geschaffen) und vor allem Ruperts von Deutz (Gen. 2, 20 — 167, 265; GT 3, 20 — 169, 72) die Eigenständigkeit des Universums und der Menschen: HA, CC 2, 5 (172, 432 f.); VIIIQ 1; 2 (172, 1185.1187); XIIQ 1.5.12 (172, 1178. 1179.1184). Zur Tradition vgl. Congar, Ecclésiologie 104 f.; Magrassi 256 bis 280 (vor allem 258—262); M.-D. Chenu, Théologie 52—61; J. Bach, DG III, 298.

[28] HA, Ps. 95 (194, 579).

[29] RvD, DO 10, 17 (CCcm 7, 353) — HA, CC 2, 4 (172, 416); Ps. 92 (194, 567) — GvR, Ps. 65; 68; 73; 121 (194, 132.236.372.848.849); IA 1, 4.13 (Scheib. 23 f. 36).

[30] RvD, Lev. 1, 14 (167, 758) — HA, CC 2, 4 (172, 584); SE coen.; ded. (172, 921; Kelle 8); Ps. 45 (193, 1575) — GvR, Ps. 26; 65 (193, 1195; 194, 131).

für die Bewohner des Zeltes, es gegen alle Stürme abzusichern[31]. Das aber kann nichts anderes heißen, als daß zuerst die Christen selbst vollendet und vollkommen werden. Sie sind die Materialien, aus denen der Bau Gottes errichtet wird; nur in ihm, eingefügt in seine Struktur, werden sie selber zum Tempel Gottes[32].

Vor allem der Inkluse von Regensburg bedient sich des Bildes, um die Gemeinden mit diesem wichtigen Gedanken vertraut zu machen, doch auch bei Gerhoch finden wir diese Verwendung. Bald liegt der Akzent mehr auf dem Aufbau selbst, bald auf den moralischen Konsequenzen. Letzten Endes aber ergab sich immer der Verweis auf das Eschaton: „Kirche heißt Versammlung. Die Engel wie die Menschen werden dort allesamt zusammengerufen“[33].

3. Gottes Reich

Gottes Reich und die Kirche sind miteinander in enger Kommunikation, so daß man diese Reich nennen kann; doch sind sie nicht schlechthin identisch[34]. Für seine Konstitution treffen die gleichen

[31] Gerhoch will mit seiner ersten Reformschrift AD nichts anderes, als strategische Pläne gegen die Angriffe von innen und außen auf die Kirche aufstellen: AD 1—53 (194, 1193—1332). In IA greift er diese Gedanken noch einmal auf, wenn er die Kirchengeschichte als Baugeschichte des Tempels schildert. Vgl. IA, 1, 13—32 (Scheib. 36—73) mit der Zusammenfassung des Gedankengangs 1, 31 (a.a.O. 70 f.). Vgl. auch ds., Ps. 23; 65 (193, 1083 f.; 194, 132) — HA, GA 1, 124 (172, 584) — RvD, Reg. 3, 14 f. (167, 1156—1159) deutet 1 Kg. 7, 1—7 auf die Kirchengeschichte.

[32] RvD, EJ 1 (CCcm 9, 50 f.); Lev. 1, 15; Is. 2, 22 (167, 759.1346); Agg. (168, 691 f.) — HA, CC 1, 2; 2, 5 (172, 395.437); SE coen. (172, 921); Ps. 47; 117 (193, 1586; 194, 722). Das Tor zum Eintritt in die Kirche sind nach CC 4 (172, 472) die Propheten und Apostel, durch deren Lehre man zu Christus gelangt.

[33] HA, SE ded. (Kelle 11): „Ecclesia namque convocatio interpretatur. Et ibi omnium angelorum et hominum multitudo convocatur“. — Zur *Tabelle* S. 157: folgende Texte werden ausgewertet: HA, SE ded. (Kelle 9 f.); GA 1, 129—147 (172, 586—590); CC 1, 15 (172, 381 f.) — GvR, IA 1, 7—12 (Scheib. 29—35). Im Anschluß an den Text GA deutet HA in ähnlicher Weise den römischen Kirchenweihritus aus. Vgl. dazu Hugo v. St. Viktor, alleg. in VT 1, 13 (175, 641), wo die Teile der Arche allegorisiert werden. Gerhoch scheint sich Ps. 25 (193, 1168) an die CC-Auslegung HAs gehalten zu haben, wenn er deutet: Balken = Kirchenleiter, Christen = Wände, Gebälk = gute Kleriker. GvR, AD 17 (194, 1242 f.) sind die Apostelfürsten die tragenden Säulen, Elisäus und Paulus der Bildschmuck, die Bischöfe werden durch die Wände angedeutet.

[34] RvD, A 3, 4 (169, 909): regnum Dei, ecclesiam Dei; Gh 9 (168, 1512): die ecclesia praesens gehört zum Reich Gottes — HA, OS (Kelle 21): regnum Dei, quod est ecclesia — GvR, Ps. 67 (194, 186): „... in regno Dei sinistras sedes nulla ... docet auctoritas, nisi forte cum regnum Dei praesens ecclesia dicitur“. Die Ausdrücke werden mit Vorsicht gleich, besser in Beziehung gesetzt.

Die Symbolik von Gotteshaus und Kirche nach Honorius und Gerhoch[a]

Symbol	Honorius			Gerhoch
	SE	GA	CC	IA
Altarraum	vita contempl.			
Kirchenschiff	vita activa			
Wände	Evangelien	Evangelien		
Fundament		Christus		
Türme		Geistgaben[b]		
Säulen	Prälaten			
Krypta		Einsiedler		
Rundbau		Katholizität		
Länge				Geduld
Breite				Liebe
Höhe				Stände
Ostung		zu Christus		
Steine		Gläubige[c]		
Mörtel		Liebe		
Balken		Fürsten	Bischöfe	Frömmigkeit
Dachziegel		Soldaten		
Fußboden		Volk		
Fenster	Lehrer	Lehrer		
Licht	Hl. Geist			
Altar	Christus	Christus		Christus
Ewiges Licht		Hl. Geist		
Lampenkette		Hoffnung		
Wandgemälde	Leben der Heiligen	Leben der Heiligen	Untergebene	
Gold				Kult
Silber				Predigt
Edelsteine				Tugenden
Glocken	Predigt			
Wohlgeruch				guter Ruf
viele Kirchen			Ortskirchen	

[a] Belege und Erläuterungen Anm. 33 [b] nach GA auch Bischöfe [c] nach GA auch „fortes in fide et operatione"

Daten zu wie für die volle Bildung der Kirche: Reich gibt es erst seit Christus. Dabei ist es nicht sonderlich bedeutsam, welchem Faktum im Christusgeschehen man näherhin die Reichsbildung zuschreibt: seiner Menschwerdung[35], der Passion[36] oder der Geistsendung[37]. Jedenfalls war es, im Gegensatz zur Kirche, vor ihm überhaupt nicht da, so daß es den Juden erlaubt war, Waffen zu gebrau-

[35] RvD, Gh 9 (168, 1513).
[36] RvD, A 3, 4 (169, 910.919). Vgl. auch a.a.O. (a.a.O. 905).
[37] RvD, A 3, 4 (169, 909).

chen, um ihr Volk am Leben zu erhalten; sonst wäre auch das Reich nicht gekommen[38]. Aber durch die Gründung der Kirche ist das Reich Gottes noch nicht in Vollendung da: in der Kirche ist es im Werden. Sie wird wie das Reich Gottes vom Geist erleuchtet, aber „quasi per speculum et in aenigmate"[39]. Die gegenwärtige Kirche ist Teil des Reiches, aber sie ist der unvollkommene, der Vollendung entgegenharrende Teil[40].

Aus dieser Dialektik ergeben sich einander scheinbar widersprechende Äußerungen. Einmal wird das Reich als rein geistliche Wirklichkeit bezeichnet, in der es nichts Irdisches, nichts Hinfälliges, nichts Mangelhaftes gibt[41]: dann ist die Kirche als Nicht-Reich anzusprechen, wie das Gerhoch klar tut[42]. Dann aber wird die Kirche als inkohatives Reich Gottes betrachtet. Der gleiche Gerhoch bemerkt, daß die viersprachige Kreuzesinschrift die Universalität der Kirche wie des Gottesreiches andeute[43]. Honorius erklärt, daß die unzüchtigen Priester keinen Platz im Gottesreich haben. Das ist zwar zunächst eine Aussage über ihr ewiges Schicksal, aber dann auch über ihre Kirchenzugehörigkeit: sie stehen außerhalb der *ecclesia,* die Gottes Reich ist[44]. Rupert versucht diese Spannung zu lösen, indem er die Kirche Reich Christi nennt: sie ist durch ihn begründet worden und hat das Reich des Todes und der Sündenverfallenheit abgelöst. Sie strebt auf das Reich Gottes hin, das aber wegen der Rebellen im Reich Christi noch erbetet werden muß. Erst dann ist Gottes Herrschaft vollendet errichtet[45].

4. Leib und Braut Christi

Diese Bilder gehören zu den wichtigsten und folgenreichsten ekklesiologischen Vorstellungsschemata der christlichen Theologie. War das Bild vom Haus mehr dem Alten Testament entlehnt, so sind sie neutestamentlicher Herkunft[46]. Durch die patristische Reflexion

[38] RvD, Gh 9 (168, 1514).
[39] RvD, A 3, 4 (169, 906.909).
[40] RvD, Gh 9 (168, 1512) — HA, GA 1, 109 (172, 580).
[41] RvD, EJ 3 (CCcm 9, 147): „Nihil habet terrenum, nihil admittit caducum, nihil vanum habet aut ineptum". Rupert weiß, daß das in der Kirche nicht der Fall ist: A 6, 11 (169, 1036).
[42] GvR, Ps. 6 (193, 707).
[43] a.a.O. 15 (a.a.O. 830).
[44] HA, OS (Kelle 21).
[45] RvD, A 3, 5; 6, 11 (169, 909.1036); Gh 5 (168, 1431).
[46] Christus wird als Prinzip beim einen wie beim anderen Bild gesehen, weshalb sie auch eng miteinander verbunden gedacht werden. Vgl. RvD, Agg. (168,

— vor allem Augustinus ist zu nennen — waren sie Traditionsgut der Theologie geworden, das allenthalben verwendet wurde, wo man von der Kirche sprach. Von Paulus hatte besonders das Mittelalter gelernt, den gegliederten Leib ins Ordo-Denken einzubauen und aus ihm wesentliche Grundsätze zu erschließen.

Am Anfang einer Leib-Christi-Ekklesiologie steht die Frage, mit welcher Berechtigung die Kirche ebenso wie der historische und der eucharistische Leib Christi so genannt werden könne. Es ist die Frage nach Einheit und Verschiedenheit der „drei Leiber", des *corpus triforme,* von dem unsere Autoren wie ihre ganze Zeit sprechen[47]. Damit ist bereits die *Einheit* festgestellt. Es handelt sich nicht um drei verschiedene Leiber, sondern um einen einzigen Leib in dreifacher Gestaltung. Denn alle drei Formen sind verbunden durch die *unitas Verbi,* die im Heiligen Geist gegeben ist, der den historischen Leib Christi ebenso wie den ekklesialen und den eucharistischen erfüllt[48]. Alle drei Formen leben also aus der Fülle der Gnade, die auch der Kirche als ganzer zukommt[49].

Schwieriger, aber auch bedeutungsvoller war die *Unterscheidung* der drei Leiber. Dogmenhistorisch war diese Frage im Zusammenhang mit der Kontroverse um Berengar von Tours aufge-

697): „Et quis alius nisi ipse Jesus Christus fundavit templum non manufactum corporis sui et nunc usque ecclesiam, quae est corpus ejus, plenitudo ejus, de vivis et electis lapidibus perfecit?" Reg. 3, 6 f. (167, 1147 f.) allegorisiert Rupert den Tempel als Typus des historischen Leibes Jesu. Vgl. auch ep. ad Liez. (170, 665) — HA, Sac. 4 (172, 741); CC 2, 4 (172, 416); SE cap. (172, 878); Ps. 107 (194, 678 f.) — GvR, Ps. 133 (194, 887); CDH 4 (194, 1178).

[47] RvD, DO 2, 2 (CCcm 7, 34 f.) — HA, Euch. 1 (172, 1250 f.) — GvR, Ps. 33 (O II/1, 168): das Augustinuszitat stammt in Wirklichkeit von Paschasius Radpertus, corp. et sang. Dom. 7, 1 (120, 1284 f.). Zur Tradition siehe J. Beumer, Ekklesiologie 370; H. de Lubac, Katholizismus 79—99; ds., Corpus mysticum 36—42.201 f. Y. Congar, Die Lehre von der Kirche 101 f., 104—106. Der Ausdruck „corpus triforme" stammt von Amalar v. Metz, Lib. off. 3, 35 (105, 1154 f.), ist jedoch mit Honorius ans Ende seiner Geschichte gelangt. Dazu H. de Lubac, Corpus mysticum 325—369; M. Gierens, Eucharistie. HA, Sac. 89; GA 1, 64 (172, 795.563) unterscheidet den historischen Leib, die Kirche und „corpus quod jacet in sepulcris", d. h. die Kirche „in Christo mortua per unionem corporis Christi resurrectura". — Unsere Theologen verwenden für die Kirche in Übereinstimmung mit der ganzen Zeit niemals das Epitheton *mysticum* für den ekklesialen Leib; es wird dem eucharistischen Leib vorbehalten (H. de Lubac, Corpus mysticum 51—71, 91—96, 102—132 und passim). Statt dessen wird die Kirche *corpus Christi* oder *corpus, id est ecclesia* genannt. GvR, Ps. 62; 71 (193, 1795; 194, 316) verwendet „corpus Christi magnum".

[48] RvD, DO 2, 2 (CCcm 7, 34 f.); EJ 6 (CCcm 9, 341); Lev. 2, 4 (167, 790) — HA, Euch. 1 (172, 1250).

[49] RvD, DO 2, 2 (CCcm 7, 35).

taucht und deswegen vornehmlich auf die Eucharistie konzentriert. Sehr bald stellte sich jedoch heraus, daß man nicht nur die Beziehungen zwischen inkarnatorischem und sakramentalem Leib klären mußte, sondern auch die zwischen Kirche und Eucharistie[50]. Ein Hauptunterschied liegt darin, daß die Kirche nicht Opferleib ist wie die Eucharistie. Diese ist für die Kirche gegeben, so wie auch Christus seinen inkarnatorischen Leib für die Kirche hingegeben hat. Kein Leib aber kann sich für sich selber hingeben[51]. Die Diskussion mit und um Berengar hatte gerade deutlich gemacht, daß die Einsetzungsworte die Realidentität der Spezies mit dem Leib und Blut des Herrn wirken: eine solche aber gibt es lediglich zwischen historischem und sakramentalem Leib. Nur die Eucharistie ist darum in unmittelbarer Weise Heilsorgan Christi, *corpus redimens*; die Kirche hat zwar ebenfalls als Leib Christi eine wichtige Rolle in der Heilsökonomie, doch als *corpus redemptum*, als durch die Eucharistie (und die anderen Sakramente) erlöste Gemeinschaft. Gerhoch, der diese Erwägungen anstellt, verdeutlicht den Unterschied noch einmal, indem er sagt, die Eucharistie sei ebenso wie der Menschenleib Jesu *corpus Domini* als *Dominus*: die Kirche dagegen könne niemals *Dominus* genannt werden[52].

Damit ist eine Scheidung vollzogen, die die ersten beiden Leiber in eine enge Verbindung rückt und sie vom ekklesialen Leib deutlich abhebt[53]. Mit welchem Recht aber kann dieser noch Leib Christi genannt werden? Die gemeinsame Antwort unserer Theologen lautet: die Eucharistie macht die Kirche zum Leib Christi[54].

[50] H. de Lubac, Corpus mysticum 114—120. Den historischen und sakramentalen Leib identifizieren RvD, DO 2, 2 (CCcm 7, 34) — HA, Euch. 2; 3 (172, 1250. 1252).

[51] RvD, EJ 6 (CCcm 9, 341 f.): vgl. die sich anschließende Kontroverse mit Augustinus und augustinistischen Theologen. Der Ausdruck Opferleib, *corpus sacrificii,* ist originale rupertinische Prägung (H. de Lubac, Corpus mysticum 98): an ihr entzündet sich die Diskussion mit Wilhelm v. St. Thierry (180, 341 f.). Sie findet sich DO 2, 9 (CCcm 7, 42); Gen. 4, 5 (167, 329) — GvR, Ps. 33 (O II/1, 183 f.) übernimmt die Gedanken Ruperts. Vgl. auch RvD, EJ 6; 7 (CCcm 9, 360.373).

[52] GvR, S 23 (194, 1358 ff.).

[53] HA, Euch. 1 (172, 1250): „Hoc tertium primo per medium connectitur sicut ternarius binario et monade conficitur"; a.a.O. 3 (a.a.O. 1252): „Corpus de virgine procreatum in coelis residens universae creaturae dominatur; corpus autem de pane et vino per Spiritum sanctum consecratum et in substantiam prioris translatum, veraciter a populo fidelium manducatur; per hoc quoque corpus tertium, quod est ecclesia, Christo incorporatur".

[54] RvD, DO 2, 10 f. (CCcm 7, 44 f.) — HA, E 1, 179.182 (Lef. 393 f. 395); GA 1, 32 f. 36.58 (172, 554.555.561); Sac. 89 (172, 795); Euch. 3 (172, 1252) — GvR,

Indem sie durch das Sakrament Anteil bekommt am Herrn, wird sie ihm verbunden wie die Glieder eines Leibes dem Haupt. „Per haec semper sacrificia corpus Christi ecclesia conficitur et capiti Christo conjungitur“[55]. Honorius versteht es, diese Theologie anagrammatisch kurz zu formulieren: „*Corpus Christi comedit corpus Christi. Per hoc quoque Christus fit corpus Christi*“[56].

Deutlicher kann die Hauptkonsequenz dieser Tatsache kaum angesprochen werden: weil die Kirche Leib Christi ist, ist sie total auf ihren Herrn und ihr Haupt hin bezogen. Was bereits in den Bildern von der Kirche als Haus und als Reich anklang, was sich als primärer Grund-Satz der Ekklesiologie unserer Theologen zeigen wird, das wird hier mit unzweideutiger Klarheit ausgesprochen: die Kirche ist Kirche Christi, weil sie in allem und jedem von ihm herkommt, durch ihn lebt und in ihm ihre Vollendung findet. Denn er ist ihr Haupt[57]. Der tragende Grund dafür ist die „unitas Verbi“, also die Gottheit Christi, doch hat sich das Wort seinen Leib gebildet durch sein heilschaffendes Leiden als Mensch. Rupert betont, daß alle Glieder des Leibes dem Menschensohn als ihrem Haupt verbunden werden, der eins in der Person ist mit dem Wort des Vaters und vom Herzen des Vaters in diese Welt kam. Dann fährt er fort: „Das Fleisch Christi, das vor dem Leiden nur dem Wort zugehörte, hat durch das Leiden so gewaltige Dimensionen angenommen, hat die ganze Welt erfüllt, um alle Auserwählten ... in der einen Kirche zu sammeln, Gott und Menschen miteinander zu verbinden“[58]. Das Paradox entsteht, daß durch den Tod Haupt und Leib nicht getrennt, sondern geeint werden: „Pro nobis mortem

Ps. 9.33.35 (193, 780; O II/1, 171.173.175.208; II/2, 440); ep. 7 (193, 497). Vgl. auch F. Holböck, Leib 58 f.

[55] HA, GA 1, 58 (172, 561); vgl. oben Anm. 53.

[56] HA, Euch. 4 (172, 1252).

[57] ungezählte Stellen! Z. B. RvD, DO 4, 5.9 (CCcm 7, 106.114); EJ 8 (CCcm 9, 436); Ex. 2, 37; Lev. 2, 4; Dt. 2, 12; Is. 2, 22; Dan. 22 (167, 646.790.984.1346. 1527); Os. 1; Mich. 2 (168, 30.496) — HA, Sac. 24 (172, 760); CC 1, 1 (172, 374); Ps. 85 (194, 521). Vgl. die Tabelle S. 168 — GvR, Ps. 19.39.132 (193, 972.1454; 194, 883).

[58] RvD, DO 2, 11 (CCcm 7, 45 f.): „Caro Christi, quae ante passionem solius erat caro Verbi, per passionem ita crevit, adeo dilatata est, ita mundum universum implevit, ut omnes electos ... in unam ecclesiam faciat Deum et homines aeternaliter copulari“. Vgl. ds., a.a.O. 1, 22 (a.a.O. 19); A, 5, 7 (169, 973) — GvR, Ps. 29 (193, 1253): „Non tantum vero secundum divinitatem, sed in eo etiam, quod homo est, praeest nobis sicut caput“; Ps. 20; 33 (193, 979; O II/1, 208 — RvD, DO 2, 11, a.a.O.) — HA, Sac. 88 (172, 794); GA 1, 157 (172, 593): „Nos christiani, qui cinis sumus, et ecclesia nominamur, divinitati Christi associamur“.

pertulit, unde nobis verius inhaesit“[59]. Wieder erweist sich, daß die Kirche ein Gebilde ist, das mit den gebräuchlichen Kategorien dieser Welt nicht zu erfassen ist.

Eben darum auch verfallen unsere Autoren gelegentlich sehr mißverständlichen Formulierungen, um die Einheit von Haupt und Leib zu verdeutlichen. Unter dem Einfluß der ersten Regel des Tychonius bezeichnen sie Christus und Kirche als eine Person, so daß etwa Christi Gaben an die Kirche zugleich Gaben der Kirche an Christus sind[60]. Beide leben aus einem einzigen Kreislauf der Gnade, der nicht unterbrochen werden kann[61]. Christus und Kirche wären sonst nicht ein Leib[62], könnten nicht mit Augustinus als *totus Christus* bezeichnet werden[63].

Trotzdem kommt es ihnen nicht in den Sinn, eine Art hypostatischer Union zwischen Christus und Kirche zu konstruieren. Das verbot nicht nur die Lehre vom *corpus triforme*, sondern auch das biblische Bild von der Kirche als Braut Christi, das ebenfalls eine wichtige Rolle in ihren ekklesiologischen Überlegungen spielt. Wenn beispielsweise der Mönch von St. Laurentius von der Personeneinheit zwischen beiden redet, vergißt er nicht, im gleichen Atemzug an die Erzählung aus der Genesis erinnern, daß nach Gottes Schöpferwillen Mann und Frau *ein* Fleisch sein werden: die Kirche ist Fleisch vom Fleisch Christi, Gebein von seinem Gebein, aber sie ist nicht selber Christus, sondern ihm hingegeben und verbunden wie die Braut ihrem Gemahl, ganz mit ihm eins und doch ganz anders als er[64]. Beide Bilder werden nebeneinander gesehen; sie ergänzen einander und schützen eines das andere vor Mißverständnissen: „Unum quippe sumus corpus, caput et membra, sponsus et

[59] RvD, Lev. 1, 22 (167, 769); GT 9, 10 (169, 191): daraus Zitat.

[60] RvD, DO 2, 11 (CCcm 7, 46); Zach. 2 (167, 724) — HA, Euch. 4 (172, 1252); GA 1, 71 (172, 566). — Die Formulierungen hatten unsere Autoren bei den Vätern gefunden: vgl. etwa Augustinus, in ep. Jh. 1, 2 (35, 1979) die Idee vom Christus totus; ds., en. in. ps. 30, 2, 1, 4 (CC 38, 193): „In membris Christi Christus ... unus dicitur Christus caput et corpus suum ... Fit ergo tamquam ex duobus *una quaedam persona*, ex capite et corpore, ex sponso et sponsa“; Gregor d. Gr., Mor. praef. 6, 14 (75, 525): „Redemptor noster *unam personam* cum sancta ecclesia, quam assumpsit, exhibuit“; ebenso a.a.O. 28, 14, 22 (76, 110); nach Beda ist Christus und Kirche *una natura*: Cant. 3, 2, 10 (91, 1115). Vgl. auch Bernhard v. Clairvaux, cant. 27, 7 (183, 917); tract., err. Abael. 6, 15 (182, 1065).

[61] RvD, GT 9, 10 (169, 191).

[62] HA, Sac. 39 (172, 767).

[63] GvR, Ps. 19 (193, 972); vgl. auch ds., Ps. 30 (a.a.O. 1285 f.) und CF cant. Moys. 1 (194, 1019 f.).

[64] RvD, DO 2, 11 (CCcm 7, 46).

sponsa, Christus et ecclesia“[65]. Wie Eva aus Adams Seite, so geht die Braut Kirche aus dem geöffneten Leib des zweiten Adam am Kreuz hervor; im Hauptmann erhebt sie ihre Stimme zum ersten Mal und bekennt: dieser ist wahrhaft Gottes Sohn[66]. Die Analogie zur Ehe bot sich an, zumal wenn man an die Definition des römischen Rechts dachte. Wie demnach die leibliche Einigung der Gatten in der geistigen Einheit des Willens beider begründet ist, so geschieht in der sakramentalen Wirklichkeit der Eucharistie die Einswerdung der Kirche mit Christus[67]. Zugleich wird die Andersartigkeit sichtbar: „Wegen des Mannes und aus dem Mann ist die Frau gebildet, die Kirche aber ist geschaffen wegen des Sohnes, doch nicht aus dem Sohn, d. h. kein Geschöpf ist aus der göttlichen Wesenheit gebildet“[68]. So erhabene und hohe Worte die Theologen auch für die Kirche finden, sie denken immer daran, daß sie Geschöpf ist und damit unendlich verschieden vom göttlichen Schöpfer.

Sind diese grundsätzlichen Fragen geklärt, kann man daran gehen, die Relationen zwischen Haupt und Leib zu betrachten. Wie nach der antiken und vom Mittelalter übernommenen Physiologie alle Kräfte vom Haupt in den Leib strömen, so gehen alle Lebenskräfte im Leib Kirche von Christus aus. Erst durch die *gratia capitis* wird sie belebt und lebendiges Organ Christi[69]. In einer ganz aus der Heiligen Schrift schöpfenden Sprache erklärt Rupert:

> „Das herrliche Salböl ist in Fülle auf jenes Haupt ausgegossen worden, das Christus ist, das Haupt seines Leibes der Kirche, in jener ganzen Fülle, in der alle Fülle der Gottheit leibhaftig wohnt — und zwar nicht erst seit sie in Gestalt einer Taube auf ihn herabkam, sondern vom ersten Augenblick der Empfängnis

[65] RvD, Is. 2, 26 (167, 1353); vgl. Jud. 7 (a.a.O. 1053). Der Brautbegriff wurde seines mystischen Gehaltes wegen besonders von Bernhard v. Clairvaux bevorzugt. Vgl. Congar, Bernhard 76; Kilga, Kirchenbegriff 154—158.

[66] HA, Sac. 88 (172, 794); Ps. 101 (194, 601).

[67] GvR, Ps. 19; 33; 40 (193, 971; O II/1, 173.179; 193, 1483) — HA, CC prol. (172, 349). Zum Ehebegriff vgl. Ivo v. Chartres, Decr. 8, 1 (161, 583). Siehe auch A. Grab 57—73.

[68] RvD, GT 1, 8 (169, 20 f.): „Propter virum et de viro mulier facta est, ecclesia vero propter Filium, sed non de Filio; non, inquam de ipsa divina substantia creatura ulla creata est“.

[69] RvD, DO 4, 5 (CCcm 7, 106); Amos 4 (168, 370) — GvR, CF cant. Moys. 1 (194, 1020). — Das Thema war bereits von Augustinus in allen wesentlichen Punkten abgehandelt worden. Vgl. z. B. en. in ps. 132, 6 (CC 40, 1931); c. Faust. 12, 8 (CSEL 25, 337). Besonders maßgebend wurde seine Aufnahme durch den Lombarden (sent. 3, 13), der es an die Scholastik weitergab: vgl. vor allem bei Thomas (M. Grabmann, Kirche).

an, die allein aus Kraft und Tun des Heiligen Geistes geschah. Vom Haupt floß sie nieder zum Bart und dann bis zum Saum des Gewandes: denn von der Fülle dieses Geistes wurden zuerst die Apostel, die Männer der Stärke, erfüllt, die ihm anhangen und nahe sind wie der Bart dem Haupt, und dann die Kirche, durch dessen Glauben und Werk sie geziert wird wie von einem kostbaren Kleid"[70].

Honorius schildert den gleichen Sachverhalt von der Seite der Kirche aus. „Die ganze Kirche ist gleichsam ein Leib, dessen Haupt Christus ist; das Haupt Christi aber ist Gott"[71].

Die Hauptschaft Christi wird also — und hier stehen unsere Autoren in der gleichen Linie wie ihre Zeitgenossen — nicht so sehr als Leitungsfunktion denn als Prinzip der Gütergemeinschaft zwischen Kirche und Christus gesehen[72]. Das zeigt sich besonders dann, wenn nicht nur von der Begnadung der Kirche, sondern auch von der Schicksalsgemeinschaft beider gesprochen wird, die für die Kirche die Teilhabe an Leiden und Kreuz bedeutet, ehe sie mit Christus in die Herrlichkeit eingeht[73]. Aber auch in dieser Perspektive ist der eigentliche Skopus der Verbindung die Begnadung. Wie die oben zitierte Stelle zeigt, geschieht sie durch den Heiligen Geist. Er ist die Seele dieses Leibes[74], er führt ihn zur Gütergemeinschaft

[70] RvD, Lev. 2, 4 (167, 790): „Quod videlicet unguentum optimum, totum in illo capite, quod est Christus, caput quippe corporis ecclesiae, ipse est, totum, inquam, in illo fusum est cum omni plenitudine sua, in qua ‚corporaliter omnis plenitudo divinitatis inhabitat', non ex quo super illum in specie columbae descendit, sed a prima conceptione, quae ex sola constitit virtute vel operatione Spiritus sancti. De illo capite primum in barbam ipsius, ac deinde in oram vestimenti ipsius descendit, quia videlicet de plenitudine ejusdem Spiritus sancti primum ab ipso perfusi sunt viri fortes apostoli, sic illi adhaerentes et proximi, ut barba capiti, ac deinde ecclesia, cujus fide ac virtutibus ipsa decoratur, ad modum alicujus, qui pretioso vestitu induitur ...". Vgl. auch ds., Reg. 1, 14 (167, 1081): die Kirche ist Leib und Fülle Christi.

[71] HA, CC 1, 1 (172, 361): „Tota ecclesia est quasi unum corpus, cujus caput est Christus, caput autem Christi est Deus"; vgl. ds., CC 2, 3 (172, 410).

[72] A. Landgraf, Paulinen 228—248.

[73] Vgl. unten II, 1, 5, 1. Der Gedanke wird häufig ausgesprochen. Neben und zu den unten angeführten Texten vgl. RvD, DO 4, 1.4.9 (CCcm 7, 115.147.150); EJ 10 (CCcm 9, 590); Ex. 2, 37; Lev. 1, 15 (167, 646.759); Os. 1; Mich. 2 (168, 30.496) — HA, E 1, 178.182 (Lef. 393.395); GA 1, 33; 3, 134 (172, 554. 679); SE nat.; quinqu. (172, 821.874); Ps. 88.108.109 (194, 547.689.698) — GvR, Ps. 10; 18; 20; 33; 140 (193, 788.946.979; O II/1, 208.240; 194, 936); LF laud. (O I, 255). HA, GA 3, 134 versucht die Ereignisse der Leidenswoche Christi auf die Kirchengeschichte zu deuten; ähnlich faßt GvR, Ps. 10 (193, 777—788) die Kirchengeschichte als sich wiederholende Schmähung Christi auf.

[74] HA, Euch. 1 (172, 1251).

mit Christus[75]. In der Kirche sein, erklärt Rupert, heißt „in uno corpore unicae ecclesiae vivere de Spiritu sancto“[76]. Konkret bedeutet das: wer in der Kirche ist, lebt aus der Liebe, denn der Geist ist Lebensprinzip der Kirche als Geist der Liebe[77]. Sie ist es, die Christus und Kirche verbindet und gleichsam zu einer einzigen Wirklichkeit macht: „Die Liebe macht uns eins mit Christus. Ob wir des Hauptes Stimme hören oder die des Leibes: Christus spricht; ein jeder erkenne in seiner Stimme die eigne“[78]. Sinn und Zweck der Kirche wird als Verwirklichung der Liebe charakterisiert. Damit ist schon angedeutet, wie man in den Leib Christi inkorporiert wird. Er wird gewirkt durch die Eucharistie und ist Gemeinschaft der Liebe. Glaube an das Sakrament und Verwirklichung der Liebe sind darum die Voraussetzungen für die Eingliederung: „Filio Dei Filioque hominis tamquam suo capiti cuncta membra corporis adnectuntur, omnes qui in fide huius sacramenti in plenitudine hujus caritatis sunt recepti“[79]. Die Eucharistie ist gleichsam die letzte Phase oder Stufe der Einheit mit Christus. Voraus geht der Glaube[80], manchmal wird auch die Taufe[81], einmal auch die Rechtfertigung[82] als Inkorporationsursache genannt. Man muß zwar erst das Rote Meer der Taufe durchschreiten, merkt der Inkluse an, doch hat man nicht das Manna der Eucharistie, wird man in der Wüste verschmachten[83].

Aber nicht nur über das Haupt und die Verbindung mit ihm sagt das Bild vom Leib etwas aus, sondern auch über die Glieder selber. Das war sein ursprünglicher Zweck, in der Stoa nicht minder als bei Paulus. Unsere Autoren greifen diesen Aspekt auf: betonten sie bei

[75] GvR, Ps. 35 (O II/2, 440).
[76] RvD, RJ 8 (CCcm 9, 436).
[77] RvD, Lev. 2, 4 (167, 790); vgl. Dt. 2, 12 (a.a.O. 984).
[78] GvR, Ps. 140 (194, 933): „Caritas unum nos facit cum Christo, sive caput loquatur sive membra. Christus loquitur, sed in voce ejus quisque agnoscat suam“. — HA, SE quinqu. (172, 874); CC prol. (172, 349).
[79] RvD, DO 2, 11 (CCcm 7, 46). Vgl. auch die Texte Anm. 54—56.
[80] RvD, EJ 8 (CCcm 9, 436) — HA, GA 1, 36 (172, 555); CC 2, 4 (172, 419); Ps. 1 (172, 379) — GvR, CDH 5 (194, 1180); Ps. 33 (O II/1, 208); LF laud. (O I, 236). Nach HA, SE cap. (172, 878) gliedert das Fasten in die Kirche ein: gemeint ist wohl das Fasten als aus dem Glauben getanes Werk.
[81] RvD, Lev. 1, 15; Is. 2, 9 (167, 759—1323) — HA, Sac. 85 (172, 790); GA 1, 34 (172, 555); Euch. 12 (172, 1256).
[82] RvD, Lev. 2, 14 (167, 801).
[83] HA, Sac. 14 (172, 753). Dazu F. Holböck, Leib 59, der nach Sichtung der Texte zum Ergebnis kommt, bei HA bewirke die Taufe die incorporatio imperfecta, die Eucharistie die incorporatio perfecta; doch 215—218 stellt er diese These wieder in Frage. Vgl. auch unten Kap. 4, 2.

der Betrachtung des Hauptes mehr die Einheit des Leibes, wenden sie ihr Augenmerk bei der Reflexion über den Leib eher auf die gegliederte Vielheit der christusverbundenen Kirche. Im Leiden des Herrn fiel das Samenkorn in den Boden und brachte vielfältige Frucht in der Kirche, die alle Erwählten umfaßt[84]. Juden wie Heiden finden sich in ihr zusammen[85]; die Lebenden und die Toten[86]; die Menschen aller Zeiten und Räume[87]. Brot, Fisch und Honig waren die Nahrungsmittel, die der Auferstandene sich einverleibte; sie deuten an, daß er sich in der Kirche die drei Menschengruppen inkorporiert, die *activi, contemplativi* und die *theorici,* die Menschen der innersten Gottesschau, oder auch die verschiedenen *ordines* der Verheirateten, der Enthaltsamen und der Geistlichen[88]. Obwohl die Rede von den Heiligen und Auserwählten ist, wissen unsere Theologen auch, daß damit menschlicher Unvollkommenheit nicht gewehrt wird. In doppelter Weise sehen sie den Leib Christi noch im Werden: insofern mit dem Reinen auch Unreines in ihn eingegliedert wird und insofern der Prozeß der Inkorporation noch im Gange ist. Noch gibt es Sünder neben den Gerechten, sie sind wie Gift im Körper und müssen allmählich ausgeschieden werden, damit Christus mit seiner Kirche zufrieden ist[89]. Noch ist die Kirche den widergöttlichen Mächten ausgesetzt, die die Glieder Christi verfolgen[90].

Das *corpus universale* der Kirche wird durch die Charismen des Heiligen Geistes gegliedert, die es zu den verschiedenen Aufgaben und Funktionen befähigen[91]. Die katalogisierende Freude des Honorius findet in unermüdlicher Gliederung immer neue Parallelen zum Menschenleib, die uns oft recht merkwürdig anmuten:

[84] RvD, DO 2, 11 (CCcm 7, 46); EJ 3 (CCcm 9, 131) — HA, Sac. 85 (172, 790).
[85] HA, Ps. 85; 107 (194, 521.678) — GvR, Ps. 34 (O II/1, 375 f.).
[86] RvD, Gen. 4, 1; 9, 30 (167, 325.554) — HA, Ps. 88 (194, 547); GA 1, 64 (172, 563) — GvR, OD 1 (O I, 92).
[87] GvR, Ps. 34 (O II/1, 357 f.).
[88] GvR, IA 2, 20 (Scheib. 231) — HA, CC 1, 1; 2, 4.5 (172, 361.374.456).
[89] RvD, Os. 1 (168, 39) werden die Sünder mit Anspielung auf Tychonius Leib „propter simulationem“ genannt. HA, Ps. 51; 101 (172, 301; 194, 603); SE (172, 815/816). Ausdrücklich werden die Häretiker und Schismatiker ausgenommen: GvR, Ps. 33 (O II/1, 179).
[90] HA, E 1, 178 (Lef. 393).
[91] RvD, DO 9, 6 (CCcm 7, 318) — HA, SE quinqu. (172, 874) — GvR, Ps. 33; 34; 62; 132 (O II/1, 240.337; 193, 1795; 194, 883). Nach RvD, DO 1, 17.19 (CCcm 7, 17) werden die Priester in besonderer Weise Glieder des Leibes Christi wegen ihrer eucharistischen Vollmachten genannt. — Wenn vom corpus die Rede ist, denkt das Mittelalter gern auch an „Korporation“, Körperschaft, auch unabhängig von theologischem Sinn.

sie gehen bis in peinliche Einzelheiten, sie wechseln und können hier dieses, ein paar Seiten weiter etwas ganz anderes bedeuten: die Zuordnung ist nicht immer klar und verständlich. Trotzdem versucht der Regensburger Inkluse damit die Vielfalt des Leibes Christi nach allen Seiten hin darzustellen[92]. So hebt er heraus, daß es in diesem Leib eine Vikarie im Rahmen der Sendungen gibt: Christus ist das Haupt, aber in der Stellvertretung können auch andere seine Funktionen ausüben, wie der Papst und die Bischöfe. Die primären Lehrer in der Kirche sind die Apostel, aber sekundär sind mit dieser Funktion alle betraut, die die Wahrheit des Evangeliums zu verkünden haben, die Bischöfe wie die Theologen. Der funktionalen Gliederung tritt die historische Ordnung zur Seite. Das Lehramt in der Kirche haben nacheinander die Patriarchen, die Propheten, die Apostel ausgeübt; nun ist es an die Bischöfe und Theologen übergegangen. Hier deutet sich eine reiche Ekklesiologie an, die an anderen Stellen entfaltet wird. Die Kataloge des Honorius werden in diesem Sinne zu großen Thesarien, in denen die Hauptpunkte der kirchlichen Struktur sichtbar werden. Aber nicht darin sieht er die eigentliche Bedeutung der Leib-Christi-Theologie.

„Wie die leibliche Nahrung in die Substanz unseres Körpers verwandelt wird, so wird die Kirche durch die Eucharistie zum Leib Christi und ein Fleisch mit ihm, wie geschrieben steht: ‚Sie werden zwei in einem Fleisch sein'. Und wie der Vater im Sohn

[92] Vgl. HA, CC 1, 1; 2, 4; 3, 7 (172, 361.374.410.456). Er begründet den Wechsel von einer Ausdeutung zur anderen beim gleichen Bild CC 2, 5 (172, 444): „Et neminem moveat, quod idem sensus Scripturae nunc illis nunc aliis ascribitur, quia per hoc maxime unitas ecclesiae commendatur; cum nunc de praelatis ad subditis, nunc de subditis ad praelatos transfertur"! — Bei RvD und GvR finden sich nur gelegentliche Ausdeutungen des Leib-Bildes, etwa RvD, DO 1, 22 (CCcm 7, 19): Apostel als *Bart* Christi (so öfters) — GvR, Ps. 39; 68; 132; (193, 1454; 194, 229, 887): Auserwählte sind *Haare* oder *Bart* Christi; Ps. 37 (O II/2, 626) sind die Apostel *Augen,* ebenso Ps. 65 (194, 129); dagegen CE 50 (194, 40): Geistliche sind Augen wegen ihrer Leitungsfunktion; Ps. 143 (194, 956): Apostel sind *Glieder* des Leibes (in hervorragender Weise); Ps. 33 (O II/1, 303): die auf Gott vertrauen, bilden die *Knochen* des Leibes.
Stellenverzeichnis zur Tabelle S. 168:
1 = E 1, 179 (Lef. 393 f.)
2 = SBM 5 (172, 510)
3 = Sac. 10 (172, 745)
4 = SE sept. (172, 865 f.)
5 = SE quinqu. (172, 874 f.)
6 = CC 1, 1 (172, 361)
7 = CC 2, 4 (172, 410—414)
8 = a.a.O. (172, 416)
9 = a.a.O. (172, 419—423)
10 = CC 2, 5 (172, 444)
11 = CC 2, 6 (172, 449)
12 = CC 3, 7 (172, 456—459)
13 = a.a.O. (172, 468)
14 = Ps. 87 (194, 553)
15 = Ps. 108 (194, 691)
16 = Ps. 103 (194, 621)
17 = Euch. 1 (172, 1250 f.)

Die Glieder des Leibes Christi nach Honorius

Körperteil	Allegorie	Stellen
Haupt	Christus	1–5–6–7
	Prälaten	10
	Papst	12
Haare	Laien (Kinder)	7–8
	Untergebene	9–10
	Verheiratete [a]	11
	Fürsten	12
Augen	Propheten und Apostel	1
	Patriarchen, Propheten und Apostel	8
	Apostel	13–14–(6)
	doctores [b]	5–6–10
	Bischöfe und Vorsteher	7–9–12
	Weise	17
Ohren	Gehorsame (z. B. Mönche)	1–5–6–17
Nase	discreti = unterscheiden zwischen Gut und Böse, z. B. magistri	1–5–6–17
Nasenschleim	Häretiker [c]	1
Mund	magistri, Lehrer d. Guten, z. B. Priester	1–5–6
Lippen	magistri	7–10
	Prediger	9
	Kleriker	8
Zähne	Exegeten	1–7–17
	doctores	11
	die freiwillig Armen [d]	8
Zunge	Exegeten	9
Wangen	Mönche und Eremiten	6–7–8–10
	Enthaltsame	11
	Büßer [e]	13
Hals	Kenner der Schrift [f]	7
	Mönche oder Eremiten	8–12–13
	Beter und Enthaltsame	10
	perfecti	9
Hände	Soldaten, Verteidiger der Kirche	1–4–6–10
	Witwen, die Kinder schützen	5
	Wohltäter	17
Brüste [g]	Gesetzeslehrer, magistri	7–8–9
	doctores	12
	Prediger	14
	Altes und Neues Testament	6
	Gottes- und Nächstenliebe	6 [h]
Herz	Schriftbeweise	9
Bauch	die Schwachen	1
	die Verheirateten	10–12
Bänder und Sehnen	Liebe	1

Körperteil	Allegorie	Stellen
Nabel	delicati et molles	12
Hüftgelenke	Verheiratete; Juden und Heiden	12
Schenkel	Auferstehung Christi	2
	Bauern [i]	10
Knie	Apostel	15
Füße	Bauern [k]	1–4–6–12
	Sünder [l]	3
	Wohltäter der Armen [k]	5
	die Hilfsbereiten [k]	17
Exkremente	unkeusche Priester, Böse	1
Kleider	die Gerechten [m]	16
Leibesschönheit	Jungfrauen	10

Erläuterungen zur Tabelle:

[a] Wie die Haare dem Haupt, sind sie Christus im Glauben verbunden

[b] doctores = die selbständigen Lehrer, magistri = Vermittler der Lehre der doctores (CC 1,3-172,412)

[c] weil sie aus der Kirche ausgeschieden werden

[d] nähere Erklärungen fehlen, doch vgl. RvD, Gen. 9,30 (167,555): „fortes ad capiendum cibum solidum"

[e] der ganzen Gruppe ist gemeinsam die Christusliebe, die sie vor jeder Sünde erröten läßt

[f] sie verbinden die Kirche mit ihrer Glaubensquelle

[g] *ubera*; Honorius unterscheidet sie von den *mammae*, den Mädchenbrüsten, die Symbol der unreifen Schulkinder sind (CC 1,4-172,422). Vgl. Hohel. 8,8.

[h] CC 1,1 (172,363)

[i] wie die Schenkel den Körper, trägt die Auferstehung den Glauben, tragen die Bauern wirtschaftlich die Kirche

[k] die genannten Gruppen bilden die „tragende" wirtschaftliche Basis (pascunt ecclesiam). Vgl. SE serm. gen. (172,866)

[l] wie die Füße müssen sie (in der Fußwaschung am Gründonnerstag) gereinigt werden

[m] sie zieren den ganzen Leib

Schlüssel zu den Stellenangaben: Anm. 92

und der Sohn seiner Gottheit nach im Vater in natürlicher Substanzeinheit bleibt, so bleibt wahrhaft seiner Menschheit nach Christus in der Kirche und die Kirche in Christus in natürlicher Weise durch das Essen dieser Speise. Er wird darum Mittler zwischen Gott und den Menschen genannt, und die Kirche ist nach unserem Glauben sein Leib, in einer Person und einer Wesenheit in Liebe vereint: er selbst leidet in seinen Gliedern, labt sich an den Almosen, wird in ihnen verachtet. Mit aller logischen Konsequenz folgt daraus: wo das Haupt ist, da sind auch die Glieder. Wohlgemerkt aber: man wird nicht so in die Wesenheit Christi eingegliedert, daß man im personalen Sinn Sohn der

Jungfrau oder Gottes Sohn heißt; sondern in Glaube und Liebe wird man der Gottheit, durch die eucharistische Kommunion seiner Menschheit so geeint, daß man notwendig auch mit Christus Erbe der Herrlichkeit des Gottessohnes als sein Glied wird"[93].

Der Leib Christi ist eine Funktionseinheit, eine Korporation der Christgläubigen, die im Dienst des Werkes Christi steht und sein Schicksal im Leiden wie in der Verherrlichung teilt. Es lag nahe, dieses *corpus* anderen *corpora* gegenüberzustellen. Man sprach wie vom Leib Christi vom Leib des Teufels, den man als ähnlich gegliedertes Ganzes mit Satan als Haupt ansah. Beide „Leiber" stehen sich seit Urzeiten einander gegenüber als Exponenten des Urkampfes zwischen Gott und seinem Widersacher[94]. Die Vorstellung vom Leib rückt damit in die Nähe der civitates-Theologie, die unter dem Einfluß des hl. Augustinus von unseren Autoren aufgegriffen wird. Besser als diese Vorstellung konnte jedoch das Bild vom Leib zeigen, daß die Macht Satans ebenfalls organisiert und funktional gegen Gott eingesetzt wird. Das *corpus diaboli* wird gebildet von den Gottlosen, den *impii* aller Kategorien: zu ihm gehören die Kainssöhne, die Gottesfeinde, Schlemmer, Verfolger der Kirche, die reuelosen Sünder im Kirchenbann, die Anhänger des Antichrists, die Häretiker, Ungerechten und Lauen — eine danteske Welt des Bösen[95]. Satan ist nicht nur ihr Haupt, sondern auch ihr

[93] HA, Euch. 4 (172, 1252): „Sicut enim corporalis in substantiam nostri corporis vertitur, sic ecclesia per hunc cibum in corpus Christi vertitur, et una caro cum eo efficitur, sicut scribitur: ‚Erunt duo in carne una'. Et sicut Pater in Filio et Filius in Patre secundum divinitatem naturaliter substantialiter manet, sic veraciter Christus in ecclesia secundum humanitatem, et ecclesia in Christo per hujus cibi comestionem naturaliter manet. Ideo et ipse mediator Dei et hominum dicitur. Et ecclesia ejus corpus in una persona et una substantia caritate conjuncta creditur, in qua ipse adhuc patitur in membris suis, eleemosynis reficitur, ubi et despicitur; et idcirco omni necessitate sequente ubi est caput, illuc totum corpus colligitur. Non tamen si quisquam in essentiam Christi transfertur, ut in persona virginis filius vel Dei filius jure nominatur. Sed sic fide et dilectione divinitati, per communionem autem hujus cibi sic humanitati ejus counitur ut necessario gloria Filii Dei cohaeres, ut puta membrum ejus potiatur".

[94] RvD, Reg. 2, 38 (167, 1140) — HA, Ps. 1; 110 (172, 274; 194, 702) — GvR, Ps. 17 (193, 883). — Die Idee vom corpus diaboli findet sich schon bei Eirenaios; sie wird von Tychonius übernommen und von Augustin in die civitas-Theologie eingebaut. Die Parallelität zum Leib Christi entwickelt dann Gregor d. Gr. Vgl. Tromp I, 151—154, 160—166; J. Beumer, Beda 54 f.; Magrassi 144—147.

[95] RvD, Gen. 4, 4 (167, 215); Soph. 2 (168, 670); A 8, 13 (169, 1066); VV 8, 12; 9, 26; 11, 5 (169, 1387.1418.1446) — HA, E 2, 8.10; 3, 17.18.74 (Lef. 407.408. 449.461); SE cap.; decoll. (172, 877.1000); Ps. 51 (172, 293) — GvR, AD 7

Erzeuger: er hat seine Brut in Babylon gezeugt und sie mit den Hirngespinsten der heidnischen Philosophen genährt. Jeder einzelne hat seine Aufgabe im Leib, die in das eine Ziel integriert ist, die Schändung des Leibes Christus[96]. Dieser aber setzt sich zur Wehr und entreißt dem Teufel viele Glieder[97]. Das *corpus diaboli* befindet sich in der gleichen Situation wie der Leib Christi auf Erden: beide sind noch nicht endgültig konstituiert. Die *ecclesia praesens* ist der Ort des Kampfes.

5. Ecclesia luna

Der Mond hat sein Licht nicht aus sich selbst, sondern empfängt es von der Sonne. Er erscheint den Menschen wandelhaft: seine Phasen wechseln vom Neumond zum Vollmond. Nach Isaias 30,26 schließlich wird in der Endzeit das Licht des Mondes dem der Sonne gleichen. Diese drei Gegebenheiten hatten schon die Kirchenväter veranlaßt, die Luna als Bild für die Kirche zu verwenden[98]. Die Theologie des 12. Jahrhunderts übernimmt es.

Der Mond leuchtet nicht aus sich selbst: auch die Kirche ist nicht aus sich selbst, sondern steht in der totalen Abhängigkeit von Christus und seinem Geist: der Herr ist die Sonne, von dem sie das innere Licht der Gnade erhält[99], ohne daß sie zur völligen Bedeutungslosigkeit — Honorius sagt *ignominia* — verurteilt ist[100].

> „Was ist unter den unbelebten Dingen dem Leib Christi ähnlicher als das Licht der Sonne? Wie sie die Quelle des ätherischen Feuers ist und über die ganze Welt erstrahlt, so wohnt im Leib Christi alle Fülle der Gottheit leibhaftig und erleuchtet die ganze

(194, 1217); S 1.35 (194, 1337.1372); Ps. 9; 33; 37; 67; 70 (193, 782, O II/1, 179; II/2, 626; 194, 263.311).

[96] RvD, Dan. 20 (167, 1526) — HA, Ps. 44 (193, 1570) — GvR, Ps. 37 (O II/2, 627). Vgl. HA, Ps. 34 (193, 1348); CC 1, 1 (172, 371): dem Tempel des lebendigen Gottes wird die *ecclesia malignantium* entgegengesetzt. — GvR, Ps. 37 (a.a.O.) deutet die Körperteile aus: Füße = die Blut vergießen, Hände = Werkzeuge des Bösen, Augen = Stolze, Lenden = Zügellose, Nabel = die verschwenderischen Frauen.

[97] GvR, Ps. 17 (193, 883): die Feinde Christi wollen die Glieder „mihi per virtutem sacramentorum incorporata sibi conformari per malitiam et incorporari per mysterium iniquitatis". Vgl. ds., Ps. 73 (194, 367) und RvD, EJ 7 (CCcm 9, 373), ferner GvR, Cod. Vindob. 1558, fol. 109v—110r.

[98] H. Rahner, Symbole 91—173 (Mysterium lunae).

[99] RvD, DO 6, 27 (CCcm 7, 210); EJ 12 (CCcm 9, 670).

[100] HA, SE ep.; coen. (172, 843 f. 939) — GvR, Ps. 10; 13; 118; 148 (193, 795. 817; 194, 793.986).

Kirche durch die verschiedenen Gnadengaben, die vom Vater der Lichter herniederkommen", sagt der *Propst*[101].

So ist die Kirche Werk des dreifaltigen Gottes.

Den Abt von Deutz interessiert das Verhältnis zwischen Christus und dem Heiligen Geist in ihren Relationen zur Kirche. Auch hier dient das Bild von der *ecclesia luna* zur Illustration. Beim Mond ist Existenz und Leuchtkraft verschieden: er ist geschaffen, leuchtet aber nur, wenn ihn die Sonne bescheint. So ist auch die Kirche durch die Taufe von Christus ins Leben gerufen, doch die Kraft der Gnade wird ihr in der ständigen Anwesenheit des Pneumas zuteil, ohne die sie nicht bestehen könnte[102]. Die Kirche hat eine aktive Rolle im Heilsplan Gottes: der Mond strahlt das Licht, das er empfangen hat, weiter — nicht als sein eigenes, aber doch als erhellendes Licht. Christus der Bräutigam sagt darum auch zur Braut, der Kirche: „Zu dir als dem Mond bin ich herniedergestiegen und habe dich hell gemacht, damit auch du die Nacht erleuchtest, die Unwissenheit der Ungläubigen, damit sie im Herrn zum Licht würden"[103]. Diese Erleuchtung geschieht in der Neuwerdung des alten Menschen zum Leben in Christus[104].

Die Phasen des Mondes ändern sich beständig: so geschieht es auch mit der Strahlkraft der Kirche. Je mehr sie Gnadengaben vom Heiligen Geist empfängt, um so heller leuchtet sie; doch dann wird sie verdunkelt durch die Not und die Wirren der Zeit[105]. „Nunc incrementis gaudet, nunc defectum sustinet" — im Gegensatz zur unveränderlichen Herrlichkeit Christi steht die Kirche mitten in den Zeitläufen der Geschichte[106], in keinem Augenblick vor der äußersten Dunkelheit gefeit[107]. Sie steht im Dynamismus einer Entwicklung, die nicht eine beständige Evolution nach vorn oder oben ist, sondern in der Zeiten leuchtender Helle mit Perioden der Dü-

[101] GvR, Ps. 135 (194, 902): „Si enim solare corpus attendamus, quid in rebus inanimatis Christi corpori similius? Nam sicut in illo corpore fons totius aetherei est ignis atque inde spargitur per totum mundum, sic et in Christi corpore ‚inhabitat omnis plenitudo divinitatis corporaliter' atque inde per divisiva dona desursum a Patre luminum descendentia illuminat totam ecclesiam".

[102] RvD, DO 10, 9 (CCcm 7, 343).

[103] HA, CC 3, 7 (172, 461): „Descendi ad te lunam et illuminavi te, ut tu illuminares noctem, id est ignorantiam infidelium, ut essent lux in Domino". Vgl. GvR, C coll. (O I, 25).

[104] HA, Ps. 80 (194, 499).

[105] RvD, DO 2, 2 (CCcm 7, 34); EJ 12 (CCcm 9, 671); SpS. 6, 14 (167, 1476).

[106] RvD, VV 13, 20 (169, 1502). Vgl. Beda, cant. 5, 26 (91, 1184).

[107] HA, Ps. 103 (194, 627).

sternis abwechseln. Gerhoch von Reichersberg nennt drei solcher Notsituationen der Kirche, die er mit den drei Möglichkeiten der Mondfinsternis bei Neumond, wolkenbedecktem Himmel und bei der Eklipse vergleicht. Der Neumond ist das Sinnbild der Urkirche, da der Glaube in der Welt noch nicht erstrahlte. In der Verfolgungszeit bedeckten die Wolken die Kirche, in der ihre Martyrer untergehen und die Häretiker sich unter ihrem Schutz hervorwagen. Die Sünder endlich, die durch ihre Schuld den Irrlehrern verderblichen Einfluß gestatten, haben ihr Symbol in der Eklipse[108].

Die Defizienz der Kirche, die hier geschildert wird, die leidvolle Entwicklung, in der sie steht, ist nicht etwas Zufälliges, eigentlich gar nicht Eingeplantes, sondern gehört zum Wesen der pilgernden Kirche, die als solche noch immer die Erwählten sammelt, noch immer der Vollendung des Vollmond-Tages entgegenharrt[109]. Auch hierin erweist sie sich als getreues Abbild der Sonne Christus: auch er wurde in seiner Inkarnation von der Wolke des Fleisches verhüllt, umgeben von der Finsternis unserer Schwachheit und zum Untergang verurteilt in der Passion. Als er in die Unterwelt hinabsteigt, gerät der Mond aus seiner Bahn, die Sterne leuchten nicht mehr. Erst an Ostern wird der Weltordo wiederhergestellt: Christus zieht als leuchtende Sonne seine Bahn am Himmel[110]. Will darum die *ecclesia luna* den Glanz des *sol Christus* erreichen, muß auch sie in die Nacht der Geschichte eingehen[111]. „In der Fülle des Glaubens nimmt sie an seinem Leiden teil und stirbt mit ihm und wird im Sakrament der Taufe mit ihm begraben"[112]: darin aber wird ihr auch die Herrlichkeit zuteil.

Dann wird ihr Licht wie das der Sonne sein — des Jesaja Verheißung ist erfüllt: „similis soli suo, Deo suo"[113]. Der neue Weltentag ohne Sonnenuntergang bricht an: die Kirche wird zum Ostervollmond, der das ewige Pascha anzeigt[114]. Sie wird niemals zerstört werden, vollkommen sein in der Liebe und Erkenntnis Gottes in der Vollzahl ihrer Glieder[115].

[108] GvR, Ps. 10 (193, 795 f.).

[109] RvD, Gen. 8, 22 (167, 509) — HA, Sac. 42 (172, 769); GA 2, 134 (172, 679) — GvR, Ps. 77 (194, 446).

[110] HA, Se asc. (172, 955) — GvR, Ps. 8 (193, 747).

[111] HA, Se adv. (172, 1079).

[112] RvD, DO 4, 18 (CCcm 7, 136): „In plenitudinem fidei passionem ejus suscipiens commoritur illi et consepelitur in sacramento baptismatis".

[113] RvD, A 1, 1 (169, 859).

[114] HA, SE adv. (172, 1082); — GvR, Ps. 71; 77 (194, 325.446). Nach RvD, EJ 12 (CCcm 9, 670) gleichen die Engel schon jetzt dem leuchtenden Vollmond.

[115] RvD, VV 13, 20 (169, 1502) — HA, Ps. 87 (194, 543) — GvR, Ps. 77 (194, 446).

Neben diesen drei Vergleichspunkten, die vor allem die trinitarische Relation der Kirche sowie ihre Geschichtlichkeit verdeutlichen, wird der Mond gelegentlich auch als Bild der Kirche genommen, insofern er einer unter vielen Himmelskörpern ist. Für Honorius ist Christus die Sonne, die Kirche der Mond; die Sterne bedeuten bald die Gläubigen, bald die Heiligen der Kirche[116]. Ähnlich allegorisiert auch Gerhoch, doch sind die Sterne für ihn die Tugenden oder die Stände der Kirche[117]. Diese wird von der Hierarchie besonders repräsentiert: ihr Amt sichert ihnen Strahlkraft, doch hell aufleuchten kann die Kirche nur in den guten Prälaten, bei denen zur Würde des Amtes eigene Verdienste kommen; bei schlechten Vorstehern dagegen gleicht sie dem Neumond[118]. Ähnlich deutet der Propst das Bild in der Allegorie einer naturwissenschaftlichen Hypothese seiner Zeit: demnach ist der Mond eine halbseitig erleuchtete rotierende Kugel. Seine helle Seite sind die Geistlichen, die manchmal nur noch Gott sichtbar sind, die dunkle die fleischlich lebenden Menschen[119].

6. Das pilgernde Volk Gottes

Diese alttestamentliche Vorstellung diente dazu, von einem mehr personalen Gesichtspunkt aus die Struktur der Kirche zu verdeutlichen, wie sie in den Bildern vom Haus und vom Mond bereits angedeutet worden waren[120]. Zugleich ergab sich ein Korrektiv zur Leib-Christi-Theologie, die immer in Gefahr war, triumphalistisch mißverstanden zu verden. Der Hinweis auf die Pilgerschaft der Kirche machte klar, daß Herrlichkeit und Würde der Kirche nur in der sakramentalen Verborgenheit „manentibus speciebus“ existieren. Die pilgernde Kirche — das war die in die Strukturen dieser Welt verflochtene, in vielfältiger Weise unter dem Gesetz der Vorläufigkeit und der Mangelhaftigkeit stehende Kirche. Denn ihr Pilgerweg führt sie durch eine Welt, die durch die Sünde verunstaltet ist. Sie muß durch sie hindurchschreiten und gleichzeitig aus ihr herauskommen, wie einst Israel aus Ägypten und Babylon aus-

[116] HA, GA 2, 53 (172, 631).

[117] GvR, Ps. 135 (194, 902). Nach ds., Ps. 8 (193, 747) sind Himmel = Apostel, Sterne = Charismen der Erwählten, auch die Ortskirchen „per loca et munera distincta“; vgl. HA, SE asc. (172, 955).

[118] GvR, Ps. 10 (193, 796).

[119] a.a.O. (a.a.O. 795).

[120] Die Verbindung zur Mond-Symbolik zeigt sich RvD, EJ 12 (CCcm 9, 671); Gen. 8, 22 (167, 509).

wandern mußte[121]. Obwohl in dieser Welt, hat sie keine Heimstatt in ihr; wie den Juden in Babylon ist den Menschen in der Kirche Tempel und Altar genommen: ehe sie in der künftigen Stadt ankommt, muß sie ihr Zelt immer von neuem aufbauen und wieder abbrechen[122].

Ihre Reise ist alles andere als bequem: sie hat nicht nur die Beschwernisse der Heimatlosigkeit und Ruhelosigkeit zu ertragen, sondern muß ihren Weg ziehen „inter innumera et periculosa certamina", bedrängt von allen Seiten, bedroht von Satan in seinen verschiedenen Metamorphosen[123]. Mitten in dieser Situation soll sie wirken, soll sie das Ziel nicht aus dem Auge verlieren, das die Herrlichkeit Christi ist. So schwebt sie beständig in Furcht und Zittern — vor der Welt, vor ihrer Aufgabe und vor dem Gericht ihres Herrn[124]. Honorius sieht die Welt als ein von wilden Stürmen aufgepeitschtes Meer. Die Kirche wird nun zum rettenden Schiff, zur Arche, die uns zur Insel der Ruhe und des Friedens führt: sie ist nicht mehr selbst Pilgerin, sondern heilbringendes Gefährt der pilgernden Christenheit. Dem Inklusen kommt es mehr auf die einzelne Seele an, die er als Wanderer zwischen den Welten erkennt, der „de animae exilio" mit der Himmelsleiter der Liebe in die Heimat aufsteigen muß[125].

Es kann nicht verwundern, wenn der einzelne wie die ganze Kirche das Ende dieser Reise ersehnt: „Venient anni aeterni"[126]. Doch Christus selbst spendet ihr Trost. Er ist es, der sie aufweckt, wenn sie sich im Schlaf der Welt zu verlieren droht; er erinnert sie

[121] RvD, Zach. 5 (168, 791) — HA, Sac. 79 (172, 797); SE nat.; purif.; convfr.; ded. (172, 827.850.944.1087; Kelle 8) — GvR, CE 3, 74 (194, 14.55): CE 3 = Gilbert de la Porrée, Rf. 48 c (Eynde, Oeuvre 385).

[122] RvD, DO 4, 11 (CCcm 7, 117) — HA, GA 1, 124.125.163 (172, 584.585.594); SE purif.; ded. (172, 850; Kelle 5.8): das erste Zelt ist die Synagoge, das zweite die Kirche. — GvR, Ps. 28; 41; 65 (193, 1237—1239.1508; 194, 119 bis 122). Vgl. A. Grab 36—40.

[123] RvD, DO 3, 3 (CCcm 7, 67 f.) — GvR, OD 1 (O I, 92: Zitat); Ps. 19; 30; 68 (193, 963.1296; 194, 269 f.).

[124] GvR, Ps. 30 (193, 1296).

[125] HA, SCMj 1 (172, 1230). Die Allegorie der Kirche als Schiff auch ds., SE inv. (172, 944—947); Ps. 103; 106 (194, 629 f. 669); PV 31 (172, 330). Das Bild findet sich auch RvD, Ez. 1, 11 (167, 1493). Die vom Sturm der Laster aufgescheuchten Wogen als Bild des Zustands der Welt bei GvR, Ps. 65.67. 68.76.125.136 (194, 128.202.224.433.858.905 f.); CF cant. Hab. (194, 1036). Die Kirche als Schiff GvR, Ps. 76 (194, 433) — Zur Symbolik Kirche als Schiff vgl. A. Wilmaert, Arca Noe, in: RBén, 26 (1909), 1—12; J. Chatillon, Ecclésiologie 396 (bei den Viktorinern); H. Rahner, Symbole 239—245 (Antenna crucis) gibt den patristischen Befund.

[126] HA, Ps. 101 (172, 304).

in der täglichen Feier der Eucharistie daran, daß sie seine Braut ist und er selber das Ziel ihrer Sehnsucht; Christus selbst ist das Manna des neuen Gottesvolkes, bis es in der Einkehr in Jerusalem dieser Nahrung nicht mehr bedarf[127]. Von der himmlischen Gnade gestärkt, macht sie sich immer von neuem auf und wird immer von neuem ihrer Kläglichkeit sich bewußt — ein Leib aus Guten und Bösen, ohne Anlaß zum Stolz, ohne Reichtümer, ohne Selbstgenügsamkeit, von Satans Wut bedrängt[128]. Aber gerade in und trotz dieser Gebrechlichkeit ist sie die Pilgerin zum Heil, das sie nicht mehr verfehlen wird. Irrtum und Häresie können ihr nichts mehr anhaben; unter allen Rückschlägen und Anfechtungen steigt sie aus dem Lärm der Welt empor zum Frieden des himmlischen Jerusalems[129]. Sie ist die Tochter der im Himmel schon herrschenden Kirche, ja proleptisch kann sie selbst schon himmlisches Jerusalem heißen — „nondum re, tamen spe"[130].

In der Liturgie wird der Pilgerin Kirche dieses *„Schon"* und *„Noch nicht"* ihrer Existenz bewußt. In der Auslegung der Meßtexte des ersten Adventssonntages schreibt Rupert:

> „Das ist der Inhalt dieses Offiziums: geduldig ertrage Jerusalem auf der Wanderschaft, das ist die gegenwärtige Kirche, in starker Hoffnung die Verbannung dieses Lebens. Wenn sie erkennt, daß nach der Verheißung des Evangeliums diese Welt in Trümmer zu sinken droht, dann erhebe sie ihr Haupt und stehe auf hoher Warte, von Abscheu erfüllt vor dem Irdischen, von Liebe zum Himmel, und schaue die Herrlichkeit, die ihr von ihrem Gott kommt. Sie verscheuche die Wolken ihrer Trübsal wie beim Nahen des Sommers, weil im Leuchten der ewigen Sonne der Tag des Lebens erstrahlt"[131].

[127] HA, GA 2, 39 (172, 653); CC 1, 2 (172, 396); Ps. 35 (193, 1351); SE purif.; inv.; ded. (172, 850.944; Kelle 8); vgl. auch SE nat. (172, 827) — GvR, C coll. (O I, 15); Ps. 38; 76; 118; 147 (193, 1382; 194, 429.743.980).

[128] GvR, CE 3 (194, 14). Vgl. ds., CF, cant. Moys. 1 (194, 1023): — RvD, Reg. 5, 7 (167, 1241); VV 10, 25 (169, 1441).

[129] HA, Ps. 1; epil. (172, 278.310).

[130] RvD, Zach. 5 (168, 971) — HA, SE ded. (Kelle 8); Ps. 35 (172, 1351) — GvR, Ps; 10; 30; 38; 71; 72; 149 (193, 796.1296.1382; 194, 325.356.989); OD 1 (O I, 92).

[131] RvD, DO 3, 3 (CCcm 7, 67): „Summa igitur hujus officii est, ut peregrina Jerusalem, id est ecclesia praesens, hujus vitae exsilium spe patientissima perferat et cum secundum evangelii jam dicti praemonstrationem mundi ruinam imminere cognoverit, elevet caput suum et stet in excelso terrena respuens et amans caelestia veniet sibi a Deo suo ac velut appropinquante aestate maeroris sui nubila discutiat, quia vitae dies aeterni solis claritate fulgescunt".

Die Liebe, so erweitert Gerhoch diese Gedanken, macht die Kirche zu dieser frohen Erwartung fähig. Sie ist noch gering in der pilgernden Kirche, aber wie ein loderndes Feuer wird sie bei der Schau Christi aufbrechen[132]. Nur wer liebt, geht also auf den Pfaden der Kirche. Nur wer liebt, geht mit ihr Christus entgegen[133].

7. Die apokalyptische Frau

„Ein großes Zeichen erschien im Himmel, eine Frau, angetan mit der Sonne, der Mond zu ihren Füßen und auf ihrem Haupt ein Kranz von 12 Sternen" (Apok. 12,1). Seit Hippolyt von Rom war dieser Text auf die Kirche gedeutet worden, bis sich in der karolingischen Theologie langsam die mariologische Deutung zur Seite stellte. Sie kann sich im 12. Jahrhundert mehr und mehr durchsetzen, doch merkt man noch bei Bernhard die Mühe, mit der sie gegen die ältere Tradition angehen muß[134]. Während Gerhoch diese Stelle nicht weiter betrachtet, finden wir bei Rupert und Honorius bereits die mariologische Interpretation, doch hat die ekklesiologische auch bei ihnen die Prävalenz.

In einer Predigtvorlage zum Michaelsfest kommt der Inkluse von Regensburg auf die apokalyptische Frau zu sprechen. In herkömmlicher Weise deutet er sie auf die Kirche des Neues Bundes mit besonderer Betonung der eschatologischen Situation der Kirche. Von Christus wird die Frau Kirche in den Himmel geführt; bekleidet mit der Sonne der Gerechtigkeit; den Mond zu ihren Füßen, der die Kontingenz der Welt und zugleich die geringe Stellung vor Gott versinnbildet. Die Sternenkrone sind die apostolischen Lehren, die die Kirche erleuchten. Von Söhnen schwanger, schreit sie bei ihrer Geburt laut auf, wenn die guten Werke der Kinder Gottes ans Licht kommen, die zunächst den Augen der Welt verborgen bleiben wie das Kind der Apokalypse. Der teuflische Drache stellt der Kirche nach, voll des Giftes der Bosheit; ihr aber wachsen die Flügel der doppelten Liebe zu Gott und den Menschen, die sie allen Gefahren entheben, obschon dem Satan immer neue Häupter erwachsen: die Laster, die die Guten in der Kirche vernichten sollen[135].

[132] GvR, Ps. 18; 65; 72 (193, 910; 194, 134.356).
[133] GvR, CE 3; 5 (194, 14.15).
[134] Hippolyt, antichr. 61 (GCS I/2, 41); Bernhard v. Clairvaux in dom. infr. oct. assumpt. 3 (183, 430 f.) — Zur Tradition W. Kamlah, Apokalypse 130; H. Rahner, Symbole 68—70.
[135] HA, SE Mich. (172, 1009 f.).

Während das Bild von der apokalyptischen Frau bei Honorius nur eines neben anderen ist, spielt es in der Theologie Ruperts eine tragende Rolle. In der Allegorie dieses Symbols erreicht sie ihre „sintesi suprema", wie M. Magrassi zeigt[136]. Von seinem ersten Werk an ist der Abt von diesem Bild fasziniert und an den entscheidenden Stellen seiner Schriften kehrt er zur Auslegung zurück, die zwar leicht variieren kann, formal jedoch stets die gleichen Züge aufweist[137].

Erstmals befaßt sich Rupert mit dieser Gestalt in einem eucharistischen Kontext seines Buches „De divinis officiis". Die Wehen der Frau werden demgemäß auf das neutestamentliche Opfer gedeutet, das die Kirche, oft unter großen Beschwernissen, in der Welt darbringt[138]. Hat er hier mehr die bleibende und unter allen Wechselfällen der Geschichte sich durchhaltende Funktionen der Kirche im Auge, so benutzt er die Allegorie an anderen Stellen zur Veranschaulichung der geschichtlichen Dimension der Kirche.

Die *mulier ecclesia* ist für ihn die Kirche als Heilsgemeinschaft im Glauben durch alle Zeiten[139]. Am Beginn der Geschichte findet er sie in der Nacktheit der Sünde, doch erbarmt sich Gott ihrer Schande und bekleidet sie mit Christus, der ewigen Sonne. Diese Investitur ist selbst ein geschichtlicher Vorgang, der sich, so erklärt der frühe Rupert, in der Taufe ihrer Glieder vollzieht[140], oder auch — so in den mittleren und späten Werken — in der Abrahamsverheißung[141]. Die Christozentrik der Kirche kommt auch dadurch in den Blick, daß die Kirche mit Christus seitdem schwanger geht. Durch die Liebe des Heiligen Geistes hatte sie ihn in ihrem Herzen empfangen[142]. Christus wohnt seitdem auch vor der Inkarnation im innersten Herzen der Kirche und wirkt durch die großen alttestamentlichen Gestalten wie Moses und die Propheten[143]. An dieser Stelle bot sich nun ein Ansatzpunkt für die mariologische Deutung. Maria ist die Christusgebärerin „propria et usitata significatione secundum sexum", aber sie ist es in der Einheit des Menschenge-

136 Teologia 155, vgl. 155—171.

137 Die Hauptstellen (*ausgewertet in der Tabelle*): *DO 2, 2* (CCcm 7, 34); *SpS 6, 14*; 8, 13 (167, 1746.1796); *A 7, 12* (169, 1040—1062); *VV 3, 10—12*; 4, 2.5; 6, 1; 7, 6; 9, 3.18; 11, 12; 12, 1 (169, 1277—1280.1294—1297.1337.1362.1402.1412.1450.1463—1465).

138 RvD, DO 2, 2 (CCcm 7, 34).

139 RvD, VV 12, 1 (169, 1465).

140 RvD, DO 2, 2 (CCcm 7, 34); SpS 6, 14 (167, 1746).

141 RvD, A 7, 12 (169, 1041); VV 3, 11 (169, 1278).

142 RvD, SpS 6, 14 (167, 1746).

143 RvD, A 7, 12 (169, 1041 f.); VV 3, 10; 9, 18; 12, 1 (169, 1277.1412.1463 f.).

Die apokalyptische Frau nach Rupert von Deutz

	DO 2,2	SpS 6,14	A 7,12	VV 3,10ff.
Frau	Kirche	Kirche-Maria	Kirche-Maria	Kirche-Maria
Sonne	Christus	Christus	Verheißung Christi	Glaube der Patriarchen
Mond	Welt	Welt	Welt	Welt
Sterne	Apostel	Apostel	Patriarchen, Stämme Israels, Apostel	Stämme Israels, Apostel
Wehen	Opfer d. Neuen Bundes	Wort Gottes	Glauben an die Verheißung	Geburt des Verheißenen
Schrei		seine Verkündigung	Klage von Is. 53	in ägypt. Gefangen-schaft
Drache		Satan	Satan u. corpus diaboli	Satan
Drachen-häupter		Könige u. Reiche	Weltreiche	Könige u. Reiche
Sterne vom Himmel		Verdammte	Israel	
Kind		Christus	Christus	
Entrückung in die Wüste			s. Erhöhung	
Platz in der Wüste			Gott	
Flügel der Frau			AT/NT	

Die Stellenangaben Anm. 137

schlechtes, dessen hervorragendster Teil sie ist innerhalb der ekklesialen Gemeinde der Menschen: „Mulier haec sive hoc humani generis individuum mulieris illius pars est, quam dicimus ecclesiam, id est credentium collectionem universam“[144]. Maria ist End- und Zielpunkt einer langen Geschichte, die nicht bloß ihre private, sondern die Geschichte der Kirche und *in deren Rahmen* dann auch ihre eigene ist. Sie wird, so sagt sehr drastisch der Abt, lediglich zum Geburtsorgan der alten Kirche, die Christus zur Welt bringt: „per uterum Mariae virginis“ gebiert diese, und daraus zieht er

[144] RvD, VV 12, 1 (169, 1464); vgl. a.a.O. (a.a.O. 1464 f.); SpS 8, 13 (167, 1796); A 7, 12 (169, 1042).

sofort die Folgerung: „Wer wüßte nicht, daß die ganze Kirche gebar, als jene Frau, die Jungfrau Maria, gebar?“[145].

Im Rahmen dieses geschichtstheologischen Bildes versucht Rupert in tiefer mystischer Schau die Identität der Kirche als Kirche Christi durch alle Zeiten hindurch aufzuzeigen, um so das Bleibende und Unvergängliche in der Flucht der Phänomene herauszukristallisieren. Kirche ist für ihn in keinem Moment etwas anderes als Kirche Christi; sie tut in keinem Augenblick ihrer Geschichte etwas anderes, als ihn verkünden. „Praedicare per magnum caritatis affectum et nimium sollicitari pro generatione filiorum spiritualium“ — das ist die Last ihrer ständigen Schwangerschaft bis zur Ankunft ihres Herrn[146]. Durch den beständigen Glauben gelingt es ihr, sie auszuhalten — einen Glauben, der in ihren leitenden Gestalten, den Patriarchen, Propheten und Aposteln, lebendig bleibt[147]. Er muß stark sein, um alle Drangsal zu ertragen, die sie durch die Jahrhunderte zu erdulden hat. Die Antithese zwischen der Frau und dem Drachen ist das Symbol der irdischen Anfechtung der Kirche, das sich leitmotivisch durch die Bücher III bis VII des Werkes „De victoria Verbi Dei“ hindurchzieht. Die sieben Weltreiche und ihre Könige sind die sieben Drachenhäupter, die sich wider sie erheben, zusammen mit der großen Hure, die auf dem Drachen sitzt[148]. Der Kampf geht nicht ohne Verluste ab: ein Drittel der Sterne, d. h. ein Drittel Israels und ungezählte Engel und Menschen erliegen ihren Verführungen[149]. Vom Schmerz der Wehen, ihren ständigen Verfolgung gepeinigt, stimmt sie das Lied des Jesaja vom leidenden Gottesknecht an[150].

Aber Rupert ist ein Optimist aus dem Glauben. Auch hier zeigt sich für ihn die Geschichte als *historia,* als *cursus salutis:* Satans Angriff ist sein Untergang, der in der Inkarnation aus Maria beginnt und in der Erhöhung an Ostern und Himmelfahrt seinen Höhepunkt erreicht. Ohnmächtig schaut der Drache die Entrückung Christi[151]. Er wütet freilich noch gegen die Kirche, die auch nach Ostern Leiden und Verfolgungen ausgesetzt ist. Dennoch weiß sie

[145] RvD, VV 12, 1 (169, 1465): „Ubi ergo mulier ista, id est virgo Maria, peperit, totam ecclesiam peperisse quis nescit?“ (vgl. a.a.O. 11, 12 — a.a.O. 1412).
[146] RvD, SpS 6, 14 (167, 1746); vgl. A 7, 12 (169, 1042); VV 3, 12 (169, 1279 f.).
[147] RvD, A 7, 12 (169, 1041).
[148] RvD, VV 6, 1; 7, 6 (169, 1337.1362); SpS 6, 14 (167, 1746); A 7, 12 (169, 1045).
[149] Vgl. die Angaben Anm. 137.
[150] RvD, A 7, 12 (169.1042).
[151] RvD, A 7, 12 (169, 1048.1049); SpS 6, 14 (167.1746); VV 4, 2 (169, 1296).

sich in der reuelosen Liebe Gottes geborgen. Ihr Weg durch die Zeiten ist verschlungen und doch unbeirrbar zielgerichtet; ihre Wehen treiben die Frau Kirche zum bitteren Schrei des Schmerzes, der dennoch Heilsruf aus Freuden ist.

8. Mutter Kirche

Nicht nur die Frau aus der Apokalypse, auch die anderen Frauengestalten der Heiligen Schrift wurden gern auf die Kirche gedeutet[152]. Die Vorstellung von der sponsa ecclesia legten es nahe, die Beziehungen zu Christus unter diesen Bildern anschaulich zu machen. Die Christozentrik der Kirche und ihrer Geschichte war der Skopus, dem sie dienten. Anders ist dies bei der Gestalt der *mater ecclesia,* die als Symbolfigur in den Schriften der Väter auftaucht. Die Kirche ist damit gleichsam zu einer Hypostase geworden, die nunmehr selbst im Mittelpunkt steht, so wie die Meister von Straßburg oder Bamberg sie freistehend und selbstbewußt dargestellt haben. Das Wort Mutter ruft die Assoziation Kinder hervor, erst sekundär auch die Begriffe Mann oder Vater. Im 12. Jahrhundert wird sie unter dem Einfluß der Kanonistik zur *mater et magistra,* die den unmündigen Kindern die Milch der rechten Lehre einflößt[153].

Der starke Akzent, den unsere Theologen auf die *mulier ecclesia* gelegt hatten, verhinderte eine zu starke Fixierung auf dieses Schema. Auch in der Mutter Kirche sehen sie zuerst die Gattin. Rupert von Deutz verwendet das Bild wieder zur Darstellung der heilsgeschichtlichen Rolle der Kirche. Die Mutter der Glaubenden ist die himmlische Kirche, aus der die Menschen wegen ihrer Sünde wie eine Miß- und Fehlgeburt ausgestoßen worden sind[154]. Er greift dann eine Vorstellung auf, die seit Hippolyt in der patristischen Literatur verwendet wird: Gottes Erbarmen mit der Menschheit artikuliert sich als Ehebund mit der alttestamentlichen Kirche[155]. Als

[152] Auf die Kirche werden gedeutet: die *Mutter des Jünglings von Naim*: RvD, DO 12, 16 (CCcm 7, 409); die *Frau am Jakobsbrunnen*: RvD, EJ 4 (CCcm 9, 214); die *gebärende Frau Jh. 16, 21*: RvD, EJ 12 (CCcm 9, 684); HA, SE rog. (172, 954); *Sephora*: RvD, Ex. 1, 20 (167, 588); *die verschuldete Frau 2 Kg. 4, 1 ff.*: RvD, Reg. 5, 8 (167, 1242); *die kananäische Frau*: HA, SE dom. II quadr. (172, 887).

[153] Vgl. H. de Lubac, Katholizismus 62; S. Tromp, De nativitate Ecclesiae ex Corde Jesu in cruce, in: Greg. 13 (1932), 500—507; K. Kilga, Kirchenbegriff 162—168.

[154] RvD, EJ 12 (CCcm 9, 139) — HA, CC 2, 5 (172, 439).

[155] Hippolyt, antichr. 44 (CGS I/2, 28). Vgl. H. Rahner, Symbole 13—87.

sie das Wort Gottes von der Verheißung an Abraham annahm im Glauben, da wurde sie schwanger: „per magnam veri amoris concepit gratiam“[156]. Ihr Leib schwoll an, als sich in den Propheten die „incrementa verbi“ bemerklich machten, bis sie in der Fülle der Zeiten in den Wehen der Passion das Wort Gottes, den Logos Christus, zum Licht der Auferstehung gebar[157]. Christus ist also die Frucht der alten Kirche und ihres Liebesbundes mit Gott.

Insoweit trägt die *mater ecclesia* die Züge der apokalyptischen Frau. Nun aber geschieht etwas Neues: die Kirche ist *Braut Christi*. Sie ist am Kreuz, als sie aus der Seite des Herrn geboren wurde, einen neuen Liebesbund mit Christus eingegangen, wie Eva einst sich Adam hingab[158]. Auch aus dieser Verbindung entstehen Kinder, die geistlichen Kinder der Kirche, die sie Christus schenkt. Damit wird die Neuheit der neutestamentlichen Kirche hervorgehoben. Sie ist nicht mehr dem Vater, sondern dem Sohn zugeordnet. Dennoch ist sie nicht etwas vollständig anderes, sondern steht in der Kontinuität mit der alten Kirche, da der gleiche Geist, aus dem Maria als Typus der alten Kirche Christus empfangen hatte, jetzt das Wasser der Taufe befruchtet, die zum lebenspendenden Schoß der Mutter Kirche wird. „Fons aquae elementaris, hoc spiritu superveniente vivificatus, fit uterus ecclesiae, uterus gratiae“[159].

Damit schließt sich der Kreis: jetzt kann die Kirche wieder ins himmlische Jerusalem, zur wahren und unvergänglichen Mutter Kirche zurückkehren, von der sie einst ausgegangen war als treulose Tochter[160]. Die Muttergestalt der Kirche wird bei Rupert damit zur Schlüsselfigur der Heilsgeschichte, an der und durch die das Heil Gottes für die Menschheit sich erweist.

Das Bild, das sich in der rupertinischen Geschichtsschau in großen Zügen ergeben hat, wird nun ausgemalt. Er stimmt mit Honorius und Gerhoch in den wesentlichen Farben überein. Wenn von der

[156] RvD, EJ 12 (CCcm 9, 684) — GvR, Ps. 9; 17 (193, 776.880); LF laud. (O I, 251).

[157] RvD, EJ 12 (a.a.O.).

[158] HA, SE pass. (172, 910); PV 31 (172, 332) — GvR, Ps. 9; 17 (193, 776.880); C coll. (O I, 27). Weil Christus nicht mehr leibhaft auf Erden ist, kann die Kirche auch als Witwe bezeichnet werden: RvD, DO 12, 16 (CCcm 7, 409); SpS 8, 13 (167, 1796). Zur Symbolik Eva-Frau-Mutter vgl. R. Javelet, Image 244 f., 357—362.

[159] RvD, Reg. 5, 24; SpS 3, 9 (167, 1261.1648) — HA, SBM cant. (172, 498); PV 31 (172, 329) — GvR, Ps. 126 (194, 861). Vgl. unten II 3, 3 sowie A. Müller, Ecclesia-Maria; H. Barré, Marie 59—143 (besd. 72 ff.); A. Grab 65—68.

[160] RvD, EJ 3 (CCcm 9, 139); SpS 3, 9 (167, 1648).

mater ecclesia die Rede ist, dann ist gewöhnlich die gegenwärtige, d. h. die neutestamentliche Kirche gemeint[161]. In der Taufe gebiert sie ihre Kinder: „natos ad mortem regenerat ad salutem“[162]. Damit wird der Verlust des irdischen Paradieses mehr als wettgemacht: sie werden bestimmt zur Weite des Himmels, zur Gleichförmigkeit mit den Engeln. Aber noch müssen sie bis zum Ende ihres Lebens im Schoß der Mutter ausgetragen werden bis zur Lebensreife im Himmel: der Tod wird zum *dies natalis* der Kinder der Kirche[163].

Mit diesen Gedanken stellen unsere Theologen die Heilsnotwendigkeit der Kirche heraus. Weil geistliche Kinder nur durch sie geboren werden, ist ihr ewige Dauer sicher[164]; weil man in ihrem Schoß ausgetragen werden muß, kann man nur in ihr das Licht der ewigen Welt erblicken. Der alte cyprianische Gedanke wird von neuem aufgenommen, daß nur der Gott zum Vater haben könne, der die Kirche zur Mutter hat[165]. Darum ist die Kirche universal; allen Menschen steht sie offen, Juden wie Heiden; selbst die Bösen nimmt sie auf wie die Guten[166]. Jene allerdings bereiten der Mutter Kirche großen Schmerz: wie die Witwe von Naim beklagt sie den Tod der Sünder und bittet Gott um ihre Umkehr zum Leben[167].

Die guten Kinder aber sind ihre Freude: gewaltig an Zahl, reich an Charismen, stark im Glauben sind sie das Glück ihrer Mutter[168]. Sie leben nicht in der Hingabe an die Welt, sondern in der Hingabe an das Gebet, die guten Werke, an die Meditation der Hei-

161 z. B. HA, Sac. 102 (172, 803) — GvR, Ps. 36 (O II/2, 534).

162 GvR, Ps. 71 (194, 322); vgl. auch ds., Ps. 17.36 (193, 880; O II/2, 534) — RvD, Ex. 1, 20; SpS 3, 9 (167, 588.1648) — HA, SBM cant. (172, 498); SE rog; adv. (172, 954, 955.1084); GA 1, 37 (172, 587); Ps. 112 (194, 708); PV 31 (172, 329). An sich sind alle die ihre Kinder, die durch die Sakramente wiedergeboren sind (RvD, SpS 8, 13—167, 1796), besonders aber die Martyrer (RvD, VV 3 7—169, 1275; HA, Ps. 112—194, 708) und Bekenner (HA, a.a.O.).

163 RvD, SpS 3, 9 (167, 1649) — HA, SE nat. (172, 817) — GvR, Ps. 118 (194, 787).

164 RvD, Ex. 3, 39 (167, 688).

165 Cyprian, unit. eccl. 6 (CSEL III/1, 214). Vgl. RvD, EJ 12 (CCcm 9, 684) — HA, SE nat. (172, 817) — GvR, LF laud. (O I, 251).

166 RvD, Reg. 5, 24 (167, 1261) — HA, Sac. 102 (172, 803); SE dom. II quadr. (172, 887); CC 2, 5 (172, 439); PV 10 (172, 332) — GvR, Ps. 36; 126 (O II/2, 534; 194, 861).

167 RvD, DO 12, 16 (CCcm 7, 409): stellvertretend weinen die Prälaten für die ganze Kirche; Reg. 5, 8.24; SpS 8, 13 (167, 1242.1261.1796) — HA, SE pass. (172, 910); PV 10 (172, 317) — GvR, C Te igitur (O I, 33).

168 RvD, Ex 1, 20 (167, 588) — HA, SE rog. (172, 954); Ps. 112 (194, 708).

ligen Schrift[169]. So sind sie gewappnet im Kampf gegen die Irrlehrer, die ebenfalls alle Kennzeichen der Kinder der Kirche haben können bis auf den alles andere entscheidenden Glauben[170]. Damit zerreißen sie den Schoß ihrer Mutter, spalten ihre Brüste und weigern sich, wie dies auch die falschen Christen tun, die Nahrung der Mutter anzunehmen[171].

Unsere Mutter die Kirche — das ist für die Theologen kein abstraktes romantisches Phänomen, sondern die lebendige Wirklichkeit der Kirche, in der sie leben und als deren Glieder sie sich fühlen. Die Ortskirchen sind bei Honorius die Kinder der himmlischen Mutter[172]; die Kirche von Rom ist für den Propst die Mutter aller anderen Kirchen[173], aber jede religiöse Gemeinschaft, jeder Orden kann Mutter heißen, da er seine Mitglieder nährt und vor dem Verderben bewahrt[174]. Er spricht von der Kirche seiner Zeit, wenn er im Buch über den Antichrist sagt, auch die Könige hätten das vierte Gebot zu achten und damit neben Gott dem Vater auch die Mutter Kirche zu ehren[175].

9. Kirche und civitas dei

Kaum an einer anderen Stelle tritt die augustinische Grundkonzeption der monastischen Ekklesiologie so klar zutage wie in der *ecclesia-civitas*-Theologie[176]. Sie zeigt die Kirche auf dem Hintergrund der heilsgeschichtlichen Auseinandersetzung zwischen Gott und Teufel, in die sie selber aktiv hineingestellt ist. Die feindlichen Kräfte symbolisieren sich im Bild zweier Städte, des für Gott streitenden Jerusalem und Babylons, des Vororts der satanischen Gegenmacht. Die Etymologie beider Städte sagt deutlicher als viele Worte, wie die Verfassung ist. Jerusalem heißt „*pacis visio*", Friedensschau — sie wird den Gerechten im Eschaton zuteil. Babylon

[169] RvD, EJ 4 (CCcm 9.214) — HA, CC, 1, 2 (172, 386) — GvR, Ps. 52 (193, 1634).

[170] Vgl. HA, PV 31 (172, 332) — Vgl. ferner RvD, Reg. 5, 24; SpS 6, 14 (167, 1261.1746) — HA, SE rog. (172, 955); CC 2, 5 (172, 439); PV 10 (172, 317).

[171] RvD, SpS, 3, 9 (167, 1649) — GvR, Ps. 57 (193, 1719.1721). Auch die Exkommunikation ist ein „projici ab utero matris ecclesiae": GvR, Gh 14, 1 (194, 1121).

[172] HA, CC 2, 5 (172, 439.445).

[173] GvR, IA 1, 88 (Scheib. 172).

[174] GvR, Ps. 70 (194, 311 f.).

[175] GvR, IA 1, 88 (Scheib. 175 f.).

[176] W. Kamlah, Christentum 133—340; R. Seeberg, DG III, 291—293. E. Gilson, Die Metamorphosen; E. Meuthen 26—29, 157 f.; J. Ratzinger, Herkunft und Sinn der Civitas-Lehre; ds., Volk und Haus 255—295.

aber ist „*confusio*“, der Inbegriff der antigöttlichen Realität, die dort entsteht, wo der *ordo* aufgegeben wird[177].

Die Existenz beider Städte ist nicht ursprünglich. Erst als Satan bei seinem Abfall von Gott ein Zehntel der Engel mit sich riß, wurde der Dualismus der beiden *civitates* begründet. Babylon ist seitdem in der Welt, aber es ist keine vollwertige Stadt, sondern Ruine, Fragment Jerusalems[178].

Beide werden aber bis zum Ende fortdauern „semper invicem adversantes odio implacabili“. Darum kann man niemals beiden Städten zugleich angehören[179].

Dies gilt allerdings nur für die geistige Dimension der Zugehörigkeit. Im sichtbaren Bereich lassen sie sich nicht unterscheiden, nur das *desiderium* der Menschen, die Zielrichtung ihres Strebens führt die Klärung herbei[180]. Betrachten wir die *civitas diaboli,* so sehen wir als Herrscher Satan, als ersten menschlichen Bürger Kain, den Städtegründer, als Stellvertreter des Teufels die Herrscher der sieben Weltreiche, deren letzte der Christenverfolger Nero und der Antichrist sind: von ihnen gilt das gleiche wie von Satan: „princeps mundi ac possessor aeternae confusionis“[181]. Das Bürgerrecht in dieser Stadt erhält man durch das verkehrte desiderium, das sich konzentriert in der *cupiditas*[182]. So gehören ihr zu die Juden, die Christus ablehnen; die Heuchler, die nur ein Lippenbekenntnis zu Gott ablegen; die Blutdürstigen, Lasterhaften und Stolzen, die Heiden und die Häretiker — kurz die Bösen aller Arten, die Engel ebenso wie die Menschen[183]. Babylon ist, mit anderen Worten, nichts anderes als die Welt gegen Gott und die Hölle[184].

[177] RvD, A 10, 17; 12, 21 (169, 1134.1194); Mich. 2; Hab. 2 (168, 486.615); VV 6, 7 (169, 1342.1343) — HA, Ps. 44; 86 (193, 1570; 194, 527); SE conv. (172, 1095.1096.1097) — GvR, CE 5 (194, 15).

[178] RvD, A 6, 11 (169, 1033); vgl. R. Konrad, Jerusalem.

[179] RvD, EJ 4; 12 (CCcm 9, 215.664); Jos. 19; Dan. 9 (167, 1018.1509); A 6, 11; 7, 12 (169, 1030.1043.1045); Amos 2 (168, 295) — HA, SE conv. (172, 1095) — GvR, CE ep. ad Henr. (194, 9).

[180] HA, SE conv. (172, 1097); — GvR, CE 3; 5 (194, 14.15); IA 1, 44 (Scheib. 92.)

[181] RvD, EJ 4; 12 (CCcm 9, 214.664); SpS 8, 17 (167, 1802); A 6, 11; 7, 12 (169, 1030.1043); Mich. 2; Soph. 2 (168, 485.670); VV 6, 1 (169, 1337); Pant. 7 (Anal. Boll. 258 f.). — GvR, CE 3 (194, 14).

[182] GvR, CE 3 (194, 14).

[183] RvD, EJ 9 (CCcm 9, 502 f.); Ex. 4, 32; Num. 1, 1 (167, 733.845); Hab. 2 (168, 615); A 2, 3; 4, 6; 6, 11; 10, 17 (169, 896.943.1030.1133); VV 6, 7 (169, 1343) — HA, Ps. 1 (172, 281); SE conv. (172, 1096) — GvR, Ps. 26 (193, 1205); CE 3 (194, 14).

[184] RvD, Mich. 2 (168, 486).

Es fällt auf, daß im Bürgerverzeichnis Babylons auch jene Menschengruppen aufgenommen sind, die als Feinde der Kirche anzusehen sind. Der Kampf Babylons richtet sich damit auch gegen die Kirche. Diese ist allerdings nicht identisch mit Jerusalem: damit ist die endzeitliche Vollendung des Heils gemeint, die in der gegenwärtigen Kirche nicht statthat. Die Tradition reserviert daher für die Kirche den Symbolnamen „Sion", d. h. „*specula*", um den Status der Hoffnung und Defizienz der Kirche zu bezeichnen. Nicht immer wird diese Unterscheidung durchgehalten. Proleptisch kann man auch die Kirche bereits Jerusalem nennen.

Rupert von Deutz schildert gelegentlich des Kommentars zum letzten Kapitel der Apokalypse das himmlische Jerusalem. Das ist die Kirche in der Vollendung, die aber ihre lange Geschichte mit eingebracht hat[185]. Ihr Fundament ist Christus: während alle anderen Bauten ihre Basis in der Erde haben, ist die Kirche oben im Himmel gegründet. Sie hängt vom Himmel mit ihren Spitzen auf die Erde nieder: an sie klammern sich die Hoffnung und die Liebe der Völker[186]. Da sie ganz aus der Gnade Gottes lebt und im Blut Christi rein geworden ist, ist sie heilig, bestimmt zur ewigen Schau Gottes. Ihre Zierde sind Glaube und gute Werke, ihr Schutz Gott selber. Wie eine mittelalterliche Festung ist sie von einem doppelten Mauerring umgürtet: den inneren bilden die Bekenner, den äußeren die Blutzeugen. Ihre Steine sind also lebendige Wesen, die von Gott erwählten Engel und Menschen. Die Tore sind die Apostel; sie sind edelsteingeschmückt, weil sie verschiedene Charismen haben in der Teilhabe an der Gnadenfülle Christi, der die kostbare Perle ist. Je drei Tore zählt jede Seite, weil man nur durch den Glauben an den dreifaltigen Gott, den die Apostel verkünden, in die Gottesstadt gelangt. Die Türangeln, die Tor und Mauer verbinden, sind die Lehrer in der Kirche, die den apostolischen Glauben den Menschen in der Kirche vermitteln[187]. Auch die drei Dimensionen, in denen sich die Stadt erstreckt, haben symbolische Bedeutung: die Länge verweist auf die Einheit im Glauben, die Breite auf den Bestand der Liebe, die Höhe auf die unzerstörbare Hoffnung. Die Straßen und Plätze entsprechen den Laien, die Mauern dem geistlichen Stand. Im Unterschied zur irdischen Kirche, die oft

[185] RvD, A 12, 21 (169, 1194—1204).

[186] RvD, EJ 12 (CCcm 9, 706): Hier ist Christus der Herr der civitas, der die Apostel als Fundamente bestellt; A 12, 21 (169, 1194).

[187] Hier tritt das Moment der Vermittlung in den Vordergrund, in EJ (Anm. 186) wird auf die wichtige Apostolizität der Kirche hingewiesen.

genug Feinde abwehren muß, stehen die Zugänge zum himmlischen Jerusalem allezeit allen offen, die guten Willens sind.

Wenn der Abt von Deutz den Blick auf Jerusalem gerichtet hält, dann verliert er deswegen die irdische Kirche nicht aus den Augen. Auch sie ist Stadt des lebendigen Gottes, der in ihr die Erwählten sammelt[188]. Wieder dient ihm das Bild zur Demonstration des Heilshandelns Gottes. In der Schrift „De victoria Verbi Dei" sieht er die Heilsgeschichte als Kampf der beiden Städte. Die Urversuchung Satans im Paradies wollte die Menschen aus dem Frieden Jerusalems in die babylonische Verwirrung führen. Seitdem kommt alles darauf an, sein Heil in der Flucht aus Babylon zu suchen[189]. Der Mensch steht vor der Wahl, welchem König, welcher Stadt er zugehören möchte. Es ist eine Wahl für oder gegen Gott. Aber sie realisiert sich und konkretisiert sich als Wahl für oder wider die Kirche.

Honorius Augustodunensis kommt es auf heilsgeschichtliche Erwägungen nicht an: er stellt in einer Predigt die Parallele zwischen Stadt und Kirche an, wie es seinem vergleichenden und katalogisierenden Stil entspricht. Hatte der Deutzer Abt in der civitas ein mittelalterliches Stadtwesen erblickt, so verschmelzen beim Inklusen aus Regensburg die beiden Bedeutungen Stadt und Staat, die im Wort civitas liegen. Die Kirche ist ein Staat mit gerechten Gesetzen aus dem Geist der Nächstenliebe, mit einer Staatsreligion, die den Kult des wahren Gottes pflegt, und einem Staatszweck: Frieden und Eintracht der Bürger. Christus, der Fürst des Friedens, ist darum ihr Herrscher, seine Fürsten sind die Patriarchen, Propheten und die Apostel, welche das Zivilrecht des Staates verfaßten. Heute stehen an ihrer Stelle die hierarchischen Leiter der Kirche. Die Martyrer bilden das Verteidigungsheer der *civitas*, die Gläubigen, die Gottes Willen in tugendhaftem Leben erfüllen, das Staatsvolk.

Hier geht Honorius dazu über, die *civitas* als Stadt zu betrachten: dann sind die Gläubigen die lebendigen Steine, aus denen die Mauern errichtet sind. Mit Bildern aus der griechischen Sportwelt wird das geistliche Leben der Stadt geschildert. Heiden, Juden und Häretiker stürmen wider die Stadt an, innen erheben sich die heuchlerischen Christen zum Bürgerkrieg. Doch Christus ist das Fundament der Stadt. Darum sind alle Angriffe zum Scheitern verurteilt[190].

188 RvD, Mich. 2 (168, 486).

189 RvD, EJ 4 (CCcm 9, 215); Gen. 1, 18; 6, 9 (167, 215.410); VV 6, 7 (169, 1342); A 10, 19 (169, 1160) — HA, Ps. 94 (194, 576).

Babylon ist das genaue Gegenbild der Kirche: Bosheit und Schlechtigkeit sind die Bausteine, Laster und Verbrechen der Mörtel, der sie zusammenhält. Auch hier gibt es eine Staatsreligion: den Götzendienst; Unzucht und Prasserei sind die Grundgesetze; Zwietracht der Staatszweck. Satan ist Herr der Stadt, seine Fürsten sind die Tyrannen und die Häretiker, sein Senat die Verbrecher und Anhänger dämonischer Kulte. Neid und Haß sind die Regierungsmaximen des Staates, dessen Soldaten Menschenverfolger sind, dessen Volk die Selbstsüchtigen und Ungläubigen[191].

Die Grenzen beider *civitates* sind verwischt. So gehen manche Bürger Jerusalems für eine Weile nach Babylon, doch dann kehren sie reumütig zurück; aber auch unter dem Deckmantel der Freundschaft zu Jerusalem schleichen sich Spione Babylons in die Gottesstadt ein, nehmen am sakramentalen Leben teil, erfüllen alle Gebote und geben sich christlich bis zur Scheinheiligkeit. Das einzige sichere Kriterium, an dem man den echten Jerusalembürger erkennt, ist die Liebe[192]. So ist auch für Honorius die Kirche zwar ein Stück Jerusalem, doch niemals die Gottesstadt selbst: sie steht noch selbst in der Vermischung, die das irdische Zueinander beider Wirklichkeiten kennzeichnet.

Honorius kommt bei der Exegese von Psalm 86 nochmals auf sie zu sprechen. Diesmal bleibt er im traditionellen Bild der Stadt ähnlich wie Rupert. Die Gläubigen sind die Bürger, Christus ist Fundament und Eckstein, der Juden und Heiden als die beiden Mauern der Stadt verbindet. Gott ist der Gründer, der sie auf dem Fundament der Schrift errichtet hat, die ihrerseits wieder auf dem Berge steht, d. h. auf Propheten und Aposteln gründet. An diesen Felsen zerschellen die Häretiker ebenso wie die Philosophen. Christus ist die Pforte (*janua*), die Apostel die Tore (*portae*) zum Reich Gottes, zum Leben. Aus allen Völkern strömen durch sie die Demütigen.

Das ist das Stichwort für die Deutung des Bildes auf die Einzelseele als Glied der Kirche: der Kampf zwischen beiden Städten spielt sich letztlich hier ab[193].

Gerhoch schließlich faßt das Thema wieder mit einer anderen Nuance auf. Er schöpft aus einer reichen exegetischen Tradition, wenn er in der Interpretation von Psalm 64 auf die civitates-Lehre zu sprechen kommt. Aus Augustinus, Gilbert und vor allem

[190] HA, SE conv. (172, 1095—1097).
[191] a.a.O. (a.a.O. 1096).
[192] a.a.O. (a.a.O. 1096—1098).
[193] HA, Ps. 86 (194, 527 f. 529 f.); SE conv. (172, 1097).

aus dem Kommentar Ruperts zur Apokalypse kannte er die einschlägige Deutung. Aber ihm liegt nichts daran, die Bilder nochmals auszubreiten. Ihm geht es um die Kirche der Gegenwart, die unter der babylonischen *confusio* leidet. Rom wurde durch die Christianisierung zwar vom heidnischen Babylon zum christlichen Jerusalem der Kirche, aber er sieht die Gefahr, daß es wieder ins Lager der *civitas diaboli* überläuft[194]. Der Weg kann aber nur über Sion, über die irdische erneuerte Kirche nach der Himmelsstadt Jerusalem führen — der einzelne wie die ganze Glaubensgemeinschaft muß ihn gehen. Das ist nicht leicht, denn auch der Propst von Reichersberg weiß nur zu gut, daß sich die Grenzen beider Realitäten quer durch die Welt ziehen. Simonisten und Nikolaiten, also Bürger Babylons, haben höchste Kirchenämter inne; in Babylon schmachten Menschen, die zu Jerusalem gehören. Sein Reformprogramm will die römische Kirche — und damit auch alle anderen Kirchen — vor dem Rückfall in die babylonische Gefangenschaft bewahren. Sein Kampf ist Kampf für Jerusalem gegen Babylon. In der irdischen Kirche seiner Zeit ficht er ihn aus[195].

Dieser ein wenig ausführlichere Einblick in das symbolistische Denken unserer Theologen zeigt sowohl die Gemeinsamkeit ihrer Ansätze wie die Verschiedenheit ihres Ziels. Rupert ist der betrachtende Denker, der in engem Kontakt mit der Schrift lebt; Honorius liebt die anschaulichen Bilder und versucht, auch noch die letzten Bezugspunkte herauszuholen, die sie bieten: nicht immer geht das ohne Gewalt ab. Gerhochs Theologie steht im Dienst der Reform; die Bilder, die er bringt, sollen seine Pläne begründen oder darstellen.

Ihnen allen aber geht es in alledem um die Erfassung des Mysteriums Kirche. Erst die Fülle der Bilder schließt ihnen alle Dimensionen auf, die unser Verstand erfassen kann, wenn er Gottes Werk betrachtet.

[194] GvR, CE ep. ad Henr. (194, 9).
[195] GvR, CE 5; 11 f. (194, 14 f. 17 f.).

3. Kapitel

KIRCHE UND TRINITÄT

1. Die Kirche des Vaters

Die Kirche ist die Tochter Gottes und ihr Schicksal ruht in seinen Händen[1]. Das ist das Fazit aus der Meditation der Bilder, die die Heilige Schrift zeichnet, um das Wesen der Kirche darzustellen. Gott der Eine und Dreieine ist der letzte Grund ihrer Existenz: der Vater sandte den Sohn, um die Kirche zu stiften; der Geist Gottes erleuchtet sie in ständigem Wirken; sie ist sein Haus, sein Tempel, in dem ihm Lob und Ehre gebracht wird[2].

> „Ehre sei in der Kirche dem Vater, der sie durch das Wort aus dem Nichts bereitet hat; Ehre dem Sohn, der sie, eins mit dem Vater, aus der vorgegebenen Materie errichtet hat; Ehre dem Heiligen Geist, der sie jetzt schon von Grund auf geheiligt hat und ihre Weihe am Ende vollenden wird. Das Werk der Schöpfung, das dem Vater zugesprochen ist, geschah, so wissen wir, nicht ohne den Sohn und den Heiligen Geist, die Errichtung des Baus durch den Sohn ist auch das Werk des Vaters und des Heiligen Geistes, die Weihe durch den Heiligen Geist ward zusammen mit dem Vater und dem Sohn vollzogen: denn wie das Wesen des Vaters und des Sohnes und des Heiligen Geistes untrennbar ist, so ist auch ihr Werk untrennbar, im unterschiedlichen Werk aber erkenne man den Unterschied der Personen wie bei der Bereitung, dem Bau und der heiligenden Weihe dieses Hauses“[3].

Es ist das gemeinsame Werk des einen Gottes, aber die *„personarum discretio“* erfordert die Betrachtung des Anteils der göttlichen Personen.

[1] GvR, Ps. 26; 30 (193, 1205.1298) — HA, Ps. 44 (193, 1570).

[2] RvD, EJ 12 (CCcm 9, 670) — HA, CC 2, 4 (172, 416); Ps. 32 (193, 1324) — GvR, Ps. 28; 29 (193, 1243 f. 1284).

[3] GvR, Ps. 29 (193, 1285): „Sit gloria Patri, qui materiam ejus per Verbum de nihilo creavit; et Filio, qui eam una cum Patre de praeordinata materia aedificavit; et Spiritui sancto, qui eam nunc jam in fundamento dedicavit et adhuc in fine totam dedicabit, sic scilicet, ut opus creationis, quod Patri est assignatum, non intelligatur a Filio et Spiritu sancto alienum, neque opus aedificantis Filii dubitetur et opus esse Patris et Spiritus sancti, nec opus Spiritus sancti domum dedicantis alienum putetur a Patre ac Filio, quia sicut Patris et Filii et Spiritus sancti substantia est inseparabilis, ita et opus eorum est inseparabile, licet in opere ipso discreto ... notetur personarum discretio, ut in hac domus praeparatione, aedificatione, dedicatione vel sanctificatione“.

Der Vater ist das Prinzip der innergöttlichen Prozessionen wie der Sendungen; die Kirche ist darum ganz und gar sein Werk: was sie ist und was in ihr ist, stammt von ihm[4]. Sie ist um der Menschen willen geschaffen, so daß sie das Erbteil derer ist, die glauben[5]. Die Appropriationstheologie teilt dem Vater die Zeit des Alten Bundes zu. Er hat voller Hingabe um sie geworben, um sie als Braut zu gewinnen, die ihm in der Inkarnation seinen Sohn als Erlöser der Menschen schenken könnte[6]. So groß war seine Liebe, daß nicht irdische Dinge auf sie verweisen, sondern sie das Urbild aller irdischen Liebe und Wahrheit ist[7]. In Maria hat sich die Liebe des Vaters erfüllt: aus der Kirche des Vaters geht Christus hervor.

Aber obwohl sich nun der Sohn seine Kirche bildet, ist auch sie noch in der Liebe des Vaters: sie ist sein herrscherliches Haus, in dem er durch den Sohn im Heiligen Geist beständig am Werk ist — ein leidenschaftlicher Liebhaber, *vehemens amator*, durch alle Zeiten der Kirche[8].

2. Christus und die Kirche

Kirche Christi — das ist der eigentliche Name der Kirche. Wo immer unsere Theologen die Schrift aufschlugen, fanden sie Christus; wo immer sie die Geschichte des Heiles betrachteten, erkannten sie sie als Geschichte Christi; wo immer sie eine Realität des Wirkens Gottes sahen, sahen sie Christus am Werk. Kirche konnte nichts anderes sein als seine Kirche: das ist der fundamentale Satz aller Ekklesiologie.

Die Appropriation der Kirche an Christus ergibt sich aus der trinitarischen Ökonomie. Ausgehend von den Pleroma-Texten des Kolosser- und Epheserbriefes wird Christus als der Gottmensch beschrieben, in dem die Fülle der Gottheit leibhaft erschienen ist. Er ist dadurch zu einer einzigartigen Würde erhoben, die mit immer neuen Wendungen beschrieben wird und doch nicht beschrieben werden kann. Christus ist das Haupt aller Menschen, der Hohepriester, der Herr, der kommen wird, um die Menschheit zu richten — er ist der Mensch schlechthin[9]. Damit ist er die Mitte aller

[4] HA, Ps. 44; 86 (193, 1570; 194, 527) — GvR, Ps. 5; 16 (193, 700.854).
[5] GvR, Ps. 5; 17; 22 (193, 700.869.894.1072).
[6] RvD, Naum 1 (168, 531 f.).
[7] RvD, SpS 1, 7 (167, 1576 f.) = GvR, Ps. 35 (O II/2, 441).
[8] RvD, A 3, 4; 9, 16 (169, 905.1119); Os. 1; Naum 1 (168, 40.532).
[9] RvD, EJ 2; 3; 12 (CCcm 9, 60.154.695); DO 1, 25 (CCcm 7, 20); Gen. 2, 37; 4, 17; 7, 2.23; Lev. 1, 4; Ez. 1, 7 (167, 284.343.447.469.790.1427); A 3, 4;

Geschichte, die Fülle der Zeiten, weil er die Fülle Gottes ist[10]. In ihm wandeln sich die Wasser der Vergangenheit in Wein[11], alle Gestalten des Alten Testaments und ihr Schicksal ist Vor-Bild seines Geschicks[12]. Er ist aber auch die Quelle der nachfolgenden Zeiten: im viergeteilten Strom der Evangelien wird die Menschheit durch ihn in der Kirche befruchtet[13].

Die Beschreibung des Verhältnisses zwischen Christus und Kirche wird zur Beschreibung seines Wirkens durch die Geschichte. Die Menschheit glich seit der Ursünde dem Manne, der zwischen Jerusalem und Jericho unter die Räuber gefallen war. Sie spaltete sich in Juden und Heiden, die einander unversöhnlich gegenüber standen. Christus ist der Samariter, der sie einen will und ins gastliche Haus der Kirche führt[14]. Doch dieses Bild ist ungenau: Rupert und Gerhoch erklären, daß er die Menschen nicht nur in die Kirche führt, sondern daß er dieses Haus auch aus der Schöpfungsmasse des Vaters errichtet hat[15]. Er ist ihr darum stets gegenwärtig, stets in ihr und durch sie am Werk im Kampf um die Befreiung der Menschen aus der Macht der Sünde[16]. Kraft dieser seiner Präexistenz ist er auch der Kirche des Alten Bundes und der vorchristlichen Heidenkirche nahe gewesen: er hat seine Braut, die Kirche, in den Propheten zum erstenmal geküßt, sagt Honorius[17]. Die Patriarchen sind für den Propst die Protagonisten der Menschheitsprozession, die dem Brautpaar Christus und Kirche durch die Jahrhunderte vorangeht[18].

Das zentrale Christusereignis aber ist die Menschwerdung, als die Fülle der Gottheit leibhaftig wurde; sie ist auch die Mitte der Kirche: „Die Menschheit Christi ist die Wolkensäule, auf der die

9, 14 (169, 906.1089) — HA, Sac. 20 (172, 756); SE nat.; ep. (172, 827.848), Ps. 32 (193, 1325) — GvR, Ps. 8; 28; 68; 118; 135 (193, 747.749.1253; 194, 244.779.902); N 9 (That. 202).

[10] RvD, EJ 2 (CCcm 9, 100); ep. ad Cunon. (167, 194 f.). Vgl. H. de Lubac, Exégèse II/2, 112.

[11] RvD, EJ 3 (CCcm 9, 116).

[12] HA, SE ep. (172, 848).

[13] GvR, Ps. 1 (193, 641); vgl. ds., Ps. 16 (193, 850) — HA, E 1, 134 (Lef. 385); SE asc. (172, 955).

[14] RvD, DO 1, 21; 5, 5; 12, 13 (CCcm 7, 18.151 f. 405 f.).

[15] RvD, EJ 2 (CCcm 9, 110); Gen. 4, 17 (167, 343) — HA, Ps. 101; 103 (194, 607.621) — GvR, Ps. 29 (193, 1284).

[16] RvD, A 10, 17 (169, 1143): „Victoriae ejus participes sunt sancti sive electi ejus: ipsis enim laborantibus adjuvando vincit agnus".

[17] HA, CC 1, 1 (172, 360) — vgl. RvD, Dt. 1, 19 (167, 938): VV 5, 20 (169, 1332).

[18] GvR, Ps. 5; 18 (193, 706.905).

Kirche ruht und die Gottes Haus herrlich ziert"; „das Tor zum Himmel ist aufgetan, der Himmel mit der Erde verbunden" durch die Inkarnation, denn nun hat sich Christus endgültig der Kirche vereint in ehelicher Umarmung[19]. Damit tritt die Kirche in eine neue Phase: die alte Kirche endet, die neue universale Kirche Christi nimmt ihren Anfang[20]. Da Kirche und Inkarnation in solch engem Verhältnis zueinander stehen, wird es einsichtig, daß mit letzterer nicht nur ein einzelnes historisches Faktum gemeint ist, sondern ein ständig gültiges, ständig wirksames und in diesem Sinn sich im steten Heute ereignendes Geschehen, das sich erst in der Parusie erfüllt[21]. Der lebendige Glaube an dieses Geschehen ist darum auch die Summe und das Kriterium der Kirchlichkeit der Glieder dieser Kirche[22].

Inkarnation ist in diesem Verständnis auch im Leben Christi nicht ein isoliertes Ereignis, sondern nichts anderes als die Entfaltung seiner irdisch-göttlichen Existenz. Was von der Heilsbedeutung der Menschwerdung im eigentlichen Sinn gilt, trifft für sein ganzes Leben zu. Vor allem werden die *„quattuor sacramenta Christi"* — Menschwerdung, Leiden, Auferstehung und Erhöhung — als die wesentlichen Heilsgeschehnisse betrachtet, die *sacramenta* im Sinn von *Mysterien* sind, aber auch *Mittel zum Heil,* das man nur im Glauben an sie erlangen kann[23].

[19] HA, Ps. 98 (194, 595): „Humanitas Christi est columna nubis qua machina ecclesiae sustentatur et domus Dei egregie decoratur". — RvD, Gen. 7, 23 (167, 469): „Per humanitatem Christi aperta est porta coeli et coelestia juncta sunt terrenis". Vgl. ferner: RvD, A 1, 1 (169, 839): Die Inkarnation ist die *„dilectionis copula"*; RvD, Reg. 4 (167, 1234); A 1, 1 (169, 839): *der Kuß Gottes für die Kirche*; HA, SE nat.; dom. XX (172, 838.1063); CC prol.; 1, 1 (172, 357.360.380 f.); Ps. 101 (194, 603): *die eheliche Einigung* Christi und der Kirche; HA, Ps. 101 (172, 300): Christus und die Kirche werden *ein Fleisch*; RvD, EJ 2 (CCcm 9, 110): die Kirche ist von Christus angenommen worden (*assumere*); GvR, Ps. 18 (193, 905): die Kirche ist in der Inkarnation ihm verbunden worden (*conjungere*); GvR, IA 2, 35 (Scheib. 268): sie empfängt von ihm den *Liebeskuß*.

[20] RvD, Ex. 4, 5; Jer. 34; SpS 1, 8 (167, 700.1391.1577) — HA, Ps. 96.98 (194, 583.595) Ps. 96 (a.a.O. 585) vergleicht Honorius die Inkarnation mit der Jahwe-Epiphanie auf dem Sinai.

[21] RvD, A 3, 4 (169, 905) — HA, SE nat. (172, 816.819).

[22] RvD, EJ 2 (CCcm 9, 116). Nach Ez. 2, 21 (167, 1483) ist der Glaube an die Inkarnation die „summa catholicae confessionis".

[23] RvD, DO prol.; 2, 12; 9, 3 (CCcm 7, 5.46.309); Ez. 1, 5.7 (167, 1425.1427); A 3, 4; 4, 5.6 (169, 912.925.940—946); Soph. 2 (168, 680); Gh 1, 2; 12 (168, 1311.1337.1587); GT 2, 9 (169, 40); CC 4 (168, 899) u. ö. — HA, CC prol. (172, 349); SE dom. XX (172, 1065) — GvR, Ps. 67 (194, 163) — Arno v. Reichersberg, Apol. (ed. Weichert 193) mit Verweis auf Leo d. Gr. — RvD,

Weil Christus Heilsbringer ist, gewinnt unter ihnen das Mysterium seines Leidens die wichtigste ekklesiologische Funktion: hier geschieht die Erlösung, hier entsteht darum im vollen Sinne erst Kirche. Der Karfreitag wird zum Geburtstag der Kirche[24], zur Hochzeitsfeier mit Christus[25], die ihre Vollendung an Ostern findet[26]. Als der Erhöhte ist er der *ecclesia praesens* gegenwärtig. Sie ist auf ihm als Fundament errichtet[27], sie ist sein Haus und sein Leib, sein Tempel und sein Volk; Gott hat ihm alles unterworfen und er übt diese Herrschaft durch die Kirche aus[28]. Weil Christus der einzige Heilsweg ist, ist die Kirche heilsnotwendig.

Denn in ihr wirkt der, der Weg und Tor zu Gottes Reich ist[29]. Er setzt das Werk seiner Erlösung fort, indem er beständig dem Satan Menschen entreißt, sie vor dem Bösen bewahrt und ihnen die Liebe zum Guten eingibt[30]. Als Hoherpriester betet er ohne

Ez. bringt die 4 Lebensgeheimnisse in Verbindung mit den vier Gesichtern der Ezechielvision; ds., DO 2, 12 parallelisiert die theologischen Tugenden damit, wobei die Inkarnation ausgelassen wird; ds., A 4, 5 und 6 werden die Geheimnisse auf die Siebenzahl erweitert um *Pfingsten, die Heidenberufung* und *die Parusie* wegen der sieben Siegel des apokalyptischen Buches. So auch SpS 1, 18 (167, 1588). HA, CC 1, 1 (172, 366) nennt ebenfalls sieben Geheimnisse, diesmal neben den üblichen noch die *Geburt,* den *Höllenabstieg* (inferni spoliatio) und das kommende *Gericht.* Diese Geheimnisse sind nur im Heiligen Geist verstehbar: RvD, DO 9, 3 (CCcm 7, 309); Soph. 2 (168, 680); sie sind für das Heil notwendig zu glauben: RvD, Ez. 1, 7 (167, 1422); A 3, 4; 4, 6 (169, 912.940 ff.); CC 4 (168, 899); Gh 1; 2; 13 (168, 1311.1337.1624.1631); GT 2, 9; 6, 9 (169, 40.127).

24 RvD, EJ 6; 9; 10 (CCcm 9, 340.519.565); DO 2, 11; 12, 13 (CCcm 7, 46.405 f.); Reg. 5, 5 (167, 1233): Das Leiden „salutis nostrae summa est de qua maxime pendet nostra fides“; SpS 2, 29 (167, 1640); A 3, 4 (169, 905) — HA, E 1, 134 (Lef. 385); SE nat. (172, 827); GA 3, 84 (172, 665) — GvR, Ps. 20; 24; 28; 30 (193, 980.1103.1252.1289).

25 HA, SBM 3 (172, 505).

26 RvD, EJ 7 (CCcm 9, 410); SpS, 2, 29 (167, 1640).

27 RvD, Mich. 2 (168, 475); A 12, 21 (169, 1198) — HA, SE ep.; purif.; conv. (172, 847.849.1097); GA 1, 129 (172, 586); CC 1, 2 (172, 393); Ps. 46; 86; 101 (193, 1578; 194, 526 f. 601) — GvR, AD 24 (194, 1261); Ps. 8; 10; 27; 28; 68; 120; 136 (193, 748.799.1225.1237; 194, 270.841.910), N 4 (That. 193). An der letztgenannten Stelle sowie Ps. 70 (194, 301); QV 12 (Scheib. 586) betont GvR die reale Gegenwart Christi im Gegensatz zur schattenhaften Präsenz Gottes in der Wolkensäule beim Auszug aus Ägypten.

28 RvD, DO 3, 21 (CCcm 7, 94); EJ 3; 5 (CCcm 9, 154.252); Gen. 4, 23 (167, 723 f.); Soph. 1 (168, 647) — HA SBM prol. (172, 498); Ps. 101 (172, 298); 88; 96; 101 (194, 539.586.601) — GvR, CDH 4 (194, 1178).

29 RvD, EJ 12 (CCcm 9, 686).

30 RvD, Reg. 3, 4 (167, 1221): Christus hat Heiden wie Juden befreit „de periculo infidelitatis, a debilitate pravae consuetudinis, a criminibus actualibus post baptismum admissos, a taedio bonae operationis, ab angustiis suae

Unterlaß für seine Kirche, damit sie das Werk der Erlösung aller Welt bringe[31]. Er leitet sie als Haupt und Hirte, als König und Priester[32]. Vielfältig ist sein Tun: er öffnet seiner Kirche das Verständnis der Heiligen Schriften[33], er bringt das Gesetz des Evangeliums, Glaube und Liebe[34], spendet die Sakramente[35] und erhält die Einheit der Kirche[36]. So stiftet er Frieden zwischen Gott und den Menschen[37].

Trotz der Gewaltenfülle, die in ihm vereint ist, wirkt er nicht wie ein absoluter Herrscher, sondern mit und durch die Menschen der Kirche. Sie sind seine Mitarbeiter, allen voran die Apostel, durch die die Heiden bekehrt wurden[38], aber auch alle Leiter in der Kirche, deren Vollmacht Teilhabe an seiner Autorität ist[39]. Durch die Gläubigen wird so die Erlösung des Herrn kosmisch bedeutsam, da sie das Instrument des Heils für die Welt werden[40].

praelationis". Vgl. ds., DO 4, 9 (CCcm 7, 114 f.); EJ 9 (CCcm 9, 513); EJ 6; 9 (CCcm 9, 340.515); Gen. 2, 37; Lev. 1, 4.14; SpS 2, 29 (167, 284.746.757.1640); Joel (168, 231) — HA, GA 1, 151 (172, 591); SE nat.; pasch.; Mich. (172, 827.934.1010); CC prol. (172, 349) — GvR, Ps. 9; 28; 68 (193, 788.1237; 194, 270).

[31] HA, GA 1, 164 (172, 595); Ps. 109 (194, 696) — GvR, Ps. 76 (194, 427) — Diese universale Heilssorge Christi umfaßt auch die Übernahme aller Sünden (RvD, Ex. 1, 23—167, 723 f.); Christus ist der Eckstein, der Juden und Heiden verbindet und die ganze Welt um sich sammelt (HA, Ps. 117; PV prol. — 172, 726.311).

[32] Christus lenkt die Kirche wie ein *Wagenlenker*: RvD, DO 9, 4 (CCcm 7, 311); er ist *princeps et salvator*: RvD, Lev. 2, 4 (167, 790); mit der *nova lex evangelica* bringt er *Liebe und Glaube* für seine Kinder: RvD, Reg. 2, 5 (167, 1102); er *befiehlt* seiner Kirche durch Gesetz (Propheten) und Evangelium (Apostel): HA, Ps. 32 (193, 1325); ist der *Herr des Weinberges*: HA, SE sept. (172, 858); ist *königlicher Hoherpriester*: HA, GA 3, 81 (172, 664); er ist der *Führer* der Kirche *zum Sieg*: GvR, Ps. 9; 118; 123 (193, 788; 194, 758.853); er ist der *gute Hirte*: HA, CC 1, 1 (172, 370); der *Führer der Menschheitsprozession* durch die Zeiten: GvR, OD 1 (O I, 126).

[33] RvD, Gen. 7, 2 (167, 447).

[34] RvD, Reg. 2, 5 (167, 1102).

[35] GvR, Ps. 21 (193, 1025) — RvD, EJ 2 (CCcm 9, 67); Gen. 4, 5; Ex. 2, 32 (167, 329.641).

[36] RvD, EJ 11 (CCcm 9, 650—654) die Ausdeutung des Weinstockgleichnisses Jh. 15.

[37] RvD, Lev. 1, 4 (167, 746).

[38] RvD, A 11, 20 (169, 1178) — HA, CC 4 (172, 475): „Per praedicatores ecclesia semen verbi Dei spargit in mundum aratro evangelii exaratum".

[39] HA, GA 1, 151; 3, 78 (172, 591.663).

[40] RvD, VV 1, 29 (169, 1242 f.): „Nam profecisse et proficere adhuc sanctos quoque angelos constat in cognitione Creatoris sui, testante apostolo qui cum praemisisset investigabiles esse divitias Christi et dispensationem sacramenti absconditi a saeculis in Deo qui omnia creavit, subjunxit atque ait: ‚ut innotes-

So ist er ständig am Werk, ständig bei seiner Kirche in Milde und Barmherzigkeit[41], aber auch mit fester Strenge besorgt, daß seine Kirche weder der Sünde noch dem Irrtum anheimfällt[42]: er ist auch der Reformator der Kirche[43].

Die absolute Verwiesenheit auf Christus kennzeichnet somit ihr innerstes Wesen. Er ist ihr Lebensgrund und ihr Haupt, Bräutigam und Opferaltar, Weinstock und Stimme, Bruder zugleich und Vater[44]; sie ist eins mit Christus[45]: in ihren Adern fließt sein Blut, sie ist Fleisch von seinem Fleisch[46]: seine Ehre ist ihre Freude, sein Sieg ihr Anteil; ihre Tapferkeit in den Martyrern, ihre Weisheit in den Bekennern, ihre Autorität in den Leitern ist sein Gut[47]. Sie

cat principatibus et potestatibus in coelestibus per ecclesiam multiformis sapientia Dei', per ecclesiam, id est per ea quae in ecclesia vel cum ecclesia Deus homo factus egit, sponsus pro sponsa, passus, mortuus et resurgens a mortuis superato principe mortis". Vgl. ds., EJ 3 (CCcm 9, 253): Über die Heilung des Kranken Jh. 5: „Hoc quoque non praetereundum, quod illum hominem sanum quidem Dominus per semetipsum fecit, sed non per semetipsum in templum introduxit, quia videlicet per semetipsum quidem peccata dimittit et super gentiles primo tempore ... gratiam suam ostendit; verum non per semetipsum vel per angelum suum, sed per hominem Petrum in ecclesiae suae communionem per baptismum aquae omnes, qui iam Spiritum sanctum acceperant, intromittere voluit". — Vgl. auch HA, GA 1, 164 (172, 595).

[41] RvD, Joel (168, 231): A 3, 4 (167, 906); EJ 4 (CCcm 9, 226) — HA, CC 2, 5 (172, 445) — GvR, Ps. 9; 67; 70; 71; 131 (193, 787; 194, 221.302.321.881).

[42] RvD, EJ 5 (CCcm 9, 252) — HA, GA 1, 65 (172, 564); SE, OS (172, 1013); Ps. 101; 106 (194, 628.666).

[43] GvR, AD 37 (194, 1286).

[44] RvD, EJ 2 (CCcm 9, 60.75); A 2, 2; 9, 15 (169, 870.1119) — HA, CC 1, 1 (172, 369); SE ded. (Kelle 2) — GvR, Ps. 19; 140 (193, 944; 194, 933.936). Weil der Vater Christi als begnadender Gott auch Vater der Kirche ist, ist diese Christi Schwester: RvD, Reg. 5, 5 (167, 1237); HA CC 4 (172, 475). Ps. 34 (193, 1340). Nach HA, a.a.O. ist die Geschwisterschaft auch darin begründet, daß beide aus der Synagoge hervorgehen. HA, Ps. 44 (193, 1571) ist die Kirche Christi Tochter, weil sie durch sein Evangelium gezeugt wurde, seine Braut, weil er in der Inkarnation mit ihr ein Fleisch geworden ist.

[45] HA, Ps. dedic. (172, 271) — GvR, Ps. prooem. (193, 631). A.a.O. (a.a.O. 638) zitiert GvR Gilbert und beruft sich deutlich auf die Tychoniusregeln. Der gleiche Gedanke, daß die Psalmen von Christus und der Kirche sprechen, findet sich sehr häufig, z. B. Ps. 54; 58; 62; 63; 67; 68; 69 (193, 1169.1730.1787. 1797.1801; 194, 162.224.273) — Christus totus: GvR, Ps. 19; 42 (193, 972. 1529).

[46] RvD, Dan. 7 (167, 1506) — GvR, Ps. 5; 10; 21; 34; 56; 58; 67; 68; 69 (193, 701.798 f. 1020; O II/1, 179; 193, 1693.1730; 194, 164.169.224.237.263.274); Gh 9, 9 (194, 1102). Die meisten dieser Stellen beziehen sich auf die Schicksalsgemeinschaft in Kampf und Leiden.

[47] RvD, Dt. 2, 1 (167, 957); A 10, 17 (169, 1143) — HA, Ps. 1 (172, 281) — GvR, Ps. 5; 36 (193, 700; O II/2, 574); LF rec. (O I, 204).

ist sein Kleid, ohne das er bloß wäre, er aber die Vollendung der Kirche[48]. Sie lebt aus seinem Geist und wird heilig durch ihn, aber in ihr verbreitet sich Christi Wohlgeruch über alle Welt[49]. Kirche ist das lebendige Wechselspiel der vitalen Beziehungen zwischen Christus und Gläubigen: er lebt in ihr und sie in ihm[50].

Auf Christus kann die ganze Ekklesiologie reduziert werden — auf den *Christus totus* freilich, von dessen Haupt die Lebensströme auf den Leib übergehen. Was wir von der Kirche aussagen können, kommt ihr um Christi willen zu — ihre Indefektibilität wie ihre Infallibilität, ihre Heilsinstrumentalität und Heilsnotwendigkeit, ihre Würde und Größe, aber auch ihre Armseligkeit und ihr leidvolles Geschick.

Die Frage nach der Kirche ist in allem die Frage nach Christus.

3. Kirche im Heiligen Geist

Es gibt eine Kirche des Vaters und eine Kirche des Sohnes, aber unsere Theologen kennen (anders als Joachim von Fiore) keine Kirche des Geistes. Die Pneumatologie ist bei ihnen eingebaut in die Christologie: wenn die Kirche erfüllt ist vom Pneuma, dann deswegen, weil Christus den Geist in Fülle empfangen hat. Dies geschah an den entscheidenden Stellen seines Heilswerkes, bei der Empfängnis, der Taufe im Jordan und bei der Auferstehung. Aus dieser Fülle hat die Kirche empfangen[51]: die Sendung des Geistes war der zweite Kuß ihres Bräutigams für sie[52].

[48] HA, SE Jac. (172, 981); Ps. 44 (193, 1569) — GvR, Ps. 7; 18 (193, 730.927) — RvD, A 9, 19 (196, 1170).

[49] RvD, DO 1, 25; 2, 4 (CCcm 7, 20.37); Gen. 4, 17; 7, 37 (167, 342.481); A 2, 2 (169, 870) — HA, SE ded. (Kelle 2); GA 1, 157 (172, 593); CC 1, 2 (172, 393) — GvR, Ps. 9 (193, 788).

[50] RvD, EJ 2; 4 (CCcm 9, 60f. 219); A 2, 2; 12, 21 (169, 865.1196.1198) — HA, CC 1, 1; 2, 5 (172, 379.388.442.443); Ps. 37; 101; 103 (193, 1371; 172, 303; 194, 621) — GvR, Ps. 9; 19; 24; 118 (193, 751.971.1103; 194, 793). — Vgl. A. Landgraf, Paulinen 419—428 über die Verbindung von Haupt und Leib als Voraussetzung des Lebens in der Kirche.

[51] RvD, DO 10, 22 (CCcm 7, 357); EJ 1; 2; 4; 7 (CCcm 9, 72.65.75.201.212.409); A 3, 4; 11, 19 (169, 909.1170); Reg. 5, 6; SpS 1, 1; Gen. 4, 23 (167, 1233.1571. 347); Zach. 2; Hab. 3 (168, 724.640 f.) — HA, SE cap. (172, 878).

[52] GvR, IA 2, 29 (Scheib. 101) — HA, GA 3, 105 (172, 669); Ps. 1 (172, 276). Nach RvD, Zach. 2 (168, 724) ist der Austausch wechselseitig: Rupert liest Eph. 4, 8 (Ps. 67, 19) nicht „dedit dona hominibus", sondern „*accepisti dona in hominibus*"; die dona, d. h. die Geistesgaben, hat die Kirche von Christus empfangen, aber sie gibt sie ihm auch; das müsse man sagen „propter unitatem personae capitis et corporis, ipsius et ecclesiae". Vgl. auch HA, SE pent.

Das Wirken des Heiligen Geistes in der Kirche ist aufs engste mit dem Heilswerk Christi verbunden. Gerhoch von Reichersberg sieht den Grund dafür in der trinitarischen Ökonomie. Der Sohn geht vom Vater aus als Schöpfer und Erneuerer der Welt. Da der Geist zusammen mit dem Sohn ausgeht, wirkt er bei der Schöpfung als der belebende Geist über den Wassern, bei der Erlösung als Initiator der Inkarnation durch Maria und als Geist der Kirche seit Pfingsten. Als solcher erfüllt er sie ohne Unterlaß, selbst die vollendete Kirche; sie ist erst eigentlich pneumatische Kirche[53]. Die spezifische Aufgabe des Geistes im trinitarischen Heilsopus ist also die des Vollenders und des Prinzips der Kontinuität in der Kirche. Alle drei Theologen stimmen darin überein, daß er die Dynamik des Christuswerkes wirkt. Denn was der Herr tat, war einmalig und vollzog sich in einem unwiederholbaren Akt. Das gilt für die Schöpfung wie für die Erlösung[54]. Die Exekution dessen, was dort begann, ist Sache des Pneumas. Der Geist verleiht der Schöpfung Leben und Glanz, er hält die Erlösten in der lebendigen Verbindung mit Gott, er ist es, der sie in der Gnade erleuchtet und heiligt[55]. Das ist nur möglich, wenn der Heilige Geist immer in der Kirche wirkt. So war er in der alttestamentlichen Kirche anwesend, erfüllte die Patriarchen, Könige und Propheten, aber auch die unheiligen Menschen wie Saul oder Balaam: er verlieh ihnen Charismen wie die Weisheitsrede, Glauben, Prophetie, Tugendwirken und die Unterscheidung der Geister[56]. Zur vollen Entfaltung aber kommt sein Wirken in der Kirche nach Christus. War es vorher partikulär, fragmentarisch und lokal begrenzt, so wird es jetzt

(172, 962). Christus übernimmt nach RvD, EJ 2 (CCcm 9, 65) seine Heilsaufgabe nicht von selbst, „sed a Spiritu sancto impositum sibi onus suscepit".

[53] RvD, DO 7, 10 (CCcm 7, 235); EJ 14 (CCcm 9, 755) — GvR, OD 1 (O I, 119.120); S 5 (194, 1341); Ps. 39 (193, 1466).

[54] Über die kosmische Bedeutung des Geistes vgl. HA, GA 2, 53 (172, 631) — GvR, OD 1 (O I, 98.102 f.); vgl. a.a.O. (a.a.O. 102—112) die Zuordnung des Geistes zu den Weltzeitaltern. Darüber auch unten II, 3, 2, 1.

[55] RvD, DO 3, 10; 9, 3; 10, 9 (CCcm 7, 235.307.343); EJ 7; (CCcm 9, 409.670 f.); SpS 1, 2 (167.1572); VV 13, 7 (169, 1492) — HA, SE pent. (172, 959 f.) — GvR, Ps. 9; 28 (193, 787.1244).

[56] RvD, EJ 1; 7; 14 (CCcm 9, 22 f. 61.404 f. 777); Lev. 2, 3; Num. 2, 7; SpS 1, 17; 3, 10 (167, 789.886.1587.1650); Mich. 2; Hab. 3 (168, 493 f. 640 f.); Gh 1 (168, 1325) — HA, E 1, 71 a (Lef. 374): nach dieser nur in einigen Hss. enthaltenen Variante läßt der Hl. Geist Adam im Tiefschlaf Christus und die Kirche schauen, die durch ihn gezeugt werden sollen; er kann daher christologische und ekklesiologische Prophezeiungen machen. Vgl. ds., SE pent. (172, 959) — GvR, OD 1 (O I, 102 f. 119.126 f); Ps. 22; 35; 39 (193, 1043; O II/2, 439; 193, 1466); IA 2, 29 (Scheib. 268).

universal. Durch den Tod Christi wird die Fülle seiner Gaben für alle Menschen und alle Welt freigesetzt[57].

Es ist ein doppeltes Geschenk, das Christus durch den Heiligen Geist seiner Kirche gibt: die Vergebung der Sünden und die Austeilung der Gnadengaben; jene wurde Ostern, diese Pfingsten gewährt[58]. Während es aber in beschränktem Maß Charismen auch schon vorher gab, ist die Vergebung der Sünden das eigentliche Neue, das die Kirche Christi auszeichnet[59]. Wenn man will, kann man sie deswegen als Kirche des Geistes bezeichnen, doch Rupert macht sofort darauf aufmerksam, daß man damit nichts anderes sage als „Kirche Christi". Denn wenn der Geist aus Vater und Sohn hervorgeht, dann so, daß dem Hervorgang aus dem Vater die Charismenbegabung, dem Hervorgang aus dem Sohn die Vergebung der Schuld zu danken ist[60].

Da Pfingsten kein absoluter Neuansatz im Heilswerk Gottes war, gewinnt es gegenüber der Passion und der österlichen Erhöhung Christi geringere Bedeutung. Trotzdem ist die *„adjectio largitatis"* der Charismen ein wesentliches ekklesiologisches Geschehen, da hierin die Katholizität der Kirche begründet ist[61]. Nicht nur die Juden, sondern auch die Heiden, die Kirche in ihrer ganzen Ausdehnung hat den Geist empfangen: er hat alle Differenzen der Rasse, der Klasse und des Geschlechtes in seiner Wahrheit aufge-

[57] RvD, EJ 1; 12; 14 (CCcm 9, 64.675.755); Num. 2, 7; Reg. 5, 9 (167, 886.1244); A 10, 18 (169, 1151) — HA, Sac. 102 (172, 804); GA 1, 55 (172, 592); Ps. 103 (194, 632) — GvR, OD 1 (O I, 125 f.); Ps. 21 (193, 1019 f.); CE 102 (194, 71). Vgl. H. H. Wittler 26—28.

[58] RvD, DO 9, 3 (CCcm 7, 303.307); EJ 7; 14 (CCcm 9, 409 f. 773); Gen. 7, 17; Jud. 2; Ez. 1, 9; SpS 3, 10 (167, 462.1023.1430.1650); VV 12, 13 (169, 1473); CC 1 (168, 841); Gh 1 (168, 1325); GT 3, 19 (169, 71); Pant. (Anal. Boll. 225) — HA, SE pent.; ded. (172, 959; Kelle 6) — GvR, Ps. 22 (193, 1041 = RvD, Reg. 5—167, 1189 f.); IA 2, 35 (Scheib. 269). Zum Sakramentssymbolismus Ruperts vgl. F. Holböck, Leib 45; zu Gerhoch siehe H. H. Wittler 28—32. Rupert und Gerhoch kennen noch eine dritte Geistsendung, die eschatologische *remuneratio in resurrectione mortuorum.* Wie Christus wird die Kirche also dreifach vom Pneuma gesalbt. Vgl. RvD, DO 9, 11 (CCcm 7, 327); Gen. 4, 23; 7, 11 (167, 347.456); vgl. Reg. 5, 5 (167, 1191) und GT 1, 11 (169, 23) — GvR, Ps. 26 (193, 1175 = RvD, Reg. 5, 5).

[59] RvD, EJ 1; 7 (CCcm 9, 60.64.409); Lev. 2, 3; Num. 2, 7; SpS 1, 17; 3, 10 (167, 789.886.1587.1650); Hab. 3 (168, 640 f.); GT 1, 11 (169, 23) — HA, SE pent. (172, 959) — GvR, OD 2 (O I, 139); Ps. 35 (O II/2, 439).

[60] RvD, EJ 11 (CCcm 9, 636). Vgl. ds., a.a.O. 14 (a.a.O. 773); SpS 1, 17 (167, 1587) hier spricht RvD auch den Propheten rückwirkend die Sündenvergebung durch Christus zu, da von seiner Fülle alle empfangen haben.

[61] RvD, EJ 1 (CCcm 9, 63); Hab. 3 (168, 640 f.).

hoben[62]. „Omnia in omnibus cum Spiritu suo veritas"[63]. Die Kirche hat nun freie Bahn auf ihrem Weg zu allen Völkern, Gottes Wort tönt über die ganze Erde. So ist Pfingsten der Anfang der Mission: „Extunc triumphus dominicae passionis coepit annuntiari universo orbi, extunc in omnes gentes poenitentia et remissio peccatorum coepit praedicari"[64]. Das Pneuma treibt die Segel des Schiffes Kirche[65]; nie fehlt es ihr an Männern, die die Erkenntnis der Wahrheit und das Verständnis der Schriften im Heiligen Geist besitzen[66]. Als Geist der Stärke siegt er in den Martyrern über die Tyrannen, als Geist der Wissenschaft bewahrt er die Kirche vor häretischem Irrtum, als Geist der Frömmigkeit überwindet er die *impietas* selbst noch in der Kirche[67].

So ist sie, recht verstanden, Kirche im Geist: ihre Struktur wird durch das Pneuma wesentlich bestimmt[68]. Er ist der Geist der Liebe, der Gott und die Menschen verbindet[69]; der Geist der Wahrheit, der die Kirche vor Irrtum und Unglauben schützt[70]; der Geist der Erneuerung, der das Heil wirkt[71]; der Geist der Freiheit und Quelle aller Freiheit der Menschen[72]. Vor allem aber ist er der Geist der Heiligkeit, der die Kirche zum Instrument des Heiles macht. Durch ihn wird sie befähigt, ihre Aufgabe, um deretwillen sie existiert, zu erfüllen. Das geschieht in einer doppelten Weise, die der Geist in der Kirche verursacht.

[62] RvD, DO 10, 22.24 (CCcm 7, 357.360); EJ 5; 7 (CCcm 9, 247.410); Ex 3, 15 (167, 665); A 3, 4 (169, 909); Joel (168, 239) — GvR, CE 102 (194, 71); OD 1 (O I, 128 f.); Ps. 39 (139, 1457).

[63] RvD, EJ 4 (CCcm 9, 211).

[64] RvD, A 10, 18 (169, 1151).

[65] HA, SE pent. (172, 959) — GvR, OD 1 (O I, 119) — RvD, EJ 7 (CCcm 9, 409); Os. 1 (168, 17).

[66] HA, SE inv. (172, 944).

[67] HA, Ps. 103 (194, 632) — GvR, OD ded.; 1 (O I, 86.102—112); CE 30 (194, 27).

[68] RvD, Joel (168, 255) — HA, SE coen.; ded. (172, 926; Kelle 6).

[69] RvD, EJ 1 (CCcm 9, 68) — HA, Sac. 102 (172, 804); GA 1, 126 (172, 585); CC 2, 4 (172, 427).

[70] RvD, DO 10, 21 (CCcm 7, 355).

[71] RvD, DO 9, 3 (CCcm 7, 303);EJ 1; 3 (CCcm 9, 73.149) — HA, Sac. 102 (172, 804); SE ded. (Kelle 6); Ps. 1; 103 (172, 276; 194, 625). — Im Pneuma werden auch die Sakramente gespendet: RvD, EJ 7 (CCcm 9, 373 f.); Ex. 2, 10; 3, 15; SpS 3, 1 (167, 617.665.1641) — HA, Sac. 102 (172, 803).

[72] GvR, S 5 (194, 1341); IA 3, 11 (Scheib. 374). Diese Freiheit zeigt sich auch darin, daß der Geist weht, wo er will: „Non in potestate hominis sunt dona Spiritus sancti" (RvD, Gen. 6, 27 — 167, 425): das bezieht sich auf die Gültigkeit der Taufe, die nicht von der Spendung durch einen katholischen Priester abhängt.

Der Geist ist das Prinzip der amtlichen Sukzession, die nur innerhalb der Kirche statthat: „foris non dari Spiritum sanctum sed intus per episcopos, quorum est manus imponere ex successione apostolorum“[73]. Der Geist ist nicht das ordnungslos hereinbrechende Prinzip der *confusio,* sondern Geist des *ordo divinus.* Vom Haupt der Kirche, das Christus ist, strömt die Kraft des Geistes wie das Salböl vom Haupt Aarons zu den Aposteln, von ihnen und durch ihre Vermittlung breitet sie sich aus bis hin zu den letzten Gliedern der Kirche[74]. Aber auch dort wirkt er in den Kosmos hinein. Seine Gaben sind gegeben, um weitergegeben zu werden[75]. Indem sie aber weitergegeben werden, führen sie die Welt in die Kirche: „Wir sagen: der Heilige Geist erfüllt den Erdkreis, indem er die universale Kirche erfüllt, die über die ganze Erde verbreitet ist“[76]. So beginnt gleichsam der umgekehrte Prozeß, der durch die missionarische Hingabe der Menschen aus dem Charisma des Geistes, das ihnen gegeben ist, diesen selber heiligend einwohnt. In Taufe und Handauflegung empfangen sie die Vergebung der Sünden und die einzelnen Gaben: in ihnen lebt der Geist[77]. Das ist das Kriterium der Christen, der Ausweis der Zugehörigkeit zur Kirche. In letzter Zuspitzung sagt Rupert, Michael und der Teufel, Moses und Pharao, Petrus und Nero unterscheiden sich bezüglich ihrer Stellung zu Gott lediglich darin, daß die ersten jeweils geisterfüllt sind, die letzteren nicht[78].

Die zweite große Konsequenz aus der Geisterfülltheit der Kirche ist ihre Einheit in der Pluralität. Es gibt durch das Pneuma viele Gnadengaben in der Kirche, aber weil sie alle vom gleichen Geist kommen, konvergieren sie alle zur Einheit. Sie ist nicht nach menschlichem Modell zu denken, sondern göttlichen Ursprungs,

[73] RvD, DO 10, 25 (CCcm 7, 361) — HA, Ps. 46 (193, 1586) — GvR, AD 21 (194, 1249 f.).

[74] RvD, Reg. 1, 25 (167, 1093); A 11, 19 (169, 1170) — GvR, OD 2 (O I, 141); Ps. 28; 35; 56; 132 (193, 1244; O II/2, 439; 193, 1697; 194, 883).

[75] RvD, EJ 7 (CCcm 9, 409); Reg. 5, 6; SpS 1, 17 (167, 1233.1587); Joel; Mich. 2 (168, 239.493 f.).

[76] RvD, DO 10, 22 (CCcm 7, 357): „Sic enim orbem terrarum illum replere dicimus, ut ecclesiam universam, quae per orbem terrarum est diffusa, intelligere debeamus“.

[77] RvD, DO 4, 16; 9, 3; 10, 21 f. (CCcm 7, 129.303.355.357); EJ 12 (CCcm 9, 679); Gen. 6, 27; Jud. 2; Ez. 1, 9 (167, 425.1023.1430); Pantal. 2 (Anal. Boll. 255); Hab. 3 (168, 641) — HA, CC 2, 4 (172, 429) — GvR, OD 2 (O I, 139) — Nach RvD, Pantal. 2.3 (Anal. Boll. 255 f.); EJ 2; 4 (CCcm 9, 62.213); GT 4, 12 (169, 86) erhalten abweichend vom sonstigen Brauch Cornelius (und Pantaleon) Charismen schon vor der Taufe.

[78] RvD, DO 9, 3 (CCcm 7, 307).

eine Einheit in der Liebe, eine Einheit der *convocatio* Gottes[79]. „*Idipsum dicens, idipsum sentiens*“[80]. Wenn die Kirche Leib Christi ist, dann verdankt sie das dem Geist: „Alle Christgläubigen sind im gleichen Geist eins wie viele Glieder: ein Leib sind sie, er ist ihr Haupt“[81]. Wer sich aus dieser Einheit löst, löst sich aus dem Lebensstrom des Pneumas — er kann nicht mehr zu Gott kommen, ob er nun Häretiker ist oder Sünder[82]. Spaltung ist Unheil.

Für den einzelnen wie für die ganze Kirche ist der Heilige Geist Urheber und Vollender des Heiles: „omnium, quae circa salutem nostram acta vel agenda sunt, dominus et arbiter immo et efficiens causa est“[83]. Zwar kommt niemand zum Vater, es sei denn durch den Sohn; aber wie sollte man zum Sohn kommen ohne den Geist?[84]. Die Kirche ist Werk des dreieinen Gottes, der als der eine in den drei Personen in ihr und durch sie um unseres Heiles willen lebt.

4. Kapitel

Der Heilsdienst der Kirche

1. Die Heilsnotwendigkeit

In der geschichtstheologisch orientierten Anschauung unserer Autoren steht fest, daß die Menschheit des Heiles bedarf. Mit der Ursünde sind die Beziehungen zu Gott abgebrochen und seitens der Menschen nicht wiederherstellbar. Nur Gott kann sie aus dem Unheil lösen, indem er ihnen sein Heil schenkt. Die Heilige Schrift lehrt, daß Gott den *cursus salutis* mit der Menschheit geht[1]. Es entsteht die Frage, wo sein Heil zu finden ist, wo er am Werk ist.

[79] HA, GA 1, 126 (172, 585).
[80] RvD, EJ 1 (CCcm 9, 74). — Vgl. HA, Sac. 36 (172, 766); GA 1, 9 (172, 546).
[81] RvD, Dt. 2, 12 (167, 984): „Omnes fideles sui unum per eundem Spiritum velut membra multa: unum, inquam, corpus sint, ipse autem caput eorum sit“. — HA, GA 1, 56 (172, 560).
[82] RvD, DO 7, 5; 10, 25 (CCcm 7, 229.361 f.); EJ 4 (CCcm 9, 210) — GvR, Ps. 9 (193, 685.758); IA 1, 49; 3, 11 (Scheib. 101.374).
[83] RvD, EJ 1 (CCcm 9, 68) — HA, Sac. 10 (172, 750): der Geist ist das Licht der Kirche — GvR, Ps. 146 (194, 977): er ist der Leiter der Kirche, der bei den Demütigen und Sanftmütigen ist.
[84] RvD, EJ 4 (CCcm 9, 208): „Sicut nemo venit ad Patrem nisi per Filium, ita Filium nemo cognoscit nisi per Spiritum sanctum“.
[1] HA, Ps. 95 (194, 579) bietet einen Abriß dieses Planes.

Die eindeutige Antwort lautet: nur in der Kirche kann man Gott begegnen. Außerhalb ihrer kann niemand Gott sehen; sie ist der Ort, den er sich erwählt hat, daß dort sein Name angerufen werde[2]. Zwar kann man ihn in aller Welt, die sein Haus ist, loben und preisen, aber nur in der Kirche schenkt er das Heil: „Digitus Dei nusquam operatur nisi in ecclesia Dei“[3]. Die Vorbedingung des Heiles ist die Vergebung der Sünden — nur in der Kirche wird sie gewährt[4].

Aus den verschiedensten Motivationen heraus wird die Heilsnotwendigkeit der Kirche begründet. Sie ist das Resultat der trinitarischen Ekklesiologie, die die Kirche als Heilsinstrument der Erlösung sieht. An sich ist Christus der Erlöser, der einzige Mittler, der am Kreuz sich die Seite öffnen ließ, damit wir in seiner Wunde und seinem Leiden das Heil fänden. Aber der einzige Weg zum Kreuz ist die Taufe, die in der Kirche gespendet wird[5]. So ist sie das Haus der Begegnung, der Tempel der Anbetung, die Stadt Davids, in der das Kind gefunden wird, das der Erlöser der Welt ist[6]. Nur im Leib Christi wohnt die Fülle der Gottheit leibhaftig, also muß man diesem Leib eingegliedert sein, um der göttlichen Gnade teilhaft zu werden:

> „Wenn wir in seinem Leib bleiben, werden wir rein durch seine Heiligung werden; gut und heilig werden wir sein, wenn wir in ihm erfunden werden, gleichförmig seinem heiligen Wandel“[7].

In diesen lebendigen Kontakt mit dem Vater durch den Leib Christi führt uns der Heilige Geist, das vor allem in den Sakramenten wirksame Lebensprinzip der Kirche[8].

[2] RvD, EJ 1 (CCcm 9, 26); Gen. 6, 32; Dt. 2, 1; Reg. 2, 39 (167, 430.957.1142); Os. 5 (168, 182) — HA, GA 1, 169 (172, 596); OS (Kelle 21) — GvR, Ps. 67 (194, 205); CF cant. Ez. (194, 1006).

[3] GvR, S 22 (194, 1356) — vgl. HA, GA 1, 169 (172, 596).

[4] RvD, DO 4, 23 (CCcm 7, 143).

[5] RvD, Ez. 2, 23 (167, 1484); Mich. 1 (168, 464).

[6] RvD, EJ 5 (CCcm 9, 252) — HA, GA 1, 164 (172, 595); SE ep. (172, 845); CC 1, 1 (172, 372) — GvR, Ps. 9 (193, 757.901): die Windeln, in die das Kind eingewickelt ist, sind die Sakramente; CE 65 (194, 48). Gerhoch visiert einmal kurz das Problem anderer Heilswege zu Christus an (C evg. — O I, 25), doch im Gegensatz zu Hugo von St. Viktor und Bernhard von Clairvaux interessiert unsere Theologen das Heil der nachchristlichen Heiden nicht weiter. Vgl. L. Capéran, Salut 179—183.

[7] GvR, Ps. 33 (O II/1, 196): „In cujus permanentes corpore, purificabimur in sanctificatione ipsius; et erimus temperati ac sanctificati, cum invenimur in eo, sanctissimae conversationi ejus conformati“. Vgl. ds., Ps. 131 (194, 876).

[8] RvD, Lev. 1, 32; SpS 3, 1 (167, 778.1641) — HA, OS (Kelle 28) — GvR, Ps. 28 (193, 1249); EG 1 (Scheib. 341).

Die Kirche wird zur Universalkirche, weil Gott das Heil aller Menschen will[9]. Sie ist die rettende Arche, die ihre Insassen sicher durch die Stürme des letzten Gerichtes tragen wird[10]. Wer nicht in ihr ist, der freilich ist schon gerichtet[11]. Denn nur in der Kirche kann man den rechten Glauben leben, die heilschaffenden Werke tun, da nur in der Kirche die Heilige Schrift zu finden ist, die uns zum Leben in Heiligkeit und Gerechtigkeit anleitet[12].

Die Lehre von der Heilsnotwendigkeit der Kirche ist das notwendige Ergebnis der trinitarischen Ekklesiologie. Obschon der patristische Satz *„Extra ecclesiam nulla salus"* bekannt war, gibt es keine weitere Diskussion darüber — er galt unangefochten und selbstverständlich[13]. Nur indirekt war die Lehre in der zeitgenössischen Kontroverse über die Gültigkeit der Häretiker und Schismatikersakramente von Bedeutung. Wenn die Reformpartei die Nichtigkeit der Eucharistie der von der Kirche Getrennten begründen wollte, berief sie sich auf ein angeblich von Augustinus, in Wirklichkeit von *Prosper von Aquitanien* stammendes Prinzip: *„Veri sacrificii locus non est extra catholicam ecclesiam"*[14]. Die Häretiker waren eo ipso keine Glieder der Kirche, die Simonisten wurden aus ihr ausgeschlossen, also konnten sie keine gültige Konsekration vollziehen. Denn Kirche ist nur dort, wo Gottes Geist anwesend ist; er ist der Geist der Einheit. Wo also die Einheit zerstört ist, dort ist auch der Geist Gottes, dort ist Gott selber nicht mehr: „In scissura mentium non est Deus". Wo aber Gott nicht ist, da ist auch sein Heil nicht, das nur durch Teilhabe an Gott erlangt werden kann. Damit war in recto bewiesen, daß die Ungültigkeitsthese der Reformer begründet war, in obliquo aber auch gezeigt worden, daß die Kirche und die Einheit mit ihr heilsnotwendig ist[15]. Ohne

[9] RvD, EJ 1 (CCcm 9, 26) — HA, GA 1, 164 (172, 595) — GvR, CE 77 (194, 56) macht darauf aufmerksam, daß trotzdem de facto nicht alle Menschen gerettet werden, sondern nur die Gerechten. Vgl. oben Anm. 6.

[10] HA, Ps. 31 (193, 1319) — GvR, Ps. 30 (193, 1287 = Gilbert f 23 cd, Eynde, Oeuvre 371).

[11] GvR, Ps. 73 (194, 380).

[12] RvD, Lev. 1, 32; Reg. 1, 15 (167, 778.1083); Mich. 1 (168, 464) — HA, Ps. 90 (194, 561); CC 1, 1 (172, 367) — GvR, Ps. 36; 67 (O II/2, 490; 194, 196); LF laud. (O I, 241).

[13] Zur Geschichte die Monographie von L. Capéran, Salut.

[14] Prosper Aquit., sent. 15 (51, 430). Ähnlich Augustinus, en. in ps. 36, 1. 4 (CC 38, 341); Cassiodor, in ps. 36, 358 (70, 258). Zur Bedeutung des Satzes im 12. Jahrhundert vgl. J. Beumer, Problem 197 f.

[15] Gerhoch führt dieses Prinzip ständig gegen die Simonisten und Nikolaiten an: z. B. C Te igitur (O I, 29); Ps. 36; 67 (O II/2, 490 f.; 194, 214); CF cant. Ez. (194, 1006); CE 146 (194, 99); IA 1, 49 (Scheib. 100) u. ö. Vgl. auch den

sie gibt es keine Sakramente, kein Opfer, keinen Geist, keine Verbindung mit Gott[16].

2. Die Zugehörigkeit zur Kirche

Ist die Kirche heilsnotwendig, dann ist es heilsnotwendig, Glied dieser Kirche zu sein. Damit entsteht die neue Frage, wie und wann man sicher sein könne, daß der Heilsdienst der Kirche mich erreicht.

Die grundsätzliche Antwort war nicht schwer. Mit Gott in Kontakt kommen, das bedeutet Gott erkennen; da Gott aber Geist ist, kann er nur im geistigen Erkennen und Bekennen der Wahrheit erreicht werden[17]: dies aber ist der Glaube[18]. So folgt: „Per professionem christianae fidei sumus in domo Dei"[19]. Er ist inhaltlich dadurch bestimmt, daß er Glaube an den Gottmenschen Jesus Christus ist, und formal dadurch gekennzeichnet, daß er geprägt ist durch die Liebe. Im Bekenntnis und in den guten Werken wird er sichtbar[20]; in der Taufe, die in der Kirche gespendet wird, wird er besiegelt[21]. So gilt in Erweiterung des obigen Satzes: „Non annumerantur inter eiusdem ecclesiae filios nisi quibusque per baptismum singulatim sacramentum dominicae passionis innovetur"[22]. Da Glaube und Taufe den Sünder rechtfertigen, kann der Abt von Deutz auch sagen, zur Kirche gehöre, wer gerechtfertigt sei[23].

Hier aber beginnt das Problem. Die Kriterien der Kirchenzugehörigkeit waren fast alle spiritueller Natur. Letzten Endes ist das Entscheidende die Heiligkeit des Menschen. Darum erklären die

Brief an Bernhard (Hüffer 270), in dem er sich beschwert über die *impietatis pugna,* die er um seinetwillen auf dem Bamberger Reichstag habe erdulden müssen. Zum Gedanken der *„scissura mentium"* vgl. RvD, Ex. 2, 22; Lev. 1, 18 (167, 630.763) — GvR, C Te igitur (O I, 29.30).

[16] GvR, CE 147 (194, 99).

[17] RvD, EJ 4; 7 (CCcm 9, 210.373).

[18] RvD, DO 10, 25 (CCcm 7, 362) — HA, CC 3, 7 (172, 458); Ps. 1; 100 (172, 279; 194, 599) — GvR, C Te igitur (O I, 33). Das ist allgemeine theologische Ansicht der Zeit: vgl. A. Landgraf, Sünde 225—232; J. Beumer, Probleme 183—185.

[19] RvD, EJ 8 (CCcm 9, 455) — vgl. HA, CC 2, 5 (172, 437) — GvR, ep. 7 (193, 498).

[20] RvD, EJ 4 (CCcm 9, 210); Lev. 1, 18; SpS 3, 7 (167, 763.1646) — GA 1, 129 (172, 586); CC prol.; 2, 3 (172, 349.407) — GvR, Ps. 14 (193, 824 f.).

[21] RvD, DO 7, 24; 10, 25 (CCcm 7, 254.361); Gen. 7, 30; Lev. 1, 15; SpS 3, 7 (167, 476.759.1646) — HA, CC 3, 7 (172, 458).

[22] RvD, EJ 13 (CCcm 9, 724). Bezüglich der Taufe für die Gerechten des AT vgl. unten Nr. 4 dieses Kapitels.

[23] RvD, Lev. 2, 14 (167, 801).

Theologen auch, daß die Kirche im eigentlichen Sinne nur die Gemeinde der *electi* und *justi,* d. h. der durch die Prädestination zur eschatologischen Vollendung bestimmten Menschen sei[24]. Da keiner ohne Sünde ist, ergibt sich eine Stufenordnung der Gliedschaft. Der einzige, der voll und ganz Glied der Kirche genannt werden kann, ist Christus, der ihr Haupt ist[25]; alle anderen sind es je nach dem Grad ihrer Vollkommenheit. Gerhoch unterscheidet in absteigender Linie die Getauften ohne Erbschuld; die Gerechten, die alle Tugenden leben; diejenigen, welche wahrhaftig sind; die den Nächsten lieben und ihm nichts Böses tun; die Ehrlichen und die Unbestechlichen[26]. Je nach dem Grad der ethischen Verwirklichung sind sie Vollkommene oder Unvollkommene, Starke oder Schwache[27].

Die Lage hatte sich dadurch kompliziert, daß nun neben das dogmatische Kriterium des Glaubens, und aus ihm heraus entwickelt, moralische Kategorien zur Bestimmung der Kirchenzugehörigkeit getreten waren. Ihnen wurde auch jenes untergeordnet, insofern die Glaubenslosigkeit oder der Unglaube selbst Sünden waren. Gleichzeitig hatte man nun Schemata an der Hand, die besser als der kategorial nur schlecht faßbare Glaube die forensische Feststellung der Gliedschaftsbedingungen ermöglichte. Die Frage spitzte sich nun dahingehend zu: gehören die Sünder zur Kirche?

Die Tradition bot keine klare Antwort. Augustinus selber hatte nicht eindeutig Position bezogen: im Donatistenstreit hatte er die Sünder „merito" für ausgeschlossen erklärt, an ihrer Zugehörigkeit zur Kirche „numero" aber festgehalten. Die Theologen zögerten nun mit einer Entscheidung, obwohl sie sich in der Mehrzahl für die Gliedschaft der Sünder unter gewissen Voraussetzungen erklärten[28]. Rupert und seine Schüler schließen sich dieser Auffassung an. Ausgehend von den Kriterien der Zugehörigkeit entwickeln sie ihre Vorstellungen.

[24] HA, PV 31 (172, 331 f.); E 1, 80; 2, 63 (Lef. 394.395.429); CC prol.; 2, 3 (172, 349.407) — GvR, C Te igitur (O I, 33); Ps. 19; 23; 70; 71; 77 (193, 972.1067; 194, 302.325.446). — Vgl. auch Bernhard v. Clairvaux, cant. 62, 1; 68, 2; 78, 3 (183, 1075.1109.1160) u. ö.

[25] GvR, Ps. 14; 24 (193, 821.828.1135).

[26] GvR, Ps. 14 (193, 824—828). Vgl. auch die Gliedschaftstafel RvD, Gen. 7, 30 (167, 475): es gibt die Zugehörigkeit per amorem, per timorem „vel propter aliud quam propter Christum". Auch im Glauben gibt es Abstufungen.

[27] HA, CC 1, 1 (172, 366); Ps. 33 (193, 1329) — GvR, Ps. prooem.; 21; 41; 62; 138 (193, 638.1028.1029.1496.1795; 194, 923) u. ö.

[28] Zur Frage der Kirchenzugehörigkeit der Sünder vgl. H. Riedlinger, Makellosigkeit: A. Landgraf, Sünde; des. Paulinen (DTh 26/1948, 291—323.325—419); J. Beumer, Ekklesiologie 372 f.; ds., Probleme 190—196 (Eine „überwältigende

Ganz klar muß demnach jenen die Gliedschaft abgesprochen werden, die sich gegen den Glauben vergangen haben: das sind die Heiden, die Juden und die Häretiker. Auch wenn die letzteren getauft sind, ein manchmal reiches geistliches Leben führen und eine Menge von Wahrheiten glaubten und in diesem Sinne Kinder der Kirche seien, fehle es ihnen doch, erklärt Honorius, an der rechten Intention und der vollen Wahrheit; damit aber stehe alles andere ebenfalls unter negativem Vorzeichen[29].

Anders ist es mit den Sündern gegen die ethische Vollkommenheit, die das Evangelium fordert. Unter eschatologischem Aspekt gehören auch sie nicht zur Kirche, da sie nicht in die *ecclesia coelestis* eingehen werden[30]. Doch damit ist nichts präjudiziert über ihre Zugehörigkeit zur *ecclesia praesens.* Dafür ist noch einmal eine Unterscheidung notwendig, die als Kriterium den empirisch und forensisch feststellbaren Grad der Sünde nimmt[31]. Die notorischen Sünder sind zu exkommunizieren, da sich solche Menschen durch ihr öffentliches Tun von Gott lossagen. Die innere Wahrhaftigkeit der Kirche erfordert es, daß sie aus der Gemeinschaft derer entfernt werden, die sich zu Gott bekennen[32]. Ist die Sünde nicht notorisch, dann hat die Kirche sich der Barmherzigkeit ihres Herrn anzuschließen, der unter Götzendienern und Unzüchtigen geweilt hat und einen Judas unter den Aposteln duldete[33]. Sie gehören zur Kirche.

Fülle von Texten" spricht sich positiv aus: 191); ds., Beda 48—52 (Beda schwankt zwischen positivem und negativem Urteil); Congar, Bernhard (Sündenlosigkeit der Kirche ist eschatologisch). Deutlich auch Bernhard, cant. 25, 2 (183, 899 f.): die Sünder gehören zur Kirche wegen der Gemeinsamkeit der Sakramente, des Glaubensbekentnisses, der verbleibenden Heilshoffnung und der *corporalis saltem societas.*

[29] HA, PV 31 (172, 332). —Vgl. RvD, EJ 4; 8 (CCcm 9, 210.455); Lev. 2, 18.22 (167, 806.809) — GvR, Ps. 10; 57; 132 (193, 796.1721; 194, 853); QV 21 (Scheib. 604): danach ist entscheidend, daß die Häretiker und Schismatiker das Schiff Petri verlassen und nicht mehr in seiner Herde weilen, d. h. auch den Herrn nicht mehr lieben.

[30] RvD, DO 12, 16 (CCcm 7, 409); A 6, 11 (169, 1036); Os. 2 (168, 70.81) — HA, Ps. 100 (194, 599) — GvR, Ps. 14 (193, 823).

[31] RvD, EJ 10 (CCcm 9, 561) unterscheidet den öffentlichen Gewohnheitssünder, den Gedankensünder und den der Versuchung erliegenden Tatsünder. Lev. 2, 10 (167, 797) klassifiziert er nach dem Glauben und unterscheidet Sünder mit unversehrtem Glauben an die Trinität, Sünder mit korrektem Tun, aber defektem Glauben, Sünder mit korrektem Bekenntnis, aber defekten Werken, Sünder, die sich weder mit Wort noch mit Werken zu Gott bekennen.

[32] RvD, EJ 11 (CCcm 9, 617); Os. 2; 4 (168, 70.150) — HA, Ps. 100 (194, 599) — GvR, C Te igitur (O I, 33); Ps. 8; 17; 19; 24; 54; 57 (193, 339.892.953 f. 956.1049.1667.1719); CE 160 (194, 108).

[33] RvD, EJ 11 (CCcm 9, 616); Lev. 2, 19 (167, 806) — GvR, CE 159 (194, 107).

Diese ist darum nach den Regeln des Tychonius ein *corpus permixtum.* Obwohl ihrem Wesen nach ohne Makeln und Runzeln, Christi heiliges Reich[34], gibt es unter ihren Kindern neben den Guten die Bösen, neben den Auserwählten die Verworfenen, ja selbst die Ungläubigen wissen ihre Sünde zu kaschieren und posieren als gläubige Glieder der Kirche[35]. So ist die Kirche ein Garten, in dem es neben den wunderbaren Blumen der Martyrer, Bekenner und Jungfrauen das Unkraut der Häretiker und Schismatiker und der falschen Brüder gibt[36]; die Arche, in der es die reinen neben den unreinen, die gerechten Menschen neben den Sündern gibt[37]. Sie ist die *mulier ecclesia* gleich Rebecca, die Gute und Böse in ihrem Leibe trägt — und beide bedrängen sich gegenseitig[38]. „Optimis pessima permixta sunt", mit Gottes Söhnen kommt auch Satan, klagt Gerhoch[39]; ja selbst die Besten sind voller Makel und wollte man die Bösen meiden, müßte man sich einen Platz außerhalb des Erdkreises suchen[40]. So ist die Kirche alles andere als Kirche der Reinen, katharische und novatianische Kirche der Elite[41].

Dann aber wird die Kirche zwielichtig und zweideutig. In ihr leben Menschen, die Gott mit den Lippen bekennen, mit ihren Werken jedoch leugnen; Menschen, die zur Satanskirche gehören, aber wie Knechte im Hause Gottes weilen, ohne Heimstatt zwar, aber doch zu ihrem Schaden. Was helfen dann Unterscheidungen, wie

34 RvD, Reg. 4 (167, 1185.1211); A 1, 1; 6, 11 (169.859.1036); Os. 1 (168, 39); VV 2, 21 (169, 1260) — HA, E 3, 59 (Lef. 459); OS (Kelle 6); Ps. 101 (194, 604) — GvR, AD 1 (194, 1193); Ps. 6; 8; 14; 20; 42; 43; 77; 118; 121; 138 (193, 712.739.821.1135.1519.1539; 194, 471.803.848.923); CE 159 (194, 107) — Ps. 42 = RvD, Reg. 4 (167, 1197); Ps. 80 (194, 676) = RvD, a.a.O. (a.a.O. 1211 f.).

35 RvD, EJ 2 (CCcm 9, 84); Mich. 2 (168, 482).

36 Die Widersprüchlichkeit bezüglich der Zugehörigkeitsaussagen über die Häretiker, die aus dieser Passage (HA, CC 2, 4 — 172, 429) deutlich wird, findet sich auch bei anderen Autoren. Sie hat ihren Grund in der Identifikation ecclesia-christianitas, zu der sie bestimmt gehören. Man behalf sich mit der cyprianischen Distinktion, sie seien *corpore quidem, non mente* in der Kirche: z. B. Petrus Lombardus, in Ps. 3, 7; 54; 20 (191, 80.514). Vgl. A. Landgraf, Paulinen (DTh 26 (1948), 419—424); B. Jacqueline, Papauté 5; Y. Congar, Die Lehre von der Kirche 58.

37 HA, Sac. 102 (172, 804).

38 GvR, Ps. 126 (194, 861).

39 GvR, IA 1, 50 (Scheib. 102).

40 RvD, EJ 2 (CCcm 9, 84); Lev. 2, 19 (167, 806) — HA, SE serm. gen. (172, 870) — GvR, Ps. 10; 39 (193, 799.1454).

41 GvR, Ps. 24 (193, 1135).

jene, daß sie nur die *species,* nicht die *virtus pietatis* haben, *non ex nobis* sind, obwohl sie *ex nobis exierunt*?[42].

„Die Bürger beider Städte sind auf Erden untereinander vermischt, darum können sie nicht klar ausgesondert werden, zumal sie mit uns die Gotteshäuser besuchen, die Sakramente empfangen, fasten wie wir, das Wort verkünden wie wir und alle Werke der Heiligkeit tun, für die den Streitern Christi himmlischer Lohn zuteil wird“[43].

Hatte der junge Gerhoch noch versucht, auch in der Anwesenheit der Sünder in der Kirche einen Sinn zu sehen und gemeint, sie dienten der Harmonie und Vollendung des Gottesbaus, so kapituliert er im Alter vor der Tatsache, daß die schlimmsten Feinde der Kirche ihre eigenen Glieder sind[44]. Die *confusio* ist nicht zu übersehen:

„Oft geschieht es in der gegenwärtigen Kirche, daß in dieser Welt ehrlos sind die Heiligen, die Darbenden, die Bedrängten und Notleidenden; die Welt wäre es wert, daß sie an der Spitze der weltlichen und kirchlichen Würden stünden; jene aber gelangen in dieser Welt auf die hohen Posten, deren die Welt wert ist“[45].

Nur ein Kennzeichen des echten Jüngers Christi gibt es: das ist die Liebe, die keinen Rang und keine Würde trägt, sondern sich selbstlos dem Bruder hingibt[46]. Aber auch sie steht im Zwielicht,

[42] Vgl. 2 Tim. 3, 5; 1 Jh. 2, 19 — RvD, EJ 2, 8 (CCcm 9, 84.455); Gen. 7, 30; Jos. 21 (167, 746.1020) — GvR, Ps. 14; 23; 70 (193, 822.1067; 194, 299). In diesen oder ähnlichen Formeln (*in, non de* ecclesia; *numero intus, merito foris*) einigen sich die zeitgenössischen Theologen. Vgl. oben Anm. 36.

[43] HA, SE conv. (172, 1097): „Quia vero utrique cives sunt hic permixti, non bene poterunt dinosci praesertim cum nobiscum ecclesiam adeant, sacramenta Christi nobiscum percipiant, nobiscum jejunent, nobiscum praedicent et cetera sanctitatis opera exercere videantur pro quibus militibus Christi coelestia praemia donantur“. Vgl. I (172, 1221). Die Zweideutigkeit wird SE conv. (172, 1097 f.) am Beispiel des Verhaltens von je zwei Mönchen, Regularkanonikern und Laien verdeutlicht. Vgl. A. Landgraf, Paulinen (DTh 26 [1948], 309—312).

[44] Vgl. RvD, AD 1 (194, 1193—1196) mit Ps. 10; 14; 118 (193, 796.823; 194, 803); CE 159 (194, 107).

[45] GvR, Ps. 10 (193, 797): „Contingit plerumque in praesenti ecclesia, ut in hoc mundo sine honore sint sancti, egentes, angustiati, afflicti, quibus dignus est mundus, ut ei praesideant in ecclesiasticis vel mundanis dignitatibus, et illi per dignitates exaltentur in hoc mundo, quibus dignus est mundus“; vgl. CE 50 (194, 40); nach Ps. 71 (194, 336) ist die Kirche deswegen die Dornenkrone Christi.

[46] HA, SE conv. (172, 1097).

bis am Ende der Zeiten die Scheidung erfolgt, aus der erst die makellose, heilige Kirche hervorgehen wird[47]. Bis dahin muß die Kirche in Demut vor dem heiligen Gott stehen, zur Buße bereit, ohne Anlaß zum Ruhm — und dennoch Mittel des Heils.

3. Die Kirche — Mittel zum Heil

Die Auseinandersetzungen zwischen Regnum und Sacerdotium hatten ebenso wie die steigende Säkularisierung des Klerus die apostolischen Sekten auf den Plan gerufen, die in der Kirche nur noch einen Machtapparat sahen, bei dem von einem Heilsinstrument nicht mehr gesprochen werden könne. Sie stellten das Ideal der persönlichen Heiligkeit als einziger Heilsbedingung auf. Damit gewinnt die Lehre von der Kirche als Heilsmittel besondere Bedeutung im Kampf der Reformer. Für sie ist die *ecclesia* nicht bloß die Bühne, auf der sich die Heilsgeschichte zufällig abspielt, die sich ebensogut anderswo zutragen könnte, sondern Protagonistin im Drama unserer Erlösung.

Wenn Rupert die Heilsnotwendigkeit der Kirche damit begründet, daß man nur in ihr Gott finden könne, dann klassifiziert er sie nicht als „Haus der Begegnung", das Schauplatz eines Treffens ist, sondern als die Kontaktstelle selber: „cujus per ministerium renascantur secundum novum Adam, per quem et verum Patrem Deum contingant"[48]. Nur durch Christus gelangt man zum Heil, aber die Kirche ist das Tor zum Himmel; sie ist erfüllt vom Duft Christi, aber sie ist das Salböl, mit dem man sich salben muß; ohne das *vehiculum* der Kirche gelangt man nicht zum Allerhöchsten[49].

Auch für Honorius Augustodunensis ist die Kirche die Quelle geistlicher Gnade und Weisheit; der Garten, der von den Wassern des Evangeliums getränkt ist und nun selber Frucht bringen kann[50]. „Christi Thron ist die Kirche, auf dem er ruht, von dem und durch den er richtet und von dem er ewig herrscht"[51]. Christus ist in der Kirche und durch sie übt er sein Werk aus: sie ist Krisis der Welt, Scheidemarke zwischen Heil und Unheil.

[47] RvD, Reg. 3, 24; Evg. 23 (167, 1170.1559) — GvR, Ps. 8; 10; 23; 71; 77; 80 (193, 739.796.1087; 194, 325.472.677); CE 159; 160 (194, 107.108) u. ö.

[48] RvD, EJ 1 (CCcm 9, 26).

[49] RvD, EJ 2; 5; 10 (CCcm 9, 96.252.571); Reg. 3, 4 (167, 1146).

[50] HA, CC 2, 4.5 (172, 424.445).

[51] HA, Ps. 88 (194, 539): „Sedes Christi est ecclesia, in qua requiescet, per quam mundum judicabit et in qua rex in aeternum regnabit".

Gerhoch deutet die Erzählung von Ex. 4,6 f. auf die Kirche: Moses wird vom Aussatz rein, wenn er die Hand in die Falte seines Gewandes gelegt hat auf Gottes Geheiß. Wer sich von der Kirche entfernt, verfällt dem Aussatz des Verderbens, wer zu ihr zurückkehrt, wird gerettet — durch Gott, aber „ad sinum matris ecclesiae"[52]. Die Kirche ist das Haus, in dem der gepflegt wird, der unter die Räuber gefallen ist; der Tempel, in dem Gott lebt und durch den er Heil schafft[53]. Von besonderer Bedeutung sind die Leiter der Kirche: durch ihr Tun findet die ganze Kirche die Rettung[54].

Später wird die Theologie sagen, die Kirche sei Ur- und Grundsakrament des Heiles. Die Formel ist im 12. Jahrhundert noch fern, der Gedanke ist nahe. Aber sie ist nur Mittel für die, die ihr Angebot ergreifen:

> „Keinem genügen die sichtbaren Sakramente, um in der himmlischen Kirche wohnen zu können. Darum fragt die Heilige Schrift: ‚Wer steigt auf zum Berge des Herrn oder wer steht an seiner heiligen Stätte?' Wer reine Hände und ein lauteres Herz hat"[55].

Auch die Kirche ist nur Instrument, nicht Herrin des Heiles.

4. Heilsmittel der Kirche

Das Heil Jesu Christi erreicht die Menschen in der Kirche durch die Sakramente. Eine der großen Leistungen der Theologie des 12. Jahrhunderts war die Ausgestaltung der Sakramententheologie, in der die Siebenzahl der kirchlichen Heilsmittel sich klar herauskristallisierte[56]. Unsere Theologen kennen sie, aber wenden nicht allen die gleiche Aufmerksamkeit zu[57]. Vor allem bleibt ihnen der

[52] GvR, Ps. 34 (O II/1, 369).

[53] GvR, Ps. 71; 118 (194, 328.811); IA 1, 7 (Scheib. 29).

[54] GvR, Ps. 34 (O II/1, 348): „Dic animae meae: salus tua ego sum, ut per salutem in ecclesia praesidentium eamque vice animae regentium totum corpus ecclesiae sit salvum".

[55] RvD, Reg. 4 (167, 1190): „Et quia nulli ad habitandum in aeterna ecclesia sola sufficiunt, quae supra dicta sunt, sacramenta visibilia, sub interrogatione melius insinuat sic: ‚Quis ascendet in montem Domini aut quis stabit in loco sancto ejus? Innocens manibus et mundo corde'".

[56] J. Schwane, DG 579—585; Seeberg, DG III, 281—286; J. de Ghellinck, Mouvement 503—506; Eynde, Définitions; ds., Theory of Composition; J. Finkenzeller, Zählung; A. M. Landgraf, Sakramentenlehre.

[57] RvD, SpS 3, 1 (167, 1641) nennt als Thema von SpS 3 die sacramenta des Gottmenschen, „per quae secundum imaginem ejusdem novi hominis renova-

sakramentale Charakter der Geistbegabung noch unklar, die sie als Sündenvergebung und Charismenausteilung definieren, aber noch nicht eindeutig unterscheiden[58]. In ekklesiologischem Zusammenhang ist von zwei Sakramenten zu reden, von Taufe und Eucharistie. Sie sind die *„sacramenta maxima“*, die Christus selber eingesetzt hat und die zum Heil notwendig sind[59].

a) Die Taufe

Kirche und Taufe sind zur gleichen Stunde ins Leben gerufen worden: als der Soldat die Seite Christi öffnete, floß Blut und Wasser heraus. *„Sanguine redimimur, aqua abluimur“*[60]. Die Kirche war geboren, die Taufe gestiftet[61]. Denn am Kreuz vollzieht sich

mur quaeque nobis de fonte passionis ejus profudit idem sapientiae spiritus". Nach dieser Quasidefinition der Sakramente in genere fährt er fort: „Sunt autem duo haec sacramenta maxime, scilicet baptisma et vivifica corporis et sanguinis ejus mensa, quae sine dubio nostrae saluti tam necessaria sunt, ut absque his nulli hominum ad vitam vel regnum Dei aditus pateat". VV 12, 11 (169, 1471) werden als „praecipua nostrae salutis sacramenta" *Taufe, Eucharistie* und die doppelte *Geistsendung* genannt; sie sind heilsnotwendig. Vom *Bußsakrament* RvD, Reg. 5, 8 (167, 1243); HA, E 2, 70 (Lef. 432); von der *Krankensalbung* HA, E 2, 94 (Lef. 439); CC 1, 1 (172, 377); über das *Weihesakrament* GvR, S 23 (194, 1358).

[58] Die Sündenvergebung wird in der Taufe bereits geschenkt, der Firmung scheint die Charismenerteilung vorbehalten zu sein.

[59] Vgl. Anm. 57, dazu Lev. 1, 24 (167, 770): „... sacramenta Christi Filii Dei, quorum baptismus et eucharistia vel maxima sunt, quae ab ipso Domino nostro instituta sunt; secundaria vero, quae deinceps a sanctis apostolis sive apostolicis viris circa haec recte et utiliter ordinata sunt". Auch die anderen Sakramente sind demnach von Christus eingesetzt. Eine Zusammenfassung der rupertinischen Sakramententheologie VV 12, 11—13 (169, 1471—1473). Zur Idee der *„sacramenta maiora“* vgl. Congar, Die Idee der sacramenta maiora: dahinter steht der Gedanke, daß sie den Menschen nicht auf eine besondere Situation hin heiligen wie die übrigen, sondern in seinem Christsein selbst konstitutieren. — Die nachfolgenden Ausführungen geben keine vollständige Darstellung der Tauf- und Eucharistielehre unserer Autoren, sondern wollen nur die ekklesiologische Relevanz herausarbeiten.

[60] RvD, DO 5, 31; 6, 16 (CCcm 7, 185.199); EJ 3 (CCcm 9, 140); VV 12, 11 (169, 1471) — HA, Sac. 88 (172, 794).

[61] RvD, DO 3, 24; 4, 8; 5, 31; 6, 15.35 (CCcm 7, 114.185.197 f. 217 f.); EJ 1; 2; 3; 13; 14 (CCcm 9, 52.62.66.140.724.772); Gen. 2, 18; Reg. 4, 10.20.22.23; 5, 17; Dan. 25; SpS 3, 7.12 (167, 344.1151.1167.1168.1256.1530.1646 f.); A 3, 4; 9, 15 (169, 910.1107); VV 12, 11 (169, 1471 f.); DCJ 1 (170, 573); Gh 5; 11 (168, 1431.1579.1581) — HA, E 1, 182; 2, 67 (Lef. 395.431); Ps. 80 (194, 500) — GvR, OD (O I, 140); Ps. 21; 31; 41; 77 (193, 1018; O II/1, 9; 193, 1510; 194, 449). Zur Tauflehre Ruperts vgl. H. H. Wittler 35—40.

die Taufe Christi, der nicht von Sünden gereinigt, wohl aber von seiner Sterblichkeit und Leidensfähigkeit befreit wird, die ihn in den Augen der Menschen verächtlich gemacht haben[62]. Er wird darin zum Urheber unserer Taufe, die seitdem Taufe in den Tod Christi ist[63].

Rupert begründet das in einer sehr modern anmutenden Überlegung. Alles Wasser der Erde steht in der Substanzeinheit miteinander. So ist auch alles Taufwasser eins mit dem Wasser aus der Seitenwunde Christi[64]. Wo immer also getauft wird, wird Kirche aus der Seite Christi gebildet. Sie ist sein Werk und er ist es, der durch den Heiligen Geist alle Taufe spendet[65]. Wie der Geist über den Wassern der Schöpfung schwebte, so ist er ausgegossen über die Wasser der neuen Schöpfung in Christus; er macht den Taufbrunnen zum lebenspendenden Schoß der Mutter Kirche, denn er ist der Geist des Lebens und der Kraft[66]. Die Taufe ist Neuschöpfung, Wiedergeburt, neues Leben. Mit den Vätern charakterisieren die Theologen darum dieses Sakrament von den alttestamentlichen Bildern aus, in denen dem Wasser die Kraft der Neuwerdung zugesprochen wird. Sie ist der Durchzug durch das Rote Meer: endgültig wurde Pharao zurückgeschlagen, und das neue Land der Verheißung wurde dem Gottesvolk zugänglich; in der Taufe verliert Satan endgültig seine Macht über die Erwählten, die eingehen ins Land der Verheißung Gottes, in sein Reich durch die Wiedergeburt gelangen[67]. Die Taufe ist die Sintflut, in der die Schuld weggespült

[62] RvD, DO 6, 15 (CCcm 7, 197); EJ 2; 13 (CCcm 9, 60.66.751).

[63] RvD, DO 5, 31; 6, 35 (CCcm 7, 185.218); Ex. 2, 32; Reg. 4; SpS 3, 4.11 (167, 641.1151.1644.1652); A 9, 15 (169, 1107) — HA, E 2, 67 (Lef. 431); SE pasch. (172, 934) — GvR, Ps. 31 (O II/1, 9).

[64] RvD, EJ 6 (CCcm 9, 332); vgl. Reg. 5, 17 (167, 1255): die Seitenwunde „consecrat ... aquas baptismi". Vgl. dazu den Gedanken Teilhards de Chardin: „Durch Christus wird das Bündel der Schöpfung, das sich nach rückwärts zu krümmen und sich zu zerplittern drohte, in eine höhere und endgültige Einheit umgebildet, die zu jener niedrigen und wurzelhaften Einheit, die der Einfügung in ein und dieselbe Materie entspringt, symmetrisch ist" (Entwurf und Entfaltung. Briefe 1914—1919, Freiburg-München 1963, 193).

[65] RvD, DO 4, 16 (CCcm 7, 129); EJ 2 (CCcm 9, 60.67.68); Ex. 2, 35; SpS 1, 24 (167, 643.1595 f.); Gh 5 (168, 1431) — HA, E 3 (Lef. 459) — GvR, Ps. 13; 33 (193, 815; O II/1, 231); OD (O I, 140).

[66] RvD, EJ 3 (CCcm 9, 149); Reg. 5, 16; SpS 3, (167, 1159.1648); A 9, 15 (169, 1107): „Visibilis aqua nihil ageret sine invisibili Spiritus virtute".

[67] RvD, DO 4, 8; 6, 16 (CCcm 7, 114.199); EJ 6 (CCcm 9, 304); A 3, 4 (169, 910); Zach. 4 (168, 782) — HA, SE palm. (172, 921); CC 1, 1 (172, 373); Ps. 105; 113 (194, 652.710) — GvR, Ps. 10; 15; 17; 31; 123 (193, 780.833 f. 869; O II/1, 10; 194, 853) — RvD, A 3, 4 (169, 910) ist das gläserne Meer der Apok. Taufsymbol.

wird: wer rein ist wie Noe, geht ein in die rettende Arche der Kirche[68].

Ohne Taufe gibt es darum kein Heil. Sie ist das Tor zum Reich Gottes, der einzige Zugang für Lebende und Tote, die Bedingung jeder Gliedschaft in der Kirche[69]. „Et debetis, fratres carissimi, scire, quod numquam est salvatus nisi aliquo modo baptizatus“, sag Honorius in seiner Weihnachtspredigt[70]. Damit aber ergab sich das Problem, wie jene Menschen getauft worden sind, die Glieder der Alten Kirche vor Christus waren. Honorius zählt in der genannten Homilie vorchristliche Heilszeichen auf, die als Ersatz des Sakramentes gelten können: die Bluttaufe Abels, die Sintflut als Reinigung Noes, die Beschneidung Abrahams. Anders löst Rupert die Frage. In „De divinis officiis“ bemerkt er, daß Christus dem rechten Schächer die Seligkeit verheißen habe, ohne daß diesem auch nur die Möglichkeit der Wassertaufe geboten worden sei. Wenn aber niemand ohne Taufe selig werden kann, dann mußte er sie auf andere Weise empfangen haben[71]. Dies war insofern möglich, als Taufe und Kirche ihren gemeinsamen Ursprungsort am Kreuz haben. In dem Moment, wo die Kirche aus der Seite Christi geboren wird, wird sie vom Wasser getauft, das daraus fließt. „Baptizata quippe ... tunc est omnis, quae super terram vel subtus terram erat ecclesia, sicque de mortui Christi latere renata sicut de latere dormientis Adae fabricata est Eva“[72]. Das bezieht sich ausdrücklich auch auf die alte Kirche: „Die ganze Kirche von Anbeginn der Welt wusch Christus in seinem Blut von ihren Sünden rein, um sie sich als herrliche Braut ohne Runzeln und Makeln zur Seite zu stellen“[73]; von Adam und Abel dem Gerechten bis zum Schächer am Kreuz wurden alle Menschen der Erwäh-

[68] RvD, Gen. 2, 17 f. (167, 342—344) — HA, CC prol. II (172, 354) — GvR, Ps. 123 (194, 853).

[69] RvD, DO 6, 35; 7, 7 (CCcm 7, 217 f. 231); EJ 1; 3; 13 (CCcm 9, 53.149.724); Gen. 7, 24; Ex. 4, 26; Dan. 25; SpS 3, 9.13.14 (167, 469.727.1530.1648.1654. 1655); VV 12, 11 (169, 1471.1472) — HA, Sac. 85 (172, 790); Ps. 99 (194, 596); SE nat. (172, 818) — GvR, GA 2, 50 (172, 629); Ps. 10; 131; 135 (193, 780.876.903).

[70] HA, SE nat. (172, 842). Vgl. A. Landgraf DG III/2, 7—38.

[71] RvD, DO 6, 35 (CCcm 7, 218—220).

[72] RvD, DO 6, 35 (CCcm 7, 218): GvR übernimmt zum Teil wörtlich in Ps. 21.22 (193, 1018.1041).

[73] RvD, DO 6, 35 (CCcm 7, 218): „Totam ecclesiam, quae jam erat vel ab initio mundi fuerat, lavit Christus a peccatis suis in sanguine suo, ut exhiberet sibi sponsam gloriosam non habentem maculam aut rugam“; vgl. EJ 3 (CCcm 9, 140); VV 12, 11 (169, 1472).

lung Gottes rein[74]. Die Taufe ist demnach in der rupertinischen Theologie kein Individual-, sondern ein Globalsakrament, dessen Empfänger primär die Kirche als ganze ist. An ihr ist sie in der Stunde von Golgotha vollzogen worden. Wenn in der neutestamentlichen Kirche der einzelne getauft werden muß, dann deswegen, weil er als Unreiner nicht in die reine Kirche eingehen kann. Die Taufe ist gleichsam im Vorraum der Kirche angesiedelt: „Seit der Stunde des Kreuzes steht das Sakrament der Taufe an den Toren der heiligen Kirche. Weil sie bereits getauft ist, muß jeder, der in sie eintreten will, auch getauft werden, sei er nun Jude oder Heide“[75]. Die Individualtaufe ist Inkorporation oder Insertion in die Kirche; in der Kirche aber geschieht das Heil[76]. Sie ist darum nicht unmittelbar heilswirksam, sondern ein *derivatum sacramentum,* das mit der heilbringenden Kirche verbindet[77].

Dennoch ist die neutestamentliche Taufe dadurch nicht abgewertet, sie ist im Gegenteil die Ursache dafür, daß man seit Christus von einer *neuen* Kirche sprechen kann. Zwar besaßen auch die alttestamentlichen „Sakramente“ und der Glaube der Väter rechtfertigende Kraft[78], doch da sie ohne den Heiligen Geist vollzogen wurden, kam ihnen nicht die endgültig sündenvergebende Macht zu, und der Himmel blieb verschlossen[79].

Die ekklesiologische Bedeutung der Taufe liegt darin, daß in ihr und durch sie die Kirche endgültig mit Christus verbunden worden ist. Wie die Frau des Urias beim Bad Gnade fand vor den Augen des Königs und darum seiner Umarmung gewürdigt ward, Urias aber dem Tod übergeben wurde, so ist die Kirche im Bad

[74] RvD, DO 6, 35 (CCcm 7, 218); EJ 2 (CCcm 9, 62). Die Diskussion um die Aposteltaufe wird DO a.a.O. (a.a.O. 220) ausgetragen.

[75] RvD, EJ 2 (CCcm 9, 62): „Positum est autem ex tunc ejusdem baptismi sacramentum ad primas sanctae ecclesiae fores, ut quisquis ecclesiam ingredi cupit, quoniam illa baptizata jam est, et ipse baptizetur sive gentilis sive Judaeus“. Vgl. ds. DO 6, 35 (CCcm 7, 220); VV 12, 11 (169, 1472).

[76] RvD, DO 7, 2 (CCcm 7, 225); EJ 5; 14 (CCcm 9, 253.772.773); Gen. 4, 26; 9, 30 (167, 351.554); A 9, 15 (169, 1107); VV 12, 11 (169, 1472); DCJ 1 (170, 753) — HA, Sac. 102 (172, 801); SE Jac. (172, 983) — GvR, Ps. 31 (O II/1, 9).

[77] RvD, DO 6, 35 (CCcm 7, 220).

[78] RvD, DO a.a.O. (a.a.O. 219.221); EJ 1 (CCcm 53): auch der Täufer mußte im Blut Christi noch getauft werden.

[79] RvD, DO a.a.O. (a.a.O. 219); EJ 3 (CCcm 9, 143 f.). Nach EJ 2 (a.a.O. 60); SpS 3, 3 (167, 1643) — GvR, OD (O I, 140) konnte das die Johannestaufe als bloße Bußtaufe nicht leisten. RvD, VV 12, 11 (169, 1472) polemisiert daher gegen die Griechen wegen des Tauftermins an Epiphanie: das ist eine falsche Einschätzung der Johannestaufe; für die römische Tauftradition sei Ostern maßgebend wegen der Verbindung von Taufe und Kreuz.

der Taufe rein und schön geworden. Frei von Sündenmakel kann sie sich dem Herrn einen, während der Teufel dem Untergang übergeben wird[80]. Seitdem breitet sich die Kirche über die ganze Erde aus und die Menschen empfangen im Bad der Taufe die Vergebung ihrer Sünden; Gott wird stets ein neues Volk geweiht[81]. Sie ist das Mittel der Neuschöpfung Gottes, die aus den Sündern neue Menschen macht und sie zu königlichen Priestern weiht; sie legt den Grund zur Auferstehung der Toten und heiligt alle, die sie empfangen[82]. Sie ist das Zeichen des Neuen Bundes — und wie dieser den Alten Bund vollendet und überhöht, so vollendet und überhöht die Taufe die Zeichen des vergangenen Bundes, den Regenbogen Noes und die Beschneidung Abrahams[83]. Mit Gerhoch rufen wir aus: „Haec aqua est fundamentum salutis humanae"[84].

b) Die Eucharistie

„Sanguine redimimur, aqua abluimur": das Wasser aus der Seite Christi empfangen wir in der Taufe, sein Blut im Sakrament des Altares. Wie jene ist dieses Frucht des Erlösungstodes Christi und damit gleichzeitig mit der Kirche ins Leben gerufen[85]. Wie

[80] HA, Ps. 50 (172, 283).

[81] RvD, EJ 4; 6 (CCcm 9, 198.334); Joel (168, 225) — HA, CC 2, 4 (172, 419); Ps. 45; 80; 113 (193, 1575; 194, 500.710) — GvR, Ps. 21; 135 (193, 1018; 194, 901).

[82] RvD, DO 4, 14.16; 6, 34; 8, 2 (CCcm 7, 125.129.216.262); EJ 2 (CCcm 9, 60.61); Ex. 2, 34; Dt. 1, 7; Reg. 4, 21; 5, 5; Dan. 25; SpS 3, 2 (167, 642.926.1166. 1190.1530.1642); A 9, 15 (169, 1107); Gh 5 (168, 1430) — HA, Ps. 88; 105 (194, 529f. 652). Doch wirkt das Sakrament nicht magisch-automatisch, wie das Beispiel des Simon Magus zeigt (RvD, DO 5, 21 — CCcm 7, 178). Vgl. GvR, Ps. 22; 118 (193, 1043; 194, 786). Christus kann auch die Getauften *in ima praecipitare* (HA, Ps. 80 — 194, 497). Daher GvR, Ps. 118 (194, 787): man soll in der *vulva matris ecclesiae* bleiben, bis man zum Himmel geboren wird. Subjektive Vorbedingungen zur Taufe sind der bekennende Glaube und die Bußgesinnung (RvD, DO 6, 35 — CCcm 7, 220; EJ 5 — CCcm 9, 544; SpS 3, 7 — 167, 1646; A 3, 4 — 169, 910 — GvR, Ps. 17 — 193, 869: das gilt universal auch für die Gerechten vor dem Tod Christi; vgl. EJ 13 — CCcm 9, 724; A 9, 15 — 169, 1107). Siehe die *regula baptizandi* RvD A 3, 4 (169, 910). Rupert unterscheidet darum EJ 3 (CCcm 9, 146) die von außen kommende Taufe vom existenzial-personalen Akt der Wiedergeburt, der die subjektive Seite des Heilsgeschehens bezeichnet.

[83] RvD, EJ 3 (CCcm 9, 145).

[84] GvR, Ps. 22 (193, 1043). Vgl. Ps. 34 (O II/1, 376).

[85] RvD, DO 2, 11 (CCcm 7, 46); EJ ep. ad Cunon.; 6 (CCcm 9, 3.333.338); Gen. 7, 24; Ex. 2, 6; 4, 7; SpS 3, 18.21 (167, 469.614.704.1659.1663); A 4, 6 (169, 942); VV 12, 12 (169, 1472); Gh 10 (168, 1548) — HA, Sac. 101 (172, 803);

Wasser und Wein miteinander verbunden sind und wie auch aller Wein für Rupert in Substanzeinheit steht, so ist jede Eucharistie unmittelbare Verbindung mit seiner Heilstat[86]. Wie die Taufe ist darum auch die Eucharistie heilsnotwendig. „Nehmt hin und esset" — diese Worte sind als Gebot Christi aufzufassen; Verweigerung der Eucharistie zieht darum den Ausschluß aus der Kirche nach sich[87]. Damit aber wird man auch vom Heil selbst ausgeschlossen[88].

Denn die Wurzeln der Ursünde, aus der alle anderen Sünden hervorgegangen sind, waren der Stolz und die Völlerei. Der Deutzer Abt statuiert eine Art *lex talionis,* wenn er als Bedingungen des Erbarmens Gottes das Untertauchen in das Wasser der Taufe als Absage an den Stolz, den Empfang der eucharistischen Speise als Absage an die Völlerei nennt[89].

Diese Überlegungen führen ihn wieder zu der Frage, wie dann die Gerechten der Alten Kirche Eucharistie empfangen konnten. Die Proportionalität der Sünde erfordert die Proportionalität der Mittel: wo die Sünde gleich war, müssen auch die Heilsmittel gleich sein. So wenig wie die taufähnlichen Riten vermochten die Speiseopfer des Alten Bundes Hilfe zu bringen, da erst durch den Tod Christi Fleisch und Blut lebenspendende Nahrung werden konnten[90]. Analog zur Tauftheologie entwickelt Rupert die Möglichkeit des Kommunionempfangs durch die Alte Kirche. Sie war gegeben durch den Abstieg Christi in die Tiefe des Todes. In der Hadesfahrt kommt jener Christus zu ihnen, der durch die *unitas Verbi* sowohl seinem irdischen Leib wie dem eucharistischen wie auch dem Leibe der Kirche verbunden ist. „Modo sibi congruo" empfangen daher die Gerechten im Limbus den Leib Christi nach der Weise der Engel in geistiger Kommunion. Damit treten sie mit dem Leib Christi in reale Verbindung, wie sich deutlich zeigt, als

GA 1, 36 (172, 555); SE pass.; OS (172, 910.1015); Ps. 34 (193, 1334) — GvR, OD (O I, 140); Ps. 33 (O II/1, 171); IA 2, 76 (Scheib. 337) — Zur Eucharistielehre des 12. Jahrhunderts vgl. F. Holböck, Leib 187—239: Zusammenfassung und Übersicht. Vgl. auch oben I, 1, 1, 2 Anm. 20.

[86] RvD, EJ 6 (CCcm 9, 333). Der traditionelle, häufig vertretene Gedanke stammt von Augustin, serm. 229 (CC 38, 1103). Zur Geschichte vgl. H. de Lubac, Corpus mysticum 222—225.

[87] RvD, a.a.O. (a.a.O. 361): die Notwendigkeit bezieht sich nicht auf den Realempfang (a.a.O. 360). Vgl. auch DO 2, 10 (CCcm 7, 45) = GvR, Ps. 33 (O II/1, 207).

[88] RvD, Reg. 1, 10; SpS 3, 1 (167, 1077.1641) — GvR, Ps. 10 (193, 779). Vgl. A. Landgraf, DG III/2, 192, 206.

[89] RvD, SpS 3, 25 (167, 1666); EJ 6 (CCcm 9, 338.339); VV 12, 12 (169, 1472) — GvR, IA 2, 76 (Scheib. 337).

[90] RvD, EJ 6 (CCcm 9, 338).

einige der Leiber der Verstorbenen beim Tode Jesu in Jerusalem umherwandeln[91].

Wie die Taufe erweist sich auch die Eucharistie bei Rupert als sekundäres Heilsmittel. Primär ist für ihn immer die Eingliederung in die Kirche, die zum ursprünglichen *medium salutis* wird. Der Ansatz zur Lehre von der Kirche als Grund- und Wurzelsakrament ist unübersehbar: die Einzelsakramente sind nur Ausformungen des Heilsmittels Kirche; sie führen in die Kirche, die ihrerseits allein zur Begegnung mit Gott führt.

Nochmals ist jedoch anzumerken, daß damit die Rolle der Einzelsakramente in keiner Weise relativiert wird. Man kann nicht anders in die Kirche kommen als durch sie. Dies gilt besonders von der Eucharistie, die wir bereits als Ursache der Konkretion von Kirche in der Ortsgemeinde erkannten. Die Fülle der Gottheit ist in der Hostie zugegen; sie wird konsekriert von den Dienern der Kirche, die damit Eucharistie wirkt; aber indem wir sie empfangen, werden wir zur Kirche konsekriert: Eucharistie wirkt Kirche, „in unam Christi ecclesiam, quae sit corpus ejus, plenitudo ejus, invisibiliter consecramur“[92].

Die Kirch-Werdung geschieht vornehmlich darin, daß durch die Eucharistie die Kirche in Einheit zusammenwächst. Die Einheit ist die *res sacramenti*, deren *sacramentum* die Eucharistie ist[93]. Dieser Umstand wird durch das traditionelle Bild veranschaulicht, das die Herstellung der sakramentalen Spezies nahelegte. Wie das Brot aus vielen Körnern, der Wein aus vielen Trauben entsteht, so schließt die Eucharistie die Vielheit der Menschen in der Einheit der Kirche zusammen[94]. Sie ist nichts anderes als die Einheit in

[91] RvD, EJ ep. ad Cunon.; 6 (CCcm 9, 3.340.356); VV 12, 12 (169, 1472); Gh 10 (168, 1548); DCJ 3 (170, 598). Die sakramentale Eucharistie ist damit nur eine Weise, wie Christus seinen Leib und sein Blut den Menschen schenkt: vgl. RvD, VV 12, 12; Gh 10 (je a.a.O.).

[92] RvD, EJ 6 (CCcm 9, 359). Vgl. ds., DO 2, 2 (CCcm 7, 35 — HA, E 1, 182 (Lef. 395); GA 2, 84 (172, 665) — GvR, C Hanc igitur (O I, 48); Ps. 35 (O II/2, 440); LDH 5 (194, 1180); ep. 21 (193, 577): „... panem vivum de quo sancta vivit ecclesia“.

[93] RvD, EJ 6 (CCcm 9, 359); SpS 3, 24 (167, 1665) — HA, Sac. 88 (172, 795) — GvR, S 23 (194, 1358 f.). — Vgl. H. de Lubac, Corpus mysticum 107—113. 207—211.226—228.

[94] Sehr häufig, z. B. RvD, DO 2, 22 (CCcm 7, 35.54); EJ 6 (CCcm 9, 342) — HA, E 1, 180 (Lef. 394); Sac. 85 (172, 790); GA 1, 32.33.36 (172, 172.554.555); Euch. 12 (172, 1256—1258) — GvR, S 23; 29 (194, 1358.1367); Ps. 17; 33; 68 (193, 883; O II/1, 171.241; 194, 254). Nach RvD, Reg. 1, 13 (167, 1114) macht die Eucharistie die Kirche zur Braut Christi. Die Symbolik der Körner und Trauben seit Cyprian, ep. 63, 13 (CSEL III/2, 712), gebräuchlich.

Christus: „Wie der Leib mit dem Haupt verbunden und von ihm gelenkt wird, so wird die Kirche Christus verbunden durch das Sakrament seines Leibes; eins wird sie mit dem, von dem alle Gerechten in ihrer Ordnung wie die Glieder vom Haupt gelenkt werden"[95]. Da man nicht zwei Leibern zugehören kann, bedeutet die Einigung mit Christus in der Eucharistie die Absage an das *corpus diaboli*[96]. Umgekehrt kann wegen der kirchenstiftenden Kraft der Eucharistie nur dort gemeinsames Mahl gehalten werden, wo die kirchliche Einheit nicht zerstört ist: das Lamm muß im Hause der Kirche verzehrt werden; mit Häretikern und Schismatikern ist Interkommunion nicht möglich[97]. Damit wird zwar die sichtbare Einheit als Kriterium genannt, doch ist sie nicht der Grund, sondern die Folge der geistigen Einheit der Kirche. So wie sich bei der Konsekration die *species* nicht sichtbar ändern, ändert sich bei der Inkorporation in die Kirche und damit in Christus nach außen hin nichts: *maentibus speciebus* entzieht sich das innerste Wesen der Kirche dem äußeren Blick[98]. Durch die Eucharistie wird die Kirche nicht nur eins, sondern auch rein. Sie schenkt wie die Taufe Vergebung der Sünden und Zugang zum ewigen Leben des Leibes wie der Seele[99]. Sie ist das lebendige Brot, die Speise auf dem Weg zum Himmel, die *mensa geminae refectionis* durch

[95] HA, E 1, 179 (Lef. 393): „Ut corpus capiti inhaeret et ab eo regitur, ita ecclesia per sacramentum corporis Christi ei conjungitur; immo unum cum eo efficitur, a quo omnes justi in suo ordine ut membra a capite gubernantur". — Vgl. ds., Sac. 89 (172, 795); CC prol. (172, 349); Euch. 3 (173, 1252) — GvR, LDH 5 (194, 1180); Ps. 33; (O II/1, 175.207): beim eucharistischen Leib ist es umgekehrt wie bei irdischer Speise; nicht er geht in den Kommunikanten ein, sondern dieser geht in den Leib Christi ein. Vgl. Ps. 68 (194, 254); ep. 7 (193, 497). GvR, S 29 (194, 1367) wagt nicht, den Leib Christi selbst *sacramentum* zu nennen, weil dieses ein sichtbares Zeichen, der Leib Christi aber unserem Blick verborgen ist; „non significat rem sacram, sed est res sacra".

[96] RvD, EJ 6 (CCcm 9, 334).

[97] RvD, Ex. 2, 22; Reg. 1, 10 (167, 630.1077) — HA, GA 1, 10 (172, 547) — GvR, Ps. 19 (193, 953). Vgl. auch Summa Monacensis (Clm 16 084, fol. 15 r, zit. bei J. R. Geiselmann, Eucharistielehre 6): „In sacramento eucharistiae tria exiguntur: potestas conficientis, forma confectionis et utrum in unitate ecclesiae sit qui conficit; nam extra ecclesiam non est locus veri sacrificii, licet quibusdam aliter videatur".

[98] RvD, EJ 6; 7 (CCcm 9, 334.373). Honorius kann darum notfalls auch die geistige Einheit mit der *communio* der Kirche über die äußere Kommuniongemeinschaft setzen: diese kann ersetzt werden, jene nicht: HA, OS (Kelle 29).

[99] RvD, DO 12, 14 (CCcm 7, 407); EJ ep. ad Cunon. (CCcm 9, 3) — HA, Euch. 12 (172, 1256 — GvR, Ps. 21 (193, 990); Gh 13, 1 (194, 1117). Vgl. ds., Ps. 17 (193, 883): die Gläubigen werden durch die Eucharistie ein Leib, „in quo vestigia meae conformitatis per opera virtutum expressa inveniantur".

Christi Leib und Wort, das Schutzmittel gegen das Böse und die Bösen, die Teilhabe am ewigen Leben[100]. In ihr wirkt der Heilige Geist und darum lebt von ihr die Kirche[101].

5. Kapitel

Eigenschaften der Kirche

1. Kirche aus dem Kreuz

Neben den vier traditionellen Eigenschaften der Kirche nach dem Symbolum von Nikaia und Konstantinopel, die in der gegenreformatorischen Theologie vor allem als Unterscheidungsmerkmale der Kirche ausgebaut wurden, kennt das frühe Stadium systematischer Theologie noch weitere Proprietäten der *ecclesia.* Die bedeutsamste und ihr Wesen am nachdrücklichsten betreffende und gestaltende ist ihre Kreuzesgestalt.

In Christus laufen alle Linien der Heilsgeschichte zusammmen, die Mitte seines Erlösungswerkes aber ist das Kreuz. Sollte die Kirche eine Aufgabe im *cursus salutis* erfüllen, mußte sie mit innerer Notwendigkeit aus dem Kreuz geboren werden: *„Sanguine redimimur, aqua abluimur"*. Mit der ganzen patristischen Tradition setzen die Theologen des Mittelalters darum die Geburtsstunde der Kirche auf die Öffnung der Seite Christi an[1]. Wenn sie gleichzeitig daran festhalten, daß es auch eine vorchristliche Kirche gibt, dann

[100] RvD, EJ 6; 7 (CCcm 9, 338.373); Ex. 4, 15 (167, 715); Gh 6, 20 (169, 139 f.) — HA, GA 1, 34.134 (172, 555.586); SE dom. XX (172, 1064) — GvR, Ps. 22; 76 (193, 1054 f.; 194, 429); LF laud. (O I, 176): „Sanctificata ecclesia dicitur sancta, quo (*sacramento*) dilatata dicitur catholica per cujus efficaciam accipit remissionem corporum et vitam aeternam"; Gh 13, 1 (194, 1117); CE 86 (194, 60).

[101] RvD, EJ 6 (CCcm 9, 343); Ex. 2, 22; SpS 3, 21.22 (167, 630.1663 f.); Gh 10 (168, 1548); DCJ 3 (170, 598) — HA, GA 1, 34 (172, 555); Ps. 33 (193, 1329); Euch. 6; 12 (172, 1253.1256) — GvR, Ps. 23 (193, 1088); LDH 5 (194, 1180); Gh 13, 1 (194, 1117), LF mat. (O I, 176): Aus den zitierten Stellen ergibt sich, daß auch die Eucharistie eine Reihe subjektiver Bedingungen erfordert, ohne deren Erfüllung sie nicht heilswirksam ist. Als wichtigste werden Taufe und Glaube genannt, ohne die man sich beim Empfang der Speise das Gericht antrinkt, bei deren Vorhandensein der Kirche und den einzelnen die Sünden vergeben werden. — Zur Wirksamkeit des Heiligen Geistes in der Eucharistie vgl. RvD, DO 10, 18 (CCcm 7, 353) — HA, GA 1, 32 (172, 554) — GvR, ep. 21 (193, 577).

[1] Vgl. oben II, 1, 4, 4 Anm. 60.

tun sie das im Blick auf diese Stunde, auf die auch sie hinlebte, von der her sie proleptisch ihre innere Rechtfertigung hatte[2]. Was am Kreuz geschieht, ist eine Geburt, ein Akt der Schöpfung, so wie das Hervorgehen Evas aus der Seite des schlafenden Adams Schöpfungskraft war[3].

Das Kreuz ist der Lebensbaum und die lebendige Quelle, aus der die Kirche lebt[4]. In der Wunde Christi sind alle Schätze der Weisheit und Wissenschaft, die Fülle der priesterlichen und königlichen Autorität enthalten[5]: sie ist der Kirche zuteil geworden[6]. Aus der geöffneten Seite wurden uns die Sakramente geschenkt, so daß das Kreuz zum Ursakrament, zum *unicum sacramentum* unseres Heiles wird[7]. Heiliger Geist wurde uns darin zuteil, der die Kirche konsekriert hat[8], nachdem die Ströme des Wassers und Blutes allen Schmutz der Sünde vom Leib der Kirche gewaschen hatten[9]. Satan ist besiegt durch das Kreuz: er hatte alles daran gesetzt, um das Bekanntwerden der Offenbarungsbotschaft zu verhindern, aber nun ist der Weg frei für sie; ohne Grenzen breitet sich die Kirche in der Welt aus[10].

[2] RvD, EJ 1; 3 (CCcm 9, 52.151); A 1, 1 (169, 840); VV 12, 20 (169, 1479) — HA, E 2, 64 (Lef. 429); CC 4, 8 (172, 481) — GvR, Ps. 21; 65 (193, 992; 194, 121). Nach HA, SE inv. (172, 944) ist das Kreuz die Stange mit der Traube, die zwei Männer tragen (Num. 13, 24): sie versinnbilden die Propheten, die Christus ankündigen, aber ihn nicht sehen, und die Apostel, die auf ihn schauen und ihn als Gekommenen predigen. Er ist die Mitte der Heilsgeschichte.

[3] RvD, DO 6, 35 (CCcm 7, 221); Reg. 1, 10; Ez. 2, 12; SpS 2, 19 (167, 1077.1473. 1625); DCJ 1 (170, 573) — HA, Sac. 88 (172, 794); SE pass. (172, 910) — GvR, C coll. (O I, 27); OD 2 (O I, 136); Ps. 20; 28; 40 (193, 1024.1252.1483). — Vgl. Augustinus in Jo. 15, 8 (CC 36, 153); zum Ganzen Magrassi 93—96.

[4] RvD, DO 6, 23 (CCcm 7, 206); VV 2, 20 (169, 20); Gh 11 (168, 1573 f.) — HA, CC 1, 2 (172, 385); SE pass. (172, 910); Ps. 1 (172, 277) — GvR, Ps. 21 (193, 992): Die Synagoge bleibt steril, weil sie sich dem Blut Christi verschließt.

[5] RvD, DO 1, 17 (CCcm 7, 16).

[6] RvD, DO 6, 27; 7, 13 (CCcm 7, 210.247): das ist die Konsekration des Hauses Kirche.

[7] GvR, Ps. 143 (194, 960). Vgl. RvD, DO 7, 13 (CCcm 7, 290): „Per cujus vulneris sacramentum cuncti credentes ecclesiam ingrediuntur".

[8] RvD, Mich. 2 (168, 479) — HA, GA 1, 155 (172, 592); Ps. 46 (193, 1580) — GvR, Ps. 21; 37 (193, 1580; O II/2, 620).

[9] RvD, EJ 1 (CCcm 9, 52); Gen. 9, 30 (167, 555) — HA, SE inv. (172, 942) — GvR, C coll. (O I, 27). Nach RvD, Dt. 1, 19 (167, 938 f.) hat sich die Kirche durch die Sünde prostituiert. Die Erlösung stellte ihre Jungfrauschaft wieder her.

[10] RvD, Hab. (168, 618); VV 12, 10 (169, 1471); DCJ 1 (170, 573) — HA, E 1, 148.157 (Lef. 388.389); CC 4, 8 (172, 481): er stirbt auch für die Synagoge;

Die *theologia crucis* unserer Autoren trägt einen frohen Grundton, denn sie sieht das Kreuz in Einheit mit der Auferstehung: so wird sie als bleibende Theologie des Kreuzes *theologia gloriae*. Auch die Kirche steht unter dem Gesetz dieser inneren Einheit: Karfreitags- und Ostergeheimnis sind darum die *summa fidei* der Kirche, ihre Hoffnung, ihr Spezifikum gegenüber der Synagoge, die Initiation ihres Wirkens[11]. Aber die Kirche kann diese Einheit nur in der Erwartung des Glaubens leben. Für ihre geschichtliche Existenz gilt, daß sie noch die Knechtgestalt des Gekreuzigten zu leben hat[12].

Unverschlüsselt gesagt heißt das: die Kirche ist als *ecclesia praesens* dem Leiden, der Not, dem Haß, der Bedrängnis jeder Art ausgesetzt:

> „Wer wüßte nicht, daß von Anbeginn der Zeit viele Völker sich sammeln zum Sturm gegen dieses Sion, seitdem der verbrecherische Kain ihren ersten Bürger, seinen Bruder Abel ermordet hat? Die heiligen Schriften sind voll von erschütternden Berichten, fast auf allen Seiten des göttlichen Buchs hört man das Klagen dieses Sion"[13].

Kirchengeschichte ist Leidensgeschichte[14], nur die Verfolger wechseln — bald sind es die Juden, bald die Heiden, bald die falschen

Ps. 105 (194, 659) — GvR, Ps. 31; 59 (O II/1, 9; 193, 1763 f.): Christus ist das Samenkorn, das vielfache Frucht bringt: dieser Gedanke ist ausgeführt Ps. 22 (193, 1041 f.). Christi Tat ist aus der hingebenden Liebe geboren, die prospektive wie retrospektive Wirkung hat, insofern sie beide Kirchen im Alten wie im Neuen Bund betrifft: RvD, A 1, 1 (169, 840). Der Gedanke der Errettung der Kirche aus dem Weltbrand bei HA, SE decoll. (172, 1000); GA 1, 40 (172, 555); CC 2, 4; 4 (172, 419.485).

[11] RvD, Ex. 2, 21; Reg. 2, 27 (167, 629.1126); A 3, 4; 6, 10 (169, 903.1007); Jon 2 (168, 437); VV 9, 32 (169, 1424) — HA, Ps. 1 (172, 281) — GvR, OD 2 (O I, 137); Ps. 8; 23 (193, 747.1063); N 38 (That. 228). Für die vorchristliche Kirche ereignete sich das Ostergeschehen in der Hadesfahrt Christi (GvR, Ps. 23 a.a.O.; HA, SE pasch. — 172, 934).

[12] HA, SE ded. (Kelle 9); GA 1, 37 (172, 555). — Vgl. RvD, Reg. 4, 19.21 (167, 939.1166): man muß mit dem Kreuz verbunden sein, weil dort unser Heil gewirkt wurde.

[13] RvD, Mich 2 (168, 484 f.): „Quis hoc nesciat, quod super istam Sion gentes multae congregatae sunt ab initio saeculi, ex quo Cain funestus primum civem civitatis hujus fratrem suum Abel interfecit? Pleni sunt sacri libri lacrimabilibus historiis, et passim per omnem fere paginam divinam gemitus hujus Sion audiuntur". — Vgl. ds., Carm. 13 (Dümmler 194).

[14] RvD, Naum 1 (168, 542—544) legt die Leiden der Kirche in der Geschichte dar; Pantal. 7 (Anal. Boll. 256) sind die sieben Weltreiche die Exekutoren der Kirchenverfolgungen Satans. HA, SE nat. (172, 839) wird die Schuld der Kirche an den Anfeindungen gegen sie zugegeben. GvR, IA 1, 4 (Scheib. 36)

Christen und am Schluß als Summe des Bösen der Antichrist und sein Gefolge[15] —, aber selbst die Bedrängnis von innen her durch Sünde, Pilgerstatus und Tod ist immer die gleiche[16]. Die Christen sind die *tertia pars parvulorum,* die sich nicht zu behaupten vermögen gegen griechische Weisheit und jüdische Klugheit[17]. Ihre Kirche wird allen zur Schande: man hat leichtes Spiel mit ihr, erklärt Honorius mit sehr realistischem Blick[18]. Die Not der Kirche ist keine rhetorische Übertreibung: sie kann bis an den Rand ihrer Existenz kommen, das Netz kann reißen, die Zahl der Christen dezimiert, das Fundament erschüttert werden[19].

Das ist nichts anderes als die Konsequenz ihrer christozentrischen Struktur. Wie Satan gegen Christus kämpft, kämpft er gegen seine Kirche[20]; wie Christus zerschlagen ward, wird auch die Kirche als zweiter Job zerschlagen[21]; das Schicksal des Leibes ist nicht anders als das des Hauptes: „pressuris mundi quasi in torculari calcatur et Christo per passiones incorporatur“[22]. Der Reichersberger Propst,

will in seinem Buch die Leiden der Kirche vom Anfang bis zur *abominatio desolationis* der Gegenwart schildern. Vgl. auch RvD, DO 4, 6; 12, 5 (CCcm 7, 118.400); Reg. 5, 33 (167, 1267); A 4, 6 (169, 959); Am. 2 (168, 319) — HA, CC 1, 1 (172, 369); Ps. 103; 117 (194, 626.724): Ps. 103 bemerkt der Inkluse „Nota ecclesiae sacramenta in pane, vino et oleo designata, quia panis in igne coquitur, vinum et oleum in torculari premitur; et ecclesia igne tribulationis et pressura persecutionis affligitur“; SE nat. (172, 838); Sac. 79 (172, 787) — GvR, LF rec. (O I, 182). RvD, Reg. 3, 29 (167, 1175) macht auf die ungeheuere Menge der für Christus Leidenden aufmerksam.

15 Vgl. unten II, 3, 2, 3.

16 RvD, Jer. 13.17; Reg. 3, 2 (167, 1379 f. 1382.1143).

17 RvD, Zach. 5 (168, 803.805); Gh 11 (168, 1563).

18 HA, Ps. 88 (194, 547).

19 RvD, A 6, 11 (169, 1022): Rupert rechnet offensichtlich damit, daß die Kirche bis auf zwei Glieder reduziert werden kann; weniger können es nicht sein, weil sie dann kein Zeugnis für Christus ablegen können, wozu mindestens zwei Zeugen nötig sind. Vgl. HA, Ps. 103 (194, 623). Nach ds., Ps. 90 (a.a.O. 558) sind die Leiden Versuchungen durch die Dämonen, die Nächsten, die Häretiker und die Verfolger — GvR, Ps. 54; 118 (193, 1655; 194, 785).

20 RvD, EJ 6 (CCcm 9, 316 f.); Num. 2, 10; Reg. 2, 8; 5, 16; Is. 1, 35; Dan. 2; SpS 6, 13 (167, 889.1105.1255.1309.1501.1745); Soph. 2 (168, 670); Pantal. 7 (Anal. Boll. 256); CC 7 (168, 953); GT 7 (168, 1471) — HA, Ps. 34 (193, 1343) — GvR, Ps. 21; 34 (193, 1029; O II/1, 333.335). Vgl. Hugo v. St. Viktor, in Joel. (175, 338); sacr. leg. nat.; sacr. 1, 8, 11; vanit. (176, 32.312.735).

21 RvD, IOT 20 (Grundmann 466); DO 5, 1 (CCcm 7, 145); Jud. 12 (167, 1041): Christus bringt selbst seine Kirche zum Opfer dar (Zitat aus Johannes Chrysostomos).

22 HA, GA 1, 33 (172, 554). — Vgl. ds., E 1, 178 (Lef. 393); SE asc. (172, 957); Ps. 88 (194, 547). HA, GA 1, 32 (172, 554); Euch. 12 (172, 1256): die Kirche wird in ihren Gliedern aufgerieben, um Christus einverleibt zu werden, wie das Korn für das eucharistische Brot zerrieben wird, um verbacken zu werden.

der schwer wie kein anderer an der Schandgestalt der Kirche litt, hat dieses ekklesiologische Gesetz unmißverständlich gezeigt. Christus ist Weg, Wahrheit und Leben. Als *Weg* wurde er in den Tod getrieben, als *Wahrheit* wurde ihm ein Lügenprozeß gemacht, als *Leben* hat man ihn geringgeschätzt und sein Heil verachtet. Das Gleiche geschieht ihm nun in seinen Gliedern: die Staatsmacht treibt die Märtyrer in den Weg des Untergangs, die Häresien unterschlagen seine Wahrheit, die Simonisten seiner Zeit verachten seine Sakramente[23]. Der Leidensweg der Kirche ist Nachvollzug des Kreuzweges Christi, und indem sie ihn geht, erweist sie sich als liebende Gemahlin ihres Heilands[24]. Rupert zeigt noch eine weitere Dimension der Schmachgestalt der Kirche auf. Er warnt vor pathetisch-hohler Leidensmystik, die alles und jedes glatt verrechnen will unter dem Kreuz Christi: „Es kann auch vorkommen, daß ein Christ von einem Ungläubigen Leiden erdulden muß wegen seiner eigenen Bosheit“[25]. Aber dadurch hebt sich die Armseligkeit der Kirche nur noch klarer ab: der schrecklichste Angriff, die perverseste Verfolgung erfährt Christus in seiner eigenen Kirche, von seinen eigenen Gliedern[26]. Trotzdem ist Gottes Heil auch in dieser Situation der Kirche präsent. Ohne den Hammer der Verfolgungen und den Meißel der Versuchungen werden keine Gefäße für den Tempel geschaffen; ohne Häresien hätte es keinen Augustinus, ohne Arianer kein Dogma gegeben; ohne die Bösen wüßte man nicht um den Wert der Guten[27]. Selbst der Teufel ist noch Gottes linke Hand, dessen Züchtigungen den Menschen zur Besinnung auf Gott führen können[28]. Die Kreuzgestalt der Kirche erweist sich damit als Motor und Triebkraft inneren wie äußeren Wachstums: „Inter calumnias et inimicitias dilatatur Christus et ecclesia ejus“[29].

[23] GvR, Ps. 10 (193, 777—782).

[24] HA, GA 1, 37 (172, 555); Ps. 34; 108 (193, 1346; 194, 685) — GvR, Ps. 118 (194, 835).

[25] RvD, Jon. 1 (168, 408).

[26] Vgl. RvD, DO 4, 11 (CCcm 7, 118); EJ 6 (CCcm 9, 313) — HA, E 1, 178 (Lef. 393); Ps. 93 (194, 572): die inneren Gegner sind die *clerici indocti* und die *laici bruti*.

[27] RvD, Reg. 3, 25 (167, 1170); Joel (168, 227.231); Gh 7 (168, 1470 f.); Carm. 6; 7 (Dümmler 185 f.) — HA, Ps. 78; 88; 104; 105 (194, 487.538.638.675.676); CC 1, 1 (172, 368) — GvR, Ps. 10; 21 (193, 769.996).

[28] GvR, Ps. 10; 67; 70 (193, 774; 194, 215.304).

[29] RvD, Gen. 7, 11 (167, 456).

2. Kirche in Glauben und Liebe

Die Kirche wurde von unseren Theologen als Gemeinschaft der Glaubenden definiert[30]. Damit ist einmal gesagt, daß ihre Mitglieder gläubige Menschen sind, zum anderen aber auch, daß sie selber aus dem Glauben lebt. Die subjektive und die objektive Seite des Glaubens ist deshalb zu bedenken.

Wenn Rupert im Johanneskommentar vom Glauben spricht, dann meint er nicht den natürlichen Glauben, der auf ein immanentes, aber nicht sichtbares Objekt gerichtet ist, sondern den transzendentalen Glauben an den dreieinen Gott, aus dem den Menschen das Heil kommt[31]. Er ist kein spontaner Akt des Menschen, sondern provoziert durch das Wort Gottes, d. h. letztlich durch Christus: Glauben ist immer Christusglauben[32]. Als solcher ist er in zweifacher Weise artikuliert, vom Christusgeschehen und von der Kirche Christi her. An Christus glauben bedeutet, an seine Gottheit und Menschheit, an die in Christus sich erweisende Barmherzigkeit Gottes, an sein Gericht oder auch an seine vier Lebensgeheimnisse glauben[33]. Alle diese Wahrheiten stehen in einem gewissen systematischen Zusammenhang miteinander[34]. Sie werden von der Kirche vorgelegt und sind im Sinne der Kirche zu glauben: Glaube ist *fides ecclesiae catholicae, fides apostolica, fides vere apostolica sanctae Romanae ecclesiae*[34]. Die Kirche ist darum letzte Instanz in Glaubensfragen[35]. Vorrangig zu jeder Artikulation ist Glauben seinem Wesen nach die Grundhaltung der vertrauenden Hingabe an Gott, die von ihm das Heil erwartet. Glaube ist untrennbar verbunden

[30] Vgl. oben II, 1, 2, 1.

[31] RvD, EJ 6 (CCcm 9, 298); Num. 2, 6; Reg. 3, 22 (167, 884.1167) A 4, 7 (169, 961) — HA, SE ep. (172, 845) — GvR, LF nat. (O I, 176).

[32] RvD, EJ 4; 8; 9; 11 (CCcm 9, 190.211.449.513.519.628.651); Jer. 6 (17, 1371) — GvR, LDH 4 (194, 1178).

[33] Vgl. EJ 8; 10 (CCcm 9, 436.449.569); Ez. 1, 4; 2, 19 (167, 1424 f. 1481); Hab. 3 (168, 635).

[34] RvD, DO 2, 3; 3, 17 (CCcm 7, 48.87); EJ 7; 8; 11 (CCcm 9, 394.415.651); Num. 2, 6 (167, 884); A 1, 1 (169, 933) — HA, GA 2, 59 (172, 634); CC 1, 2 (172, 394) — GvR, AD 43 (194, 1302); Ps. 61 (193, 1779); LF laud. (O I, 241).

[35] RvD, EJ 1 (CCcm 9, 43): Die Kirche legt fest, wer als Prophet anerkannt werden kann; vgl. Gh 2 (168, 1361) — HA, GA 2, 59 (172, 634): Grundlagen des Glaubens sind die von der Kirche vorgelegten Glaubensbekenntnisse (Apostolicum, Nicaenum, Nicaeno-Constantinopolitanum, Athanasianum) — GvR, Ps. 67 (194, 196): oberste Autorität in theologischen Diskussionen ist der katholische Glaube. Was ihm nicht entgegensteht, kann frei behauptet werden.

mit Liebe und Hoffnung[36]. Das Fundament ist die Liebe, die wie der Glaube nicht spontan aus dem Menschen kommt, sondern Antwort ist auf die Liebe Christi, der uns zuerst geliebt hat[37]. Erst durch sie gehen dem Menschen Gottes Geheimnisse auf, wird ihm der Weg zu ihm geöffnet: Glaube ohne Liebe ist zu nichts nutze[38].

Doch nichts nutzt auch dem Menschen, wenn er nicht glaubt. Er kann vor Gott nicht gerecht sein und darum das Heil nicht finden: „Wie nämlich der Fisch ohne Wasser nicht leben kann, so kann niemand ohne Glauben gerettet werden"[39]. Dieser Satz kennt keine Ausnahme. Denn in Adam haben die Menschen der Schlange mehr geglaubt als Gott — daraus folgten alle Sünden. Nur durch die Umkehr im Glauben kann man sich mit Gott versöhnen[40]. Wenn aber Christus Mitte und Objekt allen Glaubens ist, dann müssen alle Menschen an Christus glauben, ob sie vor oder nach seiner Menschwerdung leben. Das war prinzipiell möglich, nur die Modalitäten der Erkenntnis Christi wechselten in der Geschichte.

Honorius zeigt dies in der Allegorese der vier Bräute des Hohenlieds. Sie kommen aus den vier Himmelsrichtungen, d. h. aus allen Epochen der Geschichte. Die Braut aus dem Osten ist das Symbol der Patriarchenzeit vor dem Gesetz: damals glaubten die Menschen an den Christus der Abrahamsverheißung. Die Braut aus dem Süden ist die Repräsentantin der Prophetenzeit, die an den Christus der Jesajaprophetie glaubte. Die Gläubigen des *tempus*

[36] HA, CC prol. (172, 351); Ps. 1; 93 (172, 278; 194, 571) — GvR, Ps. 68; 143 (194, 268.956); LF laud. (O 1, 234.246).

[37] RvD, EJ 4 (CCcm 9, 226); A 1, 1; 12, 22 (169, 841.1206) — HA, CC 1, 2 (172, 388). A.a.O. prol. (a.a.O. 350) beschreibt Honorius die fünf Stufen der Liebesbegegnung mit Gott, die fünf Geschichtsperioden entsprechen: dem *visus* der Liebe entspricht die Patriarchenkirche, dem *alloquium* die der Propheten, dem *contactus* die Inkarnation, den *oscula* Auferstehung und Vergebung der Sünden, dem *factum* die endzeitliche Vollendung. — GvR, Ps. 18 (193, 910) spricht von der Provokation der Liebe Christi, die uns herausfordert; vgl. AD 1 (194, 1197 f.).

[38] RvD, EJ 11 (CCcm 9, 655): „Manete, id est perseverate, scilicet diligendo invicem habendo unum spiritum et unam fidem, quae operatur per dilectionem". Dazu ds., EJ 10 (a.a.O. 554); Mich. 2 (168, 476: vgl. dazu GvR, Ps. 31 — 193, 1067); Ez. 1, 4 (167, 1424); CC 5 (168, 930) — HA, Ps. 1, 50 (72, 278. 288); SCMj 2 (172, 1230) — GvR, LF laud. (O I, 246); Ps. 77 (194, 441).

[39] HA, SE nat. (172, 823): „Sicut enim piscis sine aqua non potest vivere, ita nullus poterit salvari sine fide". Vgl. RvD, EJ 4; 5; 8; 9; 10 (CCcm 9, 190. 449 f. 494.554); Reg. 3, 2; Jer. 6 (167, 1143.1371); Hab. 4 (168, 775); VV 8, 16 (169, 1390); Gh 2 (168, 1361) — GvR, LDH 4 (194, 1198); Ps. 71 (194, 318); LF laud. (O I, 247); CF cant. Habac. 3 (194, 1037). Vgl. Augustinus, in Jh. 45, 9 (CC 36, 362); ep. 102, 12 (CSEL 58/2, 554).

[40] RvD, EJ 12 (CCcm 9, 678 f.).

gratiae, das mit den Aposteln beginnt, glauben im Bild der Braut aus dem Westen an den erschienenen Christus. Die Braut aus dem Norden endlich ist das Symbol der bedrängten Menschen der Zeit des Antichristus[41].

Auch Rupert hat keinen Zweifel, daß die Menschen vor der Inkarnation an Christus glauben konnten und auch tatsächlich geglaubt haben. Ihr Glaube war wie der der Patriarchen auf Hoffnung, das Zeichen ihres Glaubens, die Beschneidung, nur auf Grund einer Verheißung sinnvoll, aber es war echter und heilschaffender Glaube[42]. „So halten wir es für einen universal gültigen Satz: für alle Menschen, die vor Christus oder nach ihm leben, gilt, daß das Leben nicht schaut, sondern dem Zorn Gottes verfällt, wer an den Sohn nicht glaubt“[43].

Rupert will damit nichts über den Grad der Explizität dieses Glaubens sagen. Er weiß, daß jemand im Alten Bund die Bedeutung der Beschneidung nicht erfassen konnte oder im Neuen Bund ein sehr dürftiges religiöses Wissen haben kann, ja daß Kinder glauben können ohne fähig zu sein, den Namen Christi zu artikulieren. Wenn er dennoch behauptet, daß sie gerettet werden können, weil Gottes Name über ihnen angerufen ist[44], dann sieht er den Glauben nun nicht mehr als bloß personalen Akt, sondern bereits in seiner ekklesialen Dimension[45]. Der einzelne Mensch, der glaubt, hat diesen Glauben nicht aus sich heraus, sondern er ist eine Gabe, die Gott ihm gibt — in der Kirche. Glauben heißt daher zur Kirche gehören: „Per professionem christianae fidei sumus in domo Dei“, erklärt der Abt[46]. Diese ist als Kirche durch den Glauben konstituiert: „Domus autem fidelis ... ecclesia est, quae ex fide

[41] HA, CC prol. (172, 351); SE nat. (172, 818) sieht HA in Ochs und Esel an der Krippe die Symbole von Juden und Heiden, die beide durch den Glauben zu Christus gebracht werden. Nur die Perspektive ist verschieden nach Ps. 104 (194, 631 f.): „Quod enim iste credit factum, hoc illud credidit futurum“. Vgl. auch SE pasch. (172, 934); CC 2, 3 (172, 398).

[42] RvD, EJ 4 (CCcm 9, 222.224); A 4, 7 (169, 961); VV 8, 16 (169, 1389). Der Glaube der Propheten ist daher auch fundamental für die Kirche: RvD, Gen. 4, 17 (167, 342); vgl. auch ds., Kapitel 6.

[43] RvD, EJ 4 (CCcm 9, 191): „Igitur universaliter sentiamus dictum, id est de universitate hominum antiquorum pariter ac novorum, quicumque incredulus est Filio, non videbit vitam, sed ira Dei manet super eum“. — Vgl. a.a.O. 3 (a.a.O. 143 f.); Mich. 2 (168, 479), dazu Augustinus, civ. 10, 25 (CC 47, 298).

[44] RvD, EJ 4 (CCcm 9, 190).

[45] Vgl. RvD, Gen. 6, 16 (167, 416).

[46] RvD, EJ 8 (CCcm 9, 455); vgl. A, 11, 19 (169, 1169); GT 7, 5 (169, 146) — HA, CC 2, 4 (172, 427); Ps. 1 (172, 279).

vivit"[47]; durch die Glaubensgerechtigkeit erst wird sie Leib Christi[48]. Kirche ist Gemeinde der Glaubenden nicht nur als Summe der Gläubigen, sondern vorgängig dazu ist sie bereits Glaubende: Rupert nennt sie einmal die Frau, die von Gott schwanger geworden ist durch den Glauben, den sie von ihm empfangen hat[49]. Kirche und Glaube werden damit identisch: „Unam fidem catholicam tene, hoc est enim omnis ecclesia"[50]. Wie der Geist Gottes und die Taufe wird der Glaube somit zum wesentlichen Strukturmerkmal der Kirche. „Die Kirche ist meine einziggeliebte Braut", spricht Christus bei Gerhoch, „durch die eine Taufe, den einen Glauben, den einen Geist — durch sie rein, heilig, lebendig"[51]. „Ein Herr, ein Glaube, ein Geist in allen Erwählten, darum ist die Kirche eins und ein Leib aus allen Erwählten, den Berufenen, die leben oder tot, vor oder nach dem Leiden Christi gewesen sind"[52].

Betrachten wir noch einmal die personale Struktur des Glaubens, nunmehr auf dem Hintergrund seines kirchlichen Charakters. Als objektive Gegebenheit ist der Glaube der Kirche unmittelbar von Gott und die Quelle und Norm des subjektiv-personalen Glaubens. Durch den Heiligen Geist wird er dem Menschen in und durch die Kirche geschenkt. Insofern er aber existenzieller Akt ist, gehört die Kooperation des Menschen wesentlich zu ihm. In diesem Sinn ist er die Vorbedingung der Taufe und damit der Inkorporation in die Kirche[53]. Das eigentümliche Wesen des Glaubens ist die Grundlage der menschlichen Freiheit. Für Rupert ist das Heilswirken Gottes so machtvoll, daß er an sich geneigt wäre, es für unwiderstehlich zu halten. Dann bliebe dem Menschen nichts anderes übrig, als sich vom Heil ergreifen zu lassen: dieses wäre ein Zwang Gottes. Aber weil der Mensch dem objektiv gegebenen Glauben seine Zustimmung erteilen muß, bleibt das Heil freies Geschenk an den freien

[47] RvD, Reg. 1, 10 (167, 1077).
[48] GvR, LF laud. (O I, 236.241); Ps. 4; 17 (193, 680.889).
[49] RvD, EJ 12 (CCcm 9, 684).
[50] RvD, GT 7, 5 (169, 146).
[51] GvR, Ps. 34 (O II/1, 376): „Ecclesia quoque unica mea est per unum baptisma, per unam fidem, per unum Spiritum, lota, justificata, vivificata".
[52] RvD, EJ 5 (CCcm 9, 243 f.): „Nam unus Dominus, una fides, unus in omnibus electis est Spiritus, et idcirco electorum omnium sive mortuorum sive vivorum sive ante sive post passionem Christi vocatorum una ecclesia et unum corpus est".
[53] RvD, EJ 8; 9; 13 (CCcm 9, 436.513.521.724); Lev. 1, 32; Reg. 3, 22 (167, 778. 1167) — HA, E 1, 182 (Lef. 395); SE, PetPaul (172, 972 f.); PV 10 (172, 317); CC 2, 5 (172, 437); Ps. 99 (194, 596) — GvR, Ps. 23 (193, 1076); LF laud. (O I, 247).

Menschen. Der Abt formuliert diese Einsicht an Hand des Weinstockgleichnisses von Joh. 15: man bleibt nicht deswegen Zweig am Weinstock Christi, weil dieser ständig seine Gnade im Heiligen Geist spendet. Dann gäbe es sozusagen kein Entrinnen. Unser Bleiben in ihm wird erst durch den Glauben konstituiert, „per unius verae et catholicae fidei confessionem“. Die Sakramente gelangen aus ihrer Objektivität zu subjektiver Wirksamkeit erst durch das Bekenntnis des Glaubens, während die Verweigerung von Christus trennt. In beiden Fällen aber ist es der freie Wille des Menschen, der die Entscheidung fällt[54].

Aus der gleichen Struktur resultiert die spezifische Einheit der Kirche. Sie ist nicht in äußerlichen Dingen begründet, sondern in der Gemeinsamkeit der freien Glaubens der Menschen, die Gott in der Kirche anerkennen. Die Universalität der Kirche bedingt ihre Vielheit nach Raum und Zeit. Ihr Symbol ist für den Abt von Deutz die Zahl *Neun*. Zur wirklich universalen Zahl und zur Einheit der Zahlen kommt man erst, wenn man eine Einheit hinzufügt: dann erhält man die Zahl *Zehn*. „So gibt es auch Vielheit und einander Widerstrebendes in der Kirche: doch fügt man den einen Glauben zu, wird sie eins“[55]. „Per unicam fidem unum sunt genus, una ecclesia, unum corpus“[56]. Damit aber ist eine wesentliche Aussage über die Ordo-Struktur der Kirche gemacht. In der mittelalterlichen Gesellschaft deckten sich soziale und kirchliche Rangordnung. Die Füße des Leibes Christi sind die Armen, die am weitesten vom Lebenszentrum des Hauptes und vom Ansehen der leitenden Organe entfernt sind. Aber dieses hierarchische Moment wird vom Glauben her „demokratisch“ korrigiert: „per conjunctionem et uni-

[54] RvD, EJ 11 (CCcm 9, 651.653); CC 7 (168, 958); Gen. 4, 33 (167, 357) — GvR, CDH 5 (194, 1179). Deswegen wendet sich GvR, Dt. 2, 4 (167, 690); A 8, 13 (167, 1083) gegen jede Zwangsvollstreckung des Bekenntnisses, da diese das Wechselspiel zwischen Freiheit und Gnade zerstören müßte.

[55] RvD, Is. 1, 2 (167, 1273): „Sic plane multis et diversis adversariis, si una inferatur fides, una fiunt ecclesia“. Vgl. ds., a.a.O. 1, 12 (a.a.O. 1327) — HA, Ps. 1 (172, 278): die Vielheit der Glaubenden in der Geschichte wird geeint durch Glaube und Liebe. Nach HA, Ps. 47 (193, 1583) heißt die Kirche *civitas*, „quia in ea convenit fidelium civium unanimitas“. So auch a.a.O. 86 (194, 527).

[56] RvD, A 1, 1 (169, 840). Vgl. auch ds., DO 1, 22; 2, 11.22; 6, 35 (CCcm 7, 19.46.54.220); EJ 11; 12; 14 (CCcm 9, 650.651.705.707.760); Gen. 9, 30; Lev. 2, 4; Jos. 12; Reg. 2, 16.22.39; SpS 3, 7; 6, 20 (167, 790.1012.1077.1123.1160. 1646 f.); A 1, 1 (169, 840); GT 6, 15; 7, 5 (169, 133.146) — HA, Ps. 1; 45 (172, 279; 193, 1575) — GvR, AD 4 (194, 1209); C comm. (O I, 40); Ps. 36 (O II/2, 525); LF rec.; laud. (O I, 181.242): maßgebend in der Kirche ist die domina fides, nicht der Rang des einzelnen.

tatem fidei" sind sie wie die anderen Glieder Christi und prinzipiell allen anderen Gliedern gleichgestellt[57]. Mehr noch: durch den Glauben wird die sozial-hierarchische Grundordnung relativiert bis hin zur totalen Veränderung in einen *ordo fidei*. Der eigentliche Rang eines Gläubigen bestimmt sich nach eben diesem Glauben, den er lebt und durch dessen je größere Intensität er sich der Kirche aus dem Glauben je mehr gleichförmig macht. Denn wenn die Kirche Gemeinschaft der Glaubenden ist, hat der die höchste Stellung in ihr, der den tiefsten Glauben hat und — damit wird diese Theologie vor der spiritualistischen Verflüchtigung bewahrt — bekennend lebt. Die Patriarchen und Apostel sind deswegen die Protagonisten der Kirche, weil sie den größeren Glauben besaßen. Das ist wiederum ein universaler Satz: „Fürsten in der Kirche heißen mit Recht die Menschen mit dem je herrlicheren Glauben; sie verdienen es, ihre Brüder oder die Kirchen Christi zu leiten, d. h. das Vorsteheramt auszuüben"[58].

Der Glaube bekommt damit eine kirchenkritische Funktion. Nicht nur der Platz des einzelnen in der Kirche bestimmt sich aus seinem Glauben heraus, sondern auch die Echtheit und Wahrheit der Kirche wird an ihrem Glauben gemessen. Die Kirche ist jungfräuliche Braut: „sie bewahrt den ganzen Glauben unversehrt, darum wird sie von der häretischen Verkehrtheit nicht zerstört"[59]. Zu dieser Integrität des Glaubens und damit auch zum Kriterium der Kirche gehört die Liebe. Menschen wie Judas oder Simon Magus hatten einen korrekten Glauben, aber sie besaßen die Liebe nicht und darum war ihr Glaube nichts wert[60]. Erst der von der Liebe geformte Glaube ist das Kennzeichen der Kirche und derer, die zu ihr gehören: „Facies ... ecclesiae est bona operatio"[60]. Denn die

[57] RvD, DO 5, 6 (CCcm 7, 156); EJ 10 (CCcm 9, 569): activi und contemplativi sind eins durch den Glauben. — GvR, AD 43 (194, 1302): „Habet enim omnis ordo et omnino omnis professio in fide catholica et doctrina apostolica suae qualitati aptam regulam, sub qua legitime certando poterit pervenire ad coronam".

[58] RvD, GT 3, 18 (169, 70); „Omnes quorum fides praeclarior habetur, recte principatus nominantur, et ipsis fratribus suis sive ecclesiis Christi principari, id est praeesse dignentur". Vgl. ds., a.a.O. 5, 18 (a.a.O. 104) — GvR, LF laud. (O I, 242.243).

[59] HA, SBM cant. (172, 499): „Integritatem fidei servans inviolabiliter ab haeretica pravitate non corrumpitur". Vgl. ds., SE ep., Jac. (172, 939.982 f.); CC 1, 2 (172, 382); Ps. 44 (193, 1572) — RvD, EJ 8 (CCcm 9, 415).

[60] HA, CC 2, 2 (172, 394). — Vgl. RvD, EJ 2 (CCcm 9, 84); SpS 1, 6 (167, 1576) — HA, SE conv. (172, 1097); SBM 5 (172, 510); CC prol. 1, 1 (172, 352.363. 371) — GvR, AD 1 (194, 1197 f.); Ps. 143 (194, 954).

Mitte des kirchlichen Glaubens ist Jesus Christus, in dem die Liebe Gottes ein für alle Male und unwiderruflich erschienen ist[61].

Das apostolische Ideal des „cor unum et anima una" war das Ziel der Reformkreise des Jahrhunderts. Dahinter steht kein schwärmerischer Idealismus, sondern die theologisch nüchterne Erkenntnis, daß darin das Strukturprinzip der Kirche, ihr innerstes und tiefstes Wesen zum Ausdruck kommt. Erneuerung der Kirche konnte nur die Erneuerung des liebenden Herzens im einen Glauben der Kirche heißen[62].

3. Die Einheit der Kirche

Das innerste Wesen der Einheit in der Kirche ist der Glaube. Man kann jedoch fragen, warum die Kirche eine sein muß und nicht im Pluralismus vieler Gemeinschaften das Heil gewirkt werden kann. Das mittelalterliche wie das antike Denken lebten gewiß aus einer Weltsicht, die von der Idee des *ordo* aus jede ungegliederte und damit auseinanderfallende Vielfalt als Unglück, als etwas Anormales empfinden mußte. Von hier aus werden die Theologen darauf aufmerksam, daß die Pluralität ohne Ordnung Ausdruck der Sünde, also nicht nur Unglück, sondern Unheil ist. Honorius von Regensburg bedient sich einer traditionellen Sprache, wenn er im Namen des ersten Menschen diese Situation angedeutet findet. A-D-A-M, die Buchstaben dieses Namens sind die Anfangszeichen der (griechischen) Himmelsrichtungen. Der eine Mensch geriet in die Zerstreuung durch seine Sünde. „Adam wird durch sein Geschlecht zerteilt, und wie Samen in alle Teile der Welt verstreut". Erlösung aus der Sünde bedeutete dann aber Rückführung in die Einheit: „Durch Christus wird der Same gesammelt, wenn in Christi Leib, der aus Adam stammt, die Kirche geeint wird"[63]. Erlösung ist Einbringen in die Einheit der Kirche: „Aus

[61] RvD, EJ 4 (CCcm 9, 226).

[62] RvD, EJ 11; 14 (CCcm 9, 622.784); Lev. 2, 4; Reg. 3, 32; 4, 5; Jer. 16 (167, 790.1178.1225.1382); RSB 4, 7 (170, 530); HA, E 1, 179 (Lef. 394); GA 1, 150.220 (172, 590.610); CC prol.; 1, 2; 3; 4, 8 (172, 350.385.398.485); SE pent. (172, 962); Ps. 1; 44; 86; 111 (172, 278; 193, 1570; 194, 526.703) — GvR, Ps. 22; 30; 36; 67; 70; 77; 140 (193, 1058f. 1285; O II/2, 536; 194, 184.185.187. 302.480.933); CE 115.116 (194, 76); QV 21 (Scheib. 604) — Glaube und Liebe sind im Pilgerstand der Kirche noch unvollkommen: RvD, Reg. 3, 2 (167, 1143) — HA, Ps. ded. (172, 272) — GvR, Ps. 18; 22; 65; 67 (193, 910.1059; 194, 134.187).

[63] HA, GA 3, 42 (172, 654f.): „Adam ergo per genus suum dividitur et in quatuor partes mundi quasi semen spargitur; sed per Christum in unum colligitur, dum in corpore Christi ab Adam sumpto ecclesia coadunatur".

allen Stämmen, Zungen, Völkern und Nationen hast du uns erlöst; aus großer Zerstreuung hast du uns versammelt, aus der Vielheit des Denkens geeint". *„Una est ecclesia"* ist ein Satz, der den Heilsstandort der Kirche bestimmt[64].

Er muß entfaltet werden nach allen Richtungen hin. Seine primäre Bedeutung wurde bereits dargelegt. Die Kirche ist eine im einen Glauben und der einen Lehre, die geformt sind durch die friedenschaffende Liebe. Sie steht unter dem Gesetz des „idipsum dicens" und wahrt sich damit vor allem häretischen Dissens, um in der Einheit der „unanimitas" vollendet zu werden[65]. „Mentibus congregemur in unitate fidei, in societate spiritus, in vinculo pacis"[66]. Sie findet ihre sichtbare Gestalt im apostolischen Leben, in dem die vielen Menschen zu einem einzigen werden, ein Leib und ein Fleisch mit Christus. „Das ganze christliche Volk ist ein einziger Mensch, der in der Liebe ein Herz hat und eine Seele"[67].

Eine solche Einheit kann nur Viel-Einheit sein, katholische Einheit, die sich nicht im Getto absondert, sondern alle Zeiten und Räume, alle sozialen und ethischen Differenzen transzendiert. Sie alle bleiben bestehen, sofern sie mit dem liebenden Glauben kompatibel sind, aber sie verlieren ihren spaltenden und sondernden Charakter. Zur Kirche gehören die Menschen aller Zeiten, die Lebenden wie die Toten, die Juden wie die Heiden, die großen wie die kleinen reuigen Sünder, die Muster der Heiligkeit wie die Mittelmäßigen, die Hohen und die Niedrigen: in der einen Kirche sind sie alle brüderlich geeint[68]. Das Symbol dieser Einheit sind die

[64] RvD, A 4, 5 (169, 933): „Redemisti nos ex omni tribu et lingua et populo et natione. Ex magna utique dispersione congregasti nos, ex magna dissensione adunasti nos". — Vgl. ds., EJ 10; 11 (CCcm 9, 565.603.626); Is. 2, 18 (167, 1335) — HA, Ps. 101 (172, 303); PV prooem. (172, 311/312). — Vgl. ferner zu „Una ecclesia" RvD, DO 7, 19 (CCcm 7, 247); Reg. 1, 10 (167, 1077) — GvR, DI (194, 1422).

[65] RvD, EJ 2 (CCcm 9, 74); Ex. 2, 22 (167, 630) — HA, GA 3, 93 (172, 667 f.); Ps. 34 (193, 1436) — GvR, Ps. 24; 77 (193, 1143); 194, 480. Die Einheit des Glaubens und der Lehre ist objektiv gesichert durch die Glaubensbekenntnisse: EJ 7 (CCcm 9, 394); Gen. 9, 30 (167, 554) — HA, Ps. 100 (194, 666) — GvR, AD 4 (194, 1209); C comm. (O I, 40).

[66] RvD, Gen. 9, 25 (167, 549). — Vgl. HA, Ps. 46 (193, 1580) — GvR, Ps. 26; 77 (193, 1189; 194, 480). Vgl. auch A. Landgraf, Sünde 225—232; ds., Paulinen (DTh 25 (1947), 376—394; 26 (1948), 395—400).

[67] HA, Ps. 111 (194, 703): „Totus christianus populus est unus vir, cui et in dilectione cor unum et anima una". — Vgl. GvR, C comm. (O I, 40).

[68] Zur Kirche gehören *alle Menschen*: RvD, EJ 5 (CCcm 9, 244); Ex. 2, 37 (167, 645) — GvR, Ps. 61 (193, 1780); sie hebt die Gegensätze zwischen *Juden und Heiden* transzendierend auf: RvD, EJ 12 (CCcm 9, 705); Gen. 6, 27 (167, 425);

eucharistischen Gestalten, die unmittelbare Wirkursache die Eucharistie selbst. „Was anders heißt Sakrament als Heiligmachendes: denn es heiligt und bewirkt durch seine Heiligung die Einheit des Leibes Christi, der die Kirche ist“[69].

Dieses Wesen der Einheit resultiert aus der trinitarischen Gestalt der Kirche. Die Kirche ist eine in Vielheit, weil sie das Werk des einen Gottes in der Dreiheit der Personen ist, der sich in Christus geoffenbart hat. Der Propst beschreibt den betenden Herrn (nach Joh. 17) mit Worten, die eine ganze Theologie der Einheit umfassen:

> „Der Eine betet um Einheit, das Wort, das eins ist mit dem Vater in der Natur, der Mensch, der eins ist mit dem Wort in der Person, das Haupt, das eins ist mit den Gliedern, erst in der Ordnung der Gerechtigkeit, dann in der Herrlichkeit“[70].

Aus der Einheit der Dreieinigkeit geht Gottes Wort in die Einheit des Menschengeschlechtes ein, um dieses zu einen in der einen Kirche, die bestimmt ist zur ewigen Einswerdung mit Gott. In wenigen Worten enthüllt sich uns der Heilsplan Gottes, der in Christus seinen Höhepunkt hat. Es kann dann nicht anders sein, als daß diese Einheit zwischen Gott und Menschen und Haupt und Gliedern im Tod Christi grundgelegt ist, der die Mitte des Lebens Christi ist[71]. Hier wird er zum einzigen Mittler: er eint die Menschen mit Gott[72]. Das geschieht in Raum und Zeit durch die Kirche,

A 4, 5 (169, 933); Mich. 1; Zach. 5 (168, 463.795); GT 1, 8 (169, 20) — HA, CC 3, 7 (172, 457); Ps. 32; 103 (193, 1324; 194, 613); PV 1 (172, 313) — GvR, Ps. 77 (194, 470); alle Arten von *Sündern* finden bei ihr Aufnahme: RvD, Jos. 12 (167, 1012); das eine Bekenntnis relativiert die Unterschiede in der *persönlichen Heiligkeit*: RvD, CC 6, (168, 935) — HA, CC 2, 5 (172, 439); durch die Einheit im Glauben werden die *hierarchischen* Unterschiede relativiert: HA, CC 2, 4.5.6 (172, 419.444.450); Ps. 80 (194, 500) — GvR, S 23 (194, 1358 f.); die Kanonheiligen sind Repräsentanten der *Stände*, die sich alle in der Eucharistie einen: HA, GA 1, 107 (172, 579 f.).

[69] RvD, EJ 6 (CCcm 9, 359): „Quid autem est vel unde dicitur sacramentum nisi a sacrando, eo quod rem istam, id est corporis Christi, quod est ecclesia, consecret et consecrando efficiat unitatem?“. Vgl. ds., Ex. 2, 22 (167, 630) — HA, E 2, 51 a (Lef. 426) — GvR, S 23 (194, 1358).

[70] GvR, Ps. 26 (193, 1188): „Rogat unitas pro unione, Verbum cum patre unum in natura, homo cum Verbo unum in persona, membra cum capite unum primum in justitia, postea in gloria“. Vgl. ds., a.a.O. (a.a.O. 1187.1188) — RvD, EJ 7; 12 (CCcm 9, 394.705.707); Lev. 2, 4 (167, 790).

[71] RvD, DO 2, 11 (CCcm 7, 46); EJ 10; 11; 12 (CCcm 9, 565.603.626.705); Gen. 6, 27 (167, 425); VV 10, 21 (169, 1438).

[72] RvD, EJ 12 (CCcm 9, 708). Von den Vätern wird als Bild der Einheit das ungeteilte Gewand Christi (GvR, Ps. 21 — 193, 1025; vgl. Arno v. Reichers-

die die Menschen, die in ihr eins geworden sind, in die Einheit Gottes durch Christus im Geist führt[73].

Damit ist auf eine wichtige Seite der ekklesialen Einheit hingewiesen. Da die Kirche auf dem Wege ist, da ihr Glauben noch nicht in die Gottesschau übergegangen ist, da Christus noch am Werk ist, ist die Einheit der Kirche noch nicht vollendet. Sie ist eine eschatologische Wirklichkeit. In der kirchlichen Einheit, sagt Gerhoch mit einem Zitat aus Gilberts *Psalmenkommentar,* muß das Leiden Christi sich erfüllen von Abel bis zum letzten Gerechten[74].

In der Einheit der Kirche erfüllt sich unser ewiges Schicksal. Wer sie zerstört, verfällt der Zerstreutheit der Sünde, gerät in die Masse der widergöttlichen Mächte und ist ein Verräter, schlimmer als Judas[75]. Das aber ist das Ziel der Gerechten:

> „Ein Glaube und eine Liebe erfülle sie, wie sie berufen sind in der einen Hoffnung ihrer Berufung, um dem einen Herrn in dem einen Haus zu dienen: das aber ist die Kirche"[76].

4. Heilige Kirche

Die Heiligkeit der Kirche besteht nicht in ihren moralischen Qualitäten, sondern in ihrer ontologischen Struktur als Gotteswerk[77]. Von Anfang an, erklärt Rupert von Deutz, war sie geplant als die heilige Stadt der gottgehörigen Menschen, die sich durch Glaube und Liebe auszeichneten. In der Sünde wurde ihre wesensgegebene

berg, Apol. — ed. Weichert 193) angesehen oder die Kasel des Priesters (RvD, DO 1, 22 — CCcm 7, 19).

[73] RvD, DO 2, 2.11 (CCcm 7, 35.45 f.); EJ 2; 5; 6 (CCcm 9, 73.244.341.361); Ex. 4, 23 (167, 723); GT 6, 15 (169, 133) — HA, Sac. 89 (172, 795); SE ded. (172, 1101): die Kirchenweihe ist die Hochzeit des Gottesvolkes mit Christus; Ps. 1 (172, 279): „Quisquis fidelis est membrum ecclesiae, corporis Christi; qui a capite Christi beabitur, si in integritate corporis, id est in unitate ecclesiae commorabitur". — GvR, Ps. 77; 138 (194, 470.922); OD (O I, 141); CF cant. Moys. 1 (194, 1020).

[74] GvR, Ps. 61 (193, 1780 = Gilbert, Rf. 46 d; Eynde, Oeuvre 384). Nach GvR, Ps. 26 (193, 1187; vgl. 1193) betet Christus vor seinem Tod auch um die Einheit, ebenso tut es der Priester täglich in der Eucharistiefeier. Vgl. dazu RvD, Zach. (168, 795).

[75] RvD, Ex. 2, 22 (167, 630); GT 6, 15 (169, 133) — HA, Ps. 101 (194, 605) — GvR, S 23 (194, 1358); Ps. 143 (194, 954.956); IA 1, 62 (Scheib. 127).

[76] GvR, Ps. 36 (O II/2, 525): „Sit eis una fides, una caritas, sicut vocati sunt in una spe vocationis suae ad serviendum uni Domino in una domo, quae est ecclesia".

[77] GvR, Jer. 4 (167, 1367). Vgl. zum Ganzen H. Riedlinger, Makellosigkeit; über HA 136—139; 212; über RvD, 208—212.

Heiligkeit vernichtet: sie wurde Kirche unter dem Gesetz der Sünde[78]. Ihr mußte sie den üblichen Preis bezahlen: sie starb in Leidenschaften, Götzendienst und Unzucht[79]. In der Erlösung am Kreuz aber hat sie Christus reingewaschen und sich als seine Braut und seinen Leib geeint; seit Ostern ist sie wieder heilige Kirche, vollkommenes Haus der Reinheit, von makelloser Vollendung wie ein Kreis[80]. In ihr west die Gnadenfülle des Hauptes[81].

Freilich gilt auch hier, was wir als Charakteristikum der *ecclesia praesens* erkennen mußten: ihre Heiligkeit ist immer im Werden. Die große Ernte dieser Zeit haben die Apostel schon eingebracht, doch bei der Aussaat war der Teufel noch am Werk und so ist noch Spreu unter dem Weizen. Die eschatologische Ernte erst wird den reinen Weizen in die himmlischen Scheuern einfahren lassen[82]. Jetzt ist die Kirche heilig inmitten der Sünder, ja als Kirche aus Sündern. Sie weiß nicht, wer berufen und wer auserwählt ist, wer mit ihr den Weg zu Gott zu Ende geht und wer von den Fluten des Jüngsten Gerichtes hinweggespült werden wird[83].

Nur eines weiß sie sicher: sie selber wird mit den Auserwählten nicht untergehen. „Das Böse rottet mich nicht aus. Ich würde meine Kinder nicht sammeln, wohnte ich nicht bis zum Ende der Zeit in deinem Zelt“[84]. Es ist Gerhoch, der die Kirche diese Worte sprechen läßt. Seine Sorge um die Kirche seiner Zeit ist nur erträglich aus dieser Zuversicht. Weil die Kirche heilig ist und ausgesondert für Gott, kann ihr selbst die Hölle nichts anhaben[85]. Honorius greift

78 RvD, Jer. 13 (167, 1379).

79 RvD, EJ 10 (CCcm 9, 546) — HA, Ps. 50 (172, 283).

80 RvD, DO 8, 1.11 (CCcm 7, 260.287); Gen. 2, 37; Lev. 2, 17; Reg. 4; Dan. 25 (167, 284.803.1185.1190.1531); VV 11, 28; 13, 18 (169, 1461.1499) — HA, SE ded. (Kelle 2); Ps. 46 (193, 1580) — GvR, Ps. 41; 67 (193, 1496; 194, 205). Vgl. Bernhard v. Clairvaux, cant. 78, 3 (183, 1160).

81 RvD, A 2, 2 (169, 870); Am. 4 (168, 371): Die Heiligkeit ist abgeleitet von der *gratia capitis*; dieses ist allein aus eigener Kraft in den Himmel aufgefahren.

82 RvD, EJ 4 (CCcm 9, 222); Num. 2, 29; Evg. 23 (167, 910.1559).

83 RvD, Reg. 4; Ex. 4, 29 (167, 1185.730).

84 GvR, Ps. 60 (193, 1771): „Non eradicabor per adversa. Non enim natos meos colligerem, nisi usque in finem saeculi habitarem in tabernaculo tuo“. — Vgl. ds., CE 65 (194, 48): die Indefektibilität ist der Kirche durch den allgemeinen Heilswillen Gottes garantiert; Ps. 23 (193, 1079.1083); LF laud. (O I, 244) — HA, GA 1, 151 (172, 591).

85 Vgl. dazu die folgenden Texte: GvR, AD 2 (194, 1199); DI (194, 1422); Ps. 10; 19 (193, 799.946). HA, Ps. 1 (172, 278) setzt voraus, daß die Kirche wenigstens vorübergehend in Irrtum fallen kann. Ps. 50 (172, 284) scheint HA mit der Möglichkeit einer zeitweiligen Aufhebung der Kirche zu rechnen: Christus baut die Kirche nach dieser Stelle auch dann wieder im Himmel auf, wenn sie

dieses Stichwort auf und wagt einen kühnen Vergleich: wie die Hölle nicht zerbrochen werden kann, so kann auch die Liebe und Treue zu Christus in der Kirche nicht zerstört werden[86]. Sie lebt aus dem Wasser aus der Seite Christi und kann darum nicht vertrocknen und von den Stürmen der Zeit wie Staub verweht werden[87]. Die Zeitläufe, in denen diese Worte geschrieben werden, waren alles andere als dazu angetan, sie leichthin aus der Feder fließen zu lassen. Die Indefektibilität der Kirche ließ sich nur im Glauben halten, aller Augenschein sprach dagegen.

Christus spricht bei Gerhoch: „Wenn einmal die Verfolgung herrscht und die Bosheit die Oberhand gewinnt, wird es scheinen, als ob der Tempel der Kirche in seiner Pracht gering geworden ist, und man wird glauben, daß der Verbund seiner Wände durch Spaltung und Irrlehre gelöst und vernichtet wird. Ich aber hebe am Kreuz meine Hände empor zum Bittgebet an deinen heiligen Tempel: laß die Meinen ein Haus sein, ein Schafstall, ein, dein heiliger Tempel. Auf mir als festem Felsengrund errichtet, können ihn die Pforten der Hölle nicht gänzlich zerstören. Ich werde ihn in drei Tagen wiederaufbauen, wenn ich die Meinen in Glaube, Hoffnung und Liebe stark mache, damit sie nicht wanken“[88].

auf Erden durch Häresien oder Heiden vernichtet würde. — Zur Ansicht Ruperts vgl. oben Anm. 19, ferner Anm. 2 (168, 319): mit Gregor d. Gr. sieht er im Fixsternbild Arcturus ein Symbol der Unvergänglichkeit der Kirche, obwohl sie dauernd in die schwersten Leiden verwickelt ist. Bezeichnend ist CC 1 (168, 858): „Sicut cedrus imputribile lignum atque odoriferum et cypressus lignum cedro paene proximum, virtutis eximiae sunt, templorum quoque trabibus apta, impenetrabili soliditate numquam oneri cedunt, sed ea, qua in principio fuerint, firmitate perseverant, ita domestici nostri apostoli atque apostolici viri, doctores ecclesiarum atque praelati, perpetuae virtutis atque firmitudinis indeficientes erunt, et domus quoque manufactae nostrae stabunt, quamdiu durabit saeculum, titulum habentes“. Dazu RSB 4, 13 (170, 536): „Pulchrius atque amabilius diceres quia quemadmodum luna postquam ad plenum creverit, absque mora decrescere incipit, ac paene deficit, sed cum defecisse putatur, rursus exoritur et crescit, vel sicut arcturus semper quidem versatur, sed numquam occidit sive mergitur, sic et sancta ecclesia maximeque spiritualis ordo, quem ordinavit Spiritus sanctus, interdum quidem deficit alicubi, sed iterum proficit et variis consuetudinibus secundum mores hominum sive gentium fere semper versatur, sed numquam dissipabitur aut destruetur“. Die Indefektibilität ist zu glauben, nicht Anlaß triumphalistischer Sicherheit!

[86] HA, CC 4 (172, 481): „Sicut infernus est infrangibilis, ita imitatio ecclesiae, qua imitata est Christi dilectionem vel operationem, fuit insuperabilis“.

[87] GvR, Ps. 135 (194, 901 f.).

[88] GvR, Ps. 27 (193, 1215): „Tota ecclesia et ipsa templum exsistens, aliquoties invalescente persecutione vel abundante iniquitate a decore sui status immi-

Christus ist der Garant der Heiligkeit und Indefektibilität der Kirche. In Glaube, Hoffnung und Liebe werden die Menschen durch ihn zur Heiligkeit geführt[89]. In der Nachfolge Christi werden sie wie runde Steine, die sich leicht bewegen lassen, in allem dem Ratschluß Gottes gehorsam[90]. In froher Gelassenheit leben sie in der Welt ihrer Tage. Sie brauchen keine Angst zu haben. Weil die Kirche heilig ist und damit ein Teil der unüberwindlich starken Stadt Jerusalem, bedarf sie keiner schützenden Mauern. Gott selbst ist ihr Wall. Eine solche Mauer wäre ein absurder Bau: sollte sie die heilige Kirche umschließen, müßte sie so weit sein wie die ganze Welt[91].

5. Kirche der Fülle

Aus der Unheilssituation der Sünde, die alle Menschen gleicherweise betraf, hat uns Christus erlöst, in dem die Fülle der Gottheit leibhaftig lebte. Dem allgemeinen Heilswillen des Vaters entsprechend hat er am Kreuz alle Menschen aus der Knechtschaft der Sünde befreit und in seine Kirche berufen. Er hat ihr die Fülle seiner Gnade im Heiligen Geist zuteil werden lassen, so daß sie das Instrument des universalen Christusheils ist[92]. In den Sakramenten

nuta, et quasi parietum compage dissoluta, per schismata et haereses putabitur destructa: sed quia ego nunc in cruce pro meis rogans levo manus meas ad templum sanctum tuum, ut videlicet ipsi mei sint una domus, unum ovile, unum corpus, unum templum sanctum tuum, super me petram solidam fundatam, portae inferi non praevalebunt ad eius omnimodam destructionem, quia ego illud in triduo reaedificabo, dum fide, spe atque caritate meos, ne omnino deficiant, confortabo". Vgl. RvD, Zach. 5 (168, 793) — HA, Sac. 102 (172, 804): die theologischen Tugenden sind die drei Dimensionen der Kirche, aus denen sie unerschütterliche Festigkeit gewinnt; SE cap.; conv.; ded. (172, 878.1097; Kelle 2) — GvR, Ps. 15; 21; 27; 60; 61; 70 (193, 840.1004.1215.1771. 1779; 194, 824); CE 52 (194, 41); AD 2 (194, 1194). — Die Kirche ist ein gewaltiger Prozessionszug durch die Jahrhunderte: GvR, OD 1 (O I, 126). Vgl. auch HA, Ps. 88 (194, 541); CC 3 (172, 466); SBM (172, 499): die Kirche ist eine stets reine Jungfrau. Dazu RvD, CC 1 (168, 858).

[89] RvD, Gen. 6, 39; Lev. 1, 32; Reg. 4 (167, 437.778.1191).

[90] RvD, Zach. 4 (168, 775).

[91] a.a.O. 1 (a.a.O. 713, 714).

[92] RvD, EJ 1; 3; 4; 6; 10; 12 (CCcm 9, 26.131.211.346.564 f. 705); DO 2, 11; 10.21.22 (CCcm 7, 46.356.357); Gen. 4, 17; Lev. 2, 37 (167, 343.826); Joel; Am. (168, 239.241.372.374); A 1, 1; 9, 16 (169, 846.853.1116) — HA, GA 2, 53 (172, 631); SE pasch. (172, 932): „Nascens namque attraxit gentiles cum muneribus ab oriente, moriens attraxit gentiles per confessionem ab occidente"; Ps. 32, 35: (193, 1326.1351) — GvR, Ps. 17; 21 (193, 868.1321); CF cant. Ez.; Hab. (194, 1007.1015); OD 1 (O I, 125 f.); IA 3, 8 (Scheib. 371). Vgl. auch

und in dem Wort Gottes in der Heiligen Schrift wird allen Menschen dieses Heil zuteil[93].

Die Kirche ist also universale, alles und alle umspannende Gemeinschaft, um alle Menschen zu Gott zu führen mit allem, was sie sind und haben. Sie kennt die Grenzen der Zeit nicht: von Abel bis zum letzten Gerechten umfaßt sie die Menschen aller Epochen und Jahrhunderte, die sich in einen Glauben zu ihm bekennen[94]. Ihr öffnen sich alle Räume: „per totum orbem terrarum diffusa", tut sie den Jubel über die Erlösung kund, verkündet sie gemäß dem apostolischen Auftrag Christi das Evangelium allen Völkern[95]. In aller Welt ist sie zu finden: sie dämmert nicht in einem abgelegenen Winkel dahin wie die Sekten[96], sondern ist Kirche aus Juden und Heiden, so wie der menschliche Leib ihres Herrn aus dem Samen von Juden und Heiden gebildet worden ist[97]. Alle Differenzen sind in ihr überwunden: Juden und Heiden, das sind alle Menschen in der bunten Fülle der verschiedenen Ausprägungen des Menschseins;

die Adamsymbolik Anm. 63 sowie EJ 1; 3 (CCcm 9, 26.131). Dazu auch Alkuin, in Jh. 2 (100, 777) sowie schon Augustinus, in Joh. evg. 10, 12 (CC 36, 108).

93 Heilige Schrift, Taufe, Buße sind für alle: HA, SE dom. II; dom. XX (172, 1043.1063); Universalität der Eucharistie: RvD, DO 2, 2.6 (CCcm 7, 35.39) — HA, Sac. 85 (172, 790 f.), dazu RvD, Ex. 3, 10 (167, 661) sowie DO 2, 11 (CCcm 7, 46) der Hinweis auf die zeitliche Universalität der Eucharistie; Grundlage ist das Wort Christi, er werde am Kreuz alles an sich ziehen: RvD, EJ 10 (CCcm 9, 590).

94 Vgl. unten II, 3, 2, 2.

95 RvD, DO 2, 11; 3, 22; 10, 17.22 (CCcm 7, 46.95.352.357); EJ 13 (CCcm 9, 740); Gen. 7, 2; Jos. 10; Ez. 2, 30 (167, 456.1008.1491); A 1, 1; 4, 7; 9, 14 (169, 853.962.1096); Naum 2; Zach. 1 (168, 559.713); Gh 2 (168, 1338) — HA, E 2, 103 (Lef. 441); GA 1, 103.162; 2, 58 (172, 577.594.634); CC prol.; 4 (172, 531.489.491); Ps. 89; 94; 95; 117 (194, 547.575.580.722.724) — GvR, C Te igitur (O I, 34); Ps. 7; 9; 17; 21; 23; 24; 30; 32; 65; 66; 71 (193, 730.755.867. 868.992.1031.1033.1085.1108.1295.1311; O II/1, 124; 194, 127.157.318). CE 99 (194, 64); LF laud. (O I, 235); IA 3, 8 (Scheib. 371). Nach Ps. 17 (193, 868) ist das charakteristisch für die neutestamentliche Kirche: Gott ist nicht mehr bloß Gott der Juden. Doch wie Röm. 15, 8—12 andeutet, gab es auch im AT schon universalistische Verheißungen. Die Katholizität ist also bereits dort angelegt und gilt somit für die ecclesia universalis durch alle Zeiten.

96 RvD, Gen. 7, 11 (167, 456) — GvR, Ps. 21 (193, 1031); CE 99 (194, 64). Vgl. W. Beinert, Kirchenattribut I, 57—59 zum augustinischen Hintergrund der Aussage.

97 RvD, DO 3, 18.22.27; 5, 7 (CCcm 7, 88.95.100.157 f.); EJ 9; 12 (CCcm 9, 528. 705); Gen. 4, 17; Dt. 1, 19 (167, 343.938); Joel; Mich. 2 (168, 241.480) — HA, Sac. 48 (172, 772); Ps. 32; 95 (193, 1326; 194, 580) — GvR, CE 94 (194, 64): „Duobus igitur ex populis judaico scilicet et gentili, patres progeniti tamquam duobus scalae lateribus diversi gradus inserti Christum Dominum sustinent egressum a summo coeli" (RvD, DO 3, 18 — CCcm 7, 88).

sie sind zur Kirche gerufen mit ihrer ganzen Menschlichkeit und auch dem Allzumenschlichen, um es dort bergen zu lassen und in die Fülle zu bringen[98]. Allen Werten steht sie offen: „Das Gold des Geistes, das Silber nüchterner Rede, die reichen Gewänder der Künste und nutzbringenden Studien hatte der Heide. Alle diese Reichtümer sind in Jerusalem, das ist in der Kirche Christi gesammelt“[99].

Die Kirche kann Kirche der Fülle für alle sein, weil in ihr selber göttlicher Reichtum ist. Sie ist eine in der Vielheit der Ortskirchen[100]. In den vielen Liturgien kommt die Vielfalt des Gotteslobes zum Ausdruck. Gerhoch von Reichersberg zeigt eine wahrhaft ökumenische Gesinnung, wenn er für die Beibehaltung der Ritenvielfalt plädiert. Es gibt den gregorianischen Ritus in Rom und den ambrosianischen in Mailand, und doch gehören beide Städte der einen Kirche an. So sollte nach seiner Ansicht auch die Azymenfrage mit der griechischen Kirche nicht unverantwortlich hochgespielt werden. Solange die *principalis sacramentorum constitutio* gewahrt bleibt, hat solcher Pluralismus nichts an sich, was die Spaltung rechtfer-

[98] *Folgende Differenzen werden durch die Katholizität transzendiert*: RvD, DO 2, 6 (CCcm 7, 39): soziale und spirituelle Unterschiede; DO 5, 6.22 (a.a.O. 156. 178 f.): arm und reich; EJ 1 (CCcm 9, 26): Juden und Heiden, Kinder von gerechten und ungerechten Eltern; a.a.O. 4 (a.a.O. 211): Juden und Griechen, Juden und Samariter, Knechte und Freie, Männer und Frauen; a.a.O. 6 (a.a.O. 307): Wissenschaftler, Rhetoren und Philosophen haben Zutritt zur Kirche; a.a.O. 10 (a.a.O. 590): Personen und Stände; Num. 3 (167, 840): alle Völker, Nationen, Geschlechter, Lebensalter; Is. 2, 8 (167, 1321): Arme und Reiche, Mächtige und Machtlose, Könige und Privatleute; A 9, 14 (169, 1097): ohne Ansehen der Person, Herkunft, Rasse, Sprache und Nation; a.a.O. 9, 19 (a.a.O. 1173): Könige und Beamte, Starke und Schwache, Knechte und Freie, Große und Bescheidene, Juden und Griechen; Soph. 1 (168, 647): Völker, Nationen, Stämme, alles Wissen und Brauchtum; Zach. 1 (168, 713): Geistliche und einfache Leute — HA, SE OS (172, 1019): Völker, Sprachen, Nationen, Rangstufen, Lebensverhältnisse, Altersstufen, Geschlechter; CC 2, 4 (172, 421): Könige, Fürsten, alle Stände und Berufe; Ps. 86 (194, 527 f.): Fürsten, Ungebildete, Bauern, Arme, Fischer, Babylonbürger und Philister, Leute aus Tyrus und Äthiopien, Zöllner, Juden und Heiden — GvR, CE 99 (194, 64): Juden, Heiden, alle Stände; a.a.O. 115 (a.a.O. 76): Lebensordnungen, Gnadenbegabungen, Kinder und Frauen. Vgl. auch RvD, EJ 7 (CCcm 7, 370): „Toleratur discordantium et contraria dicentium permixtio“.

[99] RvD, Zach. 5 (167, 811 f.): „Aurum ingenii, argentum nitidi eloquii, artium studiorumque utilium, vestes multas paganus habebat. Omnes istae divitiae ad Hierusalem, id est ad Christi ecclesiam congregatae sunt“. — Vgl. ds., DO 2, 22 (CCcm 7, 55) — HA, SE dom. II, XI (172, 1044.1056); Ps. 44 (193, 1570) — GvR, OD 1 (O I, 125 f.). Vgl. oben II, 1, 1, 1.

[100] RvD, A 1, 1 (169, 854); Ex. 3, 10 (167, 661).

tigen würde[101]. Selbst in der Lehre der einen Kirche gibt es die legitime Pluralität. Der eine Glaube, sagt Honorius Augustodunensis, setzt sich aus vielen Sätzen der Schrift zusammen[102]; erst alle Evangelien zusammen erfüllen die Vierzahl, das Symbol der Vollkommenheit, die alles umfaßt[103]. Vielfach sind die Wege, auf denen die Glieder der Kirche heilig werden: es gibt viele Spiritualitäten, viele Formen des Glaubensbekenntnisses, man kann Gott begegnen als Martyrer oder Bekenner oder auch als schlichtes Glied der Kirche in der täglichen Erfüllung der Pflicht[104].

Bunt wie die Realität, die sie wiedergeben, ist die Fülle der Bilder, die unsere Theologen aus den Vätern schöpfen. So werden die drei Weisen aus dem Morgenland zu typologischen Figuren der geographischen Universalität der Kirche, da sie aus den drei Weltgegenden, aus Asien, Europa und Afrika an die Krippe zum Herrn kommen[105]. Die drei Sprachen auf dem Kreuzestitulus stehen für alle Sprachen der Kirche, die auf Golgotha geboren wird[106]. Wenn am ersten Pfingstfest ein jeder die Apostel in seiner Zunge reden hörte, dann wurde damit die Kirche für alle Menschheit angezeigt[107]. Die Universalität der Werte, die in die Kirche eingebracht werden, hat ihr Sinnbild im bunten Gewand des alttestamentlichen Joseph[108] oder im vielfarbigen Kleid der Königin aus dem Psalm[109]. Die Kirche ist wie ein schönes Gemälde, das in allen Farben leuchtet[110], ein blühender Garten mit vielen Blumen und Kräutern[111], eine Stadt mit vielen Straßen und Plätzen[112], ein weltumspannender Chor, eine vielstimmige Orgel, eine Symphonie voller Schönheit und Harmonie[113].

101 GvR, S 23 (194, 1357 f.).
102 SE Caec. (172, 1028); CC 2, 6 (172, 451).
103 HA, GA 2, 58 (172, 634); Ps. 89; 94 (194, 547.575).
104 RvD, Dan. 8 (167, 1509) — HA, CC 2, 4.5; 4 (172, 423.445.492); Ps. 35; 80 (193, 1351; 194, 500) — HA, Ps. 67 (194, 181); OD 1 (O I, 130 f.).
105 RvD, Gh 2 (169, 1338) — HA, E 1, 135 (Lef. 385 f.); SE ep.; pasch. (172, 845.932).
106 RvD, EJ 13 (CCcm 9, 740); A 9, 14.15 (169, 1079.1113).
107 RvD, DO 10, 17 (CCcm 7, 352 f.); SpS 4, 6 (167, 1676) — HA, Ps. 44 (193, 1570) — GvR, Ps. 18 (193, 903): er fügt hinzu, daß heute das Wunder der Vielsprachigkeit noch größer als an Pfingsten ist.
108 GvR, CE 115 (194, 76).
109 Vgl. Ps. 45, 14 f.; GvR, LF laud. (O I, 246 f.).
110 HA, I (Kelle 25—27).
111 HA, CC 2, 4 (172, 423); SE OS (172, 1018).
112 GvR, Ps. 68 (194, 271).
113 RvD, Soph. 1 (168, 647) — HA, Ps. 80 (194, 500) — GvR, CF cant. Moys. I (194, 1019).

Die Thematik, die in allen diesen Bildern und Symbolen angesprochen ist, ist die der Katholizität. Das *„catholica“* gehört zu den ständigen Epitheta, die unsere Theologen der Kirche geben. An einzelnen Stellen ihrer Werke versuchen sie, diesen schwierigen Begriff zu erklären[114]. Nach Rupert heißt das griechische Wort so viel wie *„commune, publicum, universale“*[115]. „Catholica dicitur universalis, quia haec religio per totum mundum servatur“, erklärt uns Honorius[116]. Gerhoch übernimmt beide Deutungen[117]. Katholisch ist dann auch ein Synonym für orthodox: die „catholica fides“ ist der richtige Glaube[118], die *ecclesia catholicorum* steht im Gegensatz zum *concilium haereticorum*[119], die dogmatisch exakte Aussage ist ein *catholice dicere*[120]. Unsere Autoren greifen damit hauptsächlich das augustinische Katholizitätsverständnis auf, doch wird die geographisch-numerische Komponente nicht absolut gesetzt, sondern auf dem Hintergrund der „katholischen Wahrheit“ gesehen, die in der räumlich und geistig beschränkten Sektenkirche nicht zum Tragen kommt. „Quod in parte est, non est authenticum“, sagt der Abt[121]. Das Katholische ist das Öffentliche, das, was für alle da ist und was alle angeht und betrifft.

Die Katholizität der Kirche ist ein Anruf und Aufruf für alle. Wer sich bekehrt, leistet ihm Folge, wer sich zur *catholica veritas* bekennt, sich durch die Taufe in die Viel-Einheit der Kirche sammeln läßt und selber universale Liebe verwirklicht, der ist echtes Glied der Catholica[122]. So vereint sich in der Kirche die erlöste Menschheit zum weltumspannenden Lob Gottes.

[114] Vgl. W. Beinert, Kirchenattribut I, 23—180 zur Tradition, dort 55—64 die Belege aus Augustinus, dem unsere Theologen auch in dieser Frage verpflichtet sind.

[115] RvD, Ex. 2, 37 (167, 648).

[116] HA, GA 1, 103 (172, 577).

[117] GvR, CF cant. Moys. I (194, 1022): orientiert an RvD; Ps. 71 (194, 318): orientiert an HA.

[118] RvD, Gh 9 (168, 1583).

[119] HA, Ps. 117 (194, 699).

[120] GvR, IA 2, 38 (Scheib. 275); Card. (O I, 342). Vgl. Arno v. Reichersberg, Apol. (ed. Weichert 13). Im gleichen Sinn wird GvR, N 4 (That. 193) Athanasius „catholicus doctor“ genannt.

[121] RvD, Ex. 2, 37 (167, 648).

[122] RvD, EJ 13 (CCcm 9, 740); Gen. 4, 17; Ex. 2, 37; Num. 3; Dt. 1, 19 (167, 343.648.840.938) — HA, Sac. 48 (172, 772); Ps. 80 (194, 500) — GvR, Ps. 7; 67 (193, 730; 194, 184); LF mat.; laud. (O I, 177.241). Vgl. Arno von Reichersberg, Apol. (ed. Weichert 27). Zur catholica veritas vgl. Beda, cant. 5, 25 (91, 1182); Hex. 1 (91, 60).

„Weit werde die Kirche auf dem ganzen Erdkreis, und alle Welt, die ganze Kirche über alle Welt hin soll dich anbeten, dich fürchten, dich lieben, dir folgen. Wenn sie so stets deinen Spuren folgt, wird sie unter deiner Leitung die himmlischen Verheißungen erlangen“[123].

6. Apostolische Kirche

Einer Zeit, die als Ideal und Norm der Kirche die Zeit und das Leben der Apostel betrachtete, mußte die Bestimmung der Apostolizität besonders wichtig sein. Rupert von Deutz ist diesem Problem nachgegangen. Konstitutivelemente des Apostolats sind nach ihm der Empfang des Heiligen Geistes als *„apostolatus signaculum“*, die Taufe und die Episkopalgewalt[124]. Da der Geist erst nach Ostern gesendet wurde und die bischöfliche Gewalt erst weitergegeben werden konnte, nachdem Christus in Passion und Auferstehung Hoherpriester geworden war, ist die Bestellung zum apostolischen Amt ein nachösterliches Ereignis[125]. Darin sind sich alle Autoren ebenso einig wie in der Feststellung, daß schon aus pädagogischen Gründen ein früherer Termin nicht angängig war: die zwölf Männer waren anfangs noch ungebildet und von kindlichem Gemüt, so daß eine lange Vorbereitungszeit auf ihre schwere Aufgabe notwendig war[126]. Von besonderer Würde ist der Apostelberuf deswegen, weil sie Primärfunktionen übertragen bekamen: sie sind die Erstzeugen, die Erstglaubenden der Kirche[127]. Als solche stehen sie in der engsten Verbindung mit Christus: sie sind seine Blutsverwandten, weil er selbst sie mit seinem Leib und Blut geheiligt hat[128]; sie sind wie der Bart Aarons, auf den das Salböl herabträu-

[123] GvR, Ps. 65 (194, 127): „Dilatetur ecclesia toto terrarum orbe diffusa, et sic omnis terra, id est omnis ecclesia in omni terra te adoret, te timeat, te diligat, te sequatur, ut dum jugiter per vestigia tua graditur, ad coelestia promissa te ducente pervenire mereatur“. — Vgl. ds., Ps. 8; 18 (193, 743.903).

[124] RvD, EJ 7 (CCcm 9, 380.412); Lev. 2, 4 (167, 790).

[125] RvD, EJ 7; 9 (CCcm 9, 412.513); Gh 8 (168, 1487 f.) — HA, Ps. 103 (194, 628) — GvR, LF recip. (O I, 184): „At cum Filius hominis ascendit et sedit in sede majestatis suae, tunc et *ex tunc* regeneratione animarum currente ac baptismo Christi profluente usque ad ultimum terrae, apostoli *coeperunt* esse iudices mundi et habere sedes in ecclesia“. Himmelfahrt als Termin des Beginns des Apostolats auch bei RvD, Am. 4 (168, 371).

[126] RvD, Is. 2; Evg. 25; SpS 2, 22 (167, 1321.1563.1629); A 4, 7; 6, 10 (169, 959.1006); Mich. 2 (168, 482); GT 6, 13 (169, 131) — HA, PV 10 (172, 316 f.) — GvR, CE 106 (194, 71).

[127] Vgl. Anm. 124 die dort vermerkten Texte.

felt, weil auf sie die Gnadenfülle des Heiligen Geistes herabkommt, die von Christus dem Haupt ausgeht[129]. Im Geist werden ihnen die Sünden vergeben, durch ihn werden sie aus Knechten zu Freunden Gottes, durch seinen Beistand ist ihre Lehre frei vom Irrtum, in ihm tun sie ihr Werk[130]. In alledem aber künden sie das Lob des Vaters: sie sind die Himmel, die des Ewigen Ehre rühmen[131].

Mit dem dreifaltigen Gott durch die lebendigen Beziehungen der Gnade verbunden, stehen die Apostel im Dienst seines Heilswerkes, das er durch die Kirche ausführt. Sie erfreuen sich der besonderen Huld Gottes „ad fructificandam salutem, ad dilatandam gloriam Dei, ad testificandam gratiam et veritatem Filii Dei"[132]. Das Haus, das den unter die Räuber Gefallenen aufnimmt, ist die Kirche, aber der Wirt, der sich um ihn kümmert, ist der *ordo apostolicus*[133]. Sie werden nicht zu Mittlern Christi, der der einzige Mittler bleibt, aber sie stehen im Dienst seines Heils als seine Helfer. Christus heilt

128 GvR, Ps. 21; 54 (193, 1030f. 1669); Serm. dom. med. quadr. (Cod. Vindob. 1558, fol. 133 v).

129 häufig, z. B. RvD, DO 1, 22; 12, 22 (CCcm 7, 19.415); Ex. 3, 15; Lev. 2, 4 (167, 665.790) — HA, SE pent. (172, 962); Ps. 33 (193, 1328) — GvR, Ps. 19; 26; 132 (193, 930.1175; 194, 885). Die Apostel werden auch genannt *Reben* am Weinstock Christi (GvR, C comm. — O I, 41); *Haupthaar* Christi (ds., Ps. 68 — 194, 229). Die Geistsendung ist der *Liebeskuß* Christi für die Apostel: GvR, IA 2, 35 (Scheib. 271).

130 Der *Hl. Geist* wirkt durch die Apostel: RvD, DO 10.23 (CCcm 7, 358); EJ 12 (CCcm 9, 678); Gen. 6, 39; 7, 9; Reg. 4, 5; Is. 2, 8; Evg. 22; SpS 2, 22; 4, 3 (167, 436.453.1199.1347.1558.1629.1672); Mich. 2; Zach. 5 (168, 485f. 793); A 6, 10 (169, 1006) — HA, Ps. 32 (193, 1324) — GvR, OD 2 (O I, 41); Ps. 36 (O II/2, 522); CE 106 (194, 71); Apostel als *Freunde Gottes*: RvD, A 1, 1 (169, 829) — HA, SE vinc. (172, 985) — Erschließung des *Schriftsinnes*: RvD, A 9, 15; 11, 19 (169, 1111.1172) — HA, Ps. 32 (193, 1324); SE Jac. (172, 983). Der Hauch des Mundes Christi öffnet das Schriftverständnis: RvD, EJ 14 (CCcm 9, 772); der Hl. Geist ergänzt das vorösterliche Wissen der Apostel: ds., DO 9, 3 (CCcm 7, 309); Christus belehrt die Apostel auch über die Propheten: RvD, DO 10, 30 (CCcm 7, 366 f.) — HA, Ps. 103 (194, 625) — Der Hl. Geist als Garant der Verkündigungswahrheit: RvD, Gen. 6, 39 (167, 436); Os. 1; Mich. 2 (168, 16.493 f.): Gleiches gilt von allen kanonischen Schriftstellern der Bibel — HA, Ps. 32 (194, 1324) — GvR, Ps. 33; 74 (O II/1, 182; 194, 383); die Gläubigen empfangen die *Vergebung der Sünden* durch die Vermittlung der Apostel: RvD, Gh 9 (168, 1529); HA, SE pent. (172, 902).

131 RvD, Reg. 2, 26; SpS 2, 26 (167, 1126.1635); A 4; 9; 12 (169, 958.1111.1197); Am. 4 (168, 377); Gh 2 (168, 1333) — HA, SE Jac. (172, 981); Ps. 32; 88; 96 (193, 1324; 194, 536.537.586) — GvR, Ps. 18; 32 (193, 895.897; O II/1, 126.127).

132 RvD, EJ 11 (CCcm 9, 655) — vgl. GvR, Ps. 77 (194, 440).

133 RvD, DO 1, 32; 12, 15 (CCcm 7, 26.406).

den Kranken selbst, aber er führt ihn nicht selbst in den Tempel[134]; Christus besiegt Satan durch den Abstieg in die Unterwelt, aber die Apostel verfolgen ihn über die ganze Erde[135]. Sie sind Priester des Hohenpriesters[136], Gärtner des Weinberges Gottes[137], die Pferde vor dem Wagen des Evangeliums[138], Diener, die vom Gut Christi nehmen[139]. Ihr Amt ist ein Dienstamt[140]. Umgekehrt geht der Glaube der Christen nicht auf die Apostel, sondern durch sie hindurch auf Christus selbst. Sie sind wie die Augen des Leibes, das Licht, mit dem man ihn sehen kann[141].

Für diesen Heilsdienst sind sie mit besonderen Prärogativen ausgestattet. Um das Evangelium in aller Welt zu verkünden, haben sie das Lehramt übertragen bekommen. Sie erschließen den inneren Sinn der Heiligen Schrift und machen damit den Ratschluß Gottes den Menschen bekannt. So bringen sie der Welt den Frieden und die Versöhnung mit Gott[142]. Ihnen ist die Vollmacht gegeben, zu binden und zu lösen als Christi Gesandte und Stellvertreter[143]: durch ihren Dienst kommen die Sünder zum Heil durch die Vergebung der Sünden[144]. Weil aber der Rang eines Christen sich nach Glaube und Liebe bemißt, ist die exemplarische Existenz der Apostel von der Liebe Christi geprägt. Sie dürfen ihr Amt nicht mit der *virga dominationis,* sondern nur mit der *virga dilectionis et pastoralis officii* ausüben[145]. In der Christusnachfolge leben sie nicht nur die Gebote, sondern auch die Räte des Evangeliums, arm an allem irdi-

134 RvD, EJ 5 (CCcm 9, 253); vgl. ds., a.a.O. 14 (a.a.O. 366); Gen. 6, 39 (167, 436) sowie Jon. 2 (168, 430): „Non quidem in persona sua ad gentes profectus est, sed in apostolis suis in quibus ipse utique loquitur".

135 RvD, Lev. 2, 20.22; Reg. 5, 20 (167, 900.903.1258); A 11, 20 (169, 1178).

136 RvD, Is. 2, 25 (167, 1350).

137 RvD, Os. 1 (168, 47).

138 HA, SE PetPaul (172, 969); CC prol. (172, 353).

139 GvR, Ps. 8 (193, 747 f.) — HA, Ps. 49 (193, 1596): die Apostel sind *miseri servi.*

140 RvD, Abd. (168, 400); VV 13, 3 (169, 1488); Gh 8 (168, 1492) die pax apostolica = pax Christi — GvR, Ps. 18; 32 (193, 897; O II/1, 126).

141 HA, CC 1, 1 (172, 379) — GvR, Ps. 65 (194, 129). Sie werden auch als Fenster bezeichnet: RvD, Ez. 1, 26 (167, 1468) — HA, CC 1, 2 (172, 391) — GvR, Ps. 73 (194, 362). Vgl. auch RvD, A 11, 20 (169, 1178): „Per ipsos ad gentes descendit, gentibus innotuit".

142 RvD, DO 7, 3; 8, 12; 9, 3; 10, 25 (CCcm 7, 226.289.307.362); EJ 5; 6; 14 (CCcm 9, 246.311.766.771); Gen. 6, 40; Ex. 3, 4 („primarium officium docendi") Lev. 1, 24; 2, 15; Reg. 3, 23; 4, 5; Is. 2, 23.28; SpS 4, 3; Evg. 24 (167, 438. 655.770.894.1168.1255.1347.1355.1672.1562); Am. 4; Mich. 2 (168, 377.495); A 12, 21 (169, 1197) — HA, SE palm.; dom. SJ (172, 922.1013); Ps. 106 (194, 674) — GvR, Ps. 71; 77; 118 (194, 318.440.731).

143 RvD, DO 5, 7 (CCcm 7, 157) — HA, OS (Kelle 21); SE vinc. (172, 985).

144 Vgl. Anm. 140.

145 RvD, Gh 8 (168, 1490); vgl. ds., Am. 4 (168, 371) — GvR, Ps. 18 (193, 930).

schen Gut, um dem Wort Gottes zu folgen[146]. Selbstlos wenden sie sich an alle Menschen, wie der Duft eines Baumes sich an alle verströmt[147]. Ihr Leben geben sie ohne Zögern hin[148].

Kraft ihres Amtes und kraft ihres Lebens sind sie die bleibende Norm der Kirche, die in ihrem innersten Wesen zur ecclesia apostolica wird. Weil sie die Erstlinge der Wahl Gottes, die Ersten in Glaube und Liebe sind, darum ist die Kirche nach Christus auf sie gegründet wie auf ein Fundament[149]. Sie haben die Fülle des Geistes empfangen und sind deshalb die Führer und Väter aller Gläubigen[150]. Ihnen verdanken die Ortskirchen ihre Existenz[151], sie sind Wächter der Kirchen[152] und endlich Richter der Gläubigen[153].

[146] RvD, Is. 2, 25; Reg. 5, 17 (167, 1350.1255); A 11, 19 (169, 1172); Gh 8 (168, 1489) — GvR, Ps. 33 (O II/1, 243).

[147] RvD, A 11, 19 (169, 1172) — vgl. HA, CC 3, 4 (172, 468) — GvR, Ps. 32 (O II/1, 126) sind die Apostel als belebendes Gewitter geschildert. Vgl. RvD, Jos. 17 (167, 1017).

[148] RvD, Reg. 4, 5; 5, 17; SpS 6, 11 (167, 1199.1255.1744); Jon. 1 (168, 407) — HA, SE vinc. (172, 985) — GvR, Ps. 65 (194, 121). Den Grund gibt HA, SE palm. (172, 922) an: „evangelica doctrina de Christo in duobus crucis lignis extenso educitur".

[149] RvD, EJ 12 (CCcm 9, 706); Gen. 7, 24; Jos. 12.14 (167, 470.1011.1014); Am. 4 (168, 371); A 4, 6 (169, 942) — HA, Ps. 47; 103 (193, 1583; 194, 625) — GvR, OD 2 (O I, 141) bringt das umgekehrte Bild: die Apostel sind der Gegentypus der turmbauenden Babylonier: mit ihrer Schrift- und Sprachkenntnis steigen sie wie eine Wolken- und Feuersäule zum Himmel und bauen so den Turm der ecclesia. Doch Ps. 19 (193, 929) nimmt GvR das Bild vom Fundament. Ihre Funktion haben sie zusammen mit den Propheten, die ebenfalls Fundament sind im gleich anzudeutenden Sinn. So RvD, A 12, 21 (169, 1198); Am. 3; Zach. 5 (168, 327.805).

[150] Die Apostel üben *mütterliche Funktionen* in der Kirche aus: RvD, SpS 6, 14 (167, 1746); sie sind *Führer der Gläubigen*: RvD, DO 5, 7 (CCcm 7, 158); Ex. 3, 8; Is. 2, 23 (167, 660.1347) — HA, SE OS (172, 1019) — GvR, Ps. 19; 71 (193, 930; 194, 317 f.); *Ur-Spender der Sakramente*: Is. 2, 31 (167, 1361); *Norm der Lehre*: RvD, A 6, 11 (169, 1017); Soph. 2 (168, 667) — HA, Ps. 106 (194, 674); *Weltherrscher*: GvR, Ps. 5 (193, 688); *Väter des Glaubens*: RvD, DCJ 3 (170, 608 f.); Gh 2 (168, 1361) — HA, Ps. 44 (193, 1351); *Väter der Kirche*: HA, SE vinc. (172, 983.985); CC 4 (172, 475); Ps. 44; 101 (193, 1570.1571; 194, 608); GvR, Gh 10, 2 (194, 1105); *Schützer der Kirche*: HA, Ps. 47; 107 (193, 1587; 194, 681); *Saat* der neuen Kirche: GvR, Ps. 68 (194, 243); *Norm der Disziplin*: GvR, Ps. 73 (194, 363); QV 11 (Scheib. 577).

[151] RvD, Is. 1, 30; 2, 23; Evg. 22 (167, 1303.1347.1559).

[152] RvD, Is. 2, 27 (167, 1534 f.); Zach. 5 (168, 793); Gh 3; 8; 11 (168, 1385.1490. 1579) — HA, SE nat.; pasch. (172, 838.934); CC 2, 3 (172, 399) — GvR, Ps. 65 (194, 121). Gott wird darum von den Leitern der Ortskirchen Rechenschaft verlangen, ob sie sich nach der apostolischen Kirche ausgerichtet haben: GvR, AD 30 (194, 1272).

[153] RvD, A 12, 21 (169, 1196.1197) — HA, SE Jac. (172, 983); Ps. 36 (193, 1356) — GvR, Ps. 149 (194, 992); LF rec. (O I, 184).

Sie sind die Tore der Kirche, durch die man in sie eingeht[154], die tragenden Säulen[155], das Bauholz, aus dem sie errichtet ist[156]. Wie das Skelett den Leib, so tragen sie die Schwäche der Kirche[157]. Ordnung und Richtung verdankt ihnen die Kirche: „Sie sind der *ordo* der Kirche, da sie ihr die Lebensordnung gaben und sie lehrten, ihren Lauf nach der Sonne der Gerechtigkeit zu lenken"[158].

Diese hervorragende Stellung darf man nicht isoliert sehen. Paulus hatte gelehrt, daß die Kirche auf dem Fundament der Apostel, aber auch auf dem der Propheten auferbaut ist[159]. So ist die Kirche apostolisch, aber sie ist auch „prophetisch". Und sie ist das eine durch das andere. Denn die Apostel stehen in Kontinuität mit der alttestamentlichen Kirche. Sie sind dem Fleisch und dem Glauben nach Söhne Abrahams und Israels, ja sie sind der heilige Rest und die Krone des auserwählten Volkes[160]. Aber sie sind mehr als das. Die Propheten kündeten die Verheißung, die Apostel predigen die Erfüllung; was jene „in significatione" waren, sind diese „in re" als Grundlage der Kirche[161]. Sie sind Arbeiter im Bauplan Gottes: die Patriarchen hoben mit ihren Verheißungen den Grund aus, die Propheten legten mit ihren Schriften das Fundament, die Apostel zogen Mauern und Wände hoch, ihre Nachfolger schließlich schmükken sie aus[162]. Das absolut Neue der apostolischen Kirche ist die

154 HA, SE OS (172, 1019); CC 3 (172, 472); Ps. 33; 86 (193, 1328; 194, 527).

155 Vgl. HA, SE ded. (172, 1100) die Zusammenfassung der apostolischen Tätigkeit: „Nitore vitae et sonoritate doctrinae ecclesiam perornaverunt, et recti in virtutibus et firmi contra vitia et persecutores atque haereticos machinam domus Dei sustentaverunt". Vgl. ds., CC 2, 3 (172, 407).

156 HA, CC 1, 2 (172, 384). GvR, Ps. 32 (O II/1, 127) verwendet das Bild von der Neuschöpfung, die sich in umgekehrter Reihenfolge wie die erste Schöpfung abspielt. Erst wurden die Himmel gebildet, d. h. die Apostel, dann wurden durch ihr Werk die Wasser der Völker versammelt.

157 HA, Ps. 34 (193, 1338).

158 HA, SE asc. (172, 955): „Apostoli namque ecclesiae ordo exstiterunt, dum ei ordinem recte vivendi instituerunt, et qualiter cursum suum post solem justitiae dirigat, eam erudierunt". — Vgl. GvR, AD 30 (194, 1272).

159 Eph. 2, 20.

160 RvD, Gen. 6. 21 (167, 420); Os. 1; Soph. 1 (168, 16, 664) — HA, PV 14 (172, 320) — GvR, Ps. 65 (194, 121); CE 106 (194, 71); IA 2, 35 (Scheib. 271).

161 RvD, A 12, 21 (169, 1196); vgl. ds., EJ 4 (CCcm 9, 222) — HA, SE nat.; Jac. (172, 838.983).

162 HA, E 2, 87 (Lef. 437 f.). Ds., SE conv. (172, 1095): die Apostel haben der Kirche die Bürgerrechte (*jura civilia*) gegeben, die Bischöfe „priorum scita suis decretis firmaverunt": vgl. Anm. 155 und 158. Bezeichnend ist RvD, A 12, 21 (169, 1198): die Propheten sind die *fundamenta* der Kirche, die Apostel *fundamenta fundamentorum*, Christus das *fundamentum omnium fundamentorum*. Nach RvD, Am. 4 (168, 376) sind die Propheten die Säenden,

Geistbegabung, deren Erstlinge die Zwölf waren[163]. Das eigentliche Wesen der Kirche wird nun erst aller Welt offenbar: nicht mehr das Gesetz, sondern das Evangelium steht an erster Stelle, und es muß nicht mehr bloß den Juden, sondern auch den Heiden verkündet werden[164]. In den Aposteln wird Christus nicht mehr angedeutet, in ihnen spricht er selbst; wer sie hört, hört Christus; wer ihnen gehorcht, gehorcht ihm[165].

Es kann nicht verwundern, wenn die „apostolica sive apostolicae perfectionis ecclesia"[166] den Aposteln den obersten Rang unter allen Gliedern der Kirche einräumt: da sie selbst im Himmel die ersten Plätze innehaben, darf man sogar die himmlische *ecclesia* als apostolische Kirche bezeichnen[167]. Denn wie Berge ragen sie über alle anderen Christen[168]: sie sind die wahren Herrscher der Welt[169], der Ruhm der Kirche[170].

Diese ist nicht allein deswegen apostolisch, weil Amt und Heiligkeit der Apostel ihre Norm sind, sondern auch wegen der Kontinuität ihres Amtes in der gegenwärtigen Kirche, die durch die apostolische Nachfolge gesichert ist. Neben den Aposteln stehen in der ersten Generation die *viri apostolici*[171], denen bis heute Amts-

die Apostel die Schnitter; die Kontinuität mit dem Alten Bund und der Neuheitscharakter der Kirche Christi werden damit prägnant zum Ausdruck gebracht.

163 HA, Ps. 81 (194, 505).

164 RvD, DO 1, 36 (CCcm 7, 29); Reg. 5, 20; Is. 2, 28 (167, 1258.1356).

165 RvD, EJ 4; 10 (CCcm 9, 198.579); Jon. 2 (168, 435); VV 4, 8 (169, 1299) — GvR, Ps. 18; 74 (193, 879; 194, 383). Die Apostel vollbringen damit gemäß Jh. 14, 12 größere Werke als der Herr selbst: dieser hat nur einem Volk gepredigt, sie gehen zu allen Völkern; sie sind von der ersten und der zweiten göttlichen Person gesendet: Christus kam nur in Sanftmut und Milde, sie haben noch disziplinäre Vollmachten: RvD, Reg. 5, 18 (167, 1257); VV 4, 8 (169, 1299); Gh 4; 8 (168, 1395.1489). Vgl. Arno v. Reichersberg, Apol. (ed. Weichert 193 f.).

166 RvD, VV 13, 4 (169, 1489).

167 RvD, EJ 7; 9 (CCcm 9, 379 f. 513); Is. 2, 24; Evg. 19 (167, 1379.1554); A 12, 21 (169, 1196.1198); Os. 5; Mich. 2 (168, 170.482) — HA, Ps. 88 (194, 537); XIIQ 6 (172, 1181) — GvR, Ps. 18; 19; 65; 73; 143 (193, 898.930; 194, 121. 362.955.956).

168 RvD, Reg. 4, 5 (167, 1223); Am. 4 (168, 377) — HA, SE vinc.; OS (172, 985.1016); CC 1, 2 (172, 390); Ps. 35; 103 (193, 1351; 194, 624.625) — GvR, Ps. 71; 120 (194, 317.842). Diese Bezeichnung wird durch die interpretierten Psalmstellen nahegelegt.

169 GvR, CE 68 (194, 51).

170 RvD, A 12, 21 (169, 1201.1202) — GvR, Ps. 18 (193, 929).

171 Damit sind die Apostelschüler gemeint: GvR, Ps. 76 (194, 862); ähnlich wie die Apostel verdanken sie ihr Amt göttlicher Berufung: RvD, Is. 2, 25 (167,

träger folgen. Die Apostel haben Nachfolger[172]: die Lehrer der Kirche setzen in ihrem Auftrag das Werk der Verkündigung fort[173]; die Leiter der Kirche in ihren verschiedenen Rängen sind von den Aposteln bestellt worden[174]. Sie haben nicht den gleichen Rang wie die Apostel: ihnen kommt die Feder des Schriftstellers, nicht der Stab des Lehrers zu, das heißt, sie dürfen nichts anderes als die Apostel lehren[175]. Die Apostolizität ihres Auftrags muß sich erweisen durch das Leben im Geist der Apostel, da nur so ihre letzte Autorität sich ausweisen kann[176]. Durch Glaube, Liebe und Amt stehen sie dann selber in der großen Linie der göttlichen Sendungen: „Der Vater sendet Christus, Christus die Apostel, die Apostel die Erzbischöfe, die Erzbischöfe die Bischöfe, die Bischöfe die Priester. Dies geschieht in der Weihe“[177]. Die apostolische Struktur der Kirche ist der Erweis der göttlichen Liebe: durch sie schützt er sie vor allen Gefahren[178].

1350—1352). Vgl. auch Concilium Vaticanum II, Konstitution „Dei Verbum“, 2,7 einschl. der dortigen Zitationen.

172 RvD, EJ 5 (CCcm 9, 249) — HA, Ps. 44 (193, 1572) — GvR, Ps. 18 (193, 929).

173 RvD, DO 1, 36 (CCcm 7, 29); EJ 7 (CCcm 9, 408); Is. 2, 27 (167, 1354 f.) — HA, Ps. 113 (194, 714); PV 17 (172, 320) heißen die Prediger Nachfolger der Apostel.

174 RvD, Gen. 6, 27; Is. 2, 27 (167, 425.1354 f.) — HA, Ps. 47 (193, 1586) — GvR, LF rec. (O I, 185).

175 RvD, A 6, 11 (169, 1017).

176 RvD, Lev. 2, 17 (167, 992); Naum 2 (168, 651); die Martyrer werden Söhne der Apostel genannt. Vgl. auch HA, CC 2, 3 (172, 407) — GvR, AD 30 (194, 1272); IA 1, 8 (Scheib. 99).

177 RvD, Alterc. (170, 542): „Pater Christum, Christus apostolos, apostoli archiepiscopos, archiepiscopi episcopos, episcopi presbyteros mittunt videlicet quando ordinant eos“. HA, Ps. 44 (193, 1572) kennt folgende Linie: Apostel — Bischöfe — Hirten — Lehrer, Leiter. GvR, CE 40 (194, 33): in der Urkirche gibt es ein dreigeteiltes Amt, wobei die Bischöfe die Nachfolger der Apostel, die Priester die der 72 Jünger sind; dazu kommen die Diakone. Ähnlich auch ds., LF rec. (O I, 185). Vgl. GvR, Ps. 71 (194, 318) — RvD, Am. 4 (168, 371) — HA, Ps. 103 (194, 625).

178 HA, Ps. 107 (194, 681).

Zweiter Abschnitt

Die Struktur der Kirche

1. Kapitel

Die Kirche als Ordo

1. Das Gesetz des Ordo

Nach der Lehre unserer Theologen ist die Kirche vornehmlich eine geistig-geistliche Wirklichkeit, die dem dreieinen Gott in Glaube und Liebe verbunden ist. Im Auftrag und der Vollmacht Jesu Christi hat sie ihren Anteil am Ziel allen göttlichen Wirkens nach außen: das Heil der Welt zu wirken. Kraft ihrer christozentrischen Gestalt muß sie als Gotteswerk in die Welt eingehen und Welt werden. Wenn die mittelalterliche Ekklesiologie primär die spirituelle Realität hervorhebt, dann nicht bloß deswegen, weil sie die bedeutendere und wichtigere war, sondern auch, weil die welthafte Struktur der Kirche unbestritten und selbstverständlich war. Auch der Investiturstreit bezog sich nicht auf die Weltlichkeit der Kirche, sondern auf die Präzedenz der Macht in einer Welt, in der *christianitas* und Kirche und Staat beinahe identisch gesehen wurden und es hinsichtlich der Subjekte auch praktisch waren. Es ging, wie oben dargelegt wurde, um den rechten *ordo* der Gewalten. Das Strukturproblem der mittelalterlichen Kirche ist darum die Frage nach dem rechten, d. h. von Gott gewollten *ordo*[1].

Im Einklang mit Tradition und zeitgenössischem Denken erkennen unsere Autoren, daß die Welt von Gott als geordneter Kosmos geschaffen ist und daß darum diese Ordnung richtig und in allem durchzusetzen ist[2]. Sie ist eine spirituelle Wirklichkeit, da der Heilige Geist ihr Urheber ist[3]. Sie ist nicht nur materiell, sondern auch geistig, da auch die Engel zur Schöpfungsordnung gehören und in der Gliederung der neun Engelchöre ihre je eigene Spezifizität, ihren je eigenen Charakter wahren[4]. Zu ihr gehört auch der Lauf der

[1] Vgl. oben I, 2, 1, 2 Gerhoch übernimmt die augustinische Definition des ordo Ps. 75 (194, 393).
[2] RvD, Gh 3 (168, 1384).
[3] GvR, OD prol. (O I, 98).
[4] RvD, VV 1, 29 (169, 1242) — HA, SE OS (172, 1019); XIIQ 6 (172, 1181).

Geschichte, der nicht zufällig ist, sondern als *ordo salutis* nach Gottes Plan und Willen sich abwickelt[5].

Im Mittelpunkt des Interesses steht der Mensch als Mikrokosmos und Zentrum der Ordnung im sichtbar-kreatürlichen Bereich. Er ist nicht isoliertes Individuum, sondern als Teil des Ordo einbezogen in die Gemeinschaft, die zunächst die Gemeinschaft der Menschen ist. Nur als ihr Glied kann er die Vollendung seines Wesens erreichen. Aus dieser Erkenntnis heraus kann man etwa Kirche und Individuum wechselseitig austauschen bei der Allegorese einer Schriftstelle: was von der Kirche gilt, trifft auch für die *anima singularis* zu, die ganz sie selbst erst als Glied der Kirche ist, die ihr Heil nur in der Kirche findet[6]. Vor allem Honorius führt diesen Gedanken durch. Das Bild der Stadt dient ebenso zur Beschreibung der *ecclesia* wie der *anima*; so hält er es mit dem Gotteshaus und der Geschichtsdeutung[7]. Doch wird damit nicht dem Kollektivismus das Wort geredet. Auch die Gemeinschaft kann nur durch den einzelnen zur Vollendung finden. Zwar ist die Kirche dazu da, um das Christusheil dem einzelnen zuzuwenden[8], aber ein einziger Martyrer oder Kirchenlehrer kann entscheidend werden für den Glauben der Kirche[9], der einzelne Sünder versetzt die ganze Kirche in Betrübnis, weil er ihr Schaden zufügt[10]. Christus ist gleicherweise Bräutigam der Kirche wie des einzelnen Gliedes der Kirche[11]. Der Ordo kommt

[5] RvD, SpS 3, 18 (167, 1659); CC 4 (168, 907); Gh 8 (168, 1488).

[6] RvD, EJ 8 (CCcm 9, 245); VV 3, 7 (169, 1275); Gh 2 (168, 1344) — HA, E 3, 1 (Lef. 443); SE ded. (Kelle 10); Ps. prol.; 34; 47 (172, 272; 193, 1335.1584) — GvR, Gh 10, 1.3 (194, 1105.1106); Ps. 19; 21; 22; 24; 59; 33; 34; 70 (193, 959.1019.1022.1041.1104.1121.1745; O II/1, 179.341; 194, 301); CD 175 (194, 116); LF laud. (O I, 226). GvR, Ps. 21; 24; 34 (a.a.O.) dehnt die Gleichsetzung auf die Orden aus. Methodisch war eine solche Interpretation über den sensus tropologicus möglich, da alles als moralisierbar galt, was allegorisierbar war (H. de Lubac, Exégèse I/2, 548.571). Die Individualisierung der Interpretation der Schrift ist ein Charakteristikum der Exegese des Jahrhunderts: „Nous verrons bientôt que le mouvement spirituel et social allait dans le sens de la personalisation" (Congar, Les laics 111). Vgl. auch H. Riedlinger, Makellosigkeit, vor allem 153. Vornehmlich das Hohelied wurde neben den Psalmen in dieser Weise gedeutet. Bernhard v. Clairvaux ist der bedeutendste Vertreter der Individualexegese: vgl. Congar, Bernhard 78 f. Vgl. auch Arno v. Reichersberg, Apol. (ed. Weichert 8).

[7] HA, SE conv.; dom. XIII; ded. (172, 1097.1060; Kelle 10); GA 4, 2 (172, 689); Ps. 86 (94, 529 f.). — GvR, S Ps. 21 (193, 1022).

[8] RvD, Reg. 4 (167, 1186).

[9] RvD, Zach. 4 (168, 781).

[10] RvD, DO 4, 23 (CCcm 7, 143); vgl. ds., EJ 10 (CCcm 9, 561).

[11] RvD, Is. 2, 31 (167, 1362); Os. 1 (168, 50) — HA, E 3, 1 (Lef. 443) — GvR, Ps. 39; 118 (193, 1430; 194, 793).

im Ethos, das Ethos im Ordo zum Tragen: erst in der Einheit beider wird das Heil Wirklichkeit. Dieses Grundgesetz wird noch einmal sichtbar, wenn die Relationen zwischen Individuum und ordo betrachtet werden. Der einzelne ist von Gott in einen bestimmten ordo gestellt. Diese Einstufung prägt bleibend seine Existenz, ist also maßgebend auch für sein ewiges Leben[12]. Es ist geradezu Vorbedingung dieses Lebens, daß jemand nicht versucht, aus seinem ordo auszubrechen und so die *confusio* herbeizuführen, die der Umsturz jeder Ordnung und Aufrichtung der Herrschaft des Diabolos, des Verwirrers bedeutet[13]. Jeder Mensch ist also fest und unwiderrufbar eingeordnet und in seinem Stand festgelegt. Die Hierarchisierung scheint vollkommen zu sein.

Sie müßte zur schlimmsten Tyrannis führen, wenn sie nicht durch das Ethos korrigiert würde. Die Ein-Ordnung des Einzelnen in ein weltumspannendes System ist ontologisch zu verstehen, nicht moralisch. Da alle das Heil nur durch den Glauben finden können, dieser aber für alle der gleiche ist und von allen auf gleiche Weise vollzogen wird, haben alle Menschen die gleiche Chance zum Heil[14]. Wo es um das Wesentliche geht, herrscht die absolute Gleichheit aller Menschen ohne jeden Unterschied. Nur der Adel der Gnade zählt, sonst nichts[15]. Gott hat für jeden Menschen eine Wohnung im Himmel bereitet[16].

Damit wird das hierarchische Schema grundlegend relativiert und letztlich, d. h. wenn es um das ewige Schicksal des Menschen geht, bedeutungslos. Sicher stehen die Kleriker und die Mönche höher

[12] RvD, Gh 4 (168, 1405) — GvR, Ps. 67 (194, 207). Vgl. RvD, Reg. 3, 10 (167, 1150): die ordines werden den Stockwerken im Haus Gottes verglichen. „Necesse est ut quisque in Christo manere desiderans, in quolibet eorum fideliter consistat".

[13] Vgl. oben I, 2, 1, 2. Wie stark das gerade die Zeitgenossen empfunden haben, zeigt auch der berühmte Ausspruch Bernhards von Clairvaux, er sei die Chimäre seines Jahrhunderts, weil er weder Laie noch Kleriker sei (ep. 250, 4 — 182, 451).

[14] RvD, RSB 4, 12 (170, 538); A 9, 14 (169, 1091) und LV 10 f. (170, 555) wird dieser Gleichheitsgrundsatz in die Formulierung gebracht, der verheiratete Petrus stehe in nichts den jungfräulichen Heiligen nach. In solchen Aussagen klingt ein altes patarinisches Ideal nach, das Gregor VII. aufgenommen hatte (Brief an den Abt v. Cluny, Reg. 6, 17 — Jaffé, Bibl. rer. Germ. II, 350—352) und auch Anselm v. Lucca nachdrücklich vertrat (vgl. E. Pásztor, Motivi 84). Siehe G. Miccoli, Chiesa 123—129.

[15] RvD, Ex. 3, 22 (167, 671): „Nam in Christi ecclesia non ex genere carnis, sed ex regenerationis gratia spiritualibus donis cuncta censetur nobilitas"; vgl. ds., Lev. 1, 24; Num. 2, 21 (167, 780.901).

[16] RvD, EJ 11 (CCcm 9, 626); vgl. Gh. 5, 6 (168, 14, 32).

als die Laien: sie leben die harte und anstrengende *vita apostolica* und pflegen den Umgang mit Gott in Meditation und Liturgie; die Laien kommen nicht um den täglichen Kleinkrieg mit der Banalität der Sünde herum und nur durch ihre Treue zum Klerus haben sie die Chance, in den Himmel mitgenommen zu werden. Doch gilt das nur im Bereich des Seins. Er wird irrelevant, wenn sich der Bereich des Sollens nicht mit ihm deckt, ja ihn übersteigt. Dann ist der verheiratete Job ebenso vollkommen wie die ehelosen Mönche, und umgekehrt kann ein heuchlerischer Mönch statt zu den Hausgenossen des Glaubens zu den Gottesfeinden zählen[17]. Selbst innerhalb eines wieder in sich gegliederten ordo besagen die Rangstufen wenig. Hatte nicht Papst Sixtus selbst gesagt, daß der Diakon Laurentius ihn an Heiligkeit überrage? Gerhoch, der als Theoretiker des Ordo-Denkens diese Frage vorlegt, gibt das entscheidende Prinzip an: „Ein hervorragender Rang ohne ein hervorragendes Leben trägt nichts bei zur Heiligkeit. Es findet sich bisweilen in den untersten Schichten: vor stolzer Aufgeblasenheit ist es um so sicherer, je weniger es vor den Menschen gilt in Rang und Würde“[18]. Beides verträgt sich nicht miteinander: der Aufgeblasene fällt aus dem entscheidenden *ordo salutis,* Ethos und ordo stehen in absoluter Diskrepanz zueinander: das ist die vollendete *confusio,* das Unheil schlechthin: „Gott bewahre uns vor der abscheulichen Verkehrtheit, daß einer sich heiliger dünkt, weil er einen höheren Rang hat, aber weil er ohne Demut ist, wenig oder gar nicht heilig ist“[19].

Die Kirche ist der *ordo electorum,* der sich in viele ordines gliedert[20], denn sie hat den ordo salutis durchzusetzen; das ist nur mög-

[17] GvR, LF laud. (O I, 227.242); vgl. Ps. 33 (O II/1, 201 f.).

[18] GvR, Ps. 33 (O II/1, 201—203): „Nihil sanctitatis confert altus ordo sine alta vita, quae interdum invenitur in conversatione infima, tanto a vento elationis tutior quanto in gradu vel honore est inferior et coram hominibus despectior“ (a.a.O. 203). Vgl. ds., Ps. 18 (193, 916); CE 155 (194, 503). Ebenso war die Meinung Bernhards v. Clairvaux: vgl. H. Wolter, Bernhard 171—174 mit reichen Belegen.

[19] GvR, Ps. 33 (O II/1, 202): „Ne contingat detestanda perversitas, ut ille sibi sanctior videatur ex altiori ordine, qui minus vel minime sanctus est, amissa humilitate“; vgl. ds., a.a.O. (a.a.O. 232); AD 43 (194, 1302) — HA, Ps. 107 (194, 960).

[20] HA, CC 2, 5 (172, 450). RvD, EJ 14 (CCcm 9, 781); Gen. 4, 18 (167, 343); RSB 4, 12 (170, 536 f.); ep. ad Liez. (170, 665) verwendet die augustinische Allegorese (in Joh. evg. tract. 122, 8 — CC 36, 673 f.) der Archenmaße nach Gen. 6, 15: die sich nach oben verjüngende Arche ist das Bild der hierarchischen Ordnung der Stände. Die je größere Gottzugewandtheit ist das Kriterium der Stufung: „Quisque ordo, quanto est arctior, tanto est excelsior; vel

lich, wenn sie selbst ordo ist[21]. Christus ist das Haupt und der Herr der Kirche, die sein Leib und sein Haus ist: er ist damit der Urheber ihrer Ordnung[22]. Als Lebensprinzip der Kirche (wie der Schöpfung) ist der Geist das Ordnungsprinzip (wie der Schöpfung so) der Kirche[23]. In doppelter Weise wirkt er die Ordnung: indem er die Schrift durchwaltet, die der Maßstab der kirchlichen Ordnung ist[24], und indem er die Apostel leitet[25], die als geistkonstituierte Amtsträger[26] der Kirche ihre normative Ordnungsgestalt geben konnten: göttliche und kirchliche Ordnung sind apostolische Ordnung[27], die Kirche ist *„apostolici ordinis ecclesia“*[28], die aus der geordneten Mannigfaltigkeit katholisch, aus der Identität des Glaubens eine und damit als gottabgesonderte heilig ist[29]. Da die belebende und konstituierende Kraft aller dieser Wesenszüge der Kirche die Liebe ist, ist die Ordnung der Kirche Ordnung der Liebe: „Ordinavit caritatem, quando in caritate unanimes in diversos distribuit ordines“, sagt der Inkluse von Gott[30].

Aus dem Prinzip des ordo bezieht die Kirche ihre Kraft: sie wird zur *acies ordinata*[31], die alle Wirrnis überwindet. Das Heil in der Kirche und durch die Kirche hat die Gestalt des Ordo.

e converso, quanto quisque ordo est laxior, tanto et humilior; quanto altior, tanto angustior“ (RvD, Gen. 4, 18 — a.a.O.).

[21] Vgl. GvR, IA 1, 48 (Scheib. 99). Das galt auch für die alte Kirche vor Christus: HA, CC 3, 7 (172, 469).

[22] RvD, Lev. 1, 4; Reg. 2, 15; 3, 10 (167, 746.1115.1150) — GvR, AD prol. (194, 1189): Christus ist „forma ordinis et propositi clericalis“; vgl. ds., a.a.O. 10; 29 (194, 1226.1269). Christus wird auch in diesem Zusammenhang als Fülle und Quelle der Gnadengaben verstanden: ds., Ps. 135 (194, 902). HA, CC 1, 1 (172, 361) nennt als Glieder des Christusleibes die ordines der Lehrer, Mönche, Magister, Priester, Soldaten und Bauern; a.a.O. (a.a.O. 374) die ordines justorum et praelatorum; a.a.O. 3, 7 (a.a.O. 456—460) werden die in der Tabelle genannten ordines Glieder des Leibes Christi genannt. Vgl. auch a.a.O. 2, 5 (a.a.O. 444).

[23] RvD, EJ 14 (CCcm 9, 777); A 1, 1 (169, 853) — HA, CC 2, 3 (172, 410) — GvR, OD prol. (O I, 98).

[24] RvD, A 4, 11 (169, 1023); Zach. 2 (168, 741).

[25] RvD, SpS 6, 14 (167, 1746).

[26] RvD, EJ 7 (CCcm 9, 411): Die Bestellung zum Apostolat an Pfingsten ist Ein-Weihung in den apostolischen ordo („Tunc illos apostolico Christus ordine consecravit“).

[27] RvD, Gen. 6, 27; 7, 37 (167, 425.482) — HA, SE asc. (172, 955) — GvR, AD 43 (194, 1302).

[28] GvR, Gh 10, 2 (194, 1105).

[29] RvD, EJ 10; 14 (CCcm 9, 569.781); Reg. 3, 10; Ez. 2, 23 (167, 1152.1483 f.) — HA, I (Kelle 25—27).

[30] HA, CC 1, 2 (172, 386); vgl. GvR, Ps. 18; 25 (193, 927.1169).

[31] RvD, Gen. 8, 3 (167, 493) — GvR, Ps. 23; 127 (193, 1086; 194, 866).

2. Die Struktur des Ordo

Die *acies ordinata* besteht aus vielen Ordnungen, Ständen und Gruppen. Ein solcher ordo entsteht, wenn mehrere Gläubige zusammengehören auf Grund eines gemeinsamen Auftrags oder von Kriterien, die sie zur Gruppe machen. Beides kann zusammenfallen, da auch der gemeinsame Auftrag ein Gruppenkriterium ist; doch ist das nicht zwangsläufig so, da es auch ordines ohne Auftrag gibt: die Heiligen im Himmel haben grundsätzlich keine Mission mehr. Damit sind formale und materiale Merkmale zur Unterscheidung gefunden.

a) Formale Kriterien

Gruppen, die vorwiegend von ihrem Auftrag her bestimmt werden, sind der *ordo apostolicus*[32], der *ordo praedicatorum*[33] und der *ordo doctorum*[34].

Die Apostel und ihre Nachfolger, die viri apostolici, die Kirchenväter und Theologen[35] sind das Salz der Erde; sie sollen die Völker bekehren, sie üben die Leitungsfunktionen in der gegenwärtigen Kirche aus und geben die Lehren des Evangeliums weiter[36]. Heute ist mit dieser Aufgabe der *ordo sacerdotalis* oder *clericalis* betraut[37].

Aus der Erfüllung oder Nichterfüllung des Heilsauftrages in der Kirche resultieren die Gruppen, die sich beim Jüngsten Gericht bilden werden. Honorius und Rupert kennen (in wechselnder Reihenfolge) vier *ordines* dieser Art:

1. den *ordo perfectorum cum Christo judicantium*: Apostel, Martyrer und Mönche sowie die Jungfrauen gehören zu ihm;

2. den *ordo imperfectorum per judicium regnum percipientium*, der aus den Verheirateten und den Büßern besteht;

3. den *ordo impiorum sine judicio pereuntium* aus Heiden und den nachchristlichen Juden;

[32] Z. B. RvD, DO 1, 32 (CCcm 7, 26); Ex. 3, 4; Dt. 1, 19 (167, 655.939); Gh 4 (168, 1396) — HA, SBM (172, 498); GA 1, 20 (172, 550); SE dom. II (172, 1043).

[33] RvD, EJ 5 (CCcm 9, 248).

[34] HA, CC 1, 2 (172, 393).

[35] RvD, Gh 4 (168, 1396) — HA, Ps. 47 (193, 1586).

[36] RvD, EJ 6 (CCcm 9, 305) — HA, SE palm.; dom. XIII; dom. XX; dom. XXII (172, 919.1061.1065.1072); GA 1, 6 (172, 545).

[37] HA, Ps. 105 (194, 658) — GvR, AD 28 (194, 1268); N 25 (That. 221) — HA, SE serm. gen. (172, 861): die Priester sind die Lehrer aller anderen Stände, auch der Mönche, Konversen und der Mitkleriker.

4. den *ordo malorum per judicium pereuntium,* dem die bösen Juden vor Christus und die schlechten Christen einverleibt sind[38].

Ordo und Ethos offenbaren noch einmal ihre Zusammengehörigkeit. Weil jemand seinen Platz in dem ihm zukommenden ordo ausgefüllt hat, kommt er in die Christusgemeinschaft, weil er es nicht tat, geht er ihrer verlustig.

b) Materiale Kriterien

Unsere Theologen kennen eine Reihe von Divisionsschemata, die nicht immer sauber voneinander getrennt werden können, da die Einteilungsprinzipien teilweise einander überschneiden. Wir können insgesamt fünf unterscheiden.

1. *Das historische Schema*: nach der Allerheiligenpredigt des Honorius wird das Reich Gottes wie eine Stadt errichtet. Die einzelnen Bestandteile entsprechen den historischen Gruppen der Protagonisten in der Kirche: die Mauern sind das Symbol der Engel, die seit ihrer Erschaffung in der Gottesschau leben; die Fundamente sind die Patriarchen, in denen sich die künftige Gestalt der Kirche abbildete; die Propheten stellen die Bollwerke der Stadt dar, weil ihre Schriften zur Verteidigung gegen Dämonen und Häretiker dienen; die Tore sind die Apostel, durch deren Lehre man in die Kirche und zu Gott kommt[39]. Im „Liber XII quaestionum" setzt er die Reihung fort durch Zufügen der nachapostolischen Gruppen parallel zu den großen kirchengeschichtlichen Epochen: Martyrer, Bekenner und Mönche schließen sich an. Doch weil er nicht mehr mit dem Bild der Stadt, sondern den Ordnungen der Engel den kirchlichen ordo illustriert, fügt er noch die Jungfrauen und Witwen sowie die Verheirateten hinzu[40]. Damit ist das historische Schema verlassen zugunsten einer Vermischung mit dem spirituellen Schema.

Rupert von Deutz zeigt ebenfalls Ansätze einer historischen Einteilung der kirchlichen Ordnung, wenn er etwa im Kommentar zur

[38] HA, Ps. 49 (193, 1597) — vgl. auch RvD, EJ 5 (CCcm 9, 274); SpS 9, 12 (167, 1816 f.); Soph. 2 (168, 670) — HA, E 2, 59—68 (Lef. 459 f.); GA 3. 42 (172, 654). Diese Einteilung spielt an auf Röm. 2, 12, wurde bereits von Hilarius und Augustinus verwendet und taucht expressis verbis erstmals bei Gregor d. Gr. auf (Mor. 26, 27, 50—76, 378 f.). Unsere Autoren haben sich unmittelbar wohl an Beda, in Mt. 4, 26 (92, 109) orientiert. Vgl. Lefèvre, L'Elucidarium 182.

[39] HA, SE OS (172, 1019). Die Stadt als Bild der ordo-Struktur auch ds., CC 2, 5 (172, 444); auch SE conv. (172, 1095 f.).

[40] HA, XIIQ 8 (172, 1182). Über die kirchengeschichtlichen Epochen vgl. unten II, 3, 2, 1.3.

Genesis zwischen Aposteln, Apostelschülern, Mönchen und einfachen Gläubigen unterscheidet[41] oder im Prophetenbuch Apostel, Martyrer, Mönche, jungfräulich Lebende sowie Hirten, Lehrer und Charismatiker nennt[42]. Aber auch hier ist nicht genau zu sehen, ob eine Parallele zur Periodisierung der Kirchengeschichte gezogen werden soll, die für die jeweils drei ersten Glieder stimmen würde, ob die restlichen Glieder dann aus der Vermischung mit anderen Schemata stammen oder ob überhaupt ein anderes angewandt ist.

2. *Das spirituelle Schema*: es ist das normale Divisionsprinzip, obschon die Gliederungen sehr variieren und sich ebenfalls gelegentlich mit anderen Prinzipien überschneiden. Vor allem sind Dichotomien und Trichotomien zu unterscheiden.

Zu den zweigliedrigen Schemata gehört die Einteilung der Kirchenglieder in *activi* und *contemplativi*[43]. Die Typusgestalten der ersteren sind Lea, Martha oder Petrus: sie weiden die Herde Christi und bilden den Klerus. Die anderen haben ihr Vorbild in Rachel, Maria oder dem Evangelisten Johannes: ihnen ist die Kenntnis der Geheimnisse Gottes verliehen. Die Mönche gehören ihnen zu. Nach dem Stand ihrer Vollkommenheit gliedern sich die Menschen in der Kirche auch in *perfecti* und *imperfecti*[44].

Am häufigsten ist das dreigliedrige Schema, das aber eine große Variationsbreite kennt. Es gibt Einzelformen in der Reihung

Laien — Apostel — Büßer[45];
Kleriker — Mönche — Büßer[46] oder
theorici — activi — contemplativi[47],

[41] RvD, Gen. 4, 38 (167, 363).

[42] RvD, Zach. 2 (168, 740).

[43] RvD, EJ 10; 14 (CCcm 9, 56.781.788); Gen. 7, 37 (167, 482). — HA, SE nat. (172, 822); CC prol. II (172, 355). — Sehr häufig bei GvR, z. B. Ps. 19; 57; 67; 118; 120 (193, 969.1718; 194, 175.733.782.796.846).

[44] RvD, Gen. 8, 4 (167, 494) — HA, CC 1, 2 (172, 382); SE Mich. (172, 1011) werden die *hypocritae* als dritte Gruppe angeführt; hier spricht aber HA von einer adäquaten Division der Kirchenglieder; die Heuchler gehören nicht zu den electi.

[45] RvD, Gh 11 (168, 1582): die Laien leben erlaubterweise in der Welt und halten die Gebote; die Apostel stehen höher, da sie sich von der Welt zurückgezogen haben und neben den Geboten auch die Räte halten: gemeint sind nicht die 12 Apostel allein, sondern auch die Anhänger der *vita apostolica.* Die Büßer hielten weder Gebote noch Räte, haben sich aber bekehrt, doch können sie wegen ihrer Vergangenheit aus kanonischen Gründen kein Amt annehmen.

[46] GvR, Ps. 29 (1279 f.).

[47] GvR, IA 2, 20 (Scheib. 230—234) stellt folgendes Schema der *triformis ecclesiae hierarchia* auf, die die *tres ordines salvandorum* sind:

wobei die letzte ein typisch gerhochischer Dreiklang ist. Im allgemeinen aber finden wir bei unseren Autoren die klassische Einteilung nach den geistlichen Ständen, die allerdings verschieden gesehen werden. Immer ist die einzig feststehende Größe der ordo conjugatorum. An zweiter Stelle kommen die jungfräulich Lebenden, an dritter die Witwen und Enthaltsamen; doch können beide Stände zusammengefaßt und durch den klerikalen Stand ergänzt werden als drittes Glied, oder aber auch zugunsten der *contemplativi* weggelassen werden[48].

Der Regelfall ist jedoch die Gliederung in *rectores, continentes* und *conjugati*. Indem ihnen alt- und neutestamentliche Typusgestalten zugeordnet werden, zeigt man sie als durch die ganze Geschichte bestehende Stände: Noe und Petrus sind die Vorbilder der Kirchenleiter, Daniel und Johannes repräsentieren die Enthaltsamen und Job mit Paulus vertritt die Verheirateten[49]. Die Stufen-

	ordo	Wissensch.	Typus	Christus
theorici	rectores	Theorik	Noe/Petrus	via
contemplativi	continentes	Physik	Daniel/Johannes	veritas
activi vel morales	conjugati	Ethik	Job/Jacobus	vita

Theoria ist die Zeit und Raum überwindende Erkenntnis der Gottesschau, die eigentliche theologia, die ihre Vollendung in der visio beata hat. Im Schema kommt die Ausrichtung der Kirchen- und Heilsordnung auf Christus zum Ausdruck. Vgl. Classen, Gerhoch, 230 f. 239.244 f.; Meuthen 32—34.

[48] Eine (unvollständige) Übersicht über die Ternare zeigt dieses Bild:
a) *conjugati/vidui-viduae/virgines*: RvD, EJ 14 (CCcm 9, 781) — HA, Ps. 36; 44; 80; 83; 91; 116 (193, 1356.1569; 194, 498.513.563.719 f.); CC 1, 2 (172, 388) — b) *conjugati/continentes/virgines:* RvD, Num. 2, 21 (167, 901): HA, SE JB (172, 960); CC prol. II; 1, 2; 3 (172, 355.383.461); Ps. 103 (194, 624 f.) — GvR, Ps. 33; 67; 74 (O II/1, 201; 194, 177.386); CE 158 (194, 107) — c) *conjugati/continentes/contemplativi*: HA, SE ded. (Kelle 7) — d) *conjugati/continentes/doctores*: HA, GA 1, 59; 3, 127; 4, 31.60 (172, 561.677.700. 711); CC 2, 4.5 (172, 416.447); SE sept. (172, 853); Ps. 79; 85; 86; 95; 104 (194, 492.521 f. 526.580.638) — GvR, IA 1, 10 (Scheib. 32) — e) *conjugati/continentes/rectores*: RvD, Reg. 3, 10 (167, 1151); GT 8, 15 (169, 176): statt continentes hier virgines — GvR, LF laud. (O I, 246); Ps. 33; 41 (O II/1, 201 f.; 193, 1501) — f) *conjugati/praelati/contemplativi*: HA, SE nat. (172, 839) — RvD, Lev. 1, 3 (167, 746) hat activi/rectores/contemplativi mit dem gleichen Bedeutungsinhalt — g) *virgines/viduae/doctores*: HA, SE pasch. (172, 939): die einzige Ausnahme von der Regel, daß die conjugati immer genannt werden!

[49] RvD, Lev. 1, 3 (167, 746); a.a.O. 1, 4 (a.a.O.) wird Christus gezeigt als princeps der drei Ordnungen, der opfert für die Errettung der Kirche aus der Welt wie Noe, für den Frieden zwischen Gott und Menschen wie Daniel. wie Job für die Sünden der Menschen. Vgl. auch ds., Reg. 3, 10 (167, 1151);

ordnung ergibt sich aus der je größeren geistlichen Intensität des Lebens, also aus dem Ethos, das sich im Sein des Standes reflektieren soll. Mit einem von Augustinus entliehenen Bild zeigt Rupert die Aszendenz der Stände. Nach Jh. 21,11 faßte das Netz beim nachösterlichen Fischfang auf dem See 153 große Fische. Die Hunderterstelle bezieht sich auf die Verheirateten, die Zehner weisen auf die Enthaltsamen, die Einer auf die Jungfrauen; denn je schwerer die Anforderungen eines Standes sind, um so geringer ist die Zahl der Menschen, die sich in ihm zusammenfinden[50]. Ein beliebtes Bild ist dem Sämannsgleichnis entnommen: was auf gute Erde fiel, brachte dreißig-, sechzig- und hundertfache Frucht; je höher der ordo ist, um so mehr kann er prinzipiell geistliche Frucht bringen[51].

Als geistlicher ordo sind nur die Menschen erfaßt, die insgesamt dem ordo justorum oder electorum angehören, also nicht alle, die nominell der Kirche zugehören[52]. Sie umfaßt alle Ordnungen, in denen das Heil möglich ist, aber nicht alle Menschen, die de facto in der konkreten Kirche leben. Durch die Taufe wird der Zugang zu ihnen eröffnet: dann kann man von einem Stand in den jeweils höheren aufsteigen[53].

3. *Das soziologische Schema*: unter diesem Namen fassen wir zwei verschiedene Ansätze zusammen. Der erste begegnet uns beim Reichersberger Chorherren, der das klassische Dreierschema mit sozialen Argumenten historisch-praktisch begründen will. In der Urkirche gab es demnach drei Ordnungen der Vollkommenen: *Prediger* wie die Apostel, aus ihnen entstand der Klerus; *Handwerker* wie Paulus, aus denen die Mönche wurden; *Armenpfleger* wie

GT 8, 15 (169, 176) — HA, CC 2, 6 (172, 447) — GvR, Ps. 33 (O II/1, 202). Honorius erweitert a.a.O. das Schema im Blick auf Mt. 24, 40 f. und Lk. 17, 34: Job: Gattensorge — die zwei in der Mühle — Kampf gegen die luxuria; Daniel: am Königshof enthaltsam — die zwei im Bett — Kampf gegen Unkeusche; Noe: Leiter d. Archenbesatzung — die zwei auf dem Acker — Kampf gegen die Häretiker. So auch Bernhard v. Clairvaux, div. 9, 3; 35, 1 (183, 566.634) u. v. a.: dieser locus communis des Mittelalters ist übernommen aus Origenes, in Ez. hom. 4 (GCS ed. Baehrens 8, 366) und Gregor d. Gr. in Ez. 2, 4, 5 (76, 976). Vgl. dazu H. de Lubac, Exégèse I/2, 571 f.; M. Bernards, Speculum 40—44; Meuthen 33—35; Congar, Les laics 84—89; F. Chatillon, Tria genera; W. Schwer, Stand und Ständeordnung.

[50] RvD, EJ 14 (CCcm 781). Die Aszendenz der Stände ist typisch monastisch. Vgl. H. de Lubac, Exégèse I/2, 572 f.

[51] RvD, a.a.O. (a.a.O.) — HA, SE JB (172, 960) — GvR, Ps. 67; 74 (194, 177. 386); CE 158 (194, 107).

[52] Vgl. Anm. 44 die Heuchler als Gegensatz; siehe auch RvD, Lev. 1, 3; Reg. 3, 10 (167, 746.1150). — GvR, CE 158 (194, 107).

[53] RvD, Reg. 3, 10 (167, 1151).

Tabitha, die die Stammutter der Witwen und Jungfrauen geworden ist[54]. Wirtschaftliche Erwägungen stehen im Hintergrund der Reformschrift „De corruptu ecclesiae statu", die auf die eine Seite die Mönche und den Klerus, auf die andere die Laien stellt; diese haben jene finanziell zu unterstützen, um ihnen den Kampf für Gott zu ermöglichen[55]. Der zweite Ansatz begegnet uns bei Honorius. Die einzelnen ordines entsprechen den Ständen der feudalistischen Gesellschaft. In einer reichen Symbolik werden ihnen Leit-

Das soziologische Ordo-Schema der Kirche nach Honorius

CC 2, 5 (172, 444)

Stand	Funktion	Leibsymbol	Natursymbol
Prälaten	Weisheit, Liebe	Haupt	Gold
Untergebene	Gehorsam, Leiden, gute Werke	Haare	Palme, Rabe
doctores	gelehrt, einfach	Augen	Taube, Fluß
Mönche	hervorrag. Leben	Wangen	Wohlgeruch
magistri	Reinheit, Abtötung	Lippen	Lilie, Myrrhe
Soldaten	Tapferkeit	Hände	Gold, Hyazinthen
Verheiratete	Schamhaftigkeit, Himmelssehnsucht	Bauch	Elfenbein, Saphir
Bauern	Rechtschaffenheit	Schenkel	Säule, Meer
Jungfrauen	Keuschheit, gute Werke	Schönheit	Libanonzeder
Enthaltsame	Gebet, reines Leben	Gaumen	Süßigkeit

CC 3, 7 (172, 456—460)

Stand	Funktion	Leibsymbol	Heilsg. Rolle
Bauern	Versorgung	Füße	gg. Antichrist
Verheiratete	Kinder, Werke	Gelenke	Juden u. Heiden
Gütige	tugendhaft	Nabel	Kampf gg. Laster
Verehelichte [a]	Almosen,	Bauch	Lehrverkündigg.
	Gebrauch d. Welt	Brüste	Weltverachtung
doctores	lehren, richten		
Mönche	Keuschheit	Hals	Kampf m. Bibel
Prälaten	Predigt, Sakramente	Augen	Bekehrg. d. Juden
discreti	Scheidung von	Nase	Kampf gg. Satan
Päpste	Gut und Böse, vita contemplativa	Haupt	Kampf gg. Sünde
Fürsten	Schutz	Haupthaar	Schutz d. Kirche

Anmerkung: [a] uxorati, zuvor: conjugati

[54] GvR, AD 30; 32 (194, 1272.1276).
[55] GvR, CE 154 (194, 103 f.); vgl. Ps. 22; 127 (193, 1052; 194, 866).

zeichen aus Natur und menschlichem Körper zugeordnet, die auf die Funktion, bzw. die heilsgeschichtliche Relevanz der Stände weisen; es ist nicht immer erkennbar, nach welchen Vergleichspunkten die Symbole gewählt sind[56]. Hinter diesen Einteilungen ist das Denken in der christianitas-Kategorie erkennbar: Kirche und Gesellschaft sind immer noch in ungebrochener Einheit einander zugeordnet.

4. *Das kanonistische Schema*: es entstand unter dem Einfluß der Kirchenrechtsbewegung in der nachgregorianischen Zeit als Ersatz für die spirituelle Trichotomie. Demnach werden die Glieder der Kirche in den *ordo laicalis* und den geistlichen Stand (*fideles spiritualis propositi*) eingeteilt[57]. Diesem kommt der eigentliche Kultdienst zu, jener ist nach Honorius rein negativ der dazu nicht berechtigte Stand, der höchstens die Opfergaben beisteuern darf[58]. Zusammen mit Gerhoch betont er ausdrücklich, daß es sich um einen juridisch begründeten, nicht um einen ethisch relevanten Stand handelt: es sind *nomina officii,* nicht *meriti*[59]; aber in der Praxis war auch er geneigt, Vollkommenheit und Klerus, Unvollkommenheit und Laienstand zu identifizieren[60]. Es kann kein Zweifel aufkommen, daß der Klerus höheren Ranges ist als dieser: er steht im Mittelpunkt der Kirche wie der Dom in der Mitte der Stadt[61].

Der Klerus umfaßt alle jene, die durch das Weihesakrament und die apostolische Nachfolge definiert sind[62]. Die Kontroverse um den Stand und Rang der Mönche in der Kirche veranlassen unsere Autoren jedoch, ihn nochmals eigens zu unterteilen in Mönche und Säkularkleriker[63].

[56] Vgl. die Tabelle; ferner HA, CC 1, 1; 2, 4 (172, 361.411—413) — HA, XIIQ 8 (172, 1182); Euch. 1 (172, 1250). Zur Tradition vgl. Congar, Les Laics 89 bis 104. Siehe auch HA, E 2, 19—61 (Lef. 412—429) mit den Beurteilungen der verschiedenen Stände.

[57] RvD, A 12, 21 (169, 1201) — HA, SE pass. (172, 910); GA 1, 173, (172, 597); SG 1 (172, 1258); CC prol. II (172, 355); Ps. 95 (194, 582) — GvR, LF laud. (O I, 227). HA, GA 1, 6 (172, 545) Aufzählung der 10 ordines der Bischofsbegleitung: neben den Weihegraden treten auf die *cantores, laici* und *feminae*; die Trennung der beiden letzten Gruppen ist interessant. Vgl. L. Prosdocimi, Chierici.

[58] HA, CC prol. II (172, 355); Ps. 95 (194, 582).

[59] HA, Mon. (Endres 147).

[60] HA, CC 2, 4.6 (172, 415.450).

[61] GvR, IA 1, 48 (Scheib. 99); Ps. 127 (194, 866).

[62] RvD, Gen. 7, 37; Jos. 9 (167, 481.1008); Jon. 2; Mich. 3 (168, 433.522): Jon. 2 wird ausdrücklich die Unterordnung unter den Römischen Stuhl betont.

[63] RvD, RSB 3, 3 (170, 512); ep. ad Liez. (170, 664 f.) — HA, CC 1, 1 (172, 375); GA 1, 173 (172, 597); Mon. (Endres 148) — GvR, CE 139 (194, 86).

5. *Das ethische Schema*: es ist in der Anschauung begründet, daß das eigentliche innere Strukturprinzip der Kirche die je größere Gnade und Heiligkeit ist. Während es sich nur gelegentlich in den Werken des Abtes von Deutz findet[64], hat es die besondere Vorliebe des Inklusen von Regensburg gefunden. Bereits in seinem frühen Werk „Elucidarium“ stellt er die Liste derer auf, die in den Himmel beim Jüngsten Gericht eingehen werden: es sind die Apostel, Martyrer, Mönche, Jungfrauen, die guten Eheleute, die Sünder, die Buße tun und Almosen geben[65]. Da der Himmel die Gemeinschaft mit den Engeln bringt, lag es nahe, die neun Engelsordnungen mit den ekklesialen ordines zu parallelisieren. Je nach ihren Verdiensten werden die einzelnen Gruppen einem Chor zugewiesen[66]. Die Kriterien der Vollkommenheit sind die Makarismen der Bergpredigt; um die Zahl neun zu bekommen, wird der achte einfach unterteilt[67]. Die Gruppierungen der Allerheiligenlitanei dienen ebenso als Divisionsprinzip wie die Musikinstrumente, die Ps. 150 nennt und welche die Heiligen-Ordines symbolisieren[68].

So umständlich, seltsam und verworren diese Einteilungen uns auch anmuten, sie zeigen die grundlegende Bedeutung, die die Ordo-Struktur nach der Meinung unserer Autoren für die Kirche hat. Sie ist das innerste Prinzip der Kirche, die ohne seine Verwirklichung ihre Aufgabe nicht mehr erfüllen könnte. Wenn Rupert die Heilsnotwendigkeit der Taufe auch für die alttestamentliche Kirche beweisen will, macht er sich den Einwand, sie sei überflüssig, da Gott sie auch ohne das neutestamentliche Sakrament in den Urstand rückversetzen könnte. Aber das verstieße gegen Gottes Gerechtigkeit, erklärt er. Er, der nur Reines als Opfer annimmt, konnte nicht dulden, daß jemand in die Gemeinschaft der Heiligen gelange, der nicht absolut rein ist: denn „clarissima coeli respublica tali inordinatione confunderetur“[69]. Der ordo in der Kirche dient dem himmlischen ordo, der in Gott Ausgang und Ziel hat.

[64] RvD, A 6, 11; 12, 21 (169, 1022.1200): Bekenner und Martyrer; EJ 7 (CCcm 9, 379): der ordo apostolicus ist der höchste unter allen ordines des AT und NT.

[65] HA, E 2, 59—68 (Lef. 459 f.); Ps. 49 (193, 1597); CC 2, 3 (172, 403). Vgl. auch HA, CC 2, 3.4 (172, 403.423); Ps. 107 (194, 690).

[66] HA, SE OS (172, 1015—1018).

[67] HA, XIIQ 6 (172, 1181) — GvR, Ps. 6 (193, 709). Bernhard benutzt das gleiche Schema, aber zur Illustration der kirchlichen Hierarchie (cons. 3, 4, 18 — 182, 768 f.).

[68] HA, SE OS (172, 1015—1018); Ps. 150 (172, 307 f.).

[69] RvD, DO 6, 36 (CCcm 7, 222). Vgl. zum ordo divinae justitiae auch GvR, CE 43 (194, 1301).

2. Kapitel

Das Amt in der Kirche

1. Das allgemeine Priestertum

Wenn das Zweite Vatikanische Konzil die Bedeutung des allgemeinen Priestertums der Gläubigen vorgängig zu jeder Differenzierung ans Licht gehoben hat, dann knüpfte es an eine Tradition an, die nicht zuletzt im Mittelalter sehr lebendig war[1]. Im Bereich unserer Arbeit findet sie sich am klarsten bei Rupert von Deutz. Im Kommentar zum Buch Levitikus erklärt er:

„Die Glieder des Hohenpriesters Jesus Christus, der die Himmel durchdrang, sind alle, die sich ihm, gleichgültig in welcher Ordnung, weihen. Denn nicht nur denen, die mit Hand und Mund die Sakramente Christi wirken, sondern allen Gläubigen gilt das Wort des Apostels Petrus: ‚Ihr seid ein auserwähltes Geschlecht, ein königliches Priestertum'. Und in der Apokalypse heißt es: ‚Das ist der Lobruf aller Auserwählten: du bist geschlachtet worden und hast uns für Gott durch dein Blut erkauft und uns für unsern Gott zu einem Königtum und Priestern gemacht'. Ihr Altar ist der Glaube, auf den sie jedes Opfer notwendig legen müssen, ohne ihn können sie kein würdiges und wohlgefälliges Opfer darbringen. Das Blut des Lammes vergießen sie ‚rings um den Altar, vor das Tor des Zeltes', wenn sie für Christus ihren fleischlichen Willen abtöten, um würdig in seinem Zelt weilen zu können". Das geschieht, wenn man sich mit seinem Bruder versöhnt, seine Leidenschaften abtötet und ein keusches und religiöses Leben führt[2].

[1] Vgl. zur Geschichte des Problems P. Dabin, Sacerdoce. Vaticanum II über das allgemeine Priestertum: Dogm. Konst. „Lumen gentium" II, 10; IV, 31.34 — Dekret „Presbyterorum ordinis" I, 2 — Konst. „Sacrosanctum Concilium" I, 1, 13; I, 2, 14 — Dekr. „Apostolicam actuositatem" I, 2 f. — Dekr. „Ad gentes divinitus" II, 3, 15.

[2] RvD, Lev. 1, 5 (167, 747): „Membra sacerdotis sive Pontificis magni, qui penetravit coelos, Jesus Christus, ipsi sunt qui semetipsos in quocumque ordine dedicant illi. Nam non solis eis, qui manibus et ore sacramenta Christi conficiunt, sed cunctis credentibus dicitur per Petrum apostolum: „Vos autem genus electum, regale sacerdotium. Et in Apocalypsi: ‚Omnium electorum laudantium vox est. Quoniam occisus es et redemisti nos in sanguine tuo et fecisti nos Deo nostro regnum et sacerdotes'. Porro altare illorum fides est, cui quidquid offerunt necessario imponunt, sine qua nihil dignum aut placitum offerre possunt. Sanguinem ergo hostiae fundunt, ‚per altaris circuitum,

Das Priestertum der Gläubigen ist ein geistliches, aber ein durchaus reales Priestertum, in dem echte Opfer gebracht werden. Seinen Grund und seine Möglichkeit hat es im Priestertum Jesu Christi, der als Erstgesalbter und mit der Fülle aller Gaben Gesalbter den Menschen Anteil an seiner Würde und Vollmacht gab[3]. Das ist die eigentliche Gabe, die Christus uns gebracht hat, und die Voraussetzung für unsere Gemeinschaft mit Gott[4]. Allgemeines Priestertum und Christusheil werden zu Synonyma: Gottes Erbarmen und Liebe zu den Menschen äußern sich in der Priesterweihe, die allen Menschen im Bekenntnis zu Christus gespendet wird[5]. Da Christus erst in der Menschwerdung Hoherpriester geworden und damit die Voraussetzung für die Anteilnahme an seiner Würde gegeben war, ist die Inkarnation der Beginn eines neuen Zeitalters[6].

Weil aber Heil und Kirche in engster Beziehung stehen, insofern die Aufgabe der Kirche der Dienst am Heil ist, wird die christliche Existenz adäquat als kirchliche und als priesterliche Existenz beschrieben[7]. Wie sie den Glauben voraussetzt und in der Taufe beginnt, so ist der Glaube die Vorbedingung und die Taufe die Weihe zur Würde des königlichen Priestertums aller Gläubigen, denn hier (wie auch in der Firmung) werden sie im Heiligen Geist gesalbt, der uns im Ausgang von Christus Teil gibt an dessen

ante ostium tabernaculi', quando voluntatem carnis et sanguinis pro Christo trucidant, ut in tabernaculo ejus digne consistere possint". Rupert bezieht sich auf 1 Pe. 2, 9 und Apok. 5, 9 f. Zu diesem Text vgl. die sehr ähnlichen Worte der Dogm. Konst. „Lumen gentium" II, 11 des Vaticanum II. Vgl. auch RvD, Lev. 1, 18 (167, 763) — HA, GA 1, 52 (172, 763).

[3] RvD, EJ 2 (CCcm 9, 60 f.) — HA, SE coen. (172, 923); CC 1, 1 (172, 364); GA 4, 52 (172, 708) wird vor allem die moralische Seite des allgemeinen Priestertums betont. RvD, Lev. 2, 4 (167, 790) wendet das Bild vom Bart Aarons darauf an, das sonst dem apostolischen Amt vorbehalten ist (vgl. oben II, 1, 5, 6).

[4] RvD, EJ 11 (CCcm 9, 626); SpS 1, 13 (167, 1583); A 1, 1; 4, 5 (169, 841.934).

[5] RvD, Reg. 1, 9 (167, 1075) — GvR, Ps. 77 (194, 480).

[6] RvD, Evg. 1 (167, 1535).

[7] RvD, DO 5, 15 (CCcm 7, 169); Reg. 1, 10 (167, 1077): „Tota Christi domus, tota ecclesia genus sacerdotale est, et haec proficiendo de virtute in virtutem ambulat coram Christo cunctis diebus"; Dan. 22 (167, 1527); Agg. (168, 689 f.) — HA, GA 3, 81 (172, 664); Ps. 94 (194, 577). — GvR, Ps. 18 (193, 927): „Plebs fidelis dicitur simpliciter sancta, portio autem Domini, haereditas videlicet Christi". *Portio* ist wohl die Übersetzung von *kleros*; dann wäre dieser Text ebenfalls eine Anspielung auf das allgemeine Priestertum. Vgl. Hieronymus, interpr. 66, 17 (CC 72, 142).

[8] RvD, Lev. 1, 29; 2, 1.2; Reg. 3, 21 (167, 774.787.788.1166); Agg. (168, 689 f.) — HA, GA 1, 3.111 (172, 543, 673); CC 1, 1 (172, 362); SE coen. (172, 928).

Würde[8]. Zugleich beginnt damit die eschatologische Vollendung des Christen, da diese nichts anderes ist als die Teilhabe an der priesterlichen und königlichen Herrschaft Christi[9].

Die fundamentale Gleichheit der Kirchenglieder, die unsere Theologen hervorgehoben haben, findet in diesen Aussagen ihre sakramentale Begründung. Denn die Berufung zum Heil und dessen Verwirklichung im eigenen Leben ist allen Menschen gleichermaßen gegeben und aufgetragen[10]. Die Realisierung ist nicht mehr von einer mehr oder weniger bedeutsamen Stellung im ordo abhängig, sondern einzig und allein von der Kirchlichkeit und Christlichkeit dessen, der von Gott zum Priestertum aller Gläubigen gerufen ist.

2. Das Wesen des Amtes

Der Streit des 12. Jahrhunderts um die rechte Gestalt der Weltordnung erfaßte auch das Amt der Kirche. Es wurde von niemandem ernstlich bestritten, doch stand die Deckung zwischen Anspruch des Amtes und der Wirklichkeit seiner Realisation in der Zeit zur Debatte. Die Ketzer bestritten nicht anders als die Reformer im kirchlichen Lager, daß zwischen beiden eine skandalöse Kluft war; aber erst das innere Schwergewicht der radikalen Forderungen und Vorstellungen der ersteren führten zur Leugnung des Amtes: ihre primäre Intention zielte keinesfalls darauf ab, sondern auf die Schließung des Grabens.

Die Reflexionen unserer Theologen sind weithin von den zeitgenössischen Diskussionen bestimmt, aber sie zielen in diesem Zusammenhang auch auf die Erhellung des Charakters des kirchlichen Amtes selbst. Als Amt in der Kirche hat es den gleichen Ursprung wie diese: in Gott und im Rahmen der Sendungen in Christus, in dem Gott die Fülle allen Priestertums wohnen ließ[11]. Die Würde und Vollmacht des Amtes ist in Christus begründet: die Amtspriester sind in hervorragender Weise Glieder Christi, die sogar *personam Christi gerentes* sind[12]. Sie sind des Bräutigams Freunde, ja sie können sogar seine Vikare genannt werden, da Christus in ihnen

[9] RvD, A 1, 1; 12, 22 (169, 842.1204); Mich. 2; Agg. (168, 480.689 f.).
[10] GvR, AD 43 (194, 1302).
[11] RvD, DO 1, 17 (CCcm 7, 16); EJ 1 (CCcm 9, 33); Jer. 1 (167, 1364) — HA, OS (Kelle 12); Sac. 24 (172, 759) — GvR, IA 1, 49.88 (Scheib. 100.173); AD prol. (194, 1189).
[12] RvD, DO 1, 17.19 (CCcm 7, 16.17); Lev. 1, 29 (167, 774) — HA, Sac. 24 (172, 759); GA 1, 191 (172, 603).

spricht und sein Heil den anderen Kirchengliedern zuteil werden läßt[13].

Würde und Grenzen des Amtes sind damit definiert. Seine Inhaber sprechen und handeln mit der Autorität Gottes, aber gerade deswegen sind sie zu einem exemplarischen christlichen Leben verpflichtet[14]. Sie wirken im Leib Christi wie die Seele oder wie das tragende Skelett, aber sie sind eben deshalb so gefährdet, daß Christus besonders für sie beten muß[15].

Der trinitarische Charakter des Amtes als Heilsdienst kommt erst voll zum Tragen, wenn man sich bewußt ist, daß der Heilige Geist die Amtsträger für ihre Aufgaben auswählt und bestellt[16].

Es entspricht dem heilsökonomischen Denken unserer Autoren, wenn sie den größten Wert auf die Apostolizität des Amtes legen. Dieses ist die Kontinuität des apostolischen Wirkens in der heutigen Kirche. Das ist geradezu die Quasidefinition des Amtes, und um sie zu belegen, greifen unsere Autoren zu genealogischen Darstellungen, um alle Ämter im Zusammenhang mit der apostolischen Sukzession zu zeigen[17].

Die Qualität des Apostolischen ist sowohl *Sukzession* in den sakramentalen Vollmachten des Amtes[18] als auch *Paradosis* der Lehre, die apostolisch sein muß[19], und schließlich die existenzielle Nachfolge der Apostel in einem Leben der Armut gemäß dem Wort „Wir haben alles verlassen"[20]. Aus ihr ergibt sich die fundamentale Einheit und Gleichheit der verschiedenen kirchlichen Ämter. Sie sind nach der Meinung des Honorius aus einem geschichtlichen Dif-

[13] RvD, EJ 4; 5; 9 (CCcm 9, 180.246.253.514.521) — HA, Sac. 24 (172, 759) — GvR, Ps. 71 (194, 318). Zum Titel *vicarius Christi* vgl. unten Kap. 3, 2, Anm. 36.

[14] RvD, A 9, 16 (169, 1120); Os. 2 (168, 70); Alterc. (170, 539); EJ 14 (CCcm 9, 772) — GvR, Ps. 77 (194, 482); CE 99 (194, 67): wie in den guten Königen Christus der König berührbar wird, so in den guten Priestern Christus als Hoherpriester; AD 30 (194, 1272). Vgl. unten Abschn. 4 dieses Kapitels.

[15] GvR, Ps. 21 (193, 1028).

[16] RvD, EJ 2 (CCcm 9, 65) — HA, SBM 5 (172, 510); Sac. 24 (172, 760); CC 1, 1 (172, 379) — GvR, Ps. 21 (193, 1029).

[17] RvD, DO 1, 27 (CCcm 7, 22): Apostel — Patriarchen/Papst — Bischöfe — GvR, Ps. 88 (194, 173): Papst — Patriarchen und Primaten — Erzbischöfe — Bischöfe — Priester — Kleriker der Weihestufen sind von Gott eingesetzt. Vgl. auch II, 1, 5, 6 Anm. 177.

[18] RvD, DO 10. 25 (CCcm 7, 361).

[19] RvD, EJ 6 (CCcm 9, 311); Mich. 2 (168, 494 f.). Zum Unterschied von alt- und neutestamentlichem Priestertum ds., Mal. (168, 830).

[20] GvR, IA 1, 49 (Scheib. 100). Die Schriftstelle Mt. 19, 27.

ferenzierungsprozeß entstanden, aber nicht strukturell verschieden[21]. *Vicarius Christi* und *vicarius Petri* sind Titel, die dem Papst wie jedem Priester mit gleicher prinzipieller Berechtigung zukommen[22]. Alle sind Angehörige des einen Klerus, ob sie Minorist oder Bischof heißen, Papst oder Patriarch[23]. Aus diesem fundamentalen Gleichheitsgrundsatz, der strukturell die Gliederungen aller Art in der Kirche kennzeichnet, resultiert schließlich auch die Unschärfe der Terminologie. *Doctor, praedicator, praelatus* können sowohl Titelbezeichnungen sein, die die spezifische Funktion des Lehrers, Predigers oder Leiters kennzeichnen, aber auch einfachhin „Amtsträger" bedeuten, deren *pulchra varietas* doch im einen Amt konvergiert[24].

Aus dem apostolischen Charakter des Amtes rührt die eigentümliche Würde, die es beansprucht. Auf der einen Seite besteht ein grundlegender Unterschied zum Nichtamtsträger, zum Laien. Der *ordo sacerdotum* unterscheidet sich vom *ordo laicorum* wie das Licht vom Dunkel[25]. Das ist keine willkürliche Anmaßung, das ist im strengen theologischen Sinn nicht einmal eine Auszeichnung, auf die die Amtsträger stolz sein dürften, sondern Ausdruck der innerkirchlichen Ordnung, zu der die Qualität des Apostolischen bleibend gehört[26]. Wer daran zu rühren wagt, bringt die Ordnung durcheinander — *perturbare ecclesiam* ist das Stichwort — und handelt gegen die Kirche und sündigt wider Gott[27].

Zum anderen aber ergibt sich daraus der funktionale Charakter des Amtes. Wie die Apostel sind auch die Amtsträger für die Kirche da: „non tam praeesse studeant quam prodesse"[28]. Der Gedanke des Dienstes wird mit einer Prägnanz vertreten, die in den handfesten Auseinandersetzungen zwischen Regnum und Sacerdotium und den Tendenzen der kirchlichen Partei zur Universalisierung

[21] HA, Sac. 24 (172, 760); OS (Kelle 14); HA, Ps. 102 (194, 624). Danach gab es in der Urkirche keinen Unterschied zwischen Bischöfen und Priestern.

[22] RvD, EJ 13 (CCcm 9, 772) — GvR, IA 1, 48 (Scheib. 99).

[23] RvD, DO 1, 27 (CCcm 7, 22) — HA, MON. (Endres 147).

[24] GvR, Ps. 88 (194, 173).

[25] HA, OS (Kelle 22).

[26] RvD, EJ 7 (CCcm 9, 411); Dt. 2, 13 (167, 985).

[27] HA, Ps. 102 (194, 624). — Vgl. die Reformvorschläge Gerhochs, die gerade die confusio verhindern wollen und daher auf die strenge Scheidung der Einflußsphären drängen: AD 24 (194, 1256): keine Laienschenkungen von Kirchen, weil diese keine Leibeigene sind; a.a.O. 23 (a.a.O. 1253); CE 62 (194, 46): die Laien dürfen kein Patronatsrecht besitzen, die Kleriker den Blutbann nicht ausüben. Vgl. unten II, 3, 7.

[28] RvD, DO 12, 18 (CCcm 7, 411); VV 13, 3 (169, 1989) — GvR, AD 26; 27 (194, 1262.1265); Ps. 18 (193, 915 f.); IA 1, 52 (Scheib. 105).

des kirchlichen ordo in den politischen Bereich hinein, die damals sich immer stärker abzeichneten, wahrhaft eindrucksvoll ist. Die christozentrische Struktur des Amtes erfordert nach Ansicht Ruperts den Geist der Fußwaschung im Vikariat Christi, das apostolische Selbstbewußtsein hat sich vom Kreuz her zu definieren[29]. Honorius vergleicht sehr drastisch die Prälaten mit Zug- und Lasttieren, die die Laien zum Himmel befördern müssen. *„Debent se servos fidelibus exhibere, non dominos“*[30]. Auch die Feststellung des Reichersberger Kanonikers bedarf kaum des Kommentars: *„Sacerdotium ecclesiae humilitatis officium ac ministerium est“*[31]. Für die Reformtheologen war es selbstverständlich, daß eine solche Gesinnung und das sie begründende Amtsverständnis die Seelsorge als eigentliche Aufgabe des Klerus erscheinen lassen mußte. Sie ist das Königsamt, das man beileibe nicht um ein Linsengericht verkaufen dürfe, wie es leider viele zeitgenössische Kleriker taten[32]. Honorius ist überzeugt, daß Gott den Seelsorgseifer eines Priesters zum Maßstab seiner Beurteilung beim Gericht macht[33].

3. Die Aufgaben des Amtes

Nach Gerhoch haben die Apostel und ihre Nachfolger von Christus eine dreifache Vollmacht empfangen, die sich in drei Befehlen artikuliert: dem eucharistischen Auftrag der Wiederholung des Abendmahls, dem pastoralen Auftrag des Bindens und Lösens, dem lehramtlichen Auftrag des Sendungsbefehls nach Mt. 28[34]. Er nennt noch, wie angemerkt, die vita apostolica als Konstitutivum des Amtes und stellt es damit ausdrücklich vor den Hintergrund des Dienstes. In diesem Sinne sind die Funktionen und Vollmachten des apostolischen Amtes zu verstehen.

Mit den drei Sendungen wird auf das dreifache Amt des einen Amtes verwiesen. Der priesterliche Charakter wird in der Sakramentenspendung zum Ausdruck gebracht. Im Dienst an der Eucharistie liegt der innerste Sinn eines Priestertums, das sich vom Opfer her versteht[35]. Hier lebt der Amtsträger auch am tiefsten in und mit der Kirche. Sehr schön sagt Gerhoch, konsekrieren heiße eigent-

[29] RvD, DO 5, 21 (CCcm 7, 177); EJ 2 (CCcm 9, 58). Mit diesen Texten wird die Disziplinargewalt ausdrücklich nicht aufgehoben.

[30] HA, Ps. 102 (194, 625).

[31] GvR, IA 2, 25.26 (Scheib. 241.243).

[32] RvD, IOT 16 (Grundmann 461); vgl. ds., DO 12, 16 (CCcm 7, 409); EJ 8 (CCcm 9, 467) — HA, PV 29 (172, 327).

[33] HA, E 2, 19 (Lef. 412). Vgl. oben I, 2, 1, 4.

[34] GvR, IA 1, 49 (Scheib. 100). Vgl. auch ds., Ps. 34 (O II/1, 398): Christo „ubique regnante sit in ecclesia regale sacerdotium, regens et sanctificans

lich „in Gemeinschaft heiligen“: *Simul sacrat, simul videlicet cum ecclesia, cui a Christo consecrationis potestas est indulta*“[36]. Konsekration ist Dienst an der Kirche, in der Kirche und durch die ganze Kirche, deren Exponent und Diener der Priester ist. Ihm kommt daneben und immer in Bezug auf die Eucharistie auch die Spendung der anderen Sakramente zu, der Taufe[37], der Firmung, des Bußsakramentes und — als Bischof — des Weihesakramentes[38]. Schließlich obliegt ihm das Gebet für die Sünder[39].

Der pastorale Auftrag Christi verpflichtet die Amtsträger zur Leitung der Gottesstadt[40]. Sie wirken an ihrer steten Erbauung mit, indem sie nach außen gegen den Teufel und die Irrlehrer kämpfen, nach innen durch Aufrechterhaltung des geordneten Zusammenlebens in den Gemeinden die Gesamtkirche leiten[41]. So lenken sie die Kirche wie die Seele den Leib[42]. Zu diesem Zweck ist ihnen die Vollmacht des Bindens und Lösens übertragen worden[43]. Damit sind sie zu Richtern in der Kirche bestellt. Ebenso aber haben sie die Expansion der Kirche voranzutreiben, obschon das nicht nur und nicht einmal, was die Effizienz angeht, hauptsächlich ihre Sache ist, sondern auch die der Heiligen[44]. Gerade darin vollzieht sich dann auch die Erfüllung des kirchlichen Auftrags, die Versöhnung mit Gott. Das ist der innerste Sinn ihrer Leitungsfunktion[45]. Während die priesterliche und die pastorale Dimension des Amtes eher beiläufig erwähnt werden, findet die prophetische die höchste Beach-

populum suum: regens, ut non peccent criminaliter, sanctificans a venalibus peccatis“.

[35] RvD, DO 3, 10 (CCcm 7, 75); Lev. 1, 6 (167, 749); Alterc. (170, 539) — GvR, AD 30 (194, 1272); Ps. 65 (194, 137); IA 1, 48 (Scheib. 99) — vgl. auch HA, GA 1, 191 (172, 603).

[36] GvR, Ps. 10 (193, 796).

[37] RvD, EJ 5; 14 (CCcm 9, 246.772).

[38] RvD, DO 10, 25 (CCcm 7, 361); EJ 14 (CCcm 9, 773) — HA, Ps. 44 (193, 1586) — GvR, IA 1, 48 (Scheib. 99).

[39] RvD, DO 12, 19 (CCcm 7, 413) — GvR, Ps. 67 (194, 186).

[40] HA, SE conv. (172, 1096). — Vgl. RvD, Is. 2, 27 (167, 1353).

[41] RvD, DO 5, 21; 6, 3 (CCcm 7, 177.188); EJ 6 (CCcm 9, 305); Num. 1, 25; 2, 10; Jos. 9; Ez. 2, 26 (167, 862.889.1009.1487); VV 13, 4 (169, 1489); nach A 11, 20 (169, 1182 f.) hat den ersten Rang in der Leitung Rom inne — HA, SE nat.; sept.; coen. (172, 838.854.923); CC 1, 2 (172, 394) — GvR, Ps. 17; 18 (193, 882.929).

[42] GvR, Ps. 21 (193, 1028.1029) — vgl. RvD, Lev. 1, 6 Dt. 2, 17 (167, 749.992) — HA, CC 1, 1 (172, 379).

[43] RvD, DO 3, 4 (CCcm 7, 68); Lev. 2, 23 (167, 810); A 9, 16; 11, 20 (169, 1120. 1182) — GvR, Ps. 71 (194, 318).

[44] RvD, Os. 1 (168, 48).

[45] RvD, EJ 14 (CCcm 9, 770) — HA, SE coen. (172, 923).

tung. Der Streit zwischen Mönchen und Säkular-, bzw. Regularpriestern um die Predigtvollmacht zwang zum Nachdenken über die Bedeutung der Wortverkündigung. Sie wird an Wichtigkeit für die Kirche der Taufe gleichgestellt[46]. In der organischen Einheit des Leibes Christi gleichen die Prediger den Füßen, die Christus zu den Menschen tragen[47]; oder den Augen, die den richtigen Weg ausmachen; den Zähnen, die die Nahrung des Gotteswortes für den Leib aufnahmefähig machen[48]; sie sind am Leib der Kirche wie die milchspendenden Brüste, die den einfachen Menschen, den Kleinen in der Kirche die Milch der Lehre darbieten, die sie selber an den Brüsten der Heiligen Schrift Alten und Neuen Testaments empfangen haben[49]. Wie regenspendende Wolken stehen sie am Himmel der Kirche[50]. Sie sind das Roß, auf dem Christus sich durch die ganze Welt tragen läßt[51]. Alle diese Bilder zeigen den vermittelnden und funktionalen Charakter des prophetischen Amtes an, das nicht aus dem Eigenen holt und schöpft, sondern nur instrumental, ministerial erfüllt wird. Am deutlichsten drückt das die Vorstellung von den Predigern als Bauern aus, die das Gotteswort wie eine Saat ausstreuen und dann nur warten können, daß Gott das Wachstum gibt und es im Herzen der Gläubigen reiche Frucht trage[52]. Sie werden zu den wahren Zeugen Christi, die im Gegensatz zu denen seines Prozesses vor dem Hohen Rat die Wahrheit sagen[53].

Die Befähigung dazu ist ihnen horizontal durch die apostolische Paradosis zuteil geworden, vertikal durch den Empfang des Gottesgeistes[54]. Die Überlieferung finden sie in der Schrift und die Erleuchtung des Geistes besteht im Aufschließen der Schrift[55]. Der Inhalt des prophetischen Amtes ist somit die Interpretation der

[46] RvD, EJ 5 (CCcm 9, 246); Is. 2, 27 (167, 1353); A 1, 1 (169, 864) — HA, Ps. 102 (194, 625) — GvR, Ps. 67 (194, 186).

[47] RvD, A 6, 10 (169, 1006).

[48] HA, PV 10 (172, 317) — vgl. auch RvD, EJ 5 (CCcm 9, 311) sowie Alkuin, in Joh. 3 (100, 825).

[49] HA, CC 3, 7 (172, 466).

[50] HA, Ps. 35 (193, 1351).

[51] RvD, Gen. 7, 8 (167, 453) — HA, SE dom. XXII (172, 1072).

[52] RvD, Os. 4 (168, 165) — HA, SE sept. (172, 853); Ps. 106 (194, 675).

[53] RvD, EJ 7 (CCcm 9, 394); A 4, 5 (169, 930): drei Zeugnisse sollen das Falschzeugnis gegen Jesus wiedergutmachen: die *Engel* legen es während des Lebens Jesu ab, dann die *Schöpfung*, die ihm ihren Ursprung verdankt, und die *Amtsträger* der Kirche; Os. 1 (168, 47) — HA, CC 4 (172, 475) — GvR, AD 3 (194, 1202).

[54] RvD, EJ 12 (CCcm 9, 679); Num. 1, 26; Jos. 9 (167, 862.1009); A 6, 11 (169, 1023) — HA, PV 9 (172, 316); Ps. 103; 110; 113 (194, 624.700.711.714).

[55] RvD, Gen. 6, 43; Lev. 2, 23; Jos. 17 (167, 441.810.1017).

Heiligen Schrift, sein Kriterium die Treue zur Bibel[56]. Ihre zentrale Botschaft muß auch die Mitte ihrer Verkündigung sein:

„Sie predigen den einen Christus, der Gott ist vor der Zeit und Mensch geworden am Ende der Zeiten; gemäß der Stimme beider Testamente zeigen sie, daß er Mensch geworden ist, gelitten hat, gestorben und von den Toten auferstanden ist als wahrer Sohn Gottes“[57].

In einer Kurzformel wird der Inhalt der kirchlichen Botschaft zusammengefaßt, der an anderer Stelle von Rupert noch die Predigt der Parusie zugefügt wird[58]. Damit ziehen sie als *angeli,* als Boten des Herrn durch alle Welt und wirken mit an der Durchsetzung der Katholizität der Kirche[59]. Zugleich führen sie dadurch die kritische Scheidung der Welt herbei, insofern sich die Menschen durch ihr Wort bekehren lassen und zum Heil finden, das in der Auswirkung jener *sacramenta vitae Christi* in der menschlichen Existenz besteht, oder mit seiner Ablehnung ihre Gottlosigkeit manifestieren[60].

Denken wir an die Kreuzesgestalt der Kirche, wird uns leicht einsichtig, daß dieses Ziel des ganzen Einsatzes aller Kräfte bedarf und die selbstlose Bereitschaft zum Martyrium[61].

4. Die Träger des Amtes

Die große Bedeutung, Würde und Verantwortung des kirchlichen Amtes stellt an seine Träger die höchsten sittlichen Anforderungen.

[56] RvD, EJ 4 (CCcm 9, 180); Jos. 9; Is. 2, 28 (167, 1009.1355); A 9, 14 (169, 1097) — HA, SE serm. gen. (172, 861); Ps. 44; 96; 102 (193, 1587; 194, 586. 626) — HA, SE Caec. (172, 1028) sagt der Inkluse, der katholische Glaube sei aus den Sätzen der Schrift gewebt wie ein Netz, das die Lehrer der Kirche in alle Welt auswerfen, um Menschen für Christus zu gewinnen. Vgl. auch a.a.O. pasch. (a.a.O. 939).

[57] RvD, EJ 14 (CCcm 9, 763): „Unum eundemque Christum et Deum esse ante saecula et hominem factum praedicant in fine saeculorum et utriusque testamenti vocibus incarnatum, passum, mortuum, sepultum ac resuscitatum a mortuis comprobant verum Dei Filium“. Vgl. auch a.a.O. (a.a.O. 767). Eine andere Kurzformel findet sich ds., Mich. 2 (168, 522).

[58] RvD, Is. 2, 27 (167, 1353).

[59] RvD, A 1, 1; 9, 14 (169, 858.1097); Gh 5 (168, 1419). Vgl. ds., EJ 14 (CCcm 9, 763) — HA, Ps. 90 (194, 561 f.). Vgl. auch Anm. 56.

[60] RvD, Dt. 2, 7 (167, 963); A 9, 16 (169, 1129) — HA, SE palm. (172, 919); PV 1 (172, 313); Ps. 44; 96; 106 (193, 1572; 194, 586.675) — GvR, Ps. 33; 118 (O II/1, 197; 194, 758); LF rec. (O I, 181). — Zu den *sacramenta vitae Christi* vgl. oben II, 1, 3, 2.

[61] RvD, DO 1, 16 (CCcm 7, 13 f.); Dt. 1, 13 (167, 932); Os. 5 (168, 168 f.) — HA, CC 4 (172, 475).

Sie müssen heilig und vollkommen sein — das ist das ebenso kurze wie anspruchsvolle Resumee aller Sittenspiegel, die unsere Theologen dem Klerus ihrer Zeit in die Hand geben[62]. Knapp und prägnant vergleicht Rupert die vier Tiere der Ezechielvision mit den Eigenschaften des idealen Amtsträgers. Das Symbol des Menschen zeigt an, daß er ein kluger Verwalter sein muß; der Adler verweist auf Gebet und Betrachtung, durch die er sich in himmlische Höhen aufschwingen soll; die Kraft des Löwen versinnbildet die Strenge, die notwendig ist; der Ochse ist das Bild der Sanftmut, die sich mit der Strenge paaren muß. Je mehr einer alle diese Eigenschaften in sich verwirklicht, um so ähnlicher wird er Christus[63]. Niemand anderer als er ist der Maßstab; wenn gelegentlich große Christen genannt werden wie Petrus, Paulus, die Kirchenväter oder hervorragende Bischöfe wie Martin von Tours, Severin von Köln oder Amandus von Maastricht[64], dann nur darum, weil sie selbst in hoher Vollendung Christus ähnlich geworden waren. Weil er aus Liebe sein Blut für uns vergossen hat, in dem die Kirche gebildet wurde, darum werden die Amtsträger an ihrer Liebe und Brüderlichkeit als konkretem Ausdruck ihrer Christusförmigkeit gemessen[65]. Der Herr ist das Ziel dieser Liebe, denn wie Petrus zu seinem Amt als oberster Hirte auf Grund seiner Liebe zu ihm berufen wurde, ist auch ihr Amt letzten Endes in der Christusliebe verankert[66]. Sie findet ihre natürliche Fortsetzung in der Menschenliebe. Ob sie mit Milde oder Strenge, der jeweiligen Situation entsprechend, ihr Amt ausüben, in keinem Fall dürfen sie ihr Herz verengen: *„dilatata per caritatem viscera“*[67]. Eine Form

[62] Vgl. z. B. RvD, Ex. 4, 12; Lev. 1, 6; SpS 6, 2 (167, 711.748 f. 1731); A 1, 1; 3, 4 (169, 864.919); RSB 4, 6 (170, 530); Herib. 23 (170, 412): vor allem darf der Klerus nie die Armen verachten — HA, E 2, 52 (Lef. 427); SE serm. gen. (172, 861); OS (Kelle passim, vor allem 7.8.9.10) — GvR, Ps. 18; 24; 25; 33 (193, 933.1118.1169; O II/1, 201); LF rec. (O I, 183); IA 1, 48 (Scheib. 99); QV 12.17 (Scheib. 585.594). Ähnliche Sittenspiegel hat auch Bernhard v. Clairvaux für den Klerus verfaßt: vgl. K. Kilga, Bernhard 99—103. J. M. Arancibia hat die Stellung der Amtsträger unter moraltheologischem Aspekt bei Rupert untersucht: Ruperto de Deutz y la crisis; Las virtudes de los prelados.

[63] RvD, A 3, 4 (169, 916).

[64] Vgl. RvD, DO 3, 2 (CCcm 7, 65) — HA, Ps. 103; 106 (194, 624.674) — GvR, Ps. 23 (193, 1085).

[65] RvD, Num. 1, 4 (167, 841); A 2, 2 (169, 869) — besonders GvR Ps. 18 (193, 933).

[66] GvR, Ps. 18 (193, 915): „Si ab ipso praecipiuntur pascere agnos et oves ejus, noverint sibi non dominandi, sed ministrandi officium impositum, ut sint servi servorum Dei“.

[67] RvD, Dt. 2, 17 (167, 992); vgl. ds., DO 12, 22 (CCcm 7, 415); Ex. 4, 12 (167, 711) — HA, Ps. 102 (194, 625) — GvR, Ps. 18; 71 (193, 915 f.; 194, 318).

dieser Liebe ist ihre Vorbildhaftigkeit für das ganze Volk Gottes, dessen Spiegel, Licht und leuchtendes Auge sie sein sollen[68].

Die Wirklichkeit der Zeit sah allerdings anders aus. Es war nicht schwer, einen Negativkatalog der Eigenschaften zu erstellen, die der Amtsträger nicht besitzen darf. Man brauchte nur die Augen aufzumachen, um zu sehen, wohin es führte, wenn die Kleriker in weltliche Geschäfte verwickelt waren, Kriege führten, sich vor Ehrgeiz fast verzehrten[69]. Daraus war die Krise der Kirche entstanden. Den Männern der Reform ist jedoch klar, daß alle Extremismen nur zur Verschärfung beitragen würden. So sehr sie daher den Amtsträgern die Notwendigkeit der Erneuerung predigten, so sehr riefen sie den neonovatianischen Kreisen ins Gedächtnis, daß das Amt als *nomen officii, non meriti* in seinem Wesen unabhängig von den persönlichen Qualitäten der Inhaber ist[70]. Denn hinter jedem Amt steht Christus, der der einzige und alleinige Amtsträger kraft eigener Vollmacht ist. Ein Verstoß gegen die Autorität des Amtes bedeutet dann eine Sünde gegen Gott[71].

3. Kapitel

Ordo rectorum

1. Petrus in der Kirche

Nach einem Wort Gerhochs von Reichersberg ist die irdisch-kirchliche ordo-Struktur ein Abbild der trinitarischen Hierarchie[1]. Um den Bauplan der Kirche als Gotteswerk richtig zu erfassen, müssen wir die drei großen Lebensstände betrachten, aus denen

[68] RvD, DO 12.18 (CCcm 7, 411); Num. 1, 8 (167, 844) — HA, SE 2, 52 (Lef. 427); SE nat.; serm. gen.; pent. (172, 827.861.1044); Ps. 93 (194, 569); OS (Kelle 22) — GvR, Ps. 10 (193, 796).

[69] RvD, Num. 1, 4 (167, 840 f.); Mich. 2; Naum 2 (168, 477 f. 549) — HA, GA 1, 236 (172, 614); OS (Kelle 10) — GvR, Ps. 67 (194, 186); IA 1, 37.41 (Scheib. 82.85). Über die Möglichkeit des Abfalls von Amtsträgern siehe RvD, Gh 8 (168, 1487).

[70] RvD, EJ 7 (CCcm 9, 382 f.); SpS 2, 28 (167, 1639); A 1, 1; 2, 2 (169, 864.877); RSB 3, 9 (170, 517) — HA, MON (Endres 147).

[71] RvD, Reg. 2, 12; (167, 1114 f.); A 9, 16 (169, 1120); Os. 2 (168, 70) — GvR, AD 30 (194, 1273 f.); Ps. 10; 18; 25; 145 (193, 796 f. 928.1159; 194, 970); LF rec. (O I, 185); IA 1, 59.63 (Scheib. 126.129). Der Gehorsam wird gleicherweise vom Niederklerus gegenüber den Bischöfen verlangt. Vgl. AD 30; Ps. 25; IA 1, 63 a.a.O.

[1] GvR, IA 2, 28 (Scheib. 245 f.).

sie errichtet ist. Die erste Stelle nimmt der *ordo rectorum* ein, der sich vor allem im Papst und den Bischöfen realisiert. Sie stehen in hervorragender Weise durch Sukzession und Paradosis in der apostolischen Tradition und sind von dort aus zu würdigen.

Das gilt besonders für das päpstliche Amt, dessen spezielle Prärogativen sich von der Stellung Petri herleiten. Sie wird durch die klassischen Schrifttexte beschrieben: die Verheißung von Caesarea Philippi (Mt. 16,16—18), das Stärkungswort bei Lk. 22,31 f. und die Bestellung zum Hirten der Kirche nach Jh. 2,15—17. Von gleichem Rang ist noch eine vierte Aussage der Evangelien: die Erzählung von der Verleugnung des Petrus (Mk. 14,66—72 parr.). Alle diese Texte betreffen keine bloße Privatperson, sondern eine typologische Figur — auch der Text von der Schwachheit des Petrus. Er ist ekklesiologisch nicht weniger relevant als das Primatswort bei Matthäus. Die besondere Stellung Petri im Apostelkollegium basiert auf seiner *fides primogenita,* die er namens aller Apostel und somit auch namens der ganzen Kirche bekennt[2]. Weil der kirchliche ordo ein ordo der Gnade und des Glaubens ist, wird der Sprecher der Kirche, die an Christus glaubt und ihn über alles liebt, an die erste Stelle dieser Kirche berufen[3]. Dies geschah in dem Augenblick, als er nicht nur seinen Glauben an Christus bekannt, sondern hinzugefügt hatte, daß er Christus und in ihm die Kirche mehr liebe als alles andere[4]. Der Lohn für diese Hingabe war die Bestellung zum Fundament der Kirche. Das ist eine kaum genug zu würdigende Auszeichnung, aber sie muß in ihren Grenzen gesehen werden. Sie sind dadurch bestimmt, daß Christus das primäre und bleibende Fundament der Kirche ist. Der Apostel ist nur „primum post se ... fundamentum ecclesiae“[5]. Was das bedeutet, wird bei der Betrachtung seines Namens klar. Der neue Name drückt eine neue Würde aus: „Er hat ihn Felsen genannt nach seiner eigenen Funktion als erster Felsen, da auf diesem nach ihm das ganze

[2] RvD, Evg. 25 (167, 1563); vgl. ds., Js. 1, 29 (167, 1301); Gh 3 (168, 1385); ep. ad Rom. Pont. (169, 9/10); GT 3, 19 (169, 70) — GvR, IA 2, 21 (Scheib. 233); Ps. 131 (194, 878). Vgl. ds., Ps. 68 (194, 269.270); CE 8 (194, 16); Card. (O I, 313): ecclesia fide roborata, firmata.

[3] RvD, EJ 7; 14 (CCcm 9, 378.781).

[4] GvR, DI (194, 1379); Ps. 138 (194, 923); N 4 (That. 191); QV 21 (Scheib. 604). Wegen dieses Glaubens betet Christus stets für Petrus, damit er in Hoffnung und Liebe vollendet sei und Petrus so der Trinität angeglichen werde: GvR, LF laud. (O I, 274 f.).

[5] RvD, EJ 2 (CCcm 9, 88 f.) — GvR, Ps. 14; 26; 60; 68; 136; 138 (193, 829.1192. 1769; 194, 270.910.922.923); CE 69 (194, 52).

geistliche Bauwerk ruhen sollte"[6]. Namensänderung zeigt in der Heiligen Schrift eine Auszeichnung an, die zugleich mit einer Sendung verbunden ist. Am besten sieht man das an Jakob, der als Vater der zwölf Stämme eine fundamentale Rolle in der Heilsgeschichte zu übernehmen hatte. Allerdings ist er nur dem Fleisch nach Vater gewesen, während der eigentliche Vater des Gottesvolkes Christus ist, der in den zwölf Aposteln die neue Kirche zeugte. Die ständige Christusbezogenheit der universalen Kirche durch alle Zeiten kommt darin zum Ausdruck, daß Christus seinen Namen als Vater der Kirche nicht ändert, wohl aber den des Petrus: sein Glaube ist der exakte Ausdruck des Christusglaubens der Kirche[7]. Zugleich behält er aber seinen alten Namen: Simon heißt „der Gehorsame". Simon Petrus — *der gehorsame Felsen*: damit ist die Stellung des Apostels genau definiert[8]. Die Stunde der Verleugnung zeigte ihm, daß er nur im Gehorsam sein Amt ausfüllen konnte, weil er nichts aus sich vermag, vielmehr alles der Gnade Christi verdankt. Das sollte ihn gleichzeitig daran mahnen, auch Verständnis zu zeigen für die Schwachheit seiner Untergebenen[9]. In seiner Versuchung und seinem Fall ist die Versuchung und die Defizienz der ganzen Kirche beschlossen: er wird zur *forma praesignata* der büßenden Kirche[10]. „Der Petrus, der in Liebe und Demut vollendet war, verdiente es, an Stelle Christi die Kirche zu leiten"[11]. Das Petrusamt ist die absolute Absage an die Macht, die politische wie die innerkirchliche; allein in Liebe und Glaube, also in der Ohnmacht nach säkularen Begriffen, ist es gegründet.

Erst aus der Machtlosigkeit gewinnt es seine Bedeutung und seine Wirkmacht. Die Kirchenreformer sind davon überzeugt, daß nur ein starkes Petrusamt die Erneuerung tragen könne, aber sie setzen

[6] RvD, EJ 2 (CCcm 9, 89): „Petrum a seipso petra prima denominavit, utpote in quo post seipsum tota constatura erat fabrica spiritualis aedificii".

[7] RvD, EJ 8 (CCcm 9, 1486 f.): die Namensänderung Pauli kommt hier nicht in Betracht, da sie nicht durch Gott erfolgt ist (a.a.O. 1487). *Zur typologischen Bedeutung Petri* vgl. auch GvR, AD 20 (194, 1247): wer das saeculum überwinden will, muß Mönch sein als contemplativus wie Johannes oder aktiv den Armen dienen mit Petrus. Immer aber ist man *pastor cum Petro*, wenn man die Regel beachtet, oder *ovis sub Petro* als Gläubiger.

[8] RvD, EJ 2; 11 (CCcm 9, 89.608); GH 8 (168, 1487) — GvR, IA 2, 23 (Scheib. 238).

[9] RvD, DO 9, 6 (CCcm 7, 318); EJ 11; 12 (CCcm 9, 624.673); SpS 2, 28 (167, 1639).

[10] SpS 2, 28 (167, 1639) — HA, SE PetPaul (172, 970) — GvR, Ps. 24; 31 (193, 1117; O II/1, 30 f.).

[11] GvR, IA 2, 21 (Scheib. 233): „Nam Petrus in caritate simul humilitate consummatus vicem Christi magistratus agere in ecclesia Christi promeruit".

jeder Verabsolutierung schärfsten Widerstand entgegen, die es loslösen will von seinem genuinen Boden, der niemand anderes ist als der gekreuzigte Christus, der Christus des Glaubens und der Liebe. Von ihm aus bekommen die Prärogativen des Amtes ihre richtige Stelle und ihre Bedeutung. In diesem Sinn verteidigen sie kompromißlos die gregorianischen Prinzipien: Petrus hat die Schlüsselgewalt und kann bevollmächtigt binden und lösen[12]. Er hat Anteil am himmlischen Amt und ist Mitglied des himmlischen Senates[13], er ist aber auch Kapitän des irdischen Schiffleins Kirche als ihr Haupt und oberster Hirte[14]. Gerhoch nennt ihn einmal sogar den Herrscher der Welt[15]. Er hat also durchaus eine Aufgabe in der gesamten *christianitas* zu erfüllen: er soll die Brüder stärken; das kann er, der Sünder Petrus, ganz besonders gut angesichts einer Kirche, in der die Sünder sind[16]. Darin ist ein echtes Leitungsamt, eine wirkliche potestas eingeschlossen: er ist „rectorum ecclesiae primus et praecipuus“[17].

Damit sind nicht nur organisatorisch-disziplinarische Vollmachten gemeint wie etwa das liturgische Weisungsrecht[18], sondern geistliche Autorität im echten Sinn. Christus wollte die Menschen durch den Menschen Petrus in die Kirche führen — das gilt nicht nur zu Lebzeiten des Petrus, sondern als bleibendes Gesetz des Heiles[19]. Er ist das Hauptportal seiner Kirche[20], er kann Sünden nachlassen „in potestate vel ministerio“[21]. Er ist eines der Instrumente des göttlichen Heilswerkes geworden; ein personales Heilsmittel, dessen Wort Christi Wort artikuliert. Seine Macht ist somit Dienst, aber ohne seinen Dienst gelangt man nicht zu Christus. Der Dienstpflicht des Petrus entspricht die Gehorsamspflicht der Kirche.

[12] RvD, DO 3, 11; 5, 4 (CCcm 7, 77.151); EJ 2; 7 (CCcm 9, 96.378); Is. 1, 29; SpS 2, 28 (167, 1301.1638); RSB 4, 13 (170, 537) — HA, SE PetPaul; vinc. (172, 970.986) — GvR, IA 1, 51 (Scheib. 104); Ps. 14; 131 (193, 828; 194, 878).

[13] RvD, Evg. 25 (167, 1563).

[14] RvD, Jon. 1 (168, 408) — HA, E 1, 188 (Lef. 396 f.); SE med. (172, 897) — GvR, AD 7 (194, 1247); Ps. 24 (193, 1117).

[15] GvR, Ps. 5; 14 (193, 688.828); CE 2 (194, 13 f.).

[16] GvR, Ps. 138 (194, 922); CE 2 (194, 13 f.).

[17] RvD, DO 3, 4 (CCcm 7, 70). EJ 11 (CCcm 9, 607) lehnt Rupert ausdrücklich die Meinung ab, es handle sich um einen chronologisch bedingten Primat: Petrus war nicht der Erstberufene. — GvR, N 1 (That. 187): Petrus ist die ganze Kirche anvertraut.

[18] RvD, DO 2, 22; 3, 10 (CCcm 7, 56.74): auf ihn geht die Verwendung der Azymen in der Eucharistie zurück, er hat die Weihe von Nachfolgern initiiert.

[19] RvD, EJ 5; 14 (CCcm 9, 253.785). Nach EJ 14 bezieht sich die dreimalige Frage auf die drei Stände der Kirche, die er leiten muß.

[20] GvR, AD 20 (194, 1247).

[21] RvD, Is. 1, 29 (167, 1301).

„Wer nicht mit Petrus einer Meinung ist, der sammelt nicht mit Petrus. Wer aber mit Petrus nicht sammelt, sammelt bestimmt nicht mit Christus, der selbst der Felsen ist. Wer nicht mit ihm sammelt, der zerstreut; wer nicht für ihn ist, der ist gegen ihn. Wer aber gegen Christus ist, der ist der Antichrist"[22].

In einer für Gerhoch seltenen logischen Stringenz wird die Stellung zu Petrus mit der Stellung zu Christus identifiziert. Das Christusheil in der Kirche hängt an Petrus.

Da sein Amt bleibendes Amt in der Kirche ist und daher Nachfolger kennt, gilt für sie das gleiche, was von Petrus gesagt wird. Der Papst und die Bischöfe sind wie er *vicarii Christi*[23] und *Petri*[24], der immer noch für die Kirche betet[25].

2. Papst und römische Kirche

Bedenkt man die Bedeutung und die Schärfe der zeitgenössischen Kontroverse um Papst und Kaiser und erinnert man sich daran, daß unsere Autoren Parteigänger der Päpste sind, dann ist es verwunderlich, daß sie in ihren umfangreichen Schriften nur sehr wenige Seiten dem Papstamt gewidmet haben. Das Rätsel löst sich jedoch von der ekklesiologischen Grundkonzeption, der sie verhaftet sind. Die Kirche ist in erster Linie eine geistig-geistliche Wirklichkeit, die durch Glaube und Liebe besteht. Die Auseinandersetzung um das Papsttum bewegt sich jedoch auf juridisch-politischer Ebene: es ging um die Abgrenzung der päpstlichen von der kaiserlichen Gewalt. Das hatte auf die spirituelle Theologie zwar Auswirkungen, war aber nicht ihr eigentlicher Gegenstand. Man kann das deutlich beim Propst von Reichersberg sehen. In seinen geistlich-aszetischen Schriften, etwa im Psalmenkommentar, kommt er kaum auf den Papst zu sprechen, sobald er aber in die Tagespolemik eingreift, ist er zu Überlegungen über Macht und Vollmacht des römischen Pontifex gezwungen. Er nimmt somit eine besondere Stellung

[22] GvR, AD 25 (194, 1261): „Qui autem cum Petro non sapit, cum Petro non colligit. Qui cum Petro non colligit, certe cum ipsa petra, quae Christus est, non colligit cum quo qui non colligit, spargit; et qui non est cum illo, contra illum est. Qui autem contra Christum est, antichristus est".

[23] RvD, EJ 2 (CCcm 9, 96).

[24] RvD, DO 1, 27; 310 (CCcm 7, 22.74); ep. ad Rom. Pont. (169, 9/10) — GvR, AD 25; 27 (194, 1259.1260.1267); DI (194, 1422); Ps. 21 (193, 991); IA 1, 19.52.62.85 (Scheib. 46.105.125.167). Von Bischöfen HA, 1, 188 (172, 397): daraus leitet er die Vollmacht der Synoden ab.

[25] Vgl. GvR, Card. (O I, 332).

ein, die uns veranlaßt, seine Äußerungen getrennt von denen des Honorius und des Deutzer Abtes zu referieren.

In der „Gemma animae" faßt der *Regensburger Theologe* seine Lehre über den Papst zusammen:

„Papst heißt *Vater der Väter* oder *Wächter der Väter.* Man nennt ihn auch den *Universalis,* weil er der ganzen Kirche vorsteht. Ein weiterer Titel ist *Apostolicus,* weil er sein Amt als Nachfolger des Apostelfürsten innehat. Auch *Summus Pontifex* ist sein Name, denn er scheint das Haupt aller Bischöfe zu sein. Bei seiner Bestellung wird sein Name geändert, da bei der Übertragung der Kirchenleitung Christus auch den Namen Petri geändert hat. Denn ihm werden die Schlüssel übergeben, wie dem Petrus vom Herrn die Schlüssel des Himmelreiches übergeben wurden, damit er wisse, daß er der Himmelspförtner ist und die Kirche in diesen Himmel führen muß. Melchisedech ist sein Vorbild im Amt, dessen Priestertum ohne Vergleich ist gegenüber anderen. Das Amt des Papstes umfaßt die Ordnung von Messe und Liturgie, die Anpassung des kanonischen Rechtes an die Gegebenheiten der Zeit zum Nutzen der Kirche, die Kaiserkonsekration, die Übergabe des Palliums an die Erzbischöfe, die Ausstellung von Privilegien für die Bischöfe und andere Männer der Kirche, die Leitung der gesamten Kirche wie Christus. So leitet der Papst die Kirche an Stelle Christi, während die Bischöfe ihr an Stelle der Apostel vorstehen. Die Priester sind das Abbild der 72 Jünger. Von den anderen Amtsträgern genießen die Diakone wegen ihrer apostolischen Bestellung einen besonderen Vorzug"[26].

In dieser Passage werden Aussagen über die Herkunft, die Vollmacht und die Stellung des Papstamtes innerhalb der Kirche

[26] HA, GA 1, 188 (172, 601 f.): „Papa dicitur pater patrum vel custos patrum. Hic enim universalis nuncupatur, quia universae ecclesiae principatur. Hic quoque apostolicus nuncupatur, quia principis apostolorum vice fungitur. Hic etiam summus pontifex appellatur, quia caput omnium episcoporum esse videtur. Hujus nomen in ordinatione mutatur, quia Petri nomen in praelatione ecclesiae a Christo mutabatur. Huic enim claves traduntur, sicut Petro a Domino claves regni coelorum tradebantur, ut se janitorem coeli esse cognoscat, in quod coelum ecclesiam introducere debeat. Hunc Melchisedech in officio praetulit, cujus sacerdotium aliis incomparabile fuit. Papae autem officium est missas et divina officia ordinare, canones pro tempore ad utilitatem ecclesiae immutare, Augustum consecrare et pallia archiepiscopis, privilegia episcopis vel aliis religiosis dare, totam ecclesiam ut Christus gubernare. Itaque papa in vice Christi ecclesiam regit, episcopi in loco apostolorum ei praesunt. Presbyteri septuaginta duos discipulos exprimunt. Reliqui ministri diaconos ab apostolis constitutos praeferunt".

gemacht. Charkteristisch ist die Ableitung der primatialen Stellung von Petrus, dem Fürsten der Apostel. Der Papst ist sein Vikar und damit schlechthin apostolisch, *Apostolicus*. Sein wichtigster Auftrag ist die Leitung der Kirche, die auch seine Vorrangstellung gegenüber den Bischöfen einschließt. Merkwürdig ist die Vorsicht, mit der das gesagt wird: er *scheint* ihr Haupt zu sein. Aber Honorius ist der Ansicht, daß die Stufenordnung der Ämter ein Ergebnis der Kirchengeschichte ist und nicht ursprünglich. Unmittelbar vor dem zitierten Text sagt er, der Papst sei einer der Inhaber der Patriarchatsstühle, die alle auf Petrus zurückgehen. Erst das Konzil von Nikaia habe ihm die Vorrangstellung verliehen, und zwar hauptsächlich aus politischen Gründen: „Wie der Kaiser höher ist als die Könige, so sollte er vor allen Bischöfen den ersten Rang einnehmen und Papst genannt werden". Er dankte damit als Patriarch ab und verlegte das Patriarchat nach Konstantinopel, das zur *secunda Roma* wurde. In einem ähnlichen Translationsvorgang gingen später die Patriarchalrechte von Antiochien und Alexandrien nach dem Einfall der Araber an die Städte Aquileja und Jerusalem über[27]. Auch in der dezidiert papalistischen Schrift „Summa gloria" vertritt Honorius die These, daß zwar nach Christi Willen die petrinische Vollmacht weitergegeben werden sollte, daß aber bis zu den Zeiten Konstantins nur Priester die Kirche geleitet hätten[28].

Damit ist das Verhältnis von Primat und Episkopat angesprochen, das im 12. Jahrhundert angesichts der Autonomiebestrebungen einiger episkopalistischer Kreise bedeutungsvoll geworden war. Nicht nur der Inkluse, auch der Propst und der Abt spüren die Dialektik und den latenten Antagonismus, der sich aus ihr ergab. Aus der Heiligen Schrift ging eindeutig hervor, daß Petrus der erste der Apostel ist[29], aber seine Vollmachten haben auch die anderen Apostel erhalten: wie er können sie Dämonen austreiben und Kranke heilen[30], wie er haben sie Binde- und Lösegewalt[31], die hier

[27] HA, GA 1, 187 (172, 601): Zitat: „ut sicut Augustus prae regibus, ita ipse prae omnibus episcopis haberetur et papa vocaretur".

[28] HA, SG 4 (172, 1263). Vgl. dazu A. Landgraf, Episkopat.

[29] RvD, DO 10, 23 (CCcm 7, 358); ep. ad Rom. Pont. (169, 9/10). — HA, SE med. (172, 897): er ist sogar Haupt der Kirche! — GvR, Ps. 5; 14 (193, 688. 829).

[30] RvD, Evg. 25 (167, 1563).

[31] RvD, DO 4, 16 (CCcm 7, 130); A 11, 20 (169, 1182): Väterliche Autorität kommt allen Bischöfen und Priestern zu, besonders aber der römischen Kirche wegen des Felsenwortes Mt. 6, 16 ff.; Evg. 25; SpS 2, 28 (167, 1563.1639): an der letztgenannten Stelle wird das Verhältnis Papst-Bischöfe mit dem Verhältnis Kaiser-Präfekten parallelisiert; Gh 3 (168, 1385).

wie in der ganzen zeitgenössischen Theologie nicht juridisch, sondern sakramental als Vergebungsvollmacht verstanden wird[32]. Der unbestreitbare Vorrang des Petrus und seine Vollmacht auch über die Brüder liegt einzig und allein in seinem größeren Glauben begründet, in dem der Glaube der ganzen Kirche zusammengefaßt ist[33]. „Potestas quidem communis omnium, sed unum et singulare unius est Petri privilegium"[34]. Damit ist auf juridischer Ebene natürlich das Problem zweier konkurrierender und doch subordinierter Gewalten nicht gelöst: aber da das Prinzip der Subordination Glaube und Liebe ist, kann es nur den Wettlauf der Liebe, nicht den Wettstreit um die Macht geben, die einzig und allein nur Christus, allen anderen Vollmachtsträgern aber nur sekundär und vikariell zukommt. Die Stufung des hierarchischen Amtes, die am Schluß der oben zitierten Stelle dargestellt wird, wird wiederum durch die fundamentale Gleichheit der Amtsträger als Vikare und Nachfolger der Apostel in den richtigen Zusammenhang gestellt.

Die erste und wichtigste Aufgabe des Papstes ist der Dienst am Heil der Menschen. Er ist der Himmelspförtner, sagt Honorius. Diese Heilsvollmacht schließt jurisdiktionelle Prärogativen ein, die den gesamten kirchlichen Bereich und im Sinne der christianitas-Vorstellung auch den wesentlichen Teil des politischen Bereichs umfassen, insofern dem Papst die Salbung des Kaisers zukommt. Von dem Papst müssen, so sagt der Inkluse in seiner Weihnachtspredigt, „cuncta ecclesiae judicia procedere"[35].

Diese Stellung rückt den Papst nun aber in eine unmittelbare Nähe zu Christus. Die petrinische Vollmacht war die Vollmacht Christi, das Apostolische ist identisch mit dem Christlichen. Wenn der Papst der *Apostolicus* schlechthin und der Vikar Petri ist, dann ist es nur noch ein kleiner Schritt bis zum Titel „vicarius Christi". Honorius vollzieht als einer der ersten diesen Schritt und trägt hiermit entscheidend dazu bei, daß der bislang sakramental für alle Amtsträger verstandene Titel zur Exklusivbezeichnung der Päpste wird[36]. Er gerät dann freilich aus dem spirituellen Bereich

[32] RvD, EJ 14 (CCcm 9, 772). Vgl. B. Tierney, Foundations 30 f. Die jurisdiktionelle Bedeutung ist jedoch bekannt: vgl. HA, SE nat. (172, 827).

[33] RvD, Evg. 25 (167, 1563).

[34] RvD, a.a.O. — GvR, Ps. 14 (193, 829); IA 1, 51 (Scheib. 104). Charakteristisch ist das *prae ceteris* und *super ceteros* dieser Texte, mit denen die Dominanz Petri formuliert wird.

[35] HA, SE nat. (172, 827).

[36] Vgl. HA, GA 1, 189 (172, 602) und den Text Anm. 26. Zur Geschichte des Titels vgl. M. Maccarone, Vicarius Christi, besd. 93.100—107; Y. Congar, Die

in den politischen und wird zum Argument Roms gegen die staufische Reichspolitik zugunsten der alten hierokratischen These.

Der *Lütticher Mönch* teilt im allgemeinen die Auffassungen der „Gemma animae". Auch er kommt in liturgischem Zusammenhang auf den Papst zu sprechen. Das beweist noch einmal unsere These, daß sein Amt nach Ansicht der monastischen Theologen in geistlichem Kontext zu sehen ist. Eine wesentliche Aufgabe ist entsprechend diesem Zusammenhang die Ordnung der Liturgie. Sie umfaßt nicht allein die Fortsetzung des apostolischen Kultes, indem er etwa wie Petrus Weihen erteilt[37], sondern umschließt auch die Entwicklung und Ausgestaltung des Gottesdienstes, die allerdings stets in Einklang mit dem göttlichen Gesetz des Ursprungs stehen muß[38]. Der Papst oder, um in der Terminologie Ruperts zu sprechen, die römische Kirche[39], deren Leiter und Haupt er ist, wird auf diese Weise zum Traditionszeugen kat'exochen. Liturgie ist nicht bloß beliebige Gestalt der Gottesverehrung, sondern in ihrem Wesenskern Stiftung Gottes und somit göttliches Gesetz. Die Griechen sind mit ihrer Abweichung in der Azymenfrage für Rupert darum nicht nur von der gesamtkirchlichen, in Rom sich verkörpernden Tradition abgefallen, sondern haben sich auch in den Gegensatz zu Gesetz, Propheten, Evangelium und apostolischem Zeugnis gestellt[40]. Gleiches gilt von den Kontroversfragen des Taufzeitpunkts und des Filioque: die Ostkirche hat sich nicht nur gegen eine lokalkirchliche Überlieferung oder die päpstliche Autorität[41] aufgelehnt, sondern gegen das petrinisch-apostolische, das heißt aber gegen das christologische Fundament der Kirche sich vergangen[42].

Lehre von der Kirche 118—121. Bis zur Mitte des 12. Jahrhunderts ist *vicarius Petri* gebräuchlich für den Papst; *vicarius Christi* ist auch der Titel eines Bischofs (so noch HA, Sac. 24 [172, 760]). Der Wechsel ist durch den Einfluß Bernhards verursacht, der bis 1147 vicarius Petri, seit der Thronbesteigung Eugens III. vicarius Christi verwendet. Vgl. B. Jacqueline, Papauté 39 f. — Zum Einfluß des Passus der GA vgl. Robertus Pullus, Off. eccl. 1, 43 (177, 402).

[37] RvD, DO 3, 10 (CCcm 7, 74 f.).

[38] RvD, DO 2, 21 (CCcm 7, 52).

[39] Zum Gebrauch des Ausdrucks *ecclesia Romana* vgl. B. Tierney, Foundations 36—43.

[40] RvD, DO 2, 22 (CCcm 7, 52 f.); Ex. 2, 11 (167, 618). Vgl. zur Kontroverse mit den Griechen das bedeutende Religionsgespräch zwischen Anselm v. Havelberg und Niketas von Nikodemia, dial. 2—3 (188, 1163—1248). Dazu J. Beumer, Religionsgespräch.

[41] Vgl. RvD, DO 6, 35 (CCcm 7, 220): „ex Romana papae Leonis auctoritate".

[42] RvD, DO 3, 17; 6, 35 (CCcm 7, 87.220); VV 12, 11 (169, 1472); GT 1, 17 (169, 29). — Vgl. Abälard, serm. 23 (178, 523).

Die römische Kirche ist somit der Hort der Orthodoxie, die unüberwindliche Schutzmauer gegen alle Häresien[43]. Sie ist die unmittelbare Quelle der apostolischen, das ist der christlichen Wahrheit[44].

Die Theologie des *Reichersberger Chorherrn* zur römischen Kirche und ihrem Bischof ist geprägt von den wechselnden Beziehungen zu ihnen. Seinem kritischen Blick konnte nicht entgehen, wie stark die Päpste in Vergangenheit und Gegenwart ins politische Spiel einbezogen waren und nicht selten mit Leidenschaft teilnahmen. Ihre Handlungen schienen oft mehr durch die machtpolitische Zweckmäßigkeit als durch die apostolische Pflicht bestimmt zu werden. Sie glichen mehr dem Petrus im Hof des Hohenpriesters, der sich von Christus lossagte, als dem *Petrus poenitens*, der weinend wieder zu ihm zurückgekehrt war[45]. Von Rupert hatte er gelernt, wie verheerend die Folgen waren, wenn bis in die Spitzen der Kirche hinein christusfremde und christusfeindliche Mächte herrschten[46]. Er hielt es für seine Christenpflicht, die Päpste immer wieder darauf hinzuweisen: von seinem ersten Buch über den Gottesbau bis zur Altersschrift „De quarta vigilia noctis“ fürchtet er sich niemals, seine Meinung frei heraus zu sagen, manchmal für die Ohren der Empfänger allzu schroff formuliert.

Doch stammte noch das drastischste Wort aus einer tiefen Liebe und Verehrung für die Würde und Heiligkeit des Apostolischen Stuhles. Nichts tat ihm so wohl wie ein Lob aus päpstlichem Mund, nichts traf ihn so schwer wie die kühle Distanz eines Anastasius. Die Treue und das Bekenntnis zur römischen Kirche war für ihn die Garantie seines Heiles. In der Sprache des Völkerapostels ruft er auf der Höhe seines Lebens aus:

> „Fern sei es von mir, jemandem gegen die heilige römische Kirche Glauben zu schenken, auch wenn er mit Menschen- und Engelszungen redete, auch wenn er durch leuchtende Wunderkraft ausgezeichnet wäre. Wer gegen den Glauben Petri an etwas festhält und wer seinen rechtmäßigen Nachfolgern im katholischen Glauben nicht zustimmt, der verfällt dem Gericht, wie

[43] RvD, DO 2, 22 (CCcm 7, 56); ähnlich auch a.a.O. (a.a.O. 53), wobei sich Rupert nicht enthalten kann, Konstantinopel als Häresienherd zu brandmarken.

[44] RvD, DO 3, 17; 7, 25; 10, 26 (CCcm 7, 87.257.363): Jon. 2 (168, 433); GT 1, 17; 8, 5 (169, 29.164): die römische Kirche ist Säule der lateinischen Kirche und *mater civitatum.*

[45] GvR, Ps. 24 (193, 1103 f.).

[46] RvD, EJ 10 (CCcm 9, 561 f.); Dt. 1, 9 (167, 928).

groß seine sonstigen Verdienste, wie bedeutend er selber sein mag, ja selbst wenn er zu den Auserwählten gehörte“[47].

Von Rom also stammt der wahre Glaube in seiner unmittelbaren Zusage an uns. Wer vom Glauben der römischen Kirche abweicht, ist Häretiker[48]; wer sich gegen ihre Entscheidungen auflehnt, ist Heide[49]; wer aber gegen den Glauben sündigt, wird der ewigen Verdammnis überliefert[50]. Nur im Schiff Petri kann man gerettet werden[51].

Der Papst ist der Hüter des katholischen Glaubens. Am Sitz Petri wankt der Glaube nicht[52]. Sein Inhaber ist der *episcopus catholicus,* der *domnus apostolicus,* in dem Petrus der Kirche vorsteht und zur Kirche spricht[53]. In ihm aber und somit durch den Papst kommt Christus selber zu Wort[54]. Er wird damit zum zweiten Moses[55], zu einem geistlichen Fürsten[56], zum Vater der ganzen Kirche[57], dessen Stuhl der Sitz der Gerechtigkeit und Hirtensorge

[47] RvD, Ps. 25 (193, 1162): „Mihi autem absit contra sanctam Romanam ecclesiam credere alicui, etiamsi linguis hominum loquatur et angelorum, etiamsi fulgeat virtutibus miraculorum; quoniam qualiscumque meriti sit, qui contra fidem Petri sentit, quique successoribus ipsius legitimis in ratione fidei catholicae non consentit, portabit judicium, quicunque est ille, etiamsi de numero fuerit electorum“. Der Text wurde 1146 geschrieben (Classen, Gerhoch 413; Eynde, Oeuvre 305—308). Vgl. ds., DI (194, 1422); N 44 (That. 235): „Qui autem in coelis judicat me, Dominus est, qui super terram judicat me, Romanus pontifex est“. Trotz der persönlichen Enttäuschung und auch Bedrängnis durch die Nachfolger Eugen III. sucht er den Respekt vor dem Amt zu wahren: Ps. VII praef. (194, 110 f.); Gh praef. (194, 1077 f.).

[48] GvR, AD 25; 26 (194, 1261); LF rec. (O I, 214).

[49] GvR, DI (194, 1393.1399).

[50] GvR, Ps. 25 (193, 1162).

[51] GvR, QV 21 (Scheib. 604). Dieses Bekenntnis spricht Gerhoch in einer Lage aus, die eher beim Verlassen des Schiffes Rettung verhieß; vgl. a.a.O. 12 (a.a.O. 582).

[52] RvD, ep. 19 (193, 574); CE 48 (194, 39); LF laud. (O I, 254): Gerhoch verbindet absichtlich die Indefektibilität mit dem Stuhl Petri, nicht mit dem Papst, um sie trotz des Falls des Papstes Liberius benutzen zu können: durch die gängige Unterscheidung *sedes, non sedens* sucht er die Irrtumslosigkeit zu retten, dafür muß er die römische Kirche durch den Presbyter Eusebius repräsentiert sein lassen, der mit Recht in die Papstliste aufgenommen worden sei. Vgl. Act. Boll. August. 3, 412 f. Siehe ferner IA, praef. 2 (Scheib. 11); die römische Kirche wird mit dem Kardinalskollegium identifiziert. Das Ordodenken legt einen korporativen Kirchenbegriff nahe: vgl. unten Abschn. 3 über den Konziliarismus bei Gerhoch.

[53] GvR, AD 25 (194, 1258 f. 1261); OD ded. (O I, 87); Ps. 21 (193, 991).

[54] GvR, AD 25 (194, 1261).

[55] GvR, OD ded. (O I, 87).

[56] a.a.O. (a.a.O. 80).

[57] GvR, Ps. 65 (194, 141).

seit den Tagen der Apostel ist[58]. Er ist das Haupt der Kirche[59] und damit — obwohl das Wort hier nicht fällt — Stellvertreter Christi. Seine Kirche aber wird die Mutter aller Kirchen und aller Menschen in ihnen[60]. Mit dem Beistand des Heiligen Geistes, dessen besonderes Gefäß der Papst ist, urteilt er über Wahrheit und Falschheit der Meinungen in Dingen des Glaubens[61].

Die Jurisdiktionsvollmacht des Papstes erstreckt sich über alle Bischöfe der Kirche[62] und alle Könige und Reiche der Erde[63]. Gerhoch übernimmt die gregorianische These zunächst unreflektiert, doch zwingen ihn die tatsächlichen Verhältnisse zur Differenzierung. Sie wird deutlich am Wandel in der Interpretation des Satzes *„Romana sedes a nemine judicatur"*. Er übernimmt ihn fraglos und verteidigt ihn selbst noch dann, als er gegen Anastasius starke Vorbehalte anmeldet[64]. Erst die Umstände der Wahl Alexanders III. und vor allem dessen Weigerung, sich einem Reinigungseid zu unterziehen, lassen ihn in der Schrift die Kritik an Petrus entdekken (Apg. 11,3; Gal. 2,11). Selbst Jesus, der absolut unschuldig war, hat sich den Fragen der Menschen auch dann gestellt, wenn sie kritisch waren (Jh. 8,46). In beiden Fällen handelt es sich in gewissem Sinn um ein Gericht über Petrus und Jesus. Dann aber muß sich auch der Heilige Stuhl Kritik gefallen lassen und noch so gut begründete Prinzipien aufgeben, wenn daraus die Gefahr eines

58 GvR, LF rec. (O I, 210); Brief an Eberhard v. Bamberg (Weisweiler, Drei Briefe 47): „Si non esset nobis apostolicae sedis asylium, iam redacti essemus ad nihilum per iniquas potentias impiorum".

59 Vgl. GvR, IA 1, 85 (Scheib. 167). Der Sitz Petri ist der heiligste Ort auf Erden, nicht zuletzt durch die Apostel Johannes, Petrus und Paulus, die hier gemartert wurden und aus dem Sündenbabel das christliche Rom machten: GvR, a.a.O. 1, 88 (a.a.O. 173); OD 2 (O I, 147); Ps. 9 (193, 756 f.); CE 9 f. (194, 17). Vgl. RvD, Jon. 2 (168, 433); A 11, 20 (169, 1182).

60 RvD, SpS 6, 18 (167, 1752) — GvR, OD ded. (O I, 84); IA 1, 42.48 (Scheib. 89.172); QV 8 (Scheib. 573); AD 25 (194, 1261).

61 GvR, S 2 (194, 1337); DI (194, 1400); OD ded. (O I, 73); N 2 (That. 188); Ps. 10 (193, 793 f.); beachtenswert die Hochschätzung Gregors VII.

62 OD ded. (O I, 80); CE 59; 68; 70 (194, 44.51.52); IA 1, 88 (Scheib. 173): Die Ortskirchen sind *membra de membro* wegen der hierarchischen Ordnung der Kirche.

63 GvR, CE 59 (194, 44 f.): „Constitutus non solum super ecclesias, sed etiam super regna, ut evellat et destruat, et disperdat et dissipet, aedificet et plantet"; vgl. a.a.O. 67; 68 (a.a.O. 50.51): an der zweiten Stelle tritt Gerhoch noch für den kaiserlichen Stratorendienst ein, den er am Ende seines Lebens strikt ablehnt (QV 12 — Scheib. 583). Vgl. die Ansicht Bernhards v. Clairvaux, cons. 4, 7, 23 (182, 788); dazu Congar, Bernhard 86; Jacqueline, Papauté 39—62.

64 GvR, Ps. VII prol. (194, 119); vgl. auch Ps. 145 (194, 970).

65 GvR, IA 1, 62—66 (Scheib. 125—135).

66 GvR, Card. (O I, 315—317).

Skandals entsteht[65]. Diese These aus dem Antichrist-Buch präzisiert er im Brief an die Kardinäle. Person und Amt des Papstes sind demnach der kritisch-richterlichen Verfügung entzogen, nicht aber seine profan-politischen Maßnahmen. Denn auch der Papst stehe nicht über, sondern unter dem Gesetz des Evangeliums und habe alle Zweideutigkeit in diesem Punkt abzustellen[66]. In der „Quarta vigilia noctis" geht er nach diesem theoretischen Sperrfeuer zum Frontalangriff über und wendet sich mit scharfen Worten gegen Überheblichkeit, Habsucht und Prunkliebe, gegen Machtgier und Stolz der Päpste[67].

So präzisiert sich die Primatialgewalt des Papstes auf die geistlich-kirchliche Obergewalt. Für diese tritt der Kanonikus dann vorbehaltlos ein, ja er tadelt ihn immer dann, wenn er sie nicht genügend deutlich ausübt[68]. In seinem bedeutendsten Reformwerk, der Schrift „Der corrupta ecclesiae statu", möchte er ähnlich wie der Abt von Clairvaux es in „De consideratione" getan hatte, dem Papst einen Spiegel vorhalten. Er hat, so schreibt er, nicht nur die liturgische Ordnung vorzunehmen, sondern vor allem die Einheit der Kirche zu wahren. Wie einst Petrus muß er heute seine Brüder im Bischofsamt stärken; er muß Gut und Böse unterscheiden und die Streitfragen in Glaubens- und Sittenangelegenheiten mit Wort, Schrift und Tat regeln[69]. Zusammenfassend heißt es in Kapitel 65:

> „Wenn der Inhaber des Apostolischen Stuhles betet, mahnt, Botschaften erläßt und Synodaldekrete verfaßt, dann soll man darin die Güte des Hohenpriesters Jesu erkennen. Dann wird jeder fromme Katholik, auch wenn er arm und gering ist, den Mut finden, gegen noch so mächtige Vertreter des Bösen anzugehen in der Autorität jenes Petrus, gegen den die Tore der Unterwelt nichts vermögen"[70].

[67] GvR, QV 12; 17; 21 (Scheib. 583.593.594.604). Vgl. vorher schon ep. 17 (193, 569); CE ep. ad Henr. (194, 9).

[68] GvR, CE 11; 59; 68; 69; 70; 146 (194, 17.44 f. 51.52.98): Nach CE 146 gab es schon Simonisten auf dem Stuhl Petri „per violentiam laicam"; nach LF rec. (O I, 210) war die Kirche durch die Schläfrigkeit der Päpste in Gefahr oder durch ihre Verzweiflung: Petrus wachte aber auf Christi Tadel wieder auf und wahrte den Glauben. Vgl. N 46 (That. 237); ep. 17 (193, 569).

[69] GvR, CE 11; 68; 70 (194, 17.51.52).

[70] GvR, CE 65 (194, 49): „In antistite sedis apostolicae Jesus magnus sacerdos orando, exhortando, epistolas mittendo, synodalia decreta condendo favere dignoscitur, dum quivis catholicus et religiosus, licet pauper et modicus, contra iniquos quantumlibet magnos animatur auctoritate Petri, cui praevalere non possunt istae portae inferi". Vgl. Bernhard v. Clairvaux, cons. 3, 4, 14 (188, 766 f.).

So ist der Papst für die ganze Kirche da, um ihr Christi Macht und Güte transparent zu machen. In „De novitatibus" spricht der Propst noch deutlicher: der Papst soll nicht gleich alles verdammen, was gegen die herrschende Meinung läuft, sondern mit Festigkeit und Milde die Irrenden durch die Wahrheit korrigieren und in ihren Werken das Gute anerkennen und nur das Schlechte ablehnen[71]. Er wird nicht müde zu betonen, daß seine Macht Ausübung der Liebe sein muß: er muß die Kirche aufbauen, nicht zerstören[72], im Geist der Sanftmut raten und urteilen[73]. Nur in der Kirche und für die Kirche und getragen von der Kirche ist der Papst „omnia, ubi corpus"[74].

3. Der Bischof und die Ortskirche

Die Aufgliederung der einen katholischen Kirche in die Pluralität der Ortskirchen ist ein Grund-Satz der monastischen Ekklesiologie[75].

> „Man stoße sich nicht daran, daß wir von zwei oder mehr Kirchen reden, wenn von der einen katholischen Kirche gesprochen wird. Trotz ihrer Einheit spricht man nicht zu Unrecht in der Mehrzahl von Kirchen nach den verschiedenen Ständen, Zeiten und Orten, so wie man auch von verschiedenen Ländern schreibt, obwohl es nur eine Erde gibt"[76].

Nach dieser Unterscheidung kann man von einer vor- und nachchristlichen Kirche sprechen oder von einer Kirche der geistlichen Menschen[77] oder auch von den *ecclesiae diversarum professionum* und *charismatum,* die im Geist geeint sind[78]. Im allgemeinen sind

[71] GvR, N 46 (That. 237).
[72] GvR, IA 1, 88 (Scheib. 173).
[73] GvR, QV 8 (Scheib. 573). Hier berührt er sich mit der Auffassung Bernhards, der ebenfalls den Dienstcharakter und die Milde des Papstes betont. Vgl. B. Jacqueline, Papauté 44—49.
[74] GvR, IA 1, 88 (Scheib. 173).
[75] RvD, Ex. 3, 10 (167, 661) = GvR, Ps. 77 (194, 456); RvD, Naum 2 (168, 567) — HA, SBM 1 (172, 501); SE nat. (172, 833); CC 1, 1 (172, 378); Ps. 88; 96 (194, 538.585) — GvR, AD prol. (194, 1189); Ps. 27; 43; 67 (193, 1225.1562; 194, 181 f.).
[76] HA, CC 1, 1 (172, 379): „Neminem moveat quod duas vel plures ecclesias dicimus, cum una catholica praedicetur. Sed licet sit una, tamen pro diversis statibus, pro diversis temporibus, pro diversis locis plures non injuste dicuntur, sicut multae terrae, cum sit una, scribuntur" — GvR, Ps. 8 (193, 748): „ecclesiae per loca et munera distinctae".
[77] HA, CC 2, 5 (172, 445).
[78] GvR, Ps. 67 (194, 207 f.).

aber die verschiedenen Ortskirchen gemeint, und hier wieder im Regelfall die Diözesen[79]. Auch die ecclesia Romana ist eine von ihnen, die zwar einen besonderen Vorrang hat, aber auch in einem Atemzug mit den Patriarchalsitzen Konstantinopel und Jerusalem genannt wird[80]. Daneben werden die ecclesia Agrippinensis sive Coloniensis[81], Ratisponensis[82], Babenbergensis[83], Wormatiensis, Wirceburgensis[84], Halverstatensis[85] oder Alexandrina[86] angeführt. Sie alle sind ausgezeichnet durch apostolischen Ursprung, insofern sie wie die Kirche von Alexandrien direkt oder wie die anderen Kirchen indirekt über ihre Nachfolger von den Aposteln gegründet worden sind[87]. Die Gliederung der Universalkirche in Lokalkirchen ist damit ein Teil der apostolischen Struktur der Kirche[88]. Ihnen kommen daher grundsätzlich alle Qualitäten dieser zu: sie sind katholisch und stehen im Zusammenhang mit der himmlischen Kirche[89], sie haben den einen gemeinsamen Glauben[90] und manifestieren in ihrer Vielfalt die katholische Fülle[91]. Sie sind nicht selbständige Einheiten im Sinne eines föderalistischen Kirchenbundes, sondern stehen in der geistigen und geistlichen Einheit mit der Universalkirche. Dieses Verhältnis wird mit vielen Bildern umschrieben. Die Lokalkirchen sind wie Töchter der gleichen Mutter[92]; wie viele Hostien, die nur ein einziges eucharistisches Brot sind[93]; wie die vielen Häuser der einen Gottesstadt[94]; die vielen Gewänder, die doch eine *tunica*

[79] Auch die Klöster werden *ecclesiae locales* genannt: RvD, EJ 7 (CCcm 9, 376); Gh 12 (168, 1606) — GvR, AD 25; 53 (194, 1258 f. 1331); Ps. 67 (194, 182.208).

[80] RvD, DO 1, 35 (CCcm 7, 28) — HA, CC 1, 1 (172, 381) — GvR, OD epil. (O I, 164).

[81] RvD, Gh 12 (168, 1606): das Zueinander von Kloster- und Diözesankirche wird deutlich, wenn es hier heißt, Kuno habe die Leitung der ecclesia Sigeburgensis übernommen (er wurde Abt) und nun strahle sein Licht im großen Haus der ecclesia Coloniensis. Vgl. Herib. 6 (170, 395).

[82] RvD, Gh 12 (168, 1608) — GvR, ep. 25 (193, 606).

[83] GvR, Brief an Eberhard v. Bamberg (Weisweiler, Drei Briefe 41).

[84] RvD, Herib. 4; 5 (170, 393.394).

[85] GvR, Ps. 67 (194, 209).

[86] HA, Ps. 46 (193, 1584).

[87] RvD, A 4, 5 (169, 938) — HA, CC 4 (172, 475); Ps. 106 (194, 675) — GvR, Ps. 67 (194, 208).

[88] Vgl. GvR, Ps. 8 (193, 748).

[89] HA, CC 1, 2 (172, 387) — GvR, Ps. 27 (193, 1225).

[90] GvR, DI (194, 1416).

[91] GvR, CE 115 (194, 76); IA 1, 88 (Scheib. 173).

[92] HA, CC 1, 2 (172, 386.409). — Vgl. GvR, AD 3 (194, 1204): *ecclesiae matrices* sind die Kathedralkirchen mit einer Klerikergemeinschaft. Vgl. oben Anm. 62.

[93] RvD, Ex. 3, 10 (167, 661) — GvR, S 23 (194, 1357).

[94] HA, Ps. 46 (193, 1584).

inconsutilis bilden[95]; die vielen Psalmen im einen Psalmenbuch[96]. Ihr biblischer Typus sind die sieben kleinasiatischen Gemeinden der Apokalypse[97].

Das entscheidende Kennzeichen einer Ortskirche besteht darin, daß ihr ein Bischof vorsteht[98]. In seinem Papsttext hatte Honorius festgehalten, daß sie, wie der Papst von Petrus, von den anderen Aposteln geistig abstammen. Rupert erklärt, die Apostel hätten die Prediger und die apostolischen Männer zu Bischöfen geweiht, damit diese an ihrer Stelle „omnia christianitatis sacramenta velut ipsi apostoli peragerent" und selbst in den Provinzstädten weitere Episkopen ordinierten. So habe sich das Institut der Erzbischöfe und Bischöfe herausgebildet[99]. Nicht nur ihre Entstehung, auch ihre Leitung verbindet also die Ortskirche mit den Aposteln und über sie mit Christus. Aus der gleichen Dignität aber resultieren die Aufgaben und Vorrechte der Bischöfe.

Sie haben ein apostolisches Amt[100]; und ihr Glaube ist wie der der Apostel das Fundament ihrer Kirche[101]. Sie haben die vergebende Vollmacht der Binde- und Lösegewalt[102]. Sie sind *pontifices,* weil sie dem Volk die Brücke zum Himmel bauen[103]; sie sind ihrer Diözese wie einer Braut angetraut[104] und müssen als *superinten-*

[95] a.a.O. 44 (a.a.O. 1569).

[96] GvR, Ps. 150 (194, 996).

[97] RvD, A 1, 1 (169, 853) — GvR, CE 71 (194, 53).

[98] HA, CC 1, 1 (172, 381).

[99] RvD, DO 1, 27 (CCcm 22 f.): Entsprechende Erzstühle werden aufgezählt. — HA, E 1, 188 (Lef. 397; GA 1, 187 (172, 601): der Patriarch ist der „summus patrum vel princeps patrum". Wie es drei israelistische Patriarchen gab, gibt es nun drei Patriarchatssitze für jeden Erdteil: Antiochien (Asien), Alexandria (Afrika), Rom (Europa): diese sind die apostolischen Stühle.

[100] RvD, EJ 7 (CCcm 9, 380) — HA, GA 2, 3 (172, 407); Ps. 44 (193, 1572) — GvR, AD 14 (194, 1235); DI (194, 1386). Amt und Sendung sind verbunden: RvD, Alterc. (170, 542). Auf diesem Hintergrund ist RvD, SpS 2, 28 (167, 1639) zu sehen, wo von der Parallelität der kirchlichen und politischen Hierarchie gesprochen wird (vgl. oben Anm. 31): die Bischöfe sollen damit nicht zu päpstlichen Beamten gemacht werden, sondern die erstrebenswerte Zusammenarbeit zwischen Staat und Kirche soll angedeutet werden.

[101] RvD, DO 1, 25 (CCcm 7, 21); Jos. 12 (168, 1011) — HA, GA 1, 131 (172, 586).

[102] HA, E 1, 188 (Lef. 397). Vgl. Bernhard v. Clairvaux, mor. ep. 1, 1 (182, 809).

[103] HA, Sac. 24.33 (172, 760.765): die Bischöfe sind auch vice Christi Haupt der Kirche; GA 1, 3.20.183 (172, 544.550.600). Zu vicarius Christi vgl. auch RvD, DO 1, 25 (CCcm 7, 20) und Bernhard v. Clairvaux, mor. ep. 8, 31 (182, 829).

[104] RvD, DO 1, 25 (CCcm 7, 20) — HA, Sac. 24; 102 (172, 760.806); GA 1, 150.216.220 (172, 590.609.610): „Oportet enim ut doctrina episcopi ex utraque lege sic dilectione copuletur, ut ecclesiam Christo conjungere per caritatem conetur" (a.a.O. 220). — GvR, AD 33; 46 (194, 1278.1310).

dentes das Volk vor Irrtum schützen und seine Sitten beobachten[105]. Denn sie sind die Zeugen der rechten Lehre von Propheten und Aposteln, Lehrer des Volkes und Versöhner mit Gott[106]. In allen diesen Vollmachten ist der Bischof Repräsentant seiner Kirche, der *princeps,* dessen Wohl und Wehe auch das Schicksal des Volkes bestimmt, dessen Abfall auch seine Kirche befleckt[107]. Gerhoch vergleicht den Bischof mit dem Architekten eines Hauses: er muß die Kirche auf dem Felsen der Wahrheit errichten und nicht auf irgendwelchem unsicheren Boden; er darf sich nicht von weltlichen Interessen absorbieren lassen, da sonst die Mauern der Kirche ohne Schmuck und Zierde bleiben würden. Seine Aufgabe ist so wichtig, daß er geradezu zur tragenden Säule in seiner Kirche wird, die ohne ihn zusammenbrechen würde[108].

Den Zeitgenossen mußte es scheinen, daß dieser Ernstfall da war. Mit beschwörenden Worten versucht die Reformpartei die Katastrophe aufzuhalten: den Prälaten wird eine Mahnung über die andere ins Haus geschickt, damit sie sich endlich auf ihre Pflicht besännen[109]. Die Reform der Bischöfe ist für Gerhoch der Schlüssel zur Kirchenreform überhaupt. Diese kann nach seiner Überzeugung nur dann Erfolg haben, wenn die Bischöfe wieder das Kreuz auf die Stirnen ihrer Diözesanen zeichnen und nicht mit dem Schwert in der Hand Kriege anzettelten[110]. Liebe, Sanftmut und Dienstbereitschaft als *presbyteri presbyterorum* müssen sie auszeichnen; Petrus sollen sie in der Armut nacheifern; und wenn sie schon Waffen tragen wollten, dann die des Geistes[111].

Diese Exhortationen richteten sich an die einzelnen Bischöfe, da die Erneuerung ihres eigenen Lebens die Voraussetzung von allem anderen war. Ihre Rolle sah er jedoch nicht erschöpft in der isolierten Vorsteherschaft über einen Lokalkirche. Sie besaßen eine

105 HA, Sac. 24; 39 (172, 760.767); GA 1, 172.183 (172, 597.600); CC 1, 1 (172, 379): Bischöfe als Augen der Kirche.

106 RvD, A 1, 1 (169, 834) — HA, SE coen.; conv. (172, 922 f. 1096); GA 1, 183 (172, 600) — GvR, Ps. 32 (O II/1, 121 f.).

107 HA, GA 1, 170 (172, 596).

108 GvR, AD 17 (194, 1242 f.).

109 Z. B. CC litt. ded. an Bischof Thietmar von Verden (Haacke 289—292); HA, E 2, 19 (Lef. 412); GA 3, 5 (172, 444). Die Auffassung Bernhards vgl. B. Jacqueline, Papauté 90—96.110—120, allgemein über die Situation der Bischöfe im 12. Jahrhundert a.a.O. 75—89.

110 GvR, AD 7 (194, 1218).

111 GvR, OD ded. (O I, 79). Zum Ganzen vgl. a.a.O. ded. (O I, 74—79); AD 5—50 (194, 1209—1320); CE 31; 34; 58 (194, 28.29.44). Damit bezieht Gerhoch eher eine antigregorianische Position: vgl. W. Kempf, Papsttum 187.

gemeinsame Verantwortung für die gesamte Kirche. Dem Mittelalter war in lebendiger Erinnerung, welche segensreichen Folgen die altkirchlichen Konzilien gehabt hatten: sie hatten, angefangen von Nikaia, in der Lehre und der Disziplin der Kirche verbindliche Entscheidungen getroffen, durch die die Kirche mächtig gefördert worden war. Denn schließlich stand hinter ihnen die apostolische Autorität, aus der wiederum Christus selber sprach[112]. Für Gerhoch lag es nahe, sich in der gegenwärtigen Krisenzeit dieses Instruments der Kirchenreform zu erinnern. Bereits nach den Regensburger Erfahrungen von 1130 hatte er Papst Innozenz II. darauf aufmerksam gemacht, daß ein Konzil auch päpstliche Maßnahmen korrigieren könne. Seine Gegner hatten gegen seine Forderung der automatischen Exkommunikation von verehelichten Priestern auf ein Dekret Papst Nikolaus I. hingewiesen, wonach die Strafe nur auf ausdrückliches bischöfliches Urteil eintrete. Das konnte der Chorherr nicht abstreiten, aber er entgegnete, daß eine spätere Synode diese Entscheidung im Sinn seiner These aufgehoben habe. Nach der Schilderung der Situation bemerkt er nun in seinem Schreiben an den Papst:

> „Nach den kanonischen Regeln muß man sich an die größere Autorität halten, d. h. sich dem bischöflichen Synodalspruch fügen, daß eine Teilnahme am interdizierten Gottesdienst jener Priester nicht mehr statthaft ist. Wenn aber Nikolaus I. jene Weisung gegeben hat, dann ist sie von seinen Nachfolgern zu Recht berichtigt worden, weil sie den Beschlüssen der höheren Autorität widersprach. Weil ich also den Vielen eher gehorche als einem, und vor allem einem Mann wie Gregor VII., ... habe ich vor ihren Messen nicht mehr Respekt, als würden sie von einem Heiden gesungen“[113].

[112] RvD, VV 13, 8 (169, 1492) gibt eine kurze und treffende Beschreibung von Wesen und Sinn eines Konzils sowie den Entwurf einer Geschäftsordnung; vgl. ds., SpS 7, 7 (167, 1761); A 7, 12 (169, 1060 f.) — HA, GA 4, 1 (172, 689) — GvR, IA 1, 35; 2, 30 (Scheib. 77 f. 251). Gerhoch schätzt die Konzilien auch deswegen besonders, weil sie die kanonische Lebensform geregelt haben: GvR, AD 30 (194, 1274).

[113] GvR, DI (194, 1394): „Ideo juxta regulas canonum potiori auctoritati est acquiescendum vel hoc sentiendum, quod in ipsa synodo factum est episcoporum judicium, post quod non est ulterius audiendum illorum interdictum officium. Si autem a priore Nicolao data est illa jussio, recte correcta est a successoribus, quia repugnans erat sancitis potioribus. Unde pluribus magis quam uni obediens, et inter cetera Gregorium VII. ... ego de missis eorum magis non curo, quam si cantarentur a pagano“.

Ohne Zweifel mißt er hier der Synode größeres Gewicht bei als dem Papst allein. Allerdings handelte es sich im konkreten Fall um einen Beschluß, der zusammen mit dem Papst gefaßt wurde, der zudem noch Gregor VII. hieß und die größte Hochachtung des Kanonikus besaß. Beachtenswert ist aber das Prinzip, das seine Stellungnahme begründet: es ist besser, vielen als einem zu gehorchen.

Ein gutes Jahrzehnt rührte der inzwischen zum Vorsteher des Reichersberger Stifts aufgestiegene Gerhoch nicht mehr an die Frage, aber 1142 kommt ihm wieder der Gedanke an die Autorität der Vielen. Trotz eifriger Beschäftigung mit dem Regalienproblem sah er keinen rechten Ausweg, mit dieser verfilzten Sache fertig zu werden. Aber mit der sakrilegischen und gottlosen Situation, die die Verwendung des Kirchengutes für politisch-kriegerische Zwecke heraufbeschworen hatte, durfte man sich auf keinen Fall abfinden. Eine Kirchenversammlung mochte vielleicht doch einen Ausweg finden. So entringt sich ihm der Seufzer: „Universale concilium potius esset convocandum"[114].

Dann kam das schlimme Jahr 1159 mit dem Schisma. Die Viktoriner wiederholten unermüdlich ihre Anklagen gegen Alexander auf Reichsverrat und Simonie, dieser aber schwieg ebenso hartnäckig und weigerte sich standhaft, einen Reinigungseid zu leisten, um die Beschuldigungen zu entkräften. Mit vielen Landsleuten wußte der Propst nicht, für wen er sich entscheiden sollte: beide Kontrahenten schienen ihm dubios. Er sah nur einen einzigen Ausweg:

> „Deswegen wünscht sich die Kirche der Auserwählten ein allgemeines Konzil, auf dem die Himmel die Bosheit Judas enthüllen und die Erde gegen den sich erhebt, wer immer von beiden es sei, und seine Sünde offenbare". Dieser Himmel, vor dem sich der apostolische Stuhl verantworten soll, ist nicht nur Gott und seine Engel, sondern auch die Gemeinschaft „der heiligen geistlichen Männer und vor allem der Kirchenleiter"[115].

Im gleichen Streit erhebt er nochmals seine Stimme im Brief an die Kardinäle. Mit Gratian bekennt er sich zu der augustinischen

[114] GvR, OD ded. (O I, 85).

[115] GvR, IA 1, 63 (Scheib. 128 f.): „Propter hoc desiderat electorum ecclesia generale concilium, in quo revelent coeli iniquitatem Judae ac terra adversus eum consurgat quisquis e duobus ille est et manifestum fiat peccatum illius" ... „sed et sanctorum hominum spiritualium et maxime ecclesiae praesidentium ecclesiam". Die ganze Erörterung a.a.O. 59—65 (a.a.O. 119—132). Vgl. auch ds., Ps. 133 (194, 892 f.). Über die historischen Hintergründe vgl. Classen, Gerhoch 196—200.

Meinung, daß ein Satz dann häretisch sei, wenn er gegen den Glauben der apostolischen Stühle verstoße. Das sind für ihn die Sitze von Rom, Antiochien und Jerusalem. In ihnen konzentriert sich die Autorität der kirchlichen Einheit, so daß eine Trennung von ihnen Abfall ins Schisma bedeutet. Jetzt war der Fall eingetreten, daß an einem der Primatialsitze selbst ein Schisma ausgebrochen war wie schon zur Zeit Novatians und des Petrus Leonis. Auch hier konnte die Sache nur von den Vielen entschieden werden, in diesem Fall von den anderen apostolischen Stühlen. So war Anaklets Schicksal in dem Moment entschieden, da sich die *sedes transmarinae* gegen ihn ausgesprochen hatten[116].

Der Gedanke an die Autorität der Vielen auch gegen den einen Papst hat Gerhoch sein ganzes Leben begleitet. War er deshalb ein früher Vertreter des Konziliarismus? Diese Frage stellen sich P. Classen und E. Meuthen bei ihrer Analyse der Theologie Gerhochs und verneinen sie[117]. Ihre Begründungen allerdings sind verschieden. Classen vermißt den entscheidenden Repräsentationsgedanken; zumindestens werde er nicht klar ausgesprochen trotz einiger Ansätze zu einem korporativen Kirchenbegriff. Meuthen salviert den Propst, weil bei ihm das Konzil nur untersuchende, nicht aber Absetzungs- und Verdammungsrechte habe. Beide Forscher setzen den radikalen Konziliarismus des 14. und 15. Jahrhunderts als Modellfall, an dem sie die Theorien des Propstes aus dem 12. Jahrhundert messen. In diesem Sinne konnte er schwerlich ein Konziliarist sein.

Das aber heißt noch nicht, daß er keine konziliaren Ideen gehabt haben könnte. Im Gegenteil, die Texte sprechen eine klare Sprache. Es bleibt zu untersuchen, in welchem Sinn sie zu verstehen sind. B .Tierney und H. Zimmermann haben in ihren wichtigen Untersuchungen gezeigt, daß die ersten Ansätze konziliaristischer Ideen bei den Kanonisten des 12. Jahrhunderts zu suchen sind, ja daß die frühmittelalterlichen Papstdepositionen bereits den Keim der Entwicklung legten[118]. Jedenfalls wurde die Frage der Papstabsetzungen wieder diskutiert. Sie wurde als Sache eines Konzils betrachtet, dem die Deposition nicht unmittelbar als Recht zustand, das aber durch eine Fiktion ermächtigt wurde, über die Häresie eines Papstes zu befinden und die notwendigen Konsequenzen zu

[116] GvR, Card. (O I, 371); IA praef. II (Scheib. 11); Ps. 68 (194, 264). Vgl. RvD, Dt. 1, 9 (167, 928). Über die dekretistischen Thesen vgl. B. Tierney, Foundations 36—43: die Absetzung der Päpste im Fall der Häresie.

[117] Classen, Gerhoch 199 f.; E. Meuthen 100/35.

[118] B. Tierney, Foundations 21—67; H. Zimmermann, Papstabsetzungen.

ziehen. Weil ein Irrlehrer nicht auf Petri Stuhl sitzen könne, sei dieser als vakant zu betrachten und vom Konzil wieder zu besetzen. Hinter dieser Theorie stehen zwei fundamentale Prinzipien: die Kirche ist die korporative Gemeinschaft der Gläubigen, in der alle Glieder eine für das Ganze notwendige Funktion ausüben, die unersetzbar ist; in der Kirche gibt es repräsentative Ämter, die für die anderen Glieder sprechen und handeln können. Daraus entstanden zwei Positionen, die beide die Überordnung des Konzils über den Papst lehrten, aber mit dem grundlegenden Unterschied, daß die gemäßigte Theorie in der Kirchenversammlung nur ein Instrument für Notfälle sieht, in denen die hierarchische Spitze nicht existiert oder nicht handlungsfähig ist, während die extreme Richtung die prinzipielle Überordnung des Konzils lehrt[119].

So weit die kanonistischen Theorien. Gerhoch steht mit seinen Überlegungen also nicht allein, sie lagen vielmehr in der Luft. Allerdings ist für ihn die Frage eines allgemeinen Konzils kein verfassungstheoretisches, sondern ein notvolles Problem angesichts der kritischsten innerkirchlichen Situation des Jahrhunderts. Der Gedanke einer grundsätzlichen Prävalenz der Kirchenversammlung über den Papst ist ihm sicher nicht gekommen, auch nicht beim Brief an Innozenz II. Wir kennen seinen Respekt vor den päpstlichen Vollmachten: der römische Bischof ist unbestritten die hierarchische und gottgewollte Spitze der Kirche. Von einer extrem konziliaristischen Position kann also keine Rede sein.

Aber für Gerhoch war spätestens mit dem Schisma von 1159 nicht mehr erkennbar, wer und wo die Spitze der Kirche sei. Das war eine praktische, keine theoretische Frage, aber es war eine lebenswichtige Frage. Wenn der Kirche die Spitze fehlte, war sie schleunigst wieder aufzurichten, weil sonst statt des göttlichen *ordo* die satanische *confusio* ausbrechen würde. Alles spitzte sich also darauf zu, wie und mit welchen Mitteln die *renovatio* des angeschlagenen Gottesbaus durchzuführen sei. Für Gerhoch war es ebenso wie für Rupert und Honorius klar, daß die Spitze der Kirche nicht die ganze Kirche ist. Die Bischöfe und vor allem die Inhaber

[119] Eine systematische Darstellung des Konziliarismus fehlt. Neben den Anm. 118 genannten Arbeiten vgl. A. Kneer, Die Entstehung der konziliaren Theorie, in: RQ 1 (Suppl.-Heft 1893), 48—60; H. Küng, Strukturen der Kirche, Freiburg 1962; V. Martin, Comment s'est formé la doctrine de la priorité du concile sur pape, in: RSR 17 (1937, 122—143). Nach Zimmermann, a.a.O. 215 f. wird die Nichtjudizierbarkeit des Papstes allgemein vertreten. Die Formel *„nisi deprehendatur a fide devius“* taucht erstmals bei Kardinal Deusdedit auf und wird von Gratian übernommen (a.a.O. 169).

der anderen apostolischen Stühle besitzen grundsätzlich die gleichen Vollmachten wie der Vikar Petri: sie tragen den gleichen Titel wie der römische Primas. Sie sind in ihren Kirchen ebenfalls mit einer Haupt-Funktion für den ekklesialen Leib betraut. In der hierarchischen Pyramide stehen sie dem Papst als dem Oberhaupt an Rang und Vollmacht am nächsten. Wenn aber unter den menschlichen Repräsentanten des Hauptes der Kirche, das Christus ist, das Ober-Haupt ausfällt, ist es dann nicht logisch, daß die anderen Häupter seine Funktion übernehmen? Sie tun das nicht, um sie abzulösen und aufzuheben, sondern um die Vollgestalt des Leibes der Kirche wiederherzustellen. Anders ausgedrückt: wenn der Papst die personale Spitze der irdischen Hierarchie ist, dem an nächster Stelle die Patriarchen und Bischöfe folgen, dann sind diese die Spitze, falls die oberste Spitze aus irgend einem Grund abbricht[120]. Doch ist das nicht die Normalsituation: wenn die Spitze einer Pyramide abbricht, hat diese an der obersten Stelle keine andere Spitze mehr, sondern eine Plattform. Aber zur Vollgestalt gehört die Spitze, die darum wiederherzustellen ist. Infolgedessen haben die Bischöfe die Pflicht, die gottgewollte Ordnung der Hierarchie wiederherzustellen. Das geschieht auf dem Konzil.

Diese Situation war nun — 1159 — eingetreten. Wenn die Viktoriner Recht hatten, dann war Alexander III. als Simonist und somit als Häretiker zu betrachten. Gratian lehrte, daß dann der Apostolische Stuhl als erledigt zu betrachten sei[121]. Wenn sich auch Gerhoch nicht sicher war, daß es tatsächlich so weit war — er wagte sich auch nicht zu einer Ablehnung Bandinellis zu entschließen, so konnte doch die Lage durch eine Kirchenversammlung geklärt werden, insofern mindestens entschieden werden würde, ob die Spitze intakt sei.

Man kann also sagen, daß dem Propst aus praktisch-theologischen Erwägungen, die in seinem Kirchenbild gründen, die Dominanz eines Konzils als Lösung komplizierter innerkirchlicher Fragen gegeben schien. Kirche war für ihn der Leib Christi, in dem jedes Glied eine Funktion im Rahmen des Ganzen ausübte und dafür

[120] Das ist für Gerhoch ohnedies bei der Neuwahl eines Papstes der Fall. Die nachfolgende Ordostufe nach dem Tod des Papstes ist das Kardinalskollegium, dem folgerichtig die Wahl übertragen ist: vgl. IA praef. II (Scheib. 11); Classen, Gerhoch 154. Vgl. auch Kardinal Deusdedit, Cap. II (ed. V. Wolf v Glanvell, Die Kanonessammlung des Kard. Deusdedit, Paderborn 1905; Neudruck Aalen 1967, 17): „Quod absente R. pontifice clerus eius quorumlibet causas diiudicat“.

[121] Vgl. B. Tierney, Foundations 56—58.

verantwortlich war. Gegebenenfalls mußten seine Desiderate von anderen als den eigentlich und unbestreitbar kompetenten Gliedern übernommen werden. Das Ziel blieb immer die Wiederherstellung der primären Kompetenz. Alles andere hätte den *ordo divinus* vernichtet.

4. Kapitel

Ordo continentium

1. „Orationi vacare"

Die spezifische Lebensform und die Funktion des Mönches in der Kirche ist das Gebet[1]. Es ist nicht ein besonderer Akt des enthaltsam Lebenden, sondern die Form seiner Existenz.

Diese kann nur dialektisch geschildert werden. Sie ist das harte, kompromißlose Leben der Kreuzesnachfolge, aber sie ist darin die Lebensweise der Freude, die sich aus der Gottverbundenheit ergibt. Die Mönche sind die *poenitentes* in der steten Trauer über die Sünden der Vergangenheit, sagt Rupert, zu der sich die Klage über die Abwesenheit des himmlischen Bräutigams ihrer Seelen gesellt[2].

> „Sie sind davon überzeugt, Sünder zu sein; ohne auf sich Rücksicht zu nehmen, steigen sie eilends auf vom Berge Galaad, d. h. sie nehmen ihr Kreuz auf sich und folgen Christus nach. Selbst durch ihr Gewand bezeugen sie, daß sie der Welt gekreuzigt sind, weil sie freiwillig das Martyrium, d. h. die Zeugenschaft auf sich nehmen"[3].

Ihrem Selbstverständnis nach sind mit der ganzen Tradition auch für Rupert die Mönche die Nachfolger der altchristlichen Blutzeugen, die zwar ihr Leben nicht mehr auf Befehl von Tyrannen opfern müssen, die aber wie sie ein existentielles Zeugnis für Christus in der täglichen Hingabe des Klosterlebens ablegen. Damit ist ihre Weltabkehr ein wichtiger Faktor im Leben der Kirche. Sie übernehmen die Zeugenschaft für den Herrn der Kirche.

[1] GvR, IA 2, 28 (Scheib. 246).
[2] RvD, RSB 3, 3 (170, 512 f.).
[3] a.a.O. 4, 6 (a.a.O. 530): „Suo judicio peccatores sunt, et proinde sibimet ipsis displicendo ascendere de monte Galaad, id est crucem suam tollere et Christum sequi festinaverunt, ipso habitu suo profitentes, quia mundo crucifixi sunt, spontaneum bajulantes martyrium, id est testimonium".

Der Beruf des Mönches ist dann Dienst an der Kirche. Rupert preist das Mönchtum als den *universalis ordo* der göttlichen Barmherzigkeit und Milde, der alle Stufen der kirchlichen Ordnung umspannt und ihnen erst die letzte Vollendung verleiht. Denn was der Mönch tut, ist nichts anderes, als die Vollendung dessen, was in der Taufe grundgelegt worden ist, anzustreben. In diesem Sakrament wurde die eschatologische Dimension der menschlichen Existenz eröffnet. Sie konnte in ihrer Tragweite damals noch nicht erfaßt werden. Dies aber tut der Mönch, indem er sein Leben als Hineinsterben in den Tod Christi auffaßt und sich eben darin den Zugang zur Auferstehung mit Christus erschließt[4]. Der Mönch geht also mit aller Entschlossenheit der Berufung des Christen nach und ist darin Christi Zeuge. Rupert empfindet sie nicht als Ausnahme, sondern geradezu als den normalen Weg des konsequenten Jüngers. Allen Menschen steht dieser Weg offen und ist somit ein neues Zeugnis der Katholizität des Heiles in der Kirche, das für alle bestimmt ist. Noch einmal wird sichtbar, daß die Strenge des Ordo-Schemas immer dann durchbrochen wird, wo es sich um die je größere Verwirklichung von Glaube und Liebe in der Kirche handelt.

Aus dem hohen Ziel des Mönches resultiert die Strenge seines Lebens. Er muß mit allem Sinnen und Streben auf Gott ausgerichtet sein, den er im Gebet und in der Meditation des Gotteswortes der Heiligen Schrift immer tiefer und besser erkennt. Er bedarf eines hochgemuten Geistes, der die großen Dinge verstehen kann, mit denen er in Liturgie und Kontemplation beständig konfrontiert wird. Die Gleichförmigkeit mit Gott wird um so besser verwirklicht, je bereitwilliger der Mönch auf die Bedürfnisse des Fleisches und die Autonomie seines Willens verzichtet. Der kluge Abt von Deutz warnt jedoch vor sinnlosen Übertreibungen: die Bedürfnisse des Menschen dürfen nicht zu kurz kommen; auch der Mönch bleibt Mensch. Diese Einsicht in die eigene Schwachheit und Kontingenz aber soll ihm helfen, sein Leben als Geschenk der Gnade zu verstehen, das nur in Christus durchzuhalten und fruchtbar zu machen ist[5].

Ähnlich wie Rupert hebt auch H o n o r i u s A u g u s t o d u n e n s i s den Doppelcharakter der monastischen Lebensform als Buße der begangenen Sünden und Trauer um den fernen Geliebten und als frohe Losgelöstheit von den allzu irdischen Sorgen hervor. Sie ist

[5] RvD, Lev. 1, 7 (167, 749 f.).
[4] RvD, ep. ad Liez. (170, 668).

zunächst schmerzlich empfunden als Verzicht, als Ausgestoßen- und Verbanntsein, da sie fern sind vom Himmel, für den sie durch ihr Leben aber ein beständiges Zeugnis, das unblutiges Martyrium ist, ablegen[6].

Eben so aber dienen sie der gesamten Kirche. Die Klöster nehmen im Haus ecclesia die Stelle von Zedern- und Zypressenholzbalken ein: verwurzelt in den heiligen Vätern und ihren ehrwürdigen Regeln lassen die Äbte, die den unverwüstlichen Zedern gleichen, den Wurm der Sünde nicht eindringen; die Mönche sind wie Zypressen, weil ihre beispielhafte Heiligkeit dem Tempel Gottes zur Zierde dient. Sie sind wie Balken, weil ihr Gebet die Last der Menschen trägt[7]. Diese stützende Funktion erfüllen sie weiter darin, daß die Klöster für die müden Menschen der Ort der Muße sind, an dem sie sich auf Gott besinnen können. Denn das gemeinsame Leben in den Klöstern ist gleichsam ein goldenes Ruhebett, auf dem sich Christus niederläßt und wo die Mönche ihn betrachten können ohne Sorge um die mühseligen Dinge des Alltags. Gold ist das Symbol des Klosters, weil hier Weisheit und Liebe beheimatet sind[8]. Das monastische Leben ist darum getragen von einer gewissen Leichtigkeit und Unbekümmertheit: die Mönche sind wie die Spatzen, die überall in der Welt ihre Nester auf den Zweigen bauen, die die Reichen versinnbilden, durch deren Almosen ihr Leben ermöglicht wird[9]. Das Bild des Spatzen charakterisiert aber auch die Unsicherheit des Mönches, der sich als noch nicht Fertiger, als stets Gefährdeter versteht. Es gibt keine Garantie für das Gelingen seines Lebens: so ist er wie ein Soldat in der Schlacht[10]. „Erfüllen die Mönche ihren Vorsatz durch frommes Leben, werden sie Richter sein mit Gott; sonst sind sie elender daran als alle Menschen: sie haben die Welt nicht und sie haben nicht Gott“[11]. *Ordo* und *meritum* sind zur Deckung zu bringen, der Vollkommenheit ihres Standes muß die Heiligkeit des Lebens entsprechen[12].

[6] HA, SE convfr. (172, 1087); CC 1, 1; 2, 5 (172, 382.437).
[7] HA, CC 1, 1 (172, 381).
[8] a.a.O. 2, 3 (a.a.O. 407).
[9] HA, Ps. 103 (194, 626).
[10] HA, GA 1, 72; 2, 30 (172, 566.625).
[11] HA, E 2, 53 (Lef. 427): „Si propositum suum religiose vivendo impleverint, cum Domino judices erunt; sin autem, miserabiliores sunt omnibus hominibus, quia non habent nec saeculum nec Deum“.
[12] HA, OS (Kelle 33) — vgl. RvD, RSB 3, 9 (170, 517); Lev. 1, 7 (167, 750) — GvR, Ps. 29 (193, 1280). In dieser Vollkommenheit gleichen die Mönche den Seraphim. Vgl. unten Anm. 23.

Gerhoch ist zwar nicht im klassischen Sinn Mönch, doch die Lebensform der Regularkanoniker unterschied sich nicht wesentlich von der der Mönche. Auch in seinen Augen hat der *ordo poenitentium* eine eminent bedeutungsvolle Aufgabe in der Kirche zu erfüllen. Die Klöster sind auf Christus als dem Fundament errichtet, sie sind wie Türme in der Stadt Gottes, bestimmt zum Schutz der Laien[13]. Der Gedanke vom Kloster als Zufluchtsort spielt eine große Rolle beim Reichersberger Chorherrn. Es ist der Hort der Gottesverehrung in den Zeiten des Antichrists[14], aber auch das schöne Ruhelager, auf dem man sich von den Aufregungen des Lebens erholen kann[15].

Wie sein Zeitgenosse Anselm von Havelberg begrüßt er die Vielfalt der Gemeinschaften des geistlichen Lebens. Es gibt in der Catholica verschiedene Weisen der Hingabe an Gott: man kann mit Maria und Johannes mehr die Jungfräulichkeit des monastischen Standes betonen oder mit Matthäus und Maria von Magdala ein Leben der Buße führen. Er verabscheut auch innerhalb der eigenen Gemeinschaft jede Gleichmacherei: „Die vielen Regularklöster sollen von *einer* Reinheit und Heiligkeit sein, aber gemäß der Vielfalt der Gnade kann es in ihnen die verschiedensten Lebensformen in vielfacher Weise geben“[16]: er sieht diese bunte Fülle angedeutet im vielfarbigen Rock des ägyptischen Joseph oder im bunten Gewand der Königin aus dem Psalm 45, also mit den gleichen Bildern, die zur Illustration der Katholizität dienten. Die Einheit der Liebe, das *cor unum et anima una,* sammelt sie in die Einheit des apostolischen Lebens. Sie ist nicht mehr mit dem Stand gegeben, sondern Frucht der personalen Hingabe, die das Ethos dem ordo angleicht. Wo dies nicht gelingt, steht das Mönchtum in der Perversion: Babylons Bürger leben in Jerusalem[17].

[13] GvR, Ps. 121 (194, 849 f.). Im Psalmenkommentar finden sich vorwiegend die Aussagen Gerhochs über den Stand der Mönche, da dieser in erster Linie an Religiosen, nämlich an die Chorherren und Chorfrauen von Reichersberg adressiert war (Classen, Gerhoch 115 f.), darüber hinaus aber an alle, die außerhalb des Klosters *de sub regulis ecclesiasticis* lebten (Ps. 29 [193, 1280]). Bei der Bedeutung, die er dem Klosterleben beimaß, war es wichtig, die zeitgenössischen Klöster zur Reform aufzufordern und ihnen die wichtigsten Normen des monastischen Lebens ins Gedächtnis zu rufen.

[14] GvR, Ps. 119 (194, 841); CE 115 (194, 76).

[15] GvR, Ps. 25 (193, 1168).

[16] GvR, CE 115 (194, 76): „Sint multa coenobia regularia, unius quidem puritatis et sanctitatis, verumtamen pro distributione multiformis gratiae sit eis consuetudo multifariam multisque modis distincta“.

[17] GvR, IA 1, 44 (Scheib. 92). — Vgl. HA, E 2, 53 (Lef. 427).

2. „Utrum monachis liceat praedicare“

Mit zwei kleinen Schriften dieses Titels greifen die beiden Mönche Rupert und Honorius in den zeitgenössischen Streit um die Rolle des Mönchtums in der Kirche ein[18]. Die konkurrierenden Regularkanoniker hatten, abgesichert durch eine Reihe von Autoritäten, päpstlichen Dekreten und Aussprüchen der Kirchenväter, gegen die Seelsorgstätigkeit der Mönche eingewendet, daß sie doch der Welt abgestorben seien. Tote aber haben zu schweigen[19]. Die Mönche mußten sich schon aus praktischen Gründen zur Wehr setzen, um nicht die Seelsorge der oft zahlreichen Hintersassen der Klöster zu gefährden[20]. Aber auch theologisch schien dem Klostervorsteher von Deutz diese These absurd. Sie provozierte ihn zu der Gegenthese: *„monachorum ordo praecellit ordinem clericorum“*[21]. Er beweist sie in dreifachem Anlauf. Zuerst macht er darauf aufmerksam, daß in ihren Auszeichnungen beide ordines gleich sind, da beide eine eigene Weihe empfangen; der Priestermönch besitzt sogar beide, die des Priesters und die des Mönchs. Dann wendet er das „Prinzip der Arche“ an, daß der strengere Stand auch der vollkommenere ist[22]; es kann nicht zweifelhaft sein, daß die Aszese der Mönche härter ist als das priesterliche oder regulierte Leben. Vor allem aber ist die monastische Lebensform offen für das Priestertum: ein Mönch kann auch Priester sein; und selbst ein Laienmönch ist einem nichtmonastischen Kleriker gleichgestellt, wie ein Blick auf die Bußdisziplin zeigt, nach der bei gleichem Delikt Laienmönch und Priester den gleichen Sanktionen unterliegen. Zusammenfassend erklärt Rupert den Regularpriestern:

„Euer Stand ist ein Bild der Cherubim, das auf die Fülle der Wissenschaft deutet; denn es ist eures Amtes, das Volk zu beleh-

[18] Rupert behandelt das Thema außerdem noch Alterc., ep. ad Everardum; ep. ad Liez. und RSB 4; dieses Buch der Regelauslegung ist überschrieben „De contentione monachorum dicentium: Ego sum Augustini, ego Benedicti etc.“ (170, 525/526). Die Argumentation ist in allen Schriften im wesentlichen die gleiche. Wir halten uns hier an ep. ad Liez.

[19] RvD, Alterc. (170, 537). Die nichtregulierten Kleriker erhoben die gleichen Einwände gegen die Regularkanoniker: GvR, DI (194, 1397). Die wichtigsten Argumente nahmen die Gegner der Mönche aus Hieronymus: Rupert gelingt der Nachweis, daß sie sich auf die Laienmönche, aber gerade nicht auf die Priestermönche beziehen: ep. ad Everardum (170, 543). Vgl. die Gegenposition bei Anselm v. Havelberg mit den scharfen Ausfällen gegen Rupert (ep. apol. — 188, 1127).

[20] RvD, RSB 3, 12 (170, 520).

[21] Das ist der genaue Titel der ep. ad Liez. (170, 663.664).

[22] Vgl. oben II, 2, 1, 1 Anm. 20.

ren. Unser Stand aber, die wir den Dienst am Altar versehen und das Gewand des Mönchs tragen dürfen, ist ein Bild von Cherubim *und* Seraphim: den ersteren gleichen wir im Predigt- und Lehramt oder der Wissenschaft, den anderen (ihr Name bedeutet die Glühenden oder Entflammenden) aber darin, daß wir mit glühendem Stein die Sünden der Vergangenheit ausbrennen"[23].

In der Erklärung einiger Punkte der benediktinischen Regel hatte Rupert den gleichen Gedanken bereits dahingehend ausgesprochen, daß im Priestermönch der *ordo justorum* und der *ordo poenitentium* zusammenfallen[24]. Damit war die Frage entschieden, ob die Mönche überhaupt Priester sein dürften oder die frühmonastischen Zustände restauriert werden sollten, da die Mönche durchweg Laien waren[25]. Denn für Rupert liegt das Spezifische des monastischen Lebens nicht in der Handarbeit, die er für nebensächlich und situationsbedingt hält, sondern im Altardienst, im Kult. Hier ist die Mitte des klösterlichen Lebens, auf die alle seine Aufgaben und Aktivitäten zielen müssen, etwa indem die Laienmönche den Priestern durch ihre Arbeit den ungestörten und würdigen Ablauf des Gottesdienstes ermöglichen[26]. Der Priestermönch ist in diesem Entwurf der Vollmönch, das Ziel jedes Mannes, der ins Kloster eintritt[27]. Er besitzt dann aber auch alle priesterlichen Rechte: wenn er die Sakramente spenden kann, dann ist nicht einsichtig, warum er ausgerechnet von der Wortverkündigung ausgeschlossen sein sollte[28]. Schließlich haben Mönchs- wie Regularpriester die gleiche Weihe empfangen und sind damit in dieselbe Linie der apostolischen Sukzession gestellt. Rupert entscheidet die Frage im Sinn der Gleichberechtigung: „Mönch und Priester sind keine Gegensätze wie weiß und schwarz, sondern etwas Verschiedenes wie ein Literatur- und ein Geschichtswissenschaftler. Einer kann darum beides sein"[29].

[23] RvD, ep. ad Liez. (170, 664—666, Zitat 666): „Vester ordo solos cherubim imitatur, id est plentudinem scientiae, quia vestri officii est populum docere. Noster autem ordo quicumque cum officio altaris monachico habitu praefulgemus cherubim imitamur et seraphim: cherubim in praedicandi et docendi officio vel scientia; seraphim autem, quod interpretatur ardens vel incendens, in eo quod quasi igneo calculo peccata praeterita consumat".

[24] RvD, RSB 3, 3 (170, 512).

[25] a.aO. 4, 1 (a.a.O. 526).

[26] a.a.O. 3, 5.7.8 (a.a.O. 514.515.516).

[27] a.a.O. 3, 9; 4, 7 (a.a.O. 517.531); ep. ad Liez. (170, 668).

[28] RvD, ep. ad Everardum (170, 542 f.).

[29] RvD, Mon. (Endres 146): „Non enim haec duo sunt sibi opposita, videlicet monachus et clericus, ut album et nigrum, sed sunt diversa, ut grammaticus et historicus, et ideo possunt in eodem simul esse".

Wie in seinem Regel-Kommentar hält Rupert auch im Brief an Liezelin daran fest, daß diese Gleichheit sich auf die priesterlichen Funktionen bezieht, aber nicht auf die Stellung innerhalb des kirchlichen ordo. Hier muß man dem Priestermönch die höhere Stufe einräumen, weil er die Vollkommenheit der anderen Stände in sich vereint und somit mehr ist als diese: Martin von Tours ist höher einzuordnen als Augustinus, weil er Bischof und Mönch, dieser nur Bischof war. Elias steht über Elisäus, weil er Priester und Mönch, dieser nur Mönch gewesen war[30]. Gleichzeitig aber setzt sich der Abt gegen die pauperistischen Strömungen ab, welche die Predigterlaubnis von den sittlichen Qualitäten des Verkündigers abhängig machen wollten. Die ganze Frage ist auch für ihn nicht ethisch, sondern eine Frage des Amtes, des ordo[31].

Bekanntlich hat Honorius das Opusculum über die Mönchspredigt weitgehend an Ruperts gleichnamigem Werk orientiert. Er hat die Gedanken allerdings wesentlich systematischer wiedergegeben als der Lehrer.

Nach ihm muß man unterscheiden zwischen Stand (officium) und Berufung (professio). Je nachdem man dem kontemplativen oder dem aktiven Leben zugeordnet ist, gehört man dem geistlichen oder dem Laienstand an. Die besondere Berufung eines Menschen kann ihn zur monastischen Lebensform nach der benediktinischen Regel oder zur regulierten nach Augustinus führen, gleichgültig ob er Laie oder Priester ist. So entstehen die verschiedenen Stände: Laien, nichtregulierte Kleriker, Laienmönche, Priestermönche. Diese Aufzählung entspricht zugleich einer Rangordnung, die zur Folge hat, daß man von unten nach oben alle Stufen durchlaufen kann, nicht aber umgekehrt. Daraus aber ergibt sich für unsere Streitfrage: Mönchs- und Säkularpriester haben das gleiche *officium*, nicht die gleiche *professio*. Was also aus dem officium resultiert, kommt auch dem Mönchspriester zu: demnach darf er predigen wie der Säkularpriester. Hier bedient sich Honorius noch eines Argumentes a fortiori, ähnlich wie Rupert das „Prinzip der Arche“ ins Spiel gebracht hatte. In der Formulierung des Inklusen heißt es: „Si licet maius et minus licet“. Darf der Mönchspriester unbestrittenerweise die Eucharistie feiern, also die höchste priesterliche Funktion ausüben, darf er erst recht auch predigen[32].

[30] RvD, ep. ad Liez. (170, 667); vgl. RSB 3, 9; 4, 12 (170, 517.534).

[31] RvD, RSB 3, 9 (170, 517); ep. ad Liez. (170, 667). Zum Pauperismus vgl. Gaufridus Grossus, Vita B. Bernardi Tiron. 6 (172, 1399). Siehe auch RvD, RSB 4, 6 (170, 530); ep. ad Liez. (170, 668).

[32] HA, MON (Endres, 147—150), Zitat 149.

An der heute so abwegig erscheinenden Kontroverse wird uns von einem neuen Aspekt aus das Wesen der Kirche deutlich sichtbar. Sie ist Ordo und sie verlangt das Ethos. Beide sind gleich wichtig; erst wenn beide zusammenfallen, kommt ihr volles Wesen zum Leuchten.

3. „Cor unum et anima una“

Gerhoch zeigt sich als guter Schüler seines Meisters, wenn bei ihm die Streitfrage um den höheren Rang von Chorherren oder Mönchen nebensächlich geworden ist. Das „Diversum, non oppositum“ läßt ihm beide Berufungen gleich wichtig und gleich schwierig erscheinen. Beide wollen die Welt besiegen; der eine tut dies durch Rückzug, der andere durch die offene Feldschlacht[33]. Beide sind gedeckt durch illustre Gestalten der Geschichte: was für die Mönche Benjamin und der Evangelist Johannes ist, das ist der ägyptische Joseph und der hl. Petrus den Klerikern. Benjamin und Joseph, Johannes und Petrus aber waren Brüder. So müssen sich die brüderlichen ordines im gemeinsamen Kampf zu Hilfe eilen[34].

Gerhochs Anliegen geht in eine ganz andere Richtung. Seine Kontrahenten sind nicht die Mönche, sondern die nichtregulierten und die falsch regulierten Kleriker. Die ersten sind die schlimmsten, sie sind *acephali,* Leute ohne Kopf. Im Buch vom Gottesbau schildert er sie von der schlechtesten Seite: Herrschsucht, eitle Aufgeblasenheit und Gewinnstreben wirft er ihnen vor und verlangt ihre Exkommunikation und Suspension, falls sie nicht zum regulierten Leben bereit sind. Ihre Existenz ist weder mit dem Gebot Christi noch mit der apostolischen Lehre vereinbar. Darum haben sie in der apostolischen Kirche Christi keinen Platz und infolgedessen auch nicht im Himmel[35].

Aber Gerhoch genügt nicht ein beliebiges reguliertes Leben. Zwar gab es eine Reihe von Klerikern, die Chorherren waren, aber nach der Aachener Regel lebten. Sie unterschieden sich im Grund nicht von den acephali, denn diese Regel steht nicht auf dem Boden Christi, sondern ist aus irgendwelchen trüben Quellen — „nescio de qua cisterna mortifera“ — geschöpft und darum selber tödlich[36].

[33] GvR, AD 28 (194, 1267 f.); Ps. 29 (193, 1280). Er ist jedoch mit einer zeitweilig ausgeübten Seelsorge der Mönche einverstanden, ebenso mit der Vergütung dieser Arbeit durch 25 % des Zehnten: AD 51; 53 (194, 1322.1361).

[34] GvR, N 25.27 (That. 221.222); CE 139 (194, 86): Moses als Typus des Klerikers, Elias als Mönchsvater in Einheit.

[35] Vgl. GvR, AD prol.; 3; 20; 25; 45 (194, 1189.1202.1204.1247.1257.1306).

Der Propst geht so weit, wegen ihrer Approbation Ludwig des Frommen ewige Seligkeit in Zweifel zu ziehen: wenn er gerettet wurde, dann nur „quasi per ignem“[37].

Was ihm so gefährlich schien, war ihre Zweideutigkeit. Sie enthielt eine Menge partristischer Sentenzen, die gut und heilsam waren und auf die man sich mit vollem Recht berufen konnte. Aber dann kommt die verhängnisvolle Erlaubnis des Privateigentums, die alles andere korrumpiert. Wer nach ihr lebt, ist Kleriker und Laie zugleich, ein unmögliches, chimärenhaftes *tertium genus clericorum,* ein Kentaure, der Mensch und Tier zugleich und keines richtig ist[38]. Damit stiftet dieses Machwerk *confusio* und ist dem *cursus salutis* entgegengesetzt. Um des Wohles der Kirche willen fordert der Propst darum ihre Verurteilung durch den Papst[39].

Die einzige Form klerikalen Lebens, die für ihn in Frage kommt, ist ein Leben nach der Augustinusregel. Es war in Aaron vorgebildet und von Christus und den Aposteln gelebt worden; daher war die vita communis in Armut die christusgemäße und kirchliche Existenz des Priesters[40]. Wie das Glaubensbekenntnis von Nikaia oder das Athanasianische Symbolum zwar das Apostolicum erweitert, aber in seiner Substanz unberührt läßt, so sei die Christusregel zwar von Augustinus modifiziert, aber dabei in ihrem Kern unversehrt gelassen worden[41]. Gerhoch bietet seine ganze Erudition auf, um mit einer großen Wolke von Zeugen seine Ansicht zu untermauern[42], daß die urkirchliche *vita apostolica* nach Apg. 4,32 der Maßstab für die ganze Kirche sei, der sich zumindestens alle Kleriker anschließen müßten, ja sogar alle Mönche[43]. Eine einzige Ausnahme läßt er zu: in der Missionsarbeit könnten die Priester auch einzeln, aber *disciplinate,* also nach den Normen der Regel leben[44].

Der Eifer des Propstes entsprang seiner Erkenntnis, daß die Christusregel als apostolische Regel für die Kirche lebensnotwendig

[36] GvR, Ps. 67 (194, 208); vgl. ds., AD 20 (194, 1247); CE 49; 151 (194, 39.102); IA 1, 43 (Scheib. 90). Vgl. auch die noch in Regensburg entstandene Schrift DI.

[37] GvR, DI (194, 1382); AD 3 (194, 1203).

[38] GvR, CE 44; 46; 136 (194, 36.37.93). Vgl. oben Kap. 1, 1 Anm. 13.

[39] GvR, a.a.O. 123; 124; 136; 150 (194, 82.93.102).

[40] GvR, AD prol.; 3 (194, 1189.1202 f.); CE 126 (194, 84). AD 41 (194, 1295 f.): die Apostel waren Mönche.

[41] GvR, AD 4; 20 (194, 1209.1248); CE 42 (194, 35).

[42] GvR, AD 27; 30; 31; 32 (194, 1266.1274.1275.1276); CE 40; 43; 161 (194, 33.35.108); N 25 (That. 221).

[43] GvR, CE 41; 42 (194, 33.35); LF rec. (O I, 201).

[44] GvR, CE 40; 44 (194, 33.36).

ist, weil man nur durch sie das Heil finden könne[45]. Nicht anders als die beiden anderen Theologen weiß er, daß die unerläßliche Voraussetzung die Identität von Regel und Leben des einzelnen ist. Sie wird schlußendlich durch den einzelnen vollzogen, nicht durch den Buchstaben der Regel. Denn selbst unter der verhaßten Aachener Regel gab es gute Kleriker (*licet paucos,* fügt er eigens hinzu) und unter der augustinischen Männer voller Gier und Lust[46].

5. Kapitel

Ordo conjugatorum

1. Die Ehe

Unsere drei Autoren waren Religiosen und ihre Welt war das Kloster und der Klerus. Ihr Streben war auf Kontemplation und Gottesdienst gerichtet; der dem monastischen Denken eigene platonische Zug sah im Spirituellen das Wesentliche der menschlichen Existenz; dem Leiblich-Materiellen begegnete er mit Mißtrauen. Der Kontakt zu den Laien war dürftig. Zwar schätzten sie alle den Wert der Seelsorge hoch ein, doch keiner von ihnen hat, mit Ausnahme Gerhochs, der für ein paar Monate Pfarrer in Cham war, praktische Seelsorge betrieben. Der konservative Grundzug der Monastik zeigt sich vor allem darin, daß sie der alten und mit dem Aufkommen des Bürgertums überholten Kaiser-Papstschematik verhaftet blieb, in der der Laie identisch mit dem Fürsten und als solcher der Prototyp des Gegners der Kleruskirche war. Wo er in Erscheinung trat, machte er sich als Usurpator kirchlicher Rechte und damit als Störer des *ordo* bemerkbar. Gerhoch sieht alles Übel in der Kirche von der Einmischung der Laien in die Angelegenheiten der Kirche und der Kleriker in den Besitzstand des Laien kommen. Dadurch wurde sogar die Apostolizität der Kirche gefährdet[1].

[45] GvR, AD 43 (194, 1302).
[46] GvR, Ps. 5 (193, 702 f.); CE 154 (194, 104).
[1] Vgl. GvR, AD 14 (194, 1235): „Sancti etenim pontifices, apostolorum, successores, modernorum praecessores, non habuerunt milites ministratores, sed de clericis et monachis probatos cubicularios: neque super facultates ecclesiae laicos praefecerunt, sed oeconomos sive vicedominos de clericis elegerunt. Clericis ergo solummodo res pauperum tractandas commiserunt, quia terminos

Die Voraussetzungen für eine umfassende Betrachtung des *ordo conjugatorum* waren alles andere als günstig. Dies zeigt sich sofort dort, wo das Spezifikum ihres Standes diskutiert wird, die Ehe. Rupert von Deutz spricht ausführlich davon bei der Exegese der Hochzeit von Kana im Kommentar zum Johannesevangelium. Es ist ihm sichtlich peinlich, daß Jesus die Einladung angenommen hat. Denn zwar ließ sich nicht abstreiten, daß die Ehe als göttliche Institution der Schöpfungsordnung gut war, doch hatte der Sündenfall verderblich in ihre Substanz eingegriffen. Wären ohne Ursünde nur Kinder geboren worden, die die Zahl der abgefallenen Engel im Himmel ersetzt hätten durch ebenso viele Heilige, so werden nun wahllos viele Menschen gezeugt, deren größter Teil zur augustinischen *massa damnata* gehörte. Auch der Zeugungsakt selbst war depraviert worden. Im Paradies wären die Kinder *absque omni pruritu libidinis* geboren worden, jetzt dagegen herrscht noch in der heiligsten Ehe verderbliche Lust.

> „Seitdem kämpft das Fleisch mit dem Geist auch noch bei den heiligsten und gerechtesten Eheleuten. Wie rechtschaffen sie sonst auch leben und das Fleisch unter der Herrschaft des Geistes halten, wenn sie ehelich zusammenkommen, herrscht das Fleisch, unterliegt der Geist, ist die Schärfe des Geistes so stumpf geworden, daß man an Gott nicht denken, dem Gebet sich nicht hingeben kann".

Höher als die heiligste Ehe steht darum die Jungfräulichkeit, weil sie die paradiesische Ordnung der Herrschaft des Geistes über das Fleisch wahrt. Der Leib kann sich nicht zwischen Gott und Geist stellen. Rupert kann es sich nicht anders als mit der Annahme übermenschlicher Demut erklären, daß unter diesen Umständen Christus, der von der Jungfrau Geborene, zu einer Hochzeit gegangen ist[2].

patrum transgredi noluerunt, qui laicis quantumcumque religiosis nihil in ecclesiae oblationibus administrandis permittunt. At nunc laicos vicedominos, et super bona pauperum praepositos, nec non episcoporum ministros contra patrum consuetudinem videmus: et in conviviis eorum magis strepitum ex turba militum ac scutariorum, quam aliquid de scriptis patrum sonare dolemus". Vgl. ds., AD 9 (194, 1223); Ps. 5 (193, 702) — HA, Ps. 103 (194, 624).

[2] RvD, EJ 2 (CCcm 9, 97—99): „Pugnat extunc caro cum spiritu in quamlibet sanctis vel justis conjugibus et quantumvis sancte reliquo tempore vivant carnemque spiritui subjiciant, dum sibi copulantur superior caro, inferior spiritus est totaque mentis acies sic obruitur, ut Deum nequeat meditari, orationi vacare non possit" (a.a.O. 98). A.a.O. 100 lehnt er daher die Teilnahme von Ordensfrauen an einer Hochzeit ab. Ausführlich begründet er, weshalb sie in allem, nur nicht in diesem Punkt Maria nachfolgen dürften.

Besonderes Mißtrauen zeigt der Benediktinermönch gegen die Frauen. Seine innige Marienverehrung hindert ihn nicht an der vollherzigen Zustimmung zum Lehrer der Weisheit, daß noch die Bosheit des Mannes besser sei als die Guttat des Weibes (Eccli. 42,14):

> „Der Frau, das ist der Überheblichen, kommt es ab und an in den Sinn, eine Gelegenheit zum guten Werk zu nützen; doch kaum hat sie es getan, brüstet sie sich damit; dem Manne, das ist dem Gehorsamen, der seinen Vorsätzen treu folgt, passiert bisweilen aus seiner Selbstsicherheit heraus durch eine Versuchung etwas Böses, aber seine Untat oder Schwäche bietet ihm Anlaß zur Tugend“[3].

Man kann es kaum noch bitterer sagen.

Trotzdem steht der Abt nicht allein da mit solchem Pessimismus. Zumindest in der neutestamentlichen Kirche ist auch dem Regensburger Schüler die Ehe nur ein Zugeständnis an die Schwachheit. In der Urkirche lebten alle keusch, glaubt er zu wissen, erst als sich herausstellte, daß mit dieser Bedingung keine Mission zu treiben war (ans Aussterben der Kirche bei dieser Praxis hat er nicht gedacht), hat Paulus aus seinen bösen Erfahrungen mit der korinthischen Gemeinde die Ehe unter Christen zugelassen[4]. Aber sie bleibt disqualifiziert durch die Lust, die mit dem Vollzug der menschlichen Geschlechtlichkeit in der Ehe verbunden ist. Im Paradies wären Kinder ohne Begierde, Schmerz und Schmutz (*sordes*) gezeugt worden, aber nachdem die Menschen einmal auf Satan gehört haben, „per concupiscentium bestiali more coeunt, in dolore et gemitu pariunt, natos ut bestiae catulos nutriunt, dolore et gemitu in terram morendo redeunt“[5]. Der ganze Abscheu vor dem Leib scheint hier zusammengefaßt, der in den leiblichen Funktionen nur

[3] RvD, RSB 4, 13 (170, 536): „Mulieri namque, id est arroganti, nonnumquam ex intentione venit occasio bene faciendi, et idipsum benefactum fit ei materia superbiendi; viro autem, id est oboedienti, qui propositae sibi regulae oboedit, interdum ex securitate per tentationem aliquid iniquum subrepit, et ipsa iniquitas sive infirmitas fit illi occasio virtutis“. — Zur Frauenfeindlichkeit im Mittelalter vgl. Ph. Delhaye, Le dossier antrimatrimonial de l'Adversus Jovinianum et son influence sur quelques écrits latins du XIIe siècle, in: MS 13 (1955), 71—75; W. Stammler, Frau Welt. Eine mittelalterliche Allegorie, Freiburg 1959; E. Werner, Die Stellung der Katharer zur Frau, in: Studi medievali 2 (1961), 295—301 (Literatur!); J. Leclercq, Un témoin de antiféminisme au moyen âge, in: RBén. 80 (1970), 304—309; N. Huyghebaert, Les femmes laiques.

[4] HA, OS (Kelle 14).

[5] HA, Ps. 101 (194, 602 f.; Zitat 603).

das Tierische zu sehen vermag. Wenn Honorius die drei alttestamentlichen Arten der Opfertiere als Symbole für die kirchlichen Stände wählt, weist er den Eheleuten die Ziege zu, „quae est lascivum animal"[6].

Ob seine Herkunft aus einer kinderreichen Familie oder der seelsorgliche Kontakt in Cham die Ursache waren, jedenfalls sieht Gerhoch die Ehe wesentlich differenzierter. Er wiederholt die sententia communis von der Ehe als Konzession zur Meidung der Unzucht und zur Zeugung von Nachkommenschaft und sieht den ehelichen Akt als tierisches Ereignis[7]; auch für ihn sind die Laien die schwächsten Glieder am Leib Christi[8]. Aber es ist ihm klar, daß ohne die Ehe auch die Enthaltsamen nicht existierten. Wenn die Kirche gedeihen soll, braucht man intakte Ehen, aus denen allein gute Kinder kommen können[9]. Er mahnt die Eheleute zu einer vernünftigen Regelung der Fruchtbarkeit, damit sie durch übermäßigen Geschlechtsgenuß nicht auf die Ebene des Viehs herabsänken. Grundsätzlich aber ist er davon überzeugt, daß auch die postlapsarische Ehe noch unter dem Schöpfungssegen Gottes steht[10]. Es überrascht nicht mehr, daß er dann auch die Frau viel positiver würdigen kann: auch für sie ist die Religion Christi, auch sie soll sie verstehen. Oft gibt sie eine viel hochherzigere Antwort auf den Ruf zur Vollkommenheit als die Männer[11].

Auch Rupert und Honorius verschließen sich nicht ganz der realistischeren Sicht. Die Lehren der Häretiker Tatian und Markion hatten in der Kirche das Bewußtsein geweckt, daß die Ehe nicht mit der Unzucht auf eine Stufe zu stellen ist[12]. Das zeigten nicht zuletzt die heiligen Eheleute, die die Kirche verehrt. Unter den Jungfrauen der Apokalypse, die Christus mit dem weißen Gewand beschenkt, sieht der Abt auch Moses und Petrus als die Prototypen der beiden Testamente. Beide waren verheiratet. Die Hochschätzung der Jungfräulichkeit konnte sich also nicht primär auf die körperliche Unberührtheit beziehen, sondern meinte die geistige Integrität[13]. In der Allerheiligenpredigt denkt nun auch

[6] HA, SE sept. (172, 853).
[7] GvR, Ps. 77 (194, 465); vgl. ds., CE 116 (194, 77). Echt platonisch nennt Gerhoch AD 32 (194, 1278) den Leib das Zugtier der Seele (jumentum): er braucht viel zu essen und möchte die lenkende Seele ständig in den Staub werfen; Ps. 141 (194, 946) wird der (sündige) Leib als Gefängnis der Seele bezeichnet.
[8] GvR, Ps. 21 (193, 1029).
[9] GvR, CE 117 (194, 77).
[10] GvR, Ps. 58 (193, 1733).
[11] GvR, CE 115 (194, 76); Ps. 67 (194, 216).
[12] RvD, EJ 2 (CCcm 9, 102).
[13] RvD, A 9, 14 (169, 1091).

Honorius daran, daß die heiligen Eheleute durch ihre Fruchtbarkeit die Welt erhalten und Christus dienen. Er nennt als Beispiele Hadrian, Marcellian, Markus und Eustachius, denen sich unübersehbare Scharen anderer Laien zugesellen: „per bona opera consecuti sunt divitias incomparabiles“[14].

Die Unausgeglichenheit der Ehetheologie unserer Autoren ist vielleicht ein Zeichen für die Umbruchsituation des Jahrhunderts, in dem das monastische Ideal verblaßte und die Laien anfingen, mündig zu werden.

2. Laien und Kleriker

Diese Situation zwang zum Bedenken der Situation des Laien. Aus klerikaler Sicht bedeutete das zunächst die Klärung des Verhältnisses zum eigenen Stand. In der Stufenordnung des Mittelalters mußte ihnen der niedrigste Platz zukommen, weil sie das leichteste Leben hatten. Nicht ohne aristokratisches Selbstbewußtsein bemerkte Rupert, deswegen sei der ordo laicalis der Stand der Massen. Sie gleichen den breiten und bequemen Plätzen der Gottesstadt, während die Geistlichen sich mit Fasten, Nachtwachen, Enthaltsamkeit und Feindesliebe abplagen und so den schmalen Gassen ähnlich sind[15].

Im Sozialgefüge der Kirchen sind die Laien die Antagonisten des Klerus, von ihm so weit verschieden wie das Licht von der Finsternis[16], nur als die letzten noch im Gefolge des Bischofs zugelassen (als allerletzte gehen die Frauen)[17]. Damals wie heute fiel keine bessere Definition des Laien ein als die Bezeichnung als Nichtkleriker: „Die Kleriker sind für den Gottesdienst geweiht, die Laien sind jene, die ihn nicht abhalten dürfen“[18].

[14] HA, SE OS (172, 1018) — Vgl. GvR, LF laud. (O I, 242).

[15] RvD, A 12, 21 (169, 1201) — HA, CC 2 (172, 398 f.); vgl. ds. OS (Kelle 22): bei Straffälligkeit geht die Kirche gegen Laien milder vor als gegen Kleriker; sie stößt sie nicht so leicht aus der Kirche aus, sondern erträgt sie in Milde. Doch werden sie sofort exkommuniziert, wenn sie gegen die Kleriker rebellieren!

[16] HA, OS (Kelle 22) — GvR, Ps. 22 (193, 1052). Den Laien wird im Gegensatz zum Klerus der Waffenbesitz ausdrücklich gestattet (HA, GA 1, 236—172, 614). Der Gegensatz zwischen beiden wird durch verschiedene Kleidung noch betont. Siehe Anm. 18.

[17] HA, GA 1, 6 (172, 545).

[18] HA, CC prol. II (172, 355). Rupert definiert die Laien Gh 11 (168, 1582): „Congregati sunt curisque saecularibus licitis inserviunt inter quas et propter quas armis quoque utentes quasi cornu obunco more vitulorum adver-

Doch Klerus und Laienschaft sind im Rahmen des übergreifenden Ordo der Kirche zu sehen, in dem sie je ihre Aufgabe für das Ganze haben. Auch die Laien lebten in der vita activa nicht schlecht, sondern nur weniger gut als die Kleriker in der vita contemplativa[19]. Die Extrempunkte der Stufenleiter sind nicht Wertigkeit und Unwertigkeit, sondern größere oder mindere Wertigkeit. Martha und Maria gehören eine wie die andere an die Seite Christi und damit auch zueinander[20].

Die Hauptaufgabe der Laien waren die Werke der Barmherzigkeit, unter denen an erster Stelle die wirtschaftliche Unterhaltung des Klerus stand[21]. Diese Forderung bezog sich zunächst auf den Seelsorgeklerus, der die *militia Christi* bildete und, wie das Heer an der Front von der Heimat, von den Laien finanziell gesichert werden mußte. Damit erfüllen die Laien ihren Teil an der apostolischen Aufgabe der Kirche. Weil jedoch die Mönche Nachahmer des geistlichen Lebens der Apostel sind (so wie die Kleriker Nachahmer und Teilhaber ihrer Vollmachten sind), gehörte es sich, daß auch sie am Geld der Laien partizipierten. Eine solche Regelung war zweifellos bedenklich, und Rupert, der sich zu ihrem Fürsprecher machte, sah das wohl, hielt sie aber immer noch für geeigneter als die urchristliche Form der absoluten wirtschaftlichen Ungesichertheit der Apostel[22].

Im Zusammenhang der gesamtkirchlichen Aufgabe nehmen die Laien damit eine tragende Rolle ein, insofern sie die geordnete Funktion der anderen Stände erst ermöglichen. Sie gleichen dem Manne, der nach seiner Heilung das Bett trägt; sie sind wie die Füße im Leib Christi, die den ganzen Körper tragen und beweglich machen[23]. Das Haus der *domina fides* ist bei Gerhoch nicht nur von den Verehrern der Armut bewohnt, sondern auch von den Welt-

santes sibi feriunt, neminem tamen concutientes neque calumniam facientes et contenti stipendiis vel justis laboribus suis".

[19] RvD, Evg. 31 (167, 1570).

[20] RvD, Gen. 7, 31; Ex. 3, 30; 4, 12 (167, 476 f. 678.711); CC 5 (168, 913). Vgl. M. Bernards, Laien 410 f.

[21] HA, SE sept.; serm. gen. (172, 853.861); Ps. 116 (194, 720); CC 1, 1 (172, 381); GA 1, 30.134 (172, 554.586) — GvR, CE 116 (194, 77).

[22] RvD, EJ 5 (CCcm 9, 249); Ex. 4, 11 (167, 710) — HA, Ps. 103 (194, 625) — GvR, CE (194, 103 f.); LF laud. (O I, 242) — Zur Behandlung des Armutsproblems bei RvD, vgl. Gen. 7, 37.46; Ex. 4, 12; Dt. 2, 17 (167, 481 f. 489 f. 712 f. 992); RSB 3, 11 (170, 519 f.).

[23] RvD, EJ 5 (CCcm 9, 249); vgl. oben II, 1, 2, 4 Tabelle.

[24] GvR, LF laud. (O I, 242).

[25] GvR, Ps. 18 (193, 928); CE 154 (194, 103 f.).

menschen, die *quasi provinciales tributarios* den anderen Hausgenossen durch Almosen, Buße und ein rechtschaffenes Leben dienstbar waren[24].

Sie blieben *subditi,* Untergebene, die dem Klerus zu Gehorsam verpflichtet waren[25]. Doch auch dieser hatte festumrissene Pflichten gegenüber dem Laienstand. Die wichtigste ist die Seelsorge: die Weltleute haben ein Recht darauf, von ihm zum Himmel geführt zu werden[26]. Das geschah nicht nur durch die Sakramentenspendung und die Predigt, sondern auch durch das vorbildhafte Leben der Geistlichen. Die Vollkommenheit ihres Standes war nur glaubwürdig in der Vollkommenheit ihres Lebens. So sollten sie ein Spiegel der Laien sein[27] und sich nicht so aufführen, als ob Gott allein *ihr* Vater wäre und nicht auch der der Laien[28].

Aus dem Grundsatz, daß letztlich nicht der Rang, sondern Glaube und Liebe die hierarchische Stellung des Christen vor Gott und in der Kirche bestimmen, ergab sich die Konsequenz, daß die Laien dann und dort auch gegen den höheren Stand des Klerus anzugehen hatten, wo dieser gegen das Wesen der Kirche und ihr Wohl sich verfehlte. Dies war vor allem bei simonistischen Machenschaften der Fall. Obwohl Rupert prinzipiell gegen jede Auflehnung gegen die Oberen ist, selbst wenn es sich um berechtigte Anliegen handelt, so mahnt er doch die Laien zum Einschreiten gegen diese Mißstände[29]. Für ihn war dann der gleiche Fall eingetreten wie für Gerhoch: die natürliche Spitze hatte versagt, sie war ausgefallen. Subsidiär hatte nun die nächstfolgende alle jene Schritte zu tun, die zur baldmöglichen Wiederherstellung des ordo führten.

3. Der Beruf

So stark die Mönche auch der Vergangenheit verhaftet waren: der neuen Zeit konnten und wollten sie sich nicht ganz entziehen. Programmatisch erklärt Gerhoch zu Beginn seines Erstlingswerkes „De aedificio Dei", daß Gott sich seine Kirche aus der vernünftigen Kreatur als seinem Baumaterial errichte; nicht nur die Erwählten, auch die zur Verdammnis Prädestinierten gehören dazu. Es gibt im Universum nichts Unnützes und Überflüssiges, noch der letzte

[26] GvR, CE 154 (194, 103 f.); LF laud. (O I, 242) — vgl. RvD, Lev. 2, 19 (167, 807). Nach HA, Ps. 103 (194, 573) verdanken die Laien dem Klerus vor allem die Kenntnis der Heiligen Schrift.

[27] HA, OS (Kelle 22).

[28] RvD, Num. 1, 4 (167, 841).

[29] a.a.O. 1, 8; 2, 14 (a.a.O. 844.896). Vgl. seine Stellung zur Auflehnung gegen den Klerus: Reg. 2, 15 (167, 1114 f.); A 9, 16 (169, 1120 f.); Os. 2 (168, 70).

Wurm hat seinen Platz im geordneten Ganzen des Kosmos[30]. M.-D. Chenu hat zu Recht erkannt, daß diese Passage die Ankündigung einer neuen Spiritualität enthält. Jedem Einzelwesen ist ein selbständiger und spezifischer Posten angewiesen; es ist nicht mehr nur Glied einer hierarchischen Ordnung, in der lediglich die Beziehungen der einzelnen ordines eine Rolle spielen[31].

Das neue Verständnis von Mensch und ordo hat sich langsam entwickelt. Wir sehen im Rahmen unserer Betrachtung in dem Reichersberger Propst die letzte Stufe dieses Prozesses. Aber er baut hier wie in anderen Dingen auf seinem Lehrer Rupert auf. Als einer der ersten hatte dieser eine Standeslehre entworfen, die unter dem Leitbegriff des Opfers stand. Im Kommentar zum Buch Levitikus innerhalb des Werkes über die Trinität suchte er zu zeigen, „quod offerre mystice sit eius qui vivit secundum Job ..., Noe, ... Danielem[32]. Als wichtigste Lebensregel für die Laien dient das Vorbild Jobs, „der unter dem Ehejoch seinem Hause gut vorstand und seine Söhne in aller Ehrfurcht zum Gehorsam erzog, indem er ... durch jeden von ihnen Opfer darbrachte". In priesterlicher Haltung sollen die Laien wie er — dem allgemeinen Priestertum zugehörig — alles Verdienst Gott zuschreiben, am Altar ihres Glaubens ein friedfertiges, aufrichtiges und reines Leben darbringen. Sie bekennen voreinander und vor Gott ihre Sünden; sie erfüllen ihre ehelichen Pflichten, vernachlässigen aber das Gebet darüber nicht. Rupert betrachtet an dieser Stelle die Ehe in sich und nicht als Alternative zur Jungfräulichkeit: sie wird so wertvoll, daß Gott das *honorabile conjugium* ohne Unzucht und Ehebruch als reines Opfer annimmt[33]. Sobald die Beziehungssystematik der Stände aufgehoben ist, öffnet sich dem Abt der Blick auf die Christlichkeit des Laienlebens. Alle müssen ihre Talente für die Kirche nützen; wer sie brach liegen läßt, wer sie gar mißbraucht, der ist verdammt zur Unfruchtbarkeit[34]. Obwohl das leichtere Leben der Laien den breiten Plätzen der Gottesstadt gleicht, so sind es doch *goldene* Plätze, die Symbol sind: ihre Tugend, ihre Reinheit und ihre guten Werke strahlen einen eigenen Glanz aus, den in dieser Form andere Stände nicht erreichen[35].

[30] GvR, AD 1 (194, 1193).

[31] Théologie 239 f.

[32] RvD, Lev. 1, 5—7 (167, 747—749).

[33] a.a.O. 5 (a.a.O. 747 f.): Das Zitat: „Qui sub jugo conjugii domui suae bene praefuit et filios suos in omni pietate subditos erudivit, adeo ut ... holocausta offerret per singulos."

[34] RvD, Dt. 1, 22 (167, 942).

Ruperts Ermahnungen bleiben sehr im Allgemeinen stecken. Er kennt noch keine Differenzierungen der Laienschaft, die selbst wieder relevant werden im Ganzen. Das finden wir erst bei Honorius Augustodunensis. Er versucht in seinen pastoral ausgerichteten Werken das Moralgesetz des Evangeliums auf die einzelnen Berufe dergestalt anzuwenden, daß diese nicht mehr bloße Beschäftigungen zum Broterwerb sind, sondern zur christlichen Berufung werden. So haben sich schon im „Elucidarium" die Vertreter der Berufe sagen zu lassen, wie sie das Gesetz Christi zu realisieren haben. Die Prälaten werden gemessen an der Pflichttreue; die Priester haben Salz der Erde durch ihre Leben, Wissen und Lehren zu sein; die Mönche sollen ein exemplarisches Leben führen. Den Soldaten wird vorgeworfen, daß sie Räuber und Beutejäger seien und, so die Varianten zum Text, noch eine Menge anderer Schandtaten auf dem Gewissen haben. Von den Kaufleuten hält Honorius wenig — sie betrügen und schwören falsch —, von den Künstlern gar nichts: *„paene omnes pereunt"*. Auch die Spieler brauchen sich keine Hoffnung auf den Himmel zu machen. Dagegen kann der Inkluse seine Vorliebe für die Bauern nicht verhehlen: ihr einfacher Lebensstil und ihre Arbeit im Dienst der Gesellschaft sichert ihnen fast von selbst die Seligkeit[36]. In der Schrift über die Predigt der Mönche weist er ihnen als Tätigkeitsgebiet die Arbeit in der Welt zu; darin unterscheiden sie sich von jenen, deren Gesetz die Weltflucht ist, aber sie sind deswegen nicht disqualifiziert. Denn auch der Weltdienst ist Aufgabe der Kirche[37].

Noch positiver ist die Würdigung der Berufe im ordo laicorum bei Gerhoch. Er war sich klar, daß die Kirchenerneuerung nur im Zusammenwirken aller Stände gelingen konnte. Zwar legte er den Hauptakzent auf den Klerus, weil hier die schlimmsten und folgenschwersten Mißstände eingerissen waren, aber das hieß nicht, daß alle anderen Stände im Organismus der Kirche optimal funktionierten. In „De aedificio Dei" entwirft er ein erstaunliches Reformprogramm für den Laienstand[38]. Es gibt Menschen in der Kirche, sagt er, die nicht unmittelbar das Leben der Apostel, sondern das der Apostelschüler wie Onesiphoros und Tabitha nachahmen. Sie verkaufen ihren Besitz nicht, aber sie lösen sich davon durch caritative Werke bis zur faktischen Aufgabe des Privateigentums. Gilt für Klerus und Mönchtum die apostolische Regel von

[35] Vgl. RvD, A 12, 21 (169, 1201).
[36] HA, E 2, 19.52—61 (Lef. 412.427—429).
[37] HA, MON (Endres 147).
[38] GvR, AD 42.43 (194, 1297—1304).

Apg. 4,32, so leben sie nach Jak. 1,27: „*Witwen und Waisen in ihrer Trübsal besuchen und sich selbst von der Welt unbefleckt erhalten*". Schließlich gibt es noch eine dritte Gruppe von Menschen, die auch diesen Weg nicht gehen können oder wollen. Sie sind normalerweise verheiratet und haben verschiedene weltliche Berufe inne.

Wie die Nachfolger der Apostel und Apostelschüler haben auch sie eine Lebens-Regel, eine *regula*. Für die Richter und Steuereinnehmer gilt die Regel Johannes des Täufers (Lk. 3,13), nur die gesetzlich vorgeschriebenen Steuern einzutreiben. Ihre Vorbilder sind der ägyptische Joseph, Daniel und Kaiser Konstantin. Wenn sie wie diese die Ordnung und Regel wahren, gelangen sie mit größerer Sicherheit zu Gott als die schlechten Befolger der apostolischen Regel.

Auch die Soldaten müssen die Johannesregel Lk. 3,14 befolgen: sie dürfen nicht Gewalttat und Erpressung verüben und müssen mit ihrem Sold zufrieden sein. Diese Lebensordnung wurde beispielhaft verwirklicht von Mauritius und seiner Thebäischen Legion und von David.

Gerhoch denkt an eine Art Dritten Orden der Kanoniker, dem die Menschen beitreten können, die zwar auf ihr Eigentum verzichten, aber sich den strengen Regeln der Chorherren nicht anschließen wollen. In lockerer Weise ihnen verbunden, führen auch sie in gewisser Hinsicht ein Leben nach der Regel.

Die starke Verwurzelung im Ordo-Denken führt den Propst dazu, für jeden Stand und Beruf ein reguliertes Leben entsprechend seinen Anforderungen und Bedingungen zu führen. „Nemo irregulariter et inordinate incedere permittatur, qui in ista castrorum acie miles juratus agnoscitur"[39]. Jedes Glied der Kirche ist in den Sold Christi genommen und steht an der Front dieser Zeit und Welt. In der Taufe wurde er Krieger Christi und ist damit vereidigt worden, auch wenn er niemals Kleriker oder Mönch und damit Vorkämpfer im ersten Glied wird. Sie ist das Grundsakrament des kirchlichen ordo und die Ursache für die fundamentale Gleichheit der Stände in diesem einen ordo. Alle haben der Welt abgeschworen, nur die Intensität der Realisation ist unterschiedlich. Man darf immer nur die Welt gebrauchen, als hätte man nicht, aber die praktische Weise eines solchen Lebens ist bei jedem Beruf, in jeder Situation anders, die der Beruf stellt. Für jeden Stand aber existiert eine Regel, die die Koordination in die gesamtkirch-

[39] a.a.O. 43 (a.a.O. 1302); so auch AD 30 (194, 1271).

liche Aufgabe garantiert. „Habet enim omnis ordo et omnino omnis professio in fide catholica et doctrina apostolica suae qualitati aptam regulam, sub qua legitime certando poterit pervenire ad coronam“[40].

Jeder Christ hat diese Regel zu kennen, wenn er seinen Beruf christlich leben will. Der Reichersberger Chorherr fordert darum ein Programm der Erwachsenenbildung, bei der in Fortsetzung und Erneuerung des altchristlichen Katechumenates den erwachsenen Christen von heute diese Lebensordnung gelehrt werden soll[41].

Die Apostolizität der Kirche, die zur Qualität jedes Christen wird, fordert das Leben nach einer Regel, die Katholizität der Kirche sichert die Vielfalt der Lebensordnungen. Es gibt viele Wege zu Gott, aber keiner kann ihn allein gehen, sondern nur im Verband seines ordo. Dieser wird zum Beruf, zum Lebensstand und darin zum Gefäß der christlichen Berufung, die sich darin verwirklichen soll. Damit aber ist die Rigidität des ordo aufgelöst: der Stand wird zum Selbstand, der Standesvertreter wird selbständig. Gerhoch wird damit zu einem Vorläufer des hl. Franz von Assisi, dessen Dritter Orden der Höhepunkt der mittelalterlichen Verselbständigung der Laienschaft ist[42].

Exkurs

Charismen in der Kirche

Die Gnadengaben des Heiligen Geistes sind die inneren Wirkkräfte, die die einzelnen *ordines* für die Gesamtkirche fruchtbar machen. In den paulinischen Briefen fanden unsere Autoren die Lehre von den Charismen vorgebildet. Sie übernehmen sie und bilden sie aus. Honorius spricht von *charismata*[1] oder *gratiarum munera*[2], während Rupert die Formulierungen *divisio gratiarum*[3], *gratia*

[40] a.a.O. 43 (a.a.O. 1302).
[41] a.a.O. (a.a.O. 1303 f.).
[42] L. Prosdocimi, Chierici 116 f.
[1] HA, SE ded. (Kelle 6); CC 1, 1; 2, 4 (*spiritualia charismata*); 2, 5; 4 (172, 377.425.427.450.471); GA 3, 32 (172, 649); Ps. 103 (*donis et charismatibus*); 112 (*dos charismatum*) (194, 626.708).
[2] z. B. SE coen. (172, 921).
[3] RvD, DO 1, 25; 9, 6 (CCcm 7, 20.318); Ex. 2, 34 (167, 642); RSB 4, 13 (170, 538).

divisia[4], *distributio donorum*[5], *dona gratiarum*[6] verwendet oder auch einfach von *gratiae*[7] oder *charismata*[8] redet. In allen Fällen wird auf den ungeschuldeten, freien Gnadencharakter dieser Realitäten hingewiesen, die einfachhin *dona* sind[9].

Als Gnade sind sie Geschenk des dreifaltigen Gottes, die uns durch die Inkarnation Christi und in der Sendung des Heiligen Geistes zuteil geworden sind. Da dieser schon im Alten Testament tätig war, gab es auch in der Kirche des Alten Bundes Charismen, die gelegentlich sogar bösen Menschen zum Nutzen der Kirche geschenkt wurden[10]. Das war in der ecclesia antiqua deswegen möglich, weil nach den innertrinitarischen Prozessionen der Geist vom Vater und vom Sohn ausgeht, nach den Missionen die Gnadengaben den Menschen durch den Vater, die Sündenvergebung durch den Sohn im Heiligen Geist gegeben werden; daher war die Vermittlung der Charismen schon vor Christi Menschwerdung, die Sündenvergebung erst nachher möglich. Trotzdem ist Pfingsten die Eröffnung des vollen Charismengeschenks[11].

Christus besaß die Fülle der Gottheit und aus ihr haben wir alle empfangen: die Charismen sind darum recht verstanden die Gaben Christi an die Kirche des Neuen Bundes[12]. Während zuvor die Gaben auf ein Volk beschränkt blieben, kommen sie jetzt allen Völkern zugute[13]. Sie sind so das sichtbare Zeichen der Katholizität der Kirche und darum werden sie immer in ihr zu finden sein bis zum Ende aller Zeiten[14].

[4] RvD, DO 2, 2 (CCcm 7, 35).

[5] EJ 7 (CCcm 9, 409); Pant. (Anal. Boll. 255): *distributio gratiarum.*

[6] RvD, EJ 2 (CCcm 9, 62); Ex. 3, 22 (167, 671): *dona.*

[7] RvD, ep. ad Rom. Pont. (169, 9/10); DO 2, 2 (CCcm 7, 35); EJ 14 (CCcm 9, 773); Ex. 4, 19 (167, 719).

[8] RvD, DO prol. (CCcm 7, 5); EJ 2; 7; 11; 14 (CCcm 9, 61.411.627.773); Lev. 1, 14; Ez. 1, 15; SpS 6, 20 (167, 757.1436.1753); Zach. 2 (168, 743); ep. ad Rom. Pont. (169, 9/10); GT 3, 18; 5, 8 (169, 69 f. 104).

[9] RvD, DO 2, 2 (CCcm 7, 35): *donatio*; EJ 7 (CCcm 9, 409); Gen. 6, 27; Ex. 2, 34; SpS 6, 20; Is. 1, 28 (167, 425.671.1753.1299 f.).

[10] RvD, EJ 2; 7 (CCcm 9, 61.63.409); Num. 2, 7 (167, 886); Gh 1 (168, 1325). Vgl. Mt. 7, 22. Beispiele sind Balaam und Saul.

[11] RvD, EJ 14 (CCcm 9, 773). Vgl. ds., a.a.O. 2 (a.a.O. 63): nicht *incohatio,* sondern *adjectio largitatis* der Charismen an Pfingsten.

[12] RvD, DO 1, 25 (CCcm 7, 20); EJ 1 (CCcm 9, 33); Ex. 2, 34 (167, 642) — vgl. HA, CC 2, 4 (172, 425).

[13] EJ 7; 14 (CCcm 9, 410.411.773); Is. 1, 28; Ez. 1, 15 (167, 1299 f. 1436) — HA, CC 1, 1 (172, 377); GA 3, 32 (172, 649). Auch im AT waren die Charismen zur Erbauung der Kirche gegeben: SpS 3, 10 (167, 650).

[14] RvD, EJ 7 (CCcm 9, 409.411); vgl. ds., DO 2, 2 (CCcm 7, 35).

Die Aufzählung der Charismen orientiert sich vor allem an den paulinischen Katalogen: dazu gehören Prophetie, Weisheitsrede, Wissenschaft, Sprachengabe, Verständnis der Sprachen, Heilung von Kranken, die Unterscheidung der Geister, Kraft und Mut zum Leiden, die sieben Gaben des Heiligen Geistes „et his similia"[15]. Diese Schlußformel, die sich in den meisten Listen findet, deutet an, daß keine vollständige Aufzählung beabsichtigt ist. Sie wäre auch kaum möglich, da es so viele Charismen wie nur denkbar gibt: die Sakramente und die Totenerweckung sind ebenso Charismen[16] wie die Ämter, Berufe und Berufungen, ja das christliche Leben selbst[17]. Besonders zu erwähnen ist das Charisma des Glaubens, der sich vor allem artikuliert als Glaube an den Gottmenschen[18].

Der Geist Gottes verteilt nach seinem Gutdünken diese Gaben. Keiner hat alle zusammen, da nur Christus die Fülle des Geistes besaß, keiner hat Anspruch auf sie, keiner kann sie berechnen[19]. Die Gnade der Kirche und ihre Effektivität sind damit den Menschen entzogen, die Kirche ist reines Werk Gottes. Dieser aber schenkt beständig und sicher seine Gaben seiner Kirche, indem er sie den einzelnen Gliedern gibt. Denn das ist ihr Sinn und Ziel: die Auferbauung der Kirche. Sie werden zwar den einzelnen gegeben, aber nicht um ihrer selbst willen; vielmehr sollen sie sie einsetzen im Dienst an der Kirche, so wie Paulus seine Wissenschaft, Petrus seine Frömmigkeit für die Gesamtheit der Gläubigen fruchtbar gemacht haben. Wie das Auge nicht um seiner selbst willen

[15] RvD, DO prol.; 1, 25; 9, 6 (CCcm 7, 5.20.318); EJ 2 (CCcm 9, 62); Ez. 1, 15; SpS 6, 20 (167, 1436.1753); Zach. 2 (168, 743): Zitat; ep. ad Rom. Pont. (169, 9/10) — HA, SE pasch.; pent.; ded. (172, 934.959; Kelle 6); Ps. 103; 107 (194, 632.679) — GvR, Ps. 71 (194, 1317); IA 3, 11 (Scheib. 374) — Charismenlisten vgl. auch RvD, EJ 1 (CCcm 9, 72); SpS 1, 17 (167, 1587); Hab. 3 (168, 641); GT 1, 11 (169, 23) — GvR, OD ded. 2 (O I, 143.149 f.); Ps. 33 (O II/1, 238).

[16] RvD, Gen. 7, 11 (167, 456).

[17] RvD, EJ 1; 7 (CCcm 9, 33 f. 411); VV 12, 13 (169, 1473); GT 3, 18 (169, 69 f.): Parallelismus zwischen Charismen und den Engelsordnungen — HA Ps. 44 (193, 1571).

[18] RvD, EJ 2; 8 (CCcm 9, 62.72.450); Reg. 5, 6 (167, 1233); GT 5, 8 (169, 104) — GvR, Ps. 17 (193, 869). Vgl. jedoch RvD, Ez. 1, 9 (167, 1430) und GvR, Ps. 4 (193, 680): die Voraussetzung für den Empfang des Geistes ist an diesen Stellen der Glaube!

[19] RvD, DO 1, 25 (CCcm 7, 20); EJ 2; 3; 12; 14 (CCcm 9, 62.149.678.773); Gen. 6, 27; Ex. 2, 34; SpS 6, 20 (167, 425.642.1753): nach der letztgenannten Stelle werden die Armen besonders mit Charismen bedacht zum Ausgleich dafür, daß sie sonst in schlechterer Position stehen.

sieht und das Ohr nicht für sich hört, sondern für den ganzen Leib, so sind die Gnadengaben des einzelnen die Zierde der ganzen Kirche[20].

Vom Zweck wie vom Urheber her sind die vielen Charismen zueinander in innere Einheit gebracht. Wie die Wasser eines Stromes auf die Ader im Innern der Erde zurückgehen, so gründen alle Charismen in dem einen Geist[21]. In der Kirche selbst aber ist das Band der Einheit die Liebe.

> „Diese Geschenke aus den Schätzen des Herrn sind ausgeschüttet über die einzelnen und werden bei allen gefunden. Die Liebe macht allen gemeinsam, was dem einzelnen einzeln gegeben wird, so wie die Funktion der einzelnen Glieder allen Organen des Körpers gemeinsam ist“[22].

Der einzelne bekommt seine Charismen in der Taufe[23] und in der Firmung[24], um sie im Dienst der Kirche einsetzen zu können[25]. Es liegt in der Natur der Charismen, daß sie verschieden reich und bedeutend sein können. Niemals aber hebt die charismatische Linie die ordo-Struktur auf. Ein Laienmönch kann eine größere charismatische Begabung haben als sein priesterlicher Ordensbruder, ein Weltpriester mehr Gaben besitzen als ein Priestermönch, sagt Rupert in der Auslegung der Benediktsregel. „Non tamen aequabitur illi qui ordinis utriusque gratia praepollet“[26]. Ein echter Konflikt zwischen Amt und Charisma ist dennoch nicht möglich, da schließlich auch die Ämter in den Gabenkatalogen stehen und beide zusammen im Dienst der einen Kirche der Liebe stehen. In ihr aber gibt es keine Unterschiede, die trennen.

[20] RvD, DO prol.; 9, 6 (CCcm 7, 5.318 f.); EJ 11 (CCcm 9, 627); Is. 1, 28; SpS 3, 10 (167, 1300.1650); Pant. 2 (Anal. Boll. 255) — HA, E 1, 136 (Lef. 386); SE coen.; ded. (172, 921; Kelle 6); CC 2, 4.5 (172, 427.450); Ps. 44; 103 (193, 1571; 194, 626).

[21] RvD, EJ 7 (CCcm 9, 409).

[22] RvD, SpS 6, 20 (167, 1753): „Et haec nimirum dona de thesauris Domini in singulis aspersa, in omnibus inveniuntur, omnibus enim commune caritas facit quod singulatim unicuique tribuitur, sicut commune est omnibus membris unius corporis officium, quo unumquodlibet eorum membrum fungitur“.

[23] RvD, Gen. 6, 27; Ex. 3, 22 (167, 425.671) — HA, CC 2, 4 (172, 425).

[24] RvD, EJ 7 (CCcm 9, 409). Cornelius und Pantaleon sind eine bemerkenswerte Ausnahme: Vgl. II, 1, 3, 3 Anm. 77.

[25] RvD, Ex. 4, 19 (167, 719).

[26] RvD, RSB 4, 13 (170, 538).

Dritter Abschnitt

Die Kirche in der Zeit

1. Kapitel

Welt und Kirche

Die Kirche ist ein Werk Gottes, eine geistliche Wirklichkeit, aber sie ist auch das *corpus permixtum* mitten in dieser Welt und Zeit. Die Menschen, die in diesen Koordinaten leben, hat sie zu heiligen durch die Verkündigung des Wortes und die Spendung der Sakramente. Jede Ekklesiologie, die diese Sätze festhält, muß über beide reflektieren.

Die umgreifendste Wirklichkeit, in der sich der Mensch spontan vorfindet, ist die Welt. Die fundamentale Aussage christlicher Theologie ist ihre Anerkennung als gute Schöpfung Gottes. Unsere Theologen wiederholen darum mit dem Bischof von Hippo das Lob der Welt: *„Totus mundus divinae laudis instrumentum est“*[1]. Es ertönt voller Wohlklang und Harmonie, denn auch noch das geringste Sein hat seinen Sinn und trägt zur Schönheit und Herrlichkeit der Welt bei[2]. Das Lob der Welt aber ist Gottes Lob. Sie ist Gottes Tempel und darum kann man ihn in der Welt anbeten und verherrlichen, die seine unvergleichliche Macht und Weisheit kundtut[3]. Weltliebe ist dann Gottesliebe, Weltgebrauch ist dankbare Annahme der Wohltaten Gottes[4]. Der Mensch ist die Mitte der sichtbar-irdischen Welt. Er lebt in ihr als Rekapitulation dessen, was sie ist und was in ihr ist; er ist der *Mikrokosmos,* wie das Mittelalter gern sagt. Er ist der Priester und Liturge der Welt von Anfang an, der im Lob der Schöpfung Gott allein zu preisen ver-

[1] RvD, EJ 1 (CCcm 9, 15); vgl. DO 3, 13 (CCcm 7, 80) — GvR, AD 1 (194, 1193). Vgl. Augustinus, en. in ps. 56, 16 (CC 39, 705 f.). Vgl. HA, XIIQ 2; 4; 12 (172, 1179.1180.1184): auch die Bösen und die Toten fügt Gott noch in diese lebendige Harmonie ein.

[2] GvR, AD 1 (194, 1193) — HA, XIIQ a.a.O. (172, a.a.O.!).

[3] HA, GA 2, 6; 3, 169 (172, 447 f. 596): Christus ist in der Welt und in der Hl. Schrift zu finden — GvR, Ps. 26; 27; 76; 118; 144 (193, 1195.1216; 194, 428 f. 808.965). Vgl. RvD, EJ 13 (CCcm 9, 729): Christus ist „totius mundi gubernator et dominus“; Med. 1, 16 (170, 372 f.): alles ist Gabe Gottes.

[4] HA, Drei Fragen (Endres 153); E 1, 64 (Lef. 372); Meuthen 19—26.

mag. Zwar ist die ganze Welt ein Instrument des Gotteslobes, aber nur der Mensch weiß es zu singen[5]. Das geschieht im Lobgesang der Psalmen, in den Cantica der Bibel, aber auch durch den rechten Gebrauch der Welt: das ist echter priesterlicher Dienst[6].

Die Harmonie des Schöpfungshymnus ist mit einem schrillen Mißklang zerstört worden, als Adam, der erste Schöpfungspriester, durch seine Sünde den Tempel der Welt entweiht hat. Aus der Gottnähe rückte die Welt in die Gottferne: sie entpuppte sich als hinfälliges Gebilde[7]. Der allgemeine Abfall der Menschen von Gott beginnt, sobald der Teufel in die Welt gekommen ist. Kain und Abel kämpfen auf Leben und Tod[8]. Die gottlose Stadt Ninive ist das Symbol der Bosheit dieser Welt, Alexandria der Inbegriff der säkularen Geschäftigkeit und Gleichgültigkeit[9]. Die Welt nach dem Sündenfall ist charakterisiert mit den Stichworten *defectus*[10]; *cupiditas*[11] und *confusio*[12], kurz mit dem totalen Gegensatz zum Kosmos, als den Gott sie ins Sein gerufen hatte. Der Tempel Gottes ist zur Behausung des Teufels geworden, nichts weiter als ein zugiger und rauchiger Vorplatz für den Menschen, der seine Heimat hier nicht mehr finden kann[13]. Denn ihr Schicksal ist die Vernichtung, und wer sich mit ihr einläßt, muß dieses Los teilen[14]. Der platonische Einschlag solcher Verdikte zeigt sich deutlich, wenn Gerhoch nicht nur den Leib, sondern die ganze Welt das Gefängnis der Seele nennt, aus dem sie sich heraussehnt, angewidert von der Eitelkeit und Nichtigkeit, die sie manifestiert[15]. Der *contemptus mundi*, den

[5] RvD, EJ 1 (CCcm 9, 15); A 4, 5 (169, 938): Im Gegensatz zum Gotteslob der Engel und Menschen ist das der unvernünftigen Kreatur zweckfrei und absichtslos: „Tantummodo quia creata sunt creatori concinunt, non quidem rationali aut vocali confessione, sed naturali sui status praesentatione“ durch ihre Vielfalt, ihre Fortpflanzung, ihre Schönheit und ihr Dasein schlechthin (a.a.O. 938 f.). Weitere Belege aus der mittelalterlichen Literatur bei M. Bernards, Speculum 96—98. Vgl. GvR, Ps. 26 (193, 1195).

[6] GvR, Ps. 27 (193, 1216).

[7] HA, SE purif. (172, 852) — GvR, a.a.O.

[8] RvD, EJ 12 (CCcm 9, 699); Dt. 2, 2 (167, 958); VV 8, 5 (169, 1395) — GvR, Ps. 34 (O II/1, 332).

[9] RvD, Naum 1; 3 (168, 530.575).

[10] RvD, Jos. 9 (167, 1008).

[11] RvD, Naum 3 (168, 572).

[12] HA, CC prol. (172, 352). Symbol der *confusio* ist Babylon: vgl. oben II, 1, 2, 9.

[13] GvR, AD 25 (194, 1260): Gerhoch denkt an den Vorhof im Haus des Hohenpriesters, wo es kalt ist und Petrus den Herrn verleugnet hat (Mk. 14, 66 ff. parr.). RvD, VV 8, 35 (169, 1395): die Welt als Satans Haus.

[14] HA, SE nat. (172, 838) — GvR, AD 1 (194, 1193).

[15] GvR, Ps. 141 (194, 946) — vgl. ds., Ps. 77 (194, 479) — RvD, Jos. 9 (167, 1008) — HA, SE nat. (172, 836); Drei Fragen (Endres 153).

unsere Autoren mit ihren Zeitgenossen teilen, ist jedoch nicht in einem philosophischen Pessimismus, sondern in der theologischen Schau der Wirklichkeit begründet.

Das zeigt sich darin, daß Verachtung nicht das letzte Wort ist, das sie ihr zu sagen haben. Sie wissen vielmehr, daß die Welt auch noch in ihrer Verlorenheit unter dem Zeichen Christi steht. Er ist Anfang und Ende, Urheber und Ziel aller Welt, und so ist trotz allem die Welt Zeugin für die Herrlichkeit und Größe Christi[16]. Darum erbarmt er sich auch der Erbärmlichkeit des Saeculum, das auf seine Hilfe wartet[17]. War die Welt als Gottes Tempel entweiht, dann mußte er, als ihr Urheber, kommen, um sie von neuem zu konsekrieren und in die alte Herrlichkeit zu versetzen[18]. Seine Menschwerdung und sein blutiges Opfer für das Heil der Welt sind darum die Peripetie ihres Schicksals. Aus der armen Welt wird die reiche Welt, in der es Erkenntnis Gottes, Segen, Vergebung der Schuld und neues Leben durch den Heiligen Geist gibt[19]. Aus dem *atrium fumosum* wird das atrium Gottes, aus dem wir in die ewigen Wohnungen geleitet werden[20]. Denn Menschwerdung war Weltwerdung Gottes, damit durch den Menschen die Welt Gottes Welt würde:

> „Im Menschen, der alle Welt ist, hast du alle Welt angenommen und aller Welt hast du das Evangelium verkünden lassen. Und alle Welt ward wie dein Kleid, da sie im Menschen daran glaubt und ihm gehorcht“[21].

Das Christusereignis wird zum kosmischen Signal: in den Wundern zeigt sich der Herr als Herr der Elemente[22], in der Beauftragung der macht- und kulturlosen Apostel — *piscatores, non imperatores* — als Sieger über die Macht und Autonomie der Welt[23]. Sein Tod ist der Akt der Erlösung, seine Auferstehung das Jubelfest der ganzen Kreatur[24]. In seiner Himmelfahrt ist die Welt zum

[16] RvD, EJ 1 (CCcm 9, 16); A 4, 5 (169, 931) — HA, Ps. 1; 88 (172, 281; 194, 538) — GvR, Ps. 59; 68 (193, 1762; 194, 257).
[17] RvD, Gen. 7, 37 (17, 481); A 9, 16 (169, 1127).
[18] GvR, Ps. 27 (193, 1216) — HA, SE nat.; dom. II quadr. (172, 836.887).
[19] RvD, Gen. 7, 37 (167, 481).
[20] RvD, VV 8, 25 (169, 1325).
[21] GvR, Ps. 7 (193, 730): „In homine, qui est omnis creatura, omnem creaturam assumpsisti, et omni creaturae praedicari fecisti evangelium, cui credens et oboediens in homine omnis creatura facta est quasi vestis tua“.
[22] RvD, EJ 2 (CCcm 9, 97) — HA, SE decoll. (172, 1000).
[23] RvD, Jud. 19 f. (167, 1048 f.).
[24] RvD, EJ 12 (CCcm 9, 716) — HA, SE pasch. (172, 929.933.941); GA 1, 8 (172, 546); Ps. 32 (193, 1326) — GvR, DI (194, 1423 f.): „Corpus Christi in

Reich Christi geworden[25]. Er ist ihr Herr als Schöpfer und Erlöser „*jure duplici*“[26]. „Totus namque mundus est templum Dei, quod dedicatum est sanguine Christi“[27]. Diese Umgestaltung der Welt ist so tiefgreifend, so total, daß man von einer neuen Schöpfung reden kann.

Das ist die Wirklichkeit der Welt — auch gegen allen Augenschein. Denn Gottes Gaben ergehen reuelos, *sine poenitentia*[28]. Aber ebenso gilt auch die Wirklichkeit, von der man sich tagtäglich überzeugen kann: „Adhuc rebellis ex magna parte recalcitrat mundus“[29]. Sie ist schon erlöst und doch noch in Satans Gewalt. Die Welt ist noch auf dem Wege.

Die treibende Kraft, die sie immer wieder von neuem dem Ziel entgegenbringt, ist die Kirche. Sie ist die Repräsentanz der neuen Schöpfung, denn was die *ecclesia* ist, soll der *mundus* werden: das Haus Gottes. Der *populus christianus* ist nun die eigentliche Welt, die Antizipation des neuen Himmels und der neuen Erde, der Ort, in dem Christus als Licht der Welt aufgegangen ist[30]: „Mundus, id est ecclesia“[31]. Die gregorianische These findet hier noch einmal eine Begründung aus kosmisch-heilsgeschichtlichen Vorstellungen heraus. Denn wenn die Kirche die Welt in ihrer Eigentlichkeit als christus-beherrschte Realität ist, dann ist sie auch die legitime Vormacht in der Welt[32]. Unsere Autoren sind zu sehr Mönche, um das politisch aufzufassen. Der gewaltige Expansionsdrang, der in der Kirche lebt, wird sie zwar in alle Welt treiben, aber nicht, um sich ihrer zu bemächtigen, sondern um ihr die Botschaft des Evangeliums zu bringen, die Sakramente zu spenden und die Werke der Nächstenliebe zu üben, so wie es die Apostel getan haben. Der Dienst an der Welt ist in der Kirche apostolischer Dienst. Er vollzieht sich

quo tamquam in arca sanctissima salus mundi est reposita“. Zu beachten ist die Parallelität zwischen Entstehung der Kirche und Erlösung der Welt!

[25] RvD, A 6, 11 (169, 1036) — vgl. HA, SE purif. (172, 852); GA 1, 164 (172, 595).

[26] GvR, Ps. 59 (193, 1762).

[27] HA, E 2, 103 (Lef. 441); OS (Kelle 28 f.). Beide Stellen stehen in einem antisimonistischen Kontext: Honorius verneint die Frage, ob man sich von einem Simonisten beerdigen lassen könne mit dem Hinweis auf die Heiligkeit der Erde. Sachlich ebenso GA 1, 124 (172, 584).

[28] RvD, VV 4, 17 (169, 1306).

[29] RvD, A 6, 11 (169, 1036).

[30] RvD, DO 3, 13 (CCcm 7, 80); EJ 12 (CCcm 9, 708) — HA, SE ep. (172, 844); Ps. 32 (193, 1323).

[31] HA, GA 1, 5 (172, 544).

[32] RvD, DO 3, 13 (CCcm 7, 80) — HA, GA 1, 164 (172, 595).

in allen Weisen der Apostolizität als Amt, als Lebensweg und als Arbeit in der Welt[33].

So ist die Ausrichtung auf die Welt, der Dienst an der Welt die eigentliche und ureigene Aufgabe der Kirche, um deretwillen sie in dieser Weltzeit nicht untergehen darf[34]. Sie ist allerdings notwendigerweise von der verbliebenen Zweideutigkeit der Welt geprägt. Denn Welt, das ist die Weite der Catholica, das ist aber auch Fremdheit und Unbehagen[35]. Welt ist Wechsel und Enttäuschung, die Unbeständigkeit und Heimatlosigkeit, die allem Vorläufigen anhaftet. In der Nachfolge der Demut und des Gehorsams Christi läßt sich diese *vicissitudo* überwinden, weil sie auch Christus so überwunden hat[36].

Die Kirche in dieser Welt ist um dieser Welt willen und mit dieser Welt auf Pilgerschaft; sie singt sein Lob und sehnt sich nach dem Frieden des himmlischen Jerusalem[37]. Nirgends setzt sie sich fest, nirgends bleibt sie stehen, denn sie hat ihren Blick fest auf die bleibenden Güter der Zukunft gerichtet[38].

Kirche in der Welt ist um der Welt willen auf dem Weg. Kirche in der Welt ist also Kirche im Fluß der Zeit. Aus dieser Einsicht richten unsere Theologen den Blick auf Sinn und Gesetze der Geschichte.

2. Kapitel

Die Kirche in der Geschichte

1. Geschichtsperioden

In der augustinischen Tradition ist die Welt Gottes Welt, weil die Zeit Gottes Zeit ist[1]. Sein Heil vollzieht sich in der Geschichte nach einem genauen Plan, der auf ein definiertes Ziel hinausläuft.

[33] RvD, EJ 10 (CCcm 9, 589); Reg. 2, 13; 5, 36 (167, 1113 f. 1269); VV 13, 4 (169, 1489); Gh 11 (168, 1582) — HA, GA 1, 160 (172, 594); Ps. 32 (193, 1323.1326).

[34] Vgl. GvR, AD 1 (194, 1193); Ps. 27 (193, 1215).

[35] RvD, EJ 12 (CCcm 9, 709); Num. 2, 18 (167, 897 f.) — HA, GA 1, 162 (172, 594); Ps. 32 (193, 1324).

[36] GvR, Ps. 67 (194, 169 f.); vgl. Meuthen 22—24.

[37] HA, SE purif.; Mich. (172, 850.1010); GA 1, 124.163 (172, 584.594).

[38] GvR, AD 43 (194, 1302); Ps. 77 (194, 479) — HA, CC 1, 1 (172, 365): „Via Domini est prospera mundi non appetere et aspera patienter pro eo pati".

[1] Vgl. auch die Verbindung von ordo und Zeit bei Augustinus, civ. 12, 4 (CC 48, 358). Zur augustinischen Geschichtstheologie, besonders in ihren Aus-

„Die ganze Weltzeit gleicht der Nacht, der der helle Tag der künftigen Zeit im Licht der Sonne der Gerechtigkeit folgt“[2]. Dieses Licht ist Christus, der die Fülle der Zeiten ist und ihr Ende, wenn er in der Parusie wiederkommt. Das Heil, das er schenkt, ist also Heil aus der Geschichte. Es vollzieht sich in der Kirche, die durch die Zeiten für die Zeit zieht. Die Kirche in der Geschichte ist darum ein zentrales ekklesiologisches Thema[3].

Das Heilsgeschehen läuft planvoll, im ordo Gottes ab. In der Überlieferung fanden unsere Theologen zwei Grundschemata für eine Epochalisierung der Geschichte, die bald in sechs oder sieben, bald in drei Hauptteile unterteilt wurde[4]. Sie werden nebeneinander verwendet und nicht selten variiert, an entscheidenden Stellen synthetisiert.

In seinem ersten größeren Werk, „De divinis officiis“, zeigt Rupert sogleich die Rolle der Kirche in der Geschichte. Die großen Heilsepochen, die durch je eine typische Gestalt begrenzt werden, sind ein beständiges organisches Werden, das dem Leben eines Menschen gleicht, zugleich aber in seinen großen Ereignissen auf Christus und die Kirche hinweist.

wirkungen auf das Mittelalter vgl. A. Dempf, Sacrum Imperium 116—132; E. Gilson, Metamorphosen; E. Troeltsch, Augustin; W. Kamlah, Christentum, ds., Apokalypse.

[2] HA, SE adv. (172, 1079): „Totum quoque tempus hujus saeculi nocti comparatur, cui serenus dies venturi saeculi superveniens sole justitiae illustratur“.

[3] Vor allem die rupertinische Geschichtstheologie hat das Interesse der Forschung gefunden: besonders ist die ausgezeichnete Darstellung von W. Kahles, Geschichte als Liturgie zu nennen; ebenso die Arbeit von Magrassi, der über das Verhältnis von „teologia e storia“ bei Rupert urteilt: „Per Ruperto tutti gli elementi del dogma sono strettamente connessi con la storia sacra e con le sue vicende temporali“ (a.a.O. 78); „Quando pronuncia il nome Chiesa ... abbraccia immediatamente la storia ed il tempo in tutta la sua estensione e durata“ (a.a.O. 90). Rupert kennt den Ausdruck *historia salutis* Zach. 2 (168, 739.746). Seine Bedeutung für die bonaventuranische Geschichtstheologie hebt J. Ratzinger, Bonaventura 97—103 ins Licht. Dort 103 f. auch über den Einfluß des Honorius.

[4] In der von Eusebius geprägten frühchristlichen Geschichtsauffassung zählte man nach den vier Weltreichen bei Daniel vier Weltalter; seit dem Untergang Roms, vor allem seit der Zerstörung der Stadt 410 setzt sich die auf rabbinische Quellen zurückgehende, auch bei den Persern und Etruskern sich findende Parallelisierung von Schöpfungszeit und Weltzeit durch. Von Augustin erstmals deutlich durchgeführt, gelangte sie über Beda ins Hochmittelalter. *Literatur:* M. Förster, Die Weltzeitalter bei den Angelsachsen (Neusprachliche Studien, Festgabe K. Luick: Die neueren Sprachen Beiheft 6), Marburg 1925 (Literaturangaben über ältere Forschungen 183/1); A. Wachtel, Die weltgeschichtliche Apokalypse-Auslegung des Minoriten Alexander v. Bremen,

So ergibt sich dieses Schema[5]:

Die Weltzeitalter nach Rupert, De divinis officiis

Lebensalter	Weltalter	Höhepunkt	Hinweis auf
infantia	Adam-Noe	1. Blutopfer	Tod Christi
pueritia	Noe-Abraham (Moses)	erste Elemente der Heilslehre: Gerechtigkeit aus dem Glauben	Ausbreitung der der Kirche durch die Apostel
adolescentia	Moses-David	Auszug aus Ägypten	Taufe
iuventus	David-Babyl. Gefangenschaft	Könige und Propheten	Erklärung d. Schrift durch Christus
senecta	Babyl. Gefangenschaft-Inkarnation,	Götzendienst, keine Tempelliturgie	Flehen der Kirche um Sündenvergebung
senecta	Inkarnation-Weltende	Herrschaft des Fürsten dieser Welt	Inkarnation

Neben diesen Zeiten gibt es eine weitere Epoche, die aber nicht mehr in der Geschichte selbst sich abspielt, sondern diese transzendiert: die Zeit der Vollendung, des vollen Sieges Christi, des endgültigen Sabbatismus der Kirche, in der sie ihren Lohn empfängt[6]. An anderer Stelle des liturgischen Werkes spricht er darüber hinaus

in: FStud 24 (1937), 201—259; 305—363; ds., Beiträge zur Geschichtstheologie des Aurelius Augustinus (Bonner Hist. Studien 17), Bonn 1960; A. Wikenhauser, Weltwoche und tausendjähriges Reich, in: ThQ 127 (1947), 399—417; R. Schmidt, Aetates mundi. Die Weltalter als Gliederungsprinzip der Geschichte, in: ZKG 67 (1955/56), 288—317; A.-D. von den Brincken, Studien zur lateinischen Weltchronistik bis in das Zeitalter Ottos von Freising, Düsseldorf 1957; W. Goez, Translatio Imperii. Ein Beitrag zur Geschichte des Geschichtsdenkens und der politischen Theorien im Mittelalter und in der frühen Neuzeit, Tübingen 1958; W. Lammers (Hrsg.), Geschichtsdenken und Geschichtsbild im Mittelalter (Wege der Forschung 21), Darmstadt 1961; K. A. Nowotny, Wandlungen der Typologie in der Frührenaissance. Ante legem — sub lege — sub gratia, in: P. Wilpert, Lex et Sacramentum im Mittelalter (Miscellanea Mediaevalia 6), Berlin 1961, 143—156. Vgl. auch Belege bei H. de Lubac, Exégèse II/1, 342; ds., Katholizismus 121—144; M. Bernards, Geschichtstheologie 279; Meuthen 111—154; M.-D. Chenu, Théologie 62—89; A. Dempf, Sacrum Imperium 119—232; J. Spörl, Grundformen; H. Grundmann, Studien 77.89; A. Steiger, Bernhard 96—100; J. Sauer, Kirchengebäude 61—75.

[5] RvD, DO 4, 3—13 (CCcm 7, 104—123): die Memoria dieser Heilszeiten geschieht an den Sonntagen der Quadragesima. Vgl. unten Anm. 19 und Tabelle.

[6] RvD, Evg. 29 (167, 1568).

noch von einer achten Zeit *„extra septem“*, in der eine allgemeine Wiederherstellung des Urzustandes erfolgt, da der achte gleich dem ersten Tag ist; doch genau genommen ist auch dieser Status überstiegen: erst jetzt erkennt der Mensch das Mysterium der gottmenschlichen Einigung in Christus ganz[7].

Das gleiche Schema kehrt im Kommentar zum Johannesevangelium wieder, diesmal freilich als Fundament einer anderen Symbolik, die aber nichtsdestoweniger auf Christus und die Kirche ausgelegt wird, jetzt vor allem unter dem Gesichtspunkt ihrer Verbindung[8].

Die Weltzeitalter nach Rupert, in Evangelium S. Joannis

Weltalter	Charakteristik	Christolog.-ekkles. Bedeutung
Adam	Ehe	Ehe zwischen Christus/Kirche
Noe	Arche, Weinbau	Inkarnation u. Passion Christi (fortgesetzt durch die häresienduldende Kirche)
Abraham	Glaube, Isaak aus d. Unfruchtbaren	Glaube der Kirche an die Lehre der Schrift
David	Tempelbau	innere Schrifterkenntnis
Babylon. Gefangensch.	Enthaltsamkeit unter d. Heiden	Mönchtum
Christus	Erhöhung der menschl. Natur	Einsicht in die Schriftgeheimnisse

Von weittragender Bedeutung im Werk Ruperts und darüber hinaus wurde die Synthese der Geschichte, die dem Werk „De Trinitate et operibus ejus“ zugrunde liegt. Es entspricht seinem geschichtstheologischen Ansatz, daß er die Trinität unter ökonomischem Gesichtspunkt betrachtet[9].

Jeder der göttlichen Personen ist gemäß ihrem Heilswirken in der Welt eine bestimmte Epoche der Geschichte zugeschrieben, die dennoch wegen der Einheit der Personen in der göttlichen einen Natur eine einzige Geschichte bleibt. Das Weltalter des Vaters reicht von der Schöpfung bis zum Sündenfall, das des Sohnes von der Vertreibung der Stammeltern aus dem Paradies bis zu Passion und Auferstehung, das Zeitalter des Heiligen Geistes währt von da an bis zum Ende der Welt[10].

[7] RvD, DO 7, 13 (CCcm 7, 240).
[8] RvD, EJ 2 (CCcm 9, 111—116); ebenso a.a.O. 5 (a.a.O. 244); Jer. 1 (167, 1363); A 10, 18 (169, 1154).
[9] Vgl. L. Scheffczyk, Trinitätslehre.
[10] RvD, DO 11, 17 (CCcm 7, 389—391); TO prol. (167, 198—200).

Jede dieser drei Zeiten ist nun durch die Verwendung des Sechserschemas in sechs Perioden eingeteilt, die jeweils in einer siebten zur Vollendung kommen. Für die Zeit des Vaters dient als Divisionsprinzip die Schöpfungswoche, die im siebten Tag vollendet ist. Die Zeit des Sohnes gliedert sich in die uns schon bekannten sechs Weltalter, die mit der Passion, bzw. mit Ostern enden und in die Herrlichkeit der Erhöhung Christi übergehen. Die Christozentrik Ruperts und die monastische Vorliebe für das Alte Testament wirkten zusammen bei der reichen Ausgestaltung dieses Teiles seiner Synthese[11]. Diese Zeit hat bereits eine pneumatologische Bedeutung, insofern in ihr die Gaben des Geistes nach Is. 11,2 aufsteigend von der Furcht des Herrn, die der Anfang aller Weisheit ist, bis zu dieser selber gegeben sind. Die Kirchengeschichte als Zeit des Heiligen Geistes bildet wieder eine Heptade, die durch die nämlichen Geistesgaben unterteilt ist, die aber diesmal in umgekehrter Folge von der Weisheit bis zur Furcht des Herrn gegeben werden: denn jetzt ist das Pneuma nicht mehr bloß *tamquam in imagine,* sondern *in re* gegenwärtig. Diese Epoche mündet ein in die siebte Zeit des ewigen Friedens. Man hat seit je die Ähnlichkeit dieser Schau mit den Ideen Joachims von Fiore bemerkt. Die Zeit des Geistes, die Rupert kennt, weist sicher formale Anklänge an die Konstruktion des italienischen Abtes auf, doch ist er selber weit davon entfernt. Um diese zu haben, braucht man nur noch die Entfaltung der Werke der Trinität ganz in die Menschheitsgeschichte zu verlegen[12]. Aber das tut Rupert nicht. Die Christozentrik bewahrt ihn vor der Autonomisierung der pneumatischen Zeit. Christus ist die Mitte aller Zeiten, aus der auch die dritte Zeit lebt. Mit seiner Erhöhung beginnt gleichlaufend mit der Zeit der Kirche die Zeit der Vollendung, die nicht mehr Weltzeit ist, in die aber auch diese einmünden wird. Durch die verschiedene „Richtung" der Geistesgaben aber ist angedeutet, daß zwischen beiden Zeiten kein Gleichlauf besteht, die Zeit des Geistes als Zeit Christi und seiner Kirche also etwas Neues darstellt[13].

[11] RvD, Gen. 3, 36 (167, 324—326).

[12] Vgl. H. Grundmann, Studien 91f.; L. Scheffczyk, Trinitätslehre 100—113; U. Jaeschke, Heilsgeschichte 157—161; Meuthen 118—120; J. Ratzinger, Bonaventura 102f. — Über Joachim v. Fiore vgl. B. Hirsch-Reich, Eine Bibliographie über Joachim von Fiore und dessen Nachwirkung, in: RThAM 24 (1957), 27—44; A. Crocco, Gioacchino da Fiore.

[13] RvD, Evg. 29; SpS 1, 31 (167, 1568.1603 f.). Vgl. Magrassi 125—141; Meuthen 120; W. Kahles, Geschichte 11—46; O. Lottin, Les classifications des dons du Saint Esprit au XIIe et XIIIe siècles, in: RAM 11 (1930), 269—285; J. de Blic, Pour l'histoire de la théologie des dons avant saint Thomas, in:

Ein weiteres Einteilungsschema der Geschichte bei Rupert ist die Trichotomie nach den drei Lebensordnungen der vorgesetzlichen Zeit, des Gesetzes und der Gnade[14]. Auch hier kennt er eine vierte übergeschichtliche Epoche, das *tempus futuri saeculi*[15] (s. Seite 327).

Die Schematisierung der Geschichte kam der Vorliebe des Honorius für Klassifikationen entgegen. Wo immer sich die Gelegenheit bot, verwendet er die klassischen Periodisierungen, die er aber in weit stärkerem Maß als Rupert variiert und mit immer neuen Symbolgehalten füllt. Das Ziel aller Verweise ist Christus und seine Kirche.

Im „Hexaemeron" dient ihm die Schöpfungswoche als Leitprinzip der Einteilung: neben den gewohnten sechs Weltaltern ergab sich aber hier wiederum eine siebte Zeit, die er wie der Deutzer Abt metahistorisch versteht[16]. Von größerem Interesse für uns ist die Epiphaniepredigt im „Speculum ecclesiae". Den Protagonisten der einzelnen Epochen werden hier Taten zugeschrieben, die typologisch auf Christus und die Kirche deuten. Dabei ergibt sich folgende Einteilung[17]:

Protagonist	typolog. Tat	Christus und die Kirche
Abel	gewaltsamer Tod	Kreuzestod Christ
Noe	Weinberganlage	Stiftung der Kirche
Joseph	Verkauf	Verrat des Judas
David	Sieg über Goliath	Sieg Christi über Satan
Salomon	Tempelbau	Sammlung der Kirche aus den Gerechten
Josue	Rückführung aus d. Gefangensch.	Erlösung der Menschen durch Christus
Johannes		eschatolog. Scheidung von Guten u. Bösen

In diesem Schema wird besonders klar die Intention Christi bei der Errichtung der Kirche verdeutlicht. Als Frucht der Erlösung am Kreuz ist sie zugleich das Mittel zur Durchsetzung der endzeitlichen Herrschaft Cristi.

Von der Typologie in die Kirchengeschichte selbst geht Honorius im Kommentar zum 91. Psalm über. Die Weltalter sind nun Zeiten

a.a.O. 22 (1936), 117—179; K. Boeckl, Die sieben Gaben; H. H. Wittler, Erlösung 26—35.

14 Vgl. RvD, DO 7, 7 (CCcm 7, 231); EJ 2; 10 (CCcm 9, 100.551 f.). Dt., 2; 3; Jud. 22; Reg. 3, 15; SpS 2, 26 (167, 959.1051.1157—1159.1635).

15 RvD, EJ 10 (CCcm 9, 551 f.).

16 HA, Hex. 3 (172, 159 f.).

17 HA, SE ep. (172, 848).

Die Weltzeitalter nach Rupert, De Trinitate

Zeit des Vaters: Schöpfung — Sündenfall

7 Perioden = 7 Tage der Schöpfungswoche

Zeit des Sohnes: Sündenfall — Tod Christi

Perioden	Christus	Geistesgabe und Wirkung
Adam — Noe	factis praefiguratur	*timor*: Vertreibung aus dem Paradies, Sintflut
Noe — Abraham	factis et sermone praefiguratur	*pietas*: Noebund
Abraham — David	nasciturus promittitur	*scientia*: Verheißung u. Gesetz
David — Gefangenschaft	rex promittitur	*fortitudo*: Siege der Könige
Gefangenschaft — Inkarnation	sacerdos praemonstratur	*consilium*: Tempelbau
Inkarnation — Passion	mundum ingreditur	*intellectus*: Schrifterschließung
Erhöhung	divinae festivitatis requies	*sapientia*

Zeit des Geistes: Auferstehung — Weltende

Perioden	Geistesgaben	Wirkung
Auferstehung	*sapientia*	Stiftung der Sakramente, Besiegung Satans
Apostol. Zeit	*intellectus*	pneumat. Schrifterkenntnis der Apostel
Heidenkirche	*consilium*	Ausbreitung der Kirche zu den Heiden
Verfolgung	*fortitudo*	Überwindung der heidn. Macht durch die Märtyrer
Väterzeit	*scientia*	Schriftauslegung der Kirchenlehrer
Endzeit	*pietas*	Konversion der Juden
Gericht	*timor*	Scheidung der Menschen
→ Vollendung	Requies	Ewiger Friede

der Kirche und werden ausdrücklich als solche bezeichnet: „Ecclesia habet suas aetates". Ihre Entwicklung wird mit der eines Menschen verglichen[18].

Lebensalter	Weltalter	Kirchengesch. Periode
infantia	Abel	Vor der Sintflut
pueritia	Abraham	Patriarchenzeit
adolescentia	Moses	Zeit der Gesetzgebung
iuventus	David	Prophetenzeit
maturitas	Christus	Zeit der Apostel und Martyrer
senectus	Antichrist	Judenkonversion

Ekklesiologisch-eschatologisch orientiert ist eine Einteilung, die wir in der „Gemma animae" finden. Wie schon Rupert benutzt Honorius in diesem Werk die Fastensonntage als Memoria der Weltzeitalter, die auf die Vollendung und den Frieden der Endzeit als das Christusheil durch die Kirche zugehen[19].

Fastensonntag	Lebensalter	Typus des eschatologischen Friedens
1	infantia	Paradies
2	pueritia	Arche
3	adolescentia	Rettung Israels durch Joseph
4	iuventus	Friedenszeit unter Salomon
5	senectus decrepita	Befreiung aus d. babylon. Gefangenschaft
6		Christus auf Erden: Freude über die Gegenwart des Bräutigams

Auch in den anderen Einteilungen des Inklusen bleibt der ekklesiologische Bezug bestehen. So erklärt er die Trichotomie der Geschichte mit dem Hinweis auf die Trinität, die Lebensgrund der Kirche wie auch des Heiles ist:

„Die Gesamtheit der Glaubenden, angefangen von Abel bis zum letzten Gerechten, heißt eine Kirche. Im Glauben an die Dreifaltigkeit wird sie in den drei Weltzeiten gesammelt, nämlich unter den Patriarchen vor dem Gesetz, unter den Propheten zur

[18] HA, Ps. 91 (194, 565); vgl. ds., SE coen. (172, 926); GA 3, 50 (172, 658); IM 2, 75 (172, 156); CC prol. II (172, 358); Ps. 50 (172, 290).
[19] Vgl. unten Abschn. 5 dieses Kapitels. Das Schema HA, GA 3, 50 (172, 658).

Zeit des Gesetzes, in der Zeit des Evangeliums unter den Aposteln“[20].

Honorius kennt und benutzt auch ein vierteiliges Schema, dessen Bezugspunkte die vier Nachtwachen nach Mk. 6,48 parr.[21] oder die vier Bräute des Hohenliedes sein können. Diese versinnbilden die Kirche, die zu allen Zeiten aus allen Enden der Erde unter heilsgeschichtlichen Führergestalten versammelt wird[22].

Die Weltzeitalter nach Honorius, CC prol.

Braut	Lebenszeit	Weltzeit	Glaubensgrund
filia Pharaonis	puer	ante legem	Patriarchen
filia regis Babylonis	juvenis	sub lege	Propheten
Sunamitis	senilis	sub gratia	Christus
Mandragora	aetas decrepita	sub Antichristo	Bekehrung der Ungläubigen

In der schon erwähnten „Gemma animae“ versucht er einmal, das sechsgliedrige und das dreigliedrige Schema zu synthetisieren. Als Ordnungsprinzip dienen die drei Heilszeiten, die unterteilt werden durch die klassischen Weltalter. Formal muß dieser Versuch als mißlungen bezeichnet werden, weil nun sechs Zeiten nicht mehr ausreichen und daher einfach eine siebente als Unterteilung der Kirchengeschichte postuliert wird. Ekklesiologisch bedeutsam ist er dennoch: die Geschichte wird unter dem Gedanken des ständigen Opfers betrachtet, das in Christus zur Vollendung kommt und in der Kirche bis zum Ende der Zeiten in der Eucharistie gefeiert wird[23].

[20] HA, CC 4, 8 (172, 480 f.): „Quia omnis multitudo fidelium a primo Abel usque ad ultimum electum una ecclesia dicitur, quae tribus temporibus mundi in fidem Trinitatis colligitur, scilicet ante legem sub patriarchis, in lege sub prophetis, in evangelio sub apostolis“. Vgl. das Dreierschema bei HA, Sac. 47 (172, 771); GA 4, 104—106 (172, 729—731); SE med. (172, 985); CC prol. I; II: 2, 4; 4, 8 (172, 351.358.416.480 f.); Ps. 89 (194, 549).

[21] HA, SE adv. (172, 1080); Ps. 89 (194, 549).

[22] HA, CC prol. (172, 351). Vgl. SE med. (172, 895), wo Honorius 5 Zeitalter kennt wegen der 5 Brote bei der Brotvermehrung (Protagonisten sind Henoch, Abraham, Moses, David und die Propheten, Esdras). Zwei Weltalter, eines vor, eines nach Christus: HA, CC 4, 8 (172, 475); Sac. 47 (172, 771); Ps. 92 (194, 567). Vgl. CC 1, 1 (172, 379.387).

[23] HA, GA 1, 50—55 (172, 559 f.).

Tempus	Interstitium	Opferpriester	Opfergabe
ante	Adam — Noe	Abel	Lamm
legem	Noe — Abraham	Melchisedech	Brot, Wein
	Abraham — Moses	Abraham	Isaak/Widder
legis	Moses — David	Richter, Könige, Fürsten	Lamm (Moses), Salbung (Samuel)
	David — Christus	Priester, Propheten	Leiden der Propheten
gratiae	Urkirche	Christus	Tod Christi
	Kirche aus den Heiden	Christus	Tod Christi

Wird in diesen Periodisierungen nur die innerweltliche Geschichte betrachtet, so weiß Honorius doch, daß diese gleichsam nur ein Teil des Heilsgeschehens ist, das die Termini der irdischen Historie sprengt. Dieser Gedanke mußte sich dann geltend machen, wenn soteriologische Gesichtspunkte ins Spiel kamen. Man konnte keinen Moment vergessen, daß der konkrete Heilsplan Gottes sich durchsetzen mußte gegen die Machenschaften des Teufels. Aus den Meditationen Ruperts über dieses Thema entstand „De victoria Verbi Dei"; Honorius greift es in einer Passage des Hohenlied-Kommentars auf[24].

Der Kampf zwischen Gott und Satan spielt sich in je sechs Perioden vor und seit Christus ab. Die erste und die letzte sind übergeschichtlich:

Vor Christus:

1. Kampf der Engel
2. Kampf der Gottessöhne = des Abelsgeschlechts gegen die Menschentöchter = Kainsgeschlecht. *Endpunkt*: Sintflut
3. Kampf zwischen Freien und Knechten. *Endpunkt*: Sprachverwirrung in Babylon

[24] HA, CC 2, 6 (172, 452—454). Die Zitate 452 f.; 454. CC 3, 7 (172, 460 f.) nennt er 10 *status ecclesiae*: ungeschriebenes Paradiesgesetz, Naturgesetz, Beschneidung, mosaisches Gesetz, Propheten vor Christus; danach apostolische Zeit, Martyrer, Bekenner, Mönchsorden (Gegenwart), Antichrist. Geschichte als Kampf schildert Rupert unter dem Bild der Apokalyptischen Frau, die gegen die 7 Weltreiche kämpft A 7, 12; 8, 13; 10, 17 (169, 1039—1064.1066. 1132.1139). Die Sieben-Reiche-Lehre auch VV 1, 6; 4, 1; 7, 6 (169, 1222.1293. 1362); CC 4 (168, 901). Ihre Grausamkeit: A 7, 12 (169, 1043 ff.); Naum 1 (168, 530); VV 13, 4 (169, 1489). Die Sieben-Reiche-Lehre findet sich auch im

4. Kampf der Beschnittenen und Unbeschnittenen. *Dauer*: Auseinandersetzung Abrahams mit Pharao bis Durchzug Israels durch das Rote Meer
5. Kampf zwischen Gottesverehrern und Heiden in der Zeit des Gesetzes. *Dauer*: Auseinandersetzung Josue-Amalec bis Salomon
6. Kampf zwischen Juden und Babylon; Kampf zwischen Israel und Juda. *Dauer*: von Roboam und Jeroboam bis Kaiser Augustus

Seit Christus:

1. Kampf Christi mit Satan. *Dauer*: von Herodes bis zur Berufung der Heiden
2. Kampf zwischen Christen und Heiden (Petrus mit Nero und Simon Magus). *Dauer*: bis Kaiser Konstantin
3. Kampf zwischen Rechtgläubigen und Häretikern (Arius und Alexander von Alexandrien). *Dauer*: von Konstantin bis zum Konzil von Konstantinopel
4. „Quartum bellum nunc geritur sub religiosis, inter veros et falsos fratres, quod quidem coepit a Juda et Petro, sed maxime invaluit, *quando claustralis religio institui coepit; finietur autem sub Antichristo vel potius in fine mundi*"
5. Kampf des wiederkehrenden Christus mit dem Antichrist
6. Endgültige Vereinigung der Kirche mit Christus, der sich ihr offenbart „qualis est, Patri aequalis".

Gerhoch von Reichersberg übernimmt die traditionellen Vorstellungen, wobei er sich besonders an die Schemata seines Lehrers Rupert hält. Im Kommentar zum Psalm 28 teilt er die *saeculi aetates* in sechs, bzw. sieben Perioden ein, die sachlich denen des Abtes entsprechen, aber anders datiert werden[25]. Als jeweilige Primärgestalten, die die Epoche charakterisieren, werden genannt Adam, Noe, Abraham, (Moses als Urheber der) Gesetzgebung,

Osten, aber dort sind die Reiche nicht die Verkörperung des Bösen: Andreas v. Caesarea, in Apoc. 54 (PG 106, 380 f.); Aretas v. Caesarea, in Apoc. 54 (a.a.O. 721 f.). Neben VV, das ihm ganz gewidmet ist, finden wir das Kampfmotiv noch Jos. 11; Reg. 3, 5; Is. 2; 28; SpS 6, 13.15 (167, 1146.1355.1745. 1748); A 7, 12 (169, 1050) — HA, SE inv.; conv. (172, 946 f. 1095—1098); CC 1, 2 (172, 389).

[25] GvR, Ps. 28 (193, 1248). Ähnlich Arno v. Reichersberg, Apol. (ed. Weichert 42—44.103).

David, die drei Jünglinge im Feuerofen, Christus, Kirche. Die Zeit der Kirche geht über in die Ewigkeit, wenn das Menschengeschlecht vollendet sein wird.

Aus den Werken Bedas entnimmt er bei der Exegese von Psalm 37 eine Periodentafel, die nach dem gleichen Schema aufgebaut ist, aber mehr die Heilsereignisse in den Mittelpunkt stellt, die als spezifisch angesehen wurden[26]. Am interessantesten für uns ist eine stark von Rupert abhängige Einteilung, die sich wieder an den Gaben des Heiligen Geistes orientiert. Schärfer noch als bei seinem Vorbild sehen wir hier die Geschichte als Einheit unter dem Zeichen des Heiligen Geistes, der in der Zeit vor wie nach Christus das Wirkprinzip der Geschichte ist, weil er der Geist Christi ist, der ihm in Fülle gegeben ist[27].

Die Weltzeitalter nach Gerhoch, De ordine donorum

Gaben	Vor Christus	Christolog. Bezug	Nach Christus
Furcht	Vertreibung aus dem Paradies — Sintflut	Gehorsam bis zum Tod	Gericht u. Weltende
Frömmigkeit	Ende der Flut — Auszug Abrahams	Fußwaschung	Gegenwart (*nos rusticani et pauperes*)
Wissenschaft	Abfassung des Gesetzes	Schriftdeutung	Bekenner (reicht bis heute)
Tapferkeit	Davidsreich, Tempelbau, levit. Priestertum	Christus schreitet durch d. Schar s. Feinde	Märtyrer (bis z. Zt. Konstantins)
Rat	Babyl. Gefangenschaft — Propheten	Zulassung der Heiden	Übergang der Kirche zu den Heiden
Verstand	Inkarnation	Erklärung des Isaias	Pfingsten
Weisheit	Sabbatismus „quasi lateraliter currit" zur Christuszeit	Christus entgeht der Versuchung	Christus vom Triduum mortis bis Himmelfahrt

[26] GvR, Ps. 36; 37 (O II/2, 536.619 f.): entnommen aus Beda, temp. rat. 10 (90, 333—338), bzw. aus Gilbert, i.h.l. (Vat. Cod. lat. fol. 29 b; vgl. o.).

[27] GvR, OD 1 (O I, 102—112.122—125.127—131).

Der Einfluß Ruperts macht sich auch in „De investigatione Antichristi“ bemerkbar. Er gebraucht hier die trinitarische Typologie und hat dann alle Hände voll zu tun, um sich vor dem gefährlichen Zeitalter des Geistes als autonomer Geschichtszeit zu hüten und nicht in den joachimitischen Irrtum zu stürzen[28]. Er mag später in der „Quarta vigilia noctis“ bewußt die Tetratomie für die Einteilung der Kirchengeschichte gewählt haben, da sich dann ein Ausweg aus dem Dilemma bot.

Dem modernen Betrachter mögen diese Versuche eher als Geschichtsklitterung denn als Geschichtsgliederung erscheinen. Besonders auffällig ist die starke Betonung der alttestamentlichen Geschichte, der gegenüber die Zeit nach Christus merkwürdig vernachlässigt wird. Die Zeit der Kirche wird durch einen äußerst groben Raster unterteilt, wie sich im folgenden Abschnitt noch deutlicher zeigen wird. Die Gegenwart spielt kaum eine Rolle, es sei denn als Inbegriff der Bosheit, des Verfalls, des nahenden Endes. In den meisten Schemata aber ist die Zeit der Gnade eine einzige Zeit, die selbst in sich homogen und ohne weitere Höhe- und Tiefpunkte abzulaufen scheint. Die Einteilungen sind bewußt so gewählt.

Die reiche Gliederung der vorchristlichen Zeit erklärt sich aus dem noch unvollkommenen Charakter dieser Epoche, die auf dem Weg zu Christus ist, der in der Fülle der Zeiten erscheint. In ihm hat die Geschichte einen unüberbietbaren Höhepunkt erreicht, nach dem nichts entscheidend Neues und nichts wirklich Anderes mehr kommen kann: die Zeit des Heiligen Geistes als eigene, von der Zeit Christi losgelöste Periode wird ausdrücklich abgelehnt. Christi „mysteriis tempora insignita sunt“[29]. Damit ist der eschatologische Ansatz des Neuen Testaments selber getroffen und exakt wiedergegeben. Augustinus hat ihn dem Mittelalter unter dem Aspekt seiner Prädestinationslehre vermittelt, nach der die Aufgabe der Kirche nur mehr die Sammlung der zerstreuten Bürger der Gottesstadt ist[30]. Das ist ein in sich immer gleiches Geschehen, das notwendig ohne fundierte Untergliederung bleibt.

[28] GvR, IA 3, 2—10 (Scheib. 365—374). Vgl. Classen, Gerhoch 232 f.

[29] RvD, DO prol. (CCcm 7, 6). Vgl. Magrassi 125—141.155.171 über die Christozentrik der rupertinischen Geschichtstheologie.

[30] H. Grundmann, Studien 75: „Daß Adam die Menschen ins Verderben zog, daß Christus sie erlöste — das ist im Grunde der ganze Gehalt der christlichen ‚Geschichtsauffassung‘ seit Augustin. Und dieser ganze Gehalt ist bereits verwirklicht; seit Christus gibt es für jeden Menschen nur eine Schicksalsfrage — keine Frage der Geschichte, sondern des religiös-persönlichen Lebens ... Inhaltlich Neues kommt nicht. ... Die Wahrheit ist wichtig, nicht die Geschichte“. Vgl. W. Kamlah, Christentum 313—316.

Unsere Autoren nehmen dennoch sozusagen hinter den Kulissen des augustinischen Geschichtsbildes eine Aufwertung der Kirchengeschichte vor, insofern diese eine wirklich neue Zeit ist, die von Christus bestimmt ist, und insofern sie die gleiche Bedeutung für das Heil der Menschen hat wie die vorchristliche Epoche[31]. So gibt es dann doch markante Punkte und sogar eine Entwicklung, die allerdings durch zwei gegenläufige Komponenten bestimmt ist. Nach außen hin, d. h. im politischen und religiösen Bereich, ist die Geschichte nach Christus ein Abfall vom Gipfel, der in ihm erreicht war. Man geht einem Ende entgegen, das durch die Schreckenszeit des Antichristus und das Jüngste Gericht bestimmt ist. In dieser Ebene ist eine Unterteilung der Kirchengeschichte möglich, die die zunehmende Deszendenz deutlich macht. Auf der anderen Seite aber ist die innere Geschichte der Kirche, d. h. ihr geistlicher Status, bestimmt von der wachsenden Verwirklichung ihrer Christusförmigkeit, die auf die vollkommene bräutliche Vereinigung mit dem Herrn zielt. Die Kirche wird auf ihrem Weg durch die Jahrhunderte zwar alt, aber es ist nicht die *senectus macra,* sondern die *senectus ubera,* die ihre Gestalt prägt[32]. Die Geschichte steht damit in einem Dynamismus, der identisch ist mit dem Dynamismus der Gottesherrschaft. In der Sprache Ruperts zeigt er sich als Überwindung des Todes: er herrschte in der Zeit der Naturordnung, bis in der Gesetzeszeit die Auferstehung verheißen wurde, die sich mit Christus als Heilszeichen und Heilstat verwirklicht, um allen Menschen in der Auferstehung der Toten zuteil zu werden, in der der Tod endgültig überwunden ist[33]. Geschichte wird damit inmitten des äußeren Niedergangs die Geschichte der progressiven Verwirklichung des Heiles in Glaube und Liebe. Zwar bleiben sie ihrer Qualität nach stets gleich: immer ist Glaube trinitarischer Glaube aus der Liebe zu Gott[34]; aber seine Intensität kann wachsen und die eigentliche Zeit seines Blühens ist die Zeit der neutestamentlichen

[31] Vgl. J. Ratzinger, Bonaventura 106.

[32] GvR, Ps. 36 (O II/2, 536); vgl. ds., Ps. 70 (194, 300): Gerhoch differenziert zwischen *senecta* und *senium.* Am eingehendsten führt neben den genannten Texten HA, Ps. epil. (172, 308—311) die Parallele Lebensalter — Welt- und Kirchengeschichte durch, wobei er sie in Beziehung zu den 15 Dekaden des Psalteriums setzt. Der Akzent liegt auf der tropologischen Betrachtung der Kirchengeschichte. Bezüglich der letzten Abschnitte des Lebens wird zwischen *senectus* und *decrepita aetas* unterschieden: letztere ist identisch mit der Vollendung der Kirche.

[33] RvD, EJ 10 (CCcm 551 f.).

[34] RvD, EJ 2; 5 (CCcm 9, 111.116.244) — HA, CC 4, 8 (172, 480 f.); GA 1, 54 (172, 560).

Kirche, in der der Heilige Geist und die Taufe die mächtigen Wirkkräfte unseres Glaubens sind[35].

Damit ist aber auch die Kirche als die Gemeinschaft der Glaubenden in steter Entwicklung. Das hatte bereits das Symbol des Mondes gesagt, dem entsprechend die Kirche der Veränderung unterworfen ist und auf der Pilgerfahrt dieses Lebens von geringerer Leuchtkraft ist[36]. Für Rupert ist die Kirche eine Pflanzung, die unter dem Schutz des göttlichen Gärtners langsam heranreift; Gerhoch sieht sie unter dem Schöpfungssegen sich mehren und wachsen an innerer Kraft[37]. Damit wird noch einmal die augustinische Konzeption korrigiert. Geschichte ist nicht bloße Restitution, sondern in Christus verwirklichte, aber auch noch ausstehende eschatologische Erfüllung einer zugesagten Zukunft, die die Aufhebung aller Geschichte in der ewigen Sabbatruhe bedeutet[38].

Die einzelnen Hauptepochen der Kirchengeschichte sind in diesem Verständnis zu untersuchen.

2. Kirche vor Christus

Wenn der Priester zum Altar schreitet, sagt Rupert von Deutz, dann soll er sich mit der ganzen Gemeinde an die vier Lebensgeheimnisse Christi erinnern und das Gedächtnis aller Heiligen feiern, „qui eum ab initio mundi votis exspectaverunt, gestis praefiguraverunt, dictisque aut scriptis prophetaverunt"[39]. Denn die Kirche besteht aus den Erwählten seit Beginn der Zeiten; wie Eva nicht unmittelbar aus dem Nichts geschaffen, sondern aus Christi Seite gebildet[40]. Von Adam oder Abel, dem ersten Gerechten und

35 RvD, EJ 2 (CCcm 9, 111.112); Jon. 2 (168, 436 f.) — vgl. HA, Ps. 84 (194, 517): erst Christus hat die Kirche aus dem Fluch des Götzendienstes befreit. Zur Tradition siehe M. Bernards, Geschichtstheologie 287. Der Gedanke der Pädagogik Gottes spielt eine wichtige Rolle.

36 RvD, Gen. 8, 22 (167, 509) — HA, CC 4, 8 (172, 492): „Pro diversis temporibus diversos status mutat". Die mutabilitas ist nicht unbedingt positiv zu verstehen: vgl. Abschn. 5 dieses Kapitels sowie Anselm v. Havelberg, dial. 1, 10 (188, 1157).

37 Pflanzung: RvD, Is. 2, 26 (167, 1353); Schöpfungssegen: GvR, Ps. 17 (193, 890). Vgl. auch ds., Ps. 22 (193, 1042): der Glaube ist in stetem Wachstum begriffen von der *fides quasi nuda* der Urkirche bis zur Gottesschau.

38 Vgl. W. Kamlah, Christentum 304—308.

39 RvD, DO 1, 28; 4, 4 (CCcm 7, 23.104); EJ 1 (CCcm 9, 48.52); A 3, 4 (169, 905) — HA, SE conv. (172, 1095); GA 3, 93, (172, 725 f.); CC 4, 8 (172, 480); Ps. 1 (172, 278) — GvR, Ps. 32 (O II/1, 208) = RvD, DO 2, 11 (CCcm 7, 46). Vgl. dazu Congar, Ecclesia ab Abel; A. Landgraf, Paulinen (26 [1948], 160—175); J. Beumer, Die altchristliche Idee.

40 GvR, AD 1 (194, 1194) — vgl. RvD, Gen. 9, 30; Num. 1, 18; Reg. 2, 29 (167, 554.855.1128) u. ö.

Repräsentanten der Gottesstadt, an bis zum Schächer am Kreuz, dem Christus das Paradies versprach, währt die vorchristliche Kirche[41], die *ecclesia antiqua*[42], *ecclesia patriarcharum et prophetarum*[43], *primitiva ecclesia*[44], *sanctorum vel electorum anterior populus*[45], *praecedentium electorum ecclesia*[46] — und wie immer sie genannt wird. An Ostern wird sie abgelöst von der apostolischen Kirche, der neuen und aus dem Evangelium lebenden Kirche[47].

Der *Deutzer Abt* schildert diese Kirche von der Sicht des Neuen Testamentes her. Es steht für ihn fest, daß es vor Christus heilige und gerechte Menschen gab, die durch ihren Glauben an den trinitarischen Gott und an Christus zur Kirche gehören[48]. Von ihm haben sie ihren Glauben empfangen und sind so erlöst worden aus der allgemeinen Sünde der Menschen[49]. Als Zeichen ihres Glaubens und ihrer Rettung gab es verschiedene Institutionen, die Schönheit

[41] *Ecclesia ab Adam*: RvD, DO 6, 35 (CCcm 7, 218); vgl. HA, Ps. 97 (194, 590): Adam kennt bereits Christus — *Ecclesia ab Abel*: RvD, DO 4, 6; 5, 4 (CCcm 7, 107.150); EJ 2,14 (CCcm 9, 62.762.771); Gen. 4, 6 (167, 330); A 3, 4 (169, 905) — HA, SE conv.; ded. (172, 1095; Kelle 19); CC prol.; 3; 4, 8 (172, 358.466.480) — GvR, Ps. 5; 56; 118 (193, 706.1693; 194, 824); Gh 9, 1 (194, 1102) — *Ecclesia usque ad latronem*: RvD, DO 6, 35 (CCcm 7, 218); EJ 2; 14 (CCcm 9, 62.762.771); SpS 1, 24 (167, 1595) — HA, CC prol. (172, 358). Teilweise ist die Vorliebe für die vorchristliche Kirche aus der starken Berücksichtigung des Alten Testaments zu erklären, auf das hin auch das Neue ständig „hinterfragt" wird.

[42] RvD, DO 3, 1; 6, 35 (CCcm 7, 63.221); EJ 9 (CCcm 9, 502); Gen. 4, 26; Reg. 2, 12 (167, 351.1112); Hab. 2 (168, 618); A 6, 10 (169, 1026); VV 9, 3 (169, 1402); CC 3; 6 (168, 883.936); GT 5, 5 (169, 100) — GvR, Ps. 9; 17; 73 (193, 763.880; 194, 363.855); IA 2, 35 (Scheib. 267).

[43] RvD, DO 4, 12 (CCcm 7, 120); EJ 5; 9 (CCcm 9, 502); Gen. 4, 6.26; Is. 2, 17.28; Jar. 9; SpS 1, 18 (167, 331.357.1334.1355.1374.1587); Mich. 2 (168, 481.483); A 3, 4 (169, 905); CC 3; 6 (168, 883.936) — HA, SE OS (172, 1019); CC 1, 1 (172, 379) — GvR, IA 2, 35 (Scheib. 266 f. 267.268.269).

[44] RvD, EJ 14 (CCcm 9, 762); Dt. 1, 19 (167, 939); Mich. 2 (168, 481); A 1, 1 (169, 841) — HA, CC 1, 1; 2, 4; 4, 8 (172, 376.416.475); Ps. 50 (172, 288) — GvR, IA 2, 35 (Scheib. 268.269).

[45] RvD, Gen. 4, 1; 9, 30; SpS, 1, 7 (167, 325.554.1576).

[46] GvR, Ps. 11; 21 (193, 804 f. 1018).

[47] RvD, Ex. 4, 44 (167, 743); A 3, 4; 4, 5 (169, 905.930).

[48] RvD, DO 4, 4; 5, 5; 6, 35 (CCcm 7, 104.154.221); EJ 4; 5; 9 (CCcm 9, 190.244.527); Ex. 4, 17; Reg. 2, 12; 3, 2.15 (167, 717.1112.1143.1158); Os. 1 (168, 30); A 4, 5; 9, 14 (169, 928.1108); VV 4, 2; 13, 6 (169, 1294.1491); GT 4, 10 (169, 84); Gh 1 (168, 1316) — HA, SE conv. (172, 1095); Ps. 44; 93; 97 (193, 1572; 194, 570.590).

[49] RvD, EJ 5; 6; 9 (CCcm 9, 22 f. 338.518); Gen. 4, 26 (167, 351) — HA, CC 3, 7 (172, 462).

[50] RvD, Reg. 3, 15 (167, 1159); VV 8, 16; 9, 18 (169, 1389 f. 1413) — Vgl. Augustinus, civ. 10, 32 (CC 47, 309—314).

der Schöpfung in der naturgesetzlichen Zeit, der Regenbogen für Noe und endlich seit Abraham die Beschneidung[50].

Gleichwohl ist die alte Kirche wesentlich durch ihre vielfache Defizienz charakterisiert. Sie lebt auf die Erfüllung einer Verheißung hin, die selbst nicht mehr in ihrer Macht steht[51]. Sie lebt unter dem Gesetz — bei diesem Wort assoziiert Rupert Strenge, Furcht, Anfang, Gebot — noch nicht unter dem Evangelium der Sanftmut, Liebe und Vollkommenheit[52]. Zwar steht auch die alttestamentliche Kirche unter göttlicher Sendung und göttlichem Auftrag, der durch das Gesetz und die Propheten ausgeführt wird, aber sie ergehen unsichtbar, nicht in der Öffentlichkeit der apostolischen Kirche[53]. Alles, was sie tut, ist *in figura,* noch nicht *res salutis*[54]. Erst mit dem Kommen Christi hört die Vorläufigkeit auf, erst wenn Taufe und Sündenvergebung geschenkt sind, kann die Kirche wirklich Christi Kirche werden[55].

Weil sie aber auf das Kreuz hin lebt und im Glauben daraus existiert[56], steht auch die *ecclesia antiqua* im Dienst des Heils: es gibt Charismen in ihr, aus ihr ist die Heilige Schrift entstanden, vor allem aber ist Christus seiner menschlichen Natur nach ihre

[51] RvD, EJ 5 (CCcm 9, 267); Gen. 4, 1; Jer. 23 (167, 325.1385); Am. 4; Mich. 2 (168, 376.481); VV 9, 11 (169, 1450). Nach Am. 4 verkünden die Propheten das Evangelium auf Hoffnung, erst die Apostel treten in ihre Arbeit als Erntende ein.

[52] RvD, DO 1, 32 (CCcm 7, 26). Vgl. Gal. 3, 24.

[53] RvD, DO 1, 36 (CCcm 7, 29). Vgl. auch ds., A 9, 14 (169, 1111): Die alte Kirche „claudebatur loci angustiis, claudebatur non intellectis caeremoniarum censis mysticis atque figurativis".

[54] RvD, DO 2, 2 (CCcm 7, 33); EJ 5 (CCcm 9, 243); Reg. 3, 2; SpS 1, 18 (167, 1143.1588): die Kirche ist nach SpS 1, 18 das Paradies, die Bäume sind die Patriarchen. Der Geist kann sich auf ihnen noch nicht niederlassen. Vgl. auch ds., Agg. (168, 691 f.). Nach Jer. 27 (167, 1387) sind die Patriarchen keine Heilsbringer, denn (so EJ 5 — CCcm 9, 267) jede Rettung erfolgt allein durch Christus, zu dessen Zeit die alttestamentlichen Heiligen erst *reipsa* lebendig gemacht werden.

[55] RvD, DO 6, 35; 9, 3 (CCcm 7, 218.221.303); EJ 6, 14 (CCcm 9, 340.762); Gen. 4, 1; 5, 33; Jer. 23; SpS 1, 8; 3, 20 (167, 325.397.1385.1578.1661); A 3, 4 (169, 905); VV 12, 11 (169, 1471 f.). Die alte Kirche wartet im Limbus auf ihre Erlösung; dort wird sie von Christus beim Descensus getauft (SpS 2, 19 bis 167, 1625). Die Menschwerdung wird als bräutliches Umfangen der alten Kirche gesehen: RvD, EJ 2 (CCcm 9, 100); Is. 2, 26 (167, 1352). Der Moment der eigentlichen Erlösung ist das Kreuz: das ist eine Grundaussage der rupertinischen Theologie: DO 2, 11; 4, 4 (7, 46.104); EJ 1; 5; 6; 14 (CCcm 9, 52.244.340.771); Gen. 4, 1.6; 5, 33; Num. 1, 18; Reg. 2, 12.29; Is. 2, 26.28; SpS 1, 24; 2, 19; 3, 20 (167, 325.331.397.855.1113.1129.1352.1356.1595.1625. 1661); CC 4 (168, 907 f.); GT 4, 12 (169, 86).

[56] RvD, Hab. 2 (168, 618).

Frucht[57], die sie mit dem Vater gezeugt hat und die sie zur Welt bringt — das geschah zuerst durch die Patriarchen und Propheten, die das Wort Gottes verkündigten, das wird in unüberbietbarer Realität in der Inkarnation aus Maria Ereignis[58].

Von ihrer Erfüllung aus mußte die Alte Kirche wie eine Fehlform erscheinen. Honorius geht einen anderen Weg: er denkt von ihr selbst her und sieht dann den gewaltigen Impetus auf Christus, der sie beseelt. Gott hat von Anbeginn an Prediger in der Kirche, die ihn verkünden: die Heiligen des Alten Bundes, die durch ihre Werke lebendige Zeichen des kommenden Christus waren[59]: die Erzväter sind wie die Apostel Säulen der Kirche, die Propheten sind die Urtypen der Passion, der Täufer deutet Christus als leuchtende Sonne an. Sicher ist die alte Kirche nur Schatten des Kommenden, aber durch Christus wurde das Gesetz verwandelt zum geistlichen Sakrament, das als solches heilswirksam sein konnte[60]. Wie für Rupert ist auch für Honorius das Hauptverdienst der Väterkirche, daß sie Christus hervorgebracht hat. Wenn er die Heiligen Schriften geistlich interpretiert, dann nährt er sich von der Weisheit der alten Kirche wie ein Kind sich an den Brüsten der Mutter nährt[61].

Gerhoch greift die traditionellen Gedanken auf: sie ist eine Kirche auf Hoffnung hin. Ihre Glieder erwarten im gleichen Glauben ihre Erfüllung[62]. Dieser Glaube verbindet sie mit der Kirche des Neuen Bundes, die aus ihr stammt[63]. Der Vater ist ihr Bräutigam; Christus geht aus der Verbindung hervor[64].

3. Die Kirche des Neuen Bundes

In der Menschwerdung Christi ist die Kirche aus ihrer Schattenexistenz herausgetreten und hat sich ihm bräutlich geeint[65]. In

[57] RvD, CC 3; 6 (168, 883.936).

[58] Reg. 2, 12; Is. 2, 31 (167, 1112.1362). Daraus begründet Rupert die Präexistenz Christi. Daraus folgt ferner, daß die Väter der alten Kirche auch die Väter Christi sind. Vgl. A 2, 3 (169, 898).

[59] HA, Sac. 47 (172, 770); SE sept.; OS (172, 858.1015; vgl. 1019); CC 1, 1.2; 2, 4 (172, 376.387.416); Ps. 97.104 (194, 590.594.637 f.).

[60] HA, CC 1, 1 (172, 391); Vgl. SE nat. (172, 842).

[61] HA, CC 4, 8 (172, 475).

[62] GvR, Ps. 9; 11; 32; 73; 118 (193, 763.804; O II/1, 9; 194, 363.822.835).

[63] GvR, Ps. 9 (193, 763).

[64] GvR, Ps. 17; 18 (193, 880.905); IA 2, 35 (Scheib. 266—268).

[65] GvR, Ps. 70 (194, 301): Die Gegenwart Christi ist nicht mehr schattenhaft, sondern *demonstrative et substantive*. Vgl. ds., Ps. 71 (194, 319) — HA, E 1, 134 (Lef. 385).

mystischer Sprache schildert Honorius die dreifache Hochzeit Christi mit den Menschen: die erste erfolgte bei der Menschwerdung, die zweite bei der Himmelfahrt, die dritte kommt nach dem letzten Gericht[66]. Damit ist ein aufsteigendes Prinzip der je tieferen Einigung genannt, aber jede Einigung ist eine echte Einswerdung mit Christus: beide werden ein Fleisch. Daraus ergibt sich als Grundgesetz der christlichen Kirche: *„Haec cuncta, quae in capite Christo praecesserunt, in corpore quoque ejus, scilicet ecclesia, futura erunt“*[67].

Dieser Prozeß wird gewöhnlich in vier aufeinanderfolgenden Abläufen dargestellt, die durch die Stichworte apostolische Urkirche, Märtyrerkirche der Verfolgungszeit, Kirche der Bekenner zur Zeit der dogmatischen Auseinandersetzungen des 4. und 5. Jahrhunderts, Kirche der Gegenwart gekennzeichnet werden[68]. Dieses Schema bildet (mit leichten Abwandlungen) die Gliederung des Spätwerks „De quarta vigilia noctis“ aus der Feder des Reichersberger Propstes[69].

Der entscheidende kirchengeschichtliche Vorgang der Frühzeit ist die Ausweitung der Kirche von den Juden zu den Heiden[70]. Darin erweist sich die apostolische Kraft der Urkirche ebenso wie in der moralischen Höhe des christlichen Lebens, in dem das „cor

[66] HA, CC prol. (172, 349); GA 4, 104 (172, 729). Zur Idee von der dreifachen Gottesgeburt vgl. etwa Petrus Lombardus, in ps. 118 (191, 1217); Hugo v. St. Viktor, de div, tit. 22 (177, 877).

[67] HA, GA 3, 134 (172, 679) — vgl. GvR, Ps. 9 (193, 788).

[68] RvD, DO 12, 24 (CCcm 7, 417 f.); Gen. 7, 8—11; Reg. 2, 38; SpS 4, 11 (167, 453—455.1140.1682); A 7, 12 (169, 1049); HA, CC 2, 4 (172, 417.428); Ps. 103 (194, 623—625) — GvR, OD ded.; 1 (O I, 86.129—131); Ps. 5; 37; 69; 70; 75; 118 (193, 689; O II/2, 663 f.; 194, 276.300.391.746 f.); CE 123 (194, 81 f.); Ps. 69 (194, 210) werden parallelisiert:

Zeit	Glaubensakt	Stand	Prototyp
Apostel	confessio	apost.Leben	Petrus
Märtyrer	fortitudo	Klerus	Augustin
Bekenner	dilatatio	Mönche	Benedikt

Vgl. auch Arno v. Reichersberg, Apol. (ed. Weichert 224f.). Bernhard v. Clairvaux teilt die Kirchengeschichte ebenfalls in vier Perioden ein, geht aber von den Versuchungen Christi aus. Die Epochen sind die gleichen. Auch Bernhard ist sich im Unklaren, ob die letzte Zeit bereits angebrochen ist. Jedenfalls steht sie nahe bevor. Vgl. in Ps. 90 (183, 196f.); in cant. 33, 16 (183, 959).

[69] GvR, QV 11 (Scheib. 577—584).

[70] GvR, Ps. 132 (194, 885); vgl. auch RvD, EJ 2 (CCcm 9, 100) sowie unten Kap. 4, 2.

unum et anima una" exemplarisch für alle folgenden Zeiten gelebt wird[71]. Der Zahl nach ist sie gering, doch gewaltig nach der Hingabe an das Evangelium[72]. So wird diese Zeit zum Maßstab der gesamten Kirchengeschichte nicht nur für unsere Autoren, sondern für die ganze Reformzeit. Sie ist wie ein Weinkeller, „denn in ihr sind viele Becher der Weisheit und die mannigfachen Gaben des Bräutigams"[73].

Auch die Zeit der Märtyrer ist von Bedeutung für die weitere Geschichte. Wie die Kirchenväter sehen auch die Theologen des Mittelalters im Sieg des Christentums über das mächtige Römische Reich eines der erschütterndsten Ereignisse der Welthistorie. Rom war eines der sieben Weltreiche, deren eigentlicher Beherrscher Satan ist; ja für die frühe Christenheit hatte Satan hier seinen Sitz aufgeschlagen unter Nero, der das Symbol seines Stolzes und seiner raffinierten Macht ist[74]. Der Sieg Christi konnte sich darum nicht herrlicher manifestieren als in der Überwindung Roms: aus seinen Tempeln wurden Kirchen Christi; seine Macht erstreckt sich noch über die Grenzen des Reiches hinaus: „Latius Romanae ecclesiae pontifices quam Romani imperii dominentur Caesares"[75]. Ihre Hauptstadt ist nun Metropole der Apostelfürsten[76]. Dieser Sieg wird gleichsam urkundlich besiegelt durch die Anerkennung des Christentums als Staatsreligion durch Konstantin. Das sichert diesem Kaiser die Bewunderung und Ehrfurcht des Mittelalters[77]. Doch die eigentlichen Promotoren dieses Sieges waren die Blutzeugen der Kirche. Sie sind die Protagonisten dieser zweiten Epoche. Einerseits waren sie die ärmsten der Menschen, weil sie in den Machtapparat des Imperiums gerieten, doch ihre Machtlosigkeit zerbrach ihn durch die Kraft des Christusglaubens von innen her und bereitete den Weg für die Kirche[78].

[71] HA, SE pent. (172, 962); CC 1, 2 (172, 385) — GvR, Ps. 118 (194, 886); CE 113 (194, 74); LF rec. (O I, 201).

[72] RvD, EJ 4 (CCcm 9, 214); CC 7 (168, 956-958) — HA Ps. 47 (193, 1587).

[73] HA, CC 1, 2 (172, 385): „... cella vinaria, quia in ea diversa sunt sapientiae pocula et varia sponsi charismata". HA, OS (Kelle 14): Für seine Position in der Zölibatsfrage beruft sich Honorius auf die Urkirche, in der, wie er glaubt, die Priester ehelos lebten.

[74] RvD, EJ 4 (CCcm 9, 214); Hab. 1 (168, 601) — HA, Ps. 84 (194, 517) — GvR, IA 3, 8 (Scheib. 371).

[75] RvD, Gen. 7, 10 (167, 455); Naum 2 (168, 567).

[76] RvD, Jon. 2 (168, 432 f.).

[77] HA, Ps. 103 (194, 624 f.) — GvR, CE 9; 15; 17 (194, 17.20).

[78] RvD, A 4, 8 (169, 968) — vgl. HA, CC 1, 1.2 (172, 369.392); Ps. 34 (193, 1345 f.).

Schon drohten ihr neue Gefahren: die Irrlehrer erhoben sich gegen sie. Doch die Glaubensstärke der Bekenner, der Väter und Theologen auf den Kirchenversammlungen der nachkonstantinischen Zeit überwindet alle Angriffe auf die Lehre[79]. Ihre Stärke ist die innere Einheit und die genaue Kenntnis der Heiligen Schrift.

Das alles hatte in den Theologen die Überzeugung gefestigt, daß Christus mitten in den größten Nöten der Kirche beistand, weil sie mit ihm im Weltkampf gegen Satan stand. Daraus schöpften sie die Kraft, die Gegenwart zu ertragen. Sie ist gekennzeichnet durch die allgemeine Sittenverderbnis, die im Innern der Kirche selber aufbricht. Gerhoch läßt in der „Quarta vigilia noctis" die dritte Nachtwache von den Gestalten Gregors des Großen und Gregors VII. begrenzt sein, zwei Männer, die durch ihre Sittenreinheit wider die Irrtümer der Zeit angehen und sie überwinden. In der unmittelbaren Gegenwart bricht dann das letzte Zeitalter an, die Zeit des Antichrists.

Die Defizienz der eigenen Epoche führte die Theologen dazu, in dem Ablauf der Kirchengeschichte neben der aufsteigenden auch die absteigende Linie zu betonen — das konnte dazu führen, daß man in dieser die beherrschende sah. Die Wertschätzung Gerhochs vor dem apostolisch-urkirchlichen Lebensideal ließ ihn in allen folgenden Zeiten bereits den Abfall, die Minderung sehen. Nur in der Urkirche waren die Wasser vereint, gleich darauf begannen sie sich in verschiedene Ströme zu verzweigen, als sich die verschiedenen Stände bildeten, die notgedrungen die Einheit der vita apostolica zerstörten und die Gefahr der *confusio* heraufbeschworen[80]. Die konstantinische Wende ist der markante Punkt, an dem sich das exemplifizieren läßt. So sehr man dem Kaiser Dank weiß, so sehr sieht man die Ambiguität seiner Entscheidung für die Kirche, die seitdem in eine gefährliche Richtung gelenkt worden ist: „potentia quidem et divitiis major, sed virtutibus minor effecta est"[81]. Seitdem geht es abwärts. Vor allem Gerhoch sieht die Gegenwart sehr pessimistisch. Das Stichwort, das für ihn die Märtyrerzeit kennzeichnet, lautet *„violentum"*; die Häretikerzeit trägt das Signet *„fraudulentum"*. Jetzt, in der Endzeit, kumulieren sich beide: ihr Charakteristikum heißt *„violentum et fraudulentum"*[82].

Dieser Zustand treibt ihn zur Reformtätigkeit. Während Rupert und Honorius kein Interesse für die Kontroversen der Gegenwart

[79] GvR, IA 1, 35 (Scheib. 77 f.).
[80] GvR, CE 113 (194, 74).
[81] RvD, Pant. 13 (Anal. Boll. 260) — HA, GA 1, 66.187 (172, 564.601); CC 2, 5 (172, 434).
[82] GvR, Ps. 9 (193, 772).

aufbringen, das über allgemeine und fast formelhafte Klagen hinausreicht[83] und sie nur hier und da zum Eingreifen ermuntert, kreisen die Gedanken des Propstes unaufhörlich um die Reinheit der zeitgenössischen Kirche und um ihre in seinen Augen abgrundtiefe Verdorbenheit. *„Refrigescente caritate, abundante iniquitate“* ist der Refrain aller seiner Klagelieder und zugleich das Urteil über die Gegenwart[84]. Sie ist die Stunde der *fornicatores, raptores, homicidae, perjuri, incendiarii, latrocinantes*[85]; noch sind die Auswirkungen des Bürgerkrieges des Investiturstreits zu tragen; das sakramentale Leben der Kirche droht zu ersticken[86].

„Viele Könige und Fürsten sündigen nach dem Beispiel des Königs David, aber nur wenige bekehren sich nach seinem Vorbild auf den Weg der Besserung. Viele Oberhirten und Priester fallen wie Petrus, aber nur wenige stehen wieder auf wie er. Viele natürliche Menschen, die den Geist nicht haben und zügellos ohne jede Regel, weder Klosterregel noch christliche Lebensregel, leben, trennen sich offen vom Leibe Christi, so daß sie nicht einmal den Schein eines guten Gliedes wahren — und trotzdem empfangen sie ohne jede Behinderung den sakramentalen Herrenleib oder — und das ist noch schlimmer — bringen ihn dar und teilen ihn aus“[87].

Das alles macht den Greuel der Verwüstung an heiliger Stätte aus, die *abominatio desolationis,* die das Kennwort Gerhochs für

[83] RvD, Gh 12 (168, 1600); Pant. 13 (Anal. Boll. 260) — HA, CC (172, 461). Aktuelle Probleme greifen allerdings OS und SG auf.

[84] Vgl. Mt. 24, 12 als biblischen Hintergrund. Sehr oft bei GvR, z. B. Ps. 9; 36; 38; 70 (193, 785; O II/2, 536 f.; 193, 1410; 194, 300); IA 1, 18 (Scheib. 45); QV 14 (Scheib. 588). Der Unterschied der Betrachtungsweise zeigt sich am deutlichsten in OD, das weithin aus RvD ausgeschrieben ist, von Gerhoch aber immer wieder aktualisiert wird: bei der Behandlung des Zeitalters der *fortitudo* flicht er einen Exkurs über Staat und Kirche ein mit einer Interpretation des Wormser Konkordates; die *pietas* sieht er in den Beschlüssen des Lateranense von 1139 formuliert: OD 1 (O I, 104—110.157).

[85] GvR, Ps. 39 (193, 1434).

[86] GvR, Ps. 118 (194, 747); IA 1, 16.18 (Scheib. 39 f. 46).

[87] GvR, CE 167 (194, 112): „Multi reges et principes exemplo David regis peccant, sed pauci exemplo ejus emendant. Multi pontifices et sacerdotes exemplo Petri cadunt, sed pauci exemplo ejus resurgunt. Multi animales spiritum non habentes et omnino inordinate viventes nulla regula vel coenobitalis vel saltem Christianae religionis utentes, manifeste semetipsos a corpore Christi segregant, ita ut nec speciem in se alicujus boni membri ostendant; et tamen eidem corpori sacramento tenus, nemine prohibente, communicant, aut, quod pejus est, idem corpus immolant atque dispensant“. Vgl. unten Kap. 7.

die Gegenwart ist[88]. Nur in Hoffnung und Glauben kann die Kirche Ausschau halten — sie ist Sion, *speculatio* — nach der Vollendung in Christus — sie wird Jerusalem, *visio pacis*[89].

In solchem Glauben kann dann auch Gerhoch die positiven Züge seiner Zeit sehen und damit die Heilslinie der Geschichte zu Wort kommen lassen. Gott wirkt auch heute sein Heil. Der Beweis dafür ist die Kreuzzugsbewegung, die zunehmende Freiheit der Kirche bei den kanonischen Ämterbesetzungen, die Laienbewegung und auch der Gesang der Laien in der deutschen Kirche und schließlich das Aufblühen der Frauenklöster[90].

4. Der Antichrist

Jede Umbruchzeit stellt den Nachdenklichen die Frage, ob die letzten Zeiten angebrochen sind. Für die Christen in der biblischen Tradition erhebt sie sich in der Form der Frage nach dem Erscheinen des Antichrist, der für die letzten Tage verheißen ist[91].

Honorius Augustodunensis gibt die umlaufenden Vorstellungen wieder. Die apokalyptische Gestalt des Antichrist ist in Babylon geboren, dem Urort der *confusio*. Eine Hure aus dem Stamme Dan ist seine Mutter; noch in ihrem Schoß wurde er vom Teufel erfüllt, nach seiner Geburt von Verbrechern in Korozain erzogen. Mit raffinierten Mitteln, die seine hohe psychologische Schulung verraten, weiß er die Menschen in die Hand zu bekommen: die Vornehmen lockt er mit Geld, das ihm unbeschränkt zur

[88] GvR, AD 17 (194, 1245); OD 1 (O I, 130); Ps. 132 (194, 884). Zum Thema *mundus senescens* als Parole der Reformer vgl. G. Miccoli, Chiesa 301—303.

[89] GvR, Ps. 9; 11; 14; 41; 118 (193, 761.804 = RvD, Reg. 5—167, 1186). 823; 1508; 194, 835) — HA, SBM (172, 498); GA 2, 1; 3, 30.33 (172, 615.650.651); Ps. 44; 50 (193, 1570; 172, 288). GA 2, 1 wird proleptisch bereits die irdische Kirche Jerusalem genannt: vgl. unten Anm. 120.

[90] GvR, Ps. 39 (193, 1435); vgl. auch Ps. 9; 41 (193, 758.1503 f.). Siehe auch W. Kamlah, Apokalypse 61—64.

[91] Zur mittelalterlichen Endzeitvorstellung vgl. A. Dempf, Sacrum Imperium 254 bis 258; H. de Lubac, Exégèse II/1, 527—558; E. Bernheim, Mittelalterliche Zeitanschauungen; F. Kampers, Die deutsche Kaiseridee in Prophetie und Sage; J. Spörl, Das Alte und das Neue 515—522; K. Mirbt, Publizistik 602—605; W. Bousset, Antichrist; K. Sturmhoefel, Gerhoch 1—3; Classen, Gerhoch 216 bis 219; R. Konrad, De ortu et tempore; C. Erdmann, Endkaiserglaube und Kreuzzugsgedanke im 11. Jahrhundert, in: ZKG 51 (1932), 384—414. H. D. Rauh, Das Bild des Antichrist (über unsere Autoren Diss. masch. 95—141, 222 bis 253). Als Quellen unserer Autoren kommen die sibyllinischen Weissagungen, Adsos „De ortu et tempore Antichristi", die Methodius-Apokalypse und der Ludus de Antichristo in Frage.

Verfügung steht; die einfachen Leute schreckt er durch Terror und brutale Verfolgung aller Gottesverehrer; den Klerus zieht er an durch seine Rhetorik und eine umfassende Bildung, die in Literatur und Kunst zu Hause ist; die Mönche begeistert er mit Scheinwundern. So reißt er die Weltherrschaft an sich. In Jerusalem läßt er sich als Gott verehren. Doch nun erhebt sich unerwartet Widerstand: Elias und Henoch bekehren die Juden in dem Augenblick, da auch sie dem Antichrist huldigen wollen. Der Kampf tritt in das letzte Stadium. Er schlägt die Rebellion nieder und kann dann für dreieinhalb Jahre eine unumschränkte Tyrannis aufrichten. Dann trifft ihn das Urteil Gottes: auf dem Ölberg wird er getötet. Die letzte Frist der Welt bricht an: vierzig Tage Zeit zur Bekehrung bleiben, dann beginnt das Gericht[92].

Der Antichrist ist der schrecklichste aller Menschen, der Sohn des Verderbens, dessen Herrschaft von Schrecken, Verfolgung und Brutalität begleitet ist[93]. Unheilsgestalten wie Nabuchodonosor, Antiochus, Simon Magus und Herodes sind seine Typusfiguren[94]. Wie ein Löwe schreitet er vernichtend durch die Zeit[95]. Die überbordende Phantasie des Honorius nennt ihn einmal des Teufels Rasiermesser: wie dieses die Haare beseitigt, so beseitigt er den Besitz der Gerechten; wie es verletzen kann, so verletzt er viele Seelen; aber er hat auch den wohltuenden Effekt dieses Instrumentes: seine Grausamkeit wird für die Kirche Anlaß zu frischer Heiligkeit[96]. Sein Erfolg beruht auf dem Verdruß der Menschen am Skandal des Kreuzes. Sie wollen es bequemer haben — und so treiben sie in seine Arme[97]. Sie treten damit in eine Gegenkirche ein, in der sie zu seinen Gliedern umgestaltet werden. Die Kirche Christi aber wird in die äußerste Reduktion getrieben: sie ist klein, ihr fehlen die Lehrer der Wahrheit, das Priestertum wird ausgerottet[98]. Wäre

[92] HA, E 3, 33 (Lef. 453 f.); Sac. 48 (172, 771); SE nat.; dom. XXIII (172, 839. 1076); GA 3, 134 (172, 679); CC prol.; 2, 3; 3, 7; 4, 8 (172, 353.399.453.455. 468.488 f.); Ps. 88; 98 (194, 545.593). Zur Frist zwischen Tod des Antichrist und Gericht vgl. GvR, QV 13 (Scheib. 586). Siehe auch Y. Lefèvre, L'Elucidaire 174—177.

[93] HA, SE vinc. (172, 987); Ps. 51 (172, 290 f.); PV 30 (172, 329).

[94] HA, SE nat.; vinc. (172, 839.987); GA 3, 93 (172, 725); Sac. 48 (172, 772) — GvR, Ps. 34 (O II/1, 335).

[95] HA, SE palm. (172, 915); Ps. 90 (194, 561).

[96] HA, Ps. 51 (172, 292); CC 3, 7 (172, 468): Satan ist wie eine Kelter für die Kirche.

[97] HA, Ps. 51; 88 (172, 291; 194, 546).

[98] HA, Ps. 51; 82; 103 (172, 290.293; 194, 507.628); CC 3, 7; 4; 4, 8 (172, 468. 471.472.484).

nicht Christus und sein Geist in ihr gegenwärtig, könnte sie diese Tage nicht überstehen[99].

Der Antichrist ist für Honorius eine Gestalt der Zukunft. Erst „in vespere et occasu" tritt er auf[100]. Das schließt nicht aus, daß sein Wirken immer schon zu spüren ist: in den typischen Gestalten, in der Glaubenslosigkeit der Geschichte[101].

Rupert von Deutz vollzieht den Übergang von einer rein eschatologischen zu einer zeitgeschichtlichen Antichristvorstellung. Er ist die letzte widergöttliche Weltmacht, der Herr des letzten der sieben Teufelsreiche, in denen sich Satans Macht zusammenfaßt[102]. Rupert übernimmt die klassischen Aussagen über seine Herkunft[103], sieht ihn aber viel enger als bisher mit dem Teufel verbunden: er steht mit ihm geradezu in einer hypostatischen Union[104]. Denn Rupert hat das Bestreben, möglichst genau die antithetischen Züge zu Christus herauszuarbeiten[105]. Wie es eine Zeit Christi gibt, so gibt es auch eine Zeit des Antichrists, die durch eine rücksichtslose und totale Verfolgung der Kirche Christi gekennzeichnet ist[106]. Darüber hinaus erstreckt sie sich wie bei Honorius auf die Juden[107]. Es

[99] HA, SE palm. (172, 915); CC 2, 4 (172, 430).

[100] HA, Ps. 103 (194, 628).

[101] HA, Ps. 94 (194, 577). Über die Rolle des Antichrist in der Liturgie nach HA vgl. H. D. Rauh, Das Bild des Antichrist 129 f.

[102] RvD, SpS 8, 17.18 (167, 1802 f.); A 6, 11; 7, 12; 8, 13; 10, 17 (169, 1027.1029. 1043.1066.1071.1142); VV 13, 10 (169, 1493).

[103] RvD, A 8, 13 (169, 1065): er stützt sich allerdings ausdrücklich nicht auf die Schrift und setzt alles hypothetisch. Über seinen Tod durch den Hauch des Mundes Christi vgl. VV 13, 14 (169, 1496): gemeint sind damit die Gläubigen.

[104] RvD, A 10, 17 (169, 1140).

[105] RvD, A 13, 11 (169, 1494):

CHRISTUS	ANTICHRIST
bekommt Macht v. Gott	bekommt Macht u. Gottähnlichkeit von Satan
Gott-Mensch	Teufel-Mensch
Verkünder der Güte Gottes	in ihm wird die teuflische perversitas erkannt
optimus	illo nihil deterius
Gott	Teufel
Gottes Wohlgefallen	Teufels Wohlgefallen
steigt vom Himmel	fällt vom Himmel
steigt auf zu Gott in Demut	erhebt sich voller Stolz aus den Tiefen des Meeres

vgl. auch RvD, Gen. 2, 28; Lev. 2, 31 (167, 274.819 f.); A 8, 13 (169, 1065. 1066.1081.1083).

[106] Gen. 9, 32; Reg. 2, 9; Ez. 1, 25 (167, 557.1107.1451); Joel; Zach. 4 (168, 244. 789); A 6, 11; 7, 12; 8, 13; 10, 17 (169, 1018 f. 1029.1045.1066.1067.1139.1140).

[107] RvD, Ez. 1, 21 (167, 1444).

gelingt ihm, sich alle Völker zu unterwerfen, die in der Anbetung des Antichrists zu seinem Leib werden[108]. Deutlicher als der Inkluse hebt der Abt jedoch die Gegenwart des Antichrists als bleibender geschichtlicher Figur in allen Zeiten heraus. Wie Satan ist er in allen Reichen dieser Welt anwesend, Barabbas lebt aus ihm, aus ihm leben die falschen Propheten und die Häretiker, die Heiden und die Fürsten — kurz alle, die den Heiligen Geist nicht haben[109]. So streicht er wie ein grauer Schatten durch die Jahrhunderte, bis er sich im letzten deutlich als Person offenbaren wird. Diesen entsetzlichen Schrecken kann die Kirche nur mit Gottes Beistand überleben[110].

Beim Abt von Deutz stehen beide Deutungen noch neben- und ineinander: das eschatologische Aufbrechen seiner Herrschaft wird als Entfaltung seiner permanenten Wirksamkeit gesehen. Gerhoch von Reichersberg vollzieht endgültig den Bruch mit dem eschatologischen Antichristbild. Schon in seiner ersten Schrift erklärt er kurz und bündig: wer gegen Christus ist, ist der Antichrist. Christus aber wird im augustinischen Sinn als der *Christus totus* gesehen. Weil es also heute viele Gegner der Kirche, vor allem der römischen, gibt, leben viele Antichristusse, die etwa Häretiker, Simonisten oder Nikolaiten heißen[111].

In der Mitte seines Lebens ist er von dieser Deutung vorsichtig abgerückt. Auch hier sieht er ihn schon am Werk, da er verhindert, daß echte Jünger Christi auf die Bischofsstühle gelangen[112], dann aber wird er doch wieder zur eschatologischen Gestalt, die noch aussteht. Wie Pharao der erste, wird er der letzte Verfolger der Kirche sein[113]. Inzwischen waren Reformpäpste wie Eugen III. in der Kirche

[108] RvD, A 8, 13 (169, 1072.1078.1081).

[109] RvD, EJ 1 (CCcm 9, 39); Gen. 2, 28; Ex. 1, 9; Num. 1, 38; 2, 27; Is. 1, 36; SpS 4, 11 (167, 274.575.876.908.1311.1683); A 1, 1; 6, 10.11 (169, 855.1006.1016.1029) — vgl. GvR, Ps. 62 (193, 1799): dort werden aufgezählt als Antichristusse Julian Apostata, der Arianer Constantius und die Pseudopäpste wie Petrus Leonis.

[110] RvD, Naum (168, 533.536); VV 7, 23 (169, 1394).

[111] GvR, AD 25 (194, 1261); Ps. 5; 9; 17; 18; 19; 21; 24; 25; 32; 34; 38; 68; 118; 137 (193, 699.767.770.893 f. 920.945.1026.1107.1108.1173; O II/1, 122.311.340.375; 193, 1410; 194, 263.748.924); CF cant. Habac. (194, 1043); OD ded.; 2 (O I, 73.162 f.); CDH 2 (194, 1172); IA 1, 90 (Scheib. 179); sermo 8 (Cod. Vindob. 1558, fol. 29 f.). Ps. 10 (193, 800): der Antichrist richtet seine Angriffe immer gegen Christus; weil er ihn nicht treffen kann, rächt er sich an der Kirche als dem Tempel Christi.

[112] GvR, Ps. 34 (O II/1, 311.335); LF rec. (O I, 197).

[113] GvR, CE 175 (194, 116); OD II (O I, 161 f.); Ps. 9; 67 (193, 783; 194, 195 f.). Zur Zeit des Antichrist herrscht eine große wirtschaftliche Notlage, weil er

aufgetreten, die den Propst zu einem optimistischeren Bild der Gegenwart brachten. Seine Hoffnung schlägt sich in einer eschatologischen Antichristvorstellung nieder.

Doch diese Freude währte nur kurze Zeit. Der alte Kanonikus kehrt zum Pessimismus des jungen zurück. Mit harter Hand möchte er den Schleier wegziehen, der den Zeitgenossen das wahre Bild der Gegenwart verhüllte. „*De investigatione Antichristi*" — er möchte den Antichrist aufspüren als kirchengeschichtliches Prinzip, das nicht in einer, sondern in vielen Gestalten konkretisiert ist. Es läßt sich mit den Aussagen der Bibel seiner Meinung nach vereinbaren, daß es unter Umständen niemals eine eigene Zeit des Antichrists geben wird. Radikal räumt er mit dem überkommenen Bild auf: es ist nur allegorisch, nicht historisch zu verstehen[114]. Antichrist ist wörtlich zu verstehen: diesen Namen verdient jeder, der „Christo Filio Dei contrarius" ist[115].

Die letzte Zuspitzung dieser Deutung vollzieht Gerhoch in „De quarta vigilia noctis". „Antichrist ist jeder Christ, der nicht nach der Regel seiner Berufung lebt oder lehrt", heißt jetzt die Definition[116]. Mit anderen Worten ist jeder Antichrist, der den *ordo* zerstört und die *confusio* betreibt. Er sieht sie zu allen Zeiten am Werk: wenn er den einzelnen Epochen Namen gibt, dann nur, um in ihnen die vielen namenlosen Antichristusse einzubegreifen[117]:

Nachtwache	Protagonisten im AT	Protagonisten im NT	Kennzeichen	Gegengestalten der Kirche
1	Pharao	Nero	*cruentus*	Apostel (Petrus und Paulus)
2	Nabuchodonosor	Julian Apostata	*fraudulentus*	Bekenner (Petrus u. Johannes)
3	Belsazer	Simonisten	*immundus*	Lehrer (Gregor d. Gr., Gregor VII., Urban II.)
4	Antiochus	Habgierige	*avarus*	Arme (?)

alle Schätze hortet: GvR, Ps. 9; 16; 17; 25; 37; 41; 51; 118 (193, 766—776. 850.892.1167; O II/2, 663 f.; 193, 1497.1623; 194, 748.924). Er usurpiert sich sogar die apostolischen Vollmachten des Bindens und Lösens: GvR, Ps. 71 (194, 314).

114 GvR, IA praef. (Scheib. 9—11). Der ganze analytische Beweis geht von I, 1—89 (Scheib. 13—179); 90 (a.a.O. 180) die Zusammenfassung.

115 GvR, IA 2, 29 (Scheib. 248).

116 GvR, QV 14 (Scheib. 587): „Omnis christianus qui secundum suae professionis normam non vivit aut aliter docet antichristus est".

117 GvR, QV 14—19 (Scheib. 587—601).

So verschieden das Signet des Antichrists in den einzelnen Zeiten ist, immer bleibt er in allen Formen und Gestalten die Verkörperung der Lüge, die gegen Christus, der die Wahrheit ist, angeht[118]. Er ist die Symbolfigur aller widergöttlichen Mächte und Gewalten. Sie lassen sich nicht lokalisieren, sondern sind überall, selbst noch, ja gerade auch in der Kirche, die durcheinandergeschüttelt wird durch Hochmut und Habgier, Schisma und Häresie.

So kommt bei Gerhoch das echte eschatologische Denken des Evangeliums zum Durchbruch. Die Vollendung der Geschichte und die Gestalt der Zeit der Kirche lassen sich nicht mehr vorherberechnen. Die eine steht noch aus und vollzieht sich doch ständig, die andere ist verborgen und ohne irdischen Glanz. Wann Gottes Herrlichkeit hervorbricht, liegt in Gottes Hand. Niemand weiß weder den Tag noch die Stunde.

5. Vollendung und Frieden

Wenn sie anbrechen, dann hat die Kirche endlich ihr Ziel erreicht, auf das sie viele Jahrhunderte zuwanderte, eine verzehrende Sehnsucht nach Christus im Herzen[119]. In der letzten Zeit, die alle Zeit übersteigt und Ewigkeit ist, kommt Christus endgültig zu ihr: aus Sion wird Jerusalem, das Volk Gottes tritt aus der Wüste ins Gelobte Land[120].

Das ist die Zeit der letzten Ernte. Als die Apostel noch Schnitter waren, mischte sich noch Unkraut unter den Weizen, jetzt scheiden die Engel Reines vom Unreinen[121]. Alles Leid, alle Zweideutigkeit, alle Vermischung hat ein Ende: nur die Erwählten und die treu gebliebenen Engel bilden die himmlische Kirche; in der Schönheit des ewigen Tages sind alle Könige und Priester mit Christus[122]. Die

[118] a.a.O. 18.20 (a.a.O. 597.603).

[119] HA, CC 2, 3 (172, 403); Ps. 50 (172, 288) — GvR, Ps. 9; 23 (193, 783 f. 1087).

[120] RvD, EJ 14 (CCcm 9, 777); Abd. (168, 400) — HA, E 3, 76 (Lef. 462); SE ep.; coen. (172, 843.921); CC 2, 3.5 (172, 409.450) — GvR, Ps. 41 (193, 1508). In Verbindung mit dem Prädestinationsgedanken auch RvD, Is. 2, 13.15; Jer. 13 (167, 1329.1330.1379) — GvR, Ps. 1; 9 (193, 657.761). — Vgl. R. Konrad, Das himmlische und das irdische Jerusalem.

[121] RvD, EJ 4 (CCcm 9, 222) — vgl. HA, SE ded. (Kelle 11) — GvR, IA 1, 50 (Scheib. 102).

[122] RvD, Gen. 2, 28; Num. 2, 29 (167, 274.910); A 12, 21 (169, 1193—1204) — HA, E 3, 74 (Lef. 462); SE asc.; vinc.; OS; ded. (172, 957.988.1013 f.; Kelle 8.12—15); CC 1, 2; 4, 8 (172, 396.484.492); Ps. 50; 84; 88 (172, 284; 194, 520.539.541) — GvR, Ps. 1; 17; 21; 23; 38; 147 (193, 692.893.991.1068.1087. 1096.1382; 194, 980). Die Heiligen leben schon jetzt in diesem Zustand: GvR, OD I (O I, 92).

Kirche legt ihr magdliches Gewand ab und kleidet sich wie eine Braut und wie die Herrin zur Seite des Herrn[123]. Sie hofft nicht mehr auf ihn, sie schaut ihn unverlierbar und sicher[124].

Sie hat den letzten Weltenbrand überstanden; ohne es zu zerreißen, hat sie das Netz mit dem reichen Fischfang ans Ufer gebracht. Nun wartet der Frieden der Vollendung auf sie: „In illo resurrectionis litore pax erit et rete solidum"[125]. Der achte Tag ist da, der Ostertag, an dem keiner der Erwählten mehr fehlt, an dem alles vollendet und gut ist[126]. Sie strahlt im Glanz des ewigen Vollmondes, der keinen Wechsel mehr kennt: *stabilitas* und *immutabilitas* ist das Zeichen ihrer Vollendung[127]. Ohne Makeln und Runzeln steht sie in herrlicher Schönheit da, eine Stätte des Friedens, ein Ort der schweigenden Anbetung Gottes[128]. Der große Sabbat beginnt, an dem die Kirche in der Gemeinschaft mit Gott — „non communione naturae, sed participatione gratiae"[129] — vom Drama der Geschichte ausruht[130]; er endet niemals mehr[131]. Die Zweige des Weltbaums, der aus dem Senfkorn der Urkirche erwuchs, haben den Himmel erreicht[132]; Leib und Haupt sind beide in der Herrlichkeit[133].

Die bewegende Kraft der Kirche war zu allen Zeiten die Liebe, die Gott zu den Menschen, die Menschen zu ihm hatten. Vollendung der Kirche ist darum Vollendung der Liebe. Sie verbindet irdische und himmlische Kirche.

„Wenn wir jetzt Christus sehen, der unser Friede ist, werden wir im Glauben entzündet, damit wir dereinst in der Schau von

[123] HA, SE nat. (172, 838); das irdische Symbol dieser Herrlichkeit ist die Kirchenweihe (HA, Ps. 80 — 194, 499; vgl. SE ded. — Kelle 8).

[124] RvD, Agg. (168, 838).

[125] RvD, DO 1, 2 (CCcm 7, 7); vgl. EJ 14 (CCcm 9, 782) — Die Kirche ist dem Weltenbrand entronnen ebenso wie allen Nachstellungen ihrer Feinde: HA, SE decoll. (172, 1000). Nun beginnt die ewige Hochzeit: HA, SE OS (172, 1027); CC 1, 1; 4, 8 (172, 359.391.494).

[126] GvR, Ps. 67; 77 (194, 170.447).

[127] RvD, EJ 12 (CCcm 9, 671); VV 12, 20 (169, 1502) — HA, SE asc. (172, 957); GA 3, 134 (172, 679) — GvR, Ps. 77 (194, 446 f.). Gerhoch definiert die Seligkeit Ps. 6 (193, 708): „immutabilis beatitudinis aeternae stabilitas et immutabilitas". Vgl. auch Ps. 34 (O II/1, 349).

[128] RvD, DO 2, 23 (CCcm 7, 59); A 4, 8 (169, 970) — HA, SE coen. (172, 922); CC 1, 1; 2, 4 (172, 361.420) — GvR, Ps. 9 (193, 783 f.).

[129] RvD, EJ 12 (CCcm 9, 707).

[130] HA, Ps. 37 (193, 1365).

[131] RvD, Os. 3 (168, 126) — GvR, Ps. 23 (193, 1096).

[132] HA, Ps. 91 (194, 566).

[133] GvR, Ps. 20 (193, 979).

Angesicht zu Angesicht vollendet werden und durch das Feuer der vollkommenen Liebe unser Opfer zum Brandopfer werde, das sich vollständig verzehrt“[134].

Das alles ist nicht nur Vision künftiger Zeiten, sondern in und durch die irdische Kirche realisierte Wirklichkeit. Denn mit der Auferstehung Christi hat die Zeit über allen Zeiten begonnen; schon sind Pilger eingegangen in Jerusalems ewigen Frieden und immer neue folgen ihnen nach. Die Kirche aber ist eine, und so ist die *ecclesia praesens* schon die Antizipation der himmlischen Kirche[135]. Ihr Bild trägt sie mit sich auf Erden[136].

3. Kapitel

Maria und die Kirche

Die Ereignisse der Geschichte jagen einander in wirrem und verschlungenem Wechsel, aus dem immer neue Situationen und Konstellationen entstehen. Unter dem Aspekt des Heiles aber erscheint sie als kontinuierlicher Dynamismus, der planvoll und zielstrebig der Vollendung entgegengeführt wird. Der Wechsel wird peripher und sekundär; erst hinter den Kulissen dieser dramatischen Bühne spielen sich die wirklich entscheidenden Tatsachen ab. Die Ur- und Grundvoraussetzung der menschlichen Geschichte ist der Kampf zwischen Gott und dem Teufel. In ihm gibt es nur sehr wenige Fakten, die ihn entscheidend beeinflussen. Insofern er sich auch auf der Erde abspielt, kristallisieren sie sich in bestimmten Persönlichkeiten oder Gruppen, die als menschliche Exponenten der Heilsgeschichte von entscheidender Bedeutung werden. Sie wirken nicht nur in ihrem historischen Umkreis, sondern werden bleibende Faktoren der Geschichte. Aus diesen Überlegungen heraus untersuchen unsere Autoren die ekklesiologische Relevanz dieser Exponenten,

[134] GvR, Ps. 65 (194, 134): „Per ipsius Christi, qui pax nostra est, praesentem visionem, usque nunc per fidem accendimur, ut tunc in visione ipsius consummemur et per ignem consummatae caritatis holocaustum id est totum incensum sit sacrificium nostrum“. Vgl. Ps. 72 (194, 349): Durch die Liebe werden wir Christus gleichförmig.

[135] RvD, Evg. 29 (167, 1568); Zach. 1; 5 (168, 714.791). Vgl. Beda, tabern. 2, 8 (91, 447); Salom. 2, 12 (91, 975).

[136] GvR, Ps. 73 (194, 357).

da ihre geschichtliche Bedeutung die Kirche als Instrument der *historia salutis* Gottes lebhaft angeht. Bereits im letzten Kapitel lernten wir die Gestalt des Antichrist als solche Persönlichkeit kennen, doch kennzeichnet seine Gestalt eine gewisse Unschärfe, die im Ungewissen läßt, ob er wirklich eine Gestalt oder nicht doch eher, wie bei Gerhoch, ein Prinzip der Geschichte ist.

Eine charakteristische Persönlichkeit der Heilsgeschichte mit bleibender Bedeutung für sie und damit für die ganze Kirche ist Maria. Das war dem 12. Jahrhundert in neuer Weise bewußt geworden bei der Lektüre der patristischen Schriften in dem Verständnis, das Beda ihm vermittelt hatte[1]. Die Mutter Gottes ist mehr als eine historische Gestalt; sie wird zur Exponentin der Alten Kirche vor Christus, in der sich ihre ganze Kraft und Relevanz noch einmal sammelt. Das bezeugen die vielen Namen, die man ihr gibt, um ihre Stellung in der Geschichte zu bezeichnen: sie ist *pars magna sanctae civitatis Sion*[2], *prioris ecclesiae pars optima*[3], *portio maxima et optima*[4], *bona et magna ecclesiae pars*[5], *electa de synagoga*[6] oder *antiquae synagogae portio electissima*[7]. Wir wissen, daß in der Anschauung der Theologen der Vater die vorchristliche Kirche zu seiner Braut erwählt hatte, um mit ihr Christus zu zeugen[8]. Das ist

[1] Vgl. H. Riedlinger, Makellosigkeit 202—208. *Zur zeitgenössischen Mariologie* vgl. auch H. Barré, Marie et l'Eglise; J. Beumer, Deutung; Th. Koehler, Maria, Mater Ecclesiae; C. Dillenschneider, Toute l'Eglise en Marie; H. Coathalem, Le parallelisme, besd. 28—30; A. Müller, Ecclesia Maria; A. Piolanti, Maria et Ecclesia. Quaedam inter utramque relationes a scriptoribus marianis saec. XII illustratae, in: Euntes docete 4 (1951), fasc. 3; ds., Mater unitatis, De spirituali Virginis maternitate secundum nonnullos saec. XII scriptores, in: Marianum 4 (1949) 423—439; A. Reindl, Das Werden der Marienbilder aus den Wechselbeziehungen Marias und der Kirche in Literatur und Kunst bis zum XII. Jahrhundert (Diss. masch. Fribourg), 1942. Vgl. auch die kritische Bibliographie von R. Laurentin über das Thema Maria und die Kirche, von 1800—1951, in: Etudes mariales 9 (1951), 145—152. Mit der Mariologie Ruperts beschäftigt sich M. Peinador in zahlreichen Veröffentlichungen (s. Bibl.); über Gerhochs Marienlehre gibt A. Grab 74—109 reiches Material. Mit den Hoheliedkommentaren Ruperts und Honorius' befassen sich neben den genannten Autoren R. Spilker, Maria — Kirche; J. Beumer, Deutung; F. Ohly, Geist und Formen; ds., Hohelied-Studien.

[2] RvD, Is. 2, 31 (167, 1361).

[3] RvD, SpS 1, 8; 8, 13 (167, 1577.1797).

[4] RvD, A 7, 12 (169, 1043) — vgl. Arno v. Reichersberg, Apol. (ed. Weichert 19).

[5] RvD, Ps. 1 (168, 50).

[6] RvD, CC 6 (168, 936) — HA, SE nat. (172, 841).

[7] GvR, Gh 10, 1 (194, 1105). Vgl. H. Barré, Marie et l'Eglise 88—91.

[8] RvD, SpS 1, 7 (167, 1576): Rupert bezieht sich in seinem Schriftbeweis auf Ex. 24 und Ez. 16.

ein Vorgang, der die ganze alte Geschichte hindurch sich ereignet: in den Worten und Schriften der Patriarchen und Propheten wird Christus zur Welt gebracht. Rupert ist von dieser Existenz Christi in der alten Kirche so überzeugt, daß er daraus das entscheidende Argument gegen die Ebioniten und Markioniten gewinnt, die wegen der Geburt aus Maria die Präexistenz Christi leugneten[9]. Aber Gottes Heilsintention will sich mit der Wortwerdung Christi nicht begnügen: er soll Mensch werden. In der Fülle der Zeiten soll das ewige Wort, das er bislang „per corda et ora prophetarum vocale fecerat", in das Fleisch eingehen[10]. Als Repräsentantin der Synagoge wählt sich der Vater Maria zur Braut, damit aus ihr das Wort Fleisch werde[11].

Da die Inkarnation dergestalt in einen spirituellen Zusammenhang gebracht ist, versteht sich, daß auch die Mutterschaft Mariens ein geistig-geistlicher Vorgang ist, der sich in die Leiblichkeit hinein auswirkt und vollendet: „prius mente quam carne concepit, prius ore prophetando quam ventre parturiendo peperit", erklärt in traditioneller Sprache der Deutzer Abt[12]. Darum war auch der Glaube das entscheidende Kriterium, warum gerade dieses Mädchen zu dieser Aufgabe ausersehen wurde: er ist so groß, daß er sie zu dieser Rolle befähigt[13]. Da die Menschwerdung Christi ein heilsgeschichtlich-ekklesiologischer Vorgang ist und da der Glaube die entscheidende Vorbedingung und die Summe der Kirchlichkeit eines Menschen ist, ergibt sich, daß Mariens Mutterschaft nichts anderes ist als die Mutterschaft der Kirche selbst. In Bethlehem wird die Kirche Mutter Christi: „... cum Christum edidisset ecclesia pariente Virgine"[14]. So entsteht die mystische Paradoxie, daß die Kirche den Herrn der Kirche, daß der Leib das Haupt hervorgebracht hat[15]. Sie ergibt und erklärt sich in gewisser Weise aus der Verbindung Gottes mit der alten Kirche und aus dem Bestreben, die neutestamentliche Kirche unter Wahrung der Kontinuität in der

[9] RvD, DO 3, 13 (CCcm 7, 80); Is. 2, 31; SpS 1, 8 (167, 1362.1577).

[10] RvD, SpS 1, 8 (167, 1577) = GvR, Ps. 35 (O II/2, 443).

[11] RvD, SpS 1, 7.8 (167, 1576.1577.1578); Os. 1 (168, 50); Gh 2 (168, 1340) — GvR, Gh 10, 1 (194, 1105); Ps. 35 (O II/2, 443); IA 2, 70 (Scheib. 329).

[12] RvD, Is. 2, 31 (167, 1362).

[13] RvD, EJ 2 (CCcm 9, 110 f.); Evg. 4 (167, 1538); CC 6 (168, 936); Gh 1 (168, 1310); GT 7, 6 (169, 147) — HA, SE nat. (172, 841) — GvR, Ps. 23 (193, 1088). — Vgl. Arno v. Reichersberg, Apol. (ed. Weichert 102 f.).

[14] RvD, A 7, 12 (169, 1048); vgl. Is. 2, 31 (167, 1361): VV 11, 12; 12, 1 (169, 1450.1465). Dazu siehe auch H. Barré, Marie et l'Eglise 72—76.

[15] RvD, A 7, 12 (169, 1049). Diese Aussagen finden sich öfters im 12. Jahrhundert. Eine Zusammenstellung gibt A. Landgraf, Paulinen 405 f.

ecclesia universalis von jener abzuheben. Die alte Kirche wird auf diese Weise stark relativiert, insofern sie nur mehr Wegbereiterin, das Vor-Läufige ist, aber auch in ihrer Bedeutung erheblich aufgewertet, da sie den Weg bereitet als Gemahlin Gottes. Maria ist gleichsam die Nahtstelle beider Kirchen, in der die Synagoge ihre letzte Höhe erreicht und verbunden wird mit der Kirche Christi, so daß beide eine Kirche, die ecclesia universalis werden[16]. Sie wird dadurch aber auch zum Gericht der alten Kirche: wo diese sich vom Tau der Gnade wie sie benetzen läßt, wird sie zu herrlicher Blüte entfaltet, wo sie sich ihm versagt, verdorrt sie[17].

Diese diakritische Funktion Mariens ist angesprochen, wenn sie als Himmelstor bezeichnet wird, durch das sich der Verkehr Gottes mit den Menschen vollzieht: Gott ist durch sie Mensch geworden, die Menschen sollen durch sie in den Himmel Gottes eintreten[18]. Ihr Gebären ist deshalb auch kein privates Geschehen: „Non sibi, sed toti ecclesiae Maria parturivit Christum"[19]. Maria ist damit Mutter der Kirche.

Das ist in doppeltem Sinn zu verstehen. Da Maria Christus das Leben schenkt, kann dieser sich nunmehr die gläubige Menschheit, die Kirche als Gemeinde der Glaubenden, als Bräutigam freien und die bislang in der Verborgenheit existierende Kirche ins helle Licht der Weltöffentlichkeit rücken, damit sie zur Catholica aller Völker werde[20]. Seine Epiphanie kann einer Quelle verglichen werden, die den Garten bewässert und fruchtbar macht. Der Garten ist die Kirche, der Ursprung der Quelle Christus aber ist die Jungfrau[21]. Die Muterschaft Mariens wird jetzt exemplarisch für die Kirche als Catholica. Denn in ihr vollzieht sich in der Begegnung mit allen Völkern das gleiche, was bei Maria geschah: wie der Heilige Geist das Haus von Nazareth überschattete, so schwebt er nun über den Wassern der Taufe und weckt in der Mutter Kirche neues Leben[22].

[16] RvD, CC 4 (168, 909): „Tu quoque ades media librorum praecedentium atque praedicatorum signorumque subsequentium" — GvR, Gh 10 (194, 1105). Vgl. Congar, Incidence ecclésiologique, der unsere Autoren jedoch unter den Vertretern dieses traditionellen Topos nicht nennt.

[17] HA, SE nat. (172, 841) — vgl. GvR, Ps. 21 (193, 1008), der Maria und Synagoge scharf voneinander abhebt.

[18] RvD, DO 3, 17.18; 8, 9 (CCcm 7, 80.89.284 f.); CC 6 (168, 936) — HA, SE OS (172, 1015); GA 3, 15 (172, 647) — GvR, Ps. 23 (193, 1087).

[19] RvD, Is. 2, 31 (167, 1361).

[20] RvD, SpS 1, 8 (167, 1577.1578); Gh 2 (168, 1340) — HA, SBM (172, 498) — GvR, Gh 10, 1 (194, 1105); Ps. 35 (O II/2, 444).

[21] RvD, CC 4 (168, 899).

Wie Maria die Frau voll der Gnade ist, so ist auch die Kirche der Ort der Anwesenheit von Gottes Gnadenfülle[23]. Wie Maria unversehrte Jungfrau blieb, so ist auch die Kirche unversehrt in ihrem Glauben und frei von jedem Makel der Irrlehre[24]. Unsere Autoren kommen geradezu zu einer Idiomenkommunikation zwischen beiden: „Omnia quae de ecclesia dicta sunt, possunt etiam de ipsa Virgine, sponsa et matre sponsi intelligi"[25]. Die vielen Stimmen des Leibes der Kirche sammeln sich in der einen Stimme Mariens[26]. So wird auch das, was die Heilige Schrift über die Kirche sagt, von ihr gesagt: es ist für Rupert und Honorius nach solchen Erwägungen geradezu selbstverständlich, das Hohelied von der Kirche zum Hohenlied Mariens werden zu lassen.

Mariens Mutterschaft ist aber nicht nur typologisch, sondern vollzieht sich unmittelbar an den Gläubigen. Wenn Christus der Erlöser ist, ist seine Mutter auch die Mutter der Erlösten:

> „Wie das Gottesvolk von Pharao durch den Zweig in der Hand des Moses befreit wurde, so ist die Kirche durch Maria, den Zweig aus Jesse, und durch seine Blüte, die Christus ist, vom Teufel befreit worden"[27].

Konsequenterweise ist jener Moment für diese Mutterschaft konstitutiv, der für die Erlösung und die Kirchwerdung der Kirche konstitutiv ist, nämlich das Kreuz[28]. Wenn Christus seinem Jünger nach Joh. 19,25 Maria als Mutter empfiehlt, dann denkt er an das Hohepriesterliche Gebet, sagt Gerhoch. Da er dort für die Einheit der Gläubigen gebetet hat, bezieht sich sein Wort vom Kreuz an

[22] RvD, SpS 1, 8; 3, 9 (167, 1577 f. 1648) — HA, SBM (172, 498) — GvR, Ps. 34; 71 (O II/1, 341; 194, 324). Maria wird damit Typus der Kirche: RvD, EJ 2, (CCcm 9, 110 f.); SpS 1, 8 (167, 1577): „Dei Patris sponsa esse meruit, ut exemplar quoque fuerit junioris ecclesiae sponsae Filii Dei, filii sui"; VV 2, 17 (169, 1256) — HA, SBM (172, 499); SE asc. (172, 955); CC 4, 8 (172, 494) — GvR, Ps. 66 (194, 149).

[23] GvR, Ps. 66 (194, 149).

[24] HA, SBM (172, 499): CC 4, 8 (172, 494) — GvR, Ps. 71 (194, 324).

[25] HA, CC 4, 8 (172, 494); vgl. auch ds., SBM (172, 499) „Cuncta, quae de ecclesia scribuntur, de ipsa etiam satis congrue leguntur".

[26] RvD, GT 7, 13 (169, 155).

[27] HA, SBM (172, 501): „Sicut populus Dei a Pharaone per virgam Moysi, ita ecclesia a diabolo per virgam Jesse Mariam et florem suum, id est Christum liberata est". Vgl. RvD, EJ 13 (CCcm 9, 744), dazu I. Riudor, Maria Mediadora 209—212.

[28] RvD, EJ 13 (CCcm 9, 744): „Proinde quia vere ibi dolores ut parturientis et in passione unigeniti omnium nostrum salutem beata Virgo peperit, plane omnium nostrum mater est".

den einen auf alle, die eins sind in der Kirche. Im Mit-Leiden mit Christus gebiert Maria alle Glaubenden. Die *portio electa* der alten Kirche wird zur *portio praecipua* auch der neuen[29].

Sie ist die incohatio der neuen Kirche; aber sie ist dies nach dem Wort Christi an den Apostel als Mutter der Apostel[30]. Ihre Mutterschaft ist apostolische Mutterschaft[31]. Damit aber ist sie selbst hervorragendes Mitglied des *ordo apostolicus* geworden, besser gesagt: zusammen mit ihrem Sohn ist sie seine Begründerin[32]. Sie ist kraft dieser apostolischen Rolle aber dann auch „religionis et fidei magistra"[33]. Zusammen mit den Aposteln bildet sie die Säule und das tragende Fundament der Kirche, mehr noch als sie ist sie in der Gnade ihres Sohnes die Urheberin der Gnaden: „Quidquid gratiarum, quidquid virtutum, quidquid operationum coelestium mundus accepit, emissiones tuae sunt"[34]. Ihr verdankt die Kirche die Berufung zum eschatologischen Frieden, sie ist der Tempel, in dem die Glaubenden dem Erbarmen Gottes begegnen[35]. In diesen Reflexionen klingen Positionen an, die theologisch mit den Begriffen Miterlöserschaft und Gnadenmittlerschaft der Mutter Gottes umschrieben werden.

Daraus ergeben sich hohe Würden für Maria. Die Theologen sehen und bekennen sie in ihren Schriften. Aber sie hüten sich vor einer Heraushebung Mariens aus dem Gesamtverband der Kirche, weil alle Ehren, die Maria gebühren, nur aus ihrer Zugehörigkeit zur Kirche resultieren. Maria ist in besonderer Weise die Frau der Genesisverheißung, Christus ist der Same, den das Protoevangelium andeutet: aber jede Frau, die zu den Erwählten in der Kirche gehört, ist ebenso damit gemeint; jeder Mann, der zum eschato-

[29] GvR, Gh 10, 2 (194, 1105. Vgl. auch ds., Ps. 68 (194, 228): Wer das Wort Gottes hört und bewahrt, wird Verwandter der Apostel, zugleich aber auch Kind Marias und Bruder oder Schwester Christi; RvD, VV 12, 1 (169, 1464 f.): „Mulier haec, sive hoc humani generis individuum, mulieris illius pars est, quam dicimus ecclesiam". Das ist eine Aussage, die sich auch auf die alte Kirche bezieht: RvD, A 7, 12 (169, 1043).

[30] GvR, Gh 10, 1 (194, 1105); vgl. ds., Ps. 9; 21 (193, 777.1015).

[31] RvD, DO 8, 9 (CCcm 7, 284 f.) — GvR, Gh 10 (168, 1105).

[32] RvD, CC 3 (168, 888); Am. 2 (168, 1340) — HA, SBM (172, 498) — GvR, Ps. 120 (194, 843): Maria wird wie sonst die Apostel als *mons montium* bezeichnet.

[33] RvD, CC 5; (168, 909.919); Gh 2 (168, 1340): Maria ist die Lehrerin der Apostel; CC 1 (168, 850): Maria ist „magistra magistrorum, id est apostolorum". Vgl. auch RvD, DO 7, 27 (CCcm 7, 258): Maria ist die Mutter unseres Glaubens, die im Dienst der Heidenmission die bislang in ihrem Herzen verborgenen Worte offenbarte.

[34] RvD, CC 4 (168, 897). Die Privilegien Mariens bei Gerhoch siehe Grab 91—95.

[35] Vgl. HA, SBM (172, 513); GA 4, 60 (172, 712).

logischen Heil prädestiniert ist, ist Same[36]. Die eigentliche Würde Marias ist ihr Dienst in der Kirche und für die Kirche. Ihre Armut ermöglicht alle Armut der Kirche[37], ihr Glaube überwindet alle Irrlehren[38], in ihr werden die tiefen Geheimnisse der Schrift enthüllt[39], ihr Glaube ist exemplarisch für allen Glauben in der Kirche[40]. Von ihr lernt die Kirche die Würde des jungfräulichen Lebens[41], die Herrlichkeit der Demut[42], die Überwindung Satans[43]. So wird sie zum Auge der Kirche, zur Schützerin und Trösterin der Gläubigen[44].

Das alles aber, ihre Hingabe an die Kirche, ihr Leben für die Gläubigen verleiht ihr wahrhaft kosmische Dimensionen. Wie Adam aus der jungfräulichen Erde geformt ward, schreibt Honorius von Regensburg, so wird der Leib des zweiten Adam aus der Jungfrau Maria geformt. Sie ist wie die Erde. In ihrem Schoß trug sie himmlische Geheimnisse, aus ihr leuchtet Christus, die Sonne der Gerechtigkeit, durch sie empfängt die *ecclesia luna* ihr Licht; sie ist umgeben von den Heiligen wie von einem Kranz heller Sterne. Sie ist wie das Firmament[45].

4. Kapitel

Synagoge und Ecclesia

1. Die Juden

Wo immer unsere Theologen von der Kirche sprechen, sprechen sie auch von den Juden. Sie sind wie ein Stachel im Fleisch der Christenheit und werden es, so ist ihre Ansicht, bis zum Ende der Tage bleiben.

Im 7. Buch des Kommentars zum Johannesevangelium erklärt Rupert von Deutz den Begriff „*Judaeus*". Der Etymologie nach

[36] RvD, VV 2, 17 (169, 1256).
[37] a.a.O. 9, 21 (a.a.O. 1456).
[38] RvD, CC 1; 3; 4 (168, 850.853.887.910).
[39] RvD, CC 4; 5 (168, 898.908.909).
[40] RvD, CC 7 (168, 950): „Fides tua, o Maria, fides nostra est"; vgl. a.a.O. 4; 5 (a.a.O. 902.909) — HA, SBM (172, 498.499).
[41] HA, SBM (172, 501.502).
[42] GvR, IA 2, 70 (Scheib. 329) — GvR, EJ 2 (CCcm 9, 100).
[43] GvR, IA 2, 29 (Scheib. 249).
[44] HA, SBM (172, 506.508).
[45] HA, SE purif. (172, 849).

bedeutet es *confessor,* Bekenner. Drei Gruppen verdienen darum diesen Namen:

a) alle, die die Wahrheit bekennen; in diesem Verständnis läßt sich die Kontinuität von Israel und Kirche wahren;

b) alle, die Christusmörder sind und darum die „*synagoga Satanae*“ bilden; darunter werden nicht nur die Zeitgenossen Christi, sondern alle verstanden, die ihn heute noch in ihren Synagogen verfluchen;

c) alle Angehörigen der jüdischen Rasse; das ist die *media significatio,* die neutral ist, seitdem in Christus alle rassischen Unterschiede bedeutungslos geworden sind; jede Aversion gegen die Juden aus rassischen Gründen ist daher abzulehnen[1].

Unter ekklesiologischem Gesichtspunkt wird allein die Frage bedeutsam, welches Verhältnis die Juden zu Christus haben. Das Judenproblem ist ein Sonderfall des Christusproblems. Insofern dieses bis zur Parusie nicht gelöst ist, kann auch jenes bis zur Parusie nicht gelöst werden. Es wird zum bleibenden Faktor der Heils- und Kirchengeschichte.

Die fundamentale Tatsache ist die Auserwählung der Juden. Gottes Pädagogik greift in der allgemeinen Unheilssituation der sündigen Menschheit ein Volk heraus und überläßt alle anderen, die Heiden, zunächst ihrem Schicksal. Das geschieht rein aus Gnade; die Sünde schloß jedes eigene Verdienst der Juden aus. Aber auch für die Heiden ändert sich die Lage, da sie nun keine zusätzliche Schuld mehr auf sich laden, sondern aus Unwissenheit sündigen[2].

Der Vorgang der Erwählung wird als Erleuchtung beschrieben, die vornehmlich durch das Gesetz und die Propheten geschieht, in denen sich das Volk zu seinem Heil bekennt[3]. Damit ist es zur Kirche geworden[4], die aus dem Glauben an den kommenden Erlöser lebt als Volk aus königlichen Priestern[5]. Auf sein Kommen ist die

[1] RvD, EJ 7 (CCcm 9, 391); vgl. auch a.a.O. 13 (a.a.O. 740): die Unterscheidung von *Juden = Mitglieder der Satanssynagoge* und *Juden = Bekenner der Wahrheit Gottes in Christus*; Ex. 3, 39 (167, 689) — HA, Ps. 108 (194, 681): *Juden = Verfolger Christi* (Typus Judas Iskariot) und *Juden = Bekenner Christi* (Typus Judas Thaddäus) — GvR, Ps. 73 (194, 357—359): *synagoga fidelis — synagoga satanae*; ähnlich ds., Ps. 58 (193, 1743): *gläubige* und *ungläubige* Juden.

[2] RvD, EJ 9 (CCcm 9, 491); Am. 4; Zach. 5 (168, 372.795) — GvR, Ps. 58; 73 (193, 1740; 194, 360).

[3] RvD, Jon. 2 (168, 436); DCJ 1; 2 (170, 562—565.577.594).

[4] RvD, EJ 8 (CCcm 9, 455); Os. 4 (168, 150); GT 11, 15 (169, 176).

[5] RvD, Ex. 3, 25 (167, 674.675).

Sorge Gottes um sein Volk ausgerichtet[6]. Um seinetwillen geht er eine geistliche Ehe ein mit dem Judenvolk, aus der Christus hervorgehen soll[7]. So besteht die höchste Würde darin, daß es zur Mutter Christi wird[8]. „*Quia salus ex Judaeis est*", das ist eine bleibende heilsgeschichtliche Realität, die den Juden einen hervorragenden Platz in der Geschichte sichert[9].

Es ist die Tragik der Juden, daß sie ihren Glauben an Christus nicht bewahrt haben. Sie wollen das Heil nicht so, wie es Gott uns zukommen läßt, nämlich durch Christus[10]. Sie lehnen Gottes Wort nicht nur formal ab, sondern in bewußter Auflehnung, in aktivem Widerstand[11]. Er beginnt bereits, als sie alle Führer ablehnen, die ihnen Gott um ihres Heiles willen sendet, die Apostel nicht minder als die Propheten[12]. Der Mord am Karfreitag ist von langer Hand vorbereitet und nichts anderes als die faktisch-juridische Mani-

[6] RvD, VV 8, 22; 12, 19 (169, 1393.1478); DCJ 1 (170, 575). Vgl. ds., Am. 4 (168, 375): wäre die hl. Schrift in ihrer *littera* nicht so anziehend gewesen, hätten sich die Juden schon viel früher gegen Gott erhoben; auch die Dunkelheit der Bibel war aus pädagogischen Gründen von Gott verfügt: Abd. (168, 380), vgl. DCJ a.a.O. — HA, E 2, 74 (Lef. 433): die Opfer der Juden haben zwar keine sündenvergebende Kraft, bewahren aber vor Götzendienst — sind also ebenfalls Teil der göttlichen Sorge für die Juden.

[7] Vgl. oben Kap. 3.

[8] RvD, DO 6, 16; 7, 2 (CCcm 7, 200.226); EJ 2; 13 (CCcm 9, 113.753); Gen. 6, 45; 8, 22 (167, 444.509); Zach. 4 (168, 797.799); Gh 11 (168, 1558) — HA, SE nat.; pasch.; nat. (172, 819.838.934.999); CC prol. 1, 1; 2, 3; 4, 8 (172, 353.369.409.473) — GvR, Gh 4, 8 (194, 1088); Ps. 26; 68 (193, 1205: die Juden nehmen die Vaterstelle ein; 194, 236). Wie Ps. 26 auch RvD, Zach. 5 (168, 799); Gh 11 (168, 1558). Nach GvR, Ps. 37 (O II/2, 653) ist die Synagoge Christi Gemahlin.

[9] RvD, DO 10, 23 (CCcm 7, 358); Gen. 6, 44; Ex. 3, 25 (167, 442.674.675); A 4, 7 (169, 960) — HA, CC 3 (172, 454) — GvR, Ps. 73 (194, 369) — nach RvD, EJ 14 (CCcm 9, 771) geht der Versöhnungswille Gottes unmittelbar nur auf die Juden, über die aus der Synagoge entstammenden Apostel erreicht er die Heidenkirche.

[10] RvD, DO 4, 17; 8, 7.15; 10, 28 (CCcm 7, 133.267.292.364); EJ 3, 4 (CCcm 9, 180.210.238); Gen. 7, 4; 8, 42; Ex. 3, 39 (167, 449.486.689); Hab. 3 (168, 644); Gh 4 (168, 1395) — HA, SE (172, 1041); Ps. 79 (194, 491).

[11] RvD, EJ 10 (CCcm 9, 593—595). Als Prinzip wird genannt: „Ex quo Deus resistitur, ex tunc ira ejus" (a.a.O. 594). Vgl. EJ 1; 4; 9 (CCcm 9, 17.198.511); Os. 4; 5; Jon. 2; Mich. 1; Hab. 2; Soph. 2 (168, 163.170.438.459 f. 615.677 f.) — GvR, Ps. 35; 36 (O II/2, 415.470). Vgl. Röm. 11, 17—22; Bernhard v. Clairvaux, cant. 14, 1 f.; 67, 11 (183, 839.841.1107). Siehe auch HA, CC 3 (172, 454): Honorius anerkennt auch bei den Juden Unwissenheit. Er stellt sich damit in Gegensatz zu Rupert und Gerhoch.

[12] RvD, DO 12, 20 (CCcm 7, 413); EJ 1 (CCcm 9, 18); Am. 4 (168, 372); A 9, 16; 10, 17 (169, 1118.1144).

festation ihres Stolzes[13]. Sie erfolgte geradezu zwangsläufig, da Christus in aller Form aufdeckte, daß sie keinen Glauben mehr hatten[14]. Deswegen kreuzigen sie ihn und werden nun in aller Öffentlichkeit die Mörder Christi[15]. Damit ist der Höhepunkt der jüdischen Tragik erreicht: an dem Tag, da sich Christus, der Sohn der Synagoge, mit der Kirche, seiner Braut, vermählen will, drückt ihm seine Mutter die Dornenkrone auf das Haupt[16]. Da sie auch den Glauben an die Auferstehung noch verweigert, bricht die Fülle des Unglücks in aller Schärfe — selbstverschuldeten Schärfe — über sie herein[17].

Der Unglaube der Juden wurzelt in ihrem Stolz und in ihrer Selbstsicherheit[18]. Das ist Abfall von Gott, also Sünde, und darum Ehebruch gegenüber dem göttlichen Gemahl. Die Synagoge prostituiert sich mit Satan[19]. „Terrenis enim sensibus et carnalibus observationibus detentus populus judaicus spiritualem amittit gratiam“[20]. Die Folgen sind katastrophal. Die ihre Erwählung begründende Erleuchtung hört auf, weil sich der Heilige Geist von ihnen zurückzieht: über die heiligen Schriften senkt sich ein Schleier, der erst in der Kirche wieder gelüftet wird[21]. Sie stehen mit dem tötenden Buchstaben allein da: das Gesetz nützt ihnen nichts mehr. Sie sind

[13] RvD, Os. 4 (168, 150); A 9, 14 (169, 1105) — GvR, Ps. 26 (193, 1205).

[14] RvD, Dt. 1, 19 (167, 939) — HA, Ps. 105 (194, 659).

[15] RvD, DO 4, 14; 7, 2 (CCcm 7, 125.266); EJ 8 (CCcm 9, 421); Gen. 6, 9; Num. 1, 23; Dt. 1, 19; Reg. 5, 14 (167, 410.860.939.1252); A 9, 14.16 (169, 1105.1118); Am. 4; Zach. 5 (168, 372.797); GT 8, 15 (169, 176) — HA, SE pasch. (172, 933) — GvR, AD 6 (194, 1217); Ps. 73 (194, 358).

[16] RvD, DO 6, 16 (CCcm 7, 200); EJ 13 (CCcm 9, 753) — HA, SE nat. (172, 999).

[17] RvD, Zach. 5 (168, 797). Rupert empfindet es als besonders hart, daß diese Strafe die Verwandten Christi betrifft, doch anders verstieße Gott gegen die Gerechtigkeit: Hab. 1 (168, 606).

[18] RvD, DO 4, 15; 12, 1.17 (CCcm 7, 126.397.410); EJ 8; 14 (CCcm 9, 461.759); Is. 1, 4 (167, 1275); Os. 4; Soph. (168, 160.678) — GvR, Ps. 34; 58 (O II/1, 320; 193, 1740.1743). Die Sünde der Synagoge ist nicht nur infidelitas, sondern auch perfidia und malitia: RvD, EJ 4; 9 (CCcm 9, 194.198.527).

[19] RvD, DO 4, 12 (CCcm 7, 118 f.); Dt. 1, 19; Is. 2, 21 (167, 939.1342); A 10, 17 (169, 1144) — HA, SE nat. (172, 838); CC 3 (172, 455).

[20] RvD, DO 4, 15 (CCcm 7, 128); vgl. A 10, 17 (169, 1144); DCJ 1 (170, 574) — HA, CC 1, 1; 3 (172, 392.455) — GvR, CE 106 (194, 71).

[21] RvD, EJ 1; 2, 6; 9 (CCcm 9, 35.112.306.520); Gen. 6, 22; 9, 33; Ex. 4, 44; Dt. 1, 10; Is. 1, 5; Ez. 1, 13 (167, 422.558.743.929.1277.1434); Jon. 2; Soph. 1 (168, 436.663); GT 6, 17 (169, 135); DCJ 1, 2 (170, 568.577—594) — HA, E 2, 74 (Lef. 433); OS (Kelle 5); CC 1, 1 (172, 391); SE med. (172, 892) Ps. 50 (172, 283). Zum Schriftverständnis der Juden nach mittelalterlicher Auffassung vgl. H. de Lubac, Exégèse II/1, 138—140.

wie der Kranke am Teich Bethesda: sie können ins heilende Wasser nicht mehr aus eigener Kraft kommen[22]. Hilflos stehen sie da wie der Knabe mit den fünf Broten und zwei Fischen: sie selber nähren sich nicht mehr von Gesetz und Propheten[23]. Abrahams Erbe geht verloren[24]. Sie sind ohne Leben und Heiligkeit[25], ohne Tempel und Propheten[26], ohne Wahrheit[27], ohne Heimat[28]. Einst waren sie die Ersten in der Gnade Gottes, nun sind sie elender daran als alle Menschen[29], dummen Eseln gleich, die der ganzen Welt zum Gespött sind[30]. Durch ihren Unglauben haben sie auch die Qualität der Kirche verloren: bei den Juden ist kein Heil mehr zu finden, Trokkenheit und Unfruchtbarkeit sind die Kennzeichen der Synagoge, die aus der *ecclesia Dei* zur *ecclesia malignantium* geworden ist, zur *synagoga Satanae,* die blind durch die Geschichte irrt[31].

Die unendliche Treue Gottes zeigt sich darin, daß er trotz alledem nicht von seiner Braut läßt: er bleibt auch der Gott der Juden, der alle aufnimmt, die sich zu ihm bekehren[32]. Pilatus hat nicht gelogen, als er Jesus den König der Juden nannte: er bleibt es für die, die echte Juden, d. h. Bekenner der Wahrheit sind[33]. Das ist eine Feststellung von weitreichenden Folgen. Alle pejorativen Aussagen über die Juden sind Abbreviaturen, die nur die ungläubigen und verstockten Juden betreffen. Es gibt keine Kollektivschuld eines

[22] RvD, DO 4, 14 (CCcm 7, 125); EJ 5 (CCcm 9, 243). Vgl. Jh. 5, 1—9. Erst Christus kann heilend helfen: RvD, Mich. 1 (168, 457). Der Grund liegt in der nur figurativen Funktion des Gesetzes: RvD, Agg. (168, 693).

[23] RvD, EJ 6 (CCcm 9, 306): vgl. Jh. 6, 9.

[24] RvD, DO 8, 15 (CCcm 7, 503); Gen. 6, 22; Reg. 1, 5 (167, 422.1066); Soph. 1 (168, 663) — HA, SE med. (172, 895) — GvR, Ps. 74 (194, 383).

[25] RvD, Gen. 7, 2; Dt. 1, 38; Reg. 5, 14 (167, 447.954.1253).

[26] RvD, Dt. 1, 20 (167, 940) — HA, Ps. 88 (194, 544) — GvR, Ps. 62 (193, 1799).

[27] RvD, Mich. 1 (168, 457); DCJ 1; 3 (170, 566.605) — HA, SE pass. (172, 913).

[28] RvD, Is. 1, 30 (167, 1302); Am. 4 (168, 363) — HA, CC 4 (172, 488 f.) — GvR, Ps. 62 (193, 1799).

[29] RvD, Am. 2; Soph. 1 (168, 289.662).

[30] RvD, Gen. 9, 30 (167, 555) — HA, SE pasch. (172, 934) — GvR, Ps. 62 (193, 1799); CF cant. Moys. II (194, 1047.1059).

[31] RvD, DO 4, 15; 6, 35 (CCcm 7, 126.220); EJ 1; 3; 4; 8; 9; 12 (CCcm 9, 48. 131.211.455.463.500.502.511.673); Gen. 6, 9; Ex. 4, 15.32; Num. 1, 23; Reg. 5, 14; Is. 2, 21 (167, 410.715.733.860.1252.1342); DCJ 1 (170, 569); Os. 4; Joel; Soph. 2 (168, 138.150.246.678) — HA, CC 3 (172, 454) — GvR, Ps. 34; 35 (O II/1, 320; II/2, 415).

[32] RvD, Os. 5; Am. 4; Agg. (168, 176.372.693).

[33] RvD, EJ 13 (CCcm 9, 740); Is. 2, 21 (167, 1342) definiert er die Synagoge pejorativ als „coetus scribarum et pharisaeorum, seniorum, sacerdotum et summorum pontificum".

Volkes, einer Rasse, „sed qui Christum negat, sive Judaeus sive gentilis, ipsemet sese facit *in sua persona* repelli“[34].

„Glaubst du, nur die Juden hätten Christus umgebracht? Alle Bösen vom Anbeginn bis zum Ende der Welt haben in seinen Tod eingewilligt: denn wer Gerechtigkeit und Wahrheit haßt, verfolgt die Gerechten um der Gerechtigkeit und Wahrheit willen, die er selber ist, und er wird am Tod des Herrn für schuldig befunden werden“[35].

Selbst Gerhoch von Reichersberg, der noch am ehesten zu einer pauschalen Verurteilung des zeitgenössischen Judentums neigt, muß anerkennen: auch heute noch gibt es Mitglieder der Synagoge, die Gott die Treue halten[36]. Man kann seiner Ansicht nach den Juden nicht alle Untaten in die Schuhe schieben; schließlich sind sie nicht habgieriger als viele Christen, nicht weniger schriftblind als ein Gutteil des zeitgenössischen Klerus[37].

Rupert entwickelt aus seinen Überlegungen eine eingehende Kasuistik des Verhaltens gegenüber jüdischen Mitbürgern, die im Rahmen der Zeit durch ihren maßvollen Ton auffällt[38]. Weil sie Brüder Christi sind und bleiben, darf man sie weder blutig noch unblutig verfolgen, sondern muß ihre Einsicht ansprechen, damit sie ihre Schuld erkennen. Auch heute schon stehen sie in einer gewissen Beziehung zu Christus, insofern sie Untertanen christlicher Fürsten sind, die die Füße Christi bilden. Von staatlicher Seite ist die Einsicht in ihre heilsgeschichtliche Situation zu fördern. Rupert schlägt drastische Steuererhöhungen für Juden vor, auf Grund deren sie dann wohl doch die Bekehrung dem Zahlen vorzögen. Ihm kommen zwar selbst Bedenken ob dieser Methode, da solche Konversionen kaum echt sind, aber er tröstet sich in dem Gedanken, daß die Kinder richtige Christen sein würden, da sie als Christen bereits aufgewachsen seien.

[34] RvD, Os. 5 (168, 176); vgl. Ex. 3, 22 (167, 671); A 4, 7 (169, 961); Am. 1; 4 (168, 281.370).

[35] HA, I (172, 1216 f.): „Credis tu solos Judaeos Christum occidisse? omnes iniqui ab initio usque in finem mundi consenserunt in necem Christi: quot enim justitiam et veritatem, qui est, persequuntur, et omnes mortis Domini rei inveniuntur“.

[36] GvR, Ps. 59; 73 (193, 1763; 194, 359) — anders AD 6 (194, 1217); Ps. 41 (193, 1504): auch die Juden der Gegenwart fallen unter das Verdikt, das ihre Väter trifft.

[37] GvR, Ps. 13; 34 (193, 814; O II/1, 320).

[38] RvD, Gen. 9, 4 (167, 532).

Freilich ist es meistens vergebene Mühe, ihnen das Evangelium zu predigen: die Juden müssen ja den Eindruck haben, als ob Gott, der einst ewige Bundestreue geschworen hat, untreu geworden sei, nicht sie selber[39]. Dennoch hungert Israel nach dem Wort Gottes im Evangelium[40]. So wird auch die Judenmission nicht scheitern. Das ist für unsere Autoren felsenfeste Überzeugung, die auf den Aussagen von Röm. 11 unerschütterlich ruht. Am Ende der Zeiten wird auch Israel sich zu Gott bekehren, wenn es Christus als Herrn und Heiland erkennt[41].

2. Juden und Heiden

Die Situation ist für alle Menschen am Anfang und am Ende der Geschichte die gleiche: am Anfang sind alle Sünder, am Ende stehen alle vor dem Heilsgericht Gottes. Die Zwischenzeit aber ist die Auseinandersetzung zwischen Juden und Heiden, zwischen Synagoge und Ecclesia. Die Lektüre der Heiligen Schrift schloß jeden Zweifel aus, daß die Juden die Prävalenz besitzen: sie sind die Ersterwählten[42], der ältere Sohn, der beim Vater blieb[43], der blühende und fruchtbare Garten Gottes[44]. So nehmen sie auch in der Kirche die erste Stelle ein: Abraham ist der Vater aller Glaubenden, auch der der Heidenkirche[45], die Synagoge darum auch deren Mutter[46]. Denn wer glaubt, ist Bekenner der Wahrheit, ist

[39] RvD, EJ 5; 9 (CCcm 9, 255.505); Gen. 4, 9; Num. 2, 8 (167, 532.887); Mich. 1 (168, 458 f.); DCJ 3 (170, 608.609) — HA, CC 3, 7 (172, 455.469).

[40] HA, SE dom. XXIII (172, 1076): „Micas sermonum de mensa christianorum colligere cupiunt". Vgl. RvD, Zach. 3 (168, 765).

[41] Sehr oft, z. B. RvD, DO 7, 11; 10, 28; 12, 23 (CCcm 7, 237.365.416.417); EJ 3; 4; 9; 13; 14 (CCcm 9, 231.238.239.528.717.760.775); Gen. 6, 23; 7, 11.30; 9, 4; Num. 1, 14.23; Dt. 1,10; Reg. 1, 5.12.16; Is. 1, 30; 2, 10; Ez. 1, 21; SpS 1, 31 (167, 422.456.475.535.851.860.929.1066.1085.1112.1302.1324.1445.1604); Os. 2; 4; 5; Am. 1; Mich. 1; Soph. 2 (168, 63.166.176.282.463.678) — HA, SE dom. XXIII (172, 1076); GA 1, 155; 2, 3; 3, 134 (172, 592.599.679); CC prol., 2, 3; 3 (172, 353.399.453.455); Ps. 79; 97; 98 (194, 493.589.593) — GvR, OD 1 (O I, 128); Ps. 41; 49; 67; 73; 77; 131 (193, 1504.1743; 194, 217.363 f. 370.446. 879); CF cant. Habac. 3; Moys. 2 (194, 1030.1059).

[42] RvD, Gen. 7, 4; Ez. 2, 29 (167, 449.1490).

[43] RvD, DO 7, 11 (CCcm 7, 236 f.); EJ 5 (CCcm 9, 254.255); DCJ 3 (170, 608.610) — GvR, CF cant. Ez. (194, 1007). Vgl. oben I, 2, 1, 6 Anm. 136.

[44] HA, CC 2, 3 (172, 403): die Heiden sind wie die Wüste; vgl. auch RvD, Ez. 2, 22 (167, 630 f.): die Juden sind auf der Erde die Eingeborenen, die Heiden die Kolonisten.

[45] RvD, Gen. 6, 21 (167, 420).

[46] RvD, Dt. 1, 28; Reg. 3, 3; Is. 2, 21 (167, 947.1143.1342) — HA, CC 2, 3; 4, 8 (172, 399.473.475); Ps. 86 (194, 528).

Jude[47]. Die Dominanz der Synagoge zeigt sich besonders deutlich auch darin, daß aus ihr die Apostel hervorgegangen sind, die durch das Evangelium die neutestamentliche Kirche hervorgebracht haben und sie durch die Lehre des Gesetzes nähren[48].

„Gleichgültig, aus welchem Volk oder welcher Nation die Christgläubigen stammen, infolge ihres Glaubens sind sie Kinder Israels und Söhne Abrahams"[49].

Synagoge und Kirche sind ihrer Berufung nach unterschieden, aber nicht gegensätzlich. Wie Ochs und Esel an der Krippe standen, stehen Juden und Heiden vor Christus und beide „per comestionem corporis Christi per fidem ducuntur"[50]. Die Unterschiede sind vorwiegend aus der epochalen Differenz der beiden Menschengruppen zu verstehen: die Synagoge lebt vor dem Leiden Christi, die Kirche nachher. Beide bilden aber eine Einheit, so wie die Vorder- und Rückseite der Kasel ein einziges Gewand bilden[51], wie zwei Männer eine Last tragen[52]. Rupert entlehnt eine Tatsache der Trinitätstheologie, um die grundlegende Einheit zu illustrieren:

> „Wie der Vater und der Sohn nicht zwei Götter sind, sondern ein Gott, so sind Juden und Heiden nicht zwei Völker, sondern *eines, eine* Kirche, *ein* Leib"[53].

Denn Gott ist der Gott der Juden und Heiden, der Gemahl der einen Kirche[54]; Christus stammt von Juden und Heiden seiner

[47] GvR, Ps. 75; 77 (194, 391.479). Vgl. Anm. 49.

[48] HA, CC 1, 1; 4, 8 (172, 392.475) — GvR, Ps. 77 (194, 480): die Urkirche ist erbaut aus den Steinen des Judenlandes. Vgl. über die Eigenständigkeit der alten Kirche RvD, Reg. 1, 5; 4 (167, 1066.1211) — Nach HA, SE dom. I (172, 1041) nahm sich Gott zwei Frauen (vgl. 1 Kg. 1), die Synagoge, die das Judenvolk zu fleischlichen Zeremonien gebar, und die Kirche, die erst lange unfruchtbar bleibt, dann aber das Christenvolk gebiert zum würdigeren Gottesdienst.

[49] RvD, GT 5, 11 (169, 107): „Ex quacumque gente sive natione in Christum credentes propter hoc ipsum quia credunt, ipsi sunt filii Israel sicut et filii Abrahae". Vgl. EJ 10 (CCcm 9, 54).

[50] HA, SE nat. (172, 818); vgl. a.a.O. ded. (Kelle 2).

[51] RvD, DO 1, 22 (CCcm 7, 19).

[52] a.a.O. 8, 7 (a.a.O. 267).

[53] RvD, EJ 12 (CCcm 9, 705): „Sicut Pater et Filius non sunt duo dii, sed unus est Deus, ita gentilis et Judaeus non sunt duo populi sed unus est populus, una ecclesia, unum corpus".

[54] RvD, EJ 5 (CCcm 9, 267); Gen. 7, 30 (167, 475) — HA, CC 1 (172, 359).

Menschheit nach ab[55] und in seinem Tod reißt er alle Schranken nieder und macht aus beiden die eine Catholica[56].

Beide haben die gleichen Hauptartikel ihres Glaubens, die Sündenvergebung und das ewige Leben[57], beide brauchen die Erlösung aus der gleichen Sünde und beide finden sie im Evangelium Christi[58], beide leben aus der Hoffnung an den kommenden und wiederkommenden Herrn[59]. Diese Gleichheit ist allerdings nur dort, wo Christus als der Herr anerkannt wird. Konkret ist das der Fall in der *ecclesia antiqua,* die aus Juden bestand, in der Heidenkirche und in der Kirche der Endzeit nach der Konversion der Juden[60].

Aber die Synagoge wird wegen ihres Unglaubens verworfen. Die große Diastase zwischen Ecclesia und Synagoga beginnt. Sie sind die beiden Frauen vor Salomons Gericht im Streit um das Kind Christus; es wird der Kirche zugesprochen, da die Synagoge es im Schoß des Glaubens nicht empfangen und geboren hat[61]. Sie sind die beiden Männer, die zum Grab des Herrn eilen: Johannes, Typus der Judenkirche als der ersterwählten, läuft voraus, aber Petrus tritt als Vertreter der Heidenkirche als erster ein, weil die Synagoge nicht an einen Toten glauben will[62].

Wieder ist der Stolz die Ursache der Trennung, der Unglaube ihr Inbegriff. Der Synagoge wird die Gemeinsamkeit des Fleisches wichtiger als die Gemeinsamkeit des Glaubens; so wird sie die *Synagoga carnalis,* deren Messiasverständnis politisch wird[63]. Statt Christus wird Caesar ihr Gemahl[64].

[55] RvD, DO 3, 18 (CCcm 7, 87 f.).

[56] Vgl. RvD, DO 3, 24; 7, 11 (CCcm 7, 100.237); EJ 9; 12 (CCcm 9, 528.705); Gen. 9, 30; Ex. 2, 22; Dt. 2, 9; Reg. 1, 12 (167, 534.631.982.1112) — HA, CC 1, 2; 3 (172, 359.400); Ps. 47; 97; 101; 104 (193, 1586; 194, 589.605.631 f.) — GvR, Ps. 2; 58 (193, 665.1743); CE 119 (194, 78). Wenn auch nach HA, Ps. 97 (a.a.O.) dieser Zustand noch nicht endgültig erreicht ist, so wird er doch von der Sicherheit der eschatologischen Erfüllung bestimmt. Das Symbol für die Abwesenheit der Judenschaft und damit der noch ausstehenden Freude der Kirche ist der Apostel Thomas, der bei der Ostererscheinung Christi fehlte: vgl. RvD, DO 7, 17 (CCcm 7, 299); EJ 14 (CCcm 9, 773).

[57] RvD, Ez. 2, 29 (167, 1490).

[58] RvD, Num. 1, 23 (167, 860) — HA, CC prol.; 3 (172, 353.455). Vgl. RvD, Os. 4 (168, 198).

[59] HA, GA 3, 33 (172, 651).

[60] HA, Ps. 97 (194, 493).

[61] RvD, DO 4, 17 (CCcm 7, 133).

[62] RvD, DO 8, 15 (CCcm 7, 292); EJ 14 (CCcm 9, 759) — HA, SE med. (172, 895) — GvR, Ps. 21 (193, 1020).

[63] RvD, EJ 9 (CCcm 9, 478).

[64] RvD, Gen. 8, 35 (167, 520 f.).

In der Todesstunde Christi vollzieht sich die große Peripetie der Geschichte: Christus verläßt die Synagoge und erwählt die Heiden[65]. Das ist die große Translation des Heils, der Platzwechsel der Völker, die Richtungsänderung der Gnade. Eine Reihe von Allegorien soll dieses Ereignis verdeutlichen. Nicht umsonst wird die blutflüssige Frau nach zwölf Jahren geheilt und stirbt die Tochter des Jairus mit zwölf Jahren: das Datum der Erkrankung der Heidenkirche fällt zusammen mit der Geburt der Synagoge, das Datum ihrer Heilung mit dem Tod derselben, bis sie Christus am Ende der Tage wieder erwecken wird[66]. Dem Stolz des jüdischen Pharisäers steht die demütige Bußgesinnung des heidnischen Zöllners gegenüber, dem sich Gottes Erbarmen zuneigt[67]. Wie Esau auf der Jagd den Segen des Vaters an Jakob verliert, so verliert die Synagoge den Segen Christi an die Heidenkirche, während sie mit ihrem erstarrten Ritus beschäftigt ist[68]. Der Vorhang des Tempels reißt entzwei: die Erlösung wird identisch mit der Bildung der Heidenkirche, die Heidenkirche zum Symbol des Sieges Christi über Satan[69]. Die Synagoge ist zur Dirne geworden, die Kirche zur Königin: sie hat mit Gott Gemeinschaft, jene wird verstoßen; sie kennt Gottes Geheimnisse, jener bleiben sie im Schatten des Gesetzes verborgen[70].

Die Reaktion der Juden ist der Haß auf die Kirche, die sie arm gemacht hat, der Neid auf die Königin, der ohnmächtige Zorn auf Gottes allumfassende Güte[71]. Ein Kampf entbrennt, dessen erstes Gefecht der Judaismusstreit der Urkirche war[72]. Die Juden müssen

[65] RvD, DO 12, 17 (CCcm 7, 410); EJ 2; 4; 5; 7; 8; 10 (CCcm 9, 113.194.215.255.367.406.421 f.566); Gen. 6, 45; 7, 4.27.29; 8, 15.34; Jud. 2 (167, 444.449.472.475.503.521.1023); Jon. 2 (168, 437) — HA, SE nat.; pent. (172, 819.838.962); CC prol.; 2, 3 (172, 353.404); Ps. 33; 46; 80; 88 (193, 1329.1579; 194, 498.544) — GvR, Ps. 67 (194, 217).

[66] RvD, DO 10, 28 (CCcm 7, 364 f.); EJ 7 (CCcm 9, 406 f.); Ez. 2, 29; SpS 5, 4 (167, 1490.1706); Zach. 3 (168, 762); Gh 8 (168, 1482) — GvR, Ps. 27 (193, 1233).

[67] HA, SE dom. XI (172, 1055 f.).

[68] RvD, DO 10, 24 (CCcm 7, 359 f.) — HA, Ps. 33 (193, 1579) — GvR, Ps. 21 (193, 1031).

[69] RvD, DO 6, 20 (CCcm 7, 202); Jud. 6; 7 (167, 1032 f. 1033) — vgl. GvR, Ps. 28 (193, 1241).

[70] HA, OS (Kelle 6).

[71] RvD, DO 4, 14; 7, 11, 10, 28; 12, 1 (CCcm 7, 125.236 f. 364.365.397); EJ 4; 5; 9; 10; 14 (CCcm 9, 193.238.247.511.569.759); Gen. 7, 3.42; Num. 1, 35 (167, 448.486.872); Joel (168, 247); A 1, 1 (169.854); Gh 4 (168, 1395) — GvR, Ps. 28; 36; 40 (193, 1241; O II/2, 474; 193, 1486); CF cant. Ez. (194, 1007).

[72] RvD, Reg. 1, 23 (167, 1123); Am. 1 (168, 274) — HA, SE dom. XXII (172. 1071); CC 1, 1 (172, 369); Ps. 108 (194, 681).

unterliegen; zu ihrer Schande werden sie in den Dienst der Kirche gezwungen: wie jener Knabe bei der Brotvermehrung die Lebensmittel herbeitrug, so schleppt die Synagoge nach ihrer Zerstreuung — *„puer sensu, sed malitia veteranus"* — die Schriften des Alten Testaments in alle Welt und bezeugt die Wahrheit der Christen, die schon im Alten Bund vorausgesagt ist[73]. Selbst dann noch bleibt der Synagoge ein Makel, wenn sie wieder zur Kirche zurückfindet: aus der Erstberufenen wird die Letzterwählte: „de capite convertentur ad caudam"[74]. Die Ecclesia hat freilich keinen Grund, sich dessen zu rühmen. Sie bleibt die Tochter der Synagoge und hat der alten Mutter zu dienen, indem sie ihr die Geheimnisse der Heiligen Schrift bis zu ihrer Konversion zu Gott bewahrt und in Liebe um ihr Heil besorgt bleibt[75]. Gott liebt Heiden wie Juden — und daß sie geliebt ist, verdankt sie ebensowenig wie jene sich selbst, sondern der Gnade dieser Liebe. Vergäße sie das, verfiele auch sie dem Stolz, dem Laster der Juden[76].

3. Die Heiden

Gott hatte am Anfang des *cursus salutis* das Heil der Heiden ausgespart und sich zunächst ganz den Juden zugewandt[77]. Wie Maria Magdalena mußte die Heidenkirche in Sünde und Schande bleiben; sie jagt den Irrtümern statt der Wahrheit nach; sie schöpft die tödlichen Wasser der heidnischen Philosophie statt des lebendigen Wassers, das Christus verheißt[78]. Wie die Samariterin am Jakobsbrunnen gerät sie in die Gewalt von fünf Männern, die des Teufels

[73] RvD, DO 12, 23 (CCcm 7, 417); EJ 6 (CCcm 9, 306 f.); Gen. 9, 33; Jos. 9 (167, 558.1007); Soph. 1 (168, 663 f.) — HA, SE dom. XXII (172, 1071) — GvR, Ps. 40; 58 (193, 1486.1740). Vgl. Augustinus, in Joh. evg. tr. 24, 5, 1 (CC 26, 246).

[74] RvD, EJ 14 (CCcm 9, 776); vgl. ds., a.a.O. 1; 4 (a.a.O. 18.238).

[75] RvD, DCJ 1 (170, 578); CC 2 (168, 872 f) — HA, CC 4, 8 (172, 475); SBM 7 (172, 514); Ps. 88 (194, 545).

[76] GvR, Ps. 58 (193, 1740).

[77] Wie die ganze lateinische Patristik lehnen auch unsere Autoren ein Heil der Heiden vor Christus ab, weil davon in der Schrift nichts zu finden war. Erst mit näherem Bekanntwerden der griechischen Patristik (Johannes Chrysostomos) wird dieser Gedanke als biblisch begründet erkannt: vgl. J. Riedl, Das Heil der Heiden; L. Capéran, Le probléme 169—218.

[78] RvD, DO 4, 16; 8, 11 (CCcm 7, 132, 285); EJ 8; 10 (CCcm 9, 421.545) — GvR, Ps. 17 (193, 890) — HA, SE decoll. (172, 1000); Ps. 86 (194, 528): die beiden Stellen allegorisieren in der gleichen Richtung die Hure Rahab, die die beiden Kundschafter (= AT/NT) aufnimmt und so zu Christus gelangt (vgl. Jos. 2, 1).

sind: „quinque sensibus corporis luxuriata in omni concupiscentia carnis et oculorum, quae in mundo est“[79]. Sie steht draußen vor der Tür wie Maria Magdalena vor dem Grab des Herrn, aber sie sehnt sich danach, einzutreten, wie ihre Vertreter, Cornelius oder der äthiopische Eunuch, zeigen[80]. Zwar hatte ihr Christus in den Propheten schon seine Liebe bekannt, doch ließ er sie selbst dann noch warten, als er bereits den Juden das Heil predigte[81]. Doch nun dauerte es nicht mehr lange: „Adest prolocutor Christi magnusque gentium advocatus Spiritus sanctus“[82]. Als Christus sie ruft, ist sie bereit und legt alles ab, was sie von ihm trennt: Unglauben, Götzendienst und Sünde; statt dessen lebt sie in Buße, Glauben und Liebe[83]. Ihr Sinnbild ist Maria Magdalena im Garten: als Christus erscheint, vermeint sie den Gärtner vor sich zu haben und fragt nach „ihrem“ toten Herrn. Da ruft Christus sie an und wie Schuppen fällt es ihr von den Augen. So nennt die Kirche aus den Heiden Christus „ihren“ Herrn, denn er ist Herr der Sünder und Büßer. Als Christus sie ruft, wendet sie sich zu ihm, sie bekehrt sich vom Götzenkult zum Auferstehungsglauben und sieht Christus, den Gärtner des Judenvolkes, das sein Garten ist und in dem allein er sich finden läßt. Nur durch die Erkenntnis des wahren Sinnes von Gesetz und Propheten ist Christus zu erkennen. Doch er läßt sich nicht mehr berühren: nicht er selbst geht zu den Heiden, sondern er sendet die Apostel[84].

So kommen die Heiden an Himmelfahrt zur Erlösung[85], die ihnen angedeutet ist in der Heirat des Moses mit der Heidin Sephora[86] und in der Verehrung der Krippe durch die Weisen aus allen Erdteilen[87]. Die Heidenkirche ist wie Naaman der Syrer: das hebräische Mädchen ist die Heilige Schrift, die von den heidnischen Denkern benutzt wird. Wie Elisäus nicht nach Syrien, so kommt Christus nicht selber zu den Heiden; wie jener nicht vor Naaman erscheint, so

[79] RvD, EJ 4; 8 (CCcm 9, 198—203.421); Soph. 2 (168, 677) — HA, SE coen. (172, 926).

[80] RvD, DO 8, 11 (CCcm 7, 285); EJ 14 (CCcm 9, 762—767) — HA, CC 2, 3 (172, 398) eine Schilderung des desolaten Zustands vor Christus.

[81] RvD, Dt. 1, 19 (167, 938).

[82] RvD, EJ 5 (CCcm 9, 247); Ex. 4, 23 (167, 723 f.) — vgl. HA, SE coen. (172, 926).

[83] HA, CC 3 (172, 462) — vgl. RvD, EJ 4 (CCcm 9, 214).

[84] RvD, EJ 14 (CCcm 9, 763—766) — HA, CC 1, 2 (172, 385).

[85] RvD, EJ 4; 10; 11 (CCcm 9, 239.569.639); Ex. 1, 20; Ez. 2, 29.30 (167, 588. 1490 f.).

[86] RvD, DO 8, 16 (CCcm 7, 295).

[87] RvD, DO 3, 24 (CCcm 7, 100) — HA, SE pasch. (172, 932).

erscheint er nicht vor ihnen, sondern sendet seine Boten, die Prediger. In der Waschung der Taufe, in der die sieben Gaben des Geistes geschenkt werden, wird die Heidenkirche rein; ihre Haut wird wie die eines Kindes, da sie die Unschuld wiedererlangt und dem demütigen und unschuldigen Christus eingegliedert wird (*concorporari*)[88].

In der Ordnung der erbarmenden Liebe Christi wird die Kirche aus den Heiden in Buße und Bekehrung von der Dirne zur Jungfrau[89]. In ihr erwachsen die heiligen Schriften zu ihrem vollen Leben, da sie in ihrer Christozentrik erkannt werden[90]. Das ist das reiche Heil der Heidenkirche: einst ernährt von den Brosamen vom Tisch der Juden, wird sie zur Mutter vieler Söhne für Christus, gerettet durch den Glauben, eins mit der Kirche aus den Juden, festgegründet als Gottes Stadt[91]. Sie darf den Stuhl der Weisheit Gottes einnehmen und seine Gnade der ganzen Kirche verkünden[92]. Darin einbeschlossen sind die Juden.

5. Kapitel

Häresie und Schisma

1. Ekklesiologische Bedeutung

In der Geschichte gibt es nach den mittelalterlichen Periodisierungsversuchen eine eigene Zeit, die von den Häretikern geprägt worden ist. In ihr gab es besonders viele, aber sie sind keineswegs darauf beschränkt: wie die Juden sind auch die Irrlehrer ein bleibender Stachel im Leib der Kirche[1].

Man kann formal zwischen Häretikern und Schismatikern unterscheiden. Die einen leugnen die katholische Wahrheit und beflecken

[88] RvD, Reg. 5, 29 (167, 1263) — GvR, Ps. 36 (O II/2, 545).
[89] RvD, Dt. 1, 19; Reg. 3, 30 (167, 938 f. 1176); Soph. 2 (168, 678) — HA, CC prol. II; 1, 2 (172, 355.385).
[90] RvD, DO 4, 23 (CCcm 7, 143).
[91] Vgl. RvD, DO 8, 2; 12, 1 (CCcm 7, 262, 397); Ex. 4, 17.23; Dt. 1, 19; Reg. 1, 16; 2, 21; 3, 30 (167, 717.724.938.1085.1121.1176); Abd. (168, 381) — HA, SE pasch. (172, 934); CC 3, 7 (172, 461.462).
[92] RvD, DO 4, 15 (CCcm 7, 126) — GvR, Ps. 58 (193, 1734 f.).
[1] GvR, Ps. 73 (194, 377): solange die Welt steht, verfolgt Kain den Abel, solange wird es auch Häretiker, Schismatiker, Simonisten, Nikolaiten und falsche Christen geben.

die Reinheit der Glaubenslehre, die anderen zerstören den katholischen Frieden und wenden sich damit gegen die Ordnung der Liebe und die Reinheit der Sitten. Beide aber vergehen sich an der Einheit der Kirche, die Einheit der Lehre und Einheit des Lebens ist[2]. Vor hier aus werden die Differenzen mehr akademischer Natur: Wahrheit und Friede gehören zusammen; wer dagegen verstößt, ist Feind der Kirche, gleichgültig ob er das eine oder das andere Gut zu vernichten trachtet[3].

Wenn unsere Theologen von Häresie sprechen, dann haben sie meistens die altchristlichen Heterodoxien im Auge, die gegen die Trinitätslehre und das christologische Dogma gerichtet waren[4]. Die damals angeschnittenen Fragen waren zu ihrer Zeit wieder aktuell geworden: Gerhoch konnte seine theologischen Gegner als neue Vertreter der alten Ketzereien qualifizieren; das machte ihre Bekämpfung insofern leichter, als die alten Konzilien die richtige Antwort bereits gegeben hatten[5]. Rupert von Deutz sah in seiner

[2] GvR, a.a.O. (a.a.O. 373): der Häretiker „impugnat fidei doctrinam et sinceritatem", der Schismatiker „caritatis disciplinam et puritatem morum"; ähnlich ds., OD ded. (O I, 73); Ps. 67 (194, 217); IA 1, 57 (Scheib. 112). Die Definition geht zurück auf Hieronymus, in ep. ad Tit. 3 (26, 598). Zur Ansicht der zeitgenössischen Autoren, die in die gleiche Richtung gehen, vgl. A. Landgraf, Paulinen (DTh 26 [1948], 419 f./2) und Grab 150—160.

[3] GvR, Ps. 73 (194, 373).

[4] Rupert nennt in seinen Werken Arius, Kerinthus, Markion, die Manichäer, Patripassianer, Apollinaristen, Donatisten, Mecedonius, Sabellius, Nestorius, Ebion, Valentinian, die Doketen („phantastici"), Enkratiten, Karpokratianer, Apelles, Eutyches, Novatus, Novatian, Simon Magus, Paul v. Samosata, Jovinian und Elpidius. RSB 1 (170, 481) werden Colitus und Florian erwähnt: jener habe geleugnet, daß Gott das malum physicum geschaffen habe, der andere habe Gott für den Urheber des moralischen Übels gehalten. — Gerhoch nennt Arius, Macedonius, Eutyches, Nestorius, die Apollinaristen, Paul v. Samosata, Kerinthus, Markion, die Ebioniten, die Manichäer, Donatisten und Novatianer („qui se Catharos, id est mundos nominant": Ps. 4; 31; 120 [193, 1135; O II/1, 67; 194, 845]), Sabellius, Bonosus, Constantius, Julian Apostata, Pelagius, Noetus, Praxeas, Hermogenes, Priscillian, Aethius, Eunomius, Dioskur, Photinus. Von den Zeitgenossen und neueren Theologen beschuldigt er der Irrlehre u. a. Gilbert de la Porrée, Anselm v. Laon, Ambrosius Autpertus, Petrus Lombardus, die Circumcellionen, Arnold v. Brescia, Folmar von Triefenstein und (als Schismatiker) Petrus Leonis. Der Prototyp aller Häretiker, der „magnus haeresiarches" (RvD, A 7, 12—169, 1059), „pervicax satelles diaboli" (ds., a.a.O. 6, 11 (a.a.O. 1016), ist Arius, „cujus nomen foetet omni mundo" (GvR, Ps. 23—193, 1084). Vgl. H. Grundmann, Oportet. — Honorius hat einen eigenen Ketzerkatalog verfaßt, den „Liber de haeresibus".

[5] Vgl. die Aufzählung Anm. 4. Gerhoch sieht sie vor allem als Neonestorianer und Neosabellianer (Gh 1, 3—194, 1080; N 13 — That. 205).

Jugend die ganze Welt voller Häretiker[6], doch später nennt er namentlich nur die Häresiarchen der alten Zeit. Eine Ausnahme bilden die Griechen. Wie auch sein Schüler aus Reichersberg übt er zwar in der Azymenfrage eine große Toleranz, doch verurteilt er um so schärfer die östliche Trinitätsauffassung, genauer die Lehre über den Ausgang des Heiligen Geistes. Sie ist ihm schon deswegen verdächtig, weil sie aus Konstantinopel kommt, dem Sitz vieler Irrlehrer und Irrlehren. Für Gerhoch geht es um eine Neuauflage von Arianismus und Sabellianismus[7].

Im Gegensatz zu den Juden und den Heiden haben die Häretiker ihren Ursprung in der Kirche: nicht von außen sind sie gegen die Mauern der Gottesstadt angerannt, sondern mitten in ihr haben sie sich erhoben, als Glieder der Kirche. Zumindestens äußerlich waren sie dies, in Wirklichkeit hatten sie sich schon längst getrennt; wenn sie mit ihrer Sondermeinung öffentlich auftraten, handelte es sich nur um den Vollzug dessen, was schon im verborgenen da war: „*A nobis exierunt, quia non erant ex nobis*“[8]. Das gilt nur für die formalen Häretiker, die mit vollem Wissen um die theologischen Zusammenhänge ihre These vertreten, nicht für die materialen Häretiker, die nicht in der Lage sind, die theologischen Hintergründe und Konsequenzen einer Lehre zu erfassen[9].

Alle Irrlehrer haben gemeinsam, daß sie sich nicht an die Lehre der Heiligen Schrift halten: „scindere veritatem scripturarum“ — damit ist ihre Perversität gekennzeichnet[10]. Dieses Kriterium ermög-

[6] RvD, Carm. 3 (Dümmler 181): „Quis locus vel quae domus / orbe toto / est modo concors haeresimque nescit? / In locis cunctis domibusque sacris / turba redundat“.

[7] RvD, DO 2, 22 (CCcm 7, 52); EJ 12 (CCcm 9, 671 f.) — GvR, EG 4 f. (Scheib. 344 f.). Vgl. J. Beumer, Religionsgespräch.

[8] RvD, EJ 2 (CCcm 9, 68): „Membra fuerunt viventis corporis ecclesiae“; vgl. ds., a.a.O. 2; 7 (a.a.O. 75.114.377); Num. 1, 38; Reg. 5, 5; SpS 4, 13 (167, 876.1237.1238.1685) — HA, SE pasch. (172, 939); Ps. 106 (194, 675) und RvD, Lev. 2, 17; Reg. 5, 5 (167, 803.1237) das Axiom, u. ö. Vgl. auch HA, SE med. (172, 896); CC prol. II (172, 354).

[9] RvD, EJ 5 (CCcm 9, 252); Ex. 2, 20; Num. 2, 6 (167, 807.884) — HA, haer., praef. (172, 234): „Fit haereticus errore et contentione, dum quis errorem suum contentiose defendit, et sapientium dicta vel scripta contemnit“ — GvR, IA 1, 4 (Scheib. 23).

[10] RvD, Lev. 2, 23 (167, 810); vgl. Gen. 7, 10.11; Lev. 2, 22; Reg. 7, 8 (167, 454.456.809.1762); EJ 13 (CCcm 9, 743); A 11, 19; 12, 22 (169, 1169.1213); RSB 1 (170, 492) — HA, Ps. 79 (194, 495) — GvR, Ps. 7; 10; 21; 79 (193, 735.790—792.1025; 194, 214); IA 3, 9 (Scheib. 375). Obwohl HA wesentlich zurückhaltender ist, kann man doch kaum mit H. Grundmann, Oportet 138 f. der Meinung sein, Honorius betrachte abweichende Bibelexegese nicht als Häresie.

licht es, auch die Pharisäer, Sadduzäer und Samariter als alttestamentliche Häretiker einzustufen[11]. Es spielt keine Rolle, ob sie additiv oder selektiv die Schrift lesen, immer überschreiten sie die *termini fidei*, die die Väter unseres Glaubens, die Propheten und Apostel, gesetzt haben[12].

Da dies mit vollem Bewußtsein geschieht, laden sie eine schreckliche Schuld auf sich. Sie leugnen den Glauben und wollen nur ihre eigene törichte Weisheit an den Mann bringen: „Novitates vocum amantes derelinquunt traditiones Dei propter traditiones suas"[13]. Statt in der Rede Christi zu bleiben, verstoßen sie gegen die klare und nüchterne Glaubensregel[14]: die Folge ist ein peinliches Geschwätz, das selbst den sonst so sanften Abt von Deutz zuhöchst erregt:

> „Incontinenter enim et sine discretione fluunt haeretici verbis aquaticis. Sunt enim cisternae veteres, quae non valent continere aquas"[15].

Eigensüchtig, stolz und aufgeblasen sind die Häretiker wie die Erbauer des Turms von Babylon[16]. Die „haeretica pravitas" stellt die Dinge auf den Kopf und kehrt damit den göttlichen ordo um:

[11] RvD, Gen. 8, 26 (167, 550).

[12] RvD, RSB 1 (170, 492): „Haeresis ... est contradicere sanctae et canonicae Scripturae, affirmare aliquid quod ab ea negatum est, negare aliquid quod ab illa affirmatum est"; vgl. ds., Soph. 2 (168, 667); A 12, 22 (169, 1213) — GvR, Ps. 21 (193, 1025): Die Häretiker zerreißen das Gewand Christi, indem sie wie die Manichäer nur das NT oder wie die Juden nur das AT annehmen.

[13] RvD, EJ 2 (CCcm 9, 394); die Häretiker zerreißen das Netz des reichen Fischfangs, so daß die Fische wieder ins Meer der Welt gleiten: RvD, DO 12, 5; 14 (CCcm 7, 399.779.782); EJ 14 (CCcm 9, 782); Num. 2, 13 (167, 891) — HA, SE pasch. (172, 939). Sie sind Mietlinge und vom Glauben Abgefallene: RvD, DO 10, 30 (CCcm 7, 367); EJ 9 (CCcm 9, 516); Lev. 2, 18 (167, 804); Soph. 2 (168, 666). Die Eigenmächtigkeit und Selbstherrlichkeit wird besonders betont: RvD, EJ 7 (CCcm 9, 394); Mich. 1; Soph. 2 (168, 456.667); A 12, 22 (169, 1213) — HA, haer., praef. (172, 233 f.); Ps. 80; 104 (194, 502.643) — GvR, Ps. 43; 57; 67; 118; 143 (193, 1555.1721; 194, 214.217.731.960).

[14] RvD, EJ 8 (CCcm 9, 449); Lev. 1, 21 (167, 767); Zach. 5 (168, 812) — GvR, Ps. 9 (193, 781 f.).

[15] RvD, Gen. 8, 26 (167, 551); vgl. Reg. 7, 7 (167. 1760); A 7, 12 (169, 1059).

[16] RvD, DO 2, 22; 10, 25 (CCcm 7, 52.362); Reg. 4; 5, 5; Is. 2, 4 (167, 1186. 1238.1316); Soph. 2 (168, 669) — GvR, Ps. 130 (194, 873) — Häufig werden sie apostrophiert als *„Sua quaerentes, non quae Jesu Christi"*: z. B. RvD, DO 10, 25 (CCcm 7, 362); EJ 7; 13 (CCcm 9, 394.743); Reg. 5, 6; SpS 7, 8 (167, 1239.1762) — Vgl. GvR, IA 2, 30 (Scheib. 251).

statt auf der Seite Christi, der die Fülle aller Wahrheit und Weisheit ist, stehen sie auf der Seite des Satans[17]. Antichristen sind sie[18]. Wo man aber die Wahrheit verläßt, wendet man sich auch vom Geist der Wahrheit ab. Die Häretiker sind geistlose[19] und darum haltlose Menschen, Zweigen gleich, die vom Rebstock losgerissen sind[20]: „In scissura mentium Deus non est, sed in unitate et pace, quae perfectionis vinculum est"[21]. Gottlosigkeit aber bedeutet Wirkungslosigkeit: „Jedes Wort und jedes Sakrament ist tot bei ihnen, was sie tun, trägt den Keim der Krankheit in sich, was sie an Opfern darzubringen glauben, ist befleckt"[22]. Sie gleichen dem Goldenen Kalb: von außen gesehen mögen ihre Lehren anziehend sein, innen aber sind sie leer und hohl und ohne jeden Wert: „Introrsum turpes speciosi pelle decores", zitiert Gerhoch einen Dichter[23]. Auf sie paßt das Wort aus dem Timotheusbrief, das geradezu zum Signum des Häretikers wird: „Habentes quidem speciem pietatis, virtutem autem eius abnegantes"[24].

Die Sünde der Häretiker ist dann aber auch Sünde gegen die Kirche. Wer sich von der Gemeinschaft mit Christus im Heiligen Geist lossagt, wer das gemeinsame Bekenntnis des Glaubens verweigert, die kirchliche Überlieferung nicht gelten läßt und sich statt dessen auf Satans Seite schlägt, der kann auch nicht mehr in der Gemeinschaft der Glaubenden, in der eucharistiegewirkten Einheit mit Christus, der kann nicht mehr in der *communio* der Kirche blei-

[17] RvD, Gen. 7, 10.11; Lev. 2, 22 (167, 454.455.809) — HA, SE dom. XI (172, 1057); SBM 2 (172, 500); CC 1, 1 (172, 371) — GvR, Ps. 77; 143 (194, 441.960 f.); IA 1, 4; 2, 16 (Scheib. 23.222).

[18] RvD, EJ 1 (CCcm 9, 9); Num. 1, 38; SpS 4, 11 (167, 876.1683); A 1, 1 (169, 855) — GvR, AD 25 (194, 1261); Ps. 34; 138 (O II/1, 340; 194, 924); IA 1, 4 (Scheib. 25).

[19] RvD, DO 10, 25.30 (CCcm 7, 362.367); EJ 7 (CCcm 9, 394); Gen. 7, 11; SpS 3, 14 (167, 455.1655); Soph. 2 (168, 669): sie sind Sünder wider den Heiligen Geist — GvR, S 5 (194, 1341 f.).

[20] RvD, EJ 2; 11 (CCcm 9, 68.653).

[21] RvD, EJ 2 (a.a.O. 68); vgl. ds., a.a.O. 11 (a.a.O. 650 f.); Ex. 2, 22 (167, 630) — GvR, Ps. 77 (194, 474); S. 24 (194, 1360).

[22] RvD, EJ 11 (CCcm 9, 651): „Mortuum est eorum omne verbum et sacramentum et quidquid agere videntur infectum, quidquid sacrificare putantur, pollutum est". Die Häretiker befinden sich nämlich nicht mehr am Weinstock Christi, wie a.a.O. 652 aus den Propheten (Ez. 15, 2—4), aus Paulus (Hebr. 6, 4—6; Tit. 3, 10 f.) und dem Evangelium (Jh. 15) gezeigt wird; vgl. ds., Gen. 7, 11 (167, 455) — GvR, CE 114 (194, 75).

[23] GvR, Ps. 143 (194, 960) — vgl. RvD, Reg. 5, 6 (167, 1239).

[24] 2 Tim. 3, 5 — Vgl. RvD, EJ 2; 11 (CCcm 9, 68.651); A 7, 11 (169, 1018) — GvR, Ps. 21 (193, 1026).

ben[25]. Er hat sich selbst ausgeschlossen; die kirchlich-amtliche Exkommunikation ist dann nur noch die juristische Bestätigung der geistlichen Wirklichkeit[26]. Denn *negare Christum* ist das gleiche wie *necare Christum:* für Mörder Christi aber ist in der Kirche kein Platz[27].

Umgekehrt ist die Kirchlichkeit der Maßstab für die Rechtgläubigkeit und damit für die Verbindung mit Gott. Leugnung der Kirche ist Leugnung Christi. Entscheidend ist hierbei die Stellung zur Kirche von Rom: „Haereticum esse constat, qui a Romana ecclesia discordat“[28]. Wer sich nicht mehr an den Brüsten der Mutter Kirche nährt und ihren Schoß zerreißt, der kann nicht mehr vollkommen sein, d. h. der kann nicht mehr zu Gott kommen.

> „Mit Notwendigkeit fallen die in Irrtum, die ‚fern vom Schoß‘ der Mutter Kirche und ausgetrieben aus ihm nicht ertragen, daß Christi Wahrheit in ihnen Gestalt annehme und sie die Vollkommenheit erlangen“[29].

Denn die Kirche ist die Gemeinschaft aus Glaube und Liebe. Wer nicht in der Kirche bleibt, offenbart so nicht nur den Mangel an Glauben, sondern auch die Unfähigkeit zur Liebe. Im tiefsten ist Häresie Lieblosigkeit. Wer ihr anhängt, ist schlimmer daran als die Heiden, die unwissend und darum unglücklich sind, schlimmer auch als die Juden, die das Heil verloren haben und unfrei sind. Dennoch dürfen beide noch Hoffnung haben. Nichtlieben aber ist Verdammtsein: „Quia non diligit haereticus, damnatus est“[30]. Das

[25] Vgl. RvD, EJ 8; 11 (CCcm 9, 449.650 f.); Ex. 2, 22; Lev. 2, 22; Jos. 12 (167, 630.809.1011); A 6, 11 (169, 1018); Mich. 1; Soph. 2 (168, 456.668) — GvR, Ps. 68 (194, 255); S 27 (194, 1364—1366).

[26] Vgl. RvD, A 6, 11 (169, 1018).

[27] Vgl. Anm. 14, ferner RvD, Zach. 5 (168, 812) — GvR, S 27 (194, 1364); Ps. 9; 10; 21 (193, 782.798 f. 1029).

[28] GvR, AD 25 (192, 1261); vgl. ds., LF rec. (O I, 214); Ps. 10 (193, 794) — RvD, DO 2, 22 (CCcm 7, 52.56). Vgl. auch oben II, 2, 3, 2.

[29] GvR, Ps. 57 (193, 1721): „Necesse est enim, ut falsa loquantur, qui ‚alienati a vulva‘ matris ecclesiae simulque ab utero ejus errantes non sustinent, ut veritas Christi formetur in illis et fiant perfecti“; vgl. ds., Ps. 130 (194, 873). Die kirchliche communio verlassen heißt also Gott selber verlassen: GvR, Ps. 77; 131 (194, 494.976).

[30] RvD, DO 6, 27 (CCcm 7, 209) — Vgl. ds., EJ 11; 14 (CCcm 9, 653.789); Lev. 2, 23; Reg. 5, 6 (167, 810.1239); A 2, 2; 6, 11 (169, 886.1018); Soph. 2; Zach. 5 (168, 666.670.812) — HA, CC 1, 1; 2, 5 (172, 370.371.431); Ps. 1 (172, 281) — GvR, S 27 (194, 1364); Ps. 7; 67; 68; 139 (193, 735; 194, 216.255.264.928); IA 1, 4 (Scheib. 24). Vgl. auch RvD, EJ 7 (CCcm 9, 377): den Kampf gegen die Häretiker führen die *dilectores Christi.*

offenbaren die Häretiker dadurch, daß sie aus der Kirche, dem Schifflein Petri aussteigen: sie trennen sich von der Gemeinschaft mit dem, der Christus mehr als alle anderen geliebt hat, und zeigen darin, daß sie ihn nicht lieben[31].

Die Konsequenzen sind tragisch: die Häretiker sind arme Menschen — „haeretica paupertas"[32] —, Dirnen gleich, die keinen wirklichen Liebhaber finden[33]. Ihnen fehlt der Reichtum und die Weite der Catholica; statt dessen sind sie zu kläglicher Winkelexistenz verdammt — „angulos quaerunt"[34]. Alle Mühen und Anstrengungen, die sie unternehmen, bleiben nutzlos, weil sie nicht in der Wahrheit leben[35]. Sie sind die erbärmlichsten und abscheulichsten Menschen auf Gottes Erdboden[36].

Mit solchen scharfen Worten ist freilich das Problem für die Kirche nicht gelöst. Sie sind wirkliche und sehr gefährliche Feinde der Kirche, die alles darauf anlegen, die Gläubigen in ihre Netze zu ziehen: ihr selbstsicheres Auftreten, ihr apostolischer Anspruch macht vor allem auf die ungebildeten Massen großen Eindruck[37]. Ihr Egoismus und ihre Überheblichkeit sind nicht leicht zu durchschauen; sie zerstören zwar Glauben und Hoffnung der Kirche, aber sie tun das nicht in offenem Angriff, sondern unter der Decke glei-

[31] GvR, QV 21 (Scheib. 604).

[32] Dieser Text am Anfang von EJ 11 scheint mit 169, 675 vor CCcm 9, 601 vorzuziehen zu sein: Im Kontext wird abgehoben gegen das vermeintliche Reichsein der Häretiker. „*Pravitas*" paßt nicht in diesen Zusammenhang.

[33] RvD, Gen. 8, 15; Dt. 2, 11 (167, 504.983).

[34] RvD, Ex. 2, 37 (167, 648): „Quod in parte est, non est authenticum. Illud haereticorum est, quo angulos quaerunt, quibus aquae furtivae dulciores sunt" — vgl. ds., Gen. 7, 11 (167, 456); Soph. 2 (168, 667) — HA, CC 1, 2 (172, 394) — GvR, IA 3, 3 (Scheib. 364). Vgl. auch RvD, RSB 2, 5 (170, 501) die Freude über die *catholica pax*. Der Gedanke ist augustinisch, die Argumente stammen aus dem Donatistenstreit: vgl. W. Beinert, Kirchenattribut I, 58f.

[35] RvD, Num. 1, 40 (167, 880) — HA, SE dom. XX (172, 1065) — GvR, Ps. 77 (194, 458).

[36] Vgl. RvD, Ex. 3, 33; Lev. 2, 17.20; Reg. 4; SpS 7, 8 (167, 683.803.807.1183. 1762): an der letztgenannten Stelle heißen sie „tumidi, contentiosi, loquaces, elati diabolicamque adversus Deum et proximum spirantes superbiam in sublimitate sermonis ... inflatum habentes spiritum, nimium falsi et fallentes, quia verba veritatis dialecticae, immo sophisticae vanitatis vinculis se ligare putaverunt"; A 2, 2 (169, 883) — HA, CC 2, 4 (172, 425) — GvR, S 27 (194, 1364); Gh 5, 2 (194, 1090); Ps. 67; 68; 73 (194, 216.255.373).

[37] RvD, EJ 1; 9; 14 (CCcm 9, 17 f. 516.779); Gen. 7, 10.11; Reg. 4 (167, 454.456. 1183); Mich. 1; Soph. 2 (168, 456.666); A 6, 11 (169, 1018) — HA, SBM 2 (172, 503); CC 1, 2 (172, 394); Ps. 104; 106 (194, 642.675) — GvR, Ps. 21; 31 (193, 1025; O II/1, 117).

cher Lebens- und sogar Lehrformen[38]. So fügen sie der Kirche schweren Schaden zu: wie ekelerregende Fliegen überlagern sie mit dem Gestank ihres Irrtums den süßen Duft Christi in ihr[39].

Die Kirche ist so gezwungen, sich vor ihnen zu schützen. Im Gegensatz zu ihrem Zeitgenossen Bernhard von Clairvaux lehnen unsere Theologen jede Gewaltanwendung ab und ziehen die sachliche Auseinandersetzung vor[40]. Rupert gibt in seinem Levitikus-Kommentar eine Reihe von Verhaltensmaßregeln dafür. Als Ausgangspunkt dienen die Reinheitsvorschriften für Aussätzige (Lev. 13—14): auch die Häresie ist ja eine „*lepra animae*"[41]. Zunächst einmal ist bei Häresieverdacht eine eingehende Untersuchung anzustellen, inwieweit er begründet ist. Darauf legt auch Gerhoch den größten Wert[42]. Maßstab der Überprüfung ist die gesamte Heilige Schrift, an der die Thesen sorgfältig und kritisch zu messen sind[43]. Erweist sich, daß sie dem nicht standhalten, ist der Vertreter der Irrlehre zunächst zu ihrer Aufgabe anzuhalten, im Weigerungsfalle aber aus der Kirche auszuschließen. Den Gläubigen wird verboten, irgendwelche Kontakte mit ihm aufzunehmen. Seine Schriften sind, insofern sie eindeutig häretisch sind, dem Feuer zu überantworten, gleichsam als Zeichen für das ewige Schicksal, das den Irrlehrer erwartet. Handelt es sich nur um wenige und gelegentliche Falschlehren, genügt es, wie im Fall der Origenesschriften, eine purgierte Ausgabe herzustellen. Rupert will nicht nur eindeutig häretische, sondern auch solche Bücher verbrennen, die zu Diskussionen und Zweifeln über den Glauben Anlaß geben, schließ-

[38] RvD, Dt. 1, 9 (167, 928): es gab sogar auf dem Apostolischen Stuhl Häretiker — HA, CC 1, 1; 2, 4 (172, 371.428); Ps. 79 (194, 494) — GvR, Ps. 67; 68 (194, 216.264): auch in kirchlichen Ämtern gibt es Häretiker; CE 136 (194, 93); IA 1, 4 (Scheib. 24): auch Päpste und Fürsten können Häretiker sein.

[39] RvD, DO 2, 4 (CCcm 7, 37) = GvR, Ps. 33 (193, 271). Vgl. HA, SE nat.: pasch.; dom. XX (172, 838.934.1065 f.).

[40] Eine Zusammenstellung der Texte Bernhards bei K. Kilga, Kirchenbegriff 244; besonders zu erwähnen ist ep. 330 (182, 535 f.). Dagegen RvD, EJ 2 (CCcm 9, 75) — GvR, Gh 1, 4.34 (Scheib. 24.76); Gh 13, 6; 15, 1 (194, 1120. 1125): „Dura caritatis aemulatione sectandus est haereticus" (a.a.O. 1125); Card. (O I, 326 f.) wird mit zahlreichen Dokumenten belegt, daß die Häretiker nicht mehr zur Kirche gehören. Vgl. die Opposition gegen die Verurteilung Arnolds: RvD, Dt. 1, 9 (167, 928); VV praef. (169, 1215/1216); Gh 4 (168, 1392 f.) — GvR, JA 1, 20 (Scheib. 51 f.).

[41] RvD, Lev. 2, 17—27 (167, 803—816). Zur geistlichen Bedeutung des materialen Kontakts, die hier angesprochen ist, vgl. G. Miccoli, Chiesa 143.

[42] GvR, S 2 (194, 1338); Ps. 10 (193, 792): gegen Augustin. Vgl. auch RvD, Lev. 2, 22 (167, 809).

[43] Vgl. GvR, Ps. 10 (193, 792).

lich existieren genügend erprobte und rechtgläubige Schriften; ein problematisches Buch aber kann den größten Schaden anrichten.

Rupert sieht vor, daß sich ein Irrlehrer wieder der Kirche anschließt. Bei der Rekonziliation hat er auf der Grundlage der Heiligen Schrift ein Glaubensbekenntnis abzulegen, in dem besonders Tod und Auferstehung Christi, die Sendung des Heiligen Geistes und die Vergebung der Sünden hervorgehoben sind. Bei „parvitas scientiae", also bei ungenügender theologischer Bildung, genügt das Apostolicum. Dann wird ihm der Heilige Geist gegeben, von dem er sich in seiner Irrlehre getrennt hatte Damit ist er in die Kirche wiederaufgenommen[44]. Er hat sich jedoch noch einem Glaubenskurs zu unterziehen, der ihm nicht nur dogmatische Wahrheiten vermitteln soll, sondern auch die ethische Umformung zum echten Christen bewirkt. Der Abt vergleicht ihn mit der Priesterweihe, die ebenfalls eine existentielle Umgestaltung bewirkt: Tatsächlich lebt der Christ in der Teilhabe am königlichen Priestertum Christi: Glaube und Leben bilden eine Einheit[45].

Die breite Schilderung zeigt, wie behutsam der Deutzer Klostervorsteher vorgeht, wie sorgfältig er bemüht ist, jeder aufkommenden Sondermeinung Gerechtigkeit widerfahren zu lassen. Das war nicht selbstverständlich[46]. Aber er wie auch Honorius und Gerhoch hatten am eigenen Leibe erfahren, wie Ketzerriecherei und eilfertiges Denunziantentum die persönliche Existenz angreifen konnten. Darüber hinaus aber bestand die dringende Gefahr, daß solche Nervosität die tiefere Durchdringung der göttlichen Offenbarung verhinderte. Jede Sonderlehre war immer auch eine Anfrage an die Heilige Schrift und provozierte darum die bessere Erforschung der Glaubensurkunde durch die Kirche[47]. Das aber mußte letztlich dazu führen, daß sie sich selber dergestalt in Frage stellen ließ, daß sie erneut nach dem Willen Gottes und der eigenen Sündhaftigkeit forschte[48]. Dann konnten auch die Bücher der Häretiker noch nutz-

[44] RvD, EJ 3 (CCcm 9, 147). Bezüglich der Gleichstellung mit den anderen Kirchengliedern nach der Rekonziliation plädiert RvD, a.a.O. für völlige Gleichberechtigung, Dt. 2, 11 (167, 983) für die Nichtzulassung zum geistlichen Stand. Zur Rekonziliation vgl. A. Michel, Die folgenschweren Ideen 81—83.

[45] GvR, Ps. 118 (194, 731) stellt daher die falschen Christen, die in ihrer christlichen Existenz versagen, den Häretikern gleich.

[46] siehe oben I, 2, 1, 5.

[47] RvD, EJ 5 (CCcm 9, 253); Num. 2, 13 (167, 891) — GvR, Ps. 9 (193, 769). Der Gedanke ist von Augustinus übernommen: vgl. I, 2, 2, 1 Anm. 12. Eine Liste der Autoritäten gibt Abälard, introd. in theol. 2, 3 (178, 1048).

[48] Vgl. 1, Kor. 11, 19 — RvD, Reg. 5, 6 (167, 1238); A 2, 3 (169, 896) — HA, Ps 79; 104 (194, 495.643).

bringend gelesen werden, deren Irrtum zwar verwerflich blieb, deren richtige Thesen aber nicht falsch wurden, weil es unrichtige im gleichen Werk gab[49].

Hinter dieser für das Mittelalter zumindestens erstaunlichen Gelassenheit verbirgt sich der unerschütterliche Glaube an den Sieg des Gotteswortes, den der Abt in seiner geschichtlichen Verwirklichung geschildert hatte. Letzten Endes mußte die Irrlehre in sich selbst versagen, weil sie ohne Wahrheit und darum ohne Christus, der die Wahrheit ist, blieb[50]. Häresie ist immer Extremismus und darum Defizienz, die katholische Wahrheit dagegen bleibt in der ausgewogenen Mitte[51], stets an der Weisheit der Schrift ausgerichtet[52], stets in der communio mit der ganzen Christenheit stehend[53]. Gerade die letztere aber fehlt den Häretikern. Zwar können sie insgesamt die Majorität erringen, wie es in der Zeit der arianischen Wirren der Fall war, aber untereinander zerfallen sie in Gruppen und Grüppchen, so daß sie per Saldo machtlos sind. Die Szene von Joh. 7,40—43 wiederholt sich in der Kirchengeschichte: Jesus geht durch die Schar der streitenden Juden unversehrt hindurch.

> „So geht es ganz allgemein auch der heiligen Kirche. Die in aller Bosheit versammelte Schar ist in viele Sekten gespalten und im Streit gegeneinander kämpfen sie gegen sich selbst. Mitten durch ihre Spaltungen aber schreitet der eine katholische Glaube“[54].

[49] RvD, Dt. 1, 9 (167, 928); Soph. 2 (168, 668): Typus ist die zur Salzsäule erstarrte Frau Lots; auch das Salz ist noch nütze. HA, SE dom. XI (172, 1057) erinnert sich an Dt. 2, 10—13 und erklärt: „Bene autem dicta et fidei nostrae non contraria ad instructionem fidelium libris nostris intexere“.

[50] GvR, Ps. 9; 140 (193, 769; 194, 937 f.) — HA, Ps. 194, 643): Gott verdunkelt die Häresie durch den Kontakt mit der Philosophie.

[51] GvR, Gh. 5, 2 (194, 1090); Ps. 135 (194, 904): Gerhoch weist das vor allem am Beispiel der christologischen Häresien des Altertums nach. Vgl. RvD, EJ 7 (CCcm 9, 394).

[52] RvD, DO 10, 25 (CCcm 7, 362); EJ 1; 11 (CCcm 9, 10.601); Gen. 7, 11; Num. 1, 38 (167, 455 f. 877).

[53] RvD, EJ 1 (CCcm 9, 53) — HA, CC 1, 2; 2, 4 (172, 394.425) — GvR, Ps. 77; 135 (194, 441.904).

[54] RvD, EJ 8 (CCcm 9, 415): „Sic et universaliter sanctae ecclesiae contingit, quia dum universae iniquitatis multitudo in multas haereses divisa est et adversus alterutrum discordans semetipsum impugnat, evadit per medias divisiones una fides catholica“ — Vgl. ds., EJ 13; 14 (a.a.O. 743.760); Reg. 5, 5; Is. 2, 4 (167, 1237.1316); A 9, 16 (169, 1122) — HA, GA 3, 93 (172, 667); CC 1, 2; 2, 4 (172, 394.429); Ps. 46 (193, 1581) — GvR, Ps. 21; 38; 135 (193, 102.1410; 194, 904) — Vgl. Augustinus, en. in ps. 80, 14 (CC 39, 1128): „Opinio diversa est, vanitas una“.

2. Simonie und Nikolaitismus

Unter den zeitgenössischen Heterodoxien galten den Gregorianern die Simonie und die Priesterehe als die verderblichsten. Es handelte sich bei ihnen zwar nicht um theoretisch-dogmatische Abweichungen, sondern um moralisch-praktische Lebensformen, die aber um nichts weniger gefährlich waren. Deutlicher als bei den gleichzeitigen christologischen Differenzen zeichnete sich die Gefahr für den ordo der Kirche ab.

Einer der schärfsten Gegner der *Simonie* seines Jahrhunderts war der Propst von Reichersberg. Wir verdanken ihm klare Distinktionen und Definitionen. Er kennt aktive und passive Simonisten, d. h. Verkäufer und Käufer geistlicher Vollmachten, deren erstere ihren Schutzpatron in Giezi, die anderen in Simon Magus haben[55]. Bezüglich der Verkaufsart unterschied er das *munus linguae,* die unkanonische Übertragung eines geistlichen Amtes, das *munus obsequii indebiti,* die Wahrnehmung der Aufgaben eines höheren durch einen rangniedrigeren Geistlichen, sowie das *munus pecuniae*[56]. Durch das *obsequium indebitum* war auch der Kreis der *conductores* und *conductitii* disqualifiziert, also jene Geistlichen, die sich zur Erledigung der Seelsorgesaufgaben geweihte Angestellte hielten, selber aber anderen Beschäftigungen nachgingen, und diese Angestellten selber[57]. Zu den Simonisten zählt er ferner die absolut geweihten Geistlichen, die *acephali*[58], die Verkäufer von Kirchengut als Kirchengut[59], sowie die Leute, die kirchliche Ämter verkauften, welche nicht das Weihesakrament voraussetzten[60]. Kurz gesagt: überall dort ist Simonie im Spiel, wo geistliche um materieller Werte willen gegeben oder empfangen werden[61].

55 Vgl. das Dekret Urbans II. (Jaffé II, 5743), das GvR, DI (194, 1389) zitiert wird. Einen Katalog der betreffenden Texte bei Grab 155.

56 GvR, S 10 (194, 1345 f.); CE 156 (194, 105).

57 GvR, CE 156 (194, 105) definiert den *conductitius:* „procurator plebis vel minister altaris, qui canonica portione minus accipiendo, subjectione indebita munus ab obsequio conductori solvit". Zum Vorwurf der Simonie vgl. ds., S 2; 8; 11 (194, 1338.1344 f. 1347). Die Haltung Gerhochs ist nicht ganz eindeutig. Vgl. Classen, Gerhoch 81—83.145 f.

58 GvR, S 11 (194, 1347 f.).

59 GvR, S 7; 11 (194, 1344.1347). Nach a.a.O. 10 (a.a.O. 1345 f.) begehen nicht Simonie, sondern ein Sakrileg, die das Kirchengut als Privatgut veräußern.

60 GvR, LF rec. (O I, 191).

61 Vgl. RvD, Gen. 1, 30 (167, 948) — HA, SE ded. (Kelle 10 = 172, 1105) — GvR, S 4 (194, 1340). Die biblischen Typen der Simonisten sind Judas „mercator pessimus" (öfters, z. B. EJ 7 — CCcm 9, 380; HA, OS — Kelle 25; GvR, Ps. 9; 73—193, 783.791; 194, 375), Simon Magus (sehr oft, z. B. schon RvD, carm. — Dümmler 178—194; Gen. 1, 30—167, 948; GvR, S 32

So verschieden die einzelnen „Fälle“ auch juristisch sein mochten, in einem glichen sie sich vollkommen: sie waren ein massiver Angriff auf Christus und den Heiligen Geist. Der Herr gab seine Sakramente umsonst, wer also Gnade verkauft, ist sein Verräter[62]. Die Gabe Gottes kat'exochen aber ist der Heilige Geist: ihn möchte der Simonist wie eine Ware erwerben. Eine schlimmere Attacke auf seine Freiheit und damit auf Gottes Souveränität ist nicht denkbar: der Geist weht, wo er will, der Simonist möchte ihn wehen lassen, wie es ihm beliebt[63]. Dahinter steckt eine schrankenlose Geldgier, die nichts anderes als eine Ausdrucksform des Stolzes ist, der sich freilich als heuchlerische Frömmigkeit kaschiert[64]. Gerade darin lag auch das Heimtückische dieser grassierenden Seuche: sie unterschied sich kaum von der Orthodoxie, da Lehre, Sakramente und Kult absolut gleich aussahen; es war nicht leicht, die berechtigten von den unberechtigten Oblationen und Gebühren zu unterscheiden[65].

Die Effizienz der Spaltungstendenzen, die in der Simonie naturnotwendig angelegt waren, wuchs dadurch beträchtlich[66]. Es kam alles darauf an, klare Fronten herzustellen und die simonistischen Häretiker aus der Kirche hinauszujagen[67]. Sie wirkten wie Aussatz, wie eine ansteckende Krankheit, die jeden befällt, der in Kontakt mit ihr gerät; wie Pech, das jeden schwärzt, der es anfaßt[68]. So greifen unsere Autoren zu den grellsten Farben, um ihre Verworfenheit und Schlechtigkeit klar zu machen[69].

bis 194, 1368); Balaam und Balac (z. B. RvD, Num. 2, 17—167, 895 f.; A 2, 2—169, 877 f. GvR, S — Jaksch 267).

[62] RvD, Gen. 1, 30 (167, 948); Herib. 23 (170, 412) — HA, E 1, 187 (Lef. 396) — GvR, Ps. 68; 73 (194, 256.374).

[63] GvR, S 5; 25 (194, 1341.1342.1362); Ps. 73 (194, 374.375.385) — vgl. RvD, DO 12, 10 (CCcm 7, 403).

[64] RvD, Jos. 21 (167, 1020 f.); A 2, 2 (169, 877.878) — GvR, S 32 (194, 1368); Ps. 9; 34; 70 (193, 783.791; O II/1, 335; 194, 299); LF rec. (O I, 192); QV 5 (Scheib. 571); IA 1, 75 (Scheib. 150): „Accipiunt ..., ut accipiant, accipiunt, quia acciperunt“.

[65] GvR, S 32 (194, 1368); DI (194, 1408); Ps. 9 (193, 783). Daher ds. Ps. 73 (194, 735): im Haus Gottes sind Diener des Teufels zu finden.

[66] Vgl. RvD, Jos. 21 (167, 1020) — HA, E 1, 188 (Lef. 396) — GvR, DI (194, 1394.1395); S 3; 7 (194, 1339.1344); Ps. 23; 33; 65 (193, 1086; O II/1, 271; 194, 139); CE 157 (194, 106); LF rec. (O I, 191).

[67] RvD, DO 12, 10 (CCcm 7, 403); EJ 3 (CCcm 9, 125); Gen. 7, 46; Dt. 1, 30 (167, 489 f. 948) — HA, SE domo. II (172, 1044) — GvR, Ps. 70 (194, 299); N 3 (That. 189).

[68] RvD, Dt. 1, 30; Jos. 21; Reg. 5, 31 (167, 948.1020.1266); A 2, 2 (169, 877 f.) — HA, E 1, 188.189.191 f. (Lef. 397); OS (Kelle 25.27) — GvR, Ps. 9 (193, 791); S 32 (194, 1368); N 38 (That. 229); QV 4 (Scheib. 571). Vgl. Augustinus, Gen. c. Man. 2, 24 (34, 215 f.); in Jh. 9, 10 (CC 36, 96) — Beda, Hex. 1 (91, 52).

Was von der Simonie gilt, gilt auch vom anderen großen Gravamen des Jahrhunderts, von der *Priesterehe.* Sie war nichts anderes als die Konsequenz aus der Simonie, die selbst schon zur Abwertung des geistlichen Standes führte. Mit drakonischer Strenge sucht man ihr Einhalt zu gebieten. Wir besitzen die kleine Schrift aus der Feder des Honorius, das „Offendiculum sacerdotis", die die Priesterehe einem harten Gericht unterzieht. Drei Gründe sind es, die den Zölibat erforderlich machen für die Kirche. Der Priester soll in seiner Existenz den eschatologischen Status der Kirche abbilden, die ohne Makel und Runzeln ist; deshalb muß auch er unbefleckt leben[70]. Die Kirche, in der er ordiniert ist und der er zugehört, ist so total auf seine Sorge angewiesen, daß er daneben keine weiteren Sorgen tragen kann, die ihn ähnlich bis ins letzte beanspruchen würden[71]. Die Sakramentenspendung endlich erfordert einen reinen Priester[72]. Für Honorius sind das Gründe, die aus dem Wesen der Kirche und ihrer Strukturen resultieren. Wer also als Geistlicher heiratet, der verfehlt sich gegen die Kirche und damit gegen den Glauben. Er ist Häretiker und muß als solcher beurteilt werden[73].

3. Die Häretikersakramente

Man müßte schon die Welt verlassen, klagt der Reichersberger Kanonikus, um nicht mit Simonisten zusammenzukommen[74]. Wenn sie aber Häretiker waren, konnte man dann an ihren Gottesdiensten teilnehmen, durfte man aus ihrer Hand die Sakramente empfangen? Diese Frage wird zum Problem der Zeit: es ist eine praktische

[69] Vgl. z. B. HA, E 1, 194 (Lef. 398 f.); OS (Kelle 29): „concludere igitur licet: presbyteri uxorati vel simoniaci cum canes sint, porci, Christi adversarii, publice hostes Dei, fures, latrones, lupi, sunt excommunicati et omnes, qui eis communicant, damnati"; SE pass. (172, 909 f.) — GvR, LF rec. (O I, 157); Ps. 23; 31 (193, 1086; O II/1, 22); IA 1, 75 (Scheib. 149). Nach RvD, A 2, 2 (169, 878 f.) ist die Simonie die Mutter aller anderen Laster des Klerus wie Unzucht, Vernachlässigung des Studiums und Schuld an der allgemeinen Ehrlosigkeit des geistlichen Standes.

[70] HA, OS (Kelle 6).

[71] HA, OS (Kelle 7). Ein Priester darf nur den Dienst an einer katholisch geweihten Kirche übernehmen, da eine häretisch konsekrierte wie eine Dirne ist, deren Gunst man sich mit Geld erkauft.

[72] a.a.O. (a.a.O. 9).

[73] a.a.O. (a.a.O. 9—11) — GvR, Ps. 21 (193, 1025); DI (194, 1394); N 38 (That. 229).

[74] GvR, LF rec. (O I, 192) — vgl. RvD, A 2, 2 (169, 878) — HA, OS (Kelle 27).

Frage, die dogmatisch zu untersuchen war[75]. Vom Kirchenverständnis aus wurde die Antwort gesucht.

Unsere Theologen unterscheiden den Häretiker scharf vom moralisch schlechten Priester. Es gab keinen Zweifel, daß dieser sein Amt gültig ausübte[76]. Anders steht es im Fall des Simonisten und Nikolaiten. Es herrscht Einmütigkeit, daß die von ihnen gespendeten Sakramente ungültig sind, doch bestehen Differenzen in der detaillierten Begründung und in den Konsequenzen, die daraus gezogen werden. Wir müssen daher die Stellungnahme unserer Autoren im einzelnen untersuchen.

Für Rupert ist die Frage eindeutig entschieden, ohne daß er sich lange dabei aufhält. Entscheidend für die Gültigkeit eines Sakramentes ist seine innere Fruchtbarkeit. Da sie die Wirkung des Heiligen Geistes ist, kann sie nur dort sein, wo er ist. Weil die Häretiker von der Kirche getrennt sind, stehen sie nicht mehr in der Gemeinschaft des Heiligen Geistes. Infolgedessen sind ihre Sakramente ohne Kraft: sie vermitteln keine Gnade, sondern nur mehr Fluch[77].

[75] Zur Problematik vgl. Eynde, Les définitions (vor allem 47—60); F. Holböck, Leib 232—239; A. Dempf, Sacrum Imperium 171—228; A. Landgraf, DG III/2, 223—243.312 f. (Synopse der Sentenzen); H. Weisweiler, Wirksamkeit; L. Ott, Briefliteratur, 58 f.; J. Beumer, Probleme 188 f.; J. Gilchrist, Simoniaca haeresis; V. Fuchs, Ordinationstitel 253—259; K. Mörsdorf, Zweigliedrigkeit; L. Saltet, Réordinations (vor allem 173—246); A. Schebler, Reordinationen 215—298; B. Gigalski, Die Stellung des Papstes Urbans II. zu den Sakramentshandlungen der Simonisten, Schismatiker und Häretiker, in: ThQ 79 (1897), 217—258; E. Hirsch, der Simonbegriff und eine angebliche Erweiterung desselben im 11. Jahrhundert, in: AkathKR 86 (1906), 3—19; ds., Die Auffassung des simonistischen und schismatischen Weihen im 11. Jahrhundert, a.a.O. 87 (1907), 25—70; G. Miccoli, Il problema delle ordinazioni simoniache e le sinodi Lateranensi del 1060 e 1061, in: Stud. Greg. V, 33—81; H. Heitmeyer, Sakramentenspendung — Die allgemeine *„cyprianische“* Sentenz der Zeit hält an folgenden Punkten fest: a) Der sündhafte Priester behält die Konsekrationsgewalt; b) der nicht in der Einheit mit der Kirche stehende verliert sie (nach Prosper, sent. 15 — 51, 430); c) erfordert werden zur gültigen Konsekration *ordo, verba* (Einsetzungsworte), *unitas* (mit der Kirche). Von einigen wenigen wird die *„augustinische“* Gegenposition vertreten: die Apostaten können die Konsekration gültig, aber unerlaubt vollziehen: vgl. Bernold v. Konstanz, sacr. excomm. (184, 1061—1068); Alger v. Lüttich, sacr. 3, 12 (180.846 f.); Hugo v. St. Viktor, sacr. 2, 11, 13 (176, 506).

[76] RvD, EJ 7 (CCcm 9, 382 f.). Vgl. auch die nachfolgenden Texte, die das alle voraussetzen, bzw. eigens bemerken. Unsere Autoren stehen hier im Gegensatz zu den evangelischen Bewegungen des Jahrhunderts, vor allem auch zu den Arnoldinern.

[77] RvD, DO 12, 10 (CCcm 7, 404); EJ 10 (CCcm 9, 544); Lev. 1, 32 (167.778); Gh 12 (168, 1600).

Ein besonderes Problem bildete die Taufspendung, die nicht an das priesterliche Amt gebunden ist. Doch auch hier verneint der Abt die Gültigkeit der Häretikertaufe, insofern niemand geben könne, was er nicht habe. Da in der Taufe der Heilige Geist gespendet wird, der Häretiker aber nicht in Gemeinschaft mit ihm ist, kann seine Taufe ihn auch nicht spenden, sondern nur im formalen Vollzug des Sakramentes bestehen. Dieser ist insofern von Bedeutung, als im Falle der Rekonziliation des dergestalt Getauften der Ritus nicht mehr wiederholt zu werden braucht. Durch Handauflegung wird nur der Heilige Geist gespendet und damit die Eingliederung in den Leib Christi, der die Kirche ist, vollzogen[78].

Honorius geht auf das Problem dreimal ausführlich ein: im „Elucidarium", im „Offendiculum sacerdotis" und im „Eucharistion". Entscheidend ist in jedem Fall die Frage der Kirchenzugehörigkeit des betreffenden Sakramentenspenders. Nach dem „Elucidarium" ist sie so lange gegeben, wie keine juridisch gültige Verurteilung durch die amtliche Kirche erfolgt, die den Ausschluß zur Folge hat. Simonisten und Nikolaiten feiern die Messe zwar nicht zur Ehre Gottes, aber da Christus der eigentliche Konsekrator ist, bleiben ihre Sakramente gültig. Ein Sonnenstrahl wird nicht schmutzig, wenn er auf den Unrat einer Kloake trifft, und nicht leuchtender, wenn er durchs Kirchenfenster ins Gotteshaus fällt. Trotzdem rät Honorius davon ab, ausgerechnet von diesen Priestern die Sakramente zu empfangen: aber er sieht darin eine Frage des Taktes, nicht des Dogmas[79].

Die Differenzierung des „Offendiculum" ist wesentlich größer als im Jugendwerk des Honorius. Es geht hier primär um die verehelichten Priester. Manche von ihnen leben in einem geheimen Verhältnis: sie sind Sünder und daher wird ihre Konsekrationsgewalt nicht berührt. Wird seine Lage notorisch oder wird jemand der Simonie öffentlich überführt, dann stellt er sich automatisch außerhalb der Kirche. Gemäß dem Axiom, daß nur in der katholischen Kirche das wahre Opfer möglich ist, der Unzüchtige aber nach Eph. 5,5 keinen Anteil am Reich Gottes und damit auch nicht an der Kirche hat, sind seine Sakramente nicht mehr gültig; er besitzt den Heiligen Geist nicht mehr. Anders als noch im „Elucidarium" hält er jede Teilnahme an ihren Gottesdiensten für ver-

[78] RvD, EJ 2; 3; 11 (CCcm 9, 68.146.651); Lev. 1, 21; 2, 8; SpS 3, 4 (167, 767. 805.1655).
[79] HA, SE 1, 187—195.198 (Lef. 396—399.400).

derblich; selbst im Todesfall solle man lieber auf Beicht, Krankensalbung oder (Kinder-)Taufe verzichten (bzw. einen Laien die Taufe vollziehen lassen), als diese Sakramente aus der Hand solcher Menschen zu empfangen. Trotzdem lehnt er die Wiedertaufe und die Reordination ab, wenn jemand von einem Simonisten getauft oder geweiht wurde; es ist nur nötig, sich den kanonischen Regeln zu unterwerfen[80].

Im Eucharistion nimmt er etwa die gleiche Position wie Rupert ein. Dem Thema entsprechend steht die Konsekrationsgewalt im Vordergrund. Entscheidend ist die Zugehörigkeit zur Kirche. Da Häretiker, Juden und Heiden außerhalb stehen, können sie unter keinen Umständen konsekrieren. Eine gewisse Ausnahme gilt für die Simonisten, da sie zwar Häretiker sind, aber ihre eigentliche Schuld nicht die Heterodoxie, sondern die Heteropraxie ist. Sie vollziehen die Konsekration, aber sie entbehrt jeder Wirkung. Honorius gibt dafür keine Begründung und erklärt auch nicht, worin dann der Unterschied zu einem von anderen Häretikern gespendeten Sakrament liegen soll[81].

Am eingehendsten setzt sich der Propst von Reichersberg mit dem Problem auseinander. Er hat sich damit einen Platz in der Geschichte der Sakramententheologie gesichert. Zum ersten Mal wurde das Problem in Regensburg aktuell. Die damaligen Diskussionen haben sich im Dialog an Innozenz II. niedergeschlagen. Entscheidend für die Beurteilung ist die katholische Intention oder der katholische Vollzug der Sakramente. Jene liegt beim Empfänger: er muß überzeugt sein, daß der Sakramentenspender in Verbindung mit der katholischen Kirche lebt. Dann ist der Empfang gültig und wirksam, gleichgültig, ob diese Annahme zutrifft oder nicht. Der katholische Vollzug findet dann statt, wenn simonistisch geweihte Amtsträger auf nicht simonistische Weise die Sakramente spenden. Auch in diesem Falle sieht er eine Verbindung mit der Kirche für gegeben an.

Fehlt sie, dann sind die Sakramente inhaltslos (*vacua*): nur noch das Zeichen (*sacramentum*) wird gesetzt, aber es vermittelt keine Gnadenwirkung mehr (*res sacramenti*). Eine Eucharistiefeier eines außerhalb der kirchlichen communio stehenden Priesters gliche einem amputierten Arm: er hat die Form, aber nicht mehr das Leben eines Körperteils. In der Tauffrage schließt sich der Propst seinem Meister an, doch kennt er eine Ausnahme bezüglich der

[80] HA, OS (Kelle 21—29).
[81] HA, Euch. 6; 8 (172, 1253 f.). Vgl. A. Landgraf, DG III/2, 223—226.

Kindertaufe: Sie ist immer gültig, selbst dann noch, wenn die Eltern Mitglieder einer häretischen Sekte sind. Werden die Kinder allerdings erwachsen und bleiben sie wie ihre Eltern Häretiker, geht ihnen die Taufgnade verloren[82].

In dem Werk „De simoniacis" bildet unser Problem die Hauptfrage. Ähnlich wie der Honorius des „Elucidarium" grenzt er seine Stellungnahme auf die expressis verbis von der Kirche verurteilten Priester ein. In allen anderen Fällen geht es um Sünde, nicht um formale Häresie: das letzte Urteil muß hier Gott überlassen werden[83]. Wie aber steht es mit den deklarierten Häretikern? Ist ihr Amt durch Simonie erworben, wird es aufgehoben (*irritum*)[84]. Um zu einem Urteil über ihre Sakramente zu kommen, unternimmt Gerhoch eine theologische Analyse.

Hinsichtlich der Spendung ist gemäß der Struktur des Sakramentes auf die integrale Zeichensetzung und auf die Gnadenwirkung zu achten. Die Integrität (*integrum*) ist gewahrt, wenn Materie und Form richtig gesetzt werden. Zur Gültigkeit wird darüber hinaus die lebendige Verbindung mit der Kirche gefordert, weil nur durch sie auch die Verbindung mit Christus erfolgt. Wo sie fehlt, fehlt auch die Gnadenwirkung: das Sakrament ist wirkungslos (*irritum*). Entsprechend kann man hinsichtlich der Wirkung von einem *aktiven* und einem *passiven* Effekt sprechen. Die Integrität bedingt den passiven Effekt; der aktive ist jedoch nur gegeben, wo die Gnadenwirkung zur Geltung kommt.

Daraus folgt, daß die Häretikersakramente zwar integral, aber ungültig, d. h. wirkungslos gespendet werden; sie vermitteln zwar den passiven, aber nicht den entscheidenden aktiven Effekt. Das zeigt sich besonders deutlich beim Sakrament des Altares. Es ist als *sacramentum* Zeichen der Einheit der Kirche, als sacrificium der Erlöserleib Christi. Wo das Zeichen gesetzt wird, da ist es als Zeichen gesetzt, also auch dann, wenn es durch die Hand eines Häretikers geschieht; weil er aber nicht in der Kirche ist, kommt das *sacrificium* nicht zustande.

Im Fall der Rekonziliation eines Empfängers von solchen Sakramenten ist darum deren Wiederholung nicht notwendig, nur der aktive Effekt muß im Nachhinein gesichert werden. Das ist für Gerhoch nur dort möglich, wo die Sakramente an lebendigen Menschen vollzogen werden und nicht an toten Elementen. Mit anderen

[82] GvR, DI (194, 1394.1402—1406); ähnlich auch C coll.; Te igitur (O I, 15 f. 29).
[83] GvR, S 2; 10; 26 (194, 1338.1347.1362); Ps. 25 (193, 1162).
[84] GvR, S 12 (194, 1348); CE 157 (194, 105 f.).

Worten: bei der Aufnahme in die Kirche muß der Heilige Geist gespendet werden, der die aktive Wirkung verursacht.

Im Zweifel ist Gerhoch dort, wo jemand von einem Simonisten in Unkenntnis der Sachlage auf nicht simonistische Weise geweiht worden ist. Er ist objektiv selber Häretiker, doch wagt der Propst nicht, eine Aussage hinsichtlich der Gültigkeit seiner Sakramente zu machen: der Heilige Geist weht nicht nur, wo er will, sondern schließlich auch, durch wen er will. Man darf also seiner Meinung nach annehmen, daß er seine Gnade spendet, doch kann man sich dessen niemals sicher sein[85]. Eine dritte Untersuchung stellt er im „Liber contra duas haereses“ an. Diesmal unterstützt er seine These durch eine Schrift Hugos von Reading, die er in Rom gefunden hatte. Auch hier wird die Verbindung mit der Kirche entscheidend, die hinsichtlich der sakramentalen Vollmachten durch das kirchliche Amt erfolgt. Mit diesem gehen auch jene verloren. Was die Sakramente angeht, so präzisiert er seine Unterscheidungen aus „De simoniacis“. Das Sakrament des Altares etwa besteht aus vier Elementen:

a) *species*: das sichtbare Zeichen von Brot und Wein;
b) *essentia*: der Leib Christi;
c) *res* oder *virtus*: die Einbeziehung in den Erlösertod Christi;
d) *effectus:* die Sündenvergebung.

Daraus ergeben sich die verschiedenen Möglichkeiten des Empfangs:

1. Die in Glaube und Leben voll mit der Kirche verbundenen Christen empfangen das Sakrament des Altares total (*a—d*).
2. Die Sünder empfangen die beiden ersten Elemente (*a—b*), nicht aber *virtus* und *effectus,* die untrennbar miteinander verbunden sind.
3. Die Häretiker empfangen lediglich das Zeichen (*a*): alle anderen Bestandteile sind nur in der Gemeinschaft der Kirche möglich.

Ähnlich steht es mit der Spendung:

1. Der Spender des totalen Sakramentes ist nur der in der kirchlichen communio stehende Amtsträger.
2. Der sündige Amtsträger ist dem sündenlosen gleichgestellt, da die moralischen Qualitäten des Spenders unerheblich sind.
3. Der häretische, schismatische und abgesetzte Priester kann nur

[85] GvR, S 13—22 (194, 1348—1362); vgl. auch Ps. 9; 17; 21; 25; 27; 35; 42; 73 (193, 796.882.1025 f. 1036.1160.1227; O II/2, 430; 193, 1530; 194, 378.386); IA 1, 1 (Scheib. 18).

noch das Zeichen setzen, alles andere ist mit dem kirchlichen Amt verbunden, das er per definitionem nicht besitzt.

4. Wer nicht geweiht ist, setzt nicht einmal das Zeichen. Bei ihm geschieht schlechtweg gar nichts[86].

Es ist nicht unsere Aufgabe, die sakramententheologischen Hintergründe und Implikationen dieser Gedanken darzustellen. Wenn sie eingehend wiedergegeben worden sind, dann geschah das, um auf ihre ekklesiologische Relevanz aufmerksam zu machen, die uns hier allein interessiert. Wie stark sich auch die Autoren im einzelnen unterscheiden, wie groß die Unklarheiten und Fragwürdigkeiten ihrer Überlegungen auch sind, so liegt doch bei allen das Kriterium für die Lösung dieser drängenden Zeitfrage in der Kirchlichkeit von Spender und Empfänger.

Entscheidend ist die lebendige Beziehung zu Christus, der das sakramentale Heil vermittelt. Aber wie Taufe und Eucharistie im gleichen Augenblick eingesetzt werden, da die Kirche entsteht, so kann sich das Christusheil nur als Heil in der Kirche und durch die Kirche auswirken. Diese wird nicht in erster Linie als juridische Institution, sondern als geistliche Wirklichkeit bestimmt: nicht eine Rechtsformel, die Lebensgemeinschaft ist entscheidend. Das zeigt sich deutlich an der Möglichkeit gültigen Sakramentenempfangs durch einen gläubigen Christen, obwohl der Spender insgeheim Häretiker und damit objektiv nicht mehr kirchlich ist. Denn die Kirche ist unter der Obhut des Geistes, der weht, wo, wie und durch wen er will. Die Herrlichkeit der Kirche besteht dann in der absoluten Gefolgschaft seines Willens.

6. Kapitel

Kirche und Staat

Das Verhältnis der geistlichen zur weltlichen Macht ist eines der Zentralthemen der Geschichte. Von Anfang der Welt bis zu ihrem Ende, erkennt Gerhoch, stehen beide in der Auseinandersetzung miteinander[1]. In der Entwicklung der westlichen Geschichte nimmt seine eigene Zeit eine bedeutende Stellung ein. Sie liegt zwischen

[86] GvR, CDH 2—6 (194, 1172—1184). Vgl. H. de Lubac, La „res sacramenti".

[1] GvR, OD 1 (O I, 105); vgl. Meuthen 53—110.

dem Tag von Canossa und dem Tag von Anagni; der eine bedeutet das Ende des mittelalterlichen Cäsaropapismus, der andere den endgültigen Abschied an den Papocäsarismus. Beides sind die großen Versuchungen, das Herrenwort an die Kirche zu umgehen, daß man Gott geben solle, was Gottes, dem Kaiser, was des Kaisers ist (Mt. 22,21). Engagiert wie selten zuvor in ruhigen Zeiten ringt man jetzt sachlich um die theoretischen Grundlagen der Relationen zwischen Regnum und Sacerdotium. Kaum ein Autor, der in die Probleme der Zeit Einsicht hat, kann sich von diesem Denkprozeß ausschließen.

Das gilt selbst für einen so meditativen Theologen wie Rupert. Aber auch er war in jungen Jahren recht leidvoll in die gregorianischen Kontroversen verstrickt worden[2]. Eine Lösung des Problems sucht er vom christozentrischen Ansatzpunkt aus, der seine ganze Theologie prägt. Christus ist der Herr der Welt. Das bedeutet auf der einen Seite, daß er nicht in der Welt aufgeht und mit ihr identisch wird: sein Reich ist nicht von dieser Welt. Aber diese Welt ist in seinen Herrschaftsbereich einbezogen. Durch sein Kommen ist die Welt reich geworden, das gilt für alle ihre Strukturen, auch die politischen[3]. Damit ist die Dialektik des mittelalterlichen Staat-Kirche-Problems beschrieben: beide sind grundsätzlich voneinander unabhängig; gleichwohl gehört auch der Staat in die religiöse Sphäre hinein, die durch die Kirche repräsentiert wird. Christus kann in Ruperts Kommentar zum Johannesevangelium sagen: „Das römische Reich oder irgend ein anderes irdisches Reich wird in keiner Weise von mir beeinträchtigt, weil mein Reich auf keines von ihnen ausgeht“[4]. Aber im Genesiskommentar verlangt Rupert die wirtschaftliche Unterstützung der Kirche durch den Staat, weil der Überfluß der Gnade Christi auch den Fürsten zuteil geworden ist[5]. Es wird nicht ausgesprochen, ist aber für den Abt selbstverständlich, daß das durch die Kirche geschah, die darum Anspruch auf Rekompensation habe.

Die Spannung, die damit gegeben ist, kann er nicht auflösen. Er sieht als Ideal die Zusammenarbeit und Koexistenz der Kirche im Sinne der gelasianischen Theorie. Sie hatte schon im Alten Testament bestanden und in der nachkonstantinischen Ära der alten Kirche: „cum sacerdotali auctoritate concurrente potestate imperi-

[2] Vgl. RvD, Carm. (Dümmler 178 ff.).
[3] RvD, EJ 13 (CCcm 9, 729).
[4] A.a.O. (a.a.O.): „Romanum a me nihil nocetur imperium vel aliud aliquod regnum terrenum, quia nihil de hujusmodi quaerit regnum meum“.
[5] RvD, Gen. 7, 37 (167, 481 f.).

ali“[6]. Er weiß, daß die Herrschaft Christi mit politischen Kategorien nicht gefaßt werden kann und daß die Kirche darum die weltlichen Händel meiden solle, indem sie sich vom Heiligen Geist und nicht von machtpolitischem Kalkül leiten läßt[7]. Der Ausdruck der Ohnmacht jeder Staatsraison ist für ihn das Schicksal der Märtyrer: einst wurden sie von den politischen Machthabern mit Schimpf und Schande umgebracht, heute kommen ihre Nachfolger und ehren ihre Memoria „nudis capitibus“[8].

Aber die theoretischen Einsichten bewähren sich nicht in der Wirklichkeit der Verhältnisse seiner Zeit. Es geht um die Macht und des geht darum, Stellung zu beziehen. Rupert gehört zur päpstlichen Partei. So stellt er die eigenen Prinzipien in Frage: es ist selbstverständlich für ihn, daß die Könige zum Aufbau der Kirche ihren Beitrag zu leisten haben durch Kirchenbauten, kirchengünstige Gesetzgebung und natürlich durch die Bereitstellung von Steuergeldern[9]. De facto kann die Kirche ohne das *brachium saeculare* nicht auskommen, wenigstens nicht *in praesenti,* da die *sacerdotalis sanctitas* der staatlichen Machtmittel nicht entraten kann[10]. Auch die Kirche hat dem Imperium gegenüber ihren Auftrag: sie muß auch den Fürsten den Weg zu Christus weisen und ihr Seelenheil fördern[11]. Wie sie nicht ohne den Staat, kann der Staat nicht ohne sie auskommen. Das Dilemma ist nicht zu lösen.

Für Honorius ist die politische Macht ein Teil der Kirche. Im Tempel Gottes, der die Kirche ist, bilden die Machthaber die tragenden Balken des Baus; ihre Soldaten sind wie die Dachziegel, die den Regen vom Innern abhalten und es dadurch schützen[12]. Ein Beispiel der Obsorge des Staates für die Kirche sieht der Inkluse in der Initiative Kaiser Konstantins, der zum Schutz des Glaubens vor der Irrlehre das Konzil von Nikaia einberufen hatte[13].

[6] RvD, Gen. 7, 10 (167, 455); vgl. ds., SpS 2, 28 (167, 1639): die Parallele von staatlicher und kirchlicher Ämterstruktur möchte diese Zusammenarbeit veranschaulichen; ds., CC 4 (168, 898 f.) stellt sie als alttestamentliches Ideal dar.

[7] RvD, Num. 1, 4; Reg. 2, 13 (167, 840 f. 1113 f.).

[8] RvD, A 11, 20 (169, 1183).

[9] RvD, Is. 2, 23 (167, 1347). Vgl. auch Num. 1, 5 (167, 842): „In praesenti ecclesia semper ducum aut consulum fascibus, regum quoque vel imperatorum gladiis multum indiget sacerdotalis sanctitas, et cum sibi conveniunt, nihil tutius; cum autem adversus invicem dissentiunt, nihil statui christianitatis in hoc mundo potest esse perniciosius“.

[10] RvD, Num. 1, 5 (a.a.O.).

[11] RvD, A 6, 10 (169, 1006).

[12] HA, Ps. 81 (194, 505); GA 1, 131 (172, 586).

[13] HA, GA 4, 60 (172, 711).

Er erweist sich damit als Vertreter der hierokratischen These, die von der Idee der *christianitas* her die politische Wirklichkeit unter die kirchliche zu subsumieren versucht war. Das zeigt sich in der Streitschrift „De summa gloria", die ein Spätprodukt der gregorianischen Publizistik genannt werden kann. Christus und die Kirche sind das himmlische Brautpaar, dessen Söhne Kleriker und Laien sind[14]. Weil jene Anteil an der geistlichen Vollmacht Christi haben, stehen sie höher als diese; weil der König aber Laie ist, muß er sich dem geistlichen Amt in allem unterwerfen, was dieses Amtes ist[15]. Aber da er wohl weiß, daß die Politiker hier Widerstand leisten, schlägt er die friedliche Zusammenarbeit beider Gewalten vor. Das gelasianische Konzept erscheint ihm als einzige Möglichkeit, den Frieden zu wahren. Infolgedessen muß auch der Papst dem Kaiser im politischen Bereich untertan sein: „Dann werden diese beiden Fürsten des Volkes einander in Ehrerbietung zuvorkommen und in der festen Verbindung mit Christus, der der wahre König und Priester ist, mit ihm über alles herrschen"[16].

Doch Honorius ist zu sehr Gregorianer, um diese Position durchzuhalten. An der Hegemonie der Kirche kann man nicht vorbeikommen, so schien es der göttlichen *ordo* selber zu verlangen. Er geht so weit, die Forderung nach der Ernennung des Kaisers durch den Papst zu stellen; Volk und Fürsten will er nur die Statistenrolle der Akklamation und des Konsensus zuweisen[17]. Der Maßstab für die Treue zum Herrscher wird dessen Loyalität zur römischen Kirche[18].

Damit ist der Staat im Zeichen der *christianitas* von der Kirche absorbiert. Honorius begründet seine Position damit, daß Christus die Christenheit, die Reich und Kirche umfaßt, dem Petrus und seinen Nachfolgern anvertraut habe. In den ersten drei Jahrhunderten, der großen Zeit der Kirche, hat dieses klerikale Regime bestanden. Unter Konstantin gab es dann eine folgenschwere Verschiebung, an deren Folgen die Gegenwart noch laboriert. Der Papst ernennt den Kaiser zu seinem *adjutor* mit dem Recht der

[14] HA, SG 1 (172, 1259).

[15] a.a.O. 2 (a.a.O. 1262): vgl. die Formeln „per omnia ... in divinis"; siehe auch a.a.O. 5 (a.a.O. 1265): „Quilibet sacerdos, licet ultimus gradus in sacro ordine, dignior est quovis rege".

[16] A.a.O. 2 (a.a.O. 1262): „Sicque hi duo principes populi honore se invicem praevenientes vero regi et sacerdoti Christi firmiter inhaerentes cum ipso per omnia regnabunt".

[17] A.a.O. 4 (a.a.O. 1263).

[18] A.a.O. 6 (a.a.O. 1267).

Krönung und der Verpflichtung zum Schutz der Kirche[19]. Die eine Gewalt spaltete sich, der Idealzustand war zu Ende.

Die Tragik dieser Position machte sich nicht sofort bemerkbar. Aber die „Summa gloria" sollte später der kurialen Machtpolitik unter Innozenz III. hilfreiche Dienste leisten. Sie versuchte, sie in die politische Wirklichkeit zu übersetzen[20]. Auch hier wurde das Problem nicht gelöst, wie auch Honorius es nicht gelöst hatte.

Am eingehendsten hat sich Gerhoch mit dem Fragenkomplex befaßt. Er ist diesbezüglich der wohl profilierteste Denker des Jahrhunderts. Wir brauchen hier seine Stellungnahme nicht in allen Details zu referieren: eine Reihe ausgezeichneter Arbeiten hat sie sachkundig erhoben[21]. Doch die dogmatische Relevanz dieser Aussagen soll uns beschäftigen. Der Propst hat sie nicht in der Stille seiner Stiftszelle konzipiert, sondern in der beständigen praktischen Auseinandersetzung mit Staat und Kirche seiner Zeit, die zu reformieren er sich berufen fühlte.

Wie die Gregorianer des 11. Jahrhunderts sieht er die Quelle aller Mißstände in der Bindung der Kirche an den Staat[22]. Auch das Wormser Konkordat hatte sie nicht wirklich gelöst, weil die entscheidende Frage im unklaren gelassen wurde, die Stellung der Reichsbischöfe und vor allem die Problematik der Regalien. Sie mochte für die Gesamtkirche von unterschiedlichem Gewicht sein, im Reich entzündete sich an ihr der Kampf von neuem. Für den Propst geht es dabei in erster Linie nicht um einen politischen Machtkampf, sondern um Sein oder Nichtsein des *ordo*. Er sieht ihn aufs Schlimmste gefährdet durch die Liaison zwischen Episkopat und Prinzipat, die freilich eine der essentiellen Grundlagen der Reichspolitik bildete. Wollte man den *ordo* wiederherstellen, mußte man also die babylonische *confusio* von Staat und Kirche aufheben[23]. Das bleibt der fundamentale Satz der gerhochischen Staats-

[19] A.a.O. 4 (a.a.O. 1263); vgl. a.a.O. 5 (a.a.O. 1266): „Rex est minister ecclesiae, ut rebelles comprimat". Die richtige Ordnung war im AT verwirklicht, wo das Volk Gottes von Priestern geleitet wurde. Vgl. W. Ullmann, Papsttum 600—609.

[20] Vgl. L. Knabe, Zweigewaltentheorie 145. Der Versuch der Abschwächung der Position des Honorius bei M. Maccarone, Potestas directa 28 f. ist nicht recht überzeugend, betrachtet man den Text von SG.

[21] Vgl. I. Ott, Regalienbegriff 258—272; ds., Gerhoh von Reichersberg 112—255; P. Classen, Prozeß; ds., Gerhoch 42—44.100—103.130 f. 146 f. 177—179.281 f. 296 f. 305 f., passim; W. Ullmann, Papsttum 595—597; A. J. Carlyle, History 342—383; Schmidlin, Ideen 44—47; A. Pöschl, Regalien 36—40; Meuthen 60 bis 110; W. Ribbeck, Gerhoh.

[22] Vgl. W. Ullmann, Papsttum 398 f.

lehre, den er bei aller Flexibilität im Suchen nach praktischen Lösungen sein Leben lang festgehalten hat. Die Kirche ist die Bundeslade, die nicht in die Gewalt der Philister kommen darf[24]. Wie der Aufbau des Jerusalemer Tempels verzögert wurde, weil die Israeliten dem Verbot entgegen fremde Frauen ehelichten, so wird die Reform der Kirche heute aufgehalten, weil ihre Amtsträger sich mit politischen Kräften vermengen[25]. Wenn Staat und Kirche vermischt sind, ist Babylon in der Stadt Gottes anwesend[26] und der Greuel der Verwüstung an heiliger Stätte macht sich breit[27]. Man darf keines der beiden Schwerter von Lk. 22,38 verlieren, weder auf das Licht der Sonne noch auf das des Mondes verzichten, keine der Säulen des salomonischen Tempels stürzen, sollte nicht das Ganze Gefahr laufen. Darum wehrt er sich gegen die Bischöfe, die Kreuz und Fahne gleichzeitig tragen wollen[28], die Reichsfürsten mit strategischem Wissen sind, das einem Herzog Ehre machte, aber die Armenfürsorge vernachlässigen und das Kirchengut zweckentfremden[29]. Mit Schrecken sieht er gegen Ende seines Lebens die Gefahr der Aufsaugung der einen durch die andere Gewalt im Streit zwischen Barbarossa und Alexander III. Will der Papst alles oder alles der Caesar sein, bedeutete das wiederum die Aufgabe des einen Schwertes, der einen Himmelsleuchte und der einen Säule am Tempel[30].

In der Praxis trat das Problem in aller Deutlichkeit in der Regalien- und Investiturfrage an den Tag. Gerhoch ist sich zeitlebens klar darüber, daß nur eine saubere Scheidung in finanziellen Angelegenheit die Aufrechterhaltung der Ordnung garantiert. Wenn er im Laufe seines Lebens verschiedene Ansätze zur Entflechtung sucht, dann ändert er aus praxisbedingten Gründen die konkreten

[23] Für die Scheidung beider Gewalten erklärt sich Gerhoch u. a. AD 2; 7; 16; 40 (194, 1199.1200.1218.1239.1291 f.); OD ded. (O I, 68); CE 14; 50; 52 (194, 19.40.46 f.); IA 1, 19.38.39.88 (Scheib. 46 f. 82.83.174); card. (O I, 317); QV 17 (Scheib. 593); CF cant. Is. (194, 999). Für die Kontinuität der Anschauungen Gerhochs spricht sich auch Meuthen 62 f.; Classen, Gerhoch 178 aus, dagegen I. Ott, Regalienbegriff, die drei Phasen im Leben des Propstes feststellt, die jeweils von den Schriften AD—OD, N—IA, dann QV reichen.

[24] GvR, AD 2 (194, 1198).

[25] A.a.O. 7 (a.a.O. 1217 f.).

[26] GvR, CE 50 (194, 40).

[27] Z. B. GvR, N 39 (That. 229); vor allem in IA ist die *abominatio desolationis* Leitmotiv.

[28] GvR, IA 1, 37 (Scheib. 81).

[29] GvR, AD 5 (194, 1214).

[30] GvR, IA 1, 88 (Scheib. 174).

Vorschläge; aber nicht die Grundsätze[31]. Der rechte ordo, erklärt er im „Liber de aedificio Dei", leitet sich von Papst Silvester her. Demnach gehören die Herzogtümer, Grafschaften, Zolleinkünfte und Steuern dem Kaiser, die Oblationen, Primitien und der Zehnte der Kirche.

> „Jene waren seit alters Sache der weltlichen Fürsten, diese die der geistlichen, mit dem Vorbehalt und der Unterscheidung, daß weder der Bischof einen Führungsanspruch in Weltdingen noch der Fürst in den geistlichen Angelegenheiten erhob, sondern beide sich mit ihrem Recht begnügten und die göttliche Anordnung nicht übertraten"[32].

Ähnlich konstant bleibt seine Haltung in der Investiturfrage. Er kritisierte am Wormser Konkordat von 1122, obwohl er es im allgemeinen als Friedensvertrag begrüßte, daß immer noch starke Bindungen des Reichsepiskopates an den Staat blieben, insofern die Bischöfe zum Hominium verpflichtet sind und weiterhin Regalien übernehmen[33]. Wie eng Reichs- und Kirchengut vermengt sind, sieht man seiner Ansicht nach exemplarisch daran, daß ein Bischof geradezu Hochverrat begehen würde, enthielte er seinen Soldaten den Sold aus dem Kirchengut vor[34]. Auch hier sollte man Staat und Kirche trennen, indem man jeden staatlichen Einfluß auf die kanonischen Wahlen ausschaltet: „Nullam in electione ac promotione pontificum potestatem habeat aliqua laica potestas, sicut sacra canonum testatur auctoritas"[35].

Wie er sich diese vorstellt, entwickelt er in „De corruptu ecclesiae statu" an Hand der genannten kanonischen Vorschriften. Den Geistlichen aus Säkular- und Ordensklerus räumt er ein Beratungsrecht ein *(consulere)*, das Volk darf Kandidaten benennen *(petere)*, die politischen Autoritäten *(honorati)* werden um ihre Zustimmung ersucht *(assentire)*, aber die Wahl obliegt den Domherren im Falle der Bischofsvakanz *(eligere)*. Zur Gültigkeit ist jedoch der Assen-

[31] Vgl. I. Ott, Regalienbegriff.

[32] GvR, AD 10 (194, 1226): „Illa per mundi principes, ista per pontifices antiquitus tractabantur, ea videlicet cautione ac distinctione, ut neque pontifex in his, quae erant ad saeculum, neque princeps in his, quae erant ad Deum praeesset; sed uterque suo jure contentus, modum divinitus ordinatum non excederet". Vgl. ds., QV 17 (Scheib. 593): in dieser letzten Schrift werden die gleichen Gedanken vorgetragen.

[33] GvR, AD 2 (194, 1201); vgl. OD ded. (O I, 84).

[34] GvR, AD 5 (194, 1214).

[35] A.a.O. 9 (a.a.O. 1223).

sus der Staatsgewalt nicht notwendig[36]. Im Buch „De investigatione Antichristi" geht er noch weiter: zwar sei das Hominium nicht unter allen Umständen verwerflich, doch bleibe es ein Zugeständnis, das weder in der Heiligen Schrift noch im Kirchenrecht eine Grundlage habe[37].

Gerhoch tendiert also zur säuberlichen Scheidung der Gewalten; aber er tut das als, wenn auch gemäßigter, Anhänger der gregorianischen Partei. Christus, der Priester und König zugleich ist, besitzt für ihn wie für alle Gregorianer die absolute Weltherrschaft[38]. Er folgert daraus aber vorerst nicht die Dominanz des geistlichen Ordo, sondern die Transparenz der beiden Gewalten auf diesen Herrn hin: in beiden müsse je nach ihrer Weise das Bild Christi sichtbar werden[39]. Denn beide Gewalten stammen zwar vom gleichen Christus, sind aber zu verschiedenen Zwecken den verschiedenen Welt- und Wirklichkeitsbereichen zugeordnet, dem Profanen und dem Geistlichen.

Für den jungen Gerhoch resultiert daraus die Forderung nach Trennung, die sich in der Lösung der Kirche von allen feudalen Verpflichtungen manifestieren sollte. Im „Liber de aedifico Dei" verlangt er die Aufgabe der Regalien, obwohl der Kirche der Grundbesitz aus den Regalien nicht genommen werden könne: sie habe sich auf den Zehnten zu beschränken, an den wiederum die Laien keine Hand legen dürfen. Der Klerus darf sich nicht mit profanen Geschäften, der Fürst mit der Verleihung der kirchlichen Ämter befassen[40]. Das leuchtende Vorbild des Episkopates sollte der heilige Laurentius sein, der das Kirchengut für die Armen, nicht für die politischen Mächte verwendet habe. Alles andere ist Untreue gegen die Kirche und vor allem gegen Christus.

> „Im Heiligen Geist hat er (*Laurentius*) erkannt, daß es die gleiche Sünde ist, den Glauben an Christus zu verleugnen und fremdes Gut, das Christus anvertraut hat, zu veruntreuen. Denn jeder, der ungetreu erfunden wird in der Verwaltung dessen, was Christus ihm anvertraut hat, wird der Verleugnung des Glaubens an Christus überführt"[41].

[36] GvR, CE 27 (194, 26).
[37] GvR, IA 1, 88 (Scheib. 175).
[38] GvR, CE ep. ad Henr.; 52 (194, 11.50); N 33 (That. 226).
[39] GvR, CE 119 (194, 67).
[40] GvR, AD 9; 11; 40 (194, 1222 f. 1228.1291 f.); IA 1, 37 (Scheib. 80).
[41] GvR, AD 13 (194, 1232 f.): „Per Spiritum sanctum intellexit aequipollere in peccato fidem Christi negare, et in alieno quod Christus commisit, infidelem existere. Omnis namque, qui in eo quod Christus commisit, infidelis efficitur, Christi fidem negasse convincitur" (a.a.O. 1232).

Dem Propst wurde jedoch bald klar, daß die absolute Entflechtung, die die Gleichheit der Gewalten implizierte, nicht durchführbar war. In „De ordine donorum" gibt er seiner Ausgangsposition die gregorianische Deutung: die Weltherrschaft Christi schließt die Oberherrschaft der Kirche ein. Wenn Isaias die Herrlichkeit Sions schildert und sieht, wie alle Könige der Erde ihm huldigen (Is. 60,10—16), ist dann nicht die Kirche gemeint, der alle Herrscher huldigen müssen als der Braut des Königs aller Könige?[42] Die Schöpfungsordnung selbst enthielt den Hinweis auf die rechte Ordnung! Adam war zuerst Staub und empfing dann den Lebensodem: so wird der König aus dem Staub der Erde bei seiner Wahl von den Fürsten unter der Zustimmung des Volkes erhoben. Anders aber ist die Erlösungsordnung. Christus war zuerst Geist und wurde dann Leib. So ist der Bischof zuerst geistlich zu wählen und dann (falls er Regalien zu verwalten hat) zu belehnen[43]. Sonst wird die Vermischung zwischen Staat und Kirche zur Perversion jeder Ordnung Gottes in dieser Welt[44]. Wieder zieht er das Bild von den beiden Himmelsleuchten heran, doch hat die Sonne diesmal den Vorrang vor dem Mond. Wollten sich die Bischöfe den Königen durch den Lehenseid unterwerfen, dann wäre das nicht anders, als wollte man die Bahn der Sonne unter die des Mondes setzen, dem Gold gewöhnliches Blei vorziehen[45].

Diese These behält er vorerst bei, obschon er in der Klageschrift „De corruptu ecclesiae statu" wieder mehr der gelasianischen Theorie zuneigt. Er sieht die rechte Ordnung nun im römischen Stadtpräfekten symbolisiert, der als kaiserlicher Beamter und päpstlicher Lehensmann beiden zu Dienst verpflichtet ist, ohne die Kompetenzen zu vermengen. Wie Tag und Nacht zusammen, aber nebeneinander bestehen, sollen beide Gewalten koexistieren. Nochmals taucht das Bild der beiden Schwerter auf. Diesmal bekommt der Papst und der Kaiser eines: keiner darf seines im Bereich des anderen gebrauchen[46]. Aber auch in diesem Werk fordert die Gleichsetzung von Sonne und Sacerdotium ihre Rechte. Wenn

[42] GvR, OD ded. (O I, 68.75).
[43] A.a.O. (a.a.O. 81); QV 17 (Scheib. 593); vgl. CE 27 (194, 26); N 34 (That. 227).
[44] GvR, OD ded. (O I, 84.87 f.).
[45] A.a.O. 1 (a.a.O. 110).
[46] GvR, CE ep. ad Henr.; 62 (194, 11.47); IA 1, 39 (Scheib. 83); N 33 (That. 226): Gerhoch schlägt vor, die Könige sollten bei der Krönung einen Treueid gegenüber der Kirche ablegen, die Bischöfe bei der Weihe einen Eid gegenüber dem Staat wegen des Regalienbesitzes. Zur Verwendung des Bildes von den beiden Schwertern vgl. Meuthen, Exkurs II: Die zwei Schwerter bei Gerhoch 158 f.

Gerhoch auf seinen zahlreichen Romreisen sieht, wie sich die Basiliken auf den Ruinen der kaiserlichen Urbs erheben, dann ist ihm das ein Zeichen der rechten Ordnung, in der das Geistliche über dem Profanen steht[47]. Christus ist zwar Priester *und* König, aber er ist *mehr* Priester als König[48]. So darf die Kirche Forderungen gegenüber dem Regnum geltend machen: sie darf den Schutz des weltlichen Arms beanspruchen[49], sie kann die staatlichen Amtsträger gegebenenfalls exkommunizieren[50], ihr obliegt im Kriegsfall das Schiedsgericht über die Rechtmäßigkeit[51], vor allem aber hat sie Anspruch auf die staatlichen Gelder[52].

Die hierokratische These hatte sich doch durchgesetzt. Aber der alternde Propst findet — wohl nicht zuletzt unter dem Eindruck der Gestalt Friedrichs I. — zur These von der kooperativen Gewaltenteilung zurück. In den Meditationen zu den Psalmen war ihm klar geworden, daß die Könige als Glieder am Leibe Christi vom Haupt auch zur Reform der Kirche eingesetzt werden können, so wie umgekehrt erst der priesterliche Segen den Frieden unter den Nationen sichert. Die Fürsten stehen im Dienst der Kirchenreform, die Priester wahren dem Staat gegenüber Loyalität, das dünkt ihm nun auch die Ansicht Christi und des Völkerapostels zu sein[53].

Im Antichrist-Buch scheint ihm das wigbertinische Schisma vor allem unter dem Gesichtspunkt gefährlich, daß die Zusammenarbeit von Kirche und Staat aufs Spiel gesetzt wird[54]. Da die Kirche offensichtlich versagt, ruft er die Fürsten auf, die Gewaltenteilung durchzusetzen[55]. Fast mit den gleichen Worten wie Rupert spricht er seine Überzeugung aus, daß nur in der Koexistenz der Friede in der Welt aufrechtzuerhalten ist:

[47] GvR, CE 52 (194, 41): hier wie auch a.a.O. 9 (a.a.O. 17) ist Gerhoch von der Idee der *translatio imperii* beeinflußt. Dazu P. E. Schramm, Kaiser, Rom und Renovatio.

[48] A.a.O. 67 (a.a.O. 50): „Cum ergo rex et sacerdos idem sit Jesus Christus Dominus noster gloria et honore coronatus; tamen sacerdotalis dignitas tunc magis in eo coronatur ...“.

[49] A.a.O. 54 (a.a.O. 42). Vorbild ist Paulus, der vor der jüdischen Lynchjustiz beim römischen Staat Schutz suchte. Gewaltakte, die bei solchen Aktionen von den staatlichen Organen begangen werden, fallen dem Staat, nicht der Kirche zur Last. Vgl. ds., ep. 24 (193, 605 f.).

[50] A.a.O. 55 (a.a.O. 43); vgl. a.a.O. 124 (a.a.O. 82): die Frage ist grundsätzlich, unabhängig von der religiösen Haltung des jeweiligen Herrschers.

[51] A.a.O. 55 (a.a.O. 44).

[52] GvR, Ps. 41 (193, 1496 f.).

[53] Vgl. GvR, Ps. 20; 23; 41; 71; 118 (193, 975.1086.1246 f.; 194, 318.828 f.).

[54] GvR, IA 1, 20 (Scheib. 51 f.).

[55] A.a.O. 38 (a.a.O. 83).

„Nichts dient dem Nutzen der Kirche Gottes nachhaltiger als das einträchtige Zusammenleben von Kirche und Staat; nichts konnte und kann dagegen dem christlichen Staat gefährlicher werden als ihre Zwietracht“[56].

Damit hat Gerhoch die letzte Konsequenz aus seiner These gezogen. Sie ist eine völlig neue Sicht der Welt. Bislang waren Kirche und Staat die Repräsentanten einer Ordnung, die in ihnen selbst schon gegeben und verwirklicht war. Jetzt werden sie plötzlich zu Funktionen einer neuen Ordnung, des *status christianus*. Damit spiegelt der Propst in seinem Werk die Auflösung des antik-mittelalterlichen Einheitsideals in die Pluralität der Ordnungsmächte der Nationalstaaten, die die konkrete Ausformung des christlichen Staates werden, wider.

Über das traditionelle Bewußtsein von der Dominanz des Sacerdotiums hatte die monastische Ekklesiologie gesiegt, die das Ideal des Gehorsams und der Diensthaftigkeit der Kirche an der Welt aus ihrer christologischen Mitte entwickelt hatte. Ansatzhaft, zögernd, in vielen noch undurchdacht verhalf sie damit dem genuinen Bild der Kirche und darin auch der rechten Ordnung über die mittelalterliche *confusio* hinaus zum Durchbruch.

7. Kapitel

Die Zeit in der Kirche

1. Die Situation der Zeit

Im „Elucidarium“ des Honorius fragt der Schüler seinen Magister, ob Christus wirklich selig sei. Für seine Person, bekommt er zur Antwort, sei der Herr in der vollkommenen Freude, aber

[56] A.a.O. 66 (a.a.O. 135): „Nihil magis conducere ecclesiae Dei profectui, quam ut in unum habitare concorditer sacerdotium et regnum; sicut econtra eisdem ab invicem dissidentibus statui christiano nihil esse perniciosius umquam potuit ac poterit“; vgl. a.a.O. 88 (a.a.O. 174), dazu oben Anm. 9 den dort wiedergegebenen Text Ruperts. Sicher hat er Gerhoch beeinflußt: dabei ist beachtenswert die auffällige Änderung der rupertinischen Wendung „*status christianitatis*“ in „*status christianus*“: Christenheit und christlicher Staat sind für den Propst nicht mehr identisch. Die gleiche These wie in IA vertritt GvR, auch in Card.: dort wird eigens auf die Theorie Nikolaus I. hingewiesen, daß der Papst auf den Kaiser um der weltlichen Ordnung, dieser auf den Papst um seines Seelenheiles willen angewiesen ist: vgl. Card. (O I, 317 f. 332).

nicht bezüglich seines Leibes, der die Kirche ist. Die Juden lästern noch, die Heiden spotten, die Häretiker zerstören die Einheit, schlechte Christen sündigen und verderbte Priester bieten seinen Leib feil: jeden Tag leidet Christus in seinen Gliedern[1].

Da die Kirche in der Zeit lebt, lebt auch die Zeit mit allem Guten und Bösen mitten in der Kirche, indem sie sie beeinträchtigt auf ihrer Pilgerfahrt zu Christus, aber auch, indem sie selbst auf ihn verweist und zu ihm führt. Damit wirkt sie auf die Kirche ein und gehört zum Bestandteil der Kirche in dieser Welt. Sie wird zur beständigen Herausforderung für sie.

Die Zeit ist der Schauplatz des Urkampfes zwischen Gott und Satan, zwischen Christus und Antichrist — und in der Kirche wird er ausgetragen. Sie wird damit für die Kirche Leidenszeit, Zeit der Bedrängnis durch ihre Feinde[2], Zeit des Brudermordes an Abel[3], Zeit des Kampfes gegen Christus[4]. „Nec deerunt usque in finem saeculi vasa irae“[5].

In jeder Zeit, so wissen unsere Theologen, ist die Kirche in Nöten; nur die Gestalt der Feinde wechselt, nicht die Feindschaft selbst. Die Zeit, in der sie leben, sehen sie in diesem Sinn charakterisiert durch die *falsi fratres*, die Paulus im Brief an Titus beschreibt: „Sie geben vor, Gott zu kennen, mit ihren Werken aber

[1] HA, E 1, 178 (Lef. 393).

[2] Vgl. HA, Ps. 82 (194, 509—511): die Ps. 82, 7—9 erwähnten Völker werden auf die steten Feinde der Kirche gedeutet. Dabei entsteht folgendes Schema: Idumäer = Juden = Menschen, die nur das Irdische suchen; Ismaeliten = falsche Christen, die sich von ihren Leidenschaften hinreißen lassen; Moab = alle, die das Gesetz Gottes ablehnen; Agarener = Häretiker; Gebal = Heuchler; Ammon = Häresiarchen; Amelech = Ämterjäger; Philister = Verschwender; Tyrus = Ungläubige; Assur = Teufel. Die Fürsten gegen Israel sind die Typen von Kirchenfeinden: Madian = Gesetzesmißachter; Sisara = die Streitsüchtigen; Jabin = die Philosophen; Oreb = Häretiker; Zeb = Ungläubige; Zebee = die falschen Christen; Salmana = die Juden. — Weitere Kataloge bei HA: CC 1, 2; 2, 4; 4, 8 (172, 386.413.485); GA 1, 160 (172, 594); SE quinqu. (172, 874); Ps. 34; 37; 50; 77; 78; 82; 86; 88; 93; 101; 117 (193, 1344. 1371.1603; 194, 488.494.507.511.527.547.574; 172, 297; 194, 724 f.). Konstant tauchen auf die Juden, Heiden, Häretiker und falschen Christen, ergänzt durch Dämonen, Ungläubige oder die Christenverfolger. Die Zeit der Kirche als Schauplatz des Kampfes zwischen Gott und Teufel: HA, OS (Kelle 11); Ps. 34; 79 (193, 1343; 194, 495) — GvR, AD 1 (194, 1196): das ist Folge der Erbsünde: Ps. 9 (193, 755).

[3] GvR, Ps. 73 (194, 377).

[4] RvD, EJ 7 (CCcm 9, 370).

[5] GvR, Ps. 73 (194, 370); vgl. Ps. 19 (a.a.O. 963); auch im Zeitalter der Märtyrer und Bekenner gab es schon falsche Christen.

verleugnen sie ihn"[6]. Ordo und Ethos klaffen bei ihnen auseinander: sie glauben, aber leben nicht als Christen; so stehen sie zwischen echten Christen und Häretikern gleichsam in der Mitte, wie Judas, der unter der Maske des Apostels abtrünniger Feind Christi war[7]. Dahinter steht freilich auch ein Versagen im Glauben, wie noch zu zeigen sein wird. Jedenfalls sind sie den Häretikern darin gleich, daß sie die Kirche verleumden[8]: wie eine fünfte Kolonne leben sie mitten in der *civitas Dei* als „domestici inimici"; nicht einmal die höchsten Ämter sind vor ihnen sicher[9]. Sie sitzen an den Schaltstellen, aber sie haben auch die Majorität in allen anderen Positionen: „... cum autem multa sint peccata in populo christianitatis"[10]. Gerhoch faßt gleichsam im Telegrammstil die Lage der Kirche zusammen: „multiplicatis in ecclesia falsis fratribus, paucis in veritate ac sinceritate ambulantibus"[11].

Die Klagen über das Jahrhundert erheben sich nicht nur von Clairvaux aus, sondern von Reichersberg ebenso wie von Deutz und Regensburg[12]. Am schlimmsten ist der Umstand, daß gerade die gottzugewandte Spitz des Ordo, der Klerus, auch an der Spitze der falschen Christen steht. Sein Hauptlaster ist die Geldgier, die *avaritia*: „Quaerere quae sua sunt, non quae Jesu Christi" ist ihr Ziel[13]. Dann aber sind sie nicht mehr wie die Fenster, die das Licht, das Christus ist, in die Kirche einlassen, sondern Götzendiener[14], Häretiker[15] und Juden[16]. Ihre Sittenlosigkeit berührt den Glauben selbst, der von der Liebe geprägt und damit existentiell gelebt werden muß.

[6] Tit. 1, 16; vgl. RvD, A 9, 16 (169, 1119) — HA, CC 1, 1 (172, 370); Ps. 77 (194, 491) — GvR, Ps. 19 (193, 948) u. ö. Zur Traditionsgeschichte vgl. H. de Lubac, Exégèse II/1, 176—181.

[7] RvD, EJ 10 (CCcm 9, 572) — GvR, Ps. 19; 142 (193, 952; 194, 945 = Gilbert, Rf. 121 c).

[8] GvR, Ps. 118 (194, 802).

[9] GvR, a.a.O.; vgl. ds., Ps. 23 (193, 1085). CE ep. ad Henr. (194, 9) seine Meinung über den von ihm abgelehnten Begriff der *curia Romana*.

[10] RvD, A 6, 11 (169, 1024); vgl. auch RvD, carm. 2 (Dümmler 180): „intus turba, foris chaos"; a.a.O. 3; 4 (a.a.O. 180 f. 182).

[11] GvR, Ps. 12 (193, 812).

[12] Zu Bernhard vgl. die Synopse seiner zeitkritischen Bemerkungen bei A. Steiger, Bernhard 526—529. Zusammenstellungen der Zeitkritik Gerhochs bieten H. F. A. Nobbe, Gerhoh 109—139; Classen, Gerhoch 44—47; K. Sturmhoefel, Gerhoh II.

[13] RvD, EJ 6 (CCcm 9, 303.313); A 6, 11 (169, 1025), dazu A 2, 2 (a.a.O. 877 bis 879) — HA, SE ep. (172, 847) — GvR, Ps. 65 (194, 139). Zur Geschichte des Wortes bei den Gregorianern vgl. G. Miccoli, Chiesa 106 f./23.

[14] HA, SE Mich. (172, 1010).

[15] GvR, Ps. 77 (194, 458.476).

[16] GvR, QV 8 (Scheib. 574).

Rom, das den ersten Platz in der Kirche einnehmen sollte in seinem Glauben und seiner Liebe, hat statt dessen den Primat des Lasters inne. In seinen Alterswerken nimmt der Propst kein Blatt vor dem Mund, lediglich die Person des Papstes erfährt eine gewisse Schonung. Aber sonst fahren seine Vorwürfe wie Peitschenhiebe auf die Kurie nieder: für Geld kann man alles in Rom haben, Privilegien, Exemtionen und Ämter. Bei einem Prozeß entscheidet nicht das Recht, sondern der Geldbeutel: hört man einmal ausnahmsweise, daß keine Bestechungsgelder gegeben worden sind, gleicht das einem Wunder. Wenn wenigstens die Gelder für kirchliche Zwecke verwendet würden! Aber die Kurialen geben es ihren Nepoten oder erklettern mit seiner Hilfe die nächste Sprosse der kirchlichen Rangleiter. Die Ortskirchen werden bei diesem System arm, aber Rom ist ein Faß ohne Boden, das immer neue Summen verschlingt. Zwar sei das nicht die Schuld des Papstes, versucht Gerhoch zu entschuldigen, sondern der Römer, die ihn durch politische Aktionen erpressen, welche fast der Taktik des modernen Volkskrieges ähneln[17]. Zur Habsucht kommt ein unerträglicher *Stolz:* beide sind die Hauptberater der römischen Kurie[18].

Damit aber gerät sie in bedenkliche Nähe zur Häresie. Das versucht der Reichersberger in der „Quarta vigilia" zu zeigen. Wer sich nicht um die ihm Anvertrauten kümmert, begeht eine Sünde wider den Glauben[19]. Die Kirche von Rom ist die Mutter aller Ortskirchen und aller Gläubigen. Ihre Vorrangstellung hat sie aus Gnaden ohne Geld empfangen, also muß sich auch ihre Sorge umsonst auf alle ausdehnen, d. h. sie muß allen Kirchen mit gutem Rat und gerechtem Urteil beistehen. Das geschieht nicht, sondern Rom ist erfüllt von Eigennutz, Habsucht und Korruption. War nicht die letzte Nachtwache hereingebrochen?[20]

Was in Rom exemplarisch und im schlimmsten Ausmaß geschieht, setzt sich in den anderen Kirchen gleichermaßen fort. Aus der Habsucht wird die *Simonie* geboren, aus der Simonie die Vermengung von Weltlichem und Geistlichem. Die meisten Priester halten den Zölibat nicht mehr. *Judas fur sacrilegus, Simon Magus, Nicolaus fornicator:* so heißt die Trinität des Geheimnisses der Bosheit. Ungeheuerlich ist die Verschwendungssucht der Prälaten. Mit ätzendem Spott geißelt Gerhoch den Aufwand des päpstlichen Hofes. Petrus sprang nur mit dem Obergewand bekleidet ins Was-

[17] GvR, IA 1, 52.88 (Exemtionen) (Scheib. 105—107.173 f.).
[18] GvR, IA 1, 66 (Scheib. 135).
[19] GvR, QV 8 (Scheib. 573).
[20] GvR, QV 7; 10 (Scheib. 572—574.576).

ser, um zu Christus zu gelangen; vorher war er nackt (Joh. 21,11). Sein Nachfolger reitet auf einem prächtigen Roß daher, angetan wie ein Kaiser, als ob er Joseph am Hof des Pharao oder Mardochäus bei den Persern wäre. Diese aber unterhielten wenigstens ehrerbietige Beziehungen zu ihren Herrschern; heute dagegen möchte der Papst den Kaiser am liebsten zu seinem Pferdeburschen machen[21]. Für die Armen aber bleibt kein Geld mehr übrig.

„Wir sehen nur wenige, die aus den Einkünften der Kirchen das gemeinsame Leben an den Pfarrkirchen fördern oder die es jährlich in vier gleiche Teile teilen und es gemäß den kanonischen Vorschriften verteilen. Einige Güter besitzt der Bischof, andere das Heer, nichts der Klerus, nichts bekommt die Witwe und der arme Lazarus“[22].

Wenn Gerhoch den Antichrist aufspürt, dann entdeckt er im Klerus Schändung, Unzucht, Verschleuderung des Kirchenguts, Unterschlagung der Armengelder und immer wieder Luxus der Lebenshaltung, immer wieder Vernachlässigung der Hirtenpflicht:

„Es gibt eine Menge von Leuten, die lieber leiten als helfen, eher Hirten heißen als sein wollen“[23].

Die Bischöfe lieben den Krieg mehr als das Schwert des Wortes, sie sorgen eher für ihre Armeen als für ihre Armen, sie machen sich schuldig an den Greueln des Krieges[24]. Kein Kirchenrecht kümmert sie mehr: sie schalten und walten, wie es ihnen beliebt[25]. Die Domkapitel bilden Widerstandsnester schlimmster Art gegen jede Kirchenreform: mit allen Mitteln reißen sie die Pfarreien an

[21] *Judas fur* etc. z. B. GvR, Ps. 23 (193, 1092 f.); vgl. ds., Ps. 5; 73 (193, 702; 194, 380); IA 1, 74—82 (Scheib. 147—159); DI (194, 1421); CE 12 (194, 18) — Zur *Romkritik*: ds., AD 7 (194, 1219); CE 35; 49 (194, 30.39); IA 1, 54 f. (Scheib. 108 f.); QV 12 (Scheib. 583).

[22] GvR, AD 46 (194, 1311): „Paucos ... videmus, qui de redditibus ecclesiarum communem vitam in baptismalibus ecclesiis foveant, aut exinde quatuor partes in singulis annis faciant, atque illas juxta statuta canonum distribuant. Quasdam villas episcopus possidet, quasdam miles; parum habet clericus, nihil accipit vidua et Lazarus“; vgl. ds., DI (194, 1422); S 2 (194, 1338); Ps. 57; 68 (193, 1717—1719; 194, 264); CE 29; 156 (194,27.105); IA 1, 4.55 (Scheib. 25.109 f.).

[23] GvR, IA 1, 55 (Scheib. 109 f.): „Multitudo invenitur eorum, qui magis praeesse quam prodesse, magis pastores dici quam esse curent“; vgl. a.a.O. 5 (a.a.O. 27).

[24] GvR, AD 6; 7; 35; 36 (194, 1210.1219.1281.1282.1283). Das Waffenverbot für den Klerus geht auf eine alte patarinische Forderung zurück; vgl. Vita Arialdi (MGH SS 30/2, 1063 f.).

[25] GvR, Ps. 34 (O II/1, 321); CE 56 (194, 43 f.).

sich, besetzen sie mit einem minderwertigen Vikar und bringen mit fröhlichem Leben das Geld durch; infolge der Pfründenkumulation aber wird das Recht des Pfarrklerus auf die Mitwahl der Bischöfe blockiert[26].

Sind die Kirchenleiter schlecht, kann der Niederklerus nicht besser sein. Gerhoch beschreibt seine sittliche Haltung mit Worten wie Stolz, Geiz, Habsucht, Amtserschleichung, Amtsanmaßung, Unzucht, Disziplinlosigkeit, Schwärmerei[27]. Die Klöster der Männer- wie der Frauenorden sind Stätten der Völlerei und Schlemmerei, Kontore übelster Geschäftemacherei, Inbegriff aller Laster und allen Wohllebens[28]. Was mit ihrem Leben nicht zusammenstimmt, das streichen sie aus der Heiligen Schrift, was noch übrig bleibt, beachten sie nur wenig: Barmherzigkeit, Glaube und Gerechtigkeit[29]. So werden sie zu Häretikern, die nicht mehr die Integrität der Bibel achten.

Die Laien sind keinen Deut besser: schamlos suchen sie die Rechte der Kirche an sich zu reißen und sich in die Belange des Klerus einzumischen[30].

Manche Farben sind ein wenig dick aufgetragen, manche Jeremiade tönt etwas laut. Doch kann man bei der Lektüre kaum im Zweifel sein, daß einem Mann wie Gerhoch das Herz bluten mußte, wenn er den Greuel der Verwüstung an heiliger Stätte so offenkundig sah.

> „Diese Zeit gleicht jener, da Christus im Grab lag und weder unter seinen Feinden, den Juden, noch unter den Aposteln, seinen Freunden, seine Gegenwart offenbar werden ließ“[31].

Die Zeit in der Kirche ist der Karsamstag. An ihm steht sie mitten in der Welt.

[26] GvR, N 27 f.; 36; 38 f. (That. 39.72.77—79.80).

[27] GvR, Ps. 23; 66; 118 (193, 1094; 194, 154.335); CE 45; 60 (194, 37.45); IA praef. (Scheib. 11); AD 2 (194, 1200); N 28 (That. 222 f.) — vgl. auch RvD, EJ 6; 10 (CCcm 9, 313.572); Jos. 21 (167, 1020); A 2, 2 (169, 866.877) — HA, E 1, 188 (Lef. 396); OS (Kelle 9 f.).

[28] GvR, Ps. 41; 68 (193, 1500; 194, 236 f.); IA 1, 50.52 (Scheib. 102.105); AD 33; 34; 36 (194, 1297 f. 1284) gegen die Mißstände in den Frauenklöstern. Vgl. auch RvD, carm. 4 (Dümmler 181 f.).

[29] GvR, Ps. 34; 118 (O II/1, 320; 194, 374 f.).

[30] GvR, Ps. 5; 24 (193, 702.1108 f.); CE 29; 40; 44; 50; 114; 143 (194, 27.33.36. 40.75.79); N 3 (That. 189); IA 1, 5.52 (Scheib. 25.105 f.).

[31] GvR, Ps. 24 (193, 1109): „Videtur tempus istud illi tempori consimile, quando Christus jacens in sepulcro neque inter Judaeos inimicos neque inter discipulos amicos manifestavit suam praesentiam“.

2. Der Weg der Kirche in der Zeit

Die Krise der Kirche, die hier schmerzlich erlebt und als Bestandteil der ecclesia praesens verstanden wird, fordert Glauben und Kritik heraus.

Die aus der Meditation der Heiligen Schrift gewonnene Erkenntnis, daß die Kirche das Werk der Dreifaltigkeit ist, wird angesichts dieser Lage aktualisiert. Gott wird seine Kirche nicht im Stich lassen: der Vater erbarmt sich ihrer, der Sohn hält über sie seine schützende Hand, der Geist hört nicht auf, sie zu heiligen[32].

Über alle Mutlosigkeit siegt der Glaube an die Realität der Verheißungen Christi, dem kein Feind widerstehen, dessen Kirche keine Hölle überwinden kann[33]. Im Blut Christi müssen alle Gegner ertrinken: so wenig die Juden durch die Kreuzigung die Herrlichkeit des auferstandenen Christus aufhalten konnten, so wenig können die Feinde der Kirche ihren Weg hemmen[34]. Ostern ist die Garantie, daß der Karsamstag nicht die wirkliche und nicht die bleibende Stunde der Zeit in der Kirche ist.

Von Ostern her erfolgt denn auch die Kritik an der Kirche, die einmündet in die Reform der Kirche. Christus hatte die durch die Sünde verwirrte Ordnung wiederhergestellt im Geschehen von Kreuz und Auferstehung. Diese *renovatio* der Welt sollte die Kirche fortsetzen bis zur Parusie. Erneuerung der Kirche war dann eschatologisch anzugehen, d. h. man mußte alles tun, um zu verhindern, daß die Kirche vom rechten Weg abirrte, auf dem allein jener Christus zu finden war, der selber sich als Weg bezeichnet hatte. Die Apostel hatten ein für allemal den Weg abgesteckt und sie waren ihn als erste gegangen.

Gerhoch denkt nur seine Ekklesiologie zu Ende, wenn er als bestes, ja einzig mögliches Mittel der Erneuerung die Einführung der *vita apostolica* verlangt, denn hier sieht er die richtige, d. h. für ihn die evangeliumsgemäße Lebensweise der Männer der Kirche: „Duodecim apostolis veluti duodecim patriarchis per signum spiritualis circumcisionis in regularis vitae observantia conjungantur", mahnt er darum den Klerus von den Prälaten bis zu den Pfarrern[35].

[32] GvR, Ps. 24; 30 (193, 1112.1114.1298); AD 1 (194, 1197 f.).

[33] GvR, Ps. 8; 9; 19; 23 (193, 741.746.758.948.1079). Ps. 9 (a.a.O. 758 f.) gibt Gerhoch Beispiele aus der Geschichte für den Untergang kirchenfeindlicher Mächte. Rom ist eine Ausnahme: trotz der kirchenverfolgenden Kaiser besitzt es eine *victoriosa excellentia* aus göttlicher Autorität, die es dem Untergang entzieht — vgl. HA, CC 2, 6 (172, 447); Ps. 34; 88; 97 (193, 1343; 194, 546.592).

[34] GvR, Ps. 9 (193, 755).

[35] GvR, AD 37 (194, 1285). Während er in AD diese Reform abrupt durchgeführt

Schon seine Zeitgenossen waren versucht, in diesem beharrlichen „Ceterum censeo" des Chorherrn eine etwas exaltierte Absonderlichkeit zu sehen. Für diesen aber blieb die Apostolizität der Kirche, die ihrerseits wiederum die Christusförmigkeit der Kirche gewährleistete, solange unvollkommen, als sich ordo und Ethos, Sukzession und apostolisches Leben nicht deckten. Erst wenn der Amtsträger (der dies auch als moralisch schlechter Mensch bleibt) seine Würde lebt, wird er wirklich mit den Aposteln verbunden: „apostolis conjungi".

Unmißverständlich gibt darum Gerhoch das Reformprogramm dahingehend an, daß die Kirche als Haus Gottes „ad antiquam apostolicae perfectionis institutionem reformanda" sei[36]. Dazu ist ihm jedes Mittel recht. So sehr er sich gegen Eingriffe des Staates ins kirchliche Leben sonst wendet, wenn sie der Herstellung dieses Zieles dienen, nimmt er sie dankbar hin: Christus habe den Tempel auch durch Herodes aufbauen lassen, meint er an der gleichen Stelle.

Die unbedingte Voraussetzung der *vita apostolica* ist die apostolische Armut. Darin folgen wir dem *Christus pauper,* der zum eigentlichen Leitbild der Reform hinter der Apostolizität des Lebens wird[37]. Das hatte der Propst von seinem Lehrer übernommen: schon Rupert war überzeugt, daß die Apostel erst wegen ihrer Armut befähigt waren, die überreichen Gnadengaben des Geistes aufzunehmen[38]. Aus dem gleichen Grund hatten sie auch die großen Erfolge bei ihrer missionarischen Predigt. Denn Armut macht frei: der Arme steht über dem Geld, dieses ist nicht sein Herr[39]. Trotzdem liegt nicht in der materiellen Bedürftigkeit das Wesen der apostolischen Armut, sondern in der geistigen Bedürfnislosigkeit, die sich im freiwilligen Verzicht manifestiert: „Nihil in hoc mundo *velint* habere" — das ist der *apex maternae perfectionis,* der Gipfel der kirchlichen Vollkommenheit[40], so wie sie in den Makarismen

wissen will, mildert er seinen Vorschlag später dahingehend ab, die Kollegiats- und Domkapitel allmählich bei Vakanzen durch Regularkanoniker aufzufüllen: CE 48 (194, 39); N 3 (That. 39).

[36] GvR, IA 1, 47.49 (Scheib. 98.100).

[37] RvD, Evg. 18 (167, 1550); Am. 2; Abd. (168, 232.382) — GvR, AD 23 (194, 1233); CE 33 (194, 31); ep. 3 (193, 491); vgl. A. Lazzarino del Grosso, Povertà e ricchezza.

[38] RvD, SpS 6, 20 (167, 1753); VV 11, 21; 13, 4 (169, 1456.1489); Gh. 3; 8 (168, 1384.1489.1490) — GvR, Ps. 9; 23 (193, 786.1083); IA 1, 48 (Scheib. 98).

[39] RvD, Gh 8 (168, 1491).

[40] RvD, A 7, 12 (169, 1050) — GvR, Ps. 23 (193, 1073); CE 33 (194, 31); LF laud. (O I, 242).

der Bergpredigt gerühmt ist[41]. Denn diese Armut allein ist die radikale Absage an die Ursünde der Menschheit, den Stolz, der sich im Habenwollen konkretisiert[42]. Sie ist damit Voraussetzung für die rechtfertigende Gnade Gottes. Hier aber wird die ekklesiologische Dimension der Armut sichtbar. Die Kirche ist als Frucht und als Mittel des Heils die Abkehr von der Sünde der Welt. Sie kann das aber nur dann wirkmächtig und umfassend sein, wenn sie dem Besitz entsagt. In diesem Verzicht reformiert sie die Welt, darum muß sie zu diesem Verzicht, auf ihn hin reformiert werden. Gerhoch und Rupert geifen noch einmal zum Bild der beiden Städte. Kain ist der Urfeind der Kirche, das Symbol Babylons. Kain ist der Städtegründer, d. h. der Mensch, der sich häuslich auf dieser Erde einrichtet und in seinem Besitz sich verschanzt. Er kann sich nie wieder aufmachen, um das Heil zu suchen. Er ist der Weltmensch in der erschütterndsten Folgerichtigkeit, die zum Mord am Menschen und von dort zum eigenen Tod führt, der durch Erstikken am Stolz über den Besitz eintritt. Reform der Kirche und Kirche der Reform bedeuten also: Erneuerung und Heiligung der Welt durch den Auszug aus ihr. Die Kirche hat auf Erden eben keine bleibende Stätte, mehr denn Tempel ist sie Zelt, das immer wieder abgebrochen wird, bis man in die Himmelsstadt Jerusalem gelangt. Das alles kommt zum Ausdruck in der Armut, die die demütige Haltung der *pauperes spiritu* in der materiellen Armut zeichenhaft sichtbar macht[43]. Die Heiligen der Kirche sind den Zeitgenossen leuchtende Vorbilder dieser apostolischen Haltung[44]. Sie haben nicht das Ihre gesucht, sondern das, was Jesu Christi ist. So haben sie das Laster der *avaritia,* das die Kirche durcheinanderschüttelt, überwunden und den heiligen ordo Gottes in der Kirche hergestellt[45].

In der Gegenwart, die so verdorben ist, bedeutet diese Hinkehr zu Christus lebendige Gesinnung der Buße. Gerhoch sieht darum in der Wiederherstellung der alten Bußdisziplin eine entscheidende Reformmaßnahme, die auch von der körperlichen Züchtigung und

[41] Vgl. RvD, Is. 2, 25 (167, 1350).

[42] Vgl. RvD, Is. 2, 7 (167, 1320) — GvR, Ps. 24 (193, 1143).

[43] RvD, Mich. 2 (168, 497 f.) — HA, Ps. 50 (193, 1603) — GvR, vgl. die Texte der Angaben in den Anm. 38, 40, 42, 44, dazu Meuthen 36.

[44] GvR, Ps. 23 (193, 1074); QV 14 (Scheib. 589). Vgl. auch RvD, Herib. 12; 23 (170, 403 f. 412): der Gipfel der Demut des Kölner Kirchenfürsten bestand darin, daß er persönlich das Kind armer Eltern tauft, dem kein anderer Priester das Grundsakrament der Kirche wegen der elterlichen Armut spenden wollte; ferner die Schilderung des Einzugs von Bischof Kuno in Regensburg: Gh 12 (168, 1604—1609).

[45] GvR, QV 14 (Scheib. 589).

der Neubelebung der öffentlichen Kirchenbuße nicht absehen darf, Klerus wie Laien einschließt und eine Hilfe sein soll, besonders die letzteren auf den regulierten Stand hinzuweisen, dem sie sich in etwa durch die Lebensform der Konversen anschließen können[46].

Besonderer Maßnahmen bedarf der Klerus, von dem alle Mißstände der Kirche ihren Ausgang nahmen. Denn was in der Stadt die Gotteshäuser, das sind in der Kirche die Geistlichen: sie sollen der Mittelpunkt von Glaube und Liebe sein. Der Reichersberger Propst entwickelt detaillierte Vorschläge zur Erneuerung des geistlichen Lebens[47]. Eine wichtige Rolle nimmt der Zölibat ein. Da der Priester der normale Spender der Taufe ist, so argumentiert er, dürfe zwischen dem *generans* und dem *regenerans* keine Identität bestehen, da sonst eine unheilvolle Vermischung beider Dienste (ministeria) eintrete: „et fiat populus sicut sacerdos"[48].

Aber auch der Laienstand muß erneuert werden. Gerhoch sieht ein wichtiges Mittel in der Einführung der Erwachsenenkatechese, wie sie in der alten Kirche bestanden hatte[49]. Vor allem aber ist die soziale Not zu beheben: das darniederliegende Caritaswesen soll durch die Bestellung eines Diakons an den Pfarrkirchen belebt werden. Denn die Armen sind die ersten, die unter den kirchlichen Mißständen zu leiden haben[50].

Der Propst weiß, daß noch so gute Reformen nichts ausrichten, wenn nicht die innere Substanz der Kirche erneuert wird. Mehr noch als dieses oder jenes Versagen ist die dahinter stehende Diskrepanz zwischen Anspruch und Sein, zwischen Ideal und Wirklichkeit, zwischen Ethos und ordo schuld am Niedergang der Kirche. Die Worte und das Leben der Amtsträger klaffen auseinander — und diese Inkongruenz, die zur Falschheit der *falsi fratres* wird, ist unerträglich in einer Kirche, deren Herr und Haupt Christus ist, der sagte, er sei *die* Wahrheit[51]. Mit allem Nachdruck setzt er sich dafür ein, daß sie aus dem Leib Christi wie eine unverdauliche Speise ausgespieen werden[52]. Nur wenn die wahren und die falschen

[46] GvR, AD 37; 38; 40; 41 f.; 44 (194, 1286 f. 1294.1295—1300.1305 f.): an der letzten Stelle eine vollständige Bußordnung. Vgl. B. Poschmann, Buße und letzte Ölung (HDG IV/3), Freiburg 1951, 81 f. Gerhoch greift einen Gedanken der frühen gregorianischen Reform auf.

[47] GvR, IA 1, 48 (Scheib. 98 f.).

[48] GvR, Ps. 58 (193, 1732 f.).

[49] Vgl. GvR, AD 39; 43 (194, 1291.1300—1304).

[50] GvR, AD 45 (194, 1307).

[51] GvR, Ps. 9 (193, 768).

[52] GvR, Ps. 17 (193, 892).

Christen geschieden werden, kann der Friede in der Kirche einkehren[53].

Reform der Kirche ist in ihrer letzten Tiefe Rückkehr zu Christus. Sie kann für den Reichersberger nicht wie für die Schwärmer seiner Zeit darin bestehen, die Strukturen der Kirche zu zerbrechen und sie damit ihrer Identität zu berauben. Das mochte erregend sein, aber es mußte zur Vernichtung, nicht zur Erneuerung der Christusförmigkeit der Kirche führen. Aus dieser Einsicht heraus suchte er den Weg nach vorn, ins Neue der Erneuerung, auf den Spuren der Alten, die ihre Treue und Liebe zu Christus ausgelebt hatten und darin ordo und Ethos zur Deckung gebracht hatten. Darum hält er an der traditionellen Theologie fest, darum beruft er sich auf Schritt und Tritt auf die Konzilien und päpstlichen Dekrete der Vorzeit, darum möchte er für alle die alte vita apostolica einführen.

Sein Eifer ließ ihn oft heftig werden, seine Sehnsucht nach der reinen Kirche schlug gelegentlich in Rigorismus um. Zu Recht haben sich die Päpste seiner Zeit, auch und gerade jene, die ihm wohlgewogen waren, nicht auf alle Abenteuer eingelassen, in die sie der Propst führen wollte. Er hat letzten Endes kaum etwas erreicht; sein Name blieb vergessen. Aber die Reformtheologie des monastischen Kreises, dem er als eines der Häupter angehörte, wurde zur Vorläuferin der *theologia paupertatis,* die ein Jahrhundert später in Assisi gelebt wurde.

[53] GvR, Ps. 71 (194, 316): a.a.O. (a.a.O. 316—318) über die Bedeutung des Friedens für die Kirche. Die Scheidung muß durch den Ausschluß von der Eucharistie erfolgen, die das Zeichen des echten Christseins ist: a.a.O. 19; 23 (193, 953.960.1058).

Zusammenfassung

GOTTES HEIL IM ORDO DER WELT

Theologie ist für die Monastiker Rupert, Honorius und Gerhoch das ehrfürchtige *Be*denken und *Nach*denken der Heilsordnung. Sie ist die Antwort Gottes auf die Unordnung der Sünde seiner Geschöpfe, die das Unheil provoziert hatte. Darum galt es, sie zu erkennen und alle Dimensionen ihrer Wirklichkeit in Theorie und Leben zu entfalten. Deswegen waren sie in ihrer Jugend in Kloster oder Stift eingetreten, um in Muße über die Liebe und Menschenfreundlichkeit Gottes nachzusinnen, dessen Erbarmen eine Großtat war, die nicht genug gepriesen werden konnte. Wenn sie in den Gotteshäusern Liturgie feierten, wurde ihnen beides, der Raum und die kultische Feier, zum Symbol der Kirche, in der und durch die Gottes Heil den Menschen zuteil wurde. Diese Einsicht trieb sie wieder aus der Stille ihrer Zellen in die Welt hinaus: ihr mußte diese frohe Botschaft von ihrer Erlösung verkündigt werden. Deswegen schrieben sie ihre Gedanken nieder, denn sie wußten, daß ihre Theologie nur dann sinnvoll sein würde, wenn sie ihr Teil beitragen wollte, das Heil der Welt zu vollenden und die Herabkunft der Himmelsstadt Jerusalem zu beschleunigen. Ihre Weltflucht verwandelte sich in Weltdienst.
Von dieser Grundposition her sehen sie das Bild der Kirche. Sie ist für sie in erster Linie eine geistliche Wirklichkeit, ein Geheimnis im großen *Mysterium Salutis,* das das letzte, weil alle anderen umschließende Objekt ihrer Theologie war. Kirche ist die konkrete, die weltliche Antwort Gottes auf die Sünde, da sie als Heilsgemeinde mitten in der Zeit und Welt der Ansatzpunkt und die Gegenwart der siegreichen Gnade Gottes ist. Daraus ergibt sich jene seltsame Stellung der Kirche, die zu allen Epochen der Theologiegeschichte das eigentliche ekklesiologische Problem bildete. Es ist immer wieder anders formuliert worden, aber es blieb das gleiche. In der Kirche treffen Gnade und Natur, Ewigkeit und Zeit, Heil und Sünde, ordo und confusio, Jerusalem und Babylon, Endliches und Unendliches, Gott und Kreatur aufeinander: Wirklichkeiten treten in Kontakt, die unvereinbar miteinander scheinen. Sie sind es auch und blieben es, wäre es nicht gerade die Botschaft der Offenbarungsurkunden, daß diese Inkompatibilität aufgehoben ist.

Das theoretisch Unmögliche ist Gottes Praxis. Unsere Autoren waren bemüht, dieses Paradoxon von der geistlichen Wirklichkeit des ordo salutis aus zu beleuchten. Ihr Problem war nicht wie in der Reformationszeit die Frage, ob und wie die Kirche sichtbar sei, sondern genau umgekehrt, ob und wie das *corpus permixtum* einer heillos zerfallenen kirchlichen Gemeinschaft tatsächlich die unsichtbare Realität des göttlichen Heiles sei. Sie zerbrachen sich nicht die Köpfe, wie viele moderne Theologen, ob und wie Kirche in der Welt sein könne, sondern wie die verweltlichte Kirche in den Himmel kommen könne. An ihrer irdischen Konsistenz und ihrer Verflechtung mit den Strukturen der Erde konnte ohnedies niemand zweifeln. Sie dachten keinen Augenblick daran, Sichtbarkeit und Weltlichkeit aufzugeben: das war die novatianische, die katharische Versuchung. Ihr Ziel konnte es nicht sein, die Kirche aus der Welt herauszulösen, um sie als chemisch reines Substrat in himmlische Reservate einzuholen; sie wollten keine andere Kirche im Heil sehen als die Welt-Kirche, jene Kirche, die beides ist, Kirche dieser Welt und Welt in dieser Kirche. Sie waren unerschütterlich fest davon überzeugt, daß das der Wille des heilschaffenden Gottes war.

Folgerichtig sahen sie die Antagonismen, die sich daraus für die Ekklesiologie ergeben mußten. Weil sie die Welt zu Gott bringen wollen, betonen sie den Ordo dieser Welt. Die Urschuld bestand darin, daß Engel wie Menschen ihn umstürzen wollten, um ihre eigenen Pläne durchzusetzen. Un-Ordnung ist identisch mit der Sünde. Das Heil setzt also die Restitution des Kosmos, die Herstellung des ordo voraus. Wo Ordnung gehalten wird, ist das Heil schon da, obschon das Heil noch nicht die Ordnung ist, sondern deren Transzendierung. Erst im *ordo gratiae* wird der *ordo creationis* heil. Aber ohne *ordo creationis* wird der *ordo gratiae* nicht gegeben. Der Mönch wird nicht gerettet, weil er Mönch ist, sondern weil er im ordo continentium demütig gewesen ist, geliebt und geglaubt hat. Priester und Eheleute haben die gleiche Unheilschance und die gleiche Heilsmöglichkeit: ihr Adel vor Gott hängt von ihrer Geistlichkeit im Rahmen ihres Standes ab. Die katharische Radikallösung drängt sich noch einmal auf: war unter diesen Umständen die Schöpfungsordnung nicht belanglos geworden? Unsere Theologen haben sie verneint. Die Ungleichheit der hierarchischen Ordnung war die Ermöglichung der Gleichheit der Heilsmöglichkeit. Weil sie die Realitäten dieser Welt ernst nehmen, wird ihre Theologie vor einem schwärmerischen Utopismus bewahrt.

Das Gesetz des Antagonismus in der Kirche wird auch an der Spannung zwischen Katholizität und Apostolizität deutlich. Gottes

Heil ist grenzenlos wie sein Erbarmen. Es ist Heil im Pneuma, das weht, wo es will. Der Geist wird allen Menschengruppen als Gabe gegeben, Männern wie Frauen, Reichen wie Armen, Laien wie Priestern; er kennt keine Differenzen der Rasse, des Volkstums, der Sprache. Die Kirche, deren Lebensprinzip der Heilige Geist ist, ist Welt-Kirche auch in dem Sinn, daß sie Kirche in aller Welt und für alle Welt ist. Er hat sie so ergriffen, daß sie sich nicht mehr selber er- und begreifen kann, sondern nur mehr Werkzeug des Heiles ist. Die Weltkirche ist dienende Kirche. Sie steht an der Spitze aller Ordnungsgefüge, weil sie unmittelbar mit dem dreieinen Gott verbunden ist wie keine andere Wirklichkeit auf Erden, aber sie ist die erste nur als die erste in der Liebe, sie herrscht als Dienerin, sie ist Jerusalem nur als Stadt auch für die Bewohner Babylons. Ihr Sein ist Für-Sein, ihr Glaube Liebe, ihre Liebe Demut. Dann eröffnet sich ihr der unendliche Raum der Freiheit, die nur den Kindern Gottes möglich ist. Aber diese Fülle ihrer Gaben ist gebunden an die Strukturen gefügter Sendung. Der Geist weht, wo er will, aber er weht nicht anderswo als in der Kirche; Gott schenkt sein Heil aus Gnaden, aber diese Gnade ist nur in der apostolischen Kirche zu finden. Die Weite eröffnet sich in der Bindung, die Dauer ist gesichert durch das bleibende Gesetz des Anfangs. Wie der *cursus salutis* von den Juden seinen Ausgang nahm, so wird er im Heil der Juden münden; wie die Patriarchen und Propheten die Erstglaubenden an Christus waren, so bleiben sie für alle Zeiten die Fundamente jeden Glaubens; wie Christus seine Sendung den Aposteln übergab, so ist alle Sendung an die apostolische Sukzession gebunden. Die Über-Ordnung der Gnade wird nur in der Unterordnung geschenkt. Ein drittes Mal wird jener Antagonismus sichtbar im Weg der Kirche durch die Geschichte. Sie befindet sich auf dem Lauf zum Heil, sie steht als Sion in der Sehnsucht nach Jerusalem. Sie weiß sich als die Schar der Erwählten, als reine Braut Christi ohne Makel und Falten, als Gemeinde der Gottliebenden und Gottgeliebten. Es hält sie nichts in der Zeit: eilig bricht sie ihre Zelte ab, um endlich die feste Stadt Gottes zu erreichen. So bleibt ihr wenig Zeit für die Dinge dieser Welt; muß sie sich damit abgeben, weil ihre innere Struktur oder ihr Platz in der äußeren Ordnung in Unordnung gekommen ist, dann tut sie es unwillig, ungeduldig. Aber die Zeit fordert ihr Recht und möchte die Kirche in die Zeitläufe einbinden: die Zeit hat Zeit und versteht die Ungeduld der Kirche nur als Flucht. So sieht sich diese verstrickt in die Händel der Straße, ermattet in der Schwäche ihrer Glieder, gelähmt durch die Bequemlichkeit ihrer Hirten.

Anstatt der Zeit die Ewigkeit zu predigen, läßt sie sich an den Ecken und auf den Plätzen Zeit zum belanglosen Geschwätz. So gerät sie unter das Gesetz der Zeit: sie bekommt Runzeln und Flecken, ihre strahlende Schönheit altert, sie droht mit der Zeit zu vergehen. Die ekklesiologische Reflexion unserer Theologen sieht diese Gefahren und ruft sie auf, wieder sie selbst zu werden, sich aufzumachen zur alten Form, die die stets neue Gestalt der Braut Christi ist. Nur in der Reform bleibt die Kirche in der Kontinuität ihres Anfangs, in der Erneuerung wahrt sie die Ordnung. Nur im Blick auf den Herrn kommt sie voran.

Christus ist das Haupt der Kirche, sie ist sein Leib. Darin ist aller Antagonismus, alle Paradoxie begründet. Denn ihr Herr ist Gott, der Mensch geworden und geblieben ist; der gescheiterte Erlöser, der geschmähte Erhöhte, der von den Toten Auferstandene. Sein Sieg ist errungen, aber er manifestiert sich im Schein der Niederlage, solange er nicht zum zweiten Male erschienen ist. Weil sie Kirche Christi ist, darum ist sie die Rettung für die Menschen und steht selber ständig am Rand ihrer Existenz.

Das ist das Grundmuster der Kirche, so wie Rupert, Honorius und Gerhoch es sehen. Es wird zum Grundmuster ihrer Theologie, weil sie überzeugt sind, daß es die Struktur des göttlichen Heilshandelns ist. Dieser allein ist ihnen wichtig, so daß alles andere Nebensache wird: bloße Anmerkung zum Haupttext. So sind sie nicht sonderlich besorgt um die letzte Exaktheit ihrer Begriffe, um die ausgefeilte Präzision ihrer Distinktionen, um die säuberliche Aufzählung aller Dimensionen eines Gedankens. Das alles war nicht ohne Nutzen in ihren Augen und sie schalten die Dialektiker nicht deswegen, weil sie sich darum bemühten. Es war ihnen nur nicht das Wichtigste: und dort erhoben sie nachdrücklich ihre Stimme, wo jemand dies vorgab. Den Systematiker von damals und heute ärgert die Unausgeglichenheit ihrer Darstellung, die Widersprüchlichkeit ihrer Bilder, die freien Assoziationen und kühnen Sprünge ihrer Gedanken, die Sorglosigkeit ihrer Gliederungen, die Unschärfe ihrer Ausführung, die Flut ihrer Symbole. Die einzelnen Seiten ihrer Bücher muten an wie die Fäden eines Teppichs, den man mit der Lupe betrachtet. Erst wenn man aus genügendem Abstand das Ganze ihrer Gedanken betrachtet, erkennt man die Einfachheit, Klarheit und Schönheit ihres Bildes von der Kirche. Sie leben in jedem Augenblick aus der Fülle der Bilder, aber in keinem Moment verlieren sie den Blick auf die eine Wirklichkeit Gottes. Jede Darstellung ihrer Gedanken wird sich hüten müssen, diese zu sehr und zu gründlich in die Schubkästen der logischen

Systematik einzuordnen: sie verlören an Leben und Farbe; man hätte zwar Steinchen in der Hand, aber kein Bild mehr.

Das Grundmuster ihres Denkens variiert sich nicht nur in ihren einzelnen Werken, es gestaltet sich bei jedem einzelnen neu als das gleiche. In die eine Konzeption geht die Vielgestaltigkeit ihres persönlichen Denkens und Lebens ein. Denkbar groß ist die Differenz zwischen dem kontemplativen, in sich selbst ruhenden, kontinuierlich sich entwickelnden Denken des Abtes von St. Heribert und dem cholerischen Temperament seines bayerischen Schülers. Der eine bedenkt die Zeit von der Ewigkeit her, der andere sehnt sich mitten in der Unrast seines Jahrhunderts nach der Ruhe der Vollendung im ewigen Sabbat. Ganz anders lebt Honorius in der gleichen Zeit: auch er hat ihre Unruhe erlebt, aber er hat sich in die Einsamkeit seiner Klause zurückgezogen, um fleißig-freundlich, schulmeisterlich ernst die Wirklichkeit der Welt und die Wirklichkeit Gottes in seinen Büchern einzufangen, damit die Geistlichen dem Volke Gottes die Botschaft vom einen und gleichen Heil besser und wirksamer verkündigen könnten. Jeder der drei geht seinen Weg, bis sie sich alle im gleichen Streben treffen.

Was sie gewirkt haben und wie sie es gewirkt haben, ist Bruchstück geblieben, das nur mehr historisches Interesse wecken mag. Der tiefe Ernst aber, mit dem sie sich als Menschen des Anfangs verstanden, die wieder und wieder im Brunnen der Schrift schöpfen mußten — obwohl es die Väter einst besser gekonnt hatten —, weil die Glieder der Kirche Christi in Bedrängnis waren, verdient unser aller Achtung. Denn wo immer Glaube und Liebe sind, dort ist auch die Hoffnung für die Kirche.

WERKVERZEICHNIS

Folgende Angaben werden gegeben, jeweils durch einen Gedankenstrich (—) voneinander abgehoben: 1. Titel, 2. Entstehung, 3. Edition. 4. Bemerkungen.

I. Rupert von Deutz

Bibliographie der Manuskripte: Manitius III, 135

Bibliographie der Editionen: R. Haacke, Überlieferung 428—435, Verbreitung 111—121

Hymnus zum Hl. Geist — vor 1100 — 168, 1599 f. —

Libellus de diversis Scripturarum sententiis — vor 1110 — verloren — erwähnt bei Rainer v. Lüttich, MGH SS 20, 595

Gedicht über die Inkarnation — vor 1110 — verloren — erwähnt a.aO. u. 168, 838

Cantus de S. Theodardo mart., Goare ac Severo conf. — vor 1110 — verloren — erwähnt 170, 796

Liber de divinis officiis — 1111 — CCcm 7 — 1126 von Rupert ediert

In Job commentarii — 1111—1114 — 168, 961—1196 — Kompilation aus Gregor d. Gr., Mor.

De voluntate Dei — 1114—1115 — 170, 437—454 —

De omnipotentia Dei — 1116 — 170, 453—478 —

Commentaria in Evangelium Sancti Johannis — 1115—1116 — CCcm 9 —

De Trinitate et operibus ejus libri XLII — 1114—1117 — 167, 199—1828 — Die einzelnen Kommentare verteilen sich auf folgende Spalten bei PL 167:

Gen.	199— 566	Reg.	1059—1272
Ex.	565— 744	Is.	1271—1362
Lev.	743— 836	Jer.	1363—1420
Num.	837— 918	Ez.	1419—1498
Dt.	917—1000	Dan.	1499—1536
Jos.	999—1024	Evg.	1535—1570
Jud.	1023—1060	SpS	1571—1828

In Apocalysim Joannis Apostoli — 1117—1120 — 169, 825—1214 —

Commentaria in XII prophetas minores — 1. Teil: 1123—1124; 2. Teil: 1124 bis 1125 — 168, 9—836 — Die einzelnen Kommentare verteilen sich auf folgende Spalten bei PL 168

Os.	11—204	Naum	527—588
Joel	203—256	Habac.	587—646
Am.	255—378	Soph.	645—684
Abd.	377—400	Agg.	683—700
Jon.	399—440	Zach.	699—814
Mich.	439—526	Mal.	815—836

De victoria Verbi Dei — 1124 — 169, 1215—1502 —

In cantica canticorum de incarnatione Domini Commentaria — 1125 — Widmungsbrief ed. R. Haacke, SM 74 (1963), 289—292; 168, 837—962

Dialogus inter Christianum et Judaeum sive Annulus — ? — 170, 559—610

De gloria et honore Filii hominis super Matthaeum — zwischen 1125 und 1127 — 168, 1307—1634 —

Opus ex libris Regum de glorioso rege David — zwischen 1125 und 1127 — verloren — erwähnt von Rupert 168, 1475—1477

Super quaedam capitula Regulae divi Benedicti — 1125—1126 — 170, 477—538

De glorificatione Trinitatis et processione Sancti Spiritus — 1127—1128 — 169, 13—202

De incendio oppidi Tuitii — 1128 — H. Grundmann, DA 22 (1966), 441—471

De meditatione mortis — nach 1128 — 170, 357—390

Altercatio monachi et clerici, quod liceat monacho praedicare — ? — 170, 537—542 —

Quaestio utrum monachis liceat praedicare — ? — A. Endres, Honorius 145—147

Epistola ad Everardum Abbatem Brunwillarensem — ? — 170, 541—544 —

Epistola, qua ratione monachorum ordo praecellit ordinem clericorum ad Liezelinum canonicum — ? — 170, 663—668

De S. Pantaleone sermo et miracula — nach 1125 — Anal. Boll. 55 (1937), 254—267

Vita S. Hereberti — 1119—1120? — 170, 389—428 — Die Echtheit wird allgemein angenommen, ist aber nicht streng zu beweisen

Carmina de S. Laurentio — um 1095 — E. Dümmler, NA 11 (1886), 171—194 — Die Zuschreibung an Rupert ist umstritten: Dümmler und Rauch setzen sich dafür ein, Magrassi und Haacke lehnen sie ab

Unecht oder zweifelhaftt in der Zuschreibung sind *Vita S. Augustini* (H. Silvestre, Chronicon 39; R. Haacke, Überlieferung 403/28) — *Vita S. Ottiliae-Passio B. Eliphii* (170, 427—436: von RvD wohl nur der Prolog zur Neuausgabe) — *Chronicon S. Laurentii* (nachgewiesen von H. Silvestre in seiner Edition) — *De vita vere apostolica* (170, 611—664: gegen die Zuschreibung Manitius, Silvestre, Magrassi; Ch. Dereine, Elaboration 550 und Magrassi 34 vermuten HA als Verfasser; Hauck IV, 335/2 nimmt als Verfasser einen Schüler Wilhelms v. Champeaux an. Vgl. M. Bernards, Laien 395/17. Nach R. Haacke, Überlieferung ist das Werk vielleicht in Brauweiler entstanden [vgl. Semmler 272]) — *In Ecclesiasten* (168, 1195—1306: nachgewiesen bei Magrassi 34f. und U. Jaeschke, Anm.-Teil 40—42)

II. Honorius Augustodunensis

Bibliographie und Quellenlage: E. Menhardt; A. Endres, Honorius Elucidarium — vor 1108 — Lefèvre 359—477 —

Sigillum b. Mariae — zwischen 1108 und 1114 — 172, 495—518 —

Inevitabile — zwischen 1108 und 1114 — 172, 1197—1222 —

Offendiculum sacerdotum seu de incontinentia — zwischen 1108 und 1114 — Kelle 37—44 —

De apostatis — zwischen 1108 und 1114 — MGH L 3, 57—63 —

Sacramentarium seu de causis et significatu — zwischen 1108 und 1114 — 172, 737—806 —

Cognitio vitae — um 1115 — 40, 10005—1032 — int. opp. S. Augustini, unvollständig ediert: Hs. Cod. Mellic. 850/P 40

Clavis physicae — nach 1115 — Teiledition bei A. Endres, Honorius 140—145 — Wortgetreuer Auszug aus Scotus Eriugena, De divisione naturae, Hsl.: Cod. Mellic. lat. 850 P 40

De animae exsilio et patria alias de artibus — ? — 172, 1241—1246 —

De anima et de Deo — ? — unediert — Hs. Cod. Mellic. 850/P 40 behandelt verschiedene Probleme nach Augustinus, Scotus Eriugena und Cassiodor

Selectorum psalmorum expositio, Commentarium in Psalmos — 1115—1120 — 172, 269—312; 193, 1315—1372; 194, 485—730 — Teileditionen; Hss. bei Endres, Honorius 56

Speculum ecclesiae — um 1120 — 172, 807—1108; Kelle Untersuchungen 2—19 —

Refectio mentium seu de festis Domini et sanctorum — ? — verloren

Pabulum vitae seu de praecipuis festis — ? — verloren

Evangelia quae b. Gregorius non exposuit — ? — verloren

Summa totius — 1120/1125 — 172, 187—196 — Teiledition; Hsl.: Cod. 3415 Hist. prof. 51 s. 15 der Nationalbibliothek Wien

De luminaribus ecclesiae — ? — 172, 197—234 — Über die umstrittene Authentizität des letzten Kapitels vgl. Menhardt 42

Liber de haeresibus — ? — 172, 233—240 —

Hexaemeron — vor 1123 — 172, 253—266 —

De Imagine mundi — 1. Ausgabe 1122 — 172, 115—188 — Teiledition; Hs. clm 22 225; ed. V. Finzi, in: Zeitschr. f. roman. Philologie 17 (1893), 490 bis 543; 18 (1894), 1—73. Mehrfach erschienen, zuletzt 1152 als 5. Ausgabe

Gemma animae sive De divinis officiis et antiquo ritu missarum deque horis canonicis et totius anni solemnitatibus — nach 1125 — 172, 541—738 — Nach J. Sauer, Symbolik 17 schon kurz nach 1096 entstanden

Summa gloria de Apostolico et Augusto — 1126 — 172, 1258—1270

Eucharistion — ? — 172, 1249—1258 —

De libero arbitrio — um 1130 — 172, 1223—1230 —

Expositio in Cantica canticorum — 1132/1137 — 172, 347—496

Die folgenden Werke sind nicht datierbar:

De solis affectibus — 172, 39—102

Liber duodecim quaestionum — 172, 1177—1186

Libellus octo quaestionum — 172, 1185—1192

Scala coeli major seu de ordine cognoscendi Deum in creaturis dialogus — 172, 1229—1240

Scala coeli minor seu de gradibus caritatis opusculum — 172, 1239—1242

De vita claustrali — 172, 1247f.

De decem plagis Aegypti spiritualiter — 172, 265—270

Quaestiones et ad easdem responsiones in duos Salomonis libros Proverbia et Ecclesiasten — 172, 311—348 — wörtliche Übernahme aus Salonius, in parab. Salom. (53, 967—994)

Utrum monachis liceat praedicare — Endres, Honorius 147—150

De philosophia mundi — 172, 39—102 — umstritten: nach E. Jeauneau, LThK² X, 1132 von Wilhelm v. Conches, ebenso L. Ott, Briefliteratur 70

III. Gerhoch von Reichersberg

Bibliographie, Manuskriptbestand, Dubia und Spuria, Briefcorpus etc.: für genauere Informationen ist unerläßlich Classen, Gerhoch, Anhang, Die Quellen 327—444; vgl. auch ds., Werkstatt; Eynde, Ouevre. Wir beschränken uns auf die Anführung der größeren Schriften.

Liber de aedificio Dei — 1138/39 — 194, 1187—1336

Liber epistolaris seu Dialogus ad Innocentium II. Pont. Max. de eo quod distet inter clericos saeculares et regulares epistola — 1131 — 194, 1375—1426

De simonia (Libellus quod princeps hujus mundi jam judicatus sit) — 1135 bis 1136 — 194, 1335—1372

Expositio super canonem — 1145—1153 — O I, 3—61

Libellus de ordine donorum sancti Spiritus — 1142 — O I, 65—165

Liber contra duas haereses — Eynde 1147 — 194, 1161—1184

Liber de novitatibus hujus temporis — 1155—1156 — That. 186—238

Psalmus LXIV sive Liber de corruptu Ecclesiae statu ad Eugenium III. papam — 1159—1160 — 194, 9—118

Liber de laude fidei — 1159 — O I, 169—276

Libri III de investigatione Antichristi — 1. Fassung 1155 od. 1158 od 1161; 2. Fassung 1160—1162 od. 1162—1163 — Scheib., Opera inedita I

Tractatus contra Graecorum errorem negantium Spiritum sanctum a Filio procedere — 1. Fassung 1157—1159; 2. Fassung 1162—1163; 3. Fassung 1163 bis 1164 — Scheib. 341—357

De gloria et honore Filii hominis — 1163 — 194, 1075—1160

Utrum Christus homo sit Filius Dei et Deus natura an gratia — 1164 — O I, 279—308

Ad Cardinales de schismate epistola — 1166 — O I, 311—350

De quarta vigilia noctis — 1167—1168 — Scheib. 569—606

De sensu verborum S. Athanasii in symbolo — 1167—1168 — Scheib. 565—568

Commentarius in Psalmos — 1144—1166 — 193, 621—1814; 194, 117—1066; O II/1; O II/2

Sermones — 1145—1150 — unediert — Cod. lat. 1558 der Nationalbibliothek Wien. Vgl. zur Verfasserschaft Classen, Gerhoch 428—431

VERGLEICHSTAFELN ZU MGH

I. Rupert von Deutz

IOT	MGH SS	12, 624—637	Auswahl	ed. Ph. Jaffé
Gh 12	MGH SS	12, 637f.	=168, 1604/09	ed. Ph. Jaffé
Carm.	MGH L	3, 624—641		ed. H. Böehmer
VV	MGH Q	5, 1—426		ed. Rh. Haacke

II. Honorius Augustodunensis

OS	MGH L	3, 48—57	Auswahl	ed. J. Dieterich
De apostolis	MGH L	3, 57—63		ed. J. Dieterich
SG	MGH L	3, 63—80		ed. J. Dieterich
Summa totius	MGH SS	10, 128—131	ab a. 726	ed. R. Willmanns
IM	MGH SS	10, 132—134	I; III	ed. R. Willmanns

III. Gerhoch von Reichersberg

AD	MGH L	3, 136—202	Auswahl	ed. E. Sackur
DI		202—239		
S		239—272		
OD		273—283	Auswahl	
CDH		284—288	Auswahl	
N		288—304	Auswahl	
IA		304—395	IA 1	
Gh		396—399	Auswahl	
Card.		399—411		
Ps.		411—502	mit Auszügen aus d. Pss.	
			10 413—418	
			23 418—419	
			24 418—421	
			25 421—428	
			prol.	
			3 428	
			31 428—429	
			33 429—431	
			34 431—432	
			38 432—434	
			39 434—438	
			54 438	
			62 438—439	
			64 439—492 (CE)	
			65 493—496	
			78 496—497	
			133 497—402	

BIBLIOGRAPHIE

Die folgenden Werke werden in den Anmerkungen entweder nur mit dem Verfassernamen (bei sehr häufig benutzten Titeln) oder in Kurzform zitiert. Gelegentlich konsultierte Autoren finden sich an Ort und Stelle mit den vollen bibliographischen Angaben. Im Abkürzungsverzeichnis angegebene Titel werden nicht wiederholt.

I. Quellenwerke

Hier werden nicht angeführt die unentbehrlichen und immer wieder zitierten Quellenwerke wie CC, CCcm, CSEL, DS, GCS, MGH, PG, PL.

In PL stehen die Werke Ruperts von Deutz in den Bänden 167—170, die Werke des Honorius Augustodunensis in Band 172, die Werke Gerhochs von Reichersberg in den Bänden 193—194. Die Aufschlüsselung gibt das Werkverzeichnis. Im folgenden werden die Quellen unter dem Namen des Herausgebers genannt.

Boehmer H., Carmina, in: MGH L 3, 624—641.

C(oens) M., Un sermon inconnu de Rupert, abbé de Deutz, sur S. Pantaléon, in: Anal. Boll. 55 (1937), 244—267 (Texte 254—267).

Dietrich J., Honorius Augustodunensis, Auszüge aus OS, De apostatis, SG, in: MGH L 3, 29—80.

Dümmler E., Zur Geschichte des Investiturstreites im Bisthum Lüttich, in: NA 11 (1886) 175—194 (Text 178—194).

van den Eynde D. ac O., et Rijmersdael P. A., OFM, Gerhohi praepositi Reichersbergensis opera inedita, I — Tractatus et libelli, accedunt Gerhohi epistolae tres quas vel primo vel integras edidit P. Classen ex libera Universitate Berolinensi; II — Expositionis Psalmorum pars tertia et pars nona, 2. tom. (Spicilegium Pont. Athenaei Antoniani 8—10), Roma 1955 f.

van den Eynde D., Ein Brief Gerhochs von Reichersberg in der Ebracher Briefsammlung Vat. lat. 4926, in: Schol. 29 (1954), 88—90.

Fearns J., Petrus Venerabilis, Contra Petrobrusianos hereticos, in: CCcm 10, Turnholti 1968.

Friedberg Ae., Decretum Magistrii Gratiani (Corpus Iuris Canonici editio Lipsiensis II a, I), Lipsia 1879.

Grabmann M., Eine stark erweiterte und kommentierte Redaktion des Elucidarium des Honorius von Augustodunum (Cod. lat. 1763 der Nationalbibliothek in Wien), in: Miscellanea Giovanni Mercati, vol. II: Letteratura medioevale, Città del Vaticano 1946, 220—258 (Text 246—258).

Gribomont J., Les Oeuvres du Saint-Esprit, Tome I — Livres I et II (De Trinitate, Pars III), Texte établi et traduit par Élisabeth de Solms (Sources chrétiennes 131 — Série des Textes monastiques d'Occident XXI), Paris 1967 (Text 58—301).

—, Les oeuvres du Saint-Esprit, Tome II — Livres III et IV (De Trinitate, Pars III), Texte établi et traduit par Élisabeth de Solms (Sources chrétiennes 165 — Série des Textes monastiques d'Occident XXX), Paris 1970.

Grundmann H., Zwei Briefe des Kanonikus Meingoz von St. Martin an Abt Rupert von Deutz (nach 1124 — Anfang 1128), in: DA 21 (1965), 264—276.

—, Der Brand von Deutz 1128 in der Darstellung Abt Ruperts von Deutz. Interpretation und Textausgabe, in: DA 22 (1966), 385—471 (Text 441—471).

Günster J., Der ungedruckte christologische Teil einer Denkschrift Gerhochs von Reichersberg, in: Schol. 30 (1955), 215—228 (Text 225—228).

Haacke R., Der Widmungsbrief Ruperts von Deutz zu seinem Hoheliedkommentar, in: SM 74 (1963), 286—292 (Text 289—292).

—, Ruperti Tuitiensis, Liber de divinis officiis, in: CCcm 7, Turnholti 1967.

—, Ruperti Tuitiensis, Commentaria in Evangelium sancti Johannis, in: CCcm 9, Turnholti 1969.

—, Rupert von Deutz, De victoria Verbi Dei, in: MGH Q 5, Weimar 1970.

Jaffé Ph., Rupertus Tuitiensis, Auszüge aus IOT, Gh 12, in: MGH SS 12, 624—638.

Kelle J., Untersuchungen über des Honorius Ineuitabile siue de praedestinatione et libero arbitrio, in: SAW phil.-hist. Klasse 150 (1904), Abhdlg. 3 (Text 9—33).

Kurth O., Ein Brief Gerhochs von Reichersberg, in: NA 19 (1894), 462—467 (Text 464—467).

Leclercq J., Jean de Paris et l'ecclésiologie du XIIIe siècle (L'Eglise et l'état au moyen âge 5), Paris 1942 (Text 163—260).

Lefèvre Y., L'Elucidarium et les lucidaires. Contribution par l'histoire d'un texte, à l'histoire des croyances religieuses en France au moyen âge (Bibliothèque des Ecoles Françaises d'Athènes et de Rome 180), Paris 1954.

Mühlbacher E., Gerhochi Reichersbergensis ad Cardinales de schismate epistola, in: AÖG 47 (1871), 355—382.

—, Ein Brief Gerhochs von Reichersberg, in: MIÖG 6 (1885), 307—310 (Text 309f.).

—, Supplementa quaedam libro primo de investigatione Antichristi addenda, in: Scheib. 378—386.

Niemeyer, G., Hermannus quondam Judaeus Opusculum de conversione sua, in: MGH Quellen z. Geistesgesch. d. Mittelalters 4), Weimar 1963 (Text 69 bis 127).

Oehl W., Deutsche Mystikerbriefe des Mittelalters 1100—1550 (Mystiker des Abendlandes 1), München 1931.

Pez. B., Thesaurus anecdotorum novissimus, 6 Bde., Augsburg-Graz 1721—1729.

Roth F. W. E., Ein Brief des Chronisten Rudolf von St. Trond an Rupert von Deutz, in: NA 17 (1892), 617—618.

Sackur E., Gerhohus Reichersbergensis, Auszüge aus AD, DI, S, OD, CDH, N, IA 1, Gh, Card., Ps., QV, in: MGH L 3, 136—525.

Scheffer-Boichhorst P., Annales Patherbrunnenses, Innsbruck 1870.

Scheidelberger F., Zwei bisher noch ungedruckte Schriften Gerhohs von Reichersberg. Nach einer Handschrift des Klosters Reichersberg; a) Gerhohi Praepositi Reichersbergensis opusculum de sensu verborum s. Athanasii in Symbolo. E codice Reichersbergensi, 565—568; b) Gerhohi Praepositi Reichersbergensis Ord. Can. Reg. s. Aug. liber de quarta vigilia noctis 569 bis 606, in: Oesterr. Vierteljahresschrift f. kath. Theologie 10 (1871), 565—606.

—, Gerhohi Reichersbergensis praepositi opera hactenus inedita I, Libri III de investigatione Antichristi una cum tractatu adversus Graecos.

Silvestre H., Le Chronicon Sancti Laurentii Leodiensis dit de Rupert de Deutz. Etude critique (Recueil de Travaux d'Histoire et de Philologie — 3e série, Fasc. 43), Louvain 1952.

Thaner F., Papst Alexander III. (Magister Rolandus, Orlando Bandinella), Summa magistri Rolandi, mit Anhang Incerti auctoris quaestiones, Innsbruck 1874 (Nachdruck Aalen 1962).

Thatcher O. J., Studies concerning Adrian IV. 4. A Letter of Gerhoh of Reichersberg to Adrian IV (1156) entitled Liber de novitatibus huius temporis (The Decennial publications of the University of Chicago I/4), Chicago 1904), 153—238 (Text 186—238).

Wattenbach W., Magni Presbyteri, Annales Reicherspergenses, in: MGH SS 17, 443—476.

—, Chronicon Magni presbiteri, in: MGH SS 17, 476—534.

Weichert C., Arnonis Reicherspergensis Apologeticus contra Folmarum. Ad fidem unici qui exstat codicis manu scripti primum edidit, Lipsia 1888.

Weisweiler H., Drei unveröffentlichte Briefe aus dem christologischen Streit Gerhohs von Reichersberg, in: Schol. 13 (1938), 22—48).

—, Das wiedergefundene Gutachten des Magister Petrus über die Verherrlichung des Gottessohnes gegen Gerhoh von Reichersberg. Ein Beitrag zur Wesensbestimmung der Scholastik, in: Schol. 13 (1938), 225—246 (Text 231—246).

—, Rudiger von Klosterneuburg an der Seite seiner Brüder Gerhoh und Arno von Reichersberg im christologischen Streit um die Verherrlichung des Gottessohnes. Die dogmatische Stellung und Ausgabe seines ersten neugefundenen Schrifttums, in: Schol. 14 (1939), 22—49 (Texte 41—49).

Willmanns R., Honorius Augustodunensis, Auszüge aus Summa totius ab a. 726; IM I.III, in: MGH SS 10, 125—134.

II. Sekundärliteratur

Adam A., Lehrbuch der Dogmengeschichte II: Mittelalter und Reformationszeit, Gütersloh 1968.

Alfonso de Liguori, Le glorie di Maria, Bassano 1774.

d'Alverny Th., Le cosmos symbolique du XIIe siècle, in: AHD 20 (1953), 31—81.

Aman E., Honorius Augustodunensis, in: DTC 7, 139—158.

Amort E., Vetus Disciplina canonicorum regularium et saecularium, Venetia 1747.

Appel B., Geschichte des regulirten lateranensischen Chorherrenstiftes des heiligen Augustin zu Reichersberg in Oberösterreich, Linz 1857.

Arancibia J. M., Ruperto de Deutz y la crisis sacerdotal del siglo XII, in: Scriptorium Victoriense 17 (1970), 34—64.

—, Las virtudes de los prelados según Ruperto de Deutz, in: Scriptorium Victoriense 17 (1970), 241—282.

Arquillière H.-X., Origines de la théorie des deux glaives, in: Stud. Greg. I, 501—521.

Arts libéraux et philosophie au moyen âge. Actes du IVe congrès international de philosophie médiévale, Université de Montréal, Canada, 27 août-2 sept. 1967, Montréal-Paris 1969.

Auer A., Weltoffener Christ, Grundsätzliches und Geschichtliches zur Laienfrömmigkeit, Düsseldorf 1966⁴.

Bach J., Propst Gerhoch I. von Reichersberg, ein deutscher Reformator des XII. Jahrhundert's, in: Oesterr. Vierteljahresschrift f. kath. Theologie 4 (1865), 19—118.

—, Die Dogmengeschichte des Mittelalters vom christologischen Standpunkte oder Die mittelalterliche Christologie vom achten bis sechszehnten Jahrhundert, II. Theil, Wien 1875 (Nachdruck 1966).

Bachmann J., Die päpstlichen Legaten in Deutschland und Skandinavien 1125 bis 1159 (HStud. 115), Berlin 1913.

Baeumker C., Studien und Charakteristiken zur Geschichte der Philosophie, insbesondere des Mittelalters (Gesammelte Vorträge und Aufsätze, hrsg. v. M. Grabmann) (BGPhMA 25, 1/2, Münster 1928.

Baeumker F., Das Inevitabile des Honorius Augustodunensis und dessen Lehre über das Zusammenwirken von Wille und Gnade (BGPhMA 13,6), Münster 1914.

Bainvel J. V., L'idée de l'Eglise au moyen âge, in: La Science catholique 13 (1899), 193—214.418—491.577—589.975—988.

Balau S., Etude critique des sources de l'histoire du pays de Liège au moyen âge. (Mémoires couronnés et mémoires des savants étrangers publiés par l'Academie Royale des sciences, des lettres et des beaux-arts de Belgique 61), Bruxelles 1902—1903.

Baltzer O., Beiträge zur Geschichte des christologischen Dogmas im 11ten und 12ten Jahrhundert (Studien z. Gesch. d. Theologie und Kirche 3,1) Leipzig 1898.

Bardy G., Saint Grégoire VII et la réforme canoniale au XIe siècle, in: Stud. Greg. I, 47—64.

Barker E., Unity in the Middle Ages, in: The Unity of Western Civilization, Essays arranged and edited by F. S. Marvin, Oxford 1915, 96—99.

Baron R., Etudes sur Hugues de Saint-Victor, Bruges 1963.

Barré H., Marie et l'Eglise du Vénérable Bède à saint Albert le Grand, in: Etudes mariales 9 (1951), 59—143.

Bauerreiß R., Zur Herkunft des Honorius Augustodunensis, in: SM 53 (1935), 36—38.

—, Kirchengeschichte Bayerns, III. Das XII. Jahrhundert, St. Ottilien o. J. (1951).

—, Honorius von Canterbury (Augustodunensis) und Kuno I., der Raitenbucher, Bischof von Regensburg (1126—1136), in: SM 67 (1956), 306—313.

—, Regensburg als religiös-theologischer Mittelpunkt Süddeutschlands im XII. Jahrhundert, in: L. Scheffczyk - W. Dettloff - R. Heinzmann (Hrsg.), Wahrheit und Verkündigung. Michael Schmaus zum 70. Geburtstag, München-Paderborn-Wien 1967, II, 1141—1152.

Beinert W., Um das dritte Kirchenattribut, Die Katholizität der Kirche im Verständnis der evangelisch-lutherischen und römisch-katholischen Theologie der Gegenwart, 2 Bde., Essen 1964.

Beitz E., Rupertus von Deutz und die Skulpturen einer Siegburger Kathedra, in: Zeitschr. f. christl. Kunst 34 (1921), 45—64.

—, Caesarius von Heisterbach und die bildende Kunst, Augsburg 1926.

—, Rupertus von Deutz. Seine Werke und die bildende Kunst (Veröffentlichungen d. kölnischen Geschichtsvereins e. V. 4), Köln 1930.

Bellarminus R., Opera omnia, ed. Justinus Fèvre, 12 Bde., Paris 1870—1874 (Nachdruck 1965).

Benz E., Ecclesia spiritualis, Kirchenidee und Geschichtstheologie der franziskanisichen Reformation, Stuttgart 1934.

Benzinger J., Invectiva in Romam. Romkritik im Mittelalter vom IX. bis zum XII. Jahrhundert (HStud. 404), Lübeck-Hamburg 1968.

Berlière U., Abbaye de Saint-Laurent à Liège, in: U. Berlière (Hrsg.), Monasticon Belge II: Province de Liège, Maredsous 1928—1955, 32—57.

da Bergamo Mario, La duplice elezione papale del 1130. I precedenti immediati e i protagonisti, in: Contributi dell'Istituto di storia medioevale, Milano 1968, I, 265—302.

Bernards M., Das Speculum virginum als Überlieferungszeuge frühscholastischer Texte, in: Schol. 28 (1953), 69—78.
—, Speculum Virginum. Geistigkeit und Seelenleben der Frau im Hochmittelalter (Forschungen zur Volkskunde 36/38), Köln-Graz 1955.
—, Die Welt der Laien in der kölnischen Theologie des XII. Jahrhunderts. Beobachtungen zur Ekklesiologie Ruperts von Deutz, in: Die Kirche und ihre Ämter und Stände. Festgabe Kard. Frings, Köln 1960, 391—416.
—, Rupert von Deutz, in: LThK² IX, 104—106.
—, Zur Geschichtstheologie des „Speculum Virginum", in: RBén. 75 (1965), 277 bis 303.
—, Rezension zu DO, ed. Haacke, in: ZKG 80 (1969), 271—275.
Bernheim E., Mittelalterliche Zeitanschauungen in ihrem Einfluß auf Politik und Geschichtsschreibung I: Die Zeitanschauungen: Die Augustinischen Ideen, Antichrist und Friedensfürst, Regnum und Sacerdotium, Tübingen 1918 (Neudruck: Aalen 1964).
Bertola E., Teologia monastica e teologia scolastica, in: Studi e ricerche di scienze religiose in onore dei SS. Apostoli Pietro e Paolo nel XIX centenario del loro martirio, Roma 1968, 237—271.
Beumer J., Das katholische Schriftprinzip in der theologischen Literatur der Scholastik bis zur Reformation, in: Schol. 16 (1941), 24—52.
—, Die altchristliche Idee einer präexistierenden Kirche und ihre theologische Auswertung, in: Wissenschaft und Weisheit 9 (1942), 13—22.
—, Ein Religionsgespräch aus dem zwölften Jahrhundert, in: ZkTh 73 (1951), 465—482.
—, Zur Ekklesiologie der Frühscholastik, in: Schol. 26 (1951), 364—389.
—, Ekklesiologische Probleme der Frühscholastik, in: Schol. 27 (1952), 183—209.
—, Der theoretische Beitrag der Frühscholastik zu dem Problem des Dogmenfortschritts, in: ZkTh 74 (1952), 205—226.
—, Das Kirchenbild in den Schriftkommentaren Bedas des Ehrwürdigen, in: Schol. 28 (1953), 40—56.
—, Rupert von Deutz und seine „Vermittlungstheologie", in: MThZ 4 (1953), 255—270.
—, Die marianische Deutung des Hohen Liedes in der Frühscholastik, in: ZkTh 76 (1954), 411—439.
—, Biblische Grundlage und dialektische Methode im Widerstreit innerhalb der mittelalterlichen Scholastik, in: FStud. 48 (1966), 223—242.
—, Rupert von Deutz und sein Einfluß auf die Kontroverstheologie der Reformationszeit, in: Cath. 22 (1968), 207—216.
Bliemetzrieder F., L'oeuvre d'Anselme de Laon et la littérature théologique contemporaine I: Honorius d'Autun, in: RThAM 5 (1933), 275—291.
Bloch P., Ekklesia und Domus Sapientiae, Zur Ikonographie des Pfingstretabels im Cluny-Museum, in: P. Wilpert, Judentum im Mittelalter, Berlin 1966, 370—381.
—, Typologische Kunst, in: P. Wilpert, Lex et Sacramentum im Mittelalter (Miscellanea Mediaevalia 6), Berlin 1969, 127—142.
Blumenkranz B., Les auteurs chrétiens latins du moyen âge sur les juifs et le judaisme (Ecole pratique des hautes études Sorbonne — Sixième section: sciences économiques et sociales — Etudes juives 4), Paris-La Haye 1963.
—, Juden und Judentum in der mittelalterlichen Kunst (F. Delitzschvorlesungen 1963), Stuttgart 1965.

—, Jüdische und christliche Konvertiten im jüdisch-christlichen Religionsgespräch des Mittelalters, in: P. Wilpert, Judentum im Mittelalter, Berlin 1966, 264 bis 282.

Boeckl K., Die 7 Gaben des Hl. Geistes in ihrer Bedeutung für die Mystik nach der Theologie des 13. und 14. Jahrhunderts, Freiburg 1931.

Borst A., Der mittelalterliche Streit um das weltliche und das geistliche Schwert, in: W. P. Fuchs, Staat und Kirche im Wandel der Jahrhunderte, Stuttgart-Berlin-Köln-Mainz 1966, 34—52.

Bousset W., Der Antichrist in der Überlieferung des Judentums, des neuen Testaments und der alten Kirche. Ein Beitrag zur Auslegung der Apokalypse, Göttingen 1895.

Brooke C., Twelfth Century Renaissance, London 1970.

Bruin de C. C., Ineffabile Mysterium. Mater Ecclesia in het traktaat Contra haereticos sive de Ecclesia et eius ministris van Hugo van Amiens († 1164), in: Ecclesia (Feestbundel J. N. Bakhuizen van den Brink), La Haye 1959, 46—59.

Buytaert E. M. OFM, St. John Damascene, Peter Lombard and Gerhoh of Reichersberg, in: FrS 10 (1950), 323—343.

—, The Apologeticus of Arno of Reichersberg, in: FrS 11 (1951), (1)—(47).

—, The earliest Latin Translation of Damascene's De orthodoxa Fide III, 1—8, in: FrS 11 (1951), (49)—(67).

—, Another Copy of Cerbanus' version of John Damascene, in: Antonianum 40 (1965), 103—310.

Capéran L., Le problème du salut des infidèles. Essai historique. Nouvelle édition. Toulouse 1934.

Carlyle R. W., A. J., A History of Mediaeval Political Theory in the West, IV: The Theories of the Relation of the Empire and the Papacy from the Tenth Century to the Twelfth (A. J. Carlyle), Edinburg-London 1922.

Cathares en Languedoc (Cahiers de Fanjeaux 3), Toulouse 1968.

Cauchie A., Rupert de Saint-Laurent ou de Deutz, in: Biographie nationale publiée par l'Academie Royale des sciences, des lettres et des beaux-arts de Belgique, XX (1908—1910), 426—458.

Ceillier R., Histoire générale des auteurs sacrés et ecclésiastiques (Nouvelle édition), Bd. XIV, Paris 1863.

Chattillon F., Tria genera hominum. Noé, Daniel et Job, in: Revue du Moyen Age Latin 10 (1954), 169—180.

—, Vocabulaire et prosodie du distique attribué à Augustin de Dacie sur les quatre sens de l'Ecriture, in: L'Homme devant Dieu II, 17—28.

Chatillon J., Une ecclésiologie médiévale: L'idée de l'Eglise dans la théologie de l'école de Saint-Victor au XIIe siècle, in: Irénikon 22 (1949), 115—138. 395—411.

—, La culture de l'Ecole de Saint-Victor au XIIe siècle, in: Gandillac-Jeauneau, Entretiens, Paris 1968, 147—160.

Cheney M. G., The recognition of Pope Alexander III. Some neglected evidence, in: EHR 84 (1969), 474—497.

Chenu M.-D., Histoire et allégorie au douzième siècle, in: E. Iserloh - P. Manns (Hrsg.), Festgabe Joseph Lortz, Baden-Baden 1958, II, 59—71.

—, La décadence de l'allégorisation. Un témoin: Carnier de Rochefort († v. 1200), in: L'homme devant Dieu II, 129—135.

—, La Parole de Dieu, I: La foi dans l'intelligence, Paris 1964.

—, Vocabulaire biblique et vocabulaire théologique, in: Parole de Dieu I, 171 bis 186, auch: NRT 74 (1952), 1029—1041.

—, La théologie au douzième siècle (Etudes de philosophie médiévale 45), Paris 1966[2].

Chopiney G., Rupert de Deutz et les mystères des psaumes, in: Collectanea Ord. Cisterc. Reformat. 24 (1962), 22—34.135—151.

Chydenius J., Medieval Institutiones and the Old Testament, Helsinki 1965.

Classen P., Das Konzil von Konstantinopel und die Lateiner, in: Byzantinische Zeitschrift 48 (1955), 339—368.

—, Gerhoch von Reichersberg. Eine Biographie mit einem Anhang über die Quellen, ihre handschriftliche Überlieferung und ihre Chronologie, Wiesbaden 1960.

—, Codex latinus monacensis und die Revision der Eucharistielehre Ruperts von Deutz, in: Studi Medievali (serie terza) 1 (1960), 99—106.

—, Der Prozeß um Münsteuer (1154—1176) und die Regalienlehre Gerhochs von Reichersberg, in: ZSavRGgerm 77 (1960), 324—345.

—, Gerhoch von Reichersberg und die Regularkanoniker in Bayern und Österreich, in: La vita comune del clero nei secoli XI e XII (Atti della Settimana die studio: Mendola, settembre 1959) (Miscellanea del centro di studi medioevali 3), Milano 1962, I, 304—340 (Discussione 341—348).

—, Gerhoch von Reichersberg, in: Neue Deutsche Biographie (Hrsg. Hist. Kommission bei der Bayer. Akademie der Wissenschaften), Berlin 1964, VI, 288 bis 289.

—, Aus der Werkstatt Gerhochs von Reichersberg. Studien zur Entstehung und Überlieferung von Briefen, Briefsammlungen und Widmungen, in: DA 23 (1967), 31—92.

—, Eschatologische Ideen und Armutsbewegungen im 11. und 12. Jahrhundert, in: Povertà e ricchezza 127—162.

Coathalem H., Le parellelisme entre la Sainte Vierge et l'Eglise dans la tradition latine jusqu'à la fin du XIIe siècle (Analecta Gregoriana 74), Roma 1954.

Cohn N., Das Ringen um das tausendjährige Reich. Revolutionärer Messianismus im Mittelalter und sein Fortleben in den modernen totalitären Bewegungen (The pursuit of the Millenium, London. Ins Deutsche übertragen v. E. Thorsch), Bern-München 1961.

Congar Y. M. J., Incidence ecclésiologique d'un thème de devotion mariale, in: Melanges de science religieuse 7 (1950), 277—292.

—, Théologie, in: DTC XV, 341—502 (über das 12. Jahrhundert a.a.O. 364 bis 374).

—, Ecclesia ab Abel, in: M. Reding (Hrsg.), Abhandlungen über Theologie und Kirche — Festschrift für Karl Adam, Düsseldorf 1952, 79—108.

—, Die Ekklesiologie des hl. Bernhard, in: J. Lortz (Hrsg.), Bernhard von Clairvaux, Mönch und Mystiker. Internationaler Bernhardkongreß Mainz 1953 (Veröffentlichungen d. Instituts f. europäische Geschichte Mainz 6), Wiesbaden 1955 (Übersetzung des Aufsatzes L'ecclésiologie de S. Bernard, in: Saint Bernard théologien, Actes du Congrès de Dijon, 15—19 septembre 1953, Rome 1953 (136—190).

—, L'Eglise chez Saint Anselme, in: Spicilegium Beccense I, Congrès international du IXe centenaire de l'arrivée d'Anselme au Bec, Le Bec-Hellonin-Paris 1959, 371—359.

—, Der Platz des Papsttums in der Kirchenfrömmigkeit der Reformer des 11. Jahrhunderts, in: J. Daniélou - H. Vorgrimler (Hrsg.), Sentire ecclesiam. Das Bewußtsein von der Kirche als gestaltende Kraft der Frömmigkeit, Freiburg-Basel-Wien 1961, 196—217.

—, Von der Gemeinschaft der Kirchen zur Ekklesiologie der Weltkirche, in: Y. Congar (Hrsg.), Das Bischofsamt und die Weltkirche (Übersetzung von L'episcopat et l'Eglise universelle, Paris 1962, übersetzt v. K. F. Krause in Zusammenarbeit m. P. Müller), Stuttgart 1964, 245—282.

—, Der Laie. Entwurf einer Theologie des Laientums (Übersetzung von Jalons pour une théologie du laicat, Paris 1952. Übertragung ins Deutsche v. e. Gemeinschaft d. Dominikaner in Walberberg), Stuttgart 1964³.

—, Die Tradition und die Traditionen I (Übersetzung von La tradition et les traditions, Paris, Aus dem Französischen v. H. Simon-Roux), Mainz 1965.

—, Heilige Kirche. Ekklesiologische Studien und Annäherungen (Übersetzung von Sainte Eglise, Paris 1963), Stuttgart 1966.

—, Die Idee der sacramenta maiora, in: Conc. 4 (1968), 9—15.

—, L'ecclésiologie du Haut Moyen Age. De Saint Grégoire le Grand à la désunion entre Byzance et Rome, Paris 1968.

—, Les laics et l'ecclésiologie des „ordines" chez les théologiens des XIe et XIIe siècles, in: I laici nella „Societas christiana" 83—117.

—, Zwei Faktoren der Sakralisierung des gesellschaftlichen Lebens im Mittelalter, in: Conc. 5 (1969), 520—526.

—, Die Lehre von der Kirche, Von Augustinus bis zum Abendländischen Schisma (HDG III/3 c), Freiburg, Basel, Wien 1971.

Cremer T. G., Die Fastenansage Jesu Mk. 2,20 und Parallelen in der Sicht der patristischen und scholastischen Exegese (Bonner Bibl. Beiträge 23), Bonn 1965.

—, „Die Söhne des Brautgemachs" (Mk 2,19 parr.) in der griechischen und lateinischen Schrifterklärung, in: Bibl. Zeitschrift NF 11 (1967) 246—253.

Crocco A., Gioacchino da Fiore. La più singolare ed affascinante figura del Medioevo cristiano, Napoli 1960.

Crouse R. D., Honorius Augustodunensis. The arts as via ad patriam, in: Arts libéraux et philosophie au moyen âge 351—359.

Cruel R., Geschichte der deutschen Predigt im Mittelalter, Detmold 1879 (Nachdruck Darmstadt 1966).

Dabin P., Le sacerdoce royal des fidèles dans la tradition ancienne et moderne, Bruxelles 1950.

Dando M., Les origines du catharisme, Paris 1968.

Darrouzés J., Les documents byzantins du XIIe siècle sur la primauté romaine, in: RBén. 23 (1965), 42—48.

Daux C., Un scholastique du XIIe siècle trop oublié. Honoré d'autun, in: Revue des sciences eclésiastiques et la Science catholique 1 (1907), 737—758.848 bis 884.974—1002.1071—1080.

Delhaye Ph., L'organization scolaire au XIIe siècle, in: Traditio 5 (1947), 211 bis 268.

—, Honorius Augustodunensis, in: Catholicisme V, 929—932.

Dempf A., Sacrum Imperium. Geschichts- und Staatsphilosophie des Mittelalters und der politischen Renaissance, München-Berlin 1929 (1962³).

Dereine Ch., Le problème de la vie commune chez les canonistes d'Anselm de Lucques à Gratien, in: Stud. Greg. III, 287—298.

—, Enquête sur la règle de Saint-Augustin, in: Script. 2 (1948), 28—36.

—, Coutumiers et ordinaires de chanoines réguliers, in: Script. 5 (1951), 107—113.
—, L'élaboration du status canonique des chanoines réguliers, spécialement sous Urban II, in: RHE 46 (1951), 534—565.
—, Chanoines, in: DHGE 12 (1953), 353—405.
—, Le problème de la cura animarum chez Gratien, in: StG 2, Bononia 1954, 307—318.
—, Les chanoines réguliers dans l'ancienne province ecclésiastique de Salzbourg d'après les travaux récents, in: RHE 55 (1960), 902—916.
—, La „Vita apostolica" dans l'ordre canonial du IXe au XIe siècles, in: Revue Mabillon 51 (1961), 47—53.
Dernburg H., Pandekten. I. Allgemeiner Teil und Sachenrecht, Berlin 1902[7].
Dewailly L. M., Notes sur l'histoire de l'adjectif apostolique, in: MSR 5 (1948), 141—152.
Diemer J., Kleine Beiträge zur älteren deutschen Sprache und Literatur, in: SAW phil.-hist. Klasse 18 (1955), XIV: Über Heinrich's Gedicht vom „Allgemeinen Leben und der Erinnerung an den Tod« 191—226; XV: Über das Gedicht vom Pfaffenleben 242—270, Wien 1856.
—, Über den Bruder Heinrich von Göttweig als den Dichter der Gehugde und des Pfaffenlebens, in: SAW phil.-hist. Klasse 28 (1858), 127—166.
Dillenschneider C., Toute l'Eglise en Marie, in: Etudes Mariales 11 (1953), 75 bis 132.
Dilloo F. G. J., De Gerhoho, praeposito Reicherspergensi, Gryphiswaldia 1867.
Doberentz O., Die Erd- und Völkerkunde in der Weltchronik des Rudolf von Hohen-Ems, in: Zeitschrift f. deutsche Philologie 12 (1881), 257—301.387—454; 13 (1882), 29—57.165—223.
Doerr O., Das Institut der Inclusen in Süddeutschland (Beiträge z. Geschichte d. alten Mönchtums u. des Benediktinerordens 18), Münster 1934.
Dörries H., Zur Geschichte der Mystik. Erigena und der Neuplatonismus, Tübingen 1925.
Dona Westfalica, Georg Schreiber zum 80. Geburtstage dargebracht von der Hist. Kommission Westfalens (Schriften der Hist. Kommission Westfalens 4), Münster 1963.
Doyen F., Die Eucharistielehre Ruperts von Deutz, Metz 1889.
Dubois J., Les ordres religieux au XIIe siècle selon la Curie Romaine, in: RBén. 78 (1968), 283—309.
Duclos G., La Vierge Marie dans l'histoire du Salut d'après Rupert de Deutz (Diss. masch., Pont. Universitas Gregoriana Roma) 1952.
Dunbar H. F., Symbolism in Medieval Thought and its Consummation in the Divine Comedy, New Haven 1929.
Durant W., Das Zeitalter des Glaubens. Eine Kulturgeschichte des christlichen, islamischen und jüdischen Mittelalters von Konstantin bis Dante (325—1300) (Kulturgeschichte der Menschheit 4 — Übersetzung von The Story of Civilization, 4: The Age of Faith, New York 1950), Bern 1956[2].
Eckert W. P. - Ehrlich E. L., (Hrsg.) Judenhaß — Schuld der Christen, Versuch eines Gesprächs, Essen 1964.
Edelsbrunner G., Arnold von Brescia, Untersuchungen über die weltliche Herrschaft der Kurie und die häretische Bewegung in Rom um die Mitte des XII. Jahrhunderts (Diss. masch. Graz) 1965.
Eichmann E., Kirche und Staat (Quellensammlung zur kirchlichen Rechtsgeschichte und zum Kirchenrecht 1/2), Paderborn I, 1925[2]; II, 1914 (Nachdruck München-Paderborn-Wien 1968).

von Eicken H., Geschichte und System der mittelalterlichen Weltanschauung, Stuttgart 1923[4] (Nachdruck Aalen 1964).

Elbogen I. - Sterling E., Die Geschichte der Juden in Deutschland. Eine Einführung (Bibliotheca Judaica 14), Frankfurt/M. 1966.

van Elswijk H. C., Gilbert Porreta, Sa vie, son oeuvre, sa pensée (Spicilegium sacr. Lovan. 33), Louvain 1966.

Endres J. A., Honorius Augustodunensis und sein Elucidarium, in: HPBl. 130 1902), 157—169.

—, Das St. Jakobsportal in Regensburg und Honorius Augustodunensis, Kempten 1903.

—, Rezension zu J. Kelle, Untersuchungen über das Speculum ecclesiae des Honorius und die Libri deflorationum des Abtes Werner, in: SAW phil.-hist. Klasse 145, 8. Abt., in: HJ 24 (1903), 826—828.

—, Rezension zu J. Draeske, Johannes Scotus Eriugena und dessen Gewährsmänner in seinem Werke De divisione naturae libri V, Leipzig 1902, in: Philosoph. Jahrbuch 16 (1903), 455—456.

—, Zum Offendiculum des Honorius Augustodunensis, in: HJ 26 (1905), 783 bis 785.

—, Honorius Augustodunensis. Beitrag zur Geschichte des geistigen Lebens im 12. Jahrhundert, Kempten-München 1906.

—, Die Wandgemälde der Allerheiligenkapelle zu Regensburg, in: Zeitschr. f. christl. Kunst 25 (1912), 43—52.

Le eresie popolari dei secoli XI—XIII. Relazioni degli studenti che hanno partecipato al Seminario di Storia medievale nella primavera del 1968, raccolte in onore di Ernesto Sestan per il suo 70^0, Firenze 1968.

van den Eynde D., Les Définitions des Sacraments pendant la première période de la théologie scolastique (1050—1240), Rome-Louvain 1950 (Englisch in: FrS 11 (1951), 1—12.117—144; 12 (1952), 1—26).

—, Note on the earliest Scholastic Commentarii in Psalmos in: FrS 14 (1954), 121—154.

—, A propos du premier écrit christologique de Géroch de Reichersberg, in: Antonianum 30 (1955), 119—136.

—, L'oeuvre littéraire de Géroch de Reichersberg, Rome 1957.

—, Gerhoh von Reichersberg, in: LThK[2] IV, 725 f.

Fearns J., Peter von Bruis und die religiöse Bewegung des XII. Jahrhunderts, in: Archiv f. Kulturgeschichte, 48 (1966), 311—335.

v. Fichtenau H., Studien zu Gerhoh von Reichersberg, in: MIÖG 52 (1938), 1—56.

—, Askese und Laster in der Anschauung des Mittelalters, Wien 1948.

Finkenzeller J., Die Zählung und die Zahl der Sakramente, Eine dogmengeschichtliche Untersuchung, in: L. Scheffczyk - W. Dettloff - R. Heinzmann, Wahrheit und Verkündigung. Michael Schmaus zum 70. Geburtstag), München-Paderborn-Wien 1967, II. 1005—1033.

Finzi V., Di un inedito volgarizzamento dell' „Imago mundi" di Onorio d'Autun tratto dal Codice estense VII. B. 5, in: Zeitschr. f. roman. Philologie 17 (1893), 490—543; 18 (1894), 1—73.

Fliche A., La Réforme Grégorienne, 3 Bde. (Spicilegium sacr. Lovaniense — Etudes et documents 6/9/16), Louvain-Paris 1924, 1925, 1937.

—, - V. Martin, Histoire de l'Eglise depuis les origines jusqu'à nos jours, Bd. XII — G. Le Bras, Institutions ecclésiastiques de la Chrétienté médiévale. Préliminaires et 1ère partie — Livre 1, o.O. 1959.

—, —, — XIII, A. Forest - F. van Steenberghen - M. de Gandillac, Le mouvement doctrinal du XIe au XIVe siècle, o.O. 1956.

Frank S., Mönchsregel und Mönchsleben bei Augustinus. Ein Bericht, in: FStud. 50 (1968), 382—388.

Franz A., Die Messe im deutschen Mittelalter. Beiträge zur Geschichte der Liturgie und des religiösen Volkslebens, Freiburg 1902 (Nachdruck Darmstadt 1963).

Freytag G., Bilder aus der deutschen Vergangenheit I: Aus dem Mittelalter, Leipzig o. J.

Frugoni A., Arnaldo da Brescia nelle fonti del secolo XII (Istituto storico Italiano — Studi storici 8/9), Roma 1954.

—, Momenti del problema dell' „ordo laicorum" nei secoli X—XII, in: Nova Historia 13 (1961), 1—22.

—, L'eresia catara nell' Occidente medievale, Roma 1966.

Fuchs V., Der Ordinationstitel von seiner Entstehung bis auf Innozenz III. Eine Untersuchung zur kirchlichen Rechtsgeschichte mit besonderer Berücksichtigung der Anschauungen Rudolf Sohms (Kanonist. Studien u. Texte 4), Bonn 1930.

Funkenstein J., Das Alte Testament im Kampf von regnum und sacerdotium zur Zeit des Investiturstreits, Dortmund 1938.

de Gandillac M. - Jeauneau E., (Hrsg.), Entretiens sur la Renaissance du 12e siècle (Decades du Centre Culturel international du Cerisy-la-Salle, N.S. 9), Paris-La Haye 1968.

Ganzer K., Das Kirchenverständnis Gregors VII., in: TThZ 78 (1969), 95—109.

Geiselmann J. R., Die Eucharistielehre der Vorscholastik (Forschungen zur Christl. Literatur- und Dogmengeschichte 15/1—3), Paderborn 1926.

—, Zur Eucharistielehre der Frühscholastik, in: Theol. Revue 29 (1930), 1—12.

—, Zur frühmittelalterlichen Lehre vom Sakrament der Eucharistie, in: ThQ 116 (1935), 323—403.

Gennrich K., Die Staats- und Kirchenlehre Johanns von Salisbury. Nach den Quellen dargestellt und auf ihre geschichtliche Bedeutung untersucht, Gotha 1894.

Gerberon G., Apologia pro R. D. D. Ruperto abbate Tuitiensi, in: PL 167, 23 bis 194.

Ghellinck de J., L'Essor de la litterature latine au XIIe siècle, 2 Bde., Bruxelles-Paris 1946.

—, Eucharistie au XIIe siècle en Occident, in: DTC V/1, 1233—1302.

—, Le Mouvement théologique du XII siècle. Sa préparation lontaine avant et autour de Pierre Lombard, ses raports avec les initiatives des canonistes. Etudes, recherches et documents (Museum Lessianum — section historique (10), Bruges-Bruxelles-Paris 1948[2] (Anastat. Neudruck 1969).

Gierens M., Eucharistie und Corpus mysticum, in: Theol.-Prakt. Quartalschrift 86 (1933), 536—550.769—781.

Gierke O., Das deutsche Genossenschaftsrecht, 4 Bde., Berlin 1868—1912.

Gilchrist J. T., Humbert of Silva-Candida and the Political Concept of Ecclesia in the Eleventh Century Reform Movement, in: The Journal of Religious History 2 (1962), 13—28.

—, „Simoniaca haeresis" and the Problem of the Orders from Leo IX to Gratian, in: Proceedings of the Second International Congress of Medieval Canon Law. Boston College, 12—16 august 1963, ed. by St. Kuttner and J. J. Ryan (Mon. Iur. Can., ed. Inst. Iur. Canonici Medii Aevi perquir., Ser. C, subsidia vol. 1), Città del Vaticano 1965, 209—235.

Gilson E., Die Metamorphosen des Gottesreiches (Übersetzung von Les métamorphoses de la cité de Dieu, Louvain 1952, übersetzt v. U. Behler), München-Paderborn-Wien 1959.

Glaser H., Das Scheitern des zweiten Kreuzzuges als heilsgeschichtliches Ereignis, in: Festschrift für Max Spindler zum 75. Geburtstag, Hrsg. D. Albrecht - A. Kreus - K. Reindel, München 1969, 115—142.

Glatzer N. N., (Hrsg.), Faith and Knowledge, The Jew in the Medieval World (Beacon texts in the Judaic tradition 2), Boston 1963.

Glogner G., Der mittelalterliche Lucidarius. Eine mittelalterliche Summa (Forschungen z. deutschen Sprache u. Dichtung 8), Münster 1937.

Göller E., Die Staats- und Kirchenlehre Augustins und ihre Fortwirkung im Mittelalter, Freiburg 1930.

Grab A., Der Kirchenbegriff des Gerhoh von Reichersberg (Diss. masch. Freiburg/Schweiz) 1955.

Grabmann M., Die Lehre des heiligen Thomas von Aquin von der Kirche als Gotteswerk. Ihre Stellung im thomistischen System und in der Geschichte der mittelalterlichen Theologie, Regensburg 1903.

—, Die Geschichte der scholastischen Methode. Nach den gedruckten und ungedruckten Quellen bearbeitet, 2 Bde., Freiburg 1909/1911 (Nachdruck Darmstadt 1956, Berlin 1957).

—, Die Geschichte der katholischen Theologie seit dem Ausgang der Väterzeit. Mit Benützung von M. J. Scheebens Grundriß dargestellt, Freiburg 1933 (Nachdruck Darmstadt 1961).

—, Thomas von Aquin, Persönlichkeit und Gedankenwelt. Eine Einführung. München 1948[8].

Greenaway G. W., Arnold of Brescia, Cambridge 1931.

Gretser J., Gerhohi Reichersbergensis praepositi de statu Ecclesiae sub Henrico IV. et V. impp. et Gregorii VII. nonnullisque conseqentibus pontificibus Syntagma, Ingolstadt 1611.

Grillmeier A., Vom Symbolum zur Summa. Zum theologiegeschichtlichen Verständnis von Paristik und Scholastik, in: J. Betz - H. Fries (Hrsg.), Kirche und Überlieferung, Freiburg-Basel-Wien 1960, 119—169.

Grisar H., Die Investiturfrage nach ungedruckten Schriften Gerhoh's von Reichersberg, in: ZkTh 9 (1885), 536—553.

Größlhuber Z., Gerhoch von Reichersberg, Ein Kulturbild aus dem 12. Jahrhundert (Rieder Heimatkunde 17), Ried im Innkreis 1930.

Grundmann H., Studien über Joachim von Floris (Beiträge z. Kulturgesch. d. Mittelalters und der Renaissance 32), Leipzig-Berlin 1927.

—, Neue Forschungen über Joachim von Fiore (Münstersche Forschungen 1), Marburg 1950.

—, Religiöse Bewegungen im Mittelalter. Untersuchungen über die geschichtl. Zusammenhänge zwischen der Ketzerei, den Bettelorden und der religiösen Frauenbewegung im 12. und 13. Jahrhundert und über die geschichtlichen Grundlagen der deutschen Mystik. Anhang: Neue Beiträge z. Geschichte der religiösen Bewegungen im Mittelalter, Darmstadt 1961[2] (Nachdruck d. Ausgabe v. 1935 [HStud. 267], Berlin und [Anhang] d. Archivs f. Kulturgeschichte 37 [1955], 131—182).

—, Deutsche Eremiten, Einsiedler und Klausner im Hochmittelalter, in: AKG 45 (1963), 60—90.

—, Ketzergeschichte des Mittelalters (Die Kirche in ihrer Geschichte II/G 1), Göttingen 1963.

—, Oportet et haereses esse. Das Problem der Ketzerei im Spiegel der mittelalterlichen Bibelexegese, in: AKG 45 (1963), 129—164.
—, Bibliographie zur Ketzergeschichte des Mittelalters (1900—1966) (Sussidi eruditi 20), Roma 1967.
—, Adelsbekehrungen im Mittelalter. Conversi und nutrici im Kloster, in: Adel und Kirche, Festschrift f. Gerd Tellenbach, Freiburg 1968, 325—345.
—, Geschichtsschreibung im Mittelalter. Gattungen — Epochen — Eigenart, Göttingen 1969².
Günster J., Die Christologie des Gerhoh von Reichersberg, Betzdorf/Sieg 1940.
Haacke R., Rupert von Deutz, in: RGG³ V, 1221—1222.
—, Die Überlieferung der Schriften Ruperts von Deutz, in: DA 16 (1960), 279 bis 436.
—, Die weite Verbreitung der Schriften eines Siegburger Mönches: Rupert von Deutz, in: Siegburger Studien I, Siegburg 1960, 105—125.
—, Zur Eucharistielehre des Rupert von Deutz, in: RThAM 32 (1965), 20—42.
—, La tradition manuscrite des oeuvres de Rupert de Saint-Laurent ou Rupert de Deutz, in: Saint-Laurent de Liège, 59—62.
Häring N. M., Gerhoch von Reichersberg and the Latin acts of the Council of Ephesus (431), in: RThAM 35 (1968) 26—34.
Hamman A., Honorius Augustodunensis, in: LThK² V, 477 f.
Hampe K., Das Hochmittelalter. Geschichte des Abendlandes von 900—1250, Köln 1963⁵.
Hashagen J., Otto von Freising als Geschichtsphilosoph und Kirchenpolitiker (Leipziger Studien aus dem Gebiet d. Geschichte 6/2), Leipzig 1900.
—, Kirche und Welt im Mittelalter, in: ZKG 53 (1934), 391—399.
Haskins Ch. H., The Renaissance of the Twelfth Century, Cambridge (Mass.) 1927.
Hauck A., Kirchengeschichte Deutschlands, IV. Band, Leipzig 1913³⁺⁴ (Nachdruck als 10. Aufl. Aalen 1969).
Hay M., Europe and the Jews, The Pressure of Christendom in the People of Israel for 1900 Years, Boston 1960.
Heer F., Aufgang Europas. Eine Studie zu den Zusammenhängen zwischen politischer Religiosität, Frömmigkeitsstil und dem Werden Europas im 12. Jahrhundert, 2 Bde., Wien-Zürich 1949.
—, Die Tragödie des heiligen Reiches, Stuttgart 1952.
—, Mittelalter (Kindlers Kulturgeschichte), Zürich 1961.
—, Gottes erste Liebe. 2000 Jahre Judentum und Christentum. Genesis des österreich. Katholiken Adolf Hitler, München-Esslingen 1967.
von Hefele C.-J. - Knöpfler A., Conciliengeschichte, Band V, Freiburg 1886².
Heimbucher M., Die Orden und Kongregationen der katholischen Kirche I, Paderborn 1933³.
Heitmeyer H., Sakramentenspendung bei Häretikern und Simonisten nach Huguccio. Von den „Wirkungen“ besonders der Taufe und Weihe in der ersten Causa seiner „Summa super Corpore Decretorum“ (Analecta Gregoriana 132), Rom 1964.
Herde R., Das Hohelied in der lateinischen Literatur des Mittelalters bis zum XII. Jahrhundert, in: Studi Medievali (Ser. 3) 8 (1967), 957—1073.
Hertling L., Kanoniker, Augustinusregel und Augustinerorden, in: ZkTh 54 (1930), 335—359.

Heuser G., Rupert von Deutz, De divinis officiis libri V—VIII. Eine frühmittelalterliche Deutung der Kar- und Osterliturgie (Lizenz-Arbeit masch. Trier) 1967.

Histoire littéraire de la France par des religieaux bénédictins de la congrégation de Saint-Maur, in: PL 170, 703—804 „Dissertatio chronologico-historica de vita et scriptis Ruperti".

Hocquard G., La règle de S. Chrodegang. Etat de quelques questions, in: Saint Chrodegang, Communications prèsentées au colloque tenu à Metz à l'occasion du 12e centenaire de sa mort, Metzt 1967, 55—89.

Hödl L., Der Anspruch der Philosophie und der Einspruch der Theologie im Streit der Fakultäten (Mitt. d. Grabmann-Instituts der Universität München 4), München 1960.

—, Die Geschichte der scholastischen Literatur und der Theologie der Schlüsselgewalt I: Die scholast. Literatur und die Theologie der Schlüsselgewalt von ihren Anfängen an bis zur Summa aurea des Wilhelm v. Auxerre (BGPhMA 38/4), Münster 1960.

—, Die kirchlichen Ämter, Dienste und Gewalten im Verständnis der scholastischen Theologie. Der scholast. Traktat De ordinibus in historischer und systematischer Sicht, in: FStud. 43 (1961), 1—21.

—, Sacramentum et res. Zeichen und Bezeichnetes. Eine begriffsgeschichtliche Arbeit zum frühscholastischen Eucharistietraktat, in: Schol. 38 (1963), 161 bis 182.

—, Die dialektische Theologie des XII. Jahrhunderts, in: Arts libéraux et philosophie au moyen âge 137—147.

Hofmann F., Der Kirchenbegriff des hl. Augustinus in seinen Grundlagen und in seiner Entwicklung, München 1933.

Hofmann L., Militia Christi. Ein Beitrag zur Lehre von den kirchlichen Ständen, in: TThZ 63 (1954), 76—92.

Hofmeister Ph., Mönchtum und Seelsorge bis zum 13. Jahrhundert, in: SM 65 (1955), 209—273.

Holböck F., Der eucharistische und der mystische Leib Christi in ihren Beziehungen zueinander nach der Lehre der Frühscholastik, Rom 1941.

von Holtum G., Die Orthodoxie des Rupertus von Deutz bezüglich der Lehre von der hl. Eucharistie, in: SM 29 (1908), 191—198.

Horn J.-J., Giezie und Simonie, in: Jahrbuch f. Antike und Christentum 8/9 (1965/66), 189—202.

Hüffer G., Handschriftliche Studien zum Leben des hl. Bernhard von Clairvaux III. Ungedruckte Briefe, in: HJ 6 (1885), 232—270.

Hürten H., Neue Arbeiten über Gerhoch von Reichersberg, in: HJ 80 (1961), 265—269.

Huijben J., De Spiritualiteit der Nederlandsche Benedictijnen in de Middeleeuwen, in: Egmondiana 1 (1937), 3—12.

Hurter K., Nomenclator literarius, II: Aetas media, Innsbruck 1906 (Nachdruck New York o. J. [1963]).

Huyghebaert N., Les femmes laiques dans la vie religieuse des XIe et XIIe siècles dans la province ecclésiastique de Reims, in: I laici nella „Societas christiana« 346—389.

Ilarino da Milano, Le eresie popolari del secolo XI nell' Europa occidentale, in: Stud. Greg. II, 43—89.

Iserloh E., Die Juden in der Christenheit des Mittelalters, in: HKG III/2, 717 bis 728.

Jacobelli G., Il peccato originale in Ruperto di Deutz, Bari 1947.
Jacobs H. H., Studien über Gerhoh von Reichersberg. Zur Geistesgeschichte des 12. Jahrhunderts, in: ZKG 3.F.I 50 (1931), 315—377.
Jacqueline B., Le pouvoir pontifical selon S. Bernard. L'argument des deux glaives, in: L'année canonique, 2 (1935), 197—201.
—, Papauté et episcopat selon Saint Bernard de Clairvaux. Préface de S. Exc. Mgr. Jean Guyot, Evêque de Coutances, Saint-Lô 1963.
—, Le pape d'après le livre II du De consideratione ad Eugenium Papam de S. Bernard de Chairvaux, in: StG 14 (1967), 349—367.
Jaeschke U., Heilsgeschichte als Christuspredigt in der Theologie des Rupert von Deutz (Diss. masch. Göttingen) 1956.
Jaffé Ph., Bibliotheca rerum Germanicarum, 6 Bde., Berlin 1864—1873 (Nachdruck Aalen 1964).
Jaksch von, A., Zu Gerhochs von Reichersberg Schrift „Adversus simoniacos", in: MIÖG 6 (1885), 254—269.
Javelet R., Au XIIe siècle, l'Ecriture sainte servante de la mystique?, in: RSR 37 (1963), 345—369.
—, Image et ressemblance au douzième siècle de Saint Anselme à Alain de Lille, 2 Bde., o. O. (Strasbourg) 1967.
Jeauneau E., Nains et geants, in: Gandillac-Jeauneau, Entretiens sur la Renaissance du 12e siècle, 21—38.
—, Nani gigantum humeris insidentes, Essai d'interpretation de Bernard de Chartres, in: Vivarium 5 (1967), 79—99.
Jedin H., Geschichte des Konzils von Trient, Bd. II: Die erste Trienter Tagungsperiode 1545/47, Freiburg 1957.
— (Hrsg.), Handbuch der Kirchengeschichte, Bd. III: Die mittelalterliche Kirche, in 2 Teilbden., Freiburg-Basel-Wien 1966—1968.
Jordan K., Die Entstehung der römischen Kurie. Ein Versuch (Libelli XCI), Darmstadt 1962.
Kahles W., Das Alleluja bei Rupertus von Deutz, in: Zeitschr. f. Kirchenmusik 71 (1901), 102—103.
—, Geschichte als Liturgie. Die Geschichtstheologie des Rupertus von Deutz (Aevum christianum 3), Münster 1960.
Kaltner B., Folmar von Triefenstein und der Streit Gerhohs mit Eberhard von Bamberg, in: ThQ 65 (1883), 523—552.
Kamlah W., Apokalypse und Geschichtstheologie. Die mittelalterliche Auslegung der Apokalypse vor Joachim von Fiore (HStud. 285), Berlin 1935 (Nachdruck Vaduz 1965).
—, Christentum und Geschichtlichkeit. Untersuchungen zur Entstehung des Christentums und zu Augustins „Bürgerschaft Gottes". Zweite, neubearbeitete und ergänzte Auflage (1. Auflage: Christentum und Selbstbehauptung), Stuttgart-Köln 1951.
Kampers F., Die deutsche Kaiseridee in Prophetie und Sage und Kaiserprophetien und Kaisersagen im Mittelalter, München-Lüneburg 1896 (Neudruck Aalen 1969).
Kantorowicz E. H., The King's Two Bodies. A Study in Mediaeval Political Theology, Princeton 1957.
Kantzenbach F. W., Die Geschichte der christlichen Kirche im Mittelalter (Evangel. Enzyklopädie 15/16). Gütersloh 1967.
Kattenbusch F., Die Entstehung einer christlichen Theologie, zur Geschichte der Ausdrücke θεολογία, θεολογεῖν, θεόλογος, Darmstadt 1962².

Kelle J., Geschichte der deutschen Literatur von der ältesten Zeit bis zum dreizehnten Jahrhundert II, Berlin 1896.
—, Über Honorius Augustodunensis und das Elucidarium sive Dialogus de summa totius christianae theologiae, in: SAW phil.-hist. Classe 143 (1900), Abhdlg. 13, Wien 1901.
—, Untersuchungen über das Speculum ecclesiae des Honorius und die Libri deflorationum des Abtes Werner, in: SAW phil.-hist. Klasse 145 (1902), Abhdlg. 8, Wien 1903.
—, Untersuchungen über das Offendiculum des Honorius, sein Verhältnis zu dem gleichfalls einem Honorius zugeschriebenen Eucharistion und Elucidarius sowie zu den deutschen Gedichten Gehugde und Pfaffenleben, in: SAW phil.-hist. Klasse 148 (1903), Abhdlg. 4, Wien 1904.
—, Untersuchungen über den nicht nachweisbaren Honorius Augustodunensis ecclesiae presbiter et scholasticus und die ihm zugeschriebenen Werke, in: SAW phil.-hist. Klasse 152 (1905/06), Abhdlg. 2, Wien 1906.
Kempf F., Papsttum und Kaisertum bei Innocenz III. Die geistigen und rechtlichen Grundlagen seiner Thronstreitpolitik, in: Misc. Hist. Pont. 19, Roma 1954.
—, Imperium und Nationen in ihrem Bezug zur Christianitas-Idee, in: X. Congresso internazionale di Scienze Storiche, Roma, 4—11 settembre 1955, vol. VII: Communicazioni, Firenze 1955, 202—205.
—, Das Problem der Christianitas im XII. und XIII. Jahrhundert, in: HJ 79 (1960), 104—123.
—, Kanonistik und kuriale Politik im 12. Jahrhundert, in: Archivum Historiae Pontificiae 1 (1963), 11—52.
Kilga K., Der Kirchenbegriff des hl. Bernhard von Clairvaux, in: Cistercienser-Chronik 54 (1947), 46—64.149—179.235—253; 55 (1948), 39—56.86—114. 156—187.
Klebel E., Erzbischof Friedrich I. von Köln, seine Sippe und deren politische Bedeutung, in: AHVNrh 157 (1955), 41—63.
Klebel F. W., Norbert von Magdeburg und Gerhoch von Reichersberg, in: Annalia Praemonstratensia 38 (1962), 323—334.
Knabe L., Die gelasianische Zweigewaltentheorie bis zum Ende des Investiturstreits (BStud. 292), Berlin 1936.
Knotzinger, Das Amt des Bischofs nach Bernhard von Clairvaux. Ein Traditionsbeitrag, in: Schol. 38 (1963), 519—535.
Knowles M. D., Früh- und Hochmittelalter (Geschichte der Kirche II), Einsiedeln-Zürich-Köln 1971.
Koch G., Sacrum Imperium, Bemerkungen zur Herausbildung der staufischen Herrschaftsideologie, in: Zeitschr. f. Geschichtswissenschaft 16 (1968), 596—614.
Koch J., Rupert von Deutz, in: Stammler-Langosch, Die Deutsche Literatur des Mittelalters, Verfasserlexikon III; V, Berlin 1943 (1147—1151), 1955 (1023).
Köhler O., Das Bild des geistlichen Fürsten in den Viten des 10., 11. und 12. Jahrhunderts (Abhandlungen z. mittleren und neueren Geschichte 77), Berlin 1935.
Koehler Th., Maria, Mater Ecclesiae, in: Etudes Mariales 11 (1953), 133—157.
Kölmel W., „A Deo sed per homines". Zur Begründung der Staatsgewalt im Ordnungsverständnis des Mittelalters, in: FStud. 48 (1966), 308—335.
Konrad R., De ortu et tempore Antichristi. Antichristvorstellung und Geschichtsbild des Abtes Adso von Moutier-en-Der (Münchener Hist. Studien — Mittelalt. Geschichte 1), Kallmünz/Opf. 1964.

—, Das himmlische und das irdische Jerusalem im mittelalterlichen Denken. Mystische Vorstellung und geschichtliche Wirkung, in: C. Bauer - L. Boelus - M. Müller, Speculum historiale. Geschichte im Spiegel von Geschichtsschreibung und Geschichtsdeutung, Freiburg-München 1965, 523—540.
Kottje R., Studien zum Einfluß des Alten Testamentes auf Recht und Liturgie des frühen Mittelalters (6.—8. Jahrhundert), Bonn 1964.
—, Klosterbibliotheken und monastische Kultur in der zweiten Hälfte des 11. Jahrhunderts, in: ZKG 80 (1969), 145—162.
Kranz G., Europas christliche Literatur von 500—1500, München-Paderborn-Wien 1968.
Krings H., Ordo. Philosophisch-historische Grundlegung einer abendländischen Idee, Halle 1941.
Kühner H., Die Katharer, in: H. J. Schulz, Die Wahrheit der Ketzer, 50—59.
Kugler B., Studien zur Geschichte des zweiten Kreuzzuges, Stuttgart 1866.
van Laarhoven J., „Christianitas" et réforme grégorienne, in: Stud. Greg. VI, 1—98.
Lahaude-Mailfert Y., L'iconographie des laics dans la société religieuse aux XIe et XIIe siècles, in: I laici nella „Societas christiana" 488—522.
Lacomblet Th. J., Urkundenbuch für die Geschichte des Niederrheins oder des Erzstifts Köln, der Fürstentümer Jülich, Berg, Geldern, Meurs, Cleve und Mark und der Reichsstifte Essen, Elten und Werden, Düsseldorf 1840 Bd. I.
Ladner G. B., Aspects of Medieval Thought on Church and State, in: The Review of Politics 9 (1947), 403—422.
—, The concepts of „Ecclesia" and „Christianitas« and their relation to the idea of papal „Plenitudo potestatis" from Gregory VII to Boniface VIII, in: Misc. Hist. Pont. 18, 49—77, Roma 1954.
Laehr G., Die Konstantinische Schenkung in der abendländischen Literatur des Mittelalters bis zur Mitte des 14. Jahrhunderts (HStud. 166), Berlin 1926 (Nachdruck Vaduz 1965).
I Laici nella „Societas christiana" dei secoli XI e XII. Atti della terza Settimana internazionale di studio, Mendola 21—27 agosto 1965 (Pubblicazioni dell' Università Cattolica del Sacro Cuore — Contributi serie terza, Varia 5, Miscellanea del Centro di Studi Medioevali), Milano 1968.
Landgraf A. M., Grundlagen für ein Verständnis der Bußlehre der Früh- und Hochscholastik, in: ZkTh 51 (1927), 161—194.
—, Sünde und Trennung von der Kirche in der Frühscholastik, in: Schol. 5 (1930), 210—247.
—, Die Stellungnahme der Scholastik des XII. Jahrhunderts zum Adoptianismus, in: DTh 13 (1935), 257—287.
—, Der Kult der menschlichen Natur Christi nach der Lehre der Frühscholastik, in Schol. 12 (1937), 361—377.498—518.
—, Die Lehre von der Konsekrationsgewalt des von der Kirche getrennten Priesters im 12. Jahrhundert, in: Schol. 15 (1940), 204—227.
—, Die Lehre vom geheimnisvollen Leib Christi in den frühen Paulinenkommentaren und in der Frühscholastik, in: DTh 24 (1946), 217—248.393—428; 25 (1947), 365—394; 26 (1948), 160—180.291—323.395—434.
—, Einführung in die Geschichte der theologischen Literatur der Frühscholastik unter dem Gesichtspunkt der Schulenbildung, Regensburg 1948.
—, Beiträge der Frühscholastik zur Terminologie der allgemeinen Sakramentenlehre, in: DTh 29 (1951), 3—34.

—, Zur Frage von der Wiederholbarkeit der Sakramente, in: DTh 29 (1951), 257—283.
—, Die Lehre der Frühscholastik vom Episkopat als ordo, in: Schol. 26 (1951), 496—519.
—, Dogmengeschichte der Frühscholastik 4 Bde. in 8 Teilbden., Regensburg 1952 bis 1956.
Langosch K., Gerhoh von Reichersberg, in: Stammler-Langosch, Die deutsche Literatur des Mittelalters, Verfasserlexikon, III, Berlin 1943, 1022—1040; V, 1955, 950.
—, Geistliche Spiele — Lateinische Dramen des Mittelalters mit deutschen Versen, Darmstadt 1957.
Lazzarino del Grosso A., Povertà e ricchezza nel pensiero di Gerhoch di Reichersberg, in: Annali della Facoltà di giurisprudenza (Università degli Studi di Genova) 8 (1969), 146—193.
Lecler J., L'argument des deux glaives (Luc XXII, 38) dans les controverses politiques du moyen âge: ses origines et son développement, in: RSR 21 (1931), 299—339; 22 (1932), 151—177.280—303.
Leclercq J., La vie parfaite, points de vue sur l'essence de l'état religieux (Tradition monastique 1), Turnhout 1948.
—, L'humanisme bénédictin du VIIe au XIIe siècle, in: Analecta monastica, Ière série) (Studia Anselmiana 20), Città del Vaticano 1948.
—, „Simoniaca haeresis", in: Stud. Greg. I, 523—530.
—, Origène au XIIe siècle, in: Irénikon 24 (1951), 425—439.
—, S. Bernard et la théologie monastique du XIIe siècle, in: Saint Bernard théologien, Actes du Congrès de Dijon 15—19 septembre 1953 (Analecta S. Ord. Cist. 9/1953), 7—23.
—, L'idée de la Royauté du Christ au moyen-âge (Unam Sanctam 32), Paris 1959.
—, La spiritualité des chanoines réguliers, in: La vita comune del clero nei secoli XI e XII, Atti della Settimana di Studio, Mendola settembre 1959, vol. I, Relazioni e questionario, Milano 1962, 117—135.
—, Un témoignage sur l'influence de Grégoire VII dans la réforme canoniale, in: Stud. Greg. VI, 173—227.
—, Wissenschaft und Gottverlangen. Zur Mönchstheologie des Mittelalters (Übersetzung von L'amour des lettres et le désir de Dieu, Paris 1957, übertragen v. J. u. N. Stöber), Düsseldorf 1963.
—, Le sacerdoce des moines, in: Irénikon 36 (1936), 5—40.
—, Les études dans les monastères du Xe au XIIe siècle, in: Los monjes y los estudios (Abadia de Poblet), 1963, 105—117.
—, Théologie traditionelle et théologie monastique, in: Irénikon 37 (1963), 50 bis 74.
—, - F. Vandenbroucke - L. Bouyer, La spiritualité du Moyen âge (Histoire de la spiritualité chrétienne 2), Paris 1961.
Leitmaier L., Der Laie in der Kirche im Mittelalter und im 20. Jahrhundert, in: ZSavRGkan. 39 (1953), 28—45.
Lerch D., Isaaks Opferung, christlich gedeutet. Eine auslegungsgeschichtliche Untersuchung (Beiträge z. histor. Theologie 12) Tübingen 1950.
Lejeune R. (Hrsg.), Saint-Laurent de Liège, Eglise, abbaye et hôpital militaire. Mille ans d'histoire, Liège 1968.
Levison W., Die mittelalterliche Lehre von den beiden Schwertern. Ein Vortrag hrsg. v. Th. Schieffer, in: DA 9 (1952), 14—42.

Lottin O., Psychologie et morale aux XIIe et XIIIe siècles, 6 Bde., Gembloux 1942—1960.
de Lubac H., A propos de la formule „Diversi sed non adversi“ (Melanges J. Lebreton), in: RSR 19 (1939/40), 27—40.
—, Glauben aus der Liebe, „Catholicisme“, übertragen und eingeleitet von H. Urs von Balthasar, Einsiedeln 1970.
—, La „res sacramenti“ chez Gerhoh de Reichersberg, in: Etudes de critique et d'histoire religieuses (Bibliothèque de la Faculté catholique de Théologie de Lyon 2), Lyon 1948, 35—42.
—, Sur un vieux distique. La doctrine du „quadruple sens“, in: Melanges Cavallera, Toulouse 1948, 347—366.
—, Der geistige Sinn der Schrift (Geleitwort v. Hans Urs v. Balthasar) (Christ heute II/5), Einsiedeln 1952.
—, Exégèse médiévale. Les quatre sens de l'Ecriture, 2 Bde., in 4 Teilbden. (Théologie 41/1—2—42—59), Paris 1959—1964.
—, L'Ecriture dans la Tradition, Paris 1966.
—, Die Kirche. Eine Betrachtung (Übertragen und eingeleitet von H. Urs v. Balthasar: Méditation sur l'Eglise, 1954[3]), Einsiedeln 1968.
—, Corpus mysticum. Kirche und Eucharistie im Mittelalter. Eine historische Studie (übertragen v. H. Urs v. Balthasar: Corpus mysticum, Paris 1949[2]), Einsiedeln 1969.
(—), L'homme devant Dieu, Mélanges offerts au Père Henri de Lubac, 3 Bde. (Théologie 56—58), Paris 1963—1964.
van Lujik B., Gli eremiti neri nel Dugento. Con particolare riguardo al territorio pisano e toscano. Origine, sviluppo ed unione (Bollettino storico pisano — Collana storica 7), Livorno 1968.
Maccarone M., Vicarius Christi. Storia del titolo papale (Lateranum N. S. An. 18/1—4), Roma 1952.
—, „Potestas directa“ e „potestas indirecta“ nei teologi del XII e XII secolo, in: Misc. Hist. Pont. 18 (Roma 1954), 27—47.
—, I Papi del secolo XII e la vita comune e regolare del clero, in: La vita comune del clero I, 349—398 (genaue Bibl. s. oben P. Classen, Gerhoch und die Regularkanoniker).
Magrassi M., Teologia e storia nel pensiero di Ruperto die Deutz (Studia Urbaniana 2), Roma 1959.
Manitius M., Geschichte der lateinischen Literatur des Mittelalters III: Vom Ausbruch des Kirchenstreites bis zum Ende des 12. Jahrhunderts (Handbuch d. Altertumswissenschaften IX/2—3), München 1931.
Manz L., Der Ordo-Gedanke. Ein Beitrag zur Frage des mittelalterlichen Ständegedankens (Beiheft z. Vierteljahresschrift f. Sozial- u. Wirtschaftsgeschichte 33), Stuttgart-Berlin 1937.
Marsch W.-D. - Thieme K. (Hrsg.), Christen und Juden. Ihr Gegenüber vom Apostelkonzil bis heute, Mainz-Göttingen 1961.
Matz W., Die altdeutschen Glaubensbekenntnisse seit Honorius Augustodunensis. Mit einem Abdruck des Heidelberger Bekenntnisses, Halle 1932.
Maurer W., Kirche und Synagoge, Motive und Formen der Auseinandersetzung der Kirche mit dem Judentum im Laufe der Geschichte (Franz Delitzsch-Vorlesungen 2), Stuttgart 1953.
Mayer-Pfannholz A., Der Wandel des Kirchenbildes in der Geschichte, in: Theologie und Glaube 33 (1941), 22—34.

Meersseman G. G., Die Christenheit als historischer Begriff, in: Hommage aux Catholiques suisses, Fribourg 1954, 185—199.
Meindl C., Catalogus OO. Canonicorum Regularium Reichersberg. a prima fundatione usque ad annum jubil. 1884 e documentis fide dignis conscriptus, Lincii 1884.
—, Kurze Geschichte des Regulierten Chorherren-Stiftes Reichersberg am Inn, München 1902².
Menhardt H., Der Nachlaß des Honorius Augustodunensis, in: ZDADL 89 (1958/59), 23—69.
—, Regensburg, ein Mittelpunkt der deutschen Epik des 12. Jahrhunderts, in: ZDADL 89 (1958/59), 271—274.
Meuthen E., Kirche und Heilsgeschichte bei Gerhoh von Reichersberg (Studien u. Texte z. Geistesgeschichte des Mittelalters 6), Leiden-Köln 1959.
—, Der Geschichtssymbolismus Gerhohs von Reichersberg (Bearbeitung des gleichnam. Kapitels aus dem vorgenannten Werk 111—153), in: W. Lammers (Hrsg.), Geschichtsdenken und Geschichtsbild im Mittelalter. Ausgewählte Aufsätze und Arbeiten aus den Jahren 1933—1959 (Wege d. Forschung 21), Darmstadt 1965, 200—246.
Meyer H., Thomas von Aquin. Sein System und seine geistesgeschichtliche Stellung, Paderborn 1961².
Miccoli G., „Ecclesiae primitivae forma", in: Studi Medievali (serie terza) 1 (1960), 470—498.
—, Chiesa gregoriana. Ricerche sulla Riforma del sec. XI (Storici antichi e moderni, N. S. 17), Firenze 1966.
Michel A., Die folgenschweren Ideen des Kardinals Humbert und ihr Einfluß auf Gregor VII., in: Stud. Greg. I, 65—92.
Mirbt K., Die Stellung Augustins in der Publizistik des gregorianischen Kirchenstreites, Leipzig 1888.
—, Die Publizistik im Zeitalter Gregors VII., Leipzig 1894 (Nachdruck Leipzig 1965).
Miszka G., Das Bild der Kirche bei Johannes von Salisbury (Bonner historische Forschungen 34), Bonn 1970.
Mönnich C. W., Overwegingen bij de ecclesiologie van Hugo van Sint Victor, in: Ecclesia (Feestbundel J. N. Bakhuizen van den Brink), La Haye 1959, 60—75.
Mohl R., The Three Estates in Medieval and Renaissance Literature (Columbia University Studies in English and Comparative Literature 56), New York 1933 (Nachdruck New York 1962).
Mois J., Das Stift Rottenbuch in der Kirchenreform des XI.—XII. Jahrhunderts, Ein Beitrag zur Ordens-Geschichte der Augustiner-Chorherren (Beiträge zur altbayerischen Kirchengeschichte 3. Folge — 19. Band, der neuen Folge 6. Band), München 1953.
Mollat M., Le problème de la pauvreté au XIIe siècle, in: Vaudois languedociens et Pauvres catholiques, 23—47.
de Moreau E., Histoire de l'Eglise en Belgique des origines aux débuts du 12e siècle (Museum Lessianum 5/2), Bruxelles 1945².
Morghen R., Problèmes sur l'origine de l'hérésie au Moyen Age, in: Revue historique 236 (1966), 1—16.
Morin G., Etudes, textes, découvertes. Contributions à la littérature et à l'histoire des douze premiers siècles (Anecdota Maredsolana, 2e série), I: Maredsous-Paris 1913.

Mouraux A., La „Vie apostolique“ à propos de Rupert de Deutz († 1135), in: Revue liturgique et monastique 21 (1935/36), 71—78.125—141.264—276.
Mühlbacher E., Die streitige Papstwahl des Jahres 1130, Innsbruck 1876 (Neudruck Aalen 1966).
Müller A., Ecclesia — Maria, Die Einheit Mariens und der Kirche (Paradosis — Beiträge zur Geschichte der altchristlichen Literatur und Theologie 5), Freiburg/Schweiz 1951.
Müller J., Über Rupertus von Deutz und dessen „vita sancti Heriberti“ (Programm d. Kgl. Kath. Gymnasiums an Aposteln zu Köln — 28. Schuljahr, 1887—1888), Köln 1888, 3—31.
Müller-Goldkuhle P., Die nachbiblischen Akzentverschiebungen im historischen Entwicklungsgang des eschatologischen Denkens, in: Conc. 5 (1969), 10—17.
Murray A. V., Abelard and St. Bernard. A Study in XIIth century „modernism“, Manchester 1967.
Neunheuser B., Eucharistie im Mittelalter und Neuzeit (HDG IV/4 b), Freiburg-Basel-Wien 1963.
Neuss W., Das Buch Ezechiel in Theologie und Kunst bis zum Ende des XII. Jahrhunderts mit besonderer Berücksichtigung der Gemälde in der Kirche zu Schwarzrheindorf. Ein Beitrag zur Entwicklungsgeschichte der Typologie der christlichen Kunst, vornehmlich in den Benediktinerklöstern (Beiträge z. Geschichte d. alten Mönchtums und des Benediktinerordens 1—2), Münster 1912.
—, Die Kirche des Mittelalters (Die katholische Kirche im Wandel der Zeiten und Völker II), Bonn 1950².
—, - Oediger F. W., Geschichte des Erzbistums Köln I, Köln 1964.
Nobbe H. F. A., Gerhoh von Reichersberg. Ein Bild aus dem Leben der Kirche im XII. Jahrhundert, Leipzig 1881.
Oediger F. W., Mönche und Pfarrseelsorge im Erzbistum Köln im 11. und 12. Jahrhundert, in: R. Haas - J. Hoster (Hrsg.), Zur Geschichte und Kunst im Erzbistum Köln — Festschrift für Wilhelm Neuss (Studien z. Kölner Kirchengeschichte 5), Düsseldorf 1960, 40—47.
Ohly F., Geist und Formen der Hoheliedauslegung im 12. Jahrhundert, in: ZDADL 85 (1954), 181—197.
—, Hohelied-Studien. Grundzüge einer Geschichte der Hoheliedauslegung des Abendlandes bis um 1200 (Schriften der Wiss. Gesellschaft an der Johann Wolfgang Goethe-Universität Frankfurt am Main — Geisteswiss. Reihe 1), Wiesbaden 1958.
—, Synagoge und Ecclesia. Typologisches in mittelalterlicher Dichtung, in: P. Wilpert, Judentum im Mittelalter 350—369.
Olsen G., The Idea of the Ecclesia primitiva in the Writings of the XIIth-century Canonists, in: Traditio 25 (1969), 61—85.
Oppermann O., Die ältesten Urkunden aus Siegburg, Saalfeld und Rolandswerth, in: Jahrbuch d. Kölnischen Geschichtsvereins 16 (1934); 17 (1935).
Ott I., Gerhoh von Reichersberg als Geschichts- und Staatsdenker des 12. Jahrhunderts (Diss. masch. Marburg) 1942.
—, Der Regalienbegriff im 12. Jahrhundert, in: ZSavRGkan. 35 (1948), 234—304.
Ott L., Untersuchungen zur theologischen Briefliteratur der Frühscholastik. Unter besonderer Berücksichtigung des Viktorinerkreises (BGPhMA 34), Münster 1937.
Otto St., Die Funktion des Bildbegriffes in der Theologie des 12. Jahrhunderts (BGPhMA 40/1), Münster 1963.

Pacaut M., Alexandre III. Etude sur la conception du pouvoir pontifical dans la pensée et dans son oeuvre, Paris 1956.

Paré G. - Brunet A. - Tremblay P., La renaissance du XIIe siècle. Les écoles et l'enseignement (Publications de l'Institut d'Etudes médiévales d'Ottawa 3), Paris-Ottawa 1933.

Pásztor E., Motivi dell'ecclesiologia di Anselmo di Lucca, in margine a un sermone inedito, in: BISIAM 77 (1965), 45—104.

Pásztor L., L'histoire de la Curie romaine, problème d'histoire de l'Eglise, in: RHE 64 (1969), 353—366.

Peinador M., Estudio sintético-comparativo de los textos escriturarios que fundamentan las relaciones entre Maria y la Iglesia, in: Estudios Marianos 18 (1957), 129—155.

—, El problema de Maria y la Iglesia. La interpretación de Apocalipsis XII, 1 ss., in: EM 10 (1960), 161—194.

—, El designio divino en la historia de la salvacion según Ruperto de Deutz a la luz de Gen 3, 15 y Apoc 12, in: Claretianum 5 (1965), 141—172.

—, Patris et Spiritus sancti actio in virginali conceptione iuxta Rupertum a Deutz, in: Claretianum 6 (1966), 401—410.

—, La mariologia de Ruperto de Deutz, in: EM 17 (1967), 121—148.

—, La actitud negativa de Ruperto de Deutz ante la Immaculada Concepción de la Virgen. Ambiente doctrinal y motivación de la misma, in: Marianum 30 (1968), 192—217.

—, Maria y la Iglesia en la historia de la salvación según Ruperto de Deutz, in: EM 38 (1968), 337—381.

—, Presencia y actuactión de Cristo en la historia y economía del antiguo testamento según Ruperto de Deutz, in: Claretianum 8 (1968), 311—359.

—, El comentario de Ruperto de Deutz al Cantar de los cantares. Introducción, análisis crítico, temas principales, in: Marianum 31 (1969), 1—58.

—, La maternidad mesiánica de Maria en el antiguo testamento según Ruperto de Deutz, in: Marianum 32 (1970), 521—550.

Petit F., La réforme des prêtres au moyen-âge. Pauvreté et vie commune. Textes choisis, Paris 1968.

Peuchmard M., Le prêtre ministre de la Parole dans la théologie du XIIe siècle, in: RThAM 29 (1962), 52—76.

Peuco G., Temi ed aspetti ecclesiologici della tradizione monastica, in: Studia Monastica 10 (1968), 57—88.

Pöschl A., Die Regalien der mittelalterlichen Kirchen (Festschrift der Grazer Universität für 1927), Graz-Wien-Leipzig 1928.

Poschmann B., Buße und Letzte Ölung (HDG IV/3), Freiburg 1951.

Povertà e ricchezza nella spiritualità dei secoli XI e XII, 15—18 ottobre 1967 (Convegno del Centro di studi sulla spiritualità medievale 8), Todi 1969.

Prosdocimi L., Chierici e laici nella società oddicentale del secolo XII. A proposito de Decr. Grat. C. 12 q. 1 c. 7: „Duo sunt genera Christianorum“, in: Proceedings of the Second international Congress of Medieval Canon Law, 105—122 (Genaue Bibliographie bei J. Gilchrist, „Simoniaca haeresis“).

Rahner H., Abendländische Kirchenfreiheit. Dokumente über Kirche und Staat im frühen Christentum, Einsiedeln-Köln 1943.

—, Symbole der Kirche. Die Ekklesiologie der Väter, Salzburg 1964.

Rassow P., Honor Imperii. Die neue Politik Friedrich Barbarossas 1152—1159, Darmstadt 1961.

Ratzinger J., Volk und Haus Gottes in Augustins Lehre von der Kirche (Münchener Theol. Studien II/7), München 1954.
—, Die Geschichtstheologie des heiligen Bonaventura, München-Zürich 1959.
—, Herkunft und Sinn der Civitas-Lehre Augustins. Begegnung und Auseinandersetzung mit Wilhelm Kamlah, in: W. Lammers (Hrsg.), Geschichtsdenken und Geschichtsbild im Mittelalter, Ausgewählte Aufsätze und Arbeiten aus den Jahren 1933—1959 (Wege d. Forschung 21), Darmstadt 1965, 55—75.
Rauh H. D., Das Bild des Antichrist im Mittelalter. Von Tyconius zum Deutschen Symbolismus, Münster 1972.
Reynolds R. E., Further evidence for the Irish origin of Honorius Augustodunensis, in: Vivarium 7 (1969), 1—7.
Reuter H., Geschichte Alexander des Dritten und der Kirche seiner Zeit, 3 Bde., Berlin (Bd. 1) und Leipzig (Bde. 2—3), 1845—1864.
—, Geschichte der religiösen Aufklärung im Mittelalter vom Ende des 8. bis zum Anfang des 14. Jahrhunderts, 2 Bde., Berlin 1875 (Nachdruck Aalen 1963).
Ribbeck W., Gerhoh von Reichersberg und seine Ideen über das Verhältnis zwischen Staat und Kirche, in: Forschungen z. Deutschen Geschichte 24 (1884), 1—80.
—, Noch einmal Gerhoh von Reichersberg, in: Forschungen z. Deutschen Geschichte 25 (1885), 556—561.
Richstaetter C., Christusfrömmigkeit in ihrer historischen Entfaltung. Ein quellenmäßiger Beitrag zur Geschichte des Gebetes und des mystischen Innenlebens der Kirche, Köln 1949.
Riedl J., Röm. 2,14 ff. und das Heil der Heiden bei Augustinus und Thomas, in: Schol. 40 (1965), 189—213.
—, Das Heil der Heiden nach R. 2,14 — 16.26.27 (St. Gabrieler Studien 20), Mödling b. Wien 1965.
Riedlinger H., Die Makellosigkeit der Kirche in den lateinischen Hoheliedkommentaren des Mittelalters (BGPhMA 38/3), Münster 1958.
Rief J., Der Ordobegriff des jungen Augustinus (Abhandlungen z. Moraltheologie hrsg. v. Johannes Stelzenberger), Paderborn 1962.
Riudor I., Maria Mediadora y Madre del Cristo mistico en los escritores eclesiásticos de la primera mitad del siglo XII, in: Estudios ecclesiasticos 25 (1951), 181—218.
Rivière J., Le dogme de la rédemption au début du moyen âge (Bibliothèque thomiste 19 — sect. historique 16), Paris 1934.
Rocholl R., Rupert von Deutz. Beitrag zur Geschichte der Kirche im 12. Jahrhundert, Gütersloh 1886.
—, Zu Rupert von Deutz, in: Zeitschrift f. kirchl. Wissenschaft und kirchl. Leben 8 (1887), 34—40.
—, Gerhoh von Reichersberg, in: Realencyklopädie für protestant. Theologie und Kirche VI, 565—568.
—, Honorius von Autun, in: Realencyklopädie für protestant. Theologie und Kirche VIII, 327—331.
—, Platonismus im deutschen Mittelalter, in: ZKG 24 (1903), 1—14.
—, Rupert von Deutz, in: Realenzyclopädie für protestant. Theologie und Kirche XVII, 229—243.
Roques R., L'univers dionysien. Structure hiérarchique du monde selon le Pseudo-Denys (Théologie 29), o. O. (Paris), o. J. (1954).
Rooth E., Kleine Beiträge zur Kenntnis des sog. Honorius Augustodunensis, in: Studia neophilologica 12 (1939/40), 120—135.

Rosen R., Die Stellung der Kölner Erzbischöfe von Heribert bis Friedrich I. zu den Klöstern (999—1130), in: Jahrbuch des Kölnischen Geschichtsvereins 41 (1967), 119—181.

Rousset P., A propos de l'Elucidarium d'Honorius Augustodunensis: quelques problèmes d'histoire ecclésiastique, in: Zeitschrift f. Schweizer Kirchengeschichte 52 (1958), 223—230.

Rupp J., L'idée de Chrétienté dans la Pensée Pontificale des origines à Innocent III, Paris 1939.

Russell J., Interpretations of the Origins of Medieval Heresy, in: MS 25 (1963), 26—53.

Sacerdozio e Regno da Gregorio VII a Bonifacio VIII. Studi presentati alla sezione storica del congresso della Pontificia Università Gregoriana 13—17 ottobre 1953 (Misc. Hist. Pont. 18, collectionis 50—57), Roma 1954.

Sägmüller J., Die Idee von der Kirche als Imperium Romanum im kanonischen Recht, in: ThQ 80 (1898), 50—80.

Sage A., Règle de saint Augustin. Texte avec traduction et commentaire, Paris 1969.

Saint-Laurent de Liège: s. R. Lejeune.

Saltet L., Les réordinations. Etudes sur le sacrament de l'ordre, Paris 1907.

Sanford E. M., Honorius, presbyter et scholasticus, in: Speculum 23 (1948), 396 bis 425.

Sauer J., Symbolik des Kirchengebäudes und seiner Ausstattung in der Auffassung des Mittelalters. Mit der Berücksichtigung von Honorius Augustodunensis, Sicardus und Durandus, Freiburg 1924².

Schäfer H., Pfarrkirche und Stift im deutschen Mittelalter (Kirchenrechtl. Abhandlungen 3), Stuttgart 1903.

—, Die Kanonissenstifter im deutschen Mittelalter (Kirchenrechtl. Abhandlungen 43/44), Stuttgart 1907.

Scheeben M. J., Handbuch der katholischen Dogmatik, I: Theol. Erkenntnislehre (Ges. Schriften III), Freiburg 1948².

—, — — — — V/2: Erlösungslehre (Ges. Schriften VI/2), Freiburg 1954².

Schebler A., Die Reordinationen in der „altkatholischen" Kirche unter besonderer Berücksichtigung der Anschauungen Rudolf Sohms (Kanonist. Studien und Texte 10), Bonn 1936 (Nachdruck Amsterdam 1964).

Scheffczyk L., Die heilsökonomische Trinitätslehre des Rupert von Deutz und ihre dogmatische Bedeutung, in: J. Betz - H. Fries (Hrsg.), Kirche und Überlieferung, Freiburg-Basel-Wien 1960, 90—118.

Scherer W., Rezension von Richard Heinzel, Heinrich von Melk, Berlin 1867, in: Zeitschrift f. d. österreich. Gymnasien 19 (1868), 564—579.

Schilling K. (Hrsg.), Monumenta Judaica. 2000 Jahre Geschichte und Kultur der Juden am Rhein (Handbuch i. A. der Stadt Köln), Köln 1963.

Schipperges H., Honorius und die Naturkunde des 12. Jahrhunderts, in: Sudhoffs Archiv f. Geschichte der Medizin und der Naturwissenschaften 42 (1958), 71—82.

Schmale F. J., Kanonie, Eigenkirche und Seelsorge, in: HJ 78 (1959), 33—63.

—, Papsttum und Kurie zwischen Gregor VII. und Innozenz II., in: Historische Zeitschrift 193 (1961), 265—285.

Schmidlin, Die kirchenpolitischen Ideen des 12. Jahrhunderts, in: AkathKR 84 (1904), 39—55.

Schmidlin J., Die geschichtsphilosophische und kirchenpolitische Weltanschauung Ottos von Freising (Studien u. Darstellungen aus dem Gebiete der Geschichte 4/2—3), Freiburg 1906.
Schneyer J.-B., Die Laienpredigt im Mittelalter. Ein Überblick, in: MThZ 18 (1967), 205—218.
Schorbach K., Studien über das deutsche Volksbuch Lucidarius und seine Bearbeitungen in fremden Sprachen (Quellen u. Forschungen zur Sprach- und Culturgeschichte der germanischen Völker 74), Straßburg 1894.
Schramm P. E., Kaiser, Rom und Renovatio. Studien und Texte zur Geschichte des römischen Erneuerungsgedankens vom Ende des karolingischen Reiches bis zum Investiturstreit, 2 Bde. (Studien der Bibliothek Warburg XVII/1.2), Leipzig-Berlin 1929 (Nachdruck Darmstadt 1957[2]).
—, Die Erforschung der mittelalterlichen Symbole. Wege und Methoden, in: B. Schwineköper, Der Handschuh im Recht, Ämterwesen, Brauch und Volksglauben (Neue deutsche Forschungen Abt. Mittelalt. Geschichte 5), Berlin 1938, III—XVIII.
—, Sacerdotium und Regnum im Austausch ihrer Vorrechte. Eine Skizze der Entwicklung zur Beleuchtung des „Dictatus pape“ Gregors VII, in: Stud. Greg. II, 403—457.
Schreiber G., Kurie und Kloster im 12. Jahrhundert. Studien zur Privilegierung, Verfassung und besonders zum Eigenkirchenwesen der vorfranziskanischen Orden vornehmlich auf Grund der Papsturkunden von Paschalis II. bis auf Lucius III. (1099—1181), 2 Bde. (Kirchenrechtl. Abhandlungen 65—68), Stuttgart 1910 (Nachdruck Amsterdam 1965).
—, Prämonstratensische Frömmigkeit und die Anfänge des Herz-Jesu-Gedankens. Ein Beitrag zur Geschichte der Frömmigkeit, der Mystik und der monastischen Bewegung, in: ZkTh 64 (1940), 181—201.
—, Gemeinschaften des Mittelalters. Recht und Verfassung, Kult und Frömmigkeit (Gesammelte Abhandlungen I), Münster 1948.
—, Religiöse Verbände in mittelalterlicher Wertung. Lateinischer Westen und griechischer Osten, in: HJ 62—69 (1949), 284—358.
Schroeder A., Notar Rudiger. Ein Domherrnleben aus dem 12. Jahrhundert, in: Archiv f. d. Geschichte d. Hochstifts Augsburg 6 (1929), 819—835.
Schröder E., Rezension zu R. Cruel, Geschichte der deutschen Predigt im Mittelalter, Detmold 1879, in: ZDADL 25 (NF 13), (1881), 172—191.
Schroeder P., Die Augustinerchorherrenregel. Entstehung, kritischer Text und Einführung der Regel, in: Archiv f. Urkundenforschung 9 (1926), 271—306.
Schrödl K., Passavia sacra. Geschichte des Bisthums Passau bis zur Säkularisation des Fürstenthums Passau, Passau 1879.
Schubert Fr., Die Meßerklärung der Gemma animae, in: Theologie und Glaube 7 (1915), 628—644.
von Schubert H., Geschichte der christlichen Kirche im Frühmittelalter, Tübingen 1921.
Schultz H.-J. (Hrsg.), Die Wahrheit der Ketzer, Stuttgart-Berlin 1968.
Schwane J., Dogmengeschichte der mittleren Zeit (787—1517 n. Chr.), Freiburg 1882.
Schwer W., Stand und Ständeordnung im Weltbild des Mittelalters. Die geistes- und gesellschaftsgeschichtlichen Grundlagen der berufsständischen Idee (Görres-Gesellschaft, Veröffentlichung der Sektion f. Wirtschafts- und Sozialwissenschaft 7), Paderborn 1952[2] (Nachdruck 1970).

Seeberg R., Der Begriff der christlichen Kirche. Erster Teil: Studien zur Geschichte des Begriffes Kirche mit besonderer Beziehung auf die Lehre von der sichtbaren und unsichtbaren Kirche, Erlangen 1885.

—, Lehrbuch der Dogmengeschichte III: Die Dogmengeschichte des Mittelalters, Leipzig 1930⁴.

Seiferth W., Synagoge und Kirche im Mittelalter, München 1964.

Séjourné P., Rupert de Deutz, in: DTC XIV, 169—205.

Selge K.-V., Die ersten Waldenser. Mit Edition des Liber Antiheresis des Durandus von Osca, 2 Bde. (Arbeiten z. Kirchengeschichte 37/1—2), Berlin 1967.

Semmler J., Die Klosterreform von Siegburg. Ihre Ausbreitung und ihr Reformprogramm im 11. und 12. Jahrhundert (Rheinisches Archiv 53), Bonn 1959.

Severino G., La discussione degli ordines di Anselmo di Havelberg, in: BISIAM 78 (1967), 75—122.

—, Appunti su „Povertà e ricchezza nella spiritualità dei secoli XI—XII", in: BISIAM 79 (1968), 149—165.

Siegmund A., Die Überlieferung der griechischen christlichen Literatur in der lateinischen Kirche bis zum zwölften Jahrhundert (Abhandlungen d. Bayer. Benediktiner-Akademie 5), München-Pasing 1949.

von Silva-Tarouca A., Stilgesetze des frühen Abendlandes. Idee, Problematik und Schicksal des christlich-germanischen Gottesreiches auf Erden im frühen Mittelalter. Gestaltungspsychologischer Deutungsversuch aus den Denkmälern der abendländischen Kunst, Mainz 1943.

Silvestre H., Les citations et réminiscences classiques dans l'oeuvre de Rupert de Deutz, in: RHE 45 (1950), 140—174.

—, Rezension zu M. Magrassi, Teologia e storia nel pensiero di Ruperto di Deutz, in: RHE 56 (1961), 517—526.

—, A propos de la lettre d'Anselme de Laon à Héribrand de Saint-Laurent, in: RThAM 28 (1961), 5—25.

—, La tradition manuscrite des oeuvres de Rupert de Deutz. A propos d'une étude récente de Rhaban Haacke, in: Script. 16 (1962), 336—348.

—, Diversi sed non adversi, in: RThAM 31 (1964), 124—132.

—, Les autographes d'Adrien d'Oudenbosch et la date de la mort de Rupert de Deutz, in: Script. 18 (1964), 274—277.

—, Notes sur la controverse de Rupert de Saint-Laurent avec Anselme de Laon et Guillaume de Champeaux, in: Saint-Laurent de Liège, 1968, 63—80.

—, Du nouveau sur Rupert de Deutz, in RHE 63 (1968), 54—58.

Smalley B., The Study of the Bible in the Middle Ages, Oxford 1952².

Spicq P. C., Esquisse d'une histoire de l'exégèse latine au moyen âge (Bibliothèque thomiste 26), Paris 1944.

Spilker R., Maria-Kirche nach dem Hoheliedkommentar des Rupertus von Deutz, in: Maria et Ecclesia. Acta Congressus Mariologici-mariani in civitate Lourdes anno 1958 celebrati, vol. III — De parallelismo Mariam inter et Ecclesiam, Roma 1959, 291—317.

Spindler M. (Hrsg.), Handbuch der bayerischen Geschichte I: Das alte Bayern, das Stammesherzogtum bis zum Ausgang des 12. Jahrhunderts, München 1967.

Spitz H.-J., Metaphern für die spirituelle Schriftauslegung, in: P. Wilpert, Lex et Sacramentum im Mittelalter (Miscellanea Mediaevalia 6), Berlin 1969, 99—112.

Spörl J., Das Alte und das Neue im Mittelalter. Studien zum Problem des mittelalterlichen Fortschrittsbewußtseins, in: HJ 50 (1930), 297—341.498—524.

—, Grundformen hochmittelalterlicher Geschichtsanschauung. Studien zum Weltbild der Geschichtsschreiber des 12. Jahrhunderts, München 1935 (Nachdruck Darmstadt 1968).
Sprömberg H., Rupert von Deutz, in: W. Wattenbach-Holtzmann, Deutschlands Geschichtsquellen im Mittelalter I, 657—666.
Staber J., Kirchengeschichte des Bistums Regensburg, Regensburg 1966.
Stammler W. - Langosch K. (Hrsg.), Deutsche Literatur des Mittelalters, Verfasserlexikon, 5 Bde., Leipzig 1933—1955.
Stanonik, Honorius von Augustodunum, in: Wetzer u. Welte's Kirchenlexikon VI, 268—274.
Stegmüller F., Repertorium Biblicum Medii Aevi, Bd. II/III/V, Matriti 1950/1951/1955.
Steiger A., Der hl. Bernhard von Clairvaux. Sein Urteil über die Zeitzustände. Seine geschichtsphilosophische und kirchenpolitische Anschauung, in: SM 28 (1907), 346—357.490—506; 29 (1908), 78—102.421—433.519—535.
Steinbüchel Th., Christliches Mittelalter, Leipzig 1935 (Nachdruck Darmstadt 1968).
von den Steinen W., Monastik und Scholastik. Zu Dom Jean Leclercq, L'amour des lettres et le désir de Dieu, in: ZDADL 89 (1958/59), 243—256.
—, Der Kosmos des Mittelalters. Von Karl dem Großen zu Bernhard von Clairvaux, Bern 1967².
Stemmler Th., Liturgische Feiern und geistliche Spiele. Studien zu Erscheinungsformen des Dramatischen im Mittelalter (Buchreihe der Anglia-Zeitschrift f. englische Philologie 15), Tübingen 1970.
Stickler A.-M., Il „gladius" negli atti degli concili e dei RR. Pontefici sino a Graziano e Bernardo di Clairvaux, in: Salesianum 13 (1951), 414—445.
Stülz J., Propst Gerhoh I. von Reichersberg (Denkschriften der kaiserl. Akademie der Wissenschaften), Wien 1849, 113—166.
—, Des Propstes Gerhoh von Reichersberg Abhandlung: De investigatione Antichristi (Codex Mscpt. im Stifte Reichersberg) auszugsweise mitgeteilt, in: Archiv f. Kunde österreich. Geschichts-Quellen 20 (1858), I, 127—188.
Sturmhoefel K., Der geschichtliche Inhalt von Gerhohs von Reichersberg 1. Buche über die Erforschung des Antichrists. I. Teil (Abhandlung zu dem Jahresberichte der Thomasschule in Leipzig f. d. Schuljahr Ostern 1886 bis Ostern 1887), Leipzig 1887.
—, Gerhoh von Reichersberg über die Sittenzustände der zeitgenössischen Geistlichkeit. II. Teil der vorjährigen Abhandlung (Abhandlung zu dem Jahresberichte der Thomasschule in Leipzig f. d. Schuljahr 1887 bis Ostern 1888), Leipzig 1888.
Swarzenski G., Die Salzburger Malerei von den ersten Anfängen bis zur Blütezeit des romanischen Stils, 2 Bde., Leipzig 1908—1913.
de la Taille M., Mysterium fidei. De augustissimo corporis et sanguinis Christi sacrificio atque sacramento elucidationes L in tres libros distinctae, Paris 1931³.
Tavard G. (unter Mitarbeit v. A. Caquot u. J. Michl), Die Engel (HDG II/2b), Freiburg-Basel-Wien 1968.
Tellenbach G., Libertas. Kirche und Weltordnung im Zeitalter des Investiturstreites (Forschungen z. Kirchen- und Geistesgeschichte 7), Stuttgart 1936.
—, Die Bedeutung des Reformpapsttums für die Einigung des Abendlandes, in: Stud. Greg. II,, ,125—149.

Thieme H., Die Funktion der Regalien im Mittelalter (Libelli 204), Darmstadt 1968.

Thouzellier Chr., Hérésie et hérétiques. Vaudois, cathares, patarins, albigeois (Storia e letteratura 116), Rome 1969.

Troeltsch E., Augustin, die christliche Antike und das Mittelalter. Im Anschluß an die Schrift „De Civitate Dei" (Histor. Bibliothek 36), München-Berlin 1915.

Tromp S., Corpus Christi quod est ecclesia, 3 Bde., Roma 1946—1960.

Tundo F., La visione mistica della Chiesa in Ugo di San Vittore, in: Asprenas 12 (1965), 166—173.

Ueberweg F. — Geyer B., Grundriß der Geschichte der Philosophie II: Die patristische und scholastische Philosophie, Tübingen 1951[12].

Ullmann W., Die Machtstellung des Papsttums im Mittelalter. Idee und Geschichte (Vom Verf. neubearbeitete Ausgabe von „The Growth of Papal Government in the Middle Ages", London 1955, übertragen v. G. Möser-Mersky), Graz-Wien-Köln 1960.

Vaudois languedociens et Pauvres Catholiques (Livres du Trimestre 67), Toulouse 1967.

Vercanteren F., Note sur les origines de Saint-Laurent de Liège, in: Saint-Laurent de Liège 14—24.

Verheijen L., La règle de saint Augustin, 2 Bde., Paris 1967.

Vinay T., Die Waldenser, in: H.-J. Schultz, Die Wahrheit der Ketzer 60—71.

Vissers H., Vie canoniale, Bressoux-Liège 1958.

de Vooght P., La „simoniaca haeresis" selon les auteurs scolastiques, in: EThL 30 1954), 64—80.

van Waesberghe J. F. A. M., De Akense regels voor canonici eu canonicae uit 816. Een antwoord aan Hildebrand-Gregorius VII en zijn geestverwanten (Van Gorcum's historische bibliotheek 83), Assen 1967.

von Walter J., Die ersten Wanderprediger Frankreichs (Studien z. Geschichte der Theologie und der Kirche 9/3) I: Robert von Arbrissel, Leipzig 1903.

—, Neue Folge: Bernhard von Thiron; Vitalis von Savigny, Girald von Salles u. a., Leipzig 1906.

Wasselynck R., Les compilations des „Moralia in Job" du VIIe au XIIe siècle, in: RThAM 29 (1962), 5—32.

—, L'influence de l'exégèse de S. Grégoire le Grand sur les commentaires bibliques médiévaux (VIIe—XIIe s.), in: RThAM 32 (1965), 157—204.

Wattenbach W., Deutschlands Geschichtsquellen im Mittelalter I, Berlin 1904[7]; II, Berlin 1894[6] (Neuausgabe F. J. Schmale, Darmstadt 1967).

Weinzierl K., Die geschichtliche Entwicklung der Römischen Kurie, in: Jus sacrum. Klaus Mörsdorf zum 60. Geburtstag. Hrsg. A. Scheuermann - G. May, München 1969, 275—293.

Weisweiler H., Die Wirksamkeit der Sakramente nach Hugo von St. Viktor, Freiburg 1932.

—, Das Schrifttum der Schule Anselms von Laon und Wilhelms von Champeaux in deutschen Bibliotheken. Ein Beitrag zur Geschichte der Verbreitung der ältesten scholastischen Schule in deutschen Landen (BGPhMA 23/1—2), Münster 1936.

—, Wie entstanden die frühen Sententiae Berolinenses der Schule Anselms von Laon? Eine Untersuchung über die Verbindung von Patristik und Scholastik, in: Schol. 34 (1959), 190—232.

—, Neue Werke über Gerhoch von Reichersberg, in: Schol. 36 (1961). 115—120.

Weitzel J., Begriff und Erscheinungsformen der Simonie bei Gratian und den Dekretisten (Münchener Theol. Studien III. Kanonist. Abt., 25), München 1967.
Werminghof A., Nationalkirchliche Bestrebungen im deutschen Mittelalter (Kirchenrechtl. Abhandlungen 61). Amsterdam 1965 (Nachdruck d. Auflage von 1910).
Werner E., Pauperes Christi. Studien zu sozial-religiösen Bewegungen im Zeitalter des Reformpapsttums, Leipzig 1956.
Wilpert P. (Hrsg. unter Mitarbeit v. W. P. Eckert), Judentum im Mittelalter. Beiträge zum christlich-jüdischen Gespräch (Miscellanea Mediavalia — Veröffentlichungen des Thomas-Instituts an der Universität Köln 4), Berlin 1966.
Wirges J., Über den Ursprung der Augustinerregel, in: Theol.-prakt. Quartalschrift 80 (1927), 583—587.
Wisplinghoff E., Beiträge zur älteren Geschichte der Benediktinerabtei Deutz, in: Jahrbuch d. Kölnischen Geschichtsvereins 29/30 (1954/55), 139—160.
—, Urkunden und Quellen zur Geschichte von Stadt und Abtei Siegburg I: (948) 1065—1399, Siegburg 1964.
Wittler H. H., Die Erlösung und ihre Zuwendung nach der Lehre des Abtes Rupert von Deutz, Düsseldorf 1940.
Wodtke F. W., Die Allegorie des „inneren Paradieses" bei Bernhard von Clairvaux, Honorius Augustodunensis, Gottfried von Straßburg und in der deutschen Mystik, in: H. Moser - R. Schützeichel - K. Stackmann (Hrsg.), Festschrift Joseph Quint, Bonn 1964, 277—290.
Wolff O., Mein Meister Rupertus. Ein Möndsleben aus dem zwölften Jahrhundert, Freiburg 1920.
Wolter H., Bernhard von Clairvaux und die Laien. Aussagen der monastischen Theologie über Ort und Berufung des Laien in der erlösten Welt, in: Schol. 34 (1959), 161—189.
—, Das nachgregorianische Zeitalter (1124-1154). Bedrohte Kirchenfreiheit (1153 bis 1168), in: HKG III/2, 3—143.
Wühr W., Das abendländische Bildungswesen im Mittelalter, München 1950.
Zeillinger K., Erzbischof Konrad I. von Salzburg 1106—1147 (Wiener Dissertationen aus dem Gebiete der Geschichte 10), Wien 1968.
Zerbi P., Pasquale II e l'ideale della povertà della Chiesa, in: Annuario dell'Università cattolica del Sacro Cuore 1964—1965, Milano 1965, 207—229.
—, Riflessioni sul simbolo delle due spade in S. Bernardo di Clairvaux, in: Contributi dell'Istituto die Storia medioevale I, Milano 1968, 545—562.
Ziegler A. W., Religion, Kirche und Staat in Geschichte und Gegenwart. Ein Handbuch I: Geschichte — Vorgeschichte, Altertum, Mittelalter, Neuzeit. München 1969.
Zimmermann H., Papstabsetzungen des Mittelalters, Graz-Wien-Köln 1968.
Zoepfl F., Das Bistum Augsburg und seine Bischöfe im Mittelalter, Augsburg 1955.

REGISTER